KATALOG DER DATIERTEN HANDSCHRIFTEN IN ÖSTERREICH
BAND IV

ÖSTERREICHISCHE AKADEMIE DER WISSENSCHAFTEN
KOMMISSION FÜR SCHRIFT- UND BUCHWESEN DES MITTELALTERS

KATALOG DER DATIERTEN HANDSCHRIFTEN IN LATEINISCHER SCHRIFT IN ÖSTERREICH

HERAUSGEGEBEN
IN VERBINDUNG MIT DEM COMITÉ INTERNATIONAL DE PALÉOGRAPHIE

BAND IV

FRANZ UNTERKIRCHER

DIE DATIERTEN HANDSCHRIFTEN DER ÖSTERREICHISCHEN NATIONALBIBLIOTHEK VON 1501 BIS 1600

VERLAG DER ÖSTERREICHISCHEN AKADEMIE DER WISSENSCHAFTEN
WIEN 1976

ÖSTERREICHISCHE AKADEMIE DER WISSENSCHAFTEN
KOMMISSION FÜR SCHRIFT- UND BUCHWESEN DES MITTELALTERS

KATALOG DER DATIERTEN HANDSCHRIFTEN
IN LATEINISCHER SCHRIFT IN ÖSTERREICH

BAND IV

FRANZ UNTERKIRCHER
unter Mitarbeit von
HEIDELINDE HORNINGER und FRANZ LACKNER

DIE DATIERTEN HANDSCHRIFTEN DER ÖSTERREICHISCHEN NATIONALBIBLIOTHEK VON 1501 BIS 1600

2. TEIL: TAFELN

VERLAG DER ÖSTERREICHISCHEN AKADEMIE DER WISSENSCHAFTEN
WIEN 1976

Vorgelegt von w. M. Herbert Hunger in der Sitzung am 7. Jänner 1976

Die Zeichnung auf Deckel und Schutzumschlag stammt aus dem „Reuner Musterbuch",
Cod. Vind. 507 (Stift Reun, Anfang 13. Jh.)

Gedruckt mit Unterstützung durch den Fonds zur Förderung der wissenschaftlichen Forschung

— ISBN 3 7001 0189 9

Druck: Ernst Becvar, A-1150 Wien

CHRONOLOGISCHE TABELLE

Jahr	Codex
1501	1903, 3177, 3541 (1501—1505), 3836 (1492—1511), 4097, 4917, 4951, 5176, 14708
1502	2856*, 3413, 3562 (1502—1539), 4032, 4060, 5228, 6948
1503	4099 (1503—1520), 4417*, 5006, 5262, 6948, Ser. n. 13936 (1503—1511)
1504	3441, 4737, 5234, 7962, Ser. n. 2663 (1504—1515/16)
1505	1770, 3230, 3541 (1501—1505), 3655, 4095, 5004, 5160, 5510, 11403
1506	3256, 3543 (1506—1537), 5274, 5503, 5810, 13438, Musiksammlung Cod. 15505
1507	2985, 3200, 4087, 4100, 4481, 5503, Ser. n. 12745
1508	3308, 4008, 4095, 4100, 11716
1509	2900 (1509—1513), 2992, 4058, 4104, 7583, Ser. n. 12594
1510	3257*, 3544 (1510—1536), 7583
1511	3276, 3637, 3836 (1492—1511), 8994, Ser. n. 13936 (1503—1511)
1512	2747, 2835, 3193, 3362, 3542 (1512—1516), Ser. n. 3812
1513	2900 (1509—1513), 3216, 3276, 3583, 8786
1514	36, 3032, 3077*, 3077**, 3565 (1514—1525)
1515	2591, 3034, 4984, 11342, Ser. n. 3494
1516	1859 (1516—1519), 3542 (1512—1516), 4984, 5230, 10656, 11342, Ser. n. 2663 (1504—1515/16)
1517	2910*, 4056, 9846
1518	2548, 3005, 3072*, 3073, 3074, 3075, 3076, 3077, 3077***, 3791 (1518—1538), 3802, 7892, 10298
1519	1859 (1516—1519), 3582, 3790, 5303, 5503, 7303, 10534, Ser. n. 12906
1520	3312, 3620, 3793, 3823, 4099 (1503—1520), 5277, 5303, 10534, Ser. n. 1778
1521	2027, 3590, 3620, 3790, 3802, 3819, 9675
1522	3280, 3580, 4280*, 4759, 7416, 9470, Ser. n. 12281
1523	4090, 4092, 4552
1524	2645, 2755, 3275, 4552, Ser. n. 325
1525	3565 (1514—1525), 4070 (1525—1527), 5277
1526	2025, 3553, 3636 (1526—1535), 11713, 12768
1527	4070 (1525—1527), 5273, 8667, 10905, 11711, 12768
1528	2758, 3594, 4053, 5495, 11711, 12768
1529	5000, 12893
1530	4060, 4112 (1530—1539), 4339, 8559, 11828, 14298
1531	3031 (1531—1535), 5255, 8081, 11724
1532	8747, 11198
1533	2557, 10849**
1534	4091, 8491, 15395

Jahr	Codex
1535	1880, 3031 (1531—1535), 3636 (1526—1535), 4091, 6006
1536	3544 (1510—1536), 8739, 9615, 11096, Ser. n. 2680
1537	1847, 3543 (1506—1537), 11228, 11658, Ser. n. 2680
1538	3791 (1518—1538), 11585, 11658
1539	3562 (1502—1539), 4112 (1530—1539)
1541	11089, 11324
1542	10916, 12809
1543	13751
1544	8160, 11237, Ser. n. 12732
1545	7894, 10576, 10741, 10979, Ser. n. 12795
1546	2820, 10570
1547	7702, 11566, 12537
1548	9528, 9555, 9557, 10720, 11707, 11710, Ser. n. 98
1549	7218, 9405* (1549—1560), 9556, 9557, 10776
1550	7390, 9906, 10501, 10528, 10557, 11006, 11238 (1550—1557), 11240, 11247
1551	10528, 10732, 11029, 11225 (1551—1553), 11226
1552	10472, 10474, 11224, 11226, 11251
1553	5889, 8091, 8471, 9935, 10613, 10678, 10933, 11225 (1551—1553), Ser. n. 14366
1554	6009, 11155
1555	2641, 8614*, 10739, 10753, 10906, 11338
1556	2638, 9872, 10617, 10945, 11336, 11818
1557	4113, 8085, 10538, 10758, 10764, 10922, 11238 (1550—1557), 11847, Musiksammlung Cod. 15503
1558	7452, 9895, 10545, 10952, 11208, 13034
1559	7414, 7566, 10264, 10321, 11739, Musiksammlung Cod. 16195

Jahr	Codex
1560	7404, 7447 (1560—1569), 7633, 9254, 9405* (1549—1560), 9614, 10140, 10519, 10637, 10783, 12835
1561	335, 3182, 5543, 8931, 10625, 10852, 10939, 10964, 11429, 11525, 11627, 11674, 11777
1562	5902, 7457, 7458, 8309, 8456, 10043, 10107, 10636, 11580, 11873
1563	2667, 7632, 7687, 9019, 9052, 10599, 10982, 13008, Ser. n. 4644
1564	5523, 6175, 8323, 9386*, 9840, 9949, 10740, 10754, 11212, 11727
1565	8045, 8109, 9822, 9831, 9969, 10595, 11667, 11747, Ser. n. 2665
1566	8045, 8927, 9014, 10164, 10297, 11656, 12853
1567	7284, 9877, 10083, 10136, 10723, 10808, 10930, 11656, 11667, 11737
1568	5901, 9398, 9399, 10029, 10152, 10779, 10883, 13839, Musiksammlung Cod. 15509, Suppl. mus. 2129
1569	7447 (1560—1569), 9824, 10032, 10591, 11619, 11625
1570	356, 2664, 8068, 9013*, 10030, 10035, 10466, 10593, 10974, 11619
1571	5517, 9534, 9853, 10116, 10567, 10769, 10770, 10771, 11384, 11755, 12468, Ser. n. 2603, Ser. n. 2604
1572	7701, 10016, 10328, 10932, 11617, 13394, Ser. n. 3318
1573	3325*, 5890, 9006, 10057, 10726, 10913, 11130
1574	9912, 10465, 10609, 11681, 11705, Ser. n. 3307
1575	8878, 9239, 10975, 11024, 11134, 11718

Jahr	Codex
1576	8601, 8658, 8680*, 8686, 8736, 10 046, 10 688[8], 10 891, 10 977, 12 582, 13 525, 13 605, 15 218
1577	7979, 8324, 8803, 9940, 10 084, 11 623, 11 624, 12 014
1578	8557, 8874, 9373*, 9833, 9903, 9922, 10 252, 10 326, 10 638, 10 773, 13 684, Ser. n. 3781
1579	5899, 6965, 7357, 8009, 8872, 9829, 9832, 10 998, 11 773, Ser. n. 14 467
1580	7357, 7369, 8697, 9838, 15 167
1581	1784 (1581—1590), 5912, 7200, 7795, 9825, 10 515, 10 516
1582	7369, 7459, 8943, 9842, 9968, 10 516, 10 581, 10 657
1583	9227, 10 658, 11 871, 15 286, Ser. n. 13 250
1584	9862, 10 659, 10 686[84], 11 780, 11 870, 12 567
1585	5905, 7306, 8573, 9868, 9886, 10 660, 10 953, 11 090, 12 653, Ser. n. 2633
1586	9828, 10 661, Ser. n. 12 635 (1586—1590), Ser. n. 13 741, Musiksammlung Cod. 15 506
1587	7798, 7799, 8932, 8933, 8934, 8935, 8936, 8937, 10 662, 10 778, 13 040

Jahr	Codex
1588	9769, 10 529, 10 663, 13 910
1589	10 664, 11 414, Ser. n. 2635, Ser. n. 12 660, Ser. n. 13 254
1590	1784 (1581—1590), 5974, 8613 (1590—1598), 10 665, 10 822, 11849, Ser. n. 12 635 (1586—1590)
1591	10 666, 10 686[20], 13 431
1592	5900, 6384, 8003, 8866, 8916, 10 280, 10 667, 11 665, 12 874, 13 512 (1592—1611)
1593	9771, 10 533, 10 967, Ser. n. 72
1594	5759, 10 115, 10 668, 11 038, 13 033, 15 078, Ser. n. 4512
1595	6379, 7293, 7386, 7444, 9421, 9422, 9423, 10 669, Ser. n. 4051
1596	8228, 10 670, 11 450
1597	5974, 10 671, 10 686[49], 10 943, 13 324, Ser. n. 4451, Ser. n. 12 872
1598	7352, 8613 (1590—1598), 10 672, 10 686[3], 10 705, 10 706, 10 707, Ser. n. 1729, Ser. n. 4048
1599	7670, 8905, 10 552, 10 673, Ser. n. 2768, Ser. n. 2949
1600	10 511, 10 674, 13 168, 13 280, 13 512 (1592—1611), Ser. n. 12 769

CHRONOLOGISCHE TABELLE ZU DEN NACHTRÄGEN

Jahr	Codex
vor *1177*	Ser. n. 206
um *1180*	650
1280	2325
1342	1425
1352	1728
1355	1728
1356	1728
1357	1728
1363	273
1364	5446

Jahr	Codex
1366	5387, 12 737
1368	5465
1370	1684, 4698, 5453
1371	4642
1373	4698
1378	4248, 5198
1385	1719
1387	5467
1389	4192
1390	4708

Jahr	Codex
1392	2352
1393	2352, 13708
1394	13708
1395	1578
1397	3526
1399	1684, 4191, 4873, Ser. n. 3923
1400	2875, 3731, 4405
1402	13708
1403	3811
1404	3881
1405	8457
1407	4217
1408	384
1409	4527
1410	4242, 4527
1411	4208, 4547, 12673
1412	3767, 3930
1414	3930, 4310
1415	1908, 4555
1417	3149
1419	1264
1420	4020, 4550
1421	4369, 4998, 5067
1422	4356, 5067, 12531
1423	4181, 4522, 5067
1426	4135, 12475
1429	893
1430	Ser. n. 14490
1431	Ser. n. 12889
1432	1175, Ser. n. 12889
1433	1175, 4210, 4239, 5268, 14452
1434	1175, 2862, 4695, 14892
1435	1175, 2781*, 4147, 4389
1436	2358, 4444
1437	3062, 4148, 5268

Jahr	Codex
1440	2248, 3011, 4139, 4778
1443	4561
1444	4561
1445	3829, 5206, Ser. n. 12788
1446	3813, 4216
1447	2244, 3454, 4201
1448	4218
1449	4005, 4072, 5150
1450	5245
1451	3423 (1451—1464), 3861
1452	3605, 4936
1453	4602
1454	4701
1455	3994, 4704, 14890
1457	3414, 4454, Ser. n. 13972
1458	Ser. n. 12788, Ser. n. 12913, Ser. n. 13972
1459	3651, 4878
1460	3595, 3848
1461	4878
1462	4704
1463	4878, Ser. n. 12788
1464	3423 (1451—1464), 4007
1465	3848
1466	4488, Ser. n. 12908
1471	4183
1473	5082
1474	Ser. n. 12877
1483	Ser. n. 12794
1484	2024
1487	3289
1488	14072
1497	11182
1498	3582

VERZEICHNIS DER ABBILDUNGEN

Abb. 279	Cod. 12853 fol. 33^{r}. (Mehrerau), 1566
Abb. 280	Cod. 10297 fol. 8^{r}. Augsburg, 1566
Abb. 281	Cod. 10164 fol. 23^{r}. 1566
Abb. 282	Cod. 8927 fol. 1^{r}. (Braunschweig?), 1566
Abb. 283	Cod. 11656 fol. 465^{v}. Rom, 1567
Abb. 284	Cod. 10808 fol. 14^{r}. 1567
Abb. 285	Cod. 10136 fol. 4^{r}. (Österreich), 1567
Abb. 286	Cod. 10083 fol. 98^{v}. Straubing, 1567
Abb. 287	Cod. 7284 fol. 25^{v}. Wien, 1567
Abb. 288	Cod. 9877 fol. II^{r}. 1567
Abb. 289	Cod. 10723 fol. 1^{v}. Bologna, 1567
Abb. 290	Cod. 10930 fol. 99^{v}. 1567
Abb. 291	Cod. 11737 fol. 4^{r}. Venedig, 1567
Abb. 292	Cod. 13839 fol. 1^{r}. (Niederösterreich), 1568
Abb. 293	Cod. 10152 fol. 1^{r}. Wien, 1568
Abb. 294	Cod. 9398 fol. 1^{r}. Madrid, 1568
Abb. 295	Cod. 5901 fol. 82^{v}. (Venedig), 1568
Abb. 296	Cod. 10883 fol. 21^{v}. Mailand, 1568
Abb. 297	Cod. 15509 fol. 381^{v}. (Böhmen), 1568
Abb. 298	Suppl. mus. 2129 fol. 9^{r}. (München), 1568
Abb. 299	Cod. 11625 fol. 15^{v}. 1568
Abb. 300	Cod. 10779 fol. III^{r}. Rom, 1568
Abb. 301	Cod. 10591 fol. 6^{r}. 1569
Abb. 302	Cod. 9824 fol. 2^{r}. 1569
Abb. 303	Cod. 9013* fol. 4^{r}. 1570
Abb. 304	Cod. 10974 fol. 1^{r}. 1570
Abb. 305	Cod. 10466 fol. 6^{v}. Speyer, 1570
Abb. 306	Cod. 10035 fol. 1^{r}. 1570
Abb. 307	Cod. 8068 fol. 8^{v}. Zweibrücken, 1570
Abb. 308	Cod. 2664 fol. 1^{r}. Mailand, 1570
Abb. 309	Cod. 11619 fol. 234^{v}. Ingolstadt, 1570
Abb. 310	Cod. 356. Messina, 1570
Abb. 311	Cod. 10593 fol. 6^{v}. Passau, 1570
Abb. 312	Cod. Ser. n. 2603 fol. 6^{r}. 1571
Abb. 313	Cod. 11384 fol. 1^{r}. 1571
Abb. 314	Cod. 11755 fol. 67^{r}. 1571
Abb. 315	Cod. 10116 fol. 33^{r}. 1571
Abb. 316	Cod. 5517 fol. VII^{r}. Mailand, 1571
Abb. 317	Cod. 10567 fol. 48^{v}. 1571
Abb. 318	Cod. 10769 fol. 5^{v}. Nürnberg, 1571
Abb. 319	Cod. 9534 fol. $4a^{r}$. Wien, 1571
Abb. 320	Cod. 12468 fol. 1^{r}. 1571
Abb. 321	Cod. 9853 fol. 2^{r}. 1571
Abb. 322	Cod. 11617 fol. II^{r}. 1572
Abb. 323	Cod. 10932 fol. 9^{v}. Herritzuadum, 1572
Abb. 324	Cod. 7701 fol. 424^{r}. (Böhmen), 1572
Abb. 325	Cod. Ser. n. 3318 fol. 76^{v}. 1572
Abb. 326	Cod. 10328 fol. 3^{r}. Zittau, 1572

Abb. 375 Cod. 10998 fol. II^{r}. Joachimsthal, 1579
Abb. 376 Cod. 9832 fol. 2^{r}. 1579
Abb. 377 Cod. 8009 fol. 366^{v}. 1579
Abb. 378 Cod. 9829 fol. 2^{r}. Wien, 1579
Abb. 379 Cod. 7357 fol. 187^{v}. Wien, 1579
Abb. 380 Cod. 6965 fol. 1^{r}. Graz, 1579
Abb. 381 Cod. 5899 fol. 100^{r}. Venedig, 1579
Abb. 382 Cod. 15167 fol. 5^{v}. Augsburg, 1580
Abb. 383 Cod. 7369 fol. 52^{v}. Wettingen, 1580
Abb. 384 Cod. 9838 fol. 5^{r}. (Dillingen ?), 1580
Abb. 385 Cod. 8697 fol. 2^{r}. Nürnberg (?), 1580
Abb. 386 Cod. 7795 fol. III^{r}. (Nürnberg ?), 1581
Abb. 387 Cod. 7200 fol. 13^{r}. Prag, 1581
Abb. 388 Cod. 5912 fol. 162^{v}. Venedig, 1581
Abb. 389 Cod. 10516 fol. 55^{r}. Ingolstadt, 1581
Abb. 390 Cod. 10657 pag. 5. 1582
Abb. 391 Cod. 9968 fol. 23^{r}. München, 1582
Abb. 392 Cod. 10581 fol. 36^{v}. 1582
Abb. 393 Cod. 8943 fol. 64^{v}. Freiburg im Breisgau, 1582
Abb. 394 Cod. 7459 fol. 1^{r}. (Augsburg ?), 1582
Abb. 395 Cod. Ser. n. 13250 fol. 11^{r}. (Augsburg ?), 1583
Abb. 396 Cod. 9227 fol. 94^{r}. 1583
Abb. 397 Cod. 10686^{84} fol. 1^{r}. 1584
Abb. 398 Cod. 11870 fol. 290^{r}. 1584
Abb. 399 Cod. 12567 fol. 11^{r}. Wien, 1584
Abb. 400 Cod. 11780 fol. 10^{v}. 1584
Abb. 401 Cod. 10953 fol. 2^{r}. 1585
Abb. 402 Cod. Ser. n. 2633 fol. 3^{v}. Prag, 1585
Abb. 403 Cod. 5905 fol. 175^{v}. Venedig, 1585
Abb. 404 Cod. 8573 fol. 55^{r}. Konstantinopel, 1585
Abb. 405 Cod. 9868 fol. 4^{r}. 1585
Abb. 406 Cod. 11090 fol. 1^{r}. 1585
Abb. 407 Cod. 12653 fol. 35^{v}. 1585
Abb. 408 Cod. 9886 fol. 1^{v}. 1585
Abb. 409 Cod. Ser. n. 12635 fol. 35^{r}. Steyr, 1586
Abb. 410 Cod. Ser. n. 13741 fol. 6^{r}. Valladolid, 1586
Abb. 411 Cod. 15506 fol. 1^{v}. 1586
Abb. 412 Cod. 10778 fol. 19^{v}. Straßburg, 1587
Abb. 413 Cod. 13040 fol. 2^{v}. Wien, 1587
Abb. 414 Cod. 7798 fol. 3^{v}. Prag, 1587
Abb. 415 Cod. 10529 fol. 12^{v}. 1588
Abb. 416 Cod. 13910 fol. 9^{r}. Rom, 1588
Abb. 417 Cod. 9769 fol. 29^{v}. Padua, 1588
Abb. 418 Cod. 11414 fol. 19^{v}. 1589
Abb. 419 Cod. Ser. n. 2635 fol. 16^{r}. Linz, 1589
Abb. 420 Cod. Ser. n. 13254 fol. 50^{r}. 1589
Abb. 421 Cod. 1784 fol. 637^{v}. (Innsbruck ?), 1590
Abb. 422 Cod. 11849 fol. 428^{r}. Niederaltaich, 1590

Abb. 423 Cod. 10822 fol. 2^{r}. Wien, 1590
Abb. 424 Cod. 5974 fol. 26^{r}. (Venedig ?), 1590
Abb. 425 Cod. 13431 fol. 1^{v}. 1591
Abb. 426 Cod. 10686^{20} fol. 6^{v}. 1591
Abb. 427 Cod. 5900 fol. 157^{v}—158^{r}. Venedig, 1592
Abb. 428 Cod. 6384 fol. 25^{r}. Padua, 1592
Abb. 429 Cod. 12874 fol. 10^{v}—11^{r}. München, 1592
Abb. 430 Cod. 10280 fol. IV^{r}. Venedig, 1592
Abb. 431 Cod. 8866 fol. 1^{r}. 1592
Abb. 432 Cod. 8003 fol. 3^{r}. Wien, 1592
Abb. 433 Cod. 11665 fol. 4^{v}. Wien, 1592
Abb. 434 Cod. 11665 fol. 5^{r}. Wien, 1592
Abb. 435 Cod. 8916 fol. 1^{r}. (Bayern ?), 1592
Abb. 436 Cod. 10533 fol. 1^{v}. Wien, 1593
Abb. 437 Cod. 10115 fol. 2^{r}. Rotenburg ob der Tauber, 1594
Abb. 438 Cod. 15078 fol. 98^{v}. Klosterneuburg, 1594
Abb. 439 Cod. 5759 fol. III^{r}. 1594
Abb. 440 Cod. 11038 fol. 87^{v}. Montpellier, 1594
Abb. 441 Cod. 13033 fol. 27^{r}. 1594
Abb. 442 Cod. Ser. n. 4512 fol. 38^{r}. (Ragusa), 1594
Abb. 443 Cod. 9421 fol. 1^{v}. Prag, 1595
Abb. 444 Cod. 6379 fol. 2^{r}. (Venedig), 1595
Abb. 445 Cod. 7293 fol. 43^{r}. (Wien), 1595
Abb. 446 Cod. 7444 fol. 5^{r}. (Ungarn), 1595
Abb. 447 Cod. 7386 fol. II^{r}. Aussee, 1595
Abb. 448 Cod. 7386 fol. 1^{r}. Aussee, 1595
Abb. 449 Cod. 8228 fol. 688^{r}. Innsbruck, 1596
Abb. 450 Cod. 11450 fol. 2^{r}. Breslau, 1596
Abb. 451 Cod. 5974 fol. 29^{v}. (Venedig ?), 1597
Abb. 452 Cod. Ser. n. 4451 fol. 4^{r}. (Wien), 1597
Abb. 453 Cod. 13324 fol. 23^{v}. Schöningen, 1597
Abb. 454 Cod. 13512 fol. 247^{r}. Nürnberg, 1597
Abb. 455 Cod. 10686^{49} fol. 2^{r}. Wandsbek, 1597
Abb. 456 Cod. 10943 fol. 5^{v}. Prag, 1597
Abb. 457 Cod. Ser. n. 12872 fol. 18^{r}. (Mons ?), 1597
Abb. 458 Cod. Ser. n. 1729 fol. 32^{r}. (Padua), 1598
Abb. 459 Cod. 7352 pag. 286. (Ungarn), 1598
Abb. 460 Cod. Ser. n. 4048 fol. 1^{r}. 1598
Abb. 461 Cod. 10686^{3} fol. 2^{v}. Wandsbek, 1598
Abb. 462 Cod. 10707 fol. 5^{r}. Wandsbek, 1598
Abb. 463 Cod. 10705 fol. 5^{r}. Wandsbek, 1598
Abb. 464 Cod. 8613 fol. 326^{v}. Innsbruck, 1598
Abb. 465 Cod. Ser. n. 2949 fol. 10^{r}. (Österreich), 1599
Abb. 466 Cod. Ser. n. 2768 fol. 9^{r}. (Österreich), 1599
Abb. 467 Cod. 7670 fol. 9^{r}. (Österreich), 1599
Abb. 468 Cod. 8905 fol. 7^{v}. Graz, 1599
Abb. 469 Cod. 10552 fol. V^{v}. 1599
Abb. 470 Cod. 10552 fol. 1^{r}. 1599

Abb. 471 Cod. 10511 fol. 445^{r}. 1600
Abb. 472 Cod. 13280 fol. 64^{v}. (Graz ?), 1600
Abb. 473 Cod. 13168 fol. 24^{r}. Orleans (?), 1600
Abb. 474 Cod. 10674 fol. 6^{r}. 1600
Abb. 475 Cod. 10707 fol. II^{v}. 1600

NACHTRÄGE

Abb. 476 Cod. Ser. n. 206 fol. 4^{r}. (Trient), vor 1177
Abb. 477 Cod. Ser. n. 206 fol. 20^{r}. (Trient), vor 1177
Abb. 478 Cod. 650 fol. 62^{v}. (Sittich-Zatičina), um 1180
Abb. 479 Cod. 2325 fol. 105^{r}. Montpellier, 1280
Abb. 480 Cod. 1425 fol. 95^{r}. (Gaming ?), 1342
Abb. 481 Cod. 1728 fol. 1^{v}. Wien, 1352
Abb. 482 Cod. 273 fol. 181^{r}. Köln, 1363
Abb. 483 Cod. 5446 fol. 62^{r}. Wien, 1364
Abb. 484 Cod. 5387 fol. 110^{r}. 1366
Abb. 485 Cod. 12737 fol. 1^{r}. Halle, 1366
Abb. 486 Cod. 5465 fol. 92^{v}. Prag, 1368
Abb. 487 Cod. 5453 fol. 48^{v}. (Prag), 1370
Abb. 488 Cod. 1684 fol. 220^{v}. 1370
Abb. 489 Cod. 4642 fol. 251^{v}. 1371
Abb. 490 Cod. 4698 fol. 108^{v}. Prag, 1373
Abb. 491 Cod. 4248 fol. 60^{r}. 1378
Abb. 492 Cod. 5198 fol. 125^{v}. 1378
Abb. 493 Cod. 1719 fol. 207^{r}. Prag, 1385
Abb. 494 Cod. 5467 fol. 163^{v}. Wien, 1387
Abb. 495 Cod. 4192 fol. 182^{v}. 1389
Abb. 496 Cod. 4708 fol. 110^{v}. 1390
Abb. 497 Cod. 2352 fol. 34^{r}. (Prag), 1392
Abb. 498 Cod. 1578 fol. 68^{r}. 1395
Abb. 499 Cod. 3526 fol. 116^{r}. 1397
Abb. 500 Cod. 4191 fol. 190^{v}. Gonobitz (bei Cilli), 1399
Abb. 501 Cod. 1684 fol. 416^{r}. 1399
Abb. 502 Cod. 4873 fol. 16^{r}. 1399
Abb. 503 Cod. Ser. n. 3923 fol. 1^{v}. Pavia, 1399
Abb. 504 Cod. 2875 fol. 105^{v}. (Böhmen), 1400
Abb. 505 Cod. 3731 fol. 104^{r}. Mondsee, 1400
Abb. 506 Cod. 4405 fol. 201^{v}. 1400
Abb. 507 Cod. 13708 fol. 205^{v}. (Roedenkloster), 1402
Abb. 508 Cod. 3811 fol. 111^{r}. 1403
Abb. 509 Cod. 3881 fol. 108^{v}. (Mondsee ?), 1404
Abb. 510 Cod. 8457 fol. 26^{v}. 1405
Abb. 511 Cod. 4217 fol. 228^{v}. 1407
Abb. 511a Cod. 384 fol. 37^{v}. 1408
Abb. 512 Cod. 4527 fol. 33^{v}—34^{r}. (Böhmen), 1409
Abb. 513 Cod. 4242 fol. 57^{v}. 1410

Abb. 514 Cod. 12673 fol. 25^{r}. 1411
Abb. 515 Cod. 4208 fol. 140^{v}. Prag, 1411
Abb. 516 Cod. 4547 fol. 48^{v}. Lüttich, 1411
Abb. 517 Cod. 4308 fol. 174^{v}. 1412; vgl. IV/1, 219
Abb. 518 Cod. 3930 fol. 196^{r}. Prag, 1412
Abb. 519 Cod. 3767 fol. 155^{v}. St. Wolfgang (?), 1412
Abb. 520 Cod. 4310 fol. 127^{r}. (Böhmen), 1414
Abb. 521 Cod. 4555 fol. 132^{r}. (Böhmen), 1415
Abb. 522 Cod. 1908 fol. 2^{r}. Marienborn (bei Arnheim), 1415
Abb. 523 Cod. 3149 fol. 258^{v}. 1417
Abb. 524 Cod. 1264 fol. 23^{v}. 1419
Abb. 525 Cod. 4550 fol. 187^{r}. (Böhmen), 1420
Abb. 526 Cod. 4020 fol. 35^{v}. 1420
Abb. 527 Cod. 4369 fol. 6^{v}. (Wien), 1421
Abb. 527a Cod. 4998 fol. 130^{r}. Wien, 1421
Abb. 528 Cod. 5067 fol. 280^{r}. (Wien), 1422
Abb. 529 Cod. 12531 fol. 85^{r}. 1422
Abb. 530 Cod. 4356 fol. 12^{r}. (Wien), 1422
Abb. 531 Cod. 5067 fol. 297^{r}. (Wien), 1423
Abb. 532 Cod. 4522 fol. 21^{r}. Basel, 1423
Abb. 533 Cod. 4181 fol. 284^{v}. 1423
Abb. 534 Cod. 4135 fol. 47^{r}. (Wien ?), 1426
Abb. 535 Cod. 12475 fol. 139^{v}. 1426
Abb. 536 Cod. 893 fol. 133^{v}. (Köln ?), 1429
Abb. 537 Cod. Ser. n. 14490 fol. 88^{v}. (Polen ?), 1430
Abb. 538 Cod. Ser. n. 12889 fol. 42^{r}. (Belgien), 1432
Abb. 539 Cod. 4239 fol. 124^{v}. 1433
Abb. 540 Cod. 4210 fol. 204^{r}. Basel, 1433
Abb. 541 Cod. 1175 fol. 161^{v}. Ostromeč, 1433
Abb. 542 Cod. 14452 fol. 159^{r}. 1433
Abb. 543 Cod. 2862 fol. 86^{v}. 1434
Abb. 543a Cod. 14892 fol. 379^{r}. Waltersdorf (bei Leibnitz), 1434
Abb. 544 Cod. 4695 fol. 90^{v}. Probstdorf (Niederösterreich), 1434
Abb. 545 Cod. 4147 fol. 108^{v}. 1435
Abb. 546 Cod. 2781* fol. 1^{r}. 1435
Abb. 547 Cod. 4444 fol. 105^{v}. 1436
Abb. 548 Cod. 2358 fol. 157^{v}. 1436
Abb. 549 Cod. 4148 fol. 168^{r}. Basel, 1437
Abb. 550 Cod. 5268 fol. 78^{r}. Wien, 1437
Abb. 551 Cod. 3062 fol. 25^{v}. 1437
Abb. 552 Cod. 3011 fol. 53^{v}. 1440
Abb. 553 Cod. 2248 fol. 167^{r}. (Mondsee), 1440
Abb. 554 Cod. 4778 fol. 68^{v}. 1440
Abb. 555 Cod. 4139 fol. 166^{r}. Florenz, 1440
Abb. 556 Cod. 4561 fol. 288^{r}. 1444
Abb. 557 Cod. 3829 fol. 136^{r}. 1445
Abb. 558 Cod. 5206 fol. 158^{v}. 1445
Abb. 559 Cod. Ser. n. 12788 fol. 153^{v}. 1445

TAFELN

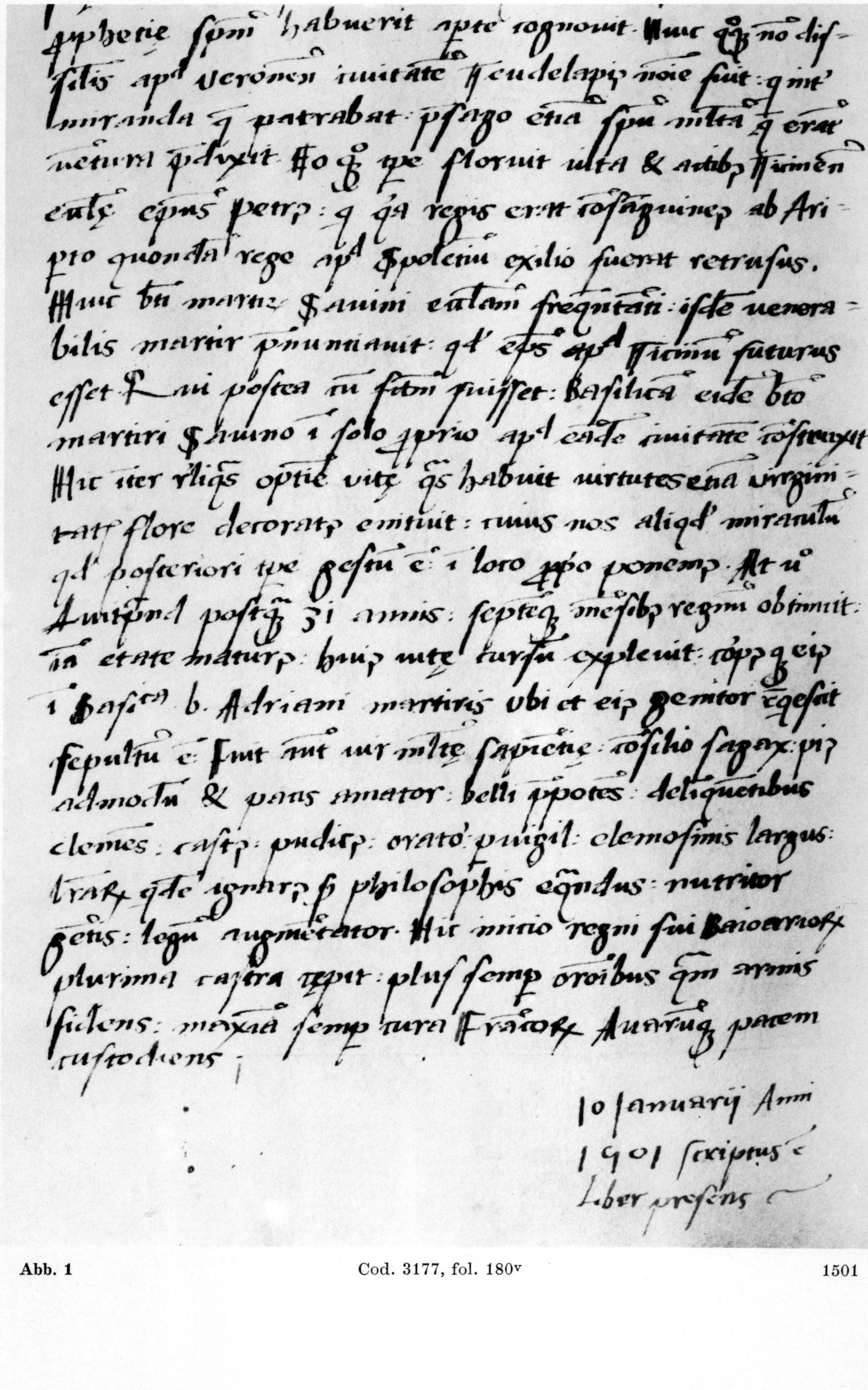
prophetiae spiritum habuerit aperte cognovit. Hunc quoque non dis-
similis apud Veronensem civitatem Teudelapius nomine fuit, qui multa
miranda quae patrabat profetiae etiam spiritu multa quae erant
ventura praedixit. Hoc quoque tempore floruit vita et actibus venerandus
Eticalensis episcopus Petrus, qui quia regis erat consanguineus, ab Ari-
perto quondam rege apud Spoletium exilio fuerat retrusus.
Hunc beati martyris Savini ecclesiam frequentantem iste venerabilis martyr praenuntiavit quod episcopus apud Ticinum futurus
esset. Qui cum postea cum factum fuisset, basilicam eidem beato
martyri Savino in solo proprio apud eandem civitatem construxit.
Hic vero reliquas optimae vitae quas habuit virtutes etiam virgini-
tatis flore decoratus emicuit; cuius nos aliquod miraculum
quod posteriori tempore gestum est in loco proprio ponemus. At vero
Liutprand postquam XXXI annis septemque mensibus regnum obtinuit,
iam aetate maturus huius vitae cursum explevit, corpusque eius
in basilica beati Adriani martyris ubi et eius genitor quiescit
sepultum est. Fuit autem vir multae sapientiae, consilio sagax, pius
admodum et pacis amator, belli potens, delinquentibus
clemens, castus, pudicus, orator pervigil, elemosinis largus,
litterarum quidem ignarus et tamen philosophis aequandus, nutritor
gentis, legum augmentator. Hic initio regni sui Baioariorum
plurima castra cepit, plus semper orationibus quam armis
fidens, maxima semper cura Francorum Avarumque pacem
custodiens.

10 Januarij Anni
1501 scriptus e(st)
Liber presens

Abb. 1 Cod. 3177, fol. 180v

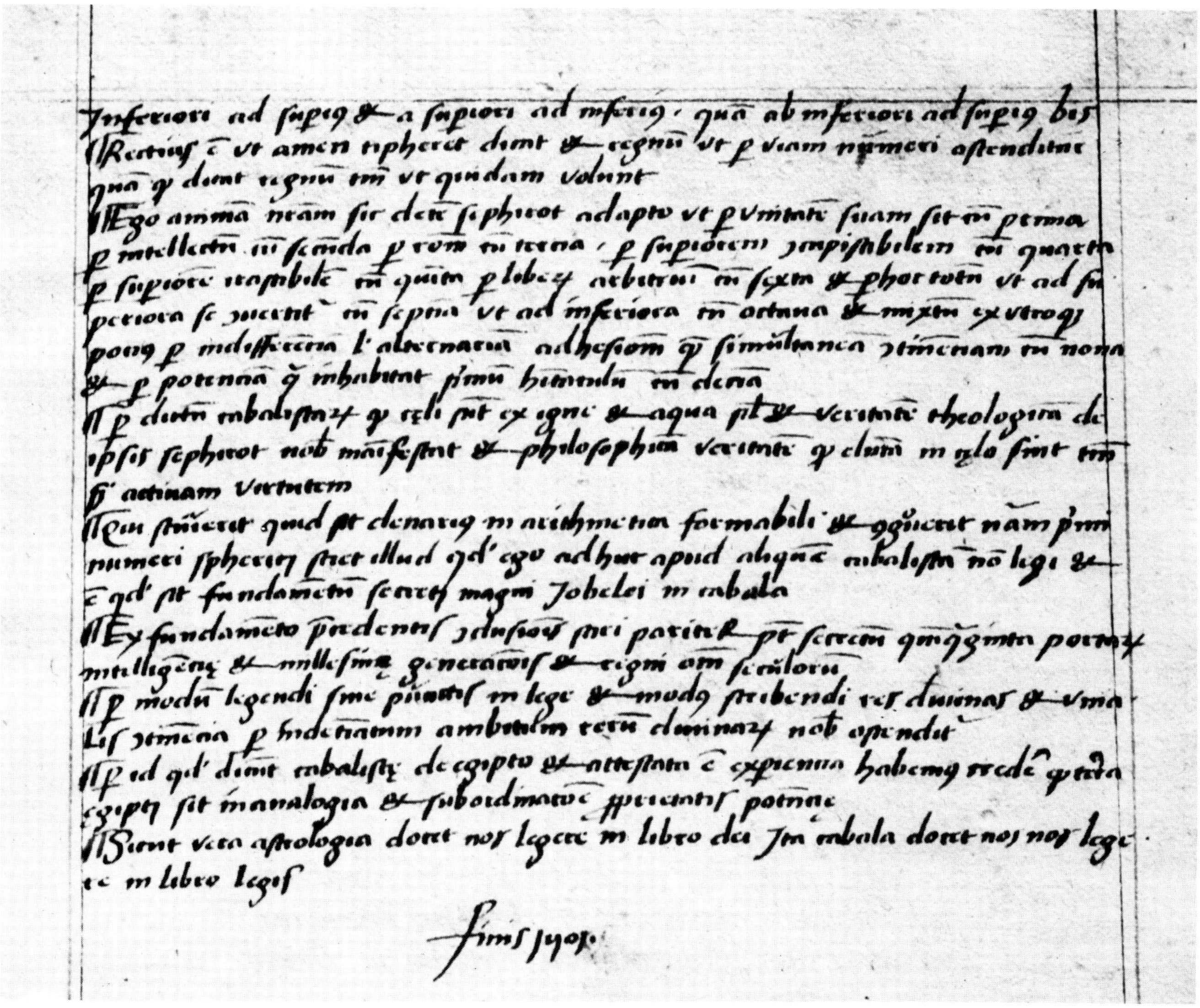
Inferiori ad superius & a superiori ad inferius · quam ab inferiori ad superius bis
differentius e ut ameri tipheret dicunt & regnum ut per viam numeri ostenditur
quam quod dicunt regnum tantum ut quidam volunt
Ego animam nostram sic decem sephirot adapto ut per unitatem suam sit cum prima
per intellectum cum secunda per rationem cum tertia, per superiorem concupiscibilem cum quarta
per superiorem irascibilem cum quinta per liberum arbitrium cum sexta & per hoc totum ut ad su-
periora se convertit cum septima ut ad inferiora cum octava & mixtum ex utroque
potius per indifferentiam vel alternatam adhesionem quam simultaneam continentiam cum nona
& per potentiam qua inhabitat primum habitaculum cum decima
Per dictum cabalistarum quod celi sit ex igne & aqua sit & veritate theologica de
ipsis sephirot nobis manifestant & philosophica veritate quod elementa in celo sint tantum
secundum activam virtutem
Cum sciverit quid sit denarius in arithmetica formabili & cognoverit naturam primi
numeri spherici sciet illud quod ego adhuc apud aliquem cabalistam non legi &
est quod sit fundamentum secreti magni Jobelei in cabala
Ex fundamento precedentis conclusionis sciri pariter sit secretum quinquaginta portarum
intelligentie & millesime generationis & regni omnium seculorum
Per modum legendi sine punctis in lege & modo scribendi res divinas & unius continentia per indistinctionem ambitum rerum divinarum nobis ostendit
Per id quod dicunt cabaliste de egypto & attestatum e experientia habemus credere quod terra
egypti sit in analogia & subordinatione precedentis potentie
Sicut vera astrologia docet nos legere in libro dei Ita cabala docet nos legere in libro legis

finis 1501

Abb. 2 Cod. 14708, fol. 23r 1501

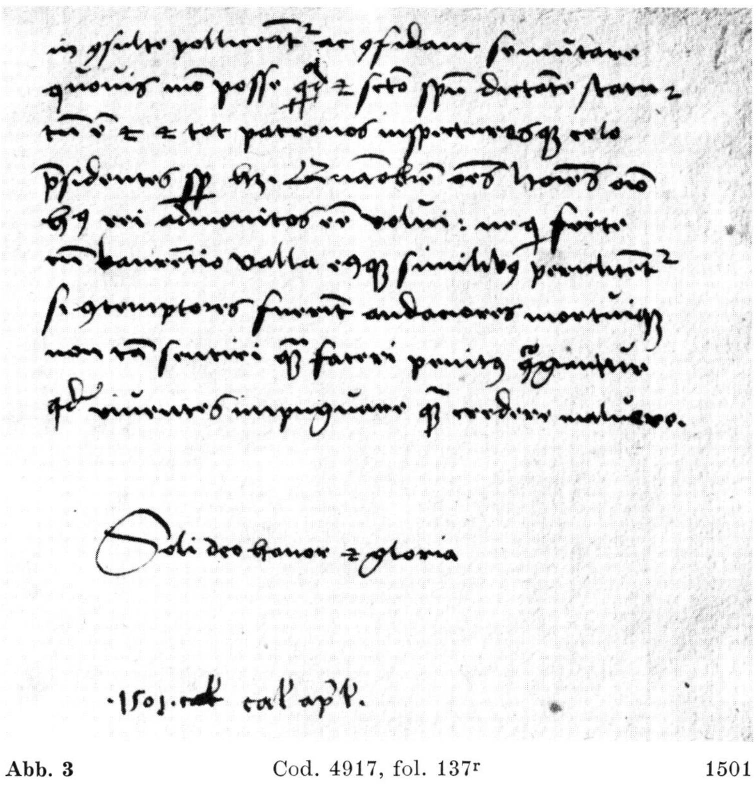
Soli deo honor & gloria

1501 ... cal' apl'

Abb. 3 Cod. 4917, fol. 137r 1501

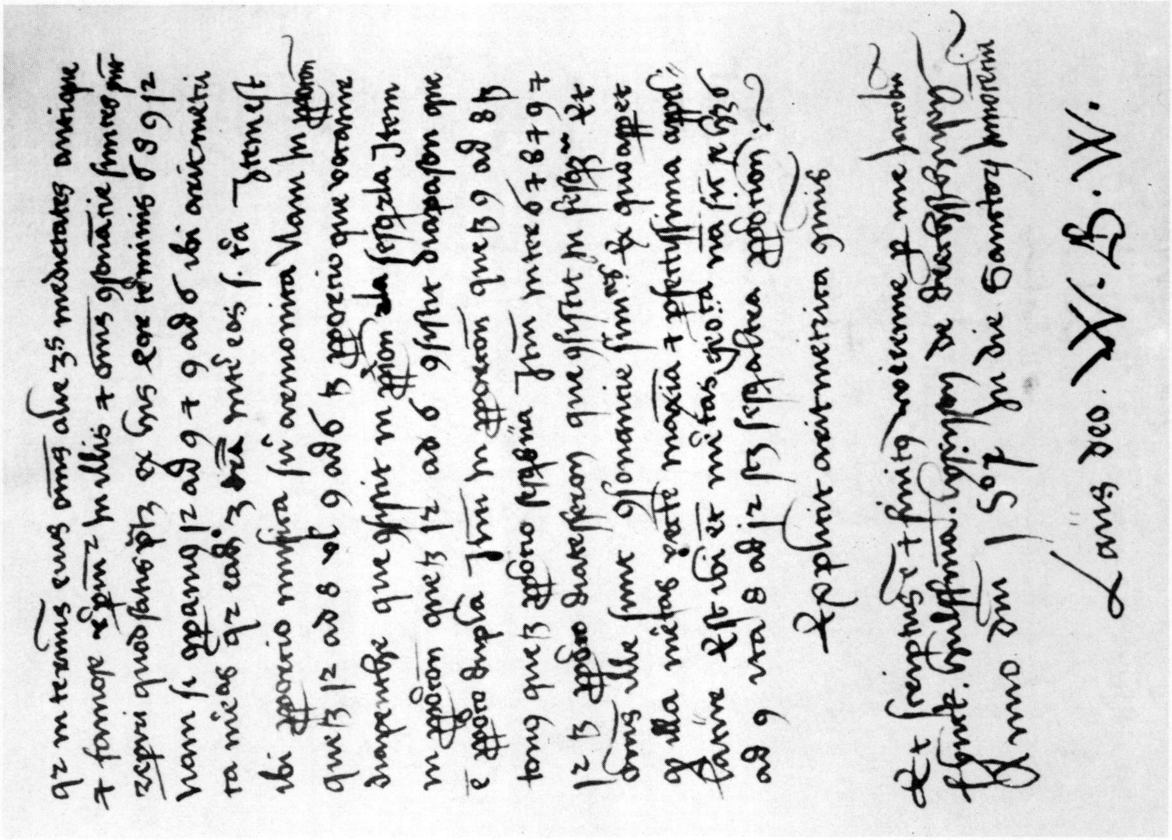

Abb. 5 Cod. 4951, fol. 304v Wien, 1501

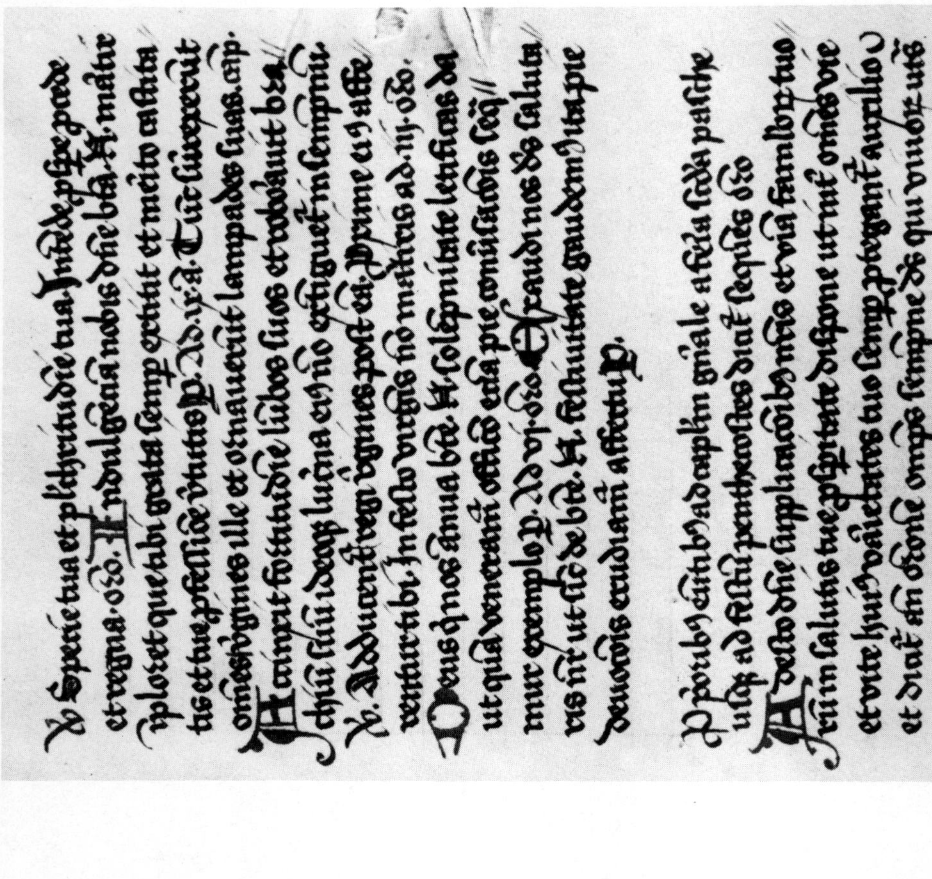

Abb. 4 Cod. 1903, fol. 191r (Gaming), 1501

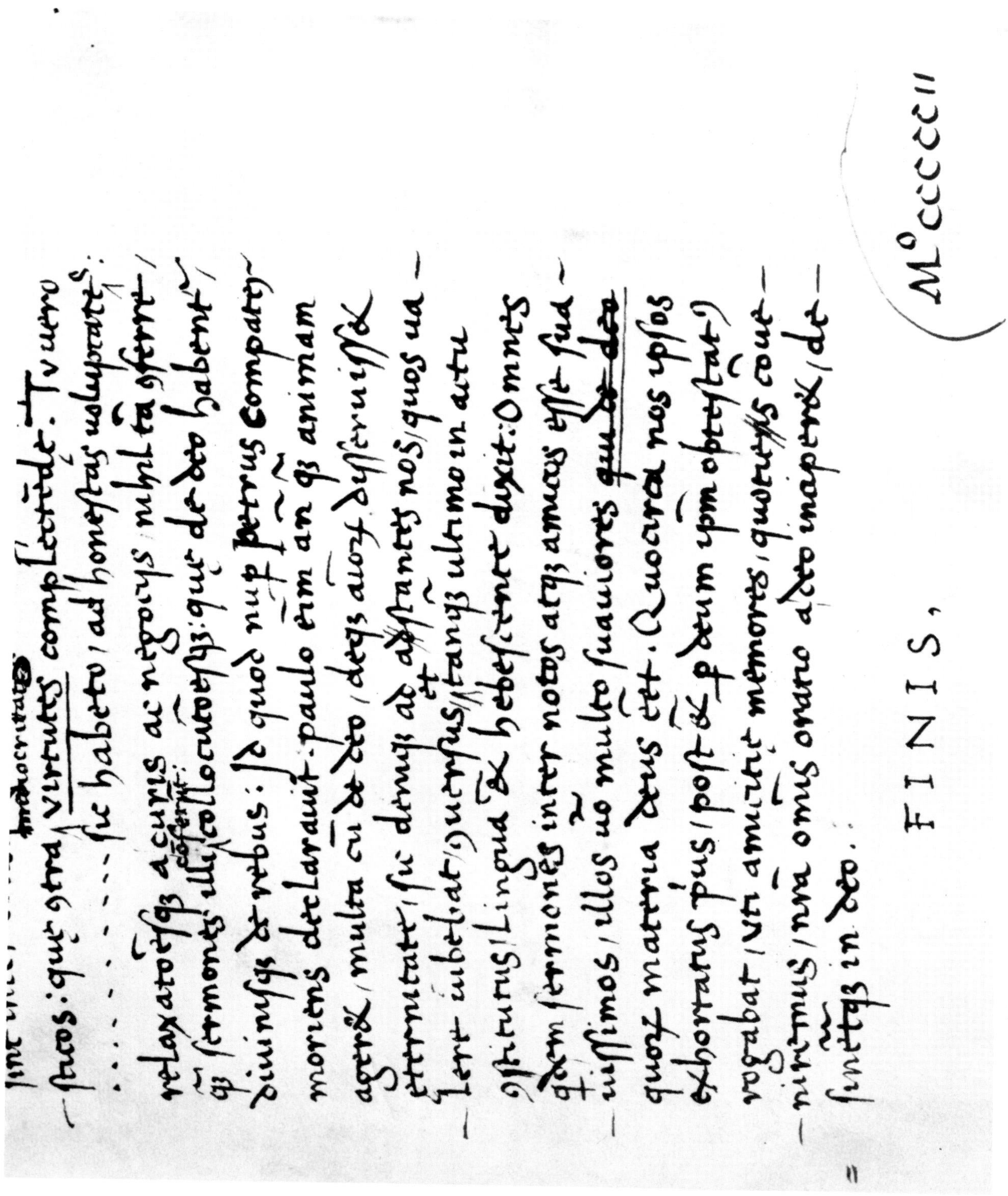

Abb. 6 Cod. 3413, fol. 242r 1502

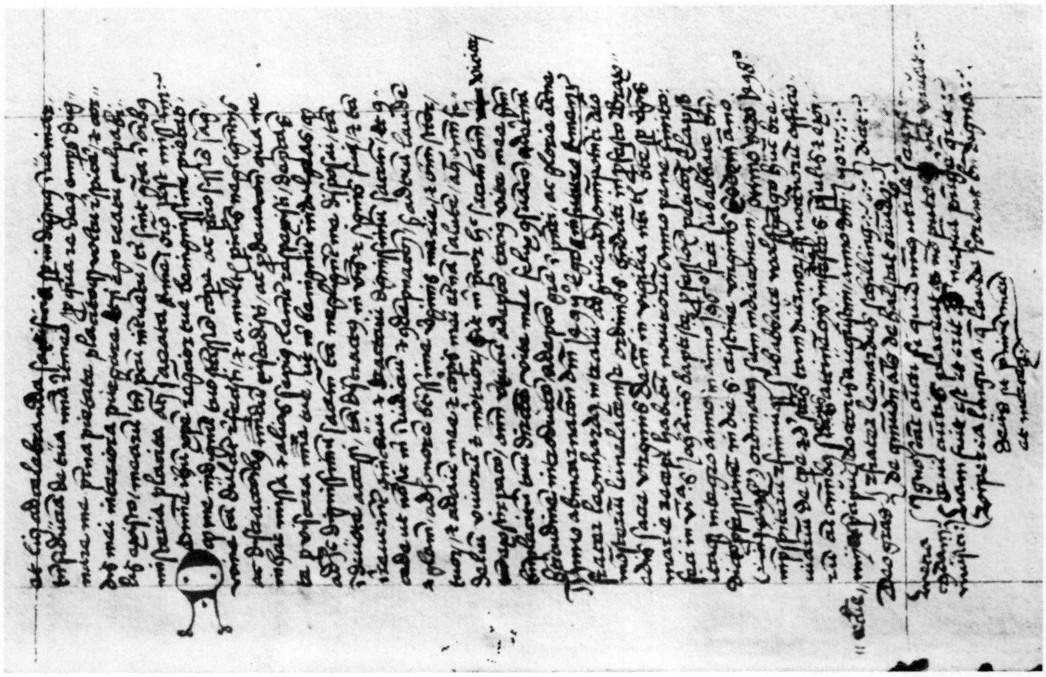

Abb. 8 Cod. 4060, fol. 593r Mondsee, 1502

Abb. 7 Cod. 5228, fol. 30r 1502

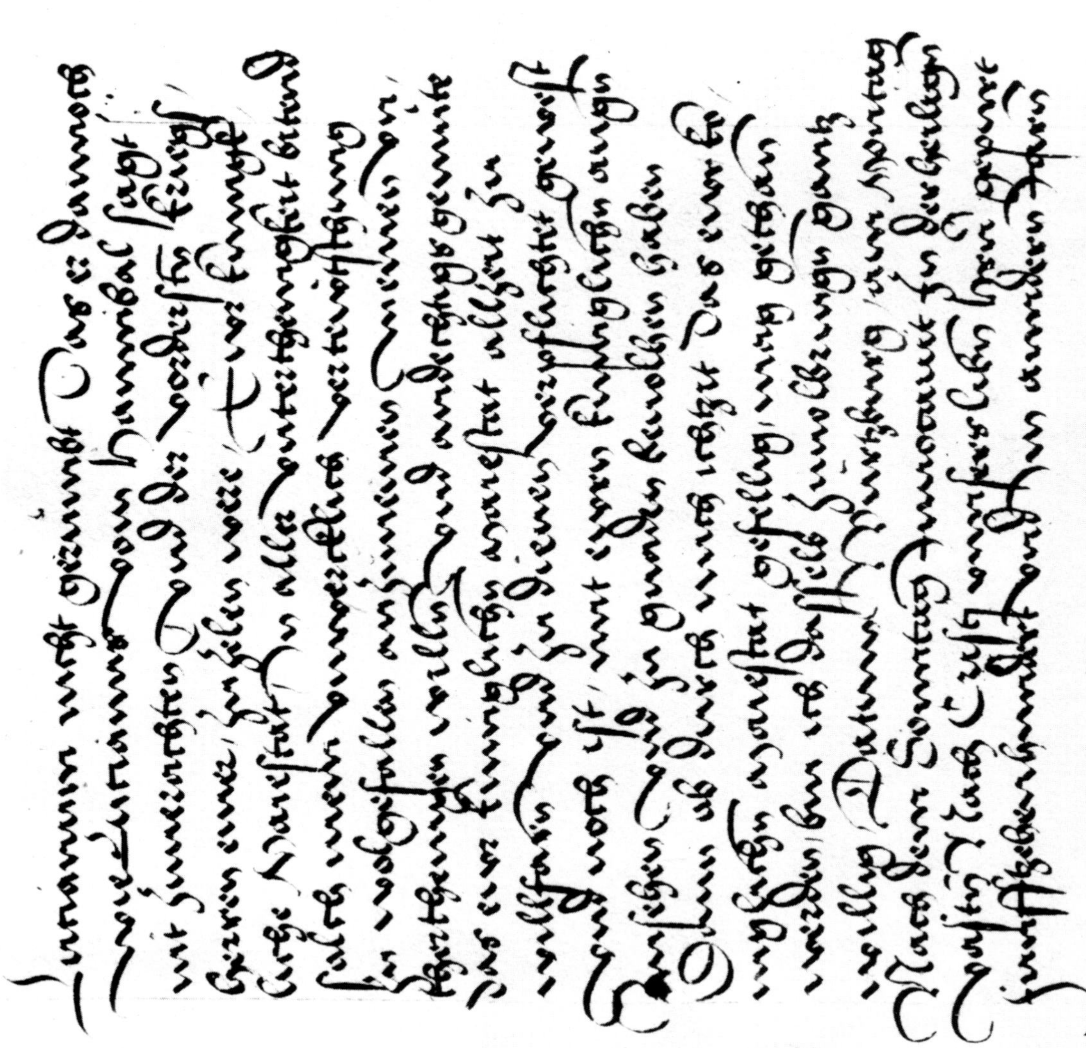

Abb. 9 Cod. 2856*, fol. 7r Würzburg, 1502

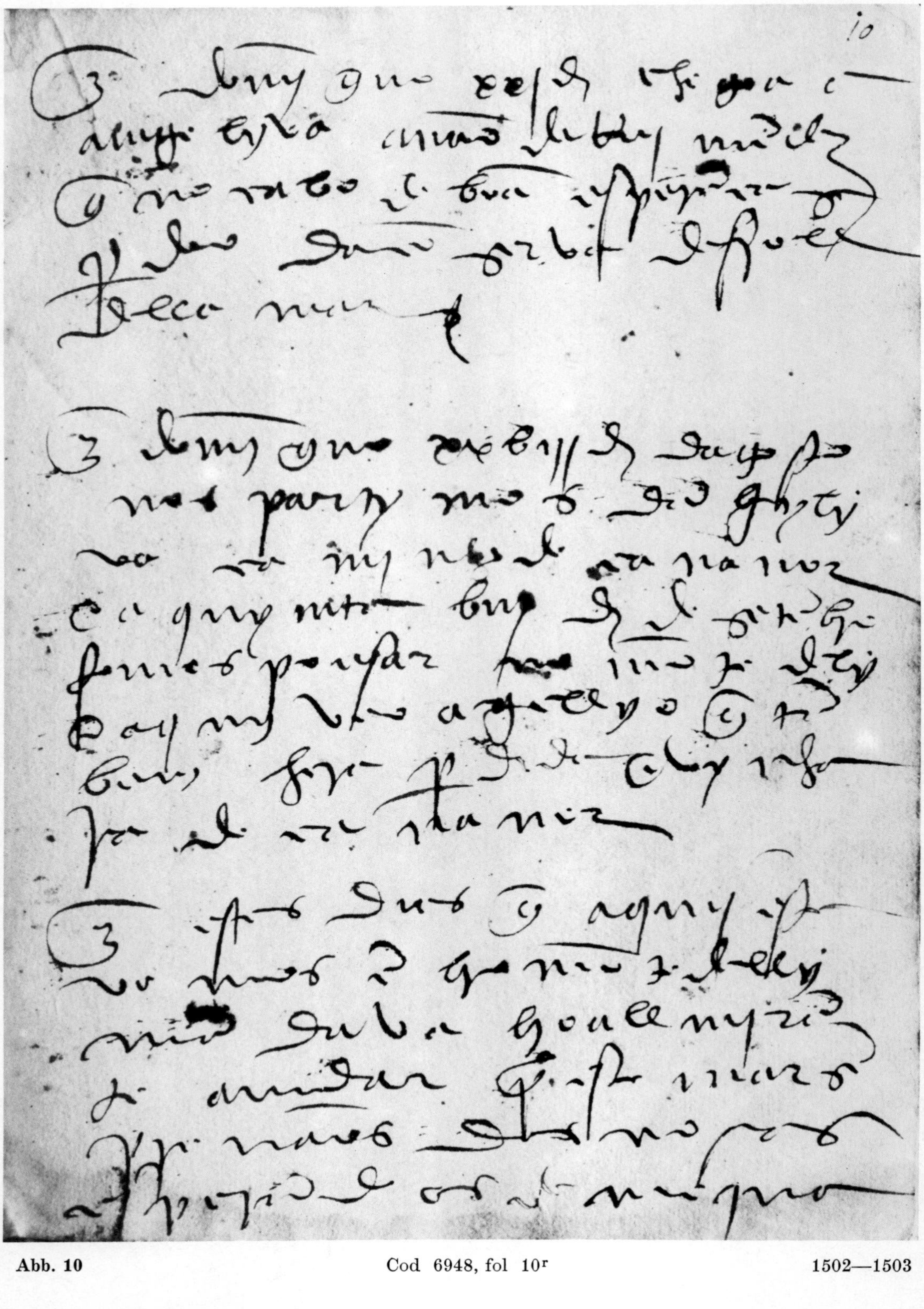

Abb. 10 Cod 6948, fol 10r 1502—1503

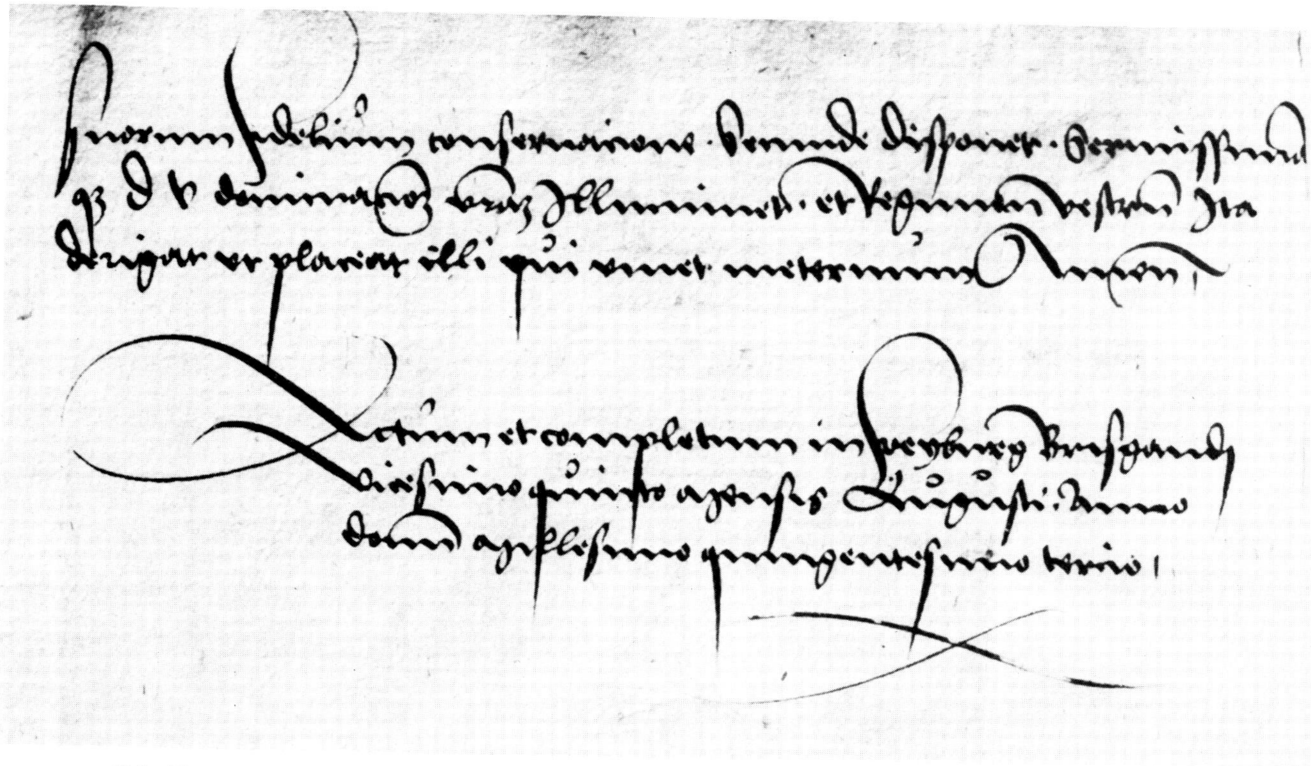

Abb. 11 Cod. 4417*, fol. 24v Freiburg im Breisgau, 1503

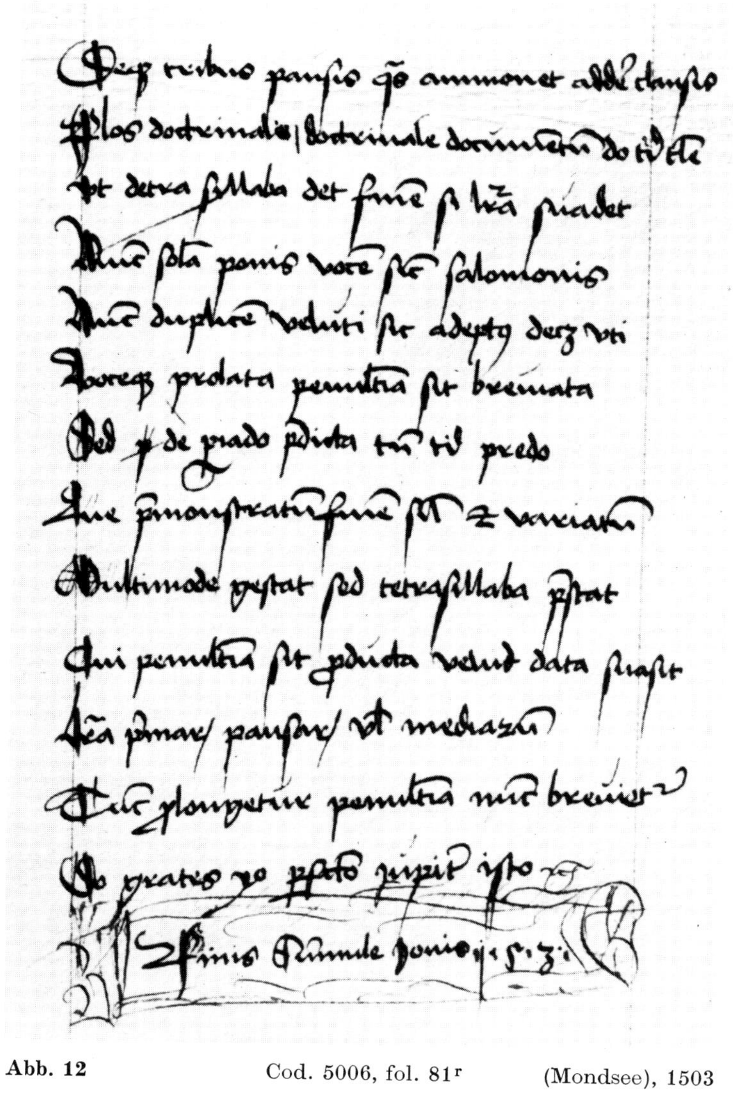

Abb. 12 Cod. 5006, fol. 81r (Mondsee), 1503

Abb. 13 Cod. 5262, fol. 1r 1503

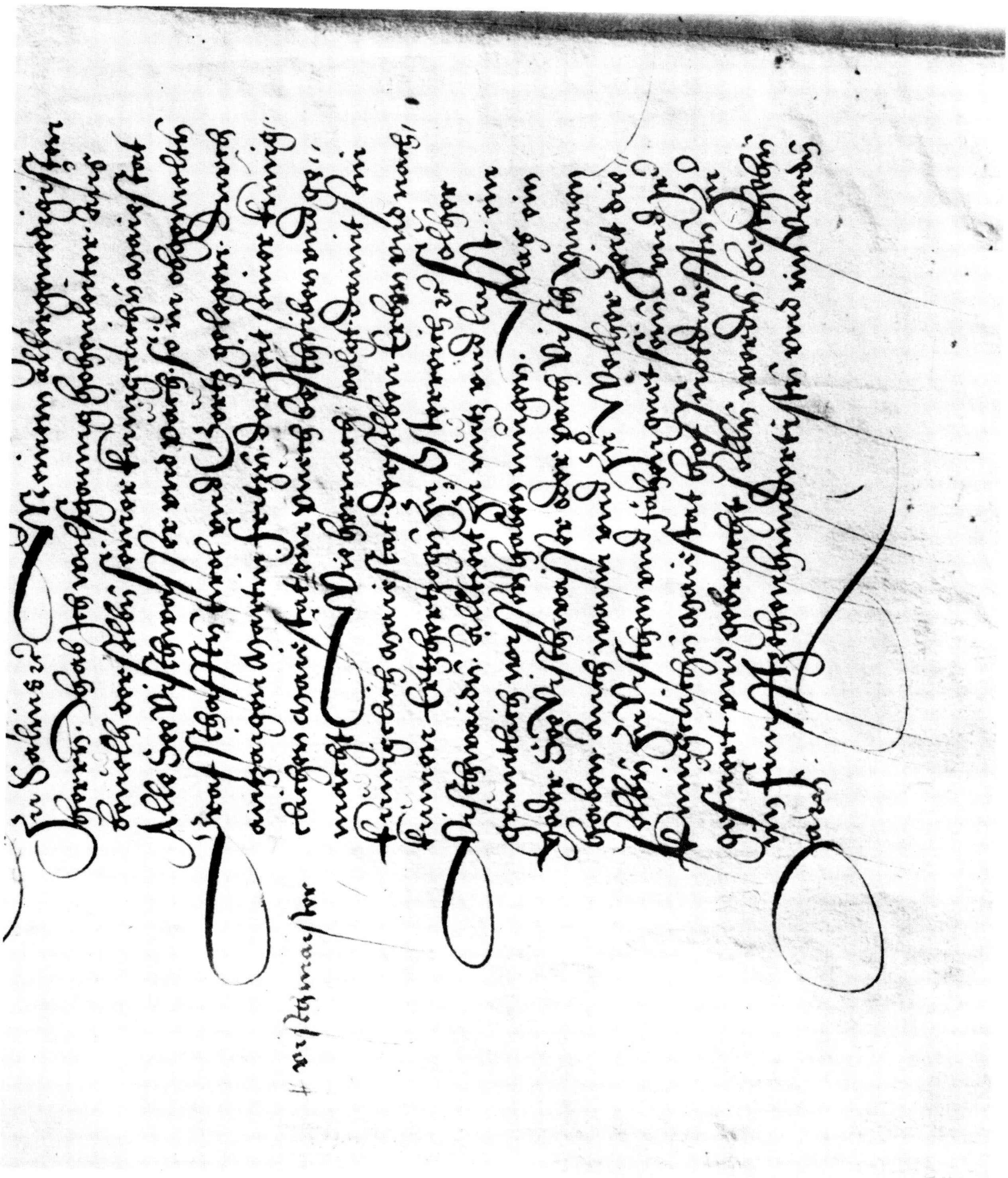

Abb. 14 Cod. 7962, fol. 1v (Tirol), 1504

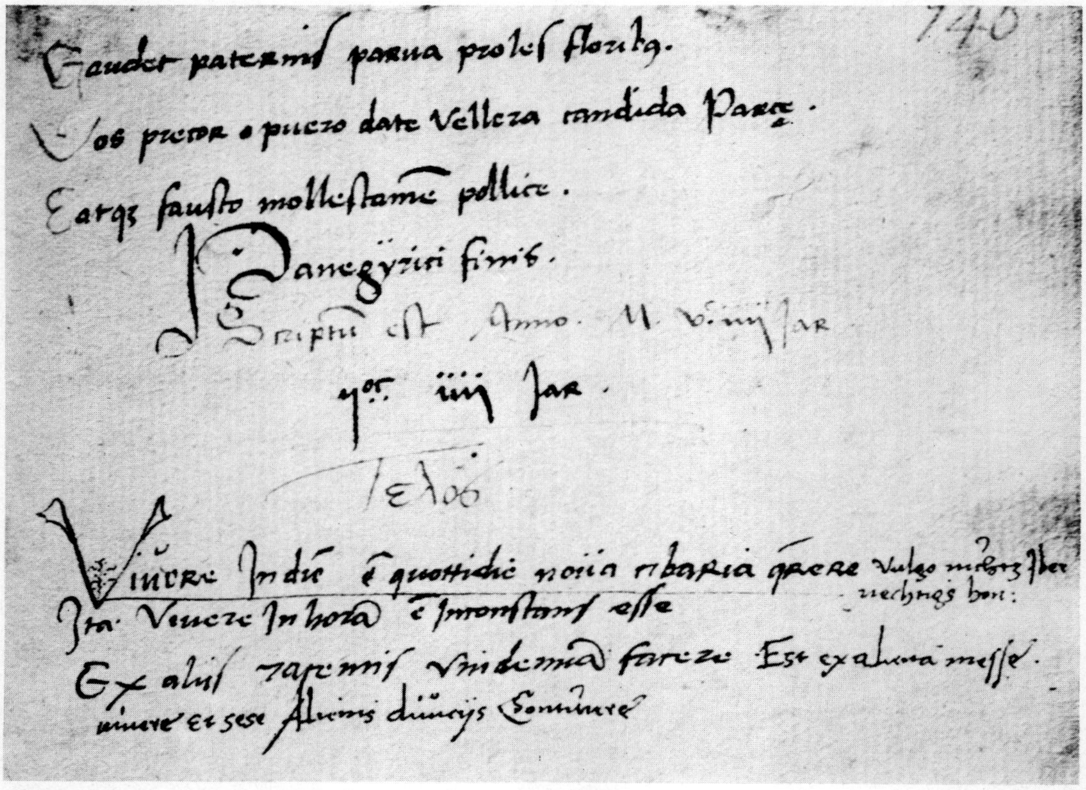

Abb. 15 Cod. 5234, fol. 146r 1504

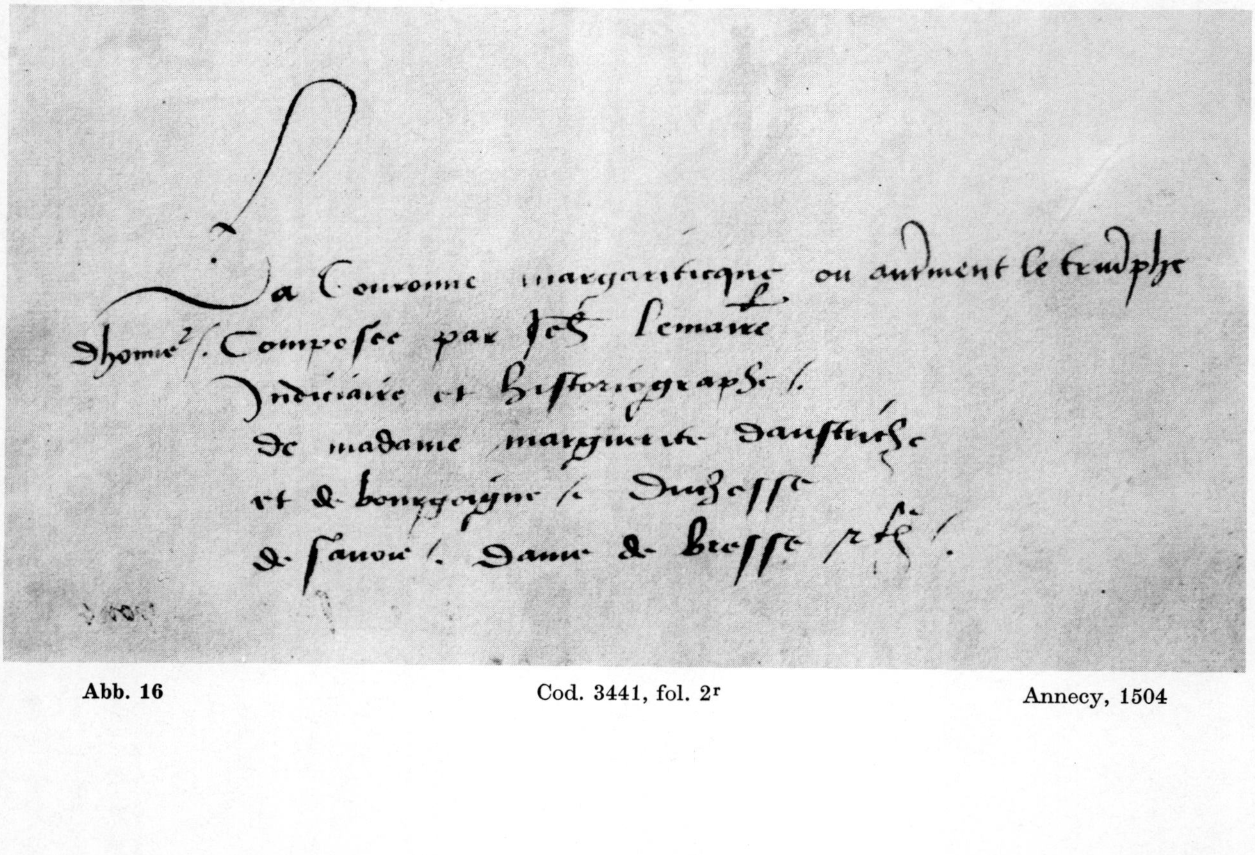

Abb. 16 Cod. 3441, fol. 2r Annecy, 1504

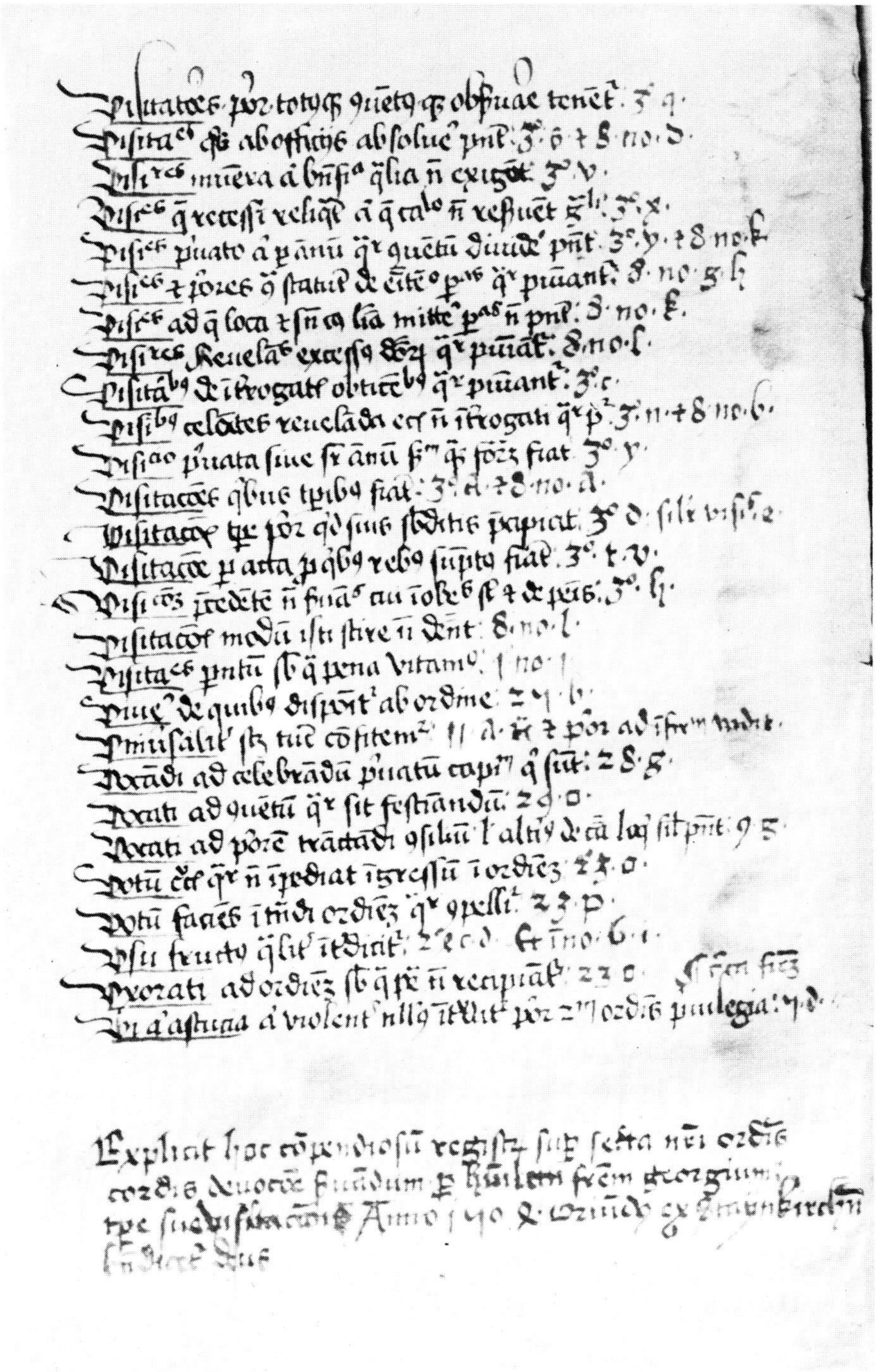

Abb. 17 Cod. 4737, fol. 57^v 1504

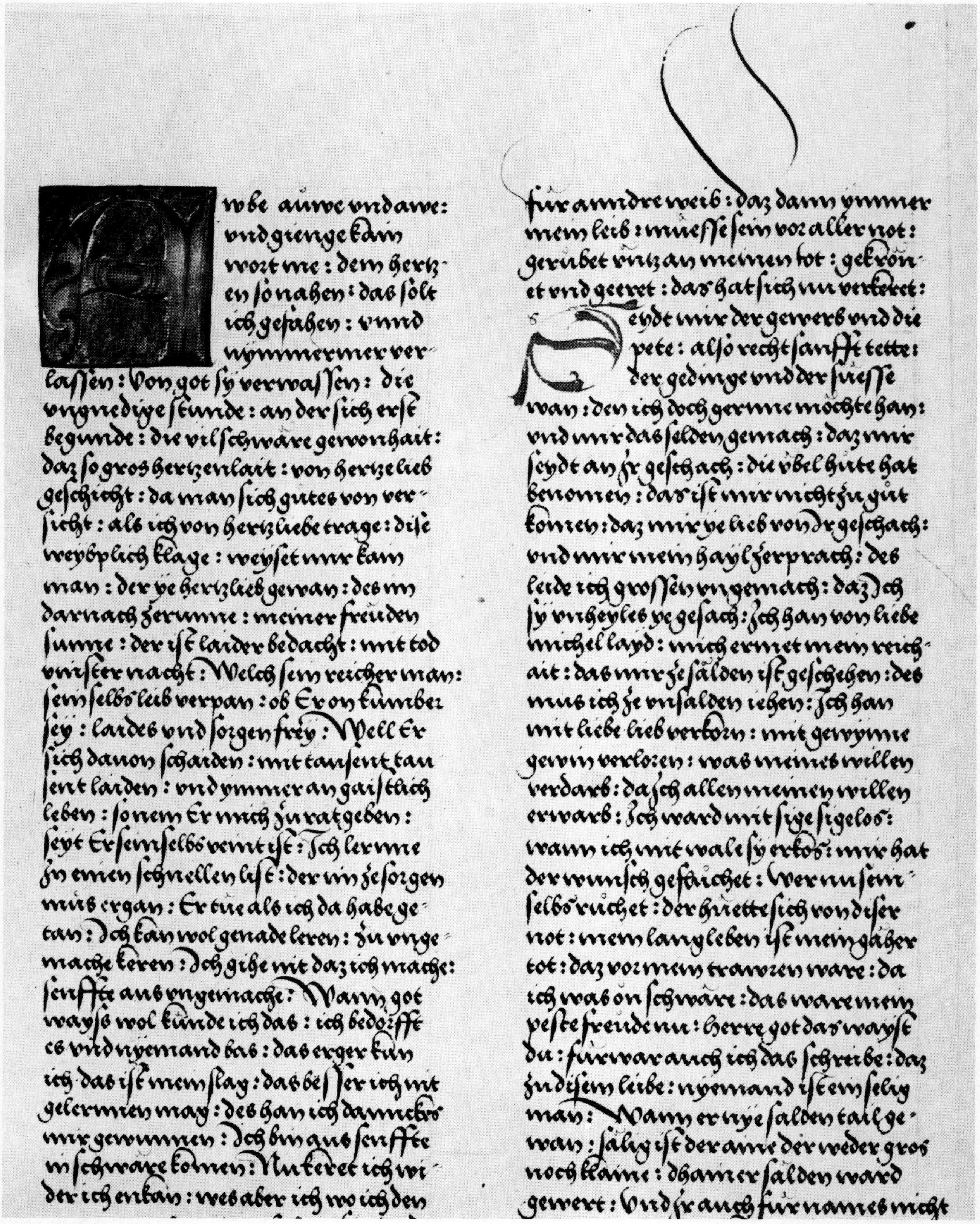

[...]we auwe vnd awe:
vnd gienge kain
wort nie: dem hertz-
en sö nahen: das sölt
ich gesahen: vnnd
nymmermer ver-
lassen: Von got sy verwassen: die
vngnedige stunde: an der sich erst
begunde: die vil schwäre gewonhait:
daz so gros hertzenlait: von hertze lieb
geschicht: da man sich gutes von ver-
sicht: als ich von hertzliebe trage: dise
weyblich klage: weyset mir kain
man: der ye hertzlieb gewan: des im
darnach zerunne: meiner freuden
sunne: der ist laider bedacht: mit tod
vinster nacht: Welch sein reicher man:
sein selbs leib verpan: ob Er on kumber
sey: laides vnd sorgen frey: Well Er
sich dauon schaiden: mit tausent tau
sent laiden: vnd ymmer an gaistlich
leben: so nem Er mich zu ratgeben:
seyt Er sein selbs veint ist: Ich ler in ne
zu einen schnellen list: der im ze sorgen
mus ergan: Er tue als ich da habe ge-
tan: Ich kan wol genade leren: zu vngemache keren: Ich gihe mit daz ich mache:
senffte aus vngemache: Wann got
wayss wol kunde ich das: ich bedorffte
es vnd nyemand bas: das erger kun
ich das ist mein slag: das besser ich nit
gelernen mag: des han ich danncks
mir gewunnen: Ich bin aus senffte
in schwäre komen: Nu keret ich wi
der ich enkan: wes aber ich wo ich den

für anndre weib: daz dann ymmer
mein leib: muesse sein vor aller not:
geraubet vntz an meinen tot: gekrön
et vnd geeret: das hat sich nu verkeret:
[...]eydt mir der gewerb vnd die
pete: also recht sanffte tette:
der gedinge vnd der suesse
wan: den ich doch gerne möchte han:
vnd mir das selden gemach: daz mir
seydt an ir geschach: die vbel hüte hat
benomen: das ist mir nicht zu güt
komen: daz mir ye lieb von ir geschach:
vnd mir mein hayl zerprach: des
leide ich grossen vngemach: daz Ich
sy vnheyles ye gesach: Ich han von liebe
michel layd: mich ermet mein reich-
ait: das mir ze sälden ist geschehen: des
mus ich ze vnsalden iehen: Ich han
mit liebe lieb verlorn: mit gewynne
gewin verloren: was meines willen
verdarb: da ich allen meinen willen
erwarb: Ich ward mit syge sigelos:
wann ich mit wale sy erkos: mir hat
der wunsch geflüchet: Wer nu sein
selbs ruchet: der hüette sich von diser
not: mein lang leben ist mein gäher
tot: daz vor mein trawren wäre: da
ich was on schwäre: das ware mein
peste freude nu: herre got das wayst
du: fürwar auch ich das schreibe: daz
zu disem leibe: nyemand ist ein selig
man: Wann er nye sälden tail gewan: sälig ist der anne der weder gros
noch klaine: dhainer sälden ward
gewert: Vnd ir auch für names nicht

Abb. 18 Cod. Ser. n. 2663, fol. 26v (Tirol), 1504—1515/16

Abb. 19 Cod 1770, fol. 218v (verkleinert) Brünn, 1505

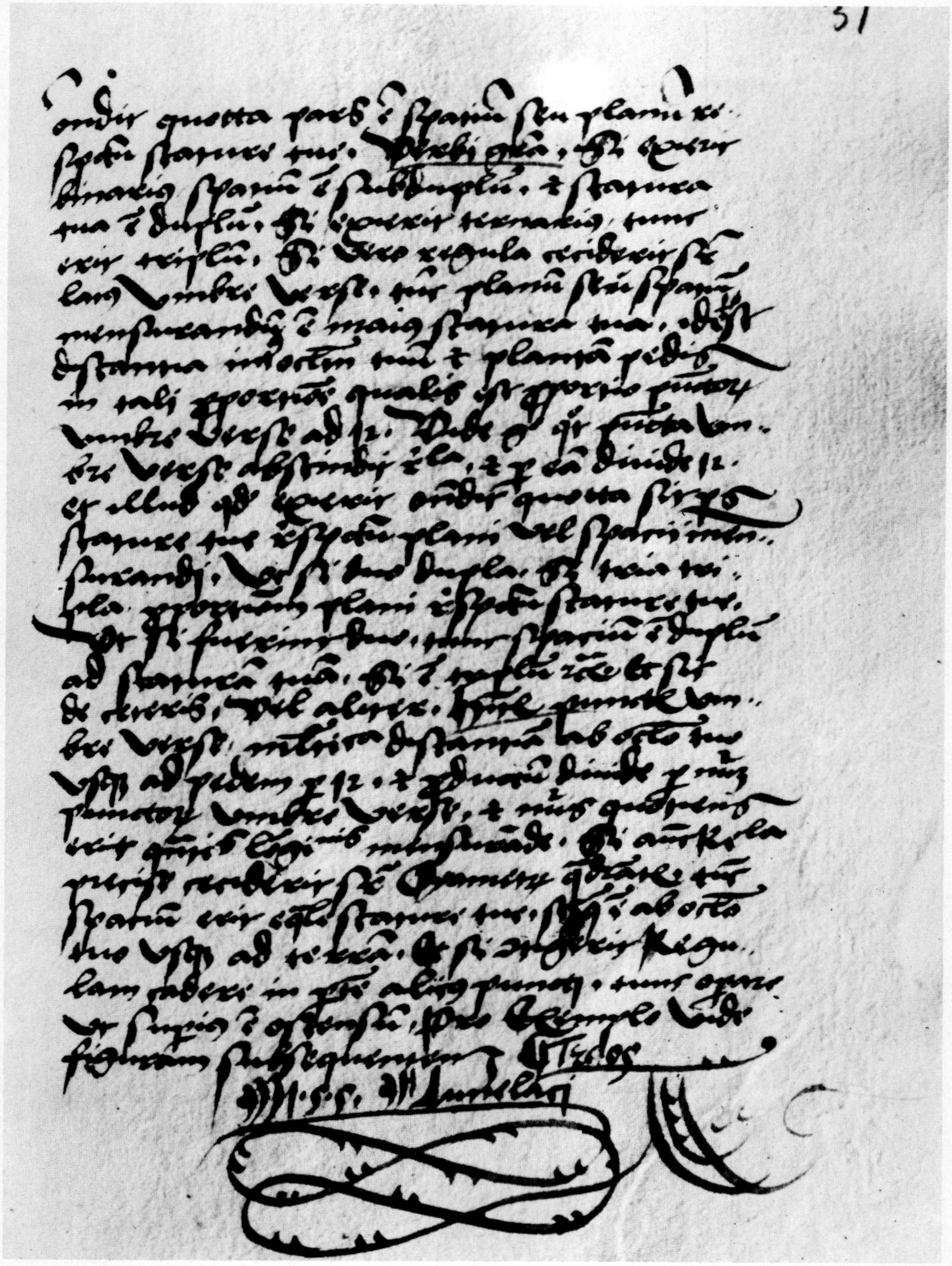

Abb. 20 Cod. 5160, fol. 31ʳ Mondsee, 1505

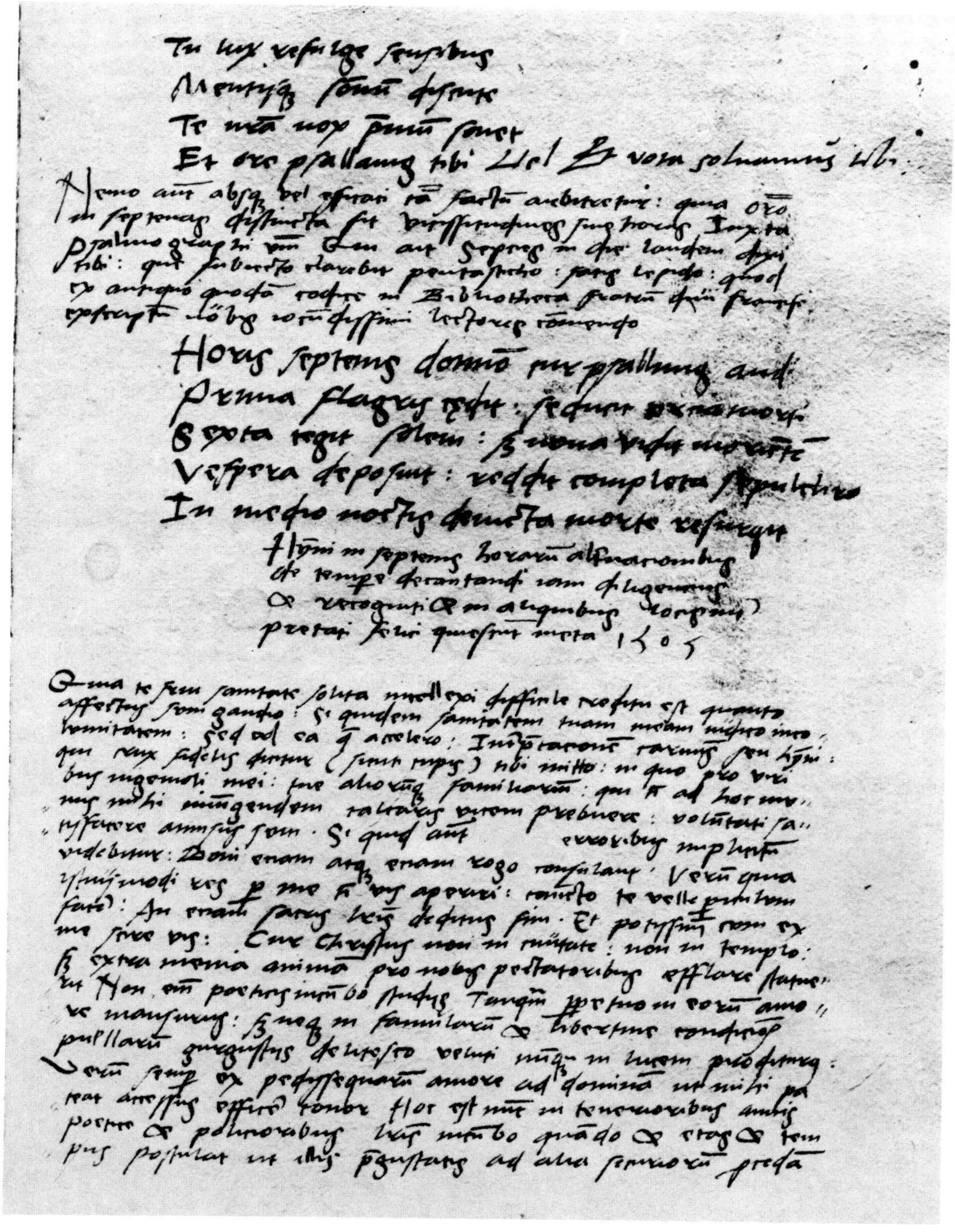

Abb. 21 Cod. 3230, fol. 215r 1505

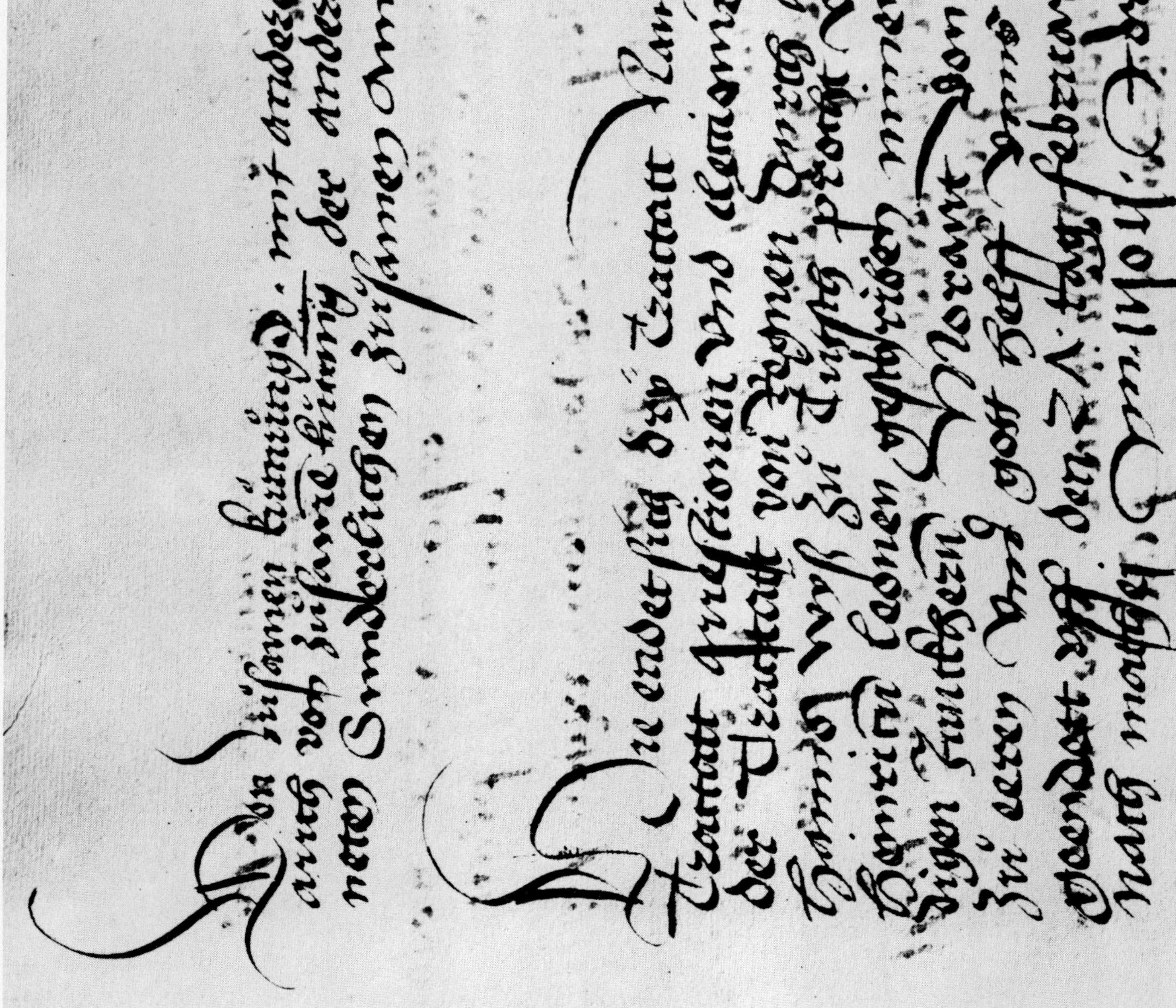
Von zusamen kumung . mit anderen plane-
aucth von zusamen kumung der anderen planeten sunderlichen zusamen ...

Hie endet sich der tractatt Hainrichs de
tractatt arrestionen vnd electionis auch
der tractatt von Regnen durch Meister
Hainrich Wyß zu tutsch procht vnd durch
Heinricum leonen geschriben minem gnedigen Junckhern Morant von watwile
zu eeren vnd gott helff vns allen
geendett uff den 21 tag februarij nechst
nach mathei . Anno 1504 : Ade .

Abb. 22 Cod. 11403, fol. LXIVv 1505

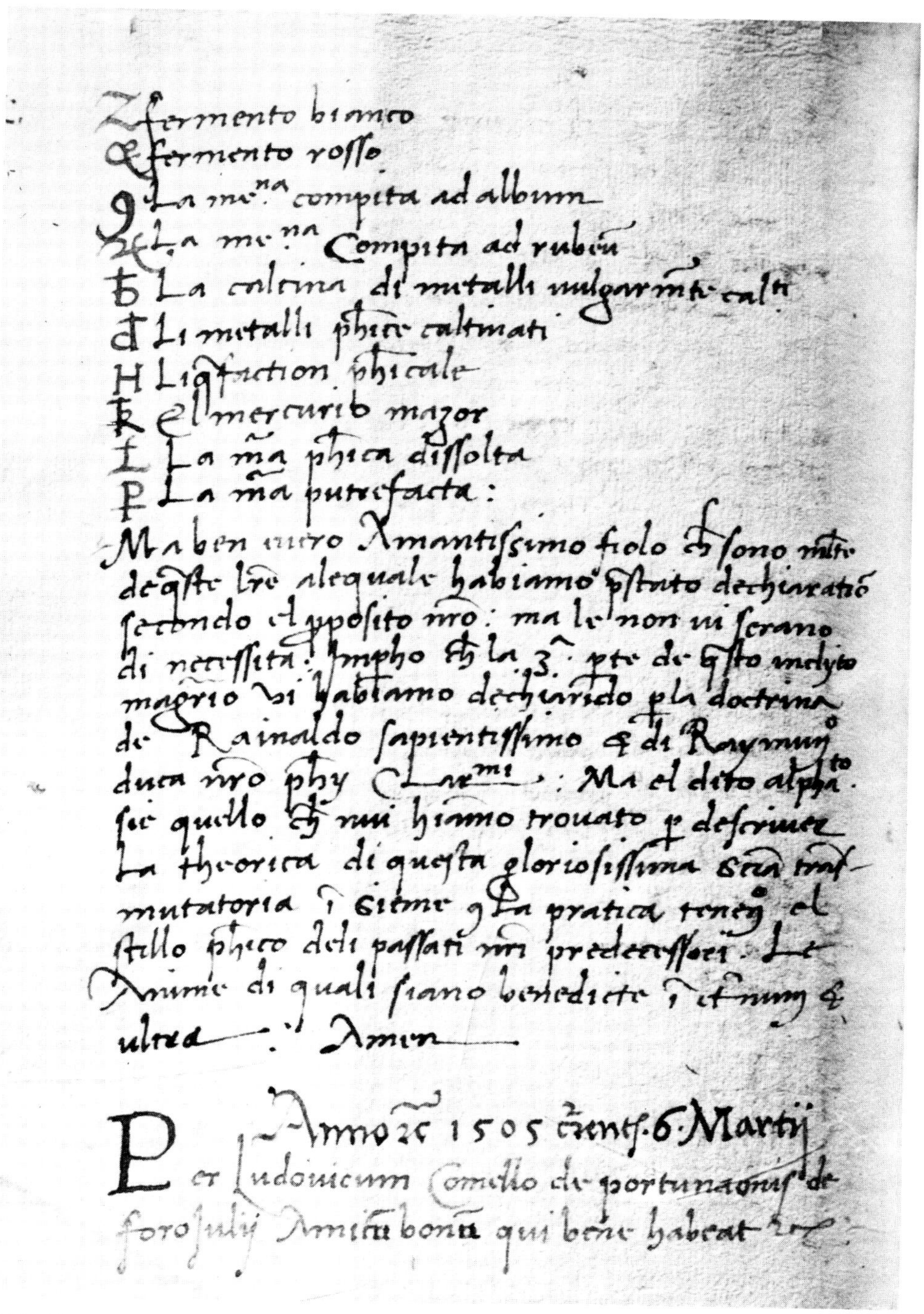
Z fermento bianco
& fermento rosso
9 La me.na compita ad album
% La me.na Compita ad rubeu
b La calcina di metalli vulgarmte calti
d Li metalli phici calcinati
H Liqfaction phicale
k El mercurio mazor
L La mã phica dissolta
P La mã putrefacta:
Ma ben uero Amantissimo fiolo ch sono mte
de qste lre alequale habiamo posto dechiaratio
secondo el proposito nro: ma le non ui serano
di necessita: Impho ch la 3.a pte de qsto inclyto
magrio ui habiamo dechiarado pla doctrina
de Rainaldo sapientissimo & di Raymundo
duca nro phy Clarmi: Ma el dito alphato
sie quello ch nui hiamo trouato p descriuere
La theorica di questa gloriosissima scia trans
mutatoria i breue ? La pratica teneno el
stillo phico deli passati nri predecessori. Le
Anime di quali siano benedicte, et nunq
ultra: Amen

Anno &c 1505 die 6 Martij
Per Ludouicum Comello de portunaonis de
forojulij Amicu bonu qui bene habeat &c.

Abb. 23 Cod. 5510, fol. 223v 1505

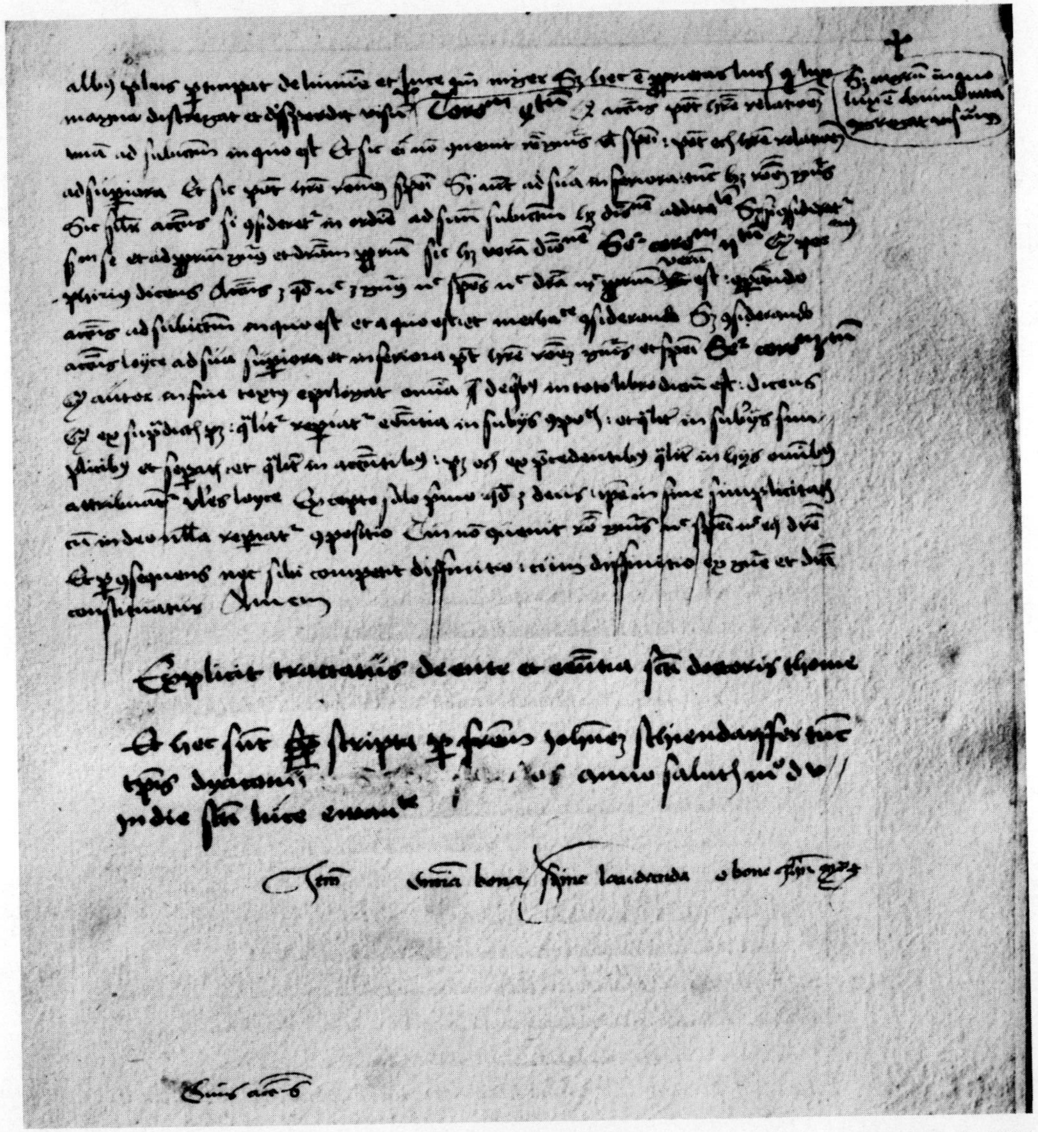

Abb. 24 Cod. 5004, fol. 144r (Mondsee ?), 1505

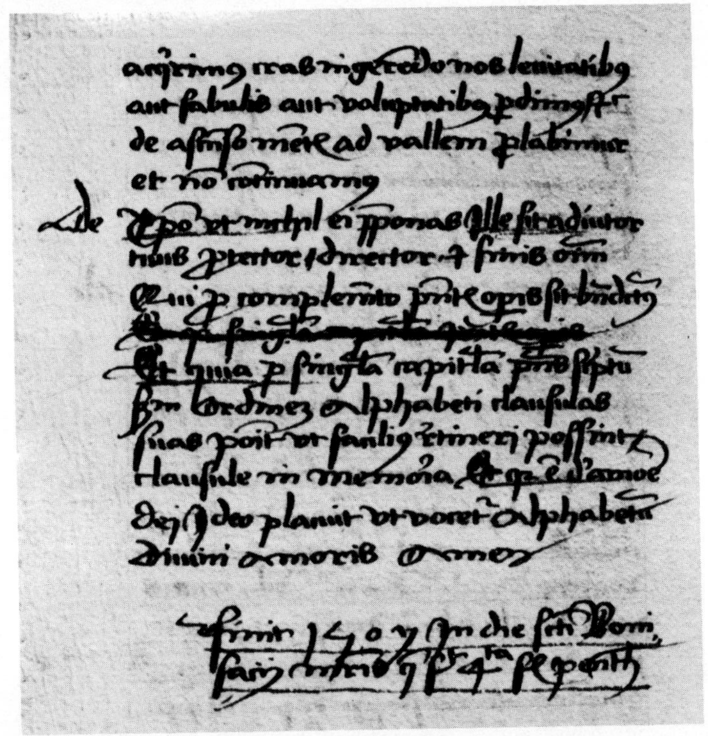

Abb. 25 Cod. 3655, fol. 242v (Mondsee ?), 1505

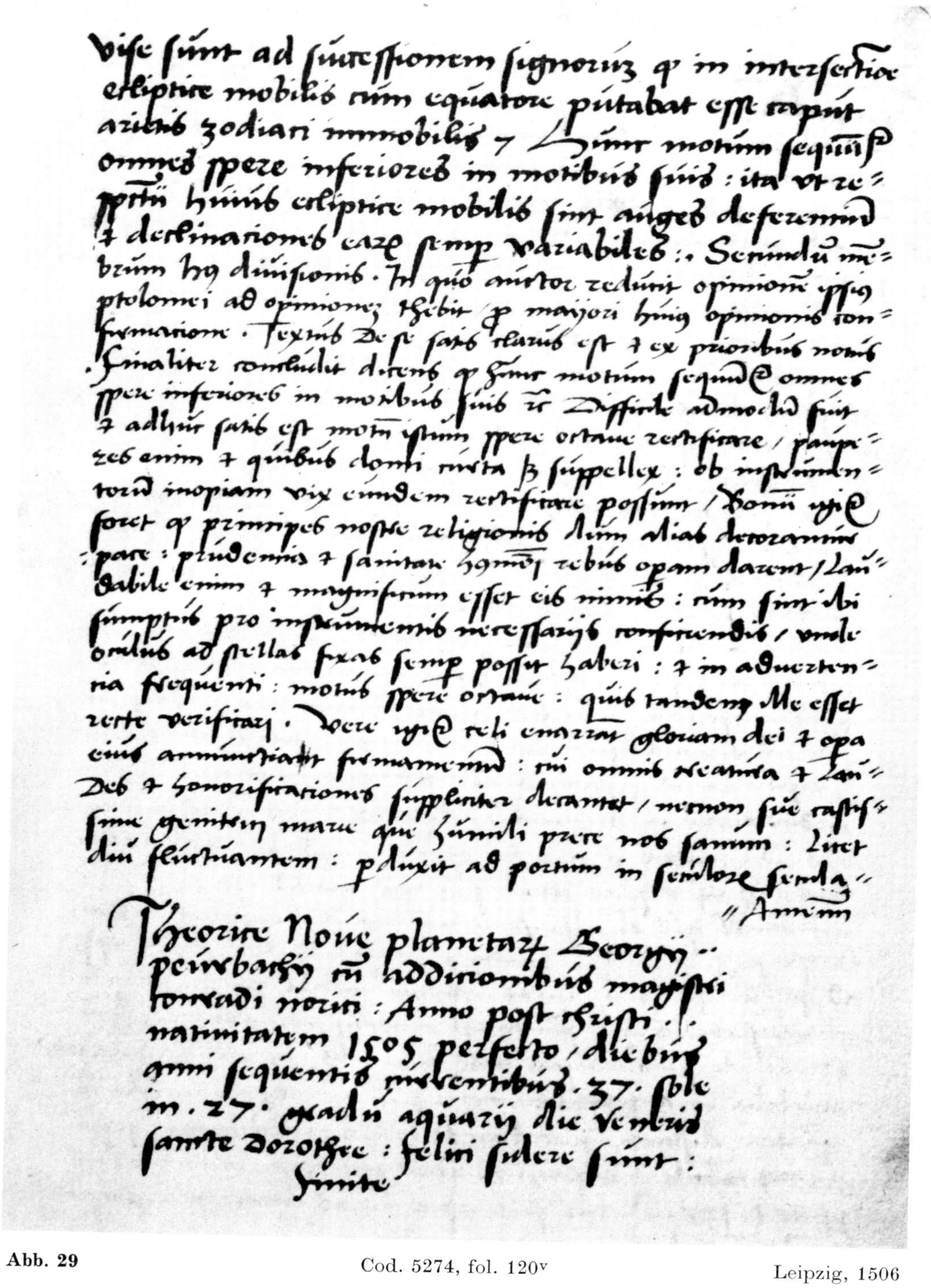
vise sunt ad successionem signorum quod in intersectione ecliptice mobilis cum equatore putabat esse caput arietis zodiaci immobilis 7 Hunc motum sequuntur omnes spere inferiores in motibus suis : ita ut respectu huius ecliptice mobilis sint auges deferentium 7 declinationes earum semper variabiles :. Secundum membrum huius divisionis . In quo auctor reducit opinionem ipsius ptolomei ad opinionem thebit pro maiori huius opinionis confirmatione . Textus de se satis clarus est 7 ex prioribus notus . Finaliter concludit dicens quod hunc motum sequuntur omnes spere inferiores in motibus suis etc. Difficile admodum fuit 7 adhuc satis est motum ipsum spere octave certificare / pauperes enim 7 quibus domi curta est supellex : ob instrumentorum inopiam vix eundem certificare possunt / Bonum ipse foret quod principes nostre religionis dum alias decorarent pace : prudentia 7 sanitate horum rebus operam darent / Laudabile enim 7 magnificum esset eis nimis : cum sint ibi sumptus pro instrumentis necessariis conficiendis / unde oculus ad stellas fixas semper posset haberi : 7 in advertentia frequenti : motus spere octave : quibus tandem ille esset certe verificari . Vere ipse celi enarrant gloriam dei 7 opera eius annunciat firmamentum : cui omnis creatura 7 laudes 7 honorificationes suppliciter decantat / necnon sue castissime genitrici marie que humili prece nos famulum : licet diu fluctuantem : perduxit ad portum in senilore senda. Amen

Theorice Nove planetarum Georgii peurbachii cum additionibus magistri conradi noriti : Anno post christi nativitatem 1505 perfecto diebus anni sequentis precurrentibus . 37 . sole in . 27 . gradu aquarii die veneris sancte dorothee : feliciter sidere sunt : Finite

Abb. 29 Cod. 5274, fol. 120v Leipzig, 1506

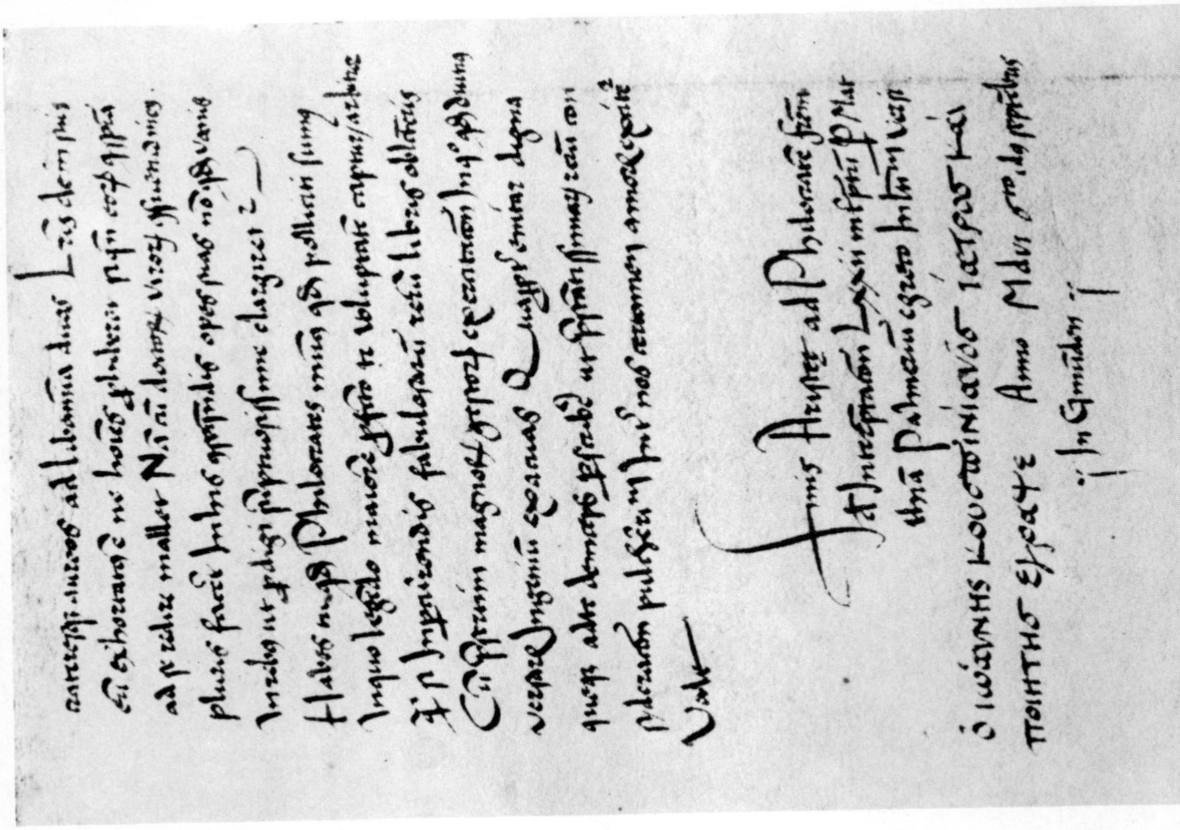

Abb. 31 Cod. 3256, fol. 31v Gmunden, 1506

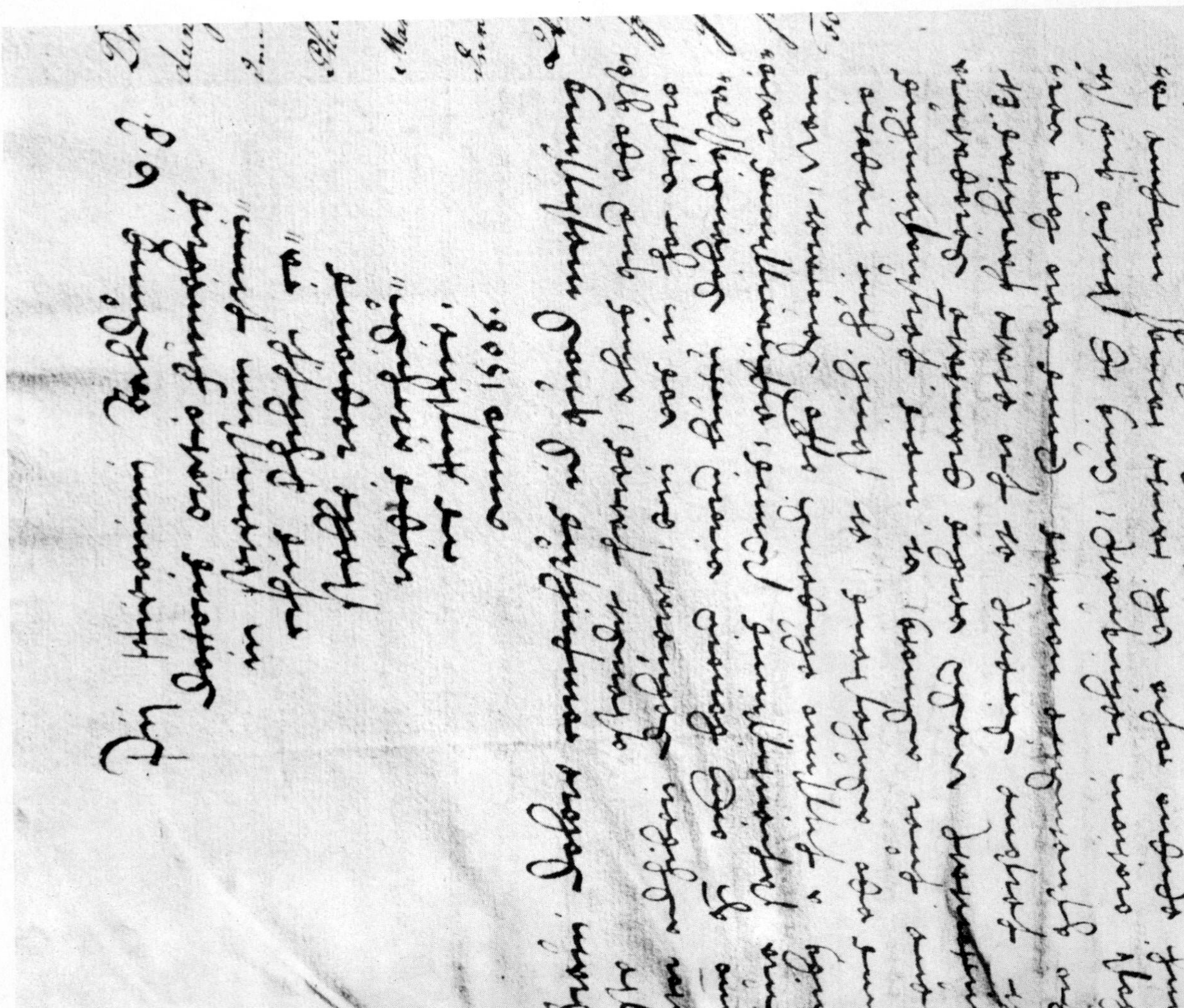

Abb. 30 Cod. 5810, fol. 1r 1506

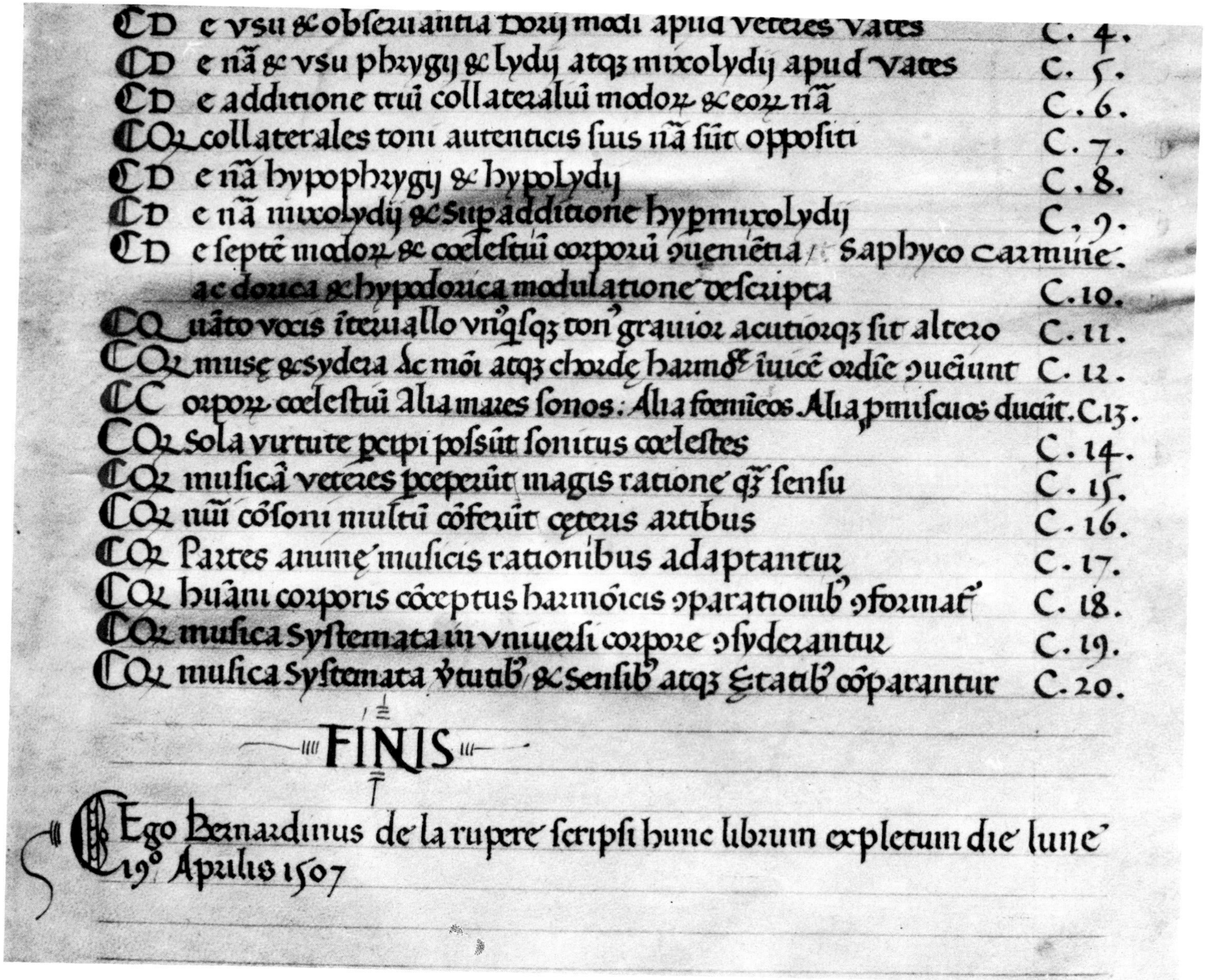

CD e usu & obseruantia dorij modi apud veteres vates C. 4.
CD e nã & vsu phrygij & lydij atque mixolydij apud vates C. 5.
CD e additione trium collateralium modorum & eorum nã C. 6.
CO collaterales toni autenticis suis nã sunt oppositi C. 7.
CD e nã hypophrygij & hypolydij C. 8.
CD e nã mixolydij & sup additione hypmixolydij C. 9.
CD e septẽ modorum & coelestium corporum conuenientia / Saphyco carmine ac dorica & hypodorica modulatione descripta C. 10.
CO uanto vocis interuallo vnusquisque tonus grauior acutiorque sit altero C. 11.
CO musę & sydera & modi atque chordę harmonice inuicem ordine conueniunt C. 12.
CC orporum coelestium Alia mares sonos: Alia foeminos Alia promiscuos ducit. C. 13.
CO sola virtute percipi possunt sonitus coelestes C. 14.
CO musicam veteres preceperunt magis ratione quam sensu C. 15.
CO numeri consoni multum conferunt ceteris artibus C. 16.
CO Partes anime musicis rationibus adaptantur C. 17.
CO humani corporis conceptus harmonicis comparationibus conformatur C. 18.
CO musica systemata in vniuersi corpore considerantur C. 19.
CO musica systemata virtutibus & sensibus atque etatibus comparantur C. 20.

FINIS

Ego Bernardinus de la rupere scripsi hunc librum expletum die lune 19° Aprilis 1507

Abb. 32 Cod. Ser. n. 12745, fol. 2r (Lombardei ?), 1507

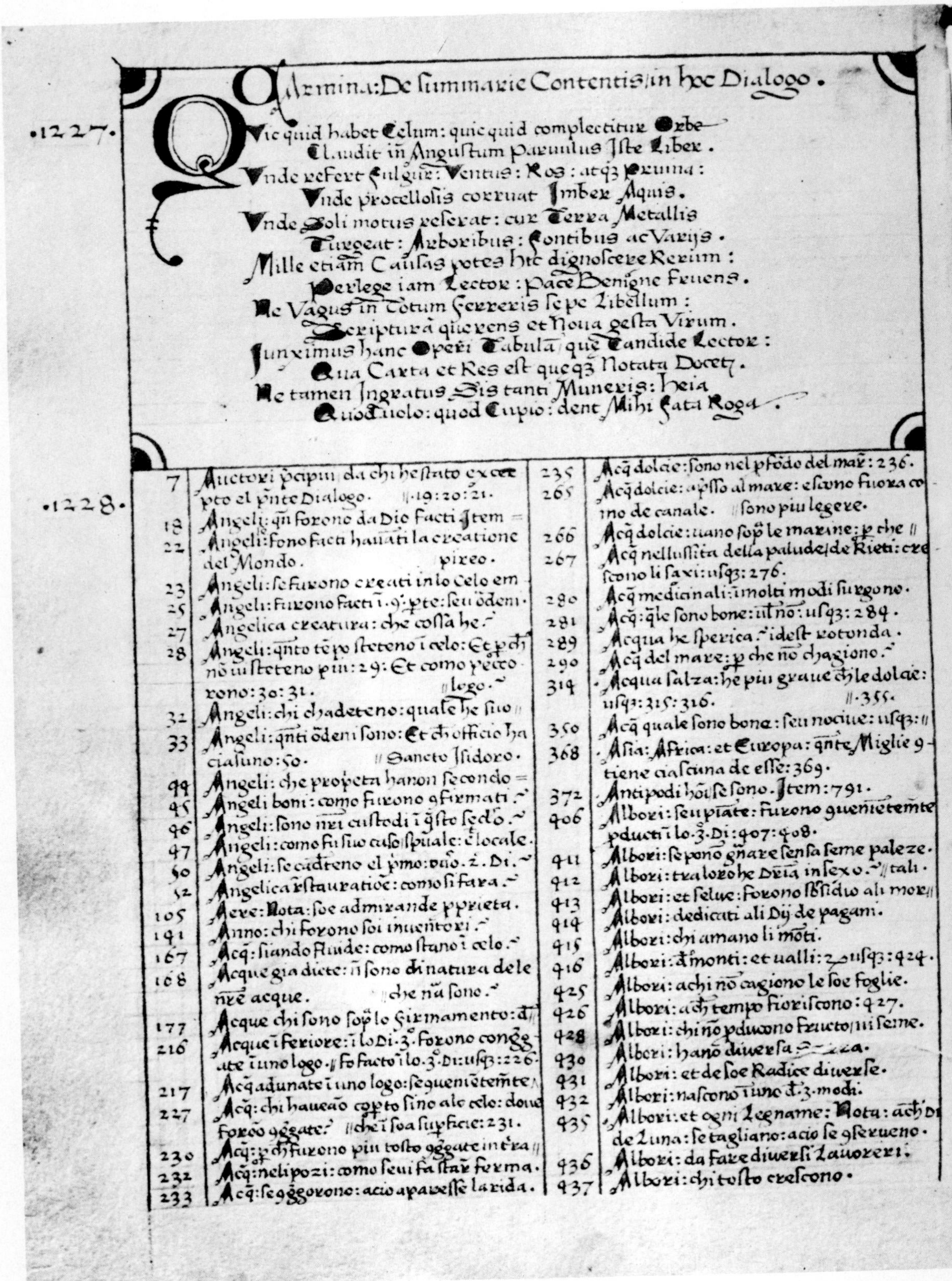

Carmina: De summarie Contentis in hoc Dialogo.
•1227•
Quicquid habet Celum: quicquid complectitur Orbe
Claudit in Angustum paruulus Iste Liber.
Vnde refert Fulgur: Ventus: Ros: atq3 Pruina:
Vnde procellosis corruat Imber Aquis.
Vnde Soli motus reserat: cur Terra Metallis
Turgeat: Arboribus: Fontibus ac Varijs.
Mille etiam Causas potes hic dignoscere Rerum:
Perlege iam Lector: pace Benigne Fruens.
Ne Vagus in Totum Ferreris sepe Libellum:
Scriptura querens et Noua gesta Virum.
Junximus hanc Operi Tabulam que Candide Lector:
Qua Carta et Res est queq3 Notata Docet.
Ne tamen Ingratus Sis tanti Muneris: heia
Quod uolo: quod Cupio: dent Mihi Fata Roga.
•1228•

Abb. 33 Cod. 4481, fol. 62v Ligurien, 1507

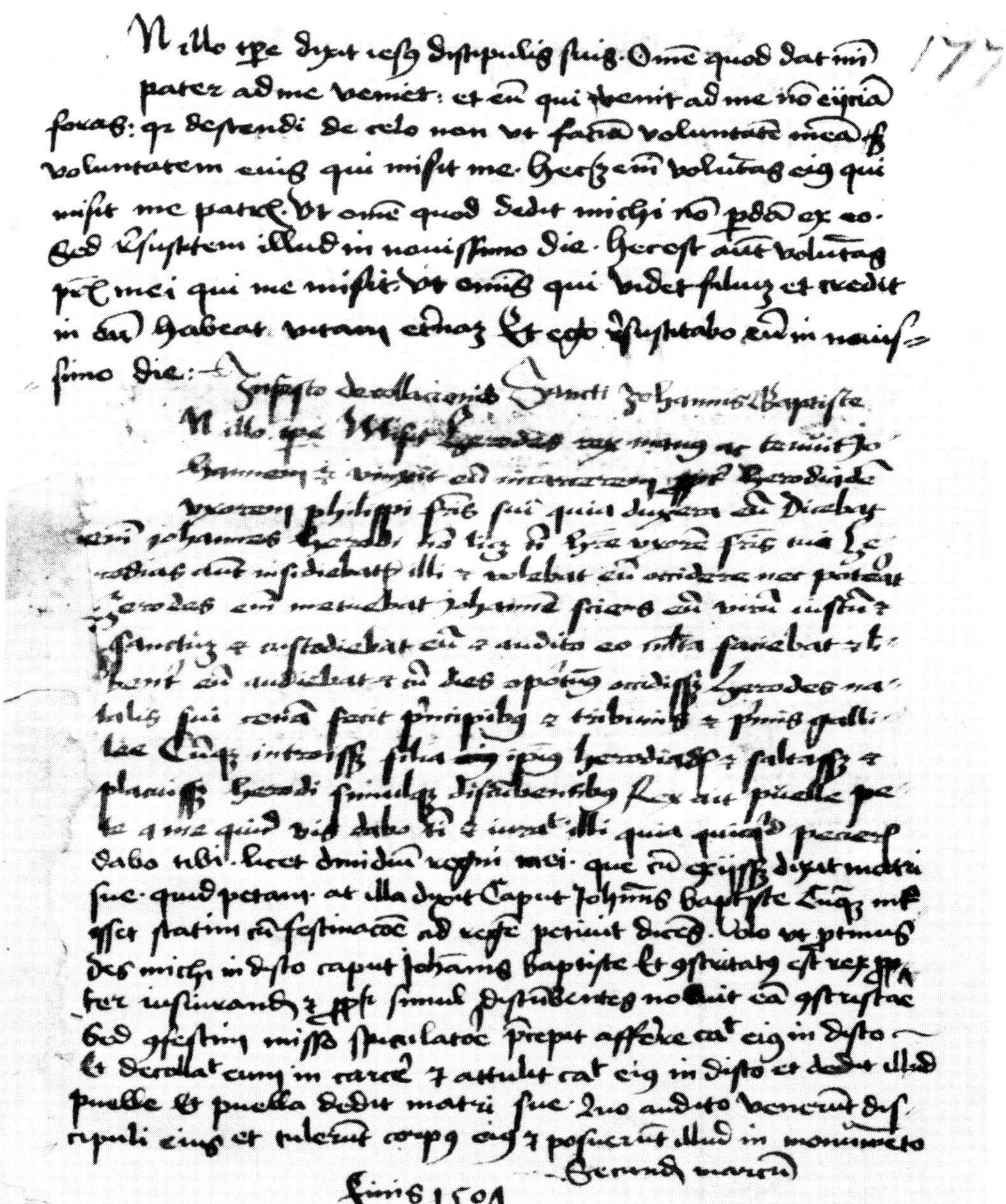
In illo tempore dixit iesus discipulis suis. Omne quod dat mi(hi) pater ad me veniet: et eum qui venit ad me non eiciam foras: quia descendi de celo non ut faciam voluntatem meam sed voluntatem eius qui misit me. Hec est enim voluntas eius qui misit me patris. Ut omne quod dedit michi non perdam ex eo sed resuscitem illud in novissimo die. Hec est autem voluntas patris mei qui me misit: ut omnis qui videt filium et credit in eum habeat vitam eternam. Et ego resuscitabo eum in novissimo die: 177

In festo decollacionis Sancti Johannis Baptiste

In illo tempore Misit herodes rex manum ac tenuit Johannem et vinxit eum in carcerem propter herodiadem uxorem philippi fratris sui quia duxerat eam. Dicebat enim johannes herodi. Non licet tibi habere uxorem fratris tui. Herodias autem insidiabatur illi et volebat eum occidere nec poterat. Herodes enim metuebat johannem sciens eum virum iustum et sanctum et custodiebat eum et audito eo multa faciebat et libenter eum audiebat. Et cum dies oportunus accidisset herodes natalis sui cenam fecit principibus et tribunis et primis galilee. Cumque introisset filia ipsius herodiadis et saltasset et placuisset herodi simulque discumbentibus Rex ait puelle pete a me quid vis dabo tibi et iuravit illi quia quicquid petieris dabo tibi licet dimidium regni mei. Que cum exisset dixit matri sue quid petam. at illa dixit Caput johannis baptiste. Cumque introisset statim cum festinacione ad regem petivit dicens. Volo ut protinus des michi in disco caput johannis baptiste Et contristatus est rex propter iusiurandum et propter simul discumbentes noluit eam contristare sed contestim misso spiculatore precepit afferre caput eius in disco. Et decollavit eum in carcere et attulit caput eius in disco et dedit illud puelle Et puella dedit matri sue. Quo audito venerunt discipuli eius et tulerunt corpus eius et posuerunt illud in monumento

Secundum marcum

Finis 1507

Abb. 34 Cod. 3200, fol. 177r 1507

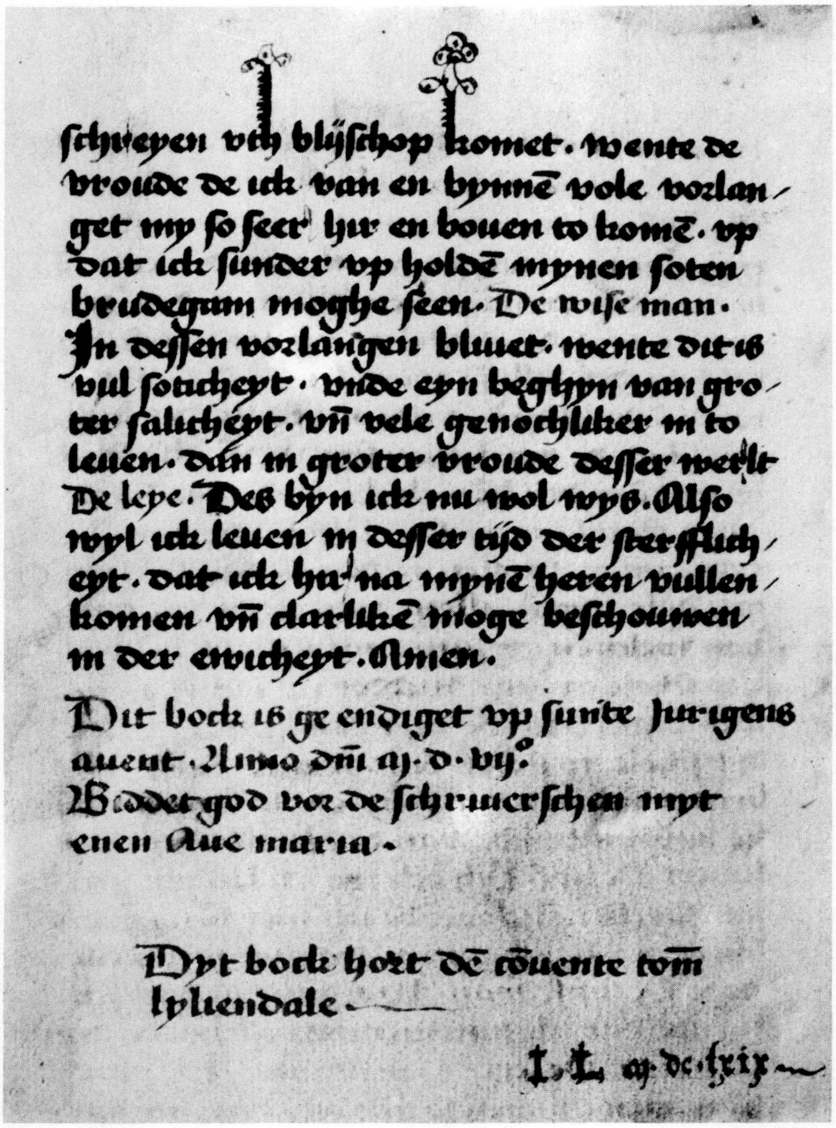

schrieven vth blijschop komet. wente de
vroude de ick van en bynnē vole vorlan-
get my so seer hir en bouen to komē. vp
dat ick sunder vp holdē mynen soten
brudegum moghe seen. De wise man.
In dessen vorlangen bluet. wente dit is
vul sotichept. vnde eyn beghyn van groter salicheyt. vn̄ vele genochliker in to
leuen. dan in groter vroude desser werlt.
De leye. Des byn ick nu wol wys. Also
wyl ick leuen in desser tijd der sterflich-
eyt. dat ick hir na mynē heren vullen
komen vn̄ clarlikē moge beschouwen
in der ewicheyt. Amen.

Dit bock is ge endiget vp sunte Jurigens
auent. Anno dn̄i m.d.vij.
Biddet god vor de schriuerschen myt
enen Aue maria.

Dyt bock hort dē couente tom
lyliendale.

I. L. m.dc.xix

Abb. 35 Cod. 2985, fol. 249v (Lilienthal in Preußen), 1507

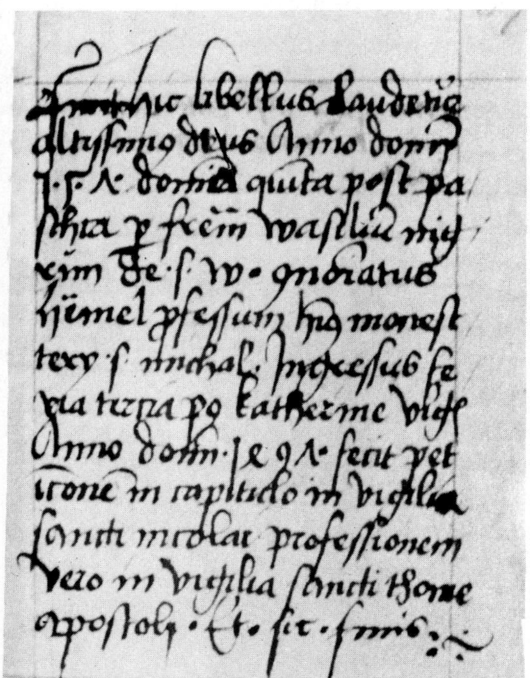

[illegible] hic libellus laudetur
altissimus deus Anno domini
m.d.vij. dominica quinta post pa
scha per fratrem wastlium mi
ssum de s. w. gnoratus
hemel professum huius monast
erii s. michaelis processus fe
ria tercia po katherine virg
Anno domini m.d.x. fecit pet
itione in capitulo in vigilia
sancti nicolai professionem
vero in vigilia sancti thome
apostoli. Et sic finis.

Abb. 36 Cod. 4087, fol. 275r Mondsee, 1507

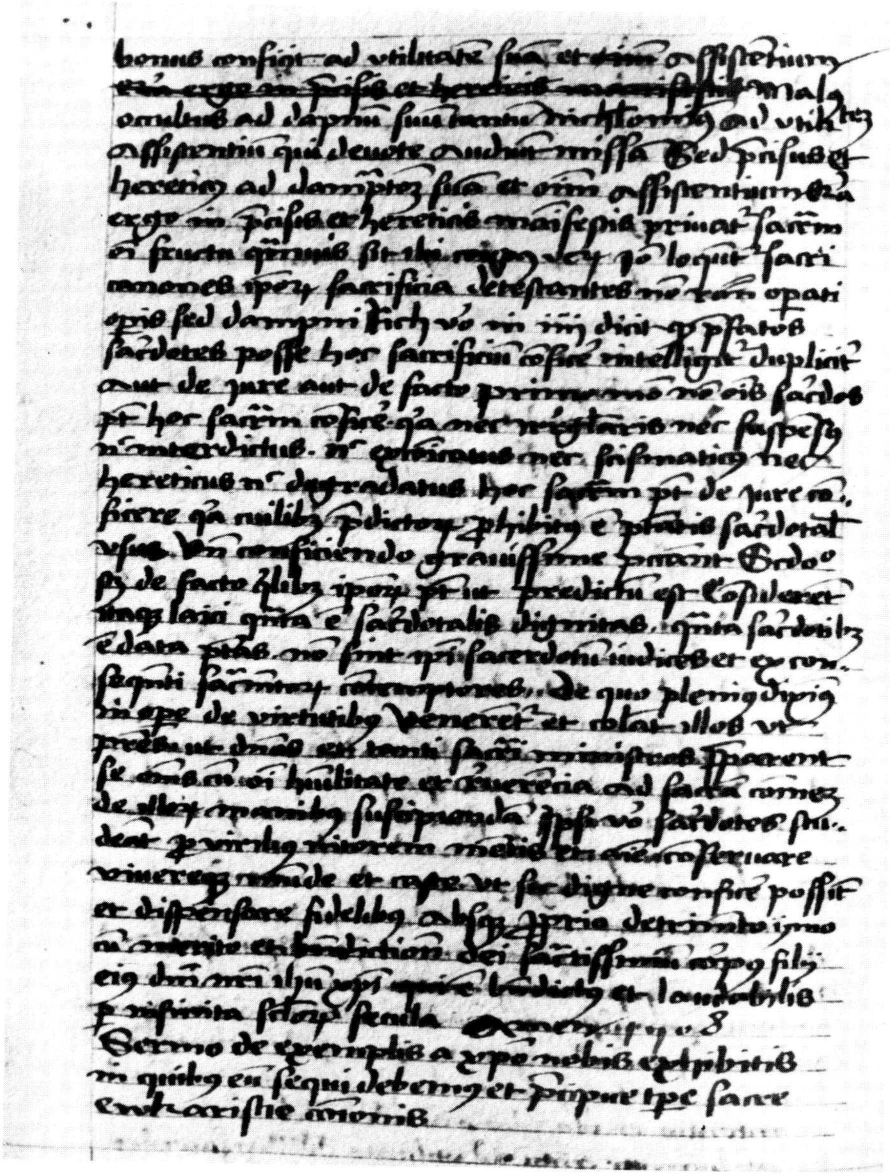

Abb. 37 Cod. 4008, fol. 20v (Mondsee), 1508

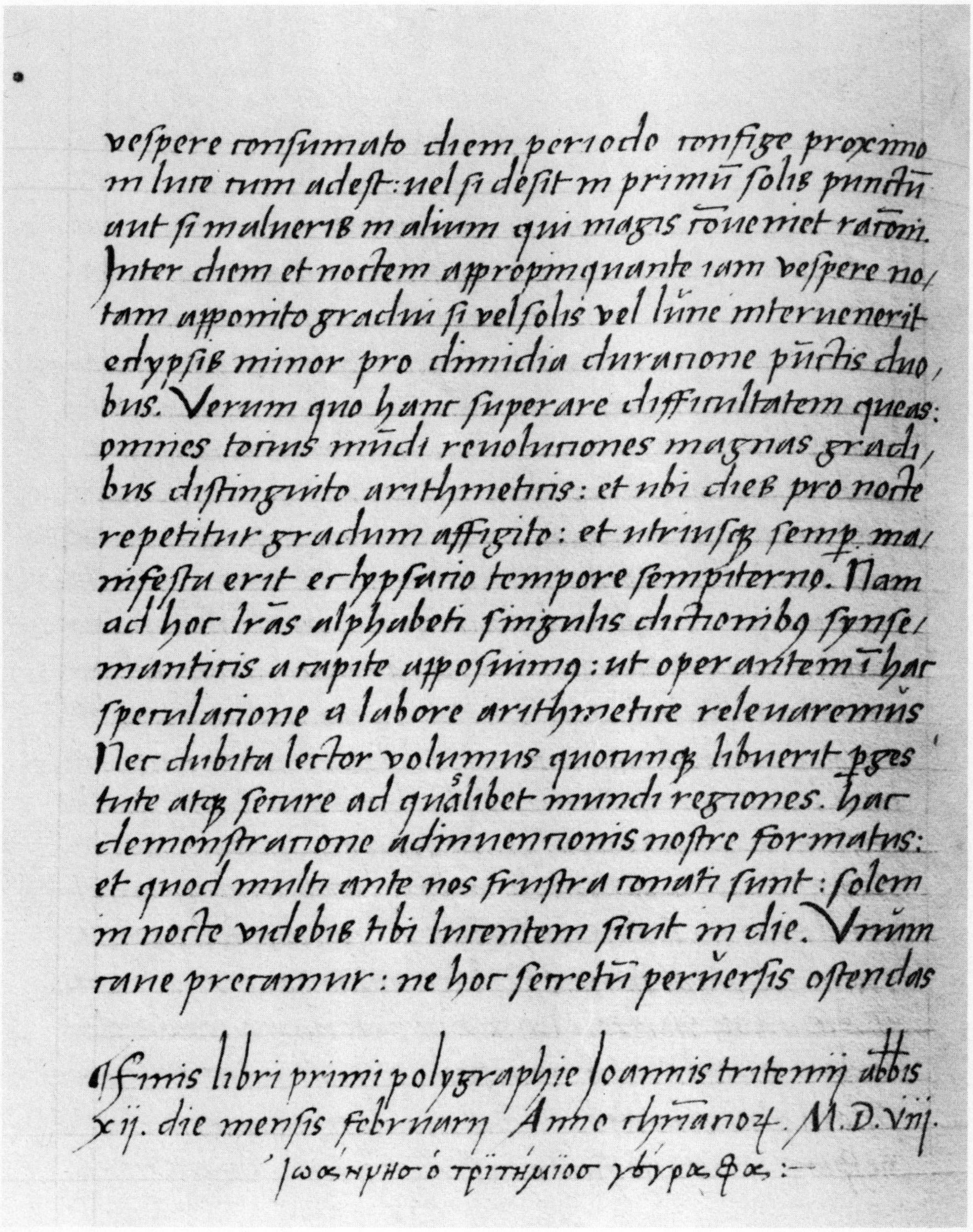
vespere consumato diem periodo consige proximo
in luce cum adest: vel si desit in primu̅ solis punctu̅
aut si malueris in alium qui magis conveniet ratio̅i.
Inter diem et noctem appropinquante iam vespere no/
tam apponito gradui si vel solis vel lune intervenerit
eclypsis minor pro dimidia duratione pu̅ctis duo/
bus. Verum quo hanc superare difficultatem queas:
omnes totius mu̅di revolutiones magnas gradi/
bus distinguito arithmeticis: et ubi dies pro nocte
repetitur gradum affigito: et utrinqꝫ semp. ma/
nifestu erit eclypsario tempore sempiterno. Nam
ad hoc lr̅as alphabeti singulis dictionibꝰ synse/
manticis a capite apposuimꝰ: ut operantem i̅ hac
speculatione a labore arithmetice relevaremus
Nec dubita lector volumus quocunqꝫ libuerit p̅ges
tute atqꝫ secure ad quaslibet mundi regiones. hac
demonstratione adinventionis nostre formatus:
et quod multi ante nos frustra conati sunt: solem
in nocte videbis tibi lucentem sicut in die. Unum
tamen precamur: ne hoc secretu̅ perversis ostendas

¶ finis libri primi polygraphie Joannis tritemij abbis
xij. die mensis februarij Anno christianoꝝ. M.D.viij.
ιωαννησ ο τριτημιοσ γεγραφε:—

Abb. 38 Cod. 3308, fol. 113v Würzburg, 1508

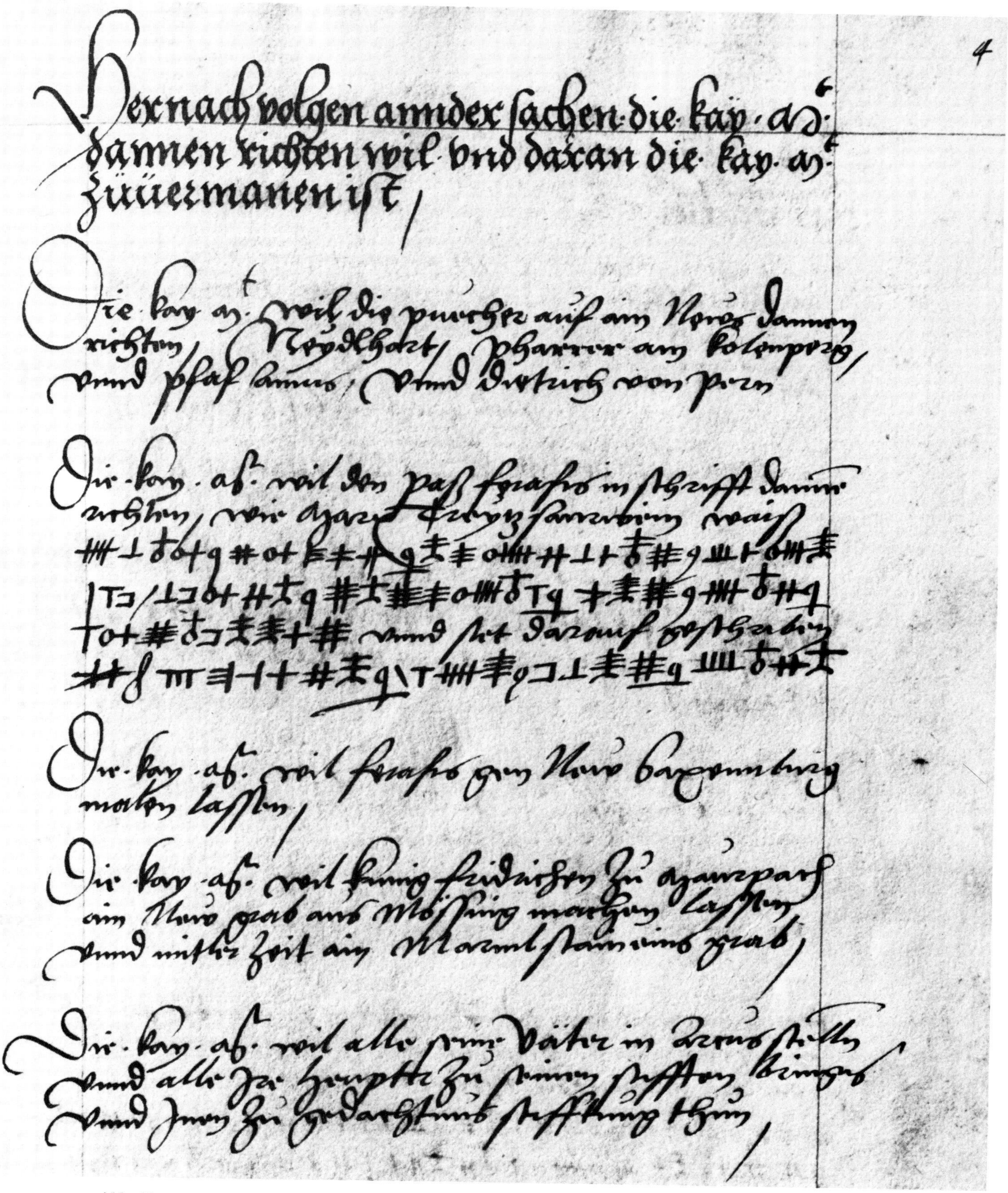

Hernach volgen annder sachen die kay. mt. damen richten wil vnd daran die kay. mt. zu vermanen ist /

Die kay. mt. wil die puecher auf ain Newes dannen richten, Neydhart, Pharrer am kalnperg, vnnd pfaff Amis, Vnnd Dietrich von Pern

Die kay. mt. wil den pass strasse in schrift dannen richten, wie [illegible] wais [illegible] vnnd setz darauf geschaben [illegible]

Die kay. mt. wil strasse gen Newe barenberg machen lassen /

Die kay. mt. wil kunig fridrichen zu Czaurpach ain Newes grab aus Messing machen lassen vnnd mitler zeit ain Marmelstainins grab /

Die kay. mt. wil alle seine Vätter in etlichen stellen vnnd alle zu haupt zu seinen stifften bringen vnnd Inen zu gedachtnus stifftung thun /

Abb. 39 Cod. 2900, fol. 4r (Österreich), 1509—1513

vt illud pro æterna tuæ fœlicitatis memoria tanquam
specimen penes te haberes. Nec miretur tua præclaris
sima maiestas: si ysta tua pene diuina Clementia i
fretus. tam parua ad te mittere ausus sum: cum me
moria teneam: quanta humanitate quantaq mansu
etudine: pium munusculum alias nostrum acceperis:
sicuti mihi retulit PetrusAntonius tuæ sacrosanctæ
Coronæ Capellanus vir integerrimus: qui illud tibi i
nomine nostro reddiderat. Accipe igitur queso hæc
nostra qualiacunq sint eo animo: quo ego illa tuæ
Celsitudini libenter offero. Et me inter tuos fidissimos
seruos Comendatum habere digneris: qui quoad pre
senti vita fruar: non ero inmemor: quanta huma
nitate me inter Curiales tuos flammines adscripseris.
quem si non satis idoneum: at fidissimum clientulū
apud te. semper habebis. Quod aūt hactenus ob maximas
incredibilesq occupationes officium, ut cupio et debeo,
nostrum exhibere non valui: doleo plurimum. Sed
breui, uti spero, me ysthuc transferam: q si fieri cele
rius a me non poterit vel omnino fiet: Cum Serenis
simum Regem virum tuum inuictissimum: Romam
proficiscentem: imperatoriæ maiestatis insignia ac i
ornamenta suscepturum. Comitaberis: quem diu
saluum et incolumem cum maiestate tua Deus o
optimus fœlicissime Conseruet. Vale. Ex Mediolano
octauo Calendas Apriles. MDVIIII.

…latonis Mauri iureconsulti: æquitis: comitis:
Cæsarei & ducalis senatoris: ac ducalem legatti
in germania gerentis: Ad Serenissimum Ma
ximilianum inuictissimum Romanorum rege
in auspicatissimus eius & Augustæ Blanchemariæ
nuptiis: Epithalamion: —

Redimus Serenissime
Rex & inuictissime Cæsar
fœlici aliquo sydere pro
cessisse: ut nos qui anno
superiore: pro inclytissimis
mediolanensium Princi
pibus gratulatoriam ro
manæ orationem habuimus ad Alexandrum sex
tum romanum pontificem: nunc etiam eorundem
legati ad te romanorum regem maximum haud
imparem simus orationem habituri: Vos estis æ
duo mundi luminaria magna: pastoralis aucto
ritas & Cæsarea potestas prima & summa chris
tiani orbis capita: & præcipua vniuersæ terre …

Abb. 40 Cod. Ser. n. 12594, fol. 1^v—2^r Mailand, 1509

Abb. 42 Cod. 4104, fol. 186v—187r (Mondsee), 1509

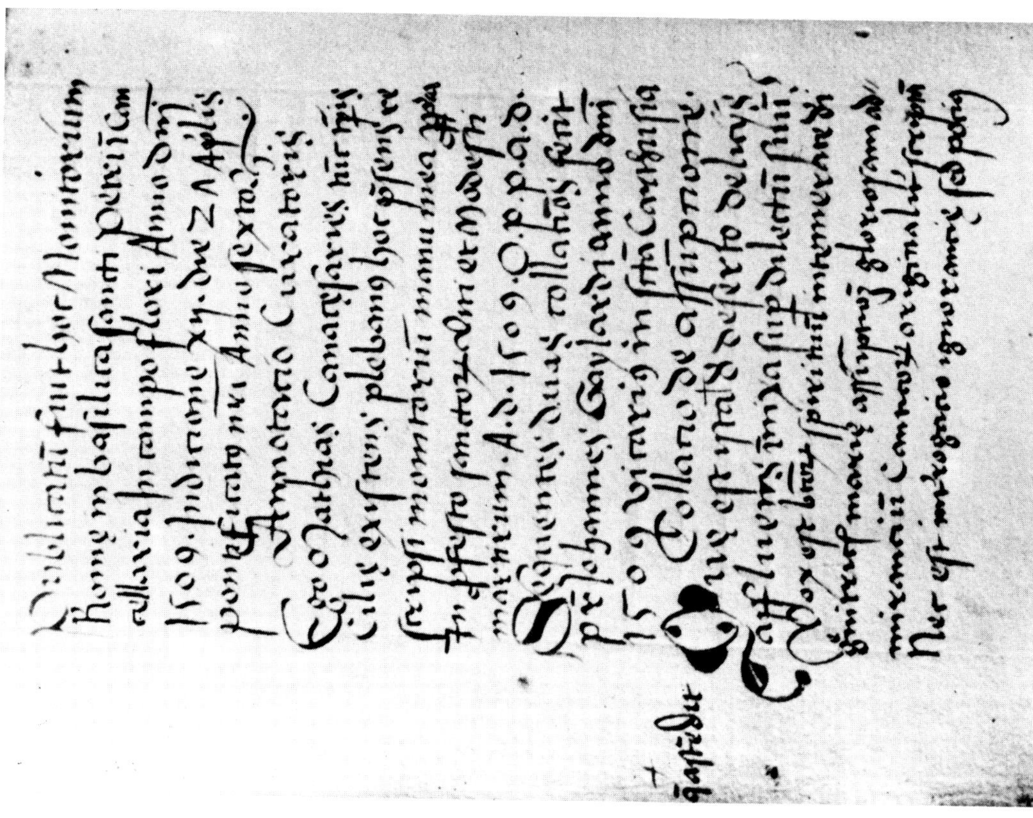

Abb. 41 Cod. 4058, fol. 98v Cilli, 1509

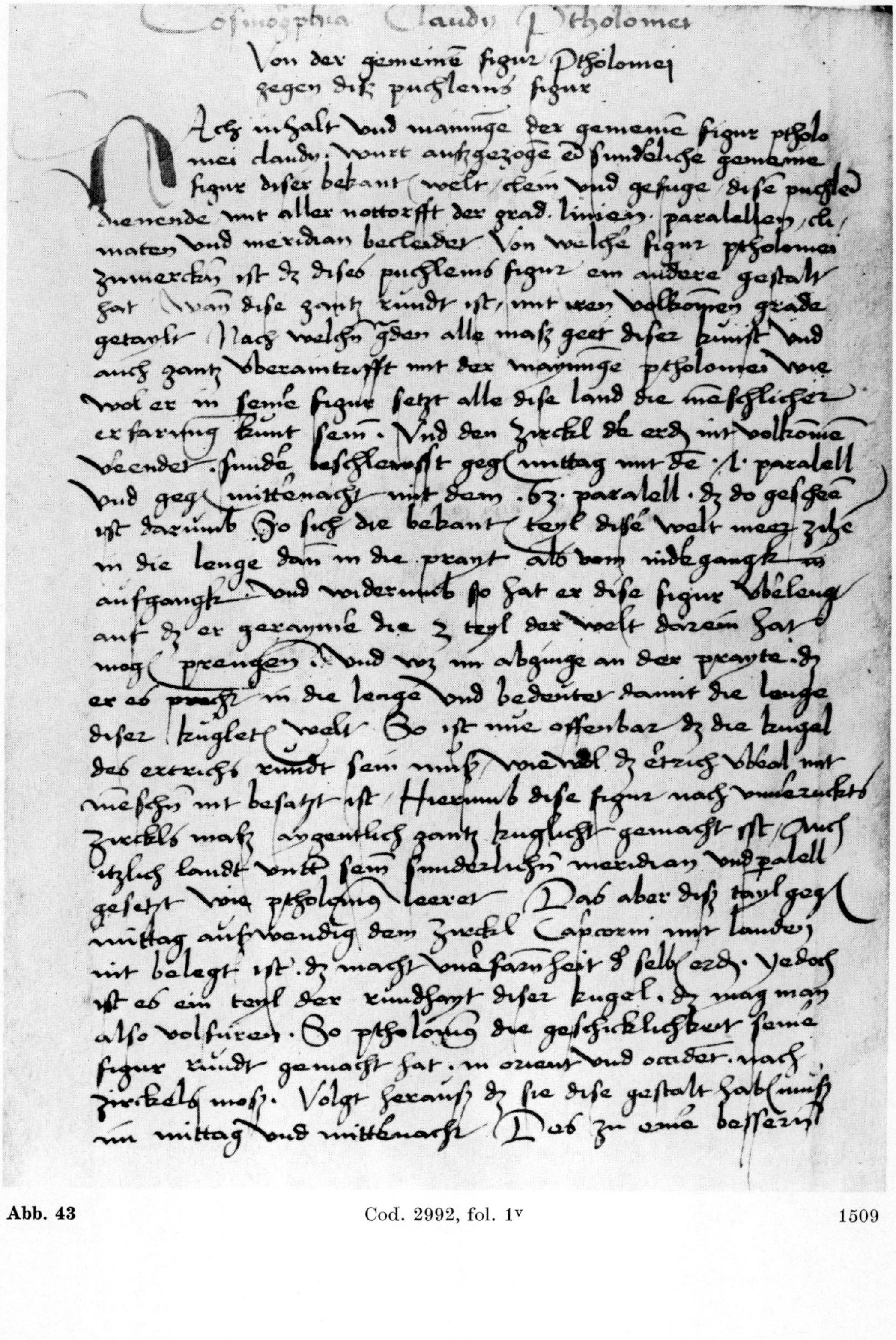

Cosmographia Claudii Ptholomei

Von der gemeine figur Ptholomei
gegen diß puchleins figur

Nach inhalt vnd manunge der gemeine figur ptholo
mei claudii. wurt aufgezoge ein sunderliche gemeine
figur diser bekant welt klein vnd gefuge dise puchlein
dienende mit aller notturfft der grad. linien. paralellen, cli
maten vnd meridian bekleidet Von welche figur ptholomei
zumercken, ist dz dises puchleins figur ein andere gestalt
hat wan dise gantz rundt ist, mit iren volkomen grade
getailt Nach welchen grden alle maß geet diser kunst vnd
auch gantz vberaintrifft mit der manunge ptholomei wie
wol er in seine figur setzt alle dise land die menschlicher
erfarung kunt sein. Vnd den zirckel der erd nit volkome
verendet. sunder beschleusst geg mittag mit de .1. paralell
vnd geg mittenacht mit dem .63. paralell. dz do gescheen
ist darumb So sich die bekant teyl diser welt mer ziehe
in die lenge dan in die prayt als vom nidergangk in
aufgangk vnd widerumb so hat er dise figur vberlengt
auf dz er geraume die 3 teyl der welt darein hat
mug prengen. vnd wz im abginge an der prayte. dz
er es pracht in die lenge vnd bedeutet damit die lenge
diser kugleten welt So ist nue offenbar dz die kugel
des ertrichs rundt sein muß wie wol dz ertrich vberal nit
menschen mit besatzt ist Hierumb dise figur nach vmbzirckels
zirckels maß aigentlich gantz kuglicht gemacht ist Auch
itzlich landt vnter sein sunderlichen meridian vnd paralell
gesetzt wie ptholomeus leeret Das aber diß tayl geg
mittag aufwendig dem zirckel Capcorni mit landen
nit belegt ist. dz macht vnerfarnheit der selben erd. Yedoch
ist es ein teyl der rundheit diser kugel. dz mag man
also volfuren. So ptholomeus die geschicklichkeit seine
figur rundt gemacht hat. in orient vnd occident. nach
zirckels moß. Volgt herauß dz sie dise gestalt hab muß
im mittag vnd mittenacht Das zu eine besseren

Abb. 43 Cod. 2992, fol. 1v 1509

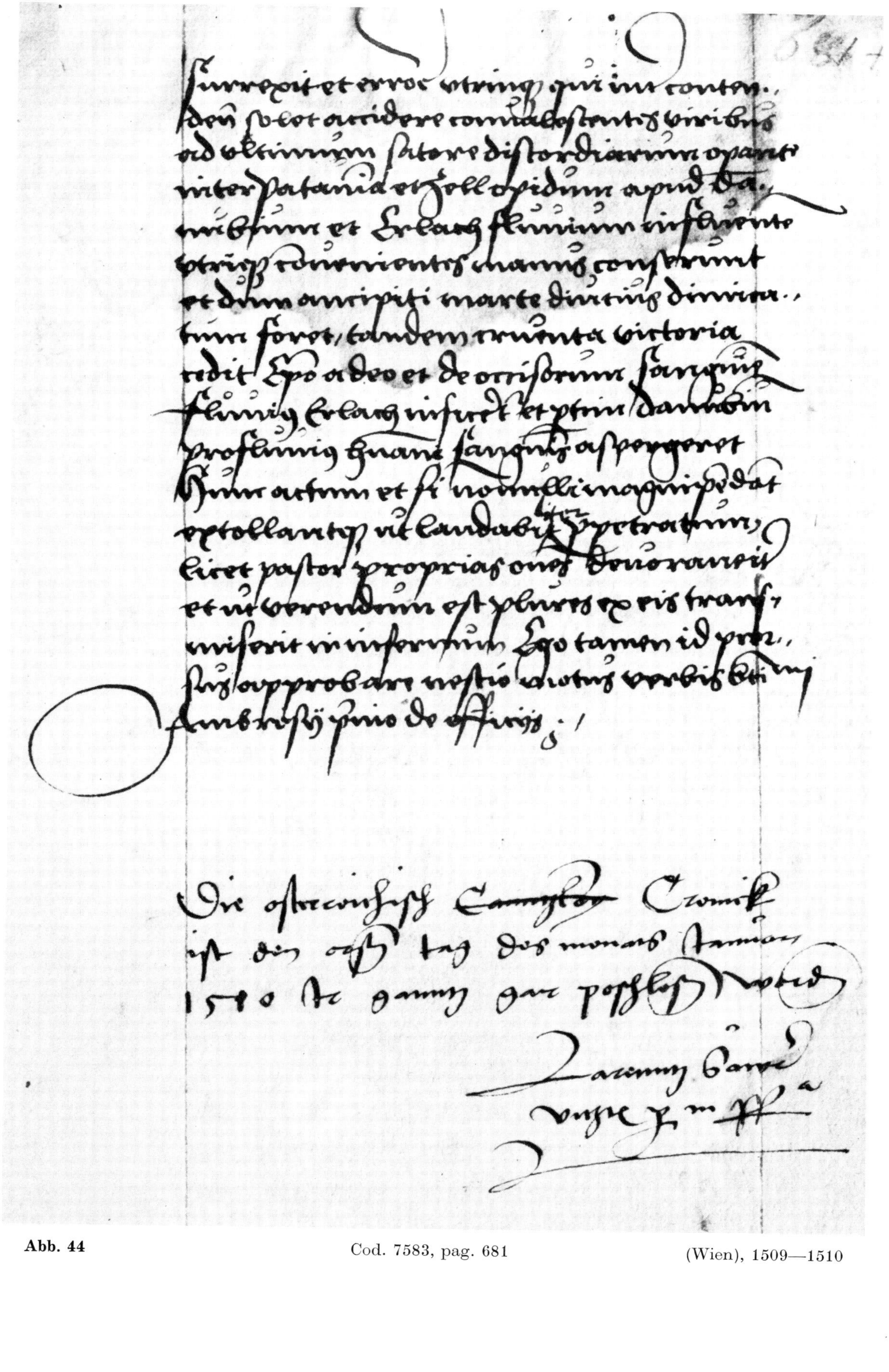
surrexit et error utrinque qui im contem-
den solet accidere conualescentibus viribus
ad ultimum saeve discordiarum operam(?)
inter Pataviam et Zoll oppidum apud Danubium et Erlach fluvium insurgente(?)
utrisque redeuntibus manus conserunt
et dum ancipiti marte diutius dimica-
tum foret, tandem cruenta victoria
redit Epo a deo et de occisorum sanguine
fluvius Erlach infecit et ptim Danubium
profluentis(?)
hunc actum et si nonnulli magnifice dat(?)
extollantur ut laudabiliter perpetratum,
licet pastor proprias oves devoraverit
et ut verendum est plures ex eis trans-
miserit in infernum, Ego tamen id pro-
fecto(?) approbare nescio dictis verbis beati
Ambrosii primo de officiis

Abb. 44 Cod. 7583, pag. 681 (Wien), 1509—1510

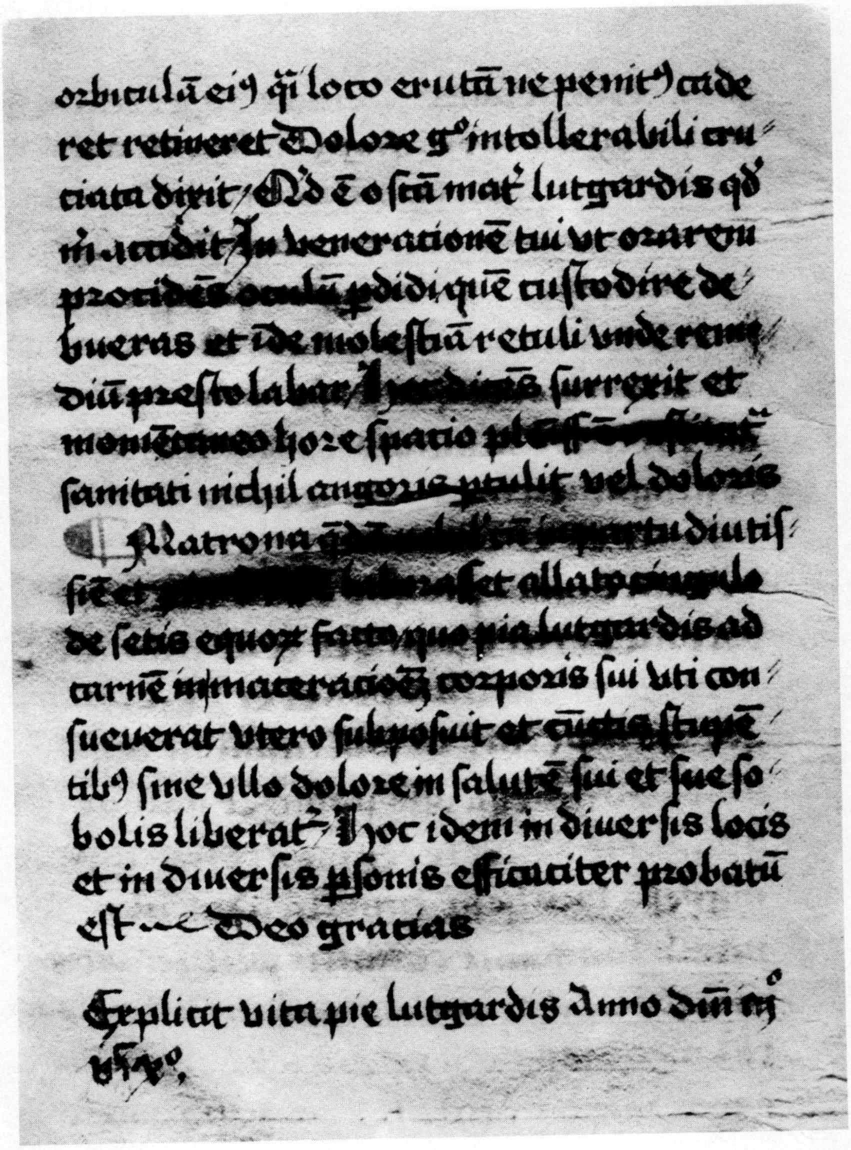

Abb. 45 Cod. 3257*, fol. 73^v 1510

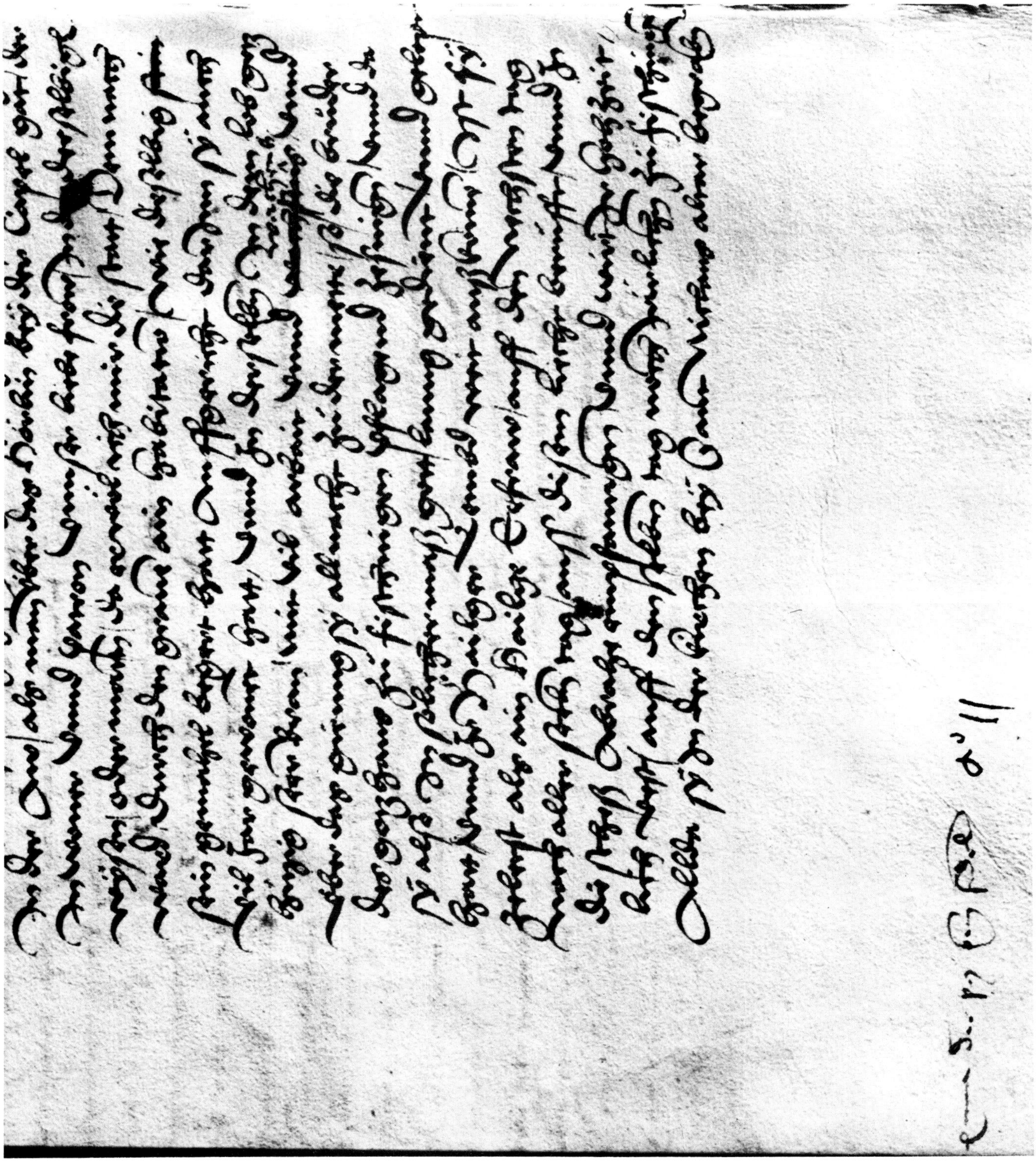

Abb. 46 Cod. 8994, fol. 313v (Österreich), 1511

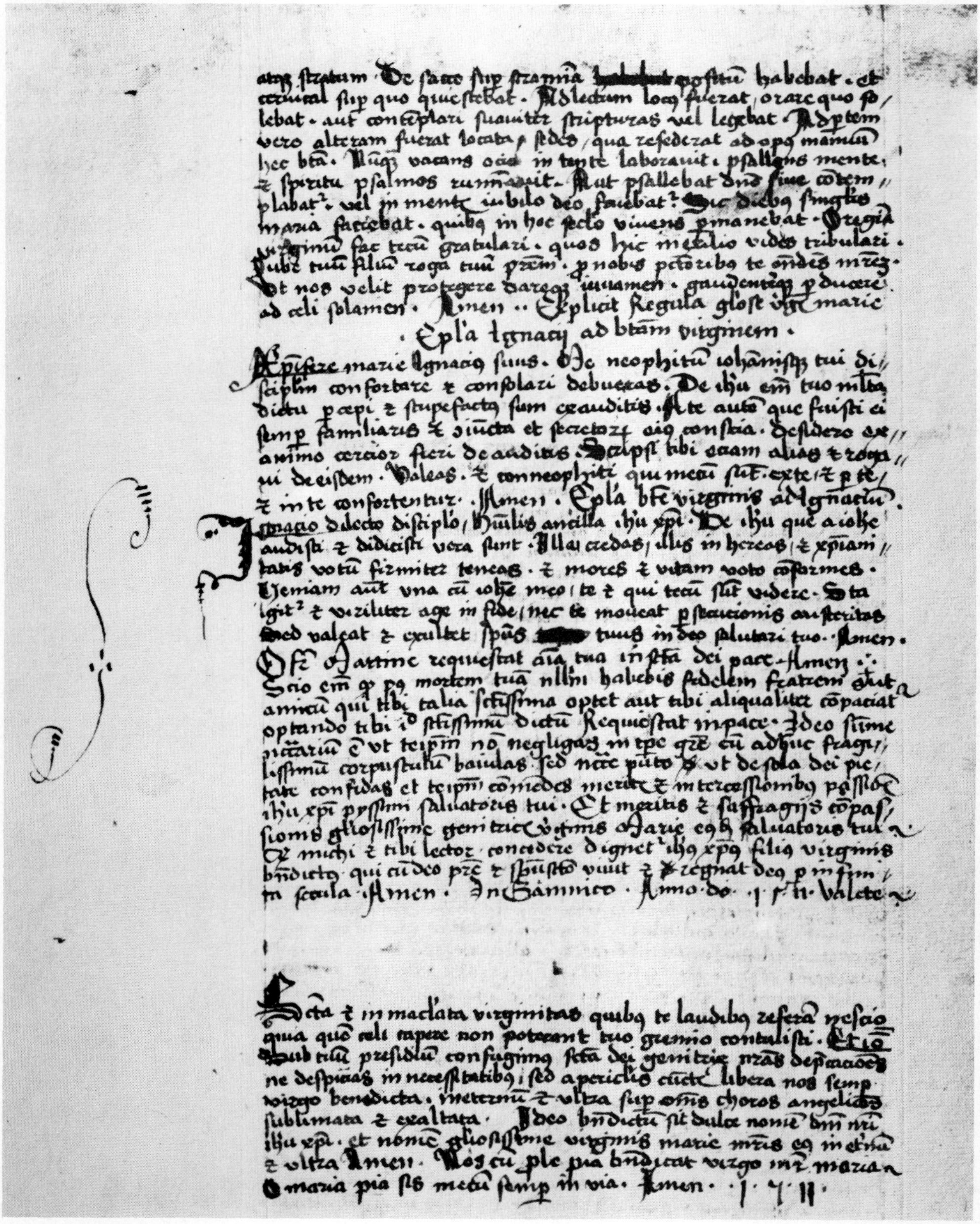
atq3 stratum De sacco sup stramina [redacted] positu habebat. et
cernical sup quo quiescebat. Adlectum loca fuerat, orare quo solebat. aut conteplari suauiter scripturas vel legebat. Ad ptem
vero alteram fuerat locata sedes, qua resederat ad opg manuu
hec bta. Nuq vacans ocio in tante laborauit. psallens mente
et spiritu psalmos ruminauit. Aut psallebat dnd sine corem
plabat. vel in mente iubilo deo fauebat. Sic diebg singulis
maria faciebat. quibg in hoc seclo viuens pmanebat. Regina
virginu fac tecu gratulari. quos hic metalio vides tribulari.
Iube tuu filiu roga tuu prem. p nobis petetibg te omnes mrez.
Vt nos velit protegere dareq3 iuuamen. gaudentesq3 pducere
ad celi solamen. Amen. Explicit Regula gloss virg marie

Epl'a Ignacij ad btam virginem.

Xpifere marie Ignaciq suus. Me neophitu iohanisq3 tui di-
scipulum confortare et consolari debueras. De ihu em tuo mira
dictu percepi et stupefactq sum ex auditis. A te aut que fuisti ei
semp familiaris et iuncta et secretor eiq consoia. desidero ex
animo certior fieri de auditis. Scripsi tibi ciam alias et roga-
ui de eisdem. Valeas. et conneophiti qui mecu sut ex te et p te
et in te confortentur. Amen. Epl'a bte virginis ad Ignatiu.
Ignacio dilecto discipulo, humilis ancilla ihu xpi. De ihu que a iohe
audisti et didicisti vera sunt. Illa credas, illis inhereas, et xpiani-
tatis votu firmiter teneas. et mores et vitam voto conformes.
Veniam aut vna cu iohe meo, te et qui tecu sut videre. Sta
igitur et viriliter age in fide, nec te moueat persecutionis austeritas
sed valeat et exultet spus [redacted] tuus in deo salutari tuo. Amen.
Ose Martine requiescat aia tua in xpo dei patr. Amen.
Scio em q p9 mortem tua nullu habebis fidelem fratrem aut
amicu qui tibi talia scriptissima optet aut tibi aliqualiter copaciat
optando tibi id dulcissimu dictu Requiescat in pace. Ideo sume
pictatiu ut teipm no negligas in tpe gre cu adhuc fragi-
lissimu corpusculu baiulas sed nec puto ut de sola dei pietate confidas et teipm comendes meritis et intercessionibg passio-
nis ihu xpi pyssimi saluatoris tui. Et meritis et suffragiis copas-
sionis gloriosissime genitricis virginis Marie eiq saluatoris tui.
Qd michi et tibi lector concedere dignet ihs xps filius virginis
benedicte qui cu deo pre et spusto viuit et regnat deg p infinita
secula Amen. In Gammico. Anno dni. 1 5 11. Valete.

Scta et immaculata virginitas quibg te laudibg referam nescio
quia quem celi capere non poterant tuo gremio contulisti. Et io
Sub tuu presidiu confugimg scta dei genitrix nras depcacoes
ne despicias in necessitatibg, sed a periclis cuctis libera nos semp
virgo benedicta. in eternu et vltra sup oms choros angelicos
sublimata et exaltata. Ideo bndictu sit dulce nomie dni nri
ihu xpi. et nomie gloriosissime virginis marie mris eg in etnu
et vltra Amen. Nos cu ple pia bndicat virgo mr maria
O maria pia sis mecu semp in via. Amen. 1 5 11

Abb. 47 Cod. Ser. n. 13936, fol. 63v Gaming, 1511

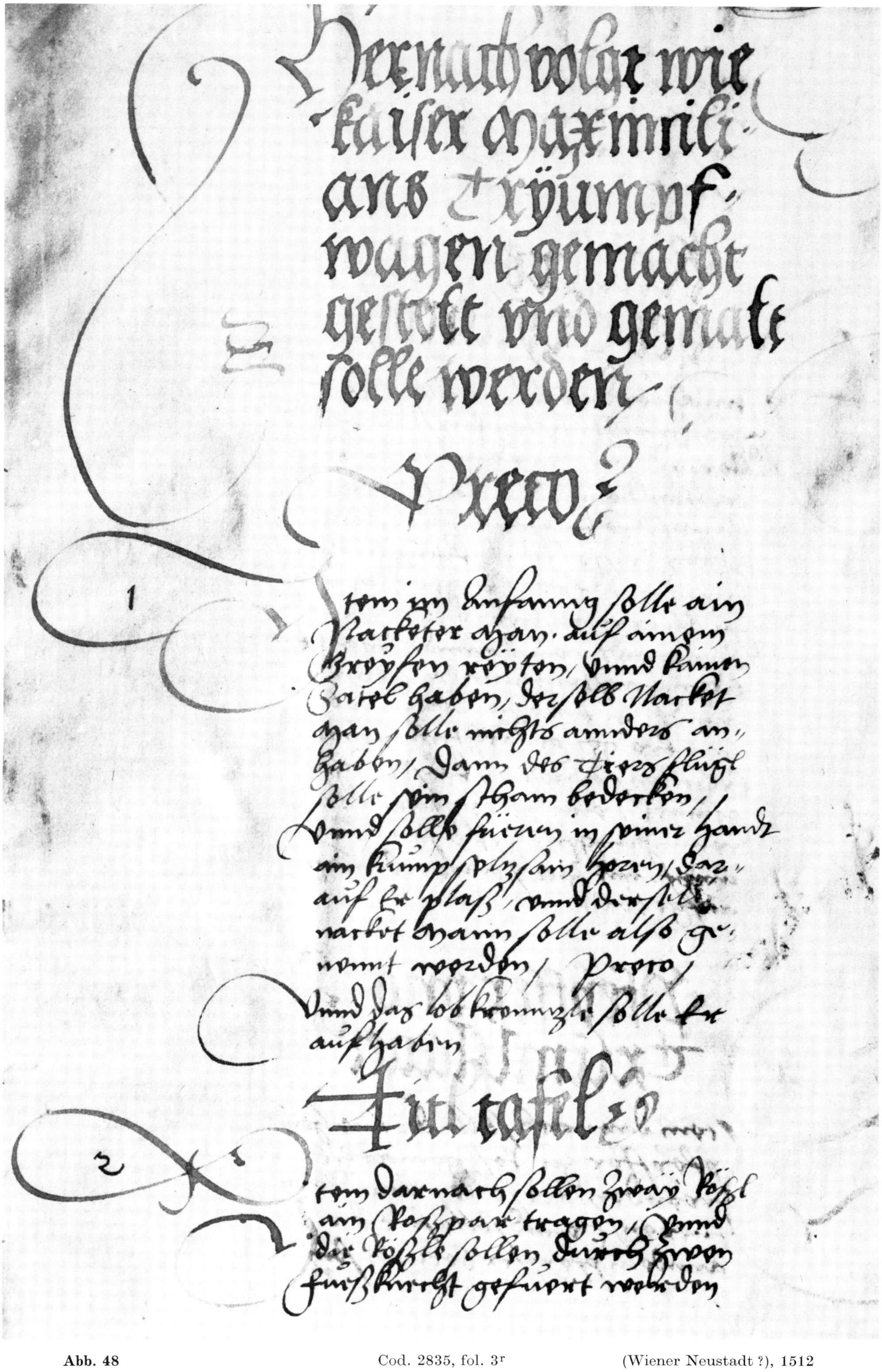

Hernach volgt wie kaiser Maximilians Tryumpfwagen gemacht gestelt vnd gemalt solle werden

Preco

1 Item im anfang solle ain Narketer man auf ainem kroyssen röyten, vnnd kainen Satel haben, derselb Narket man solle nichts anders an haben, dann des tiers flügl solle sein scham bedecken, vnnd solle füeren in seiner handt ain krumpfeyffen horn, darauf er plass, vnnd derselb narket man solle also genennt werden, Preco, vnnd das lob krentzli solle er auf haben

Ain tafel

2 Item darnach sollen zway rössl ain rosspar tragen, vnnd die rössle sollen durch zwen fuessknecht gefüert werden

Abb. 48 Cod. 2835, fol. 3r (Wiener Neustadt ?), 1512

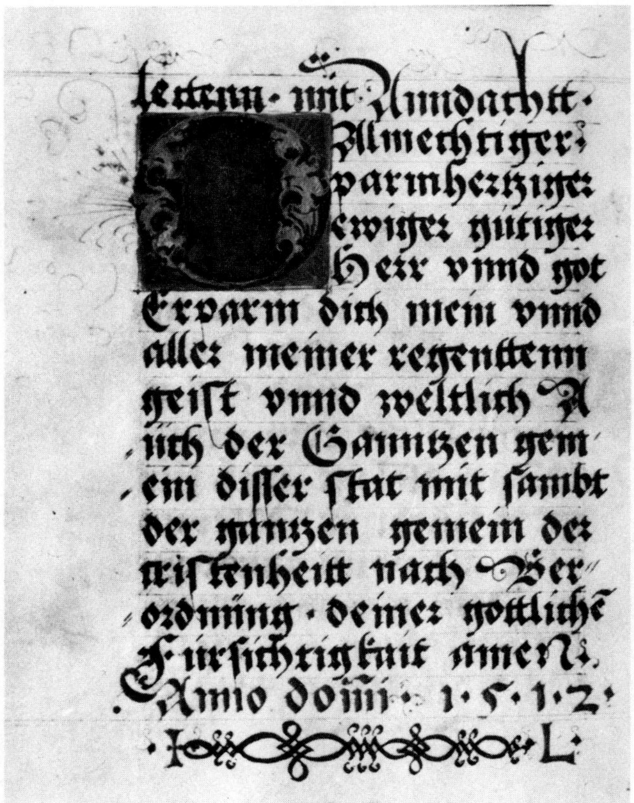

letenn · mit Anndachtt ·
Allmechtiger ·
parmhertziger ·
ewiger gutiger ·
Herr vnnd got
Erparm dich mein vnnd
aller meiner regenttenn
geist vnnd weltlich A
uch der Gannczen gem
ein disser Stat mit sambt
der gannczen gemein der
kristenheitt nach Ver
ordnung · deiner gottliche
Fursichtigkait amen
Anno domini · 1 · 5 · 1 · 2 ·
· L ·

Abb. 49 Cod. 2747, fol. 145ᵛ 1512

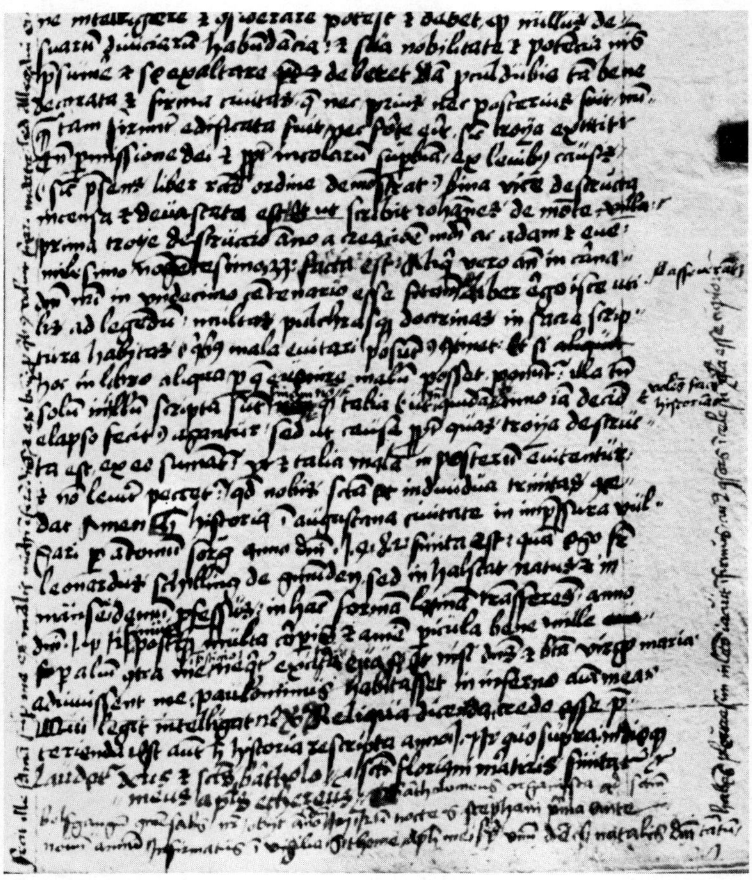

Abb. 50 Cod. 3542, fol. 495ʳ (Mondsee), 1512

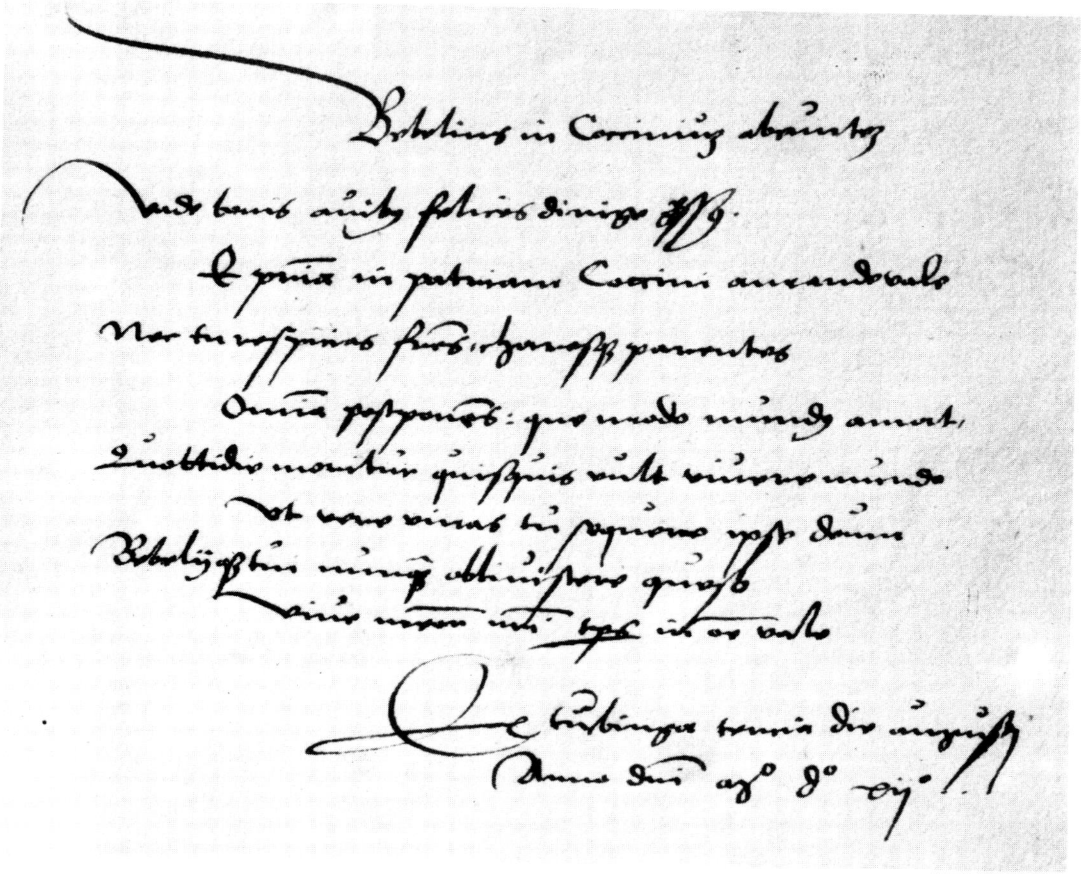

Abb. 51 Cod. 3362, fol. 365r Tübingen, 1512

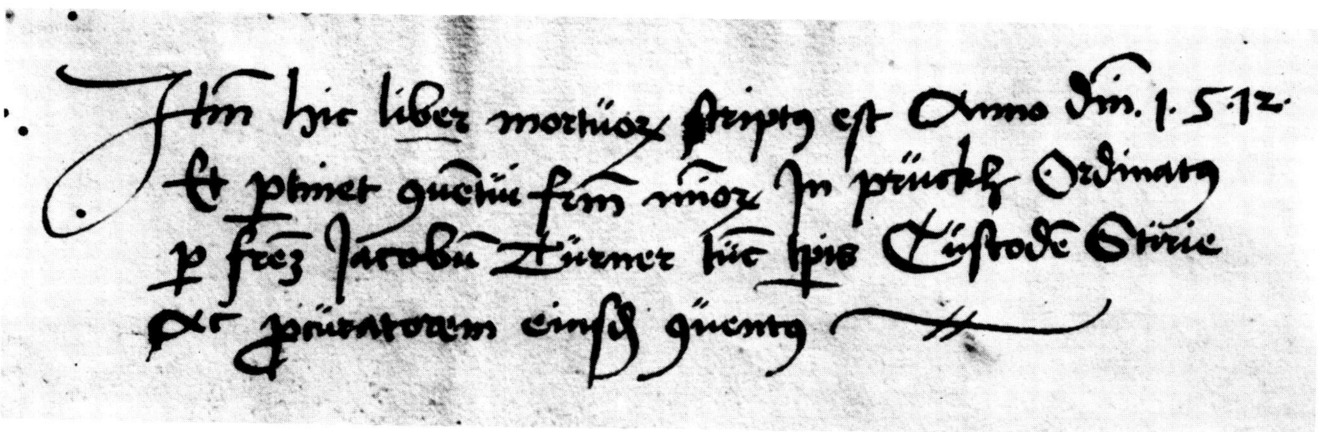

Abb. 52 Cod. Ser. n. 3812, fol. 2r Bruck an der Mur, 1512

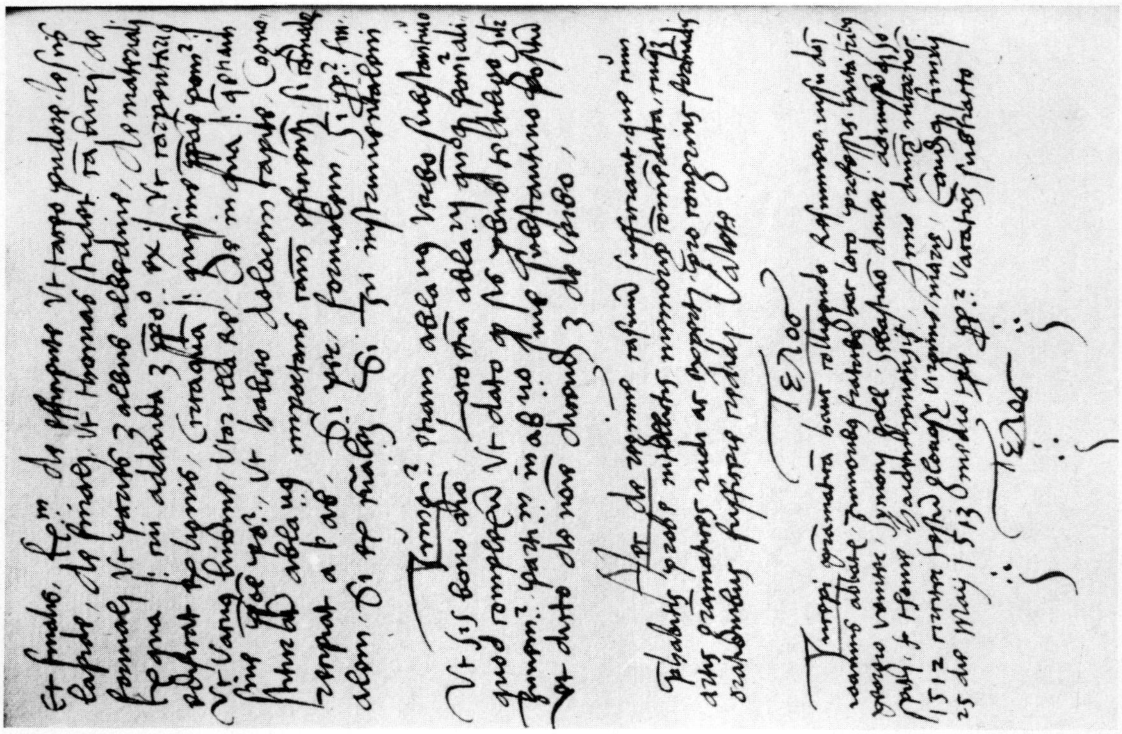

Abb. 54 Cod. 3276, fol. 155v 1513

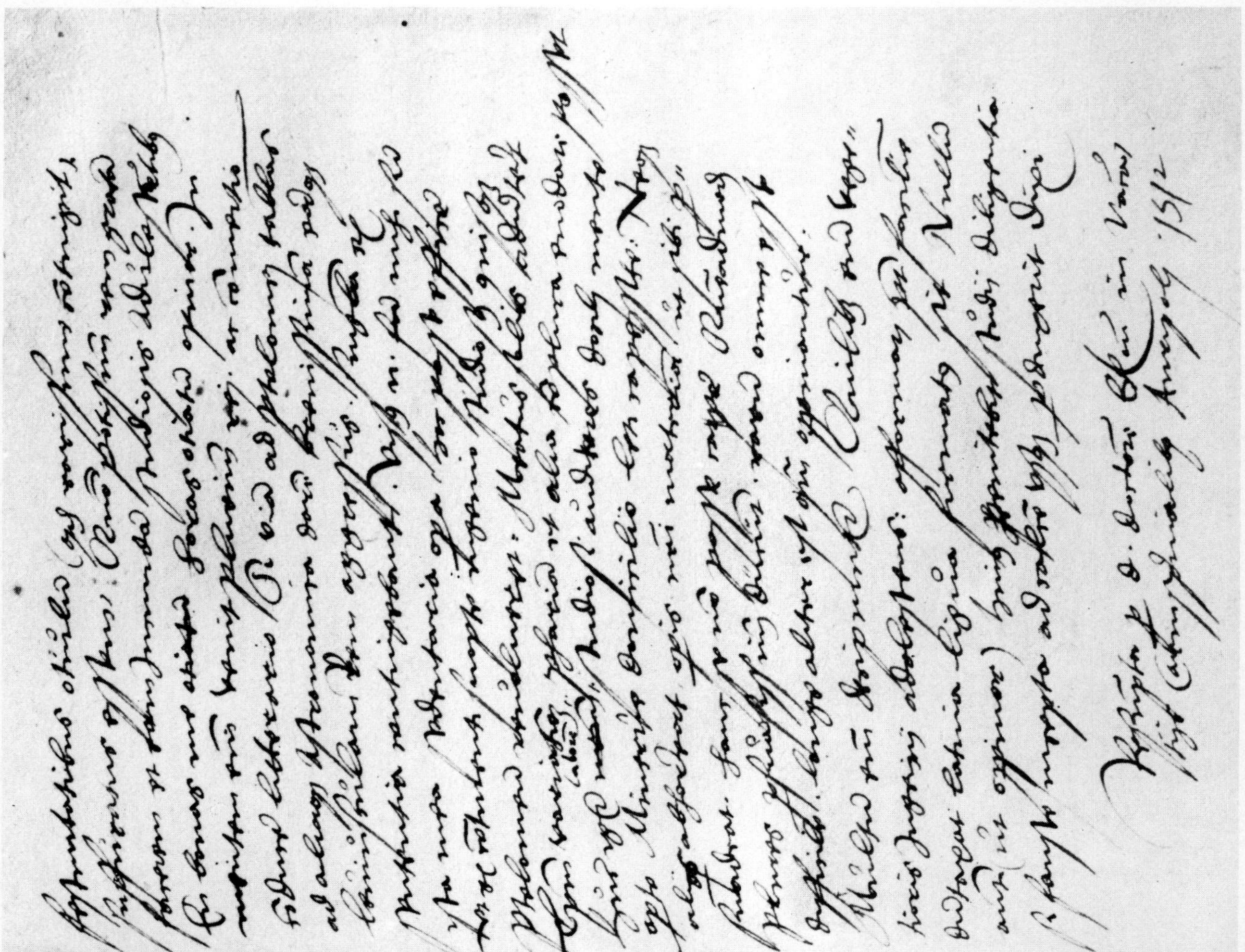

Abb. 53 Cod. 3193, fol. 233r Ingolstadt, 1512

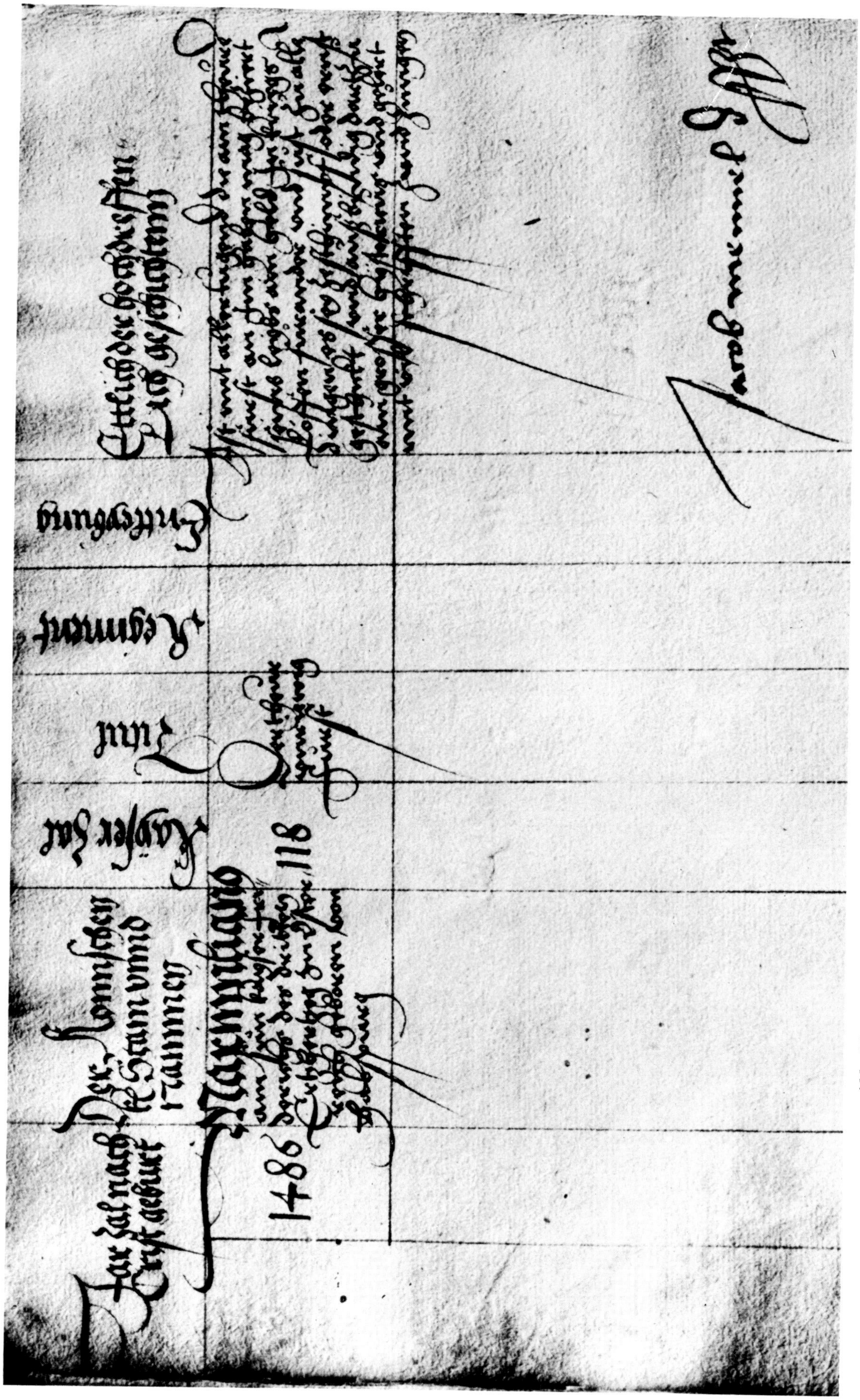

Abb. 55 Cod. 8786, fol. 31v Freiburg im Breisgau, 1513

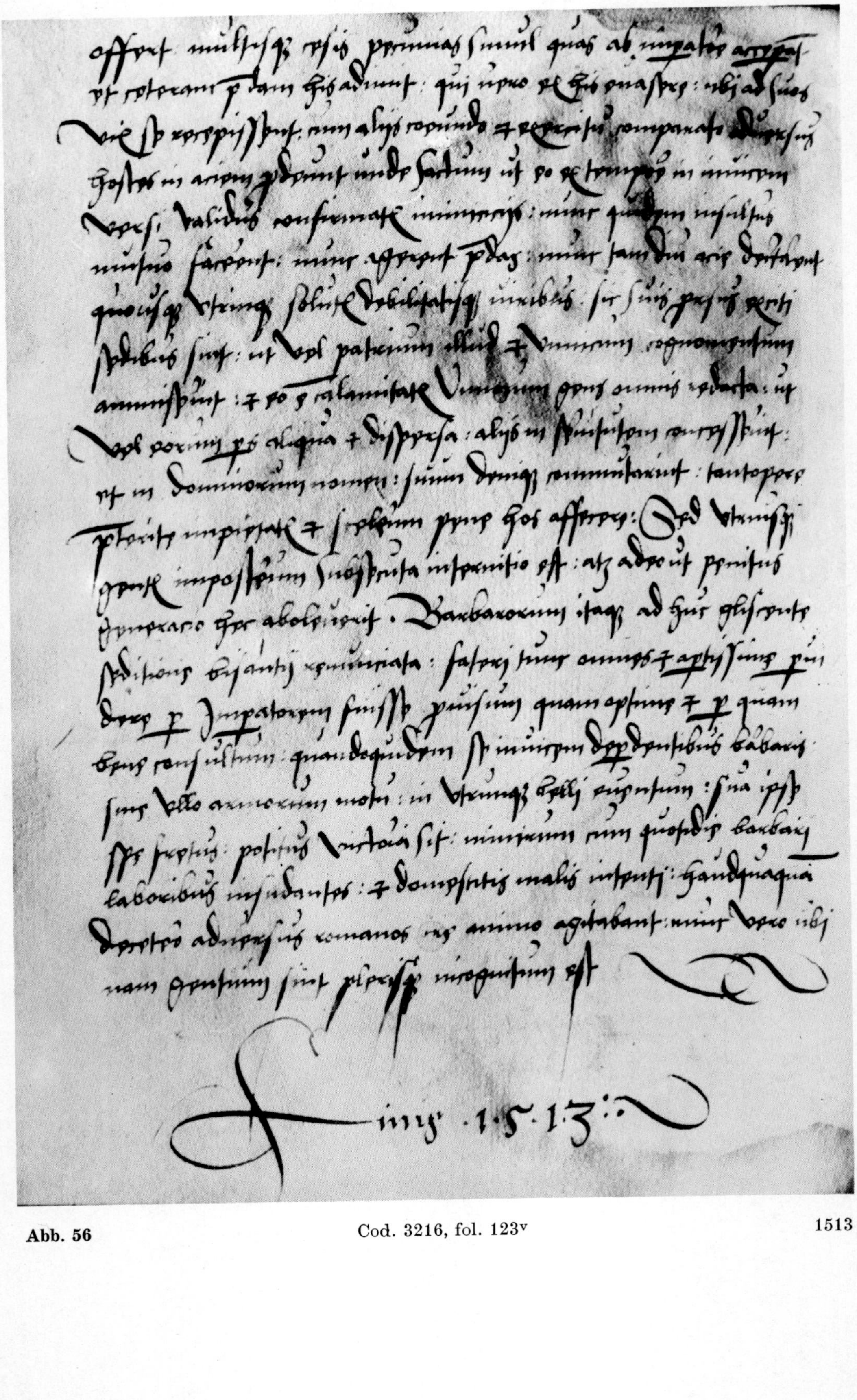

Abb. 56 Cod. 3216, fol. 123v 1513

solo tactu potuisse uitam constare: ceteros sensus non ad essē
tiam: sed ad ornatum fere & meliorem notam essentie inditos.
Quamobrem sublatis reliquis sensibus auferetur ornatus & o
pulentia: sed stabit animal sublato tactu ipsam necesse est ani
malis constitutionem & essentiam tolli. Primū uisus aīali iūc
tus non ut sit animal: sed ut uitam in humore: aut in aere exi
gat: aut in plucido aliquo corpe. Deinde additus gustus ut iocū
dum alimentū ab iniocūdo secernat: hoc ut fugiat: illud ut sci
scat: nam ut uesceretur aīal sola uis altrix quocūq; succo esculē
toq; satisfacere potuisset: qđ in plantis iam cernitur. Tū auditꝰ
prestitus ut ipsi ab alio indicetur qđ. Postremo lingua adhibita
ad gemina opera & ad perceptus saporum & ad uocis officium

Finis Themistii de anima lib. iii. Interprete Hermolao bar
baro patritio ueneto. Scriptum Aquauiua per Domnū Vitū.
ad istantiam Illustrussimi dn̄i Andree Mathei Aqueuiuus
de Aragonia Dux hadrie Comesq; Casert &c. Anno dn̄i
M.CCCCC XIIII. XIII. KL. Nouemb. III. Ind

Abb. 57 Cod. 36, fol. 138r Acquaviva, 1514

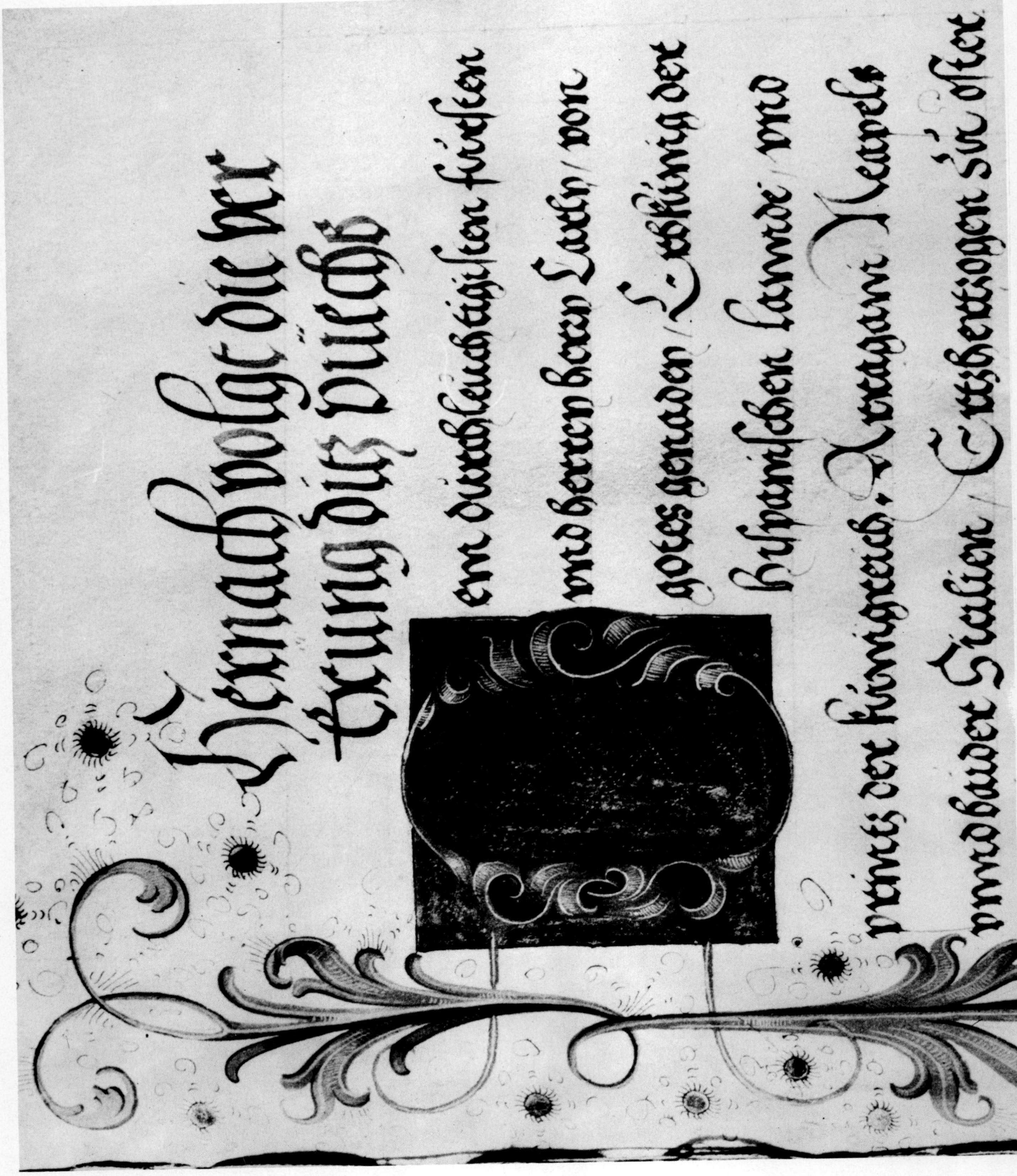
Hernach volgt die ver-
erung ditz buechs

Dem durchleuchtigisten fürsten
und herren herrn Karln / von
gotes genaden / Erbkünig der
hispanischen lannde / und
printz der künigreich. Arragani Neapels
und baider Sicilien / Ertzhertzogen zu oster

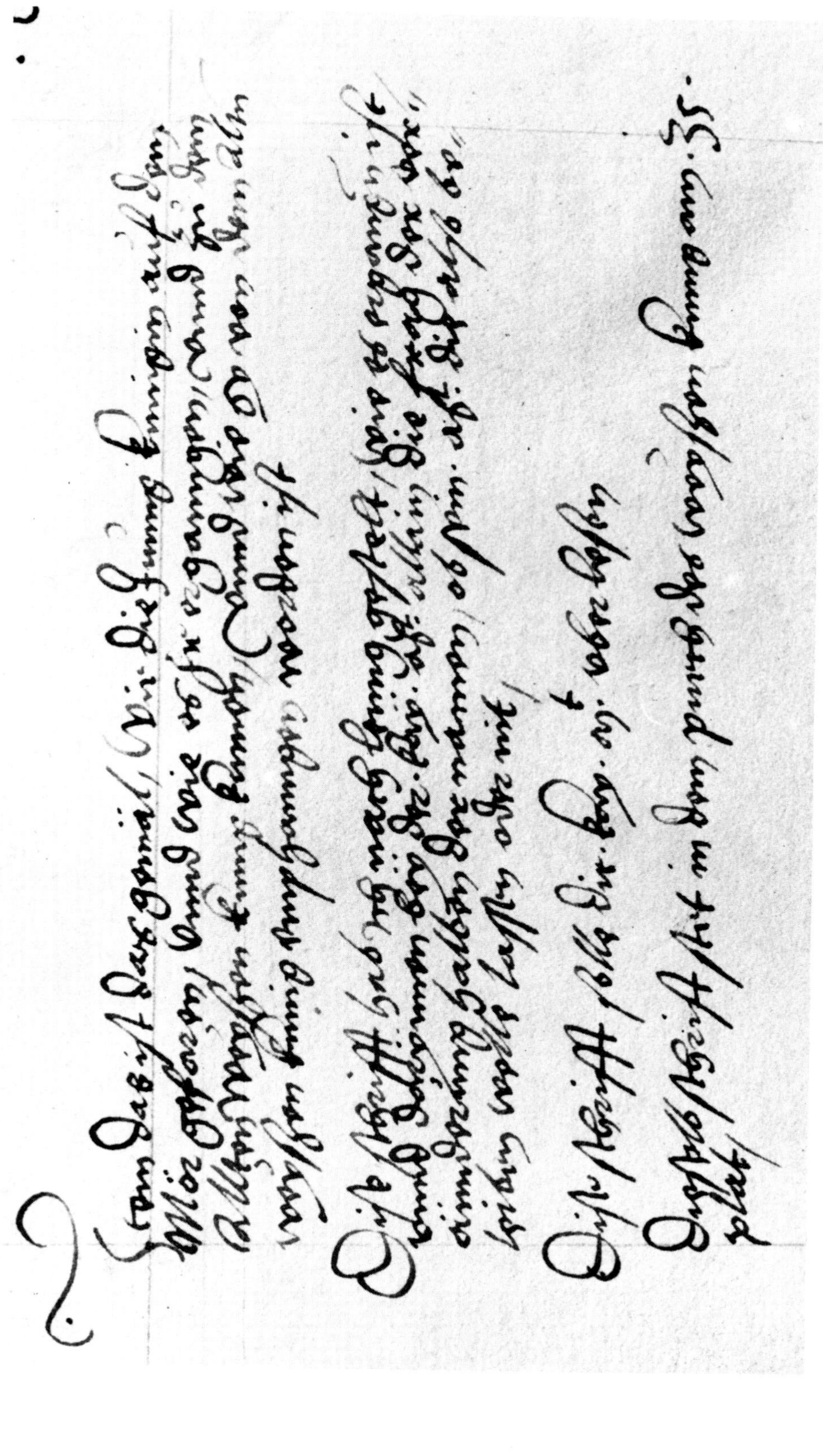

Abb. 59 Cod. 3034, fol. 6r 1515

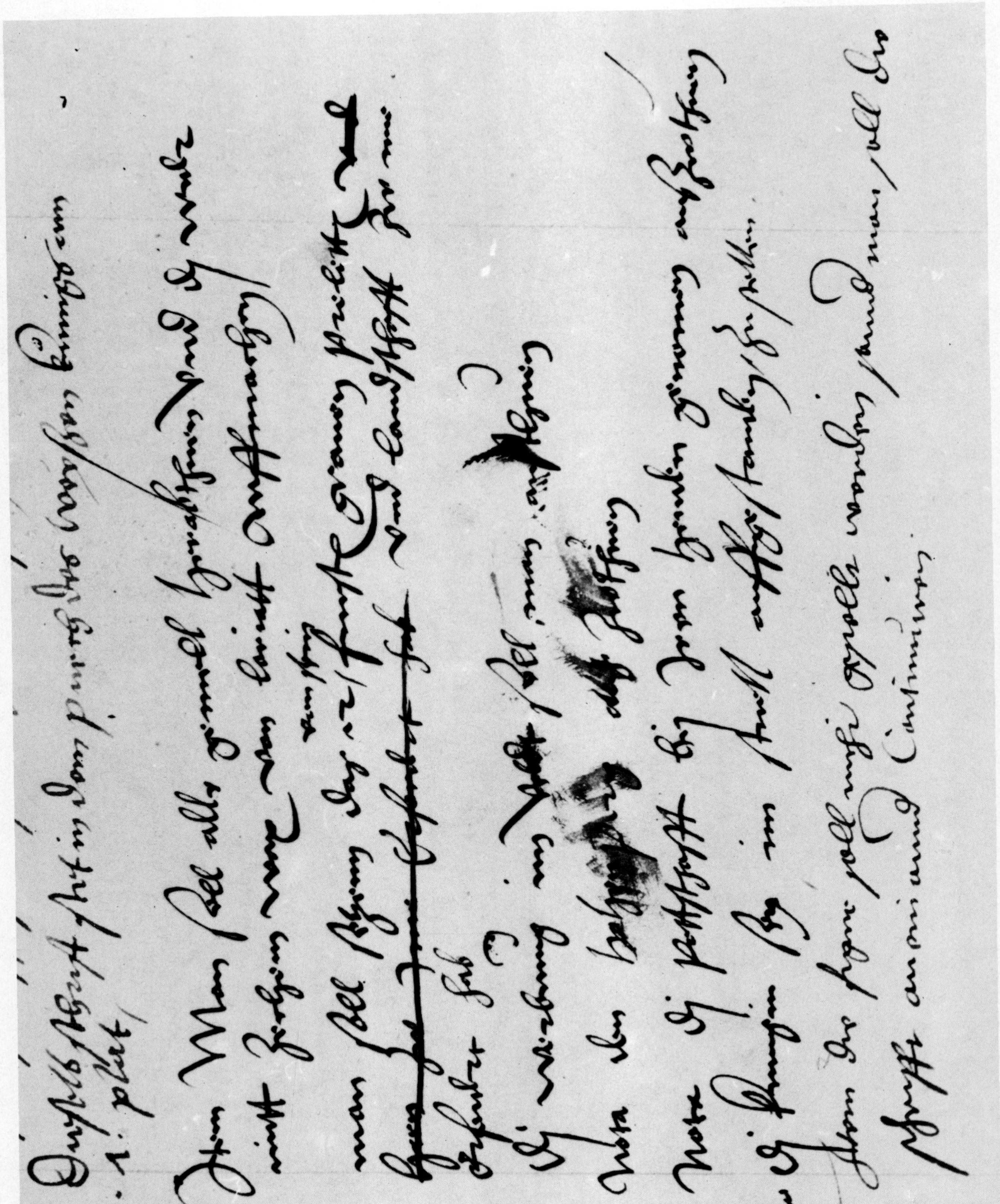

Abb. 60 Cod. 3034, fol. 3r 1515

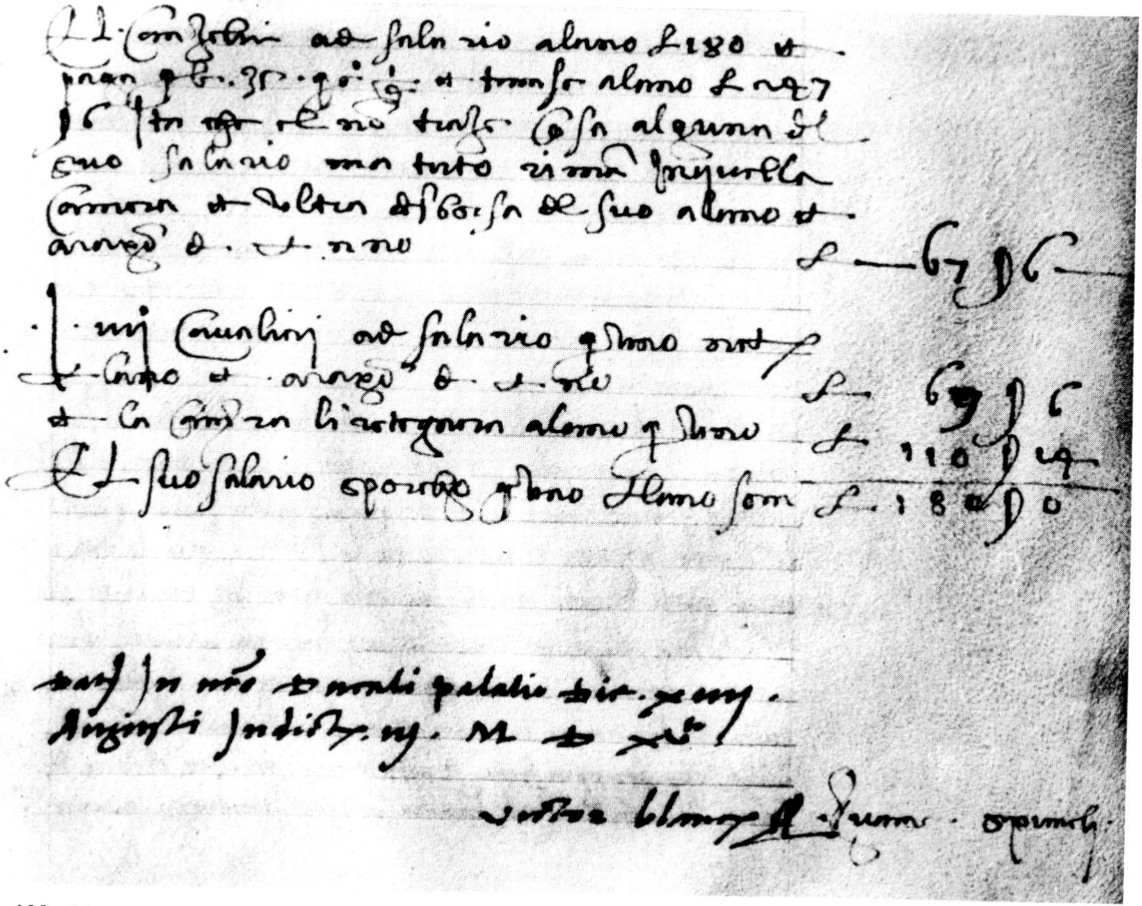

Abb. 61 Cod. Ser. n. 3494, fol. 23r Venedig, 1515

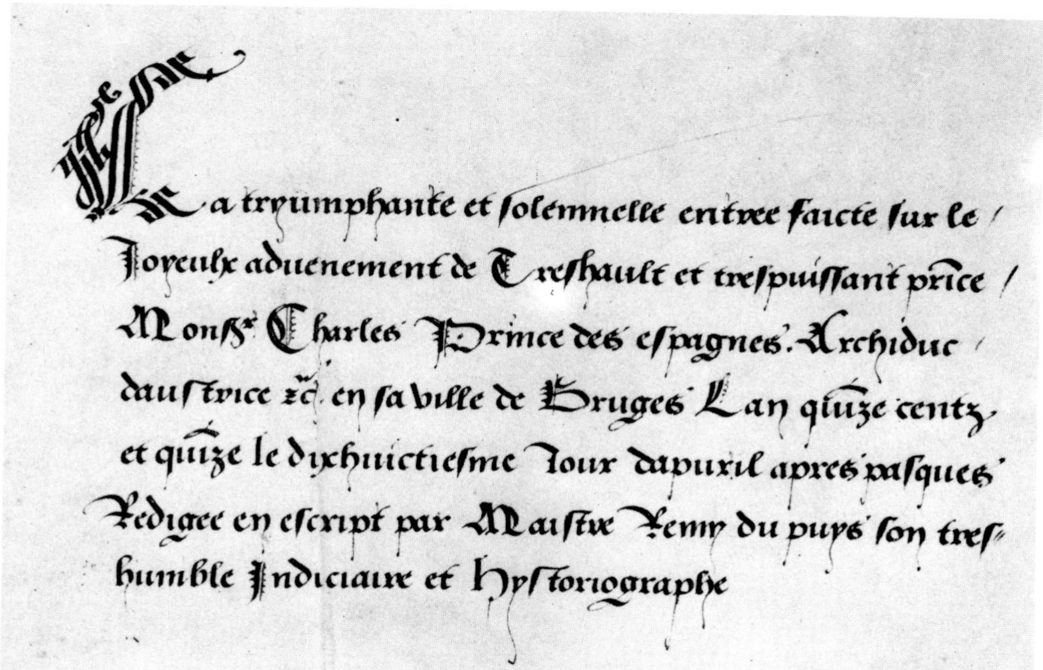

La tryumphante et solennelle entree faicte sur le
Joyeulx aduenement de Treshault et trespuissant price
Monsr Charles Prince des espagnes. Archiduc
daustrice &c. en sa ville de Bruges Lan quize centz
et quize le dixhuictiesme Jour dapuril apres pasques
Redigee en escript par Maistre Remy du puys son tres
humble Indiciaire et Hystoriographe

Abb. 62 Cod. 2591, fol. 1r (Brügge ?), 1515

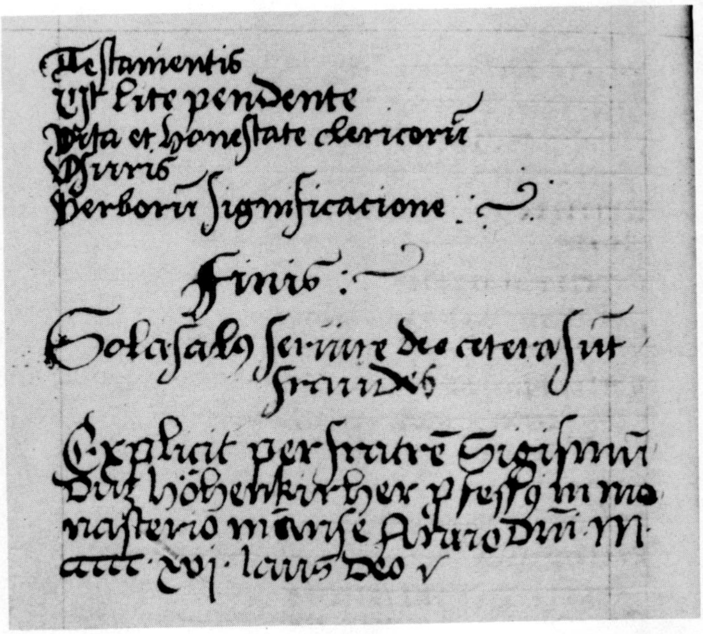
Testamentis
Ut lite pendente
Vita et honestate clericorum
Usuris
Verborum significatione
Finis
Sola salus servire deo cetera sunt fraudes
Explicit per fratrem Sigismundum Höhenkircher professum in monasterio maense Anno domini M ccccc xvj laus deo

Abb. 63 Cod. 4984, fol. 71v Mondsee, 1516

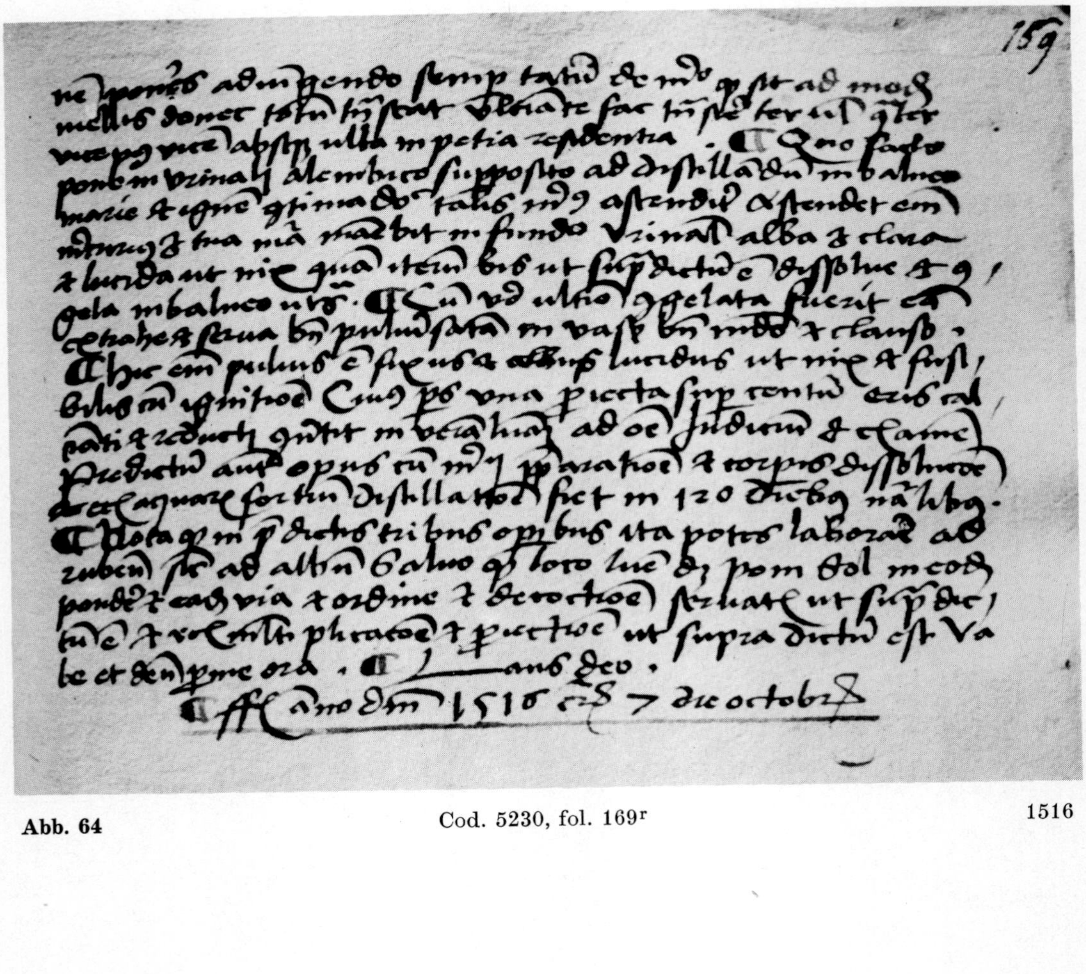

Abb. 64 Cod. 5230, fol. 169r 1516

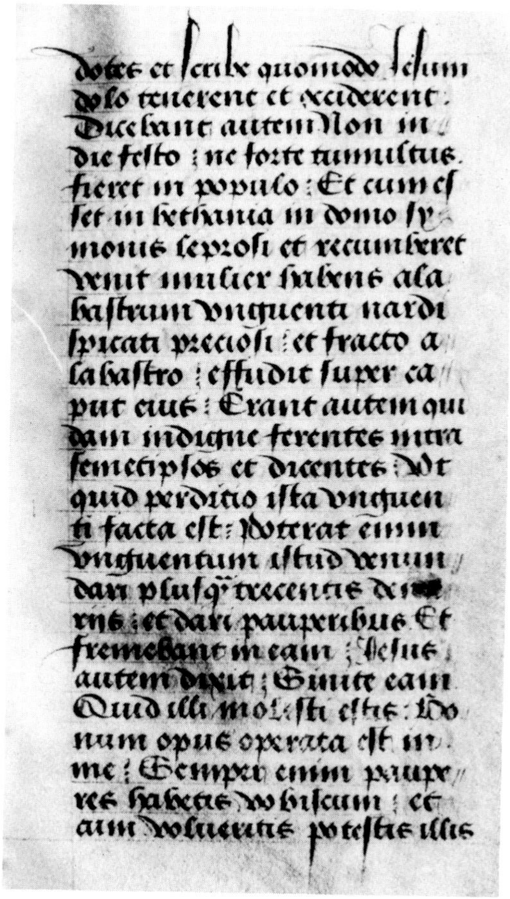

dotes et scribe quomodo Jesum
dolo tenerent et occiderent.
Dicebant autem Non in
die festo : ne forte tumultus
fieret in populo : Et cum es
set in bethania in domo sy
monis leprosi et recumberet
venit mulier habens ala
bastrum unguenti nardi
spicati preciosi : et fracto a
labastro : effudit super ca
put eius : Erant autem qui
dam indigne ferentes intra
semetipsos et dicentes : Ut
quid perditio ista unguen
ti facta est : Poterat enim
unguentum istud venun
dari plus quam trecentis dena
riis : et dari pauperibus Et
fremebant in eam : Jesus
autem dixit : Sinite eam
Quid illi molesti estis : Bo
num opus operata est in
me : Semper enim paupe
res habetis vobiscum : et
cum volueritis potestis illis

Abb. 65 Cod. 1859, fol. 44r (Brüssel oder Mecheln), 1516—1519

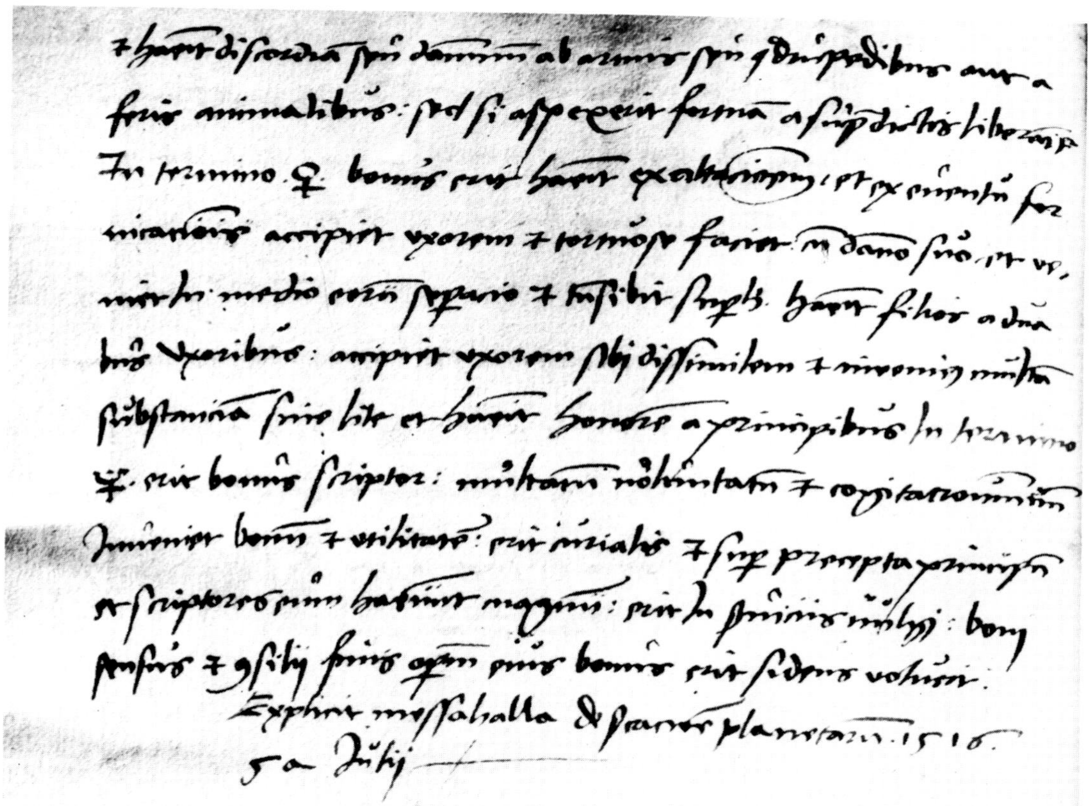

Abb. 66 Cod. 10656, fol. 95v 1516

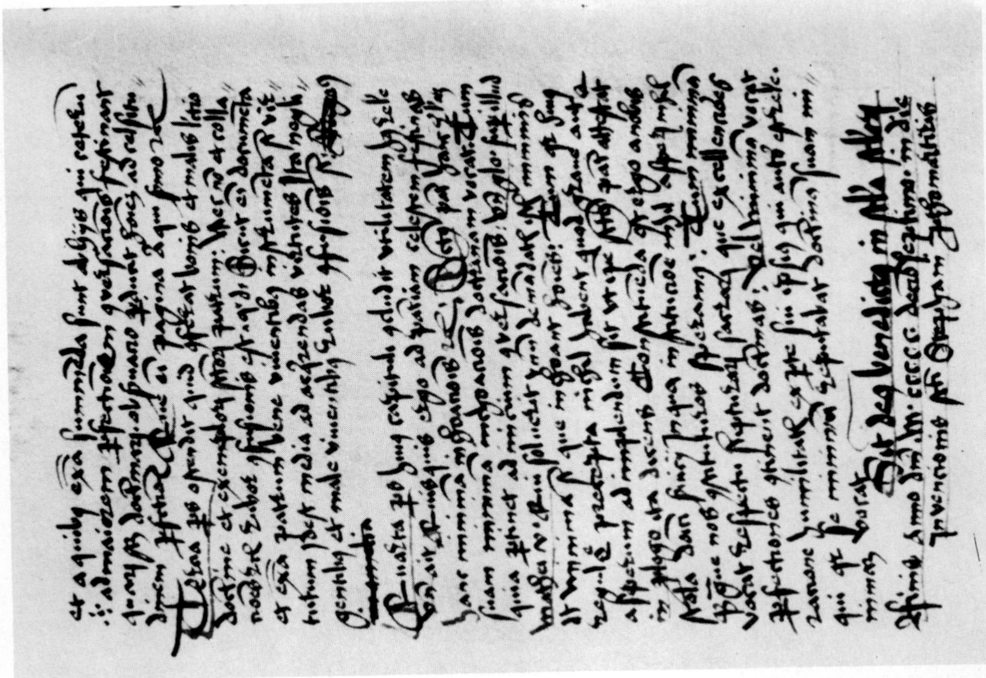

Abb. 68 Cod. 4056, fol. 315v Mondsee, 1517

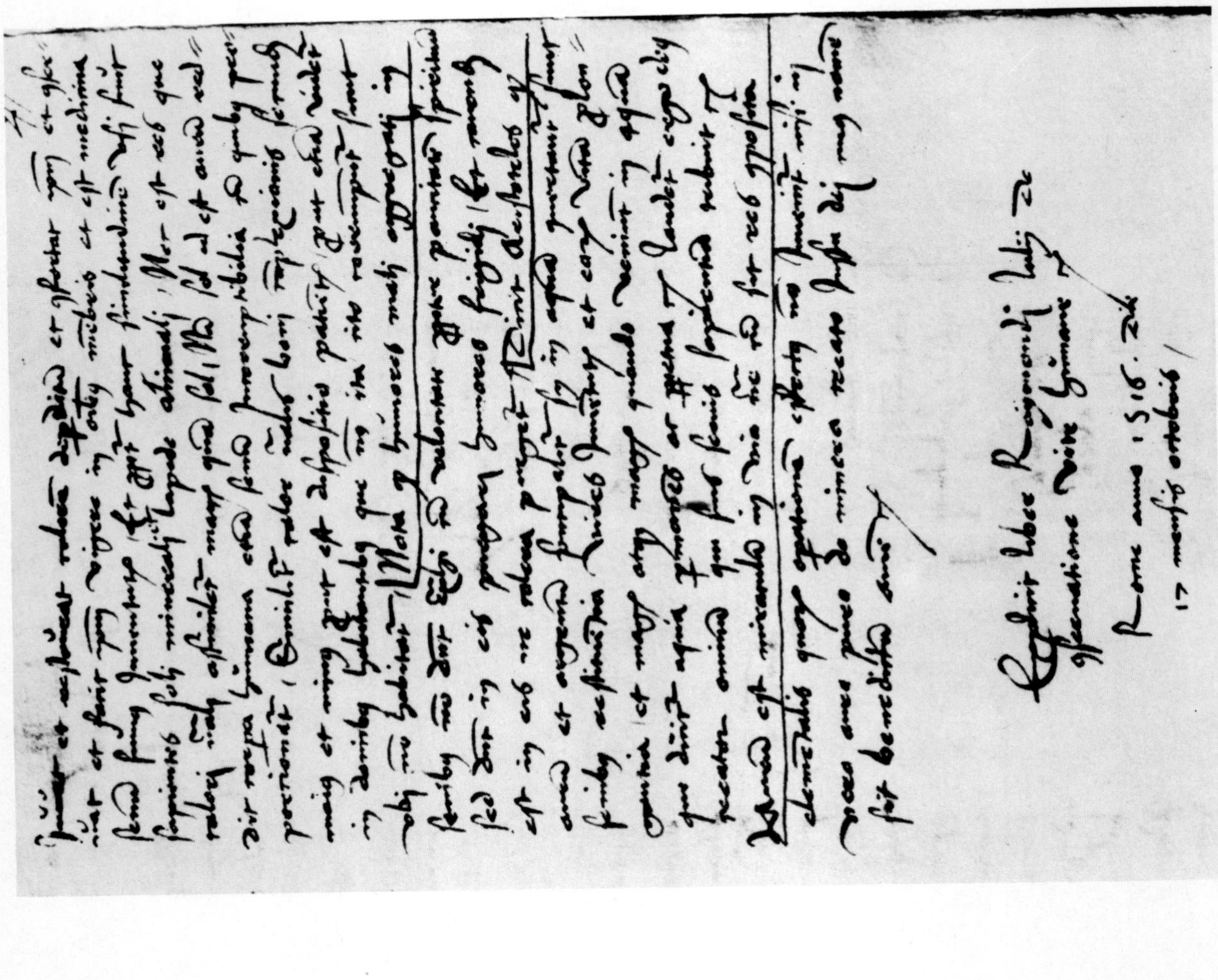

Abb. 67 Cod. 11342, fol. 41r Rom, 1516

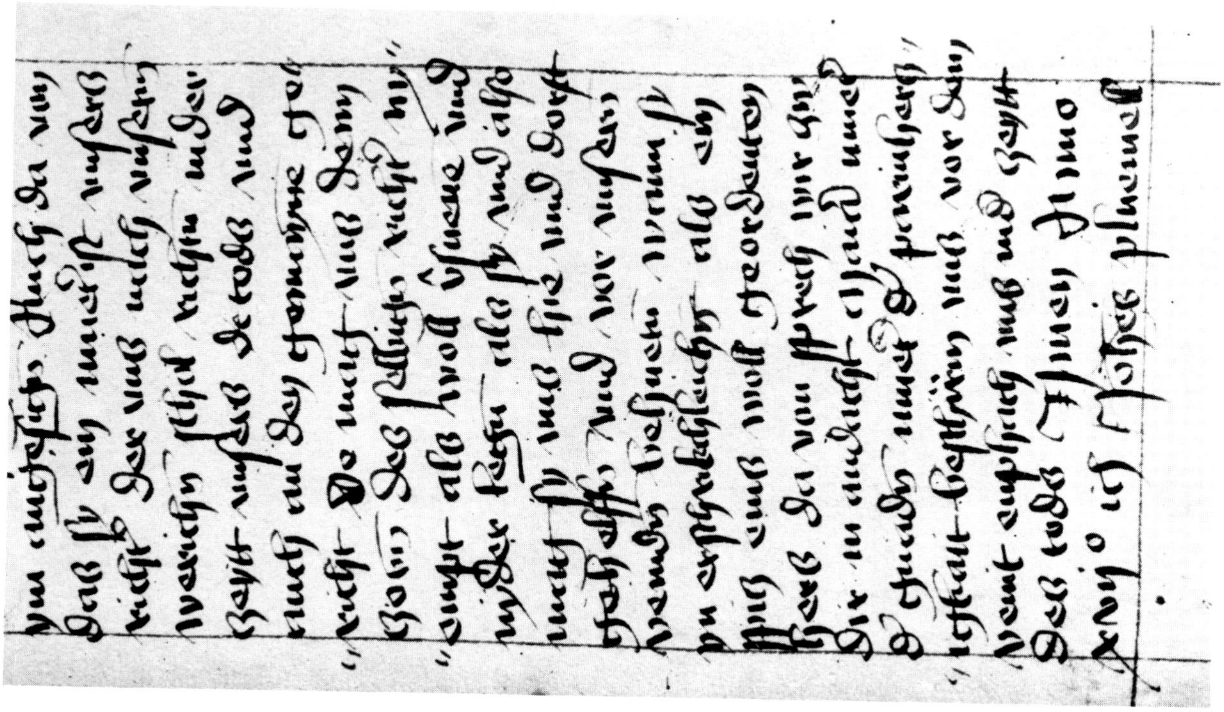

Abb. 70 Cod. 2910*, fol. 78r 1517

Abb. 69 Cod. 9846, fol. 59r Tübingen, 1517

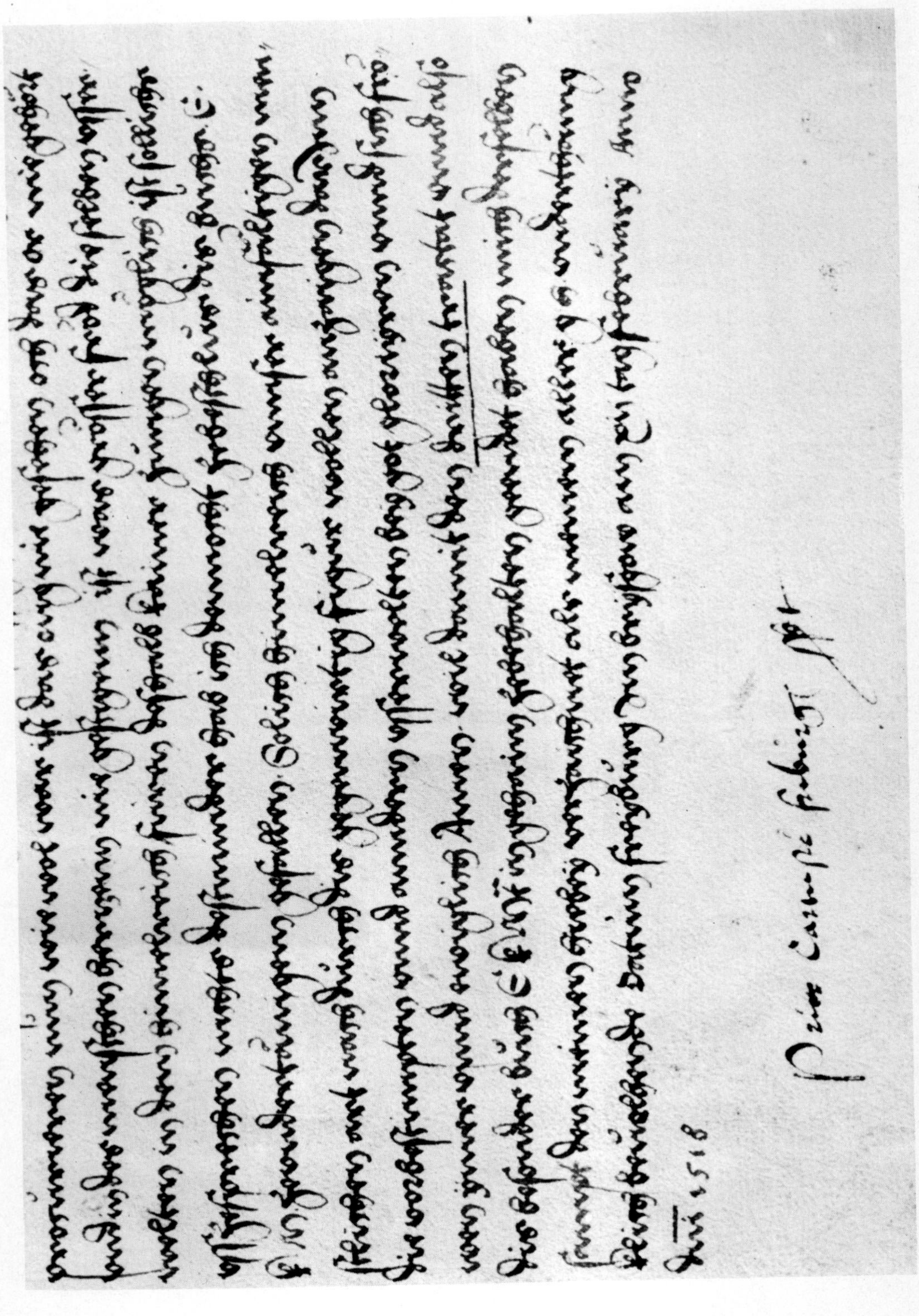

Abb. 71 Cod. 7892, fol. 111v Freiburg im Breisgau, 1518

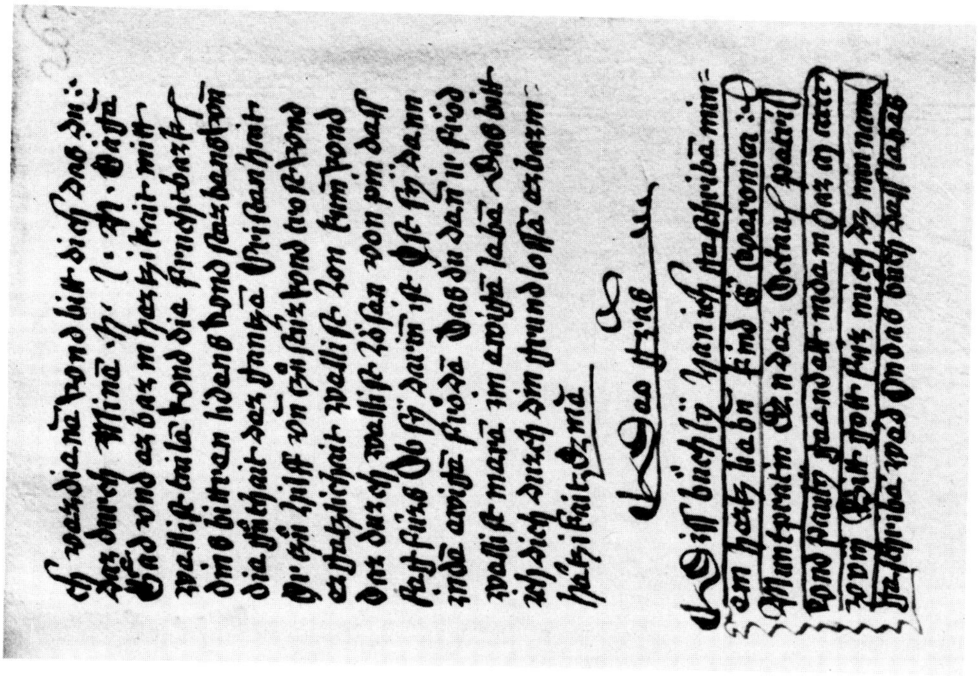

Abb. 73 Cod. 3005, fol. 267r 1518

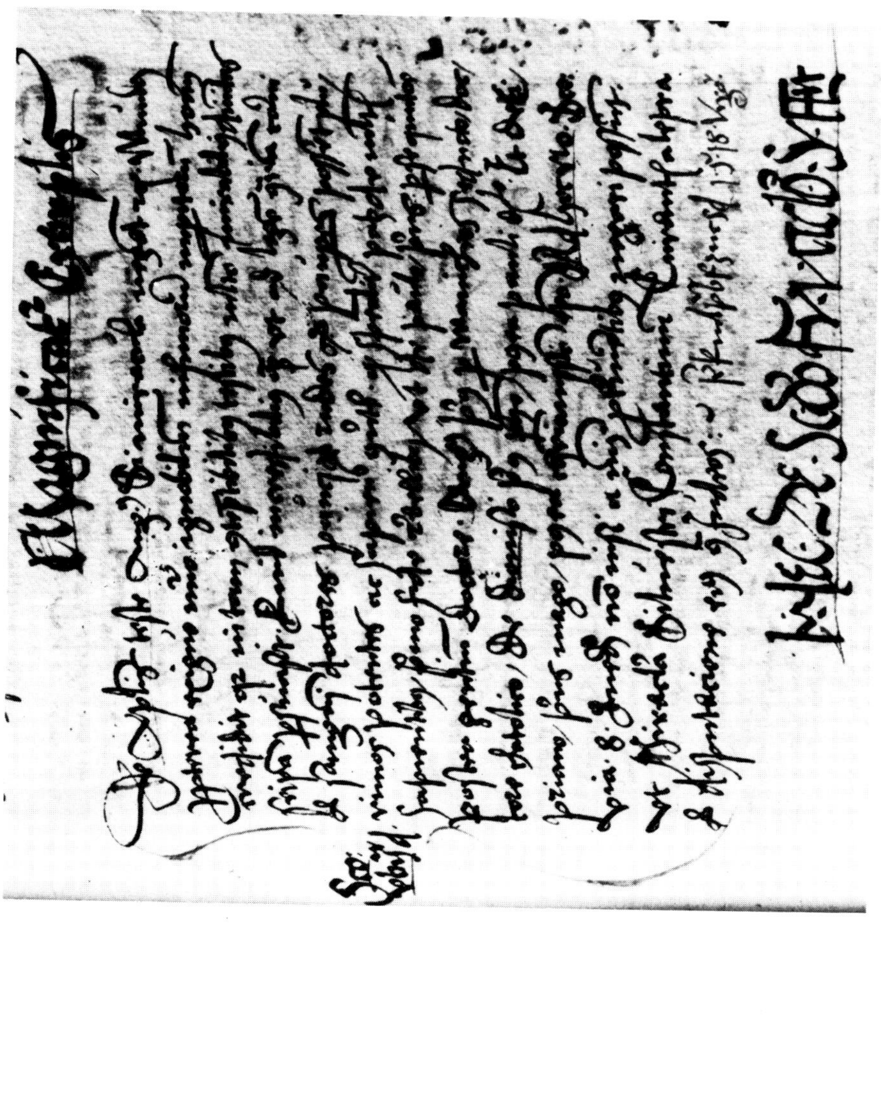

Abb. 72 Cod. 3802, fol. 4r (Mondsee), 1518

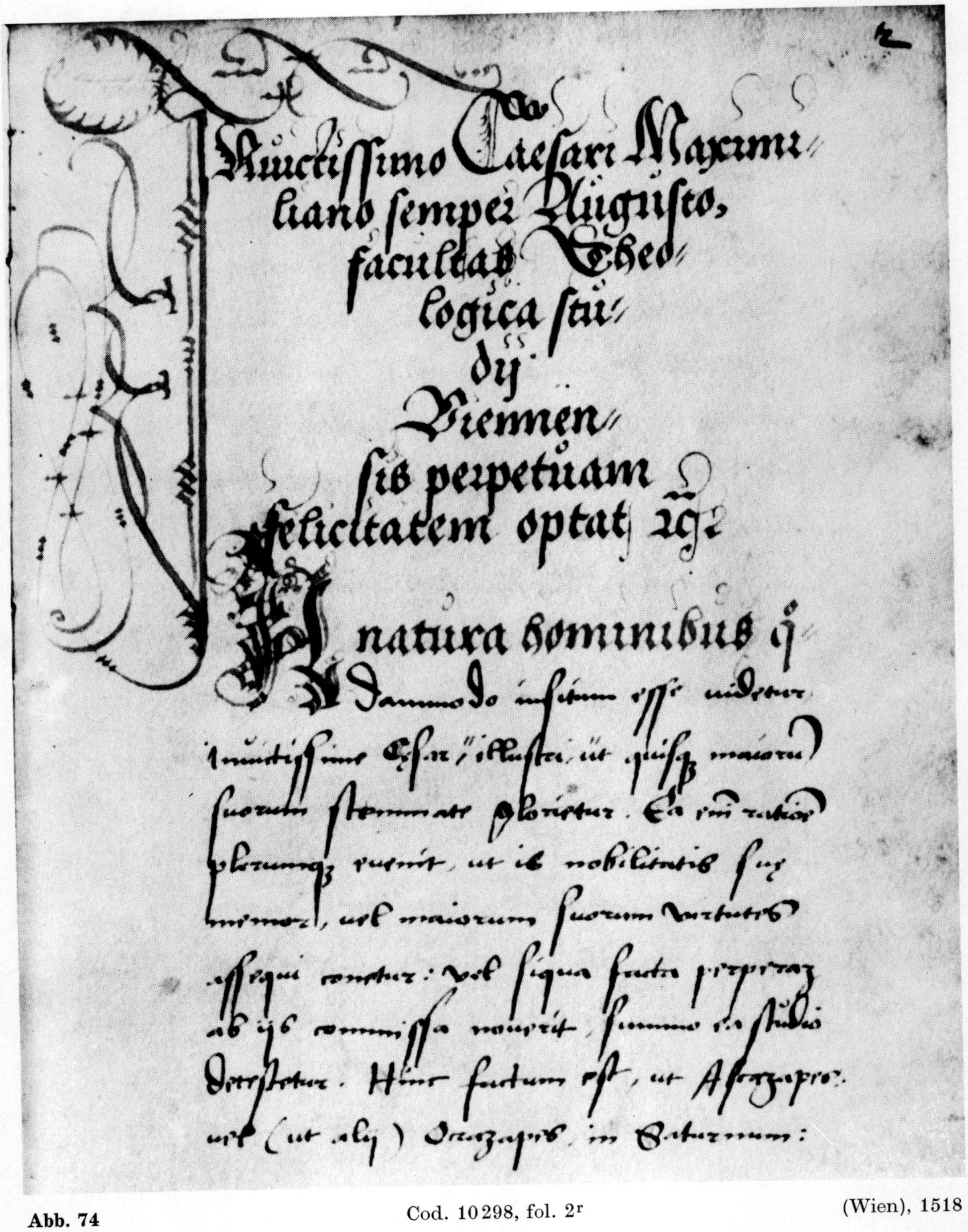
Invictissimo Caesari Maximiliano semper Augusto, facultas Theologica studij Viennensis perpetuam felicitatem optat etc.

A natura hominibus quodammodo insitum esse videtur invictissime Caesar, illustri, ut quisque maiorum suorum stemmate glorietur. Ea rem tamen plerumque evenit, ut ii nobilitatis suae immemores, vel maiorum suorum virtutes assequi contemnant: vel si qua facta praeclara ab iis commissa noverit, summo ea studio detestetur. Hinc factum est, ut [illegible] vel (ut alij) [illegible] in [illegible]:

Abb. 74 Cod. 10298, fol. 2r (Wien), 1518

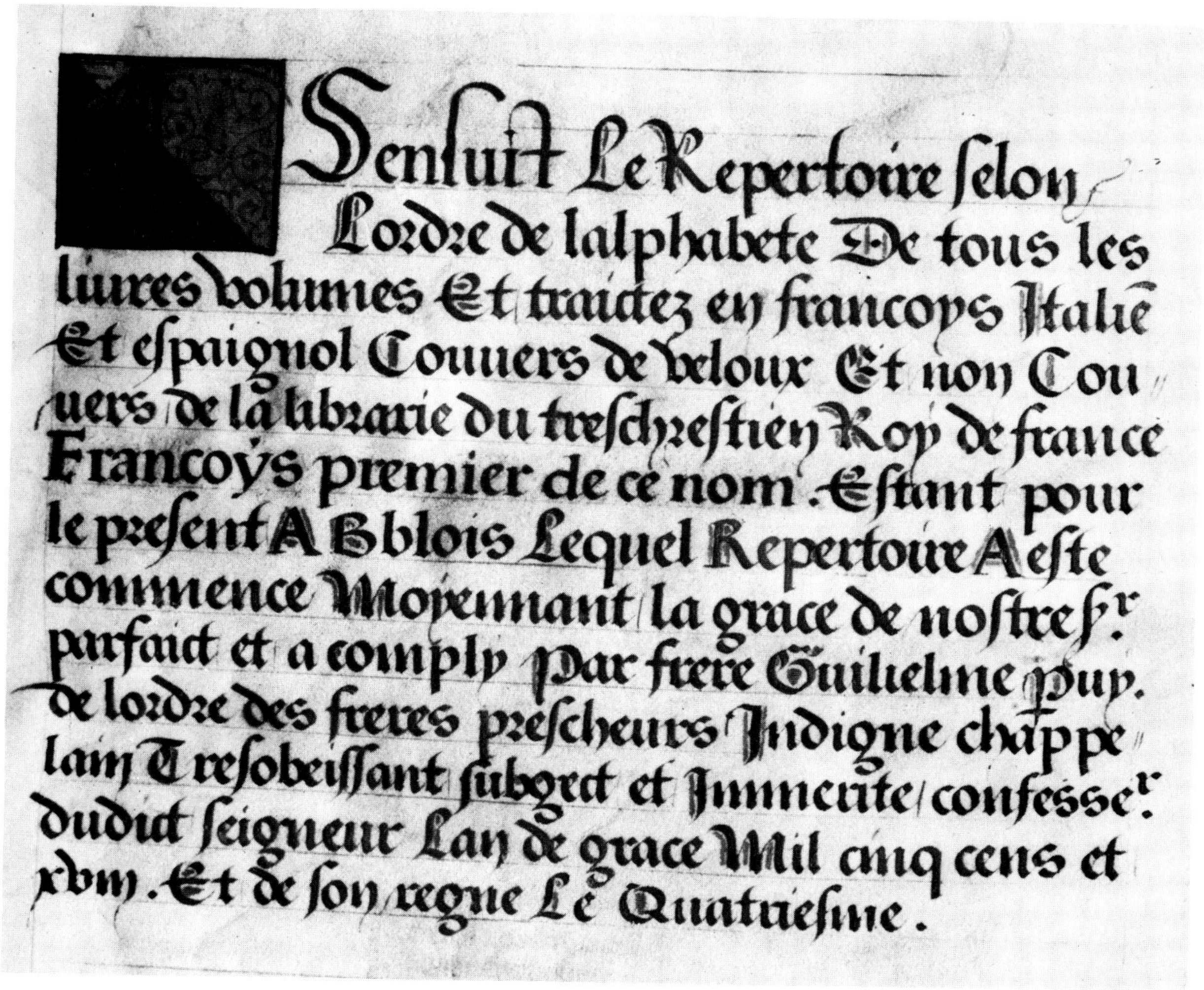
Sensuit Le Repertoire selon
Lordre de lalphabete De tous les
liures volumes Et traictez en francoys Italie͂
Et espaignol Couuers de velour Et non Cou
uers de la librarie du treschrestien Roy de france
Francoys premier de ce nom. Estant pour
le present A Blois Lequel Repertoire A este
commence Moyennant la grace de nostre s.r
parfaict et a comply Par frere Guilielme puy.
de lordre des freres prescheurs Indigne chappe
lain Tresobeissant subgect et Immerite confesse.r
dudict seigneur Lan de grace Mil cinq cens et
xviii. Et de son regne Le Quatriesme.

Abb. 75 Cod. 2548, fol. 1r Blois, 1518

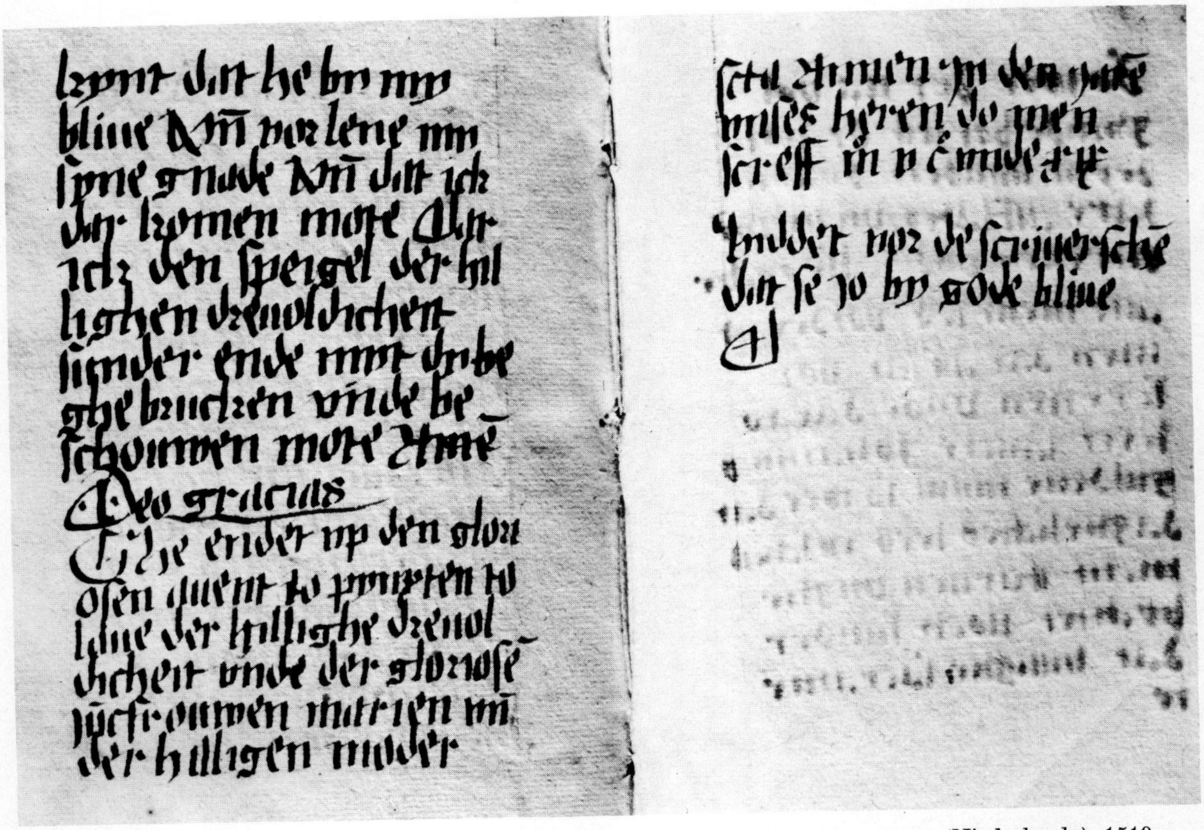

Abb. 76 Cod. Ser. n. 12906, fol. 519v—520r (Niederlande), 1519

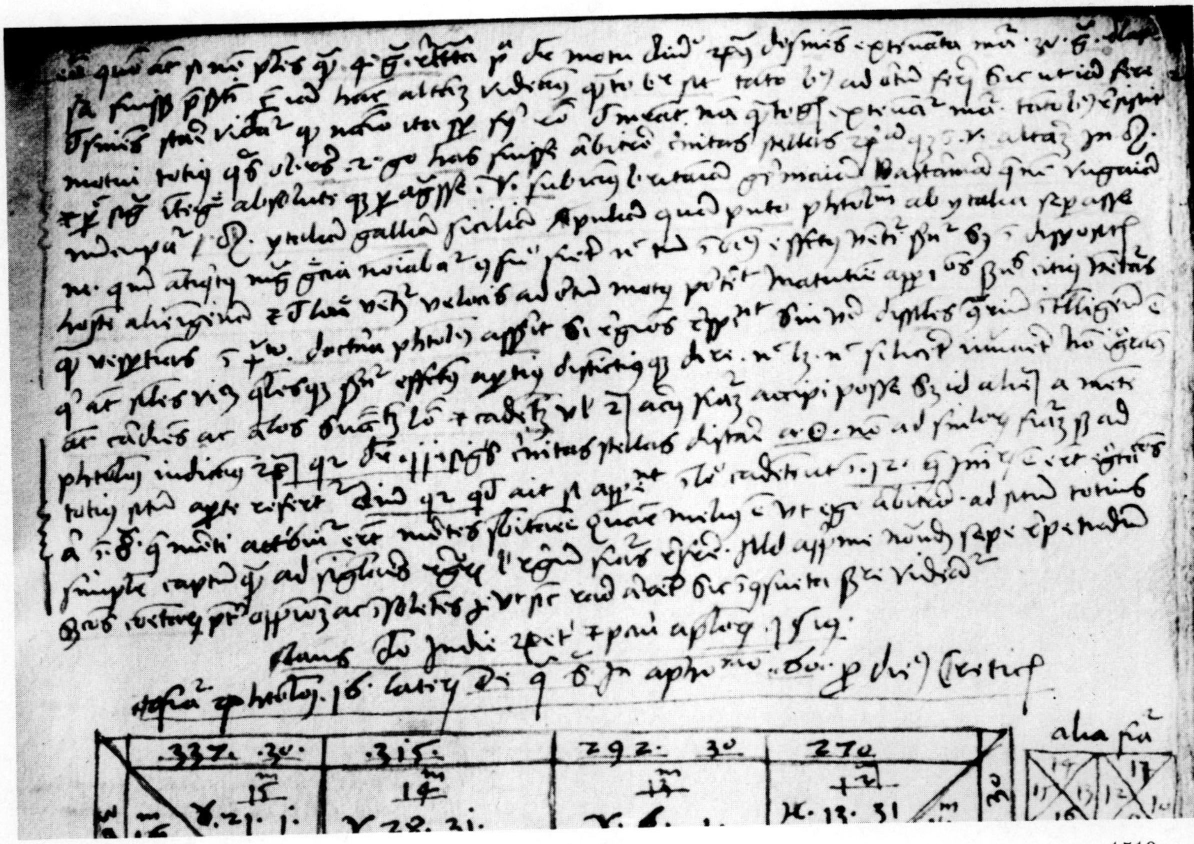

Abb. 77 Cod. 10534, fol. 61r 1519

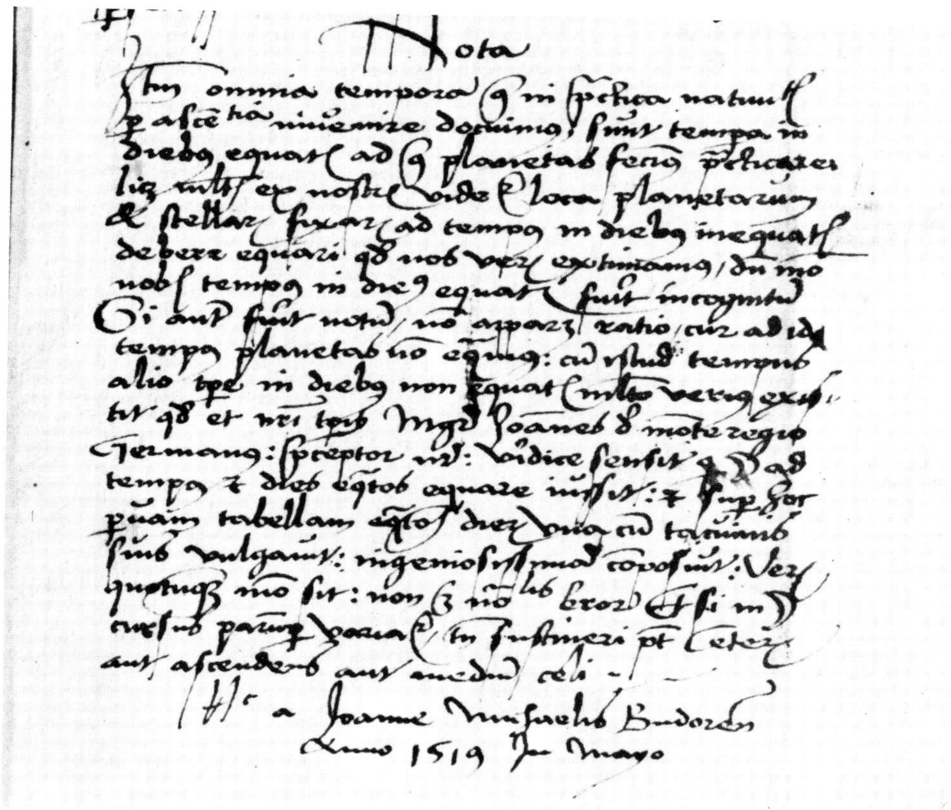

Abb. 78 Cod. 5503, fol. 199r 1519

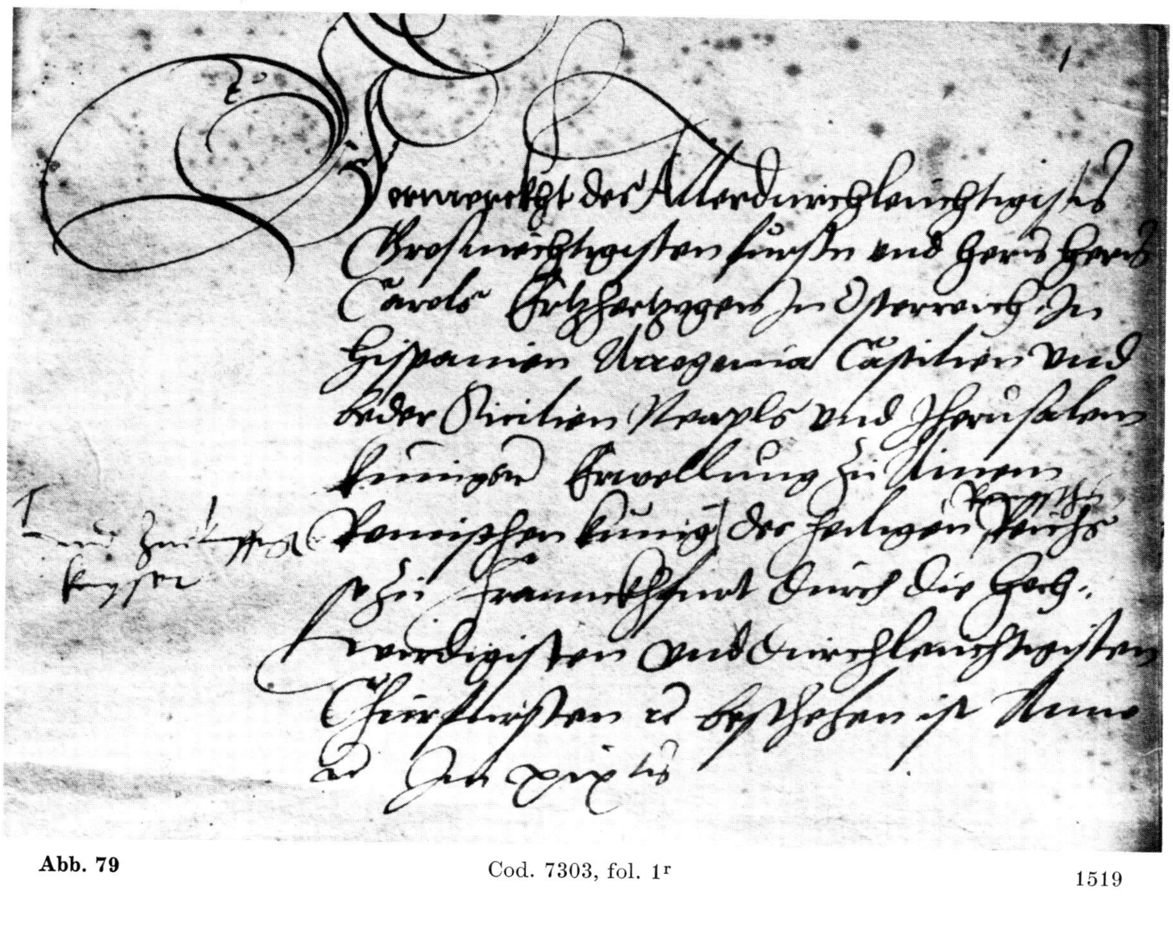

Abb. 79 Cod. 7303, fol. 1r 1519

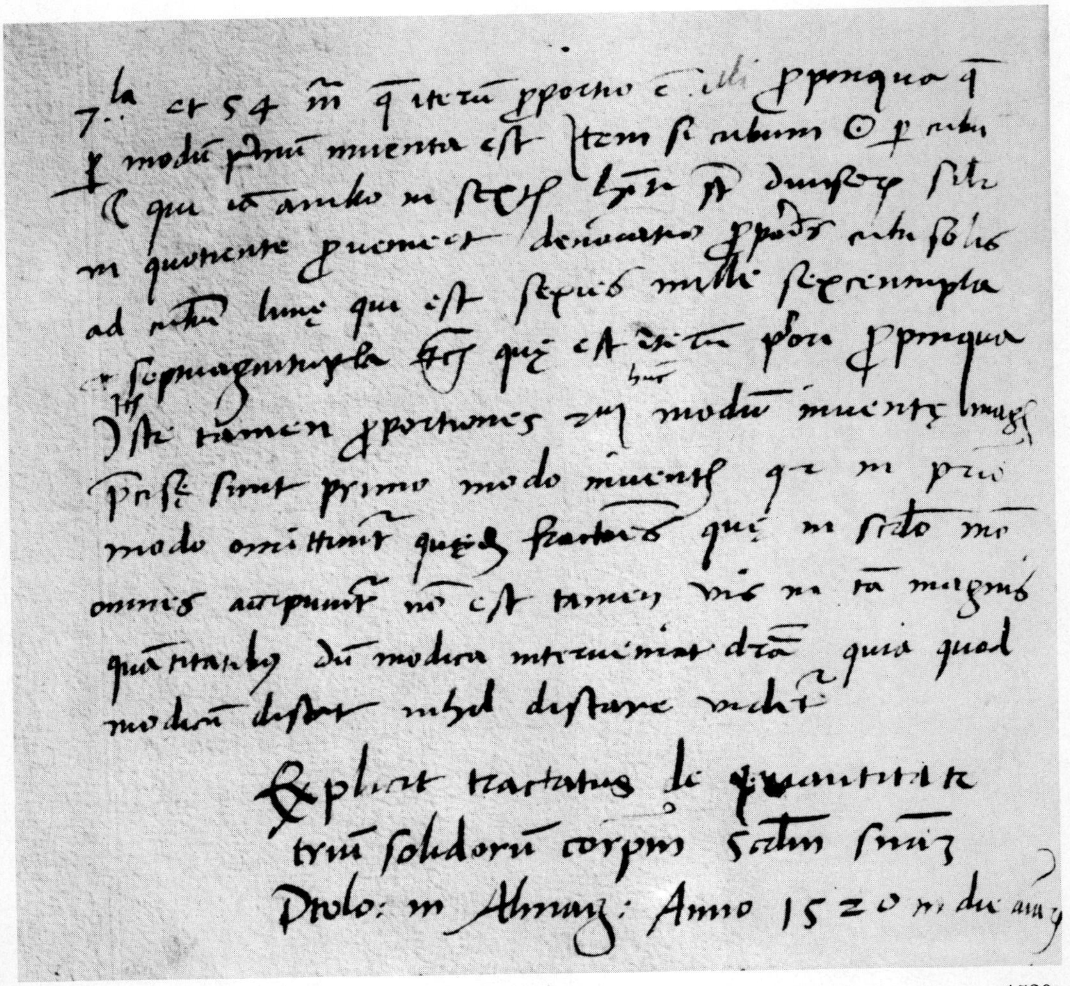

Abb. 80 Cod. 5277, fol. 100^{v} 1520

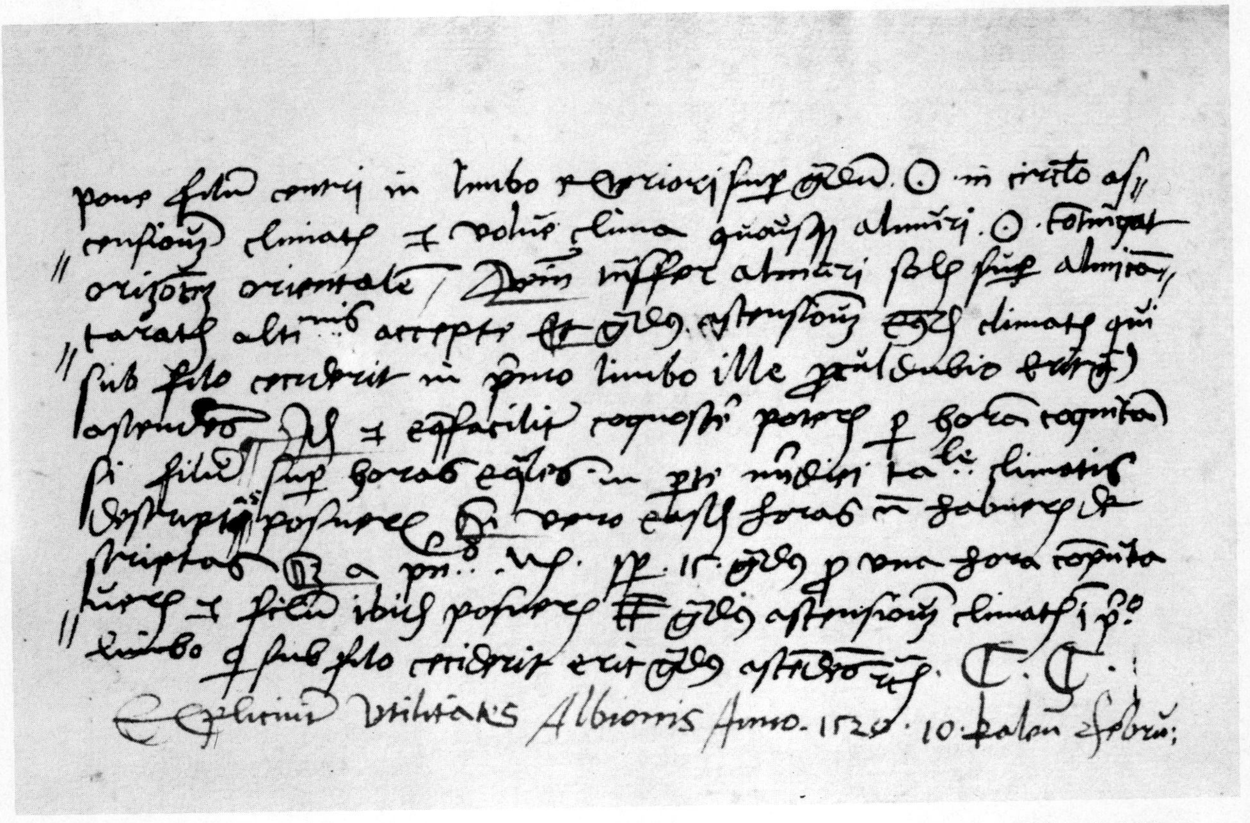

Abb. 81 Cod. 5303, fol. 359^{v} (Wien ?), 1520

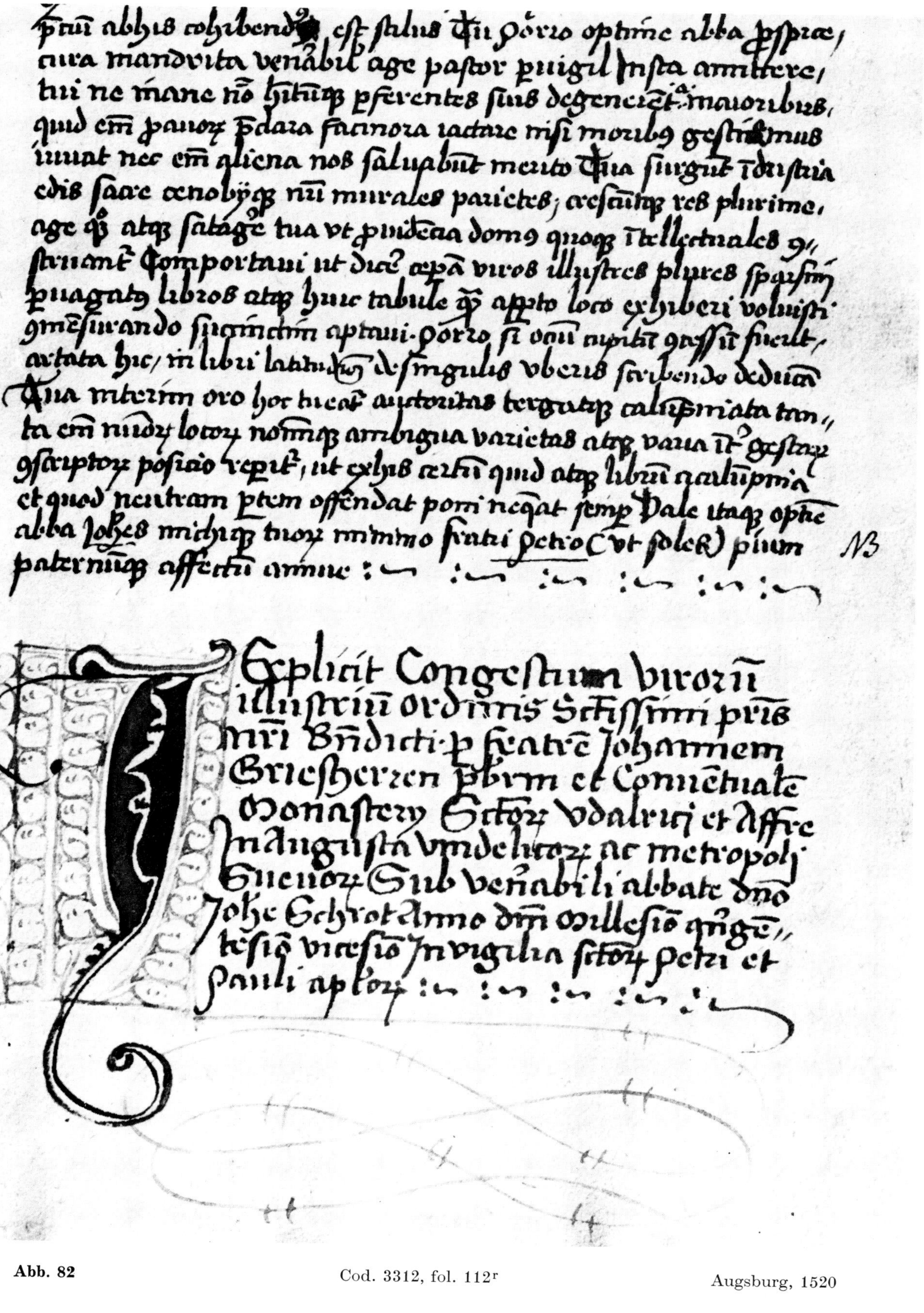

prium abbatis cohibendus est salus. Tu porro optime abba prospice,
cura mandavit a venerabili age pastor pervigil iniuncta amittere,
tui ne maneant nostri hirtuti proferentes sint degeneres a maioribus.
quid enim parentum preclara facinora iactare nisi moribus gestis nus
iuvat nec enim aliena nos salvabunt merita. Tua surgunt industria
edis sacre cenobiique nunc murales parietes, accesserintque res plurime.
age quoque atque satage tua ut provideas domus quoque intellectuales con-
struant. Comportavi ut dicitur apud viros illustres plures sparsim
propagatos libros atque huic tabule quam apto loco exhiberi voluisti
commensurando superficiem aptavi. Porro si quem cupit grassit fuerit
artata hic, in libri latitudine de singulis uberius scribendo dedi.
Tua interim oro hoc tueatur auctoritas tergatque calumpniata tanta enim nudorum locorum nominumque ambigua varietas atque varia item gestorum
conscriptorum posicio reperitur, ut ex his certi quid atque libri calumpnia
et quod neutram partem offendat poni nequeat semper. Vale itaque optime
abba Johannes michique tuorum minimo fratri Petro (ut soles) pium NB
paternumque affectum annue :

Explicit Congestum virorum
illustrium ordinis sanctissimi patris
nostri Benedicti per fratrem Johannem
Griesherren presbyterum et Conventualem
Monasterii sanctorum Udalrici et Affre
in Augusta Vindelicorum ac metropoli
Suevorum Sub venerabili abbate domino
Johanne Schrot Anno domini Millesimo quinge-
tesimo vicesimo In vigilia sanctorum Petri et
Pauli apostolorum :

Abb. 82 Cod. 3312, fol. 112r Augsburg, 1520

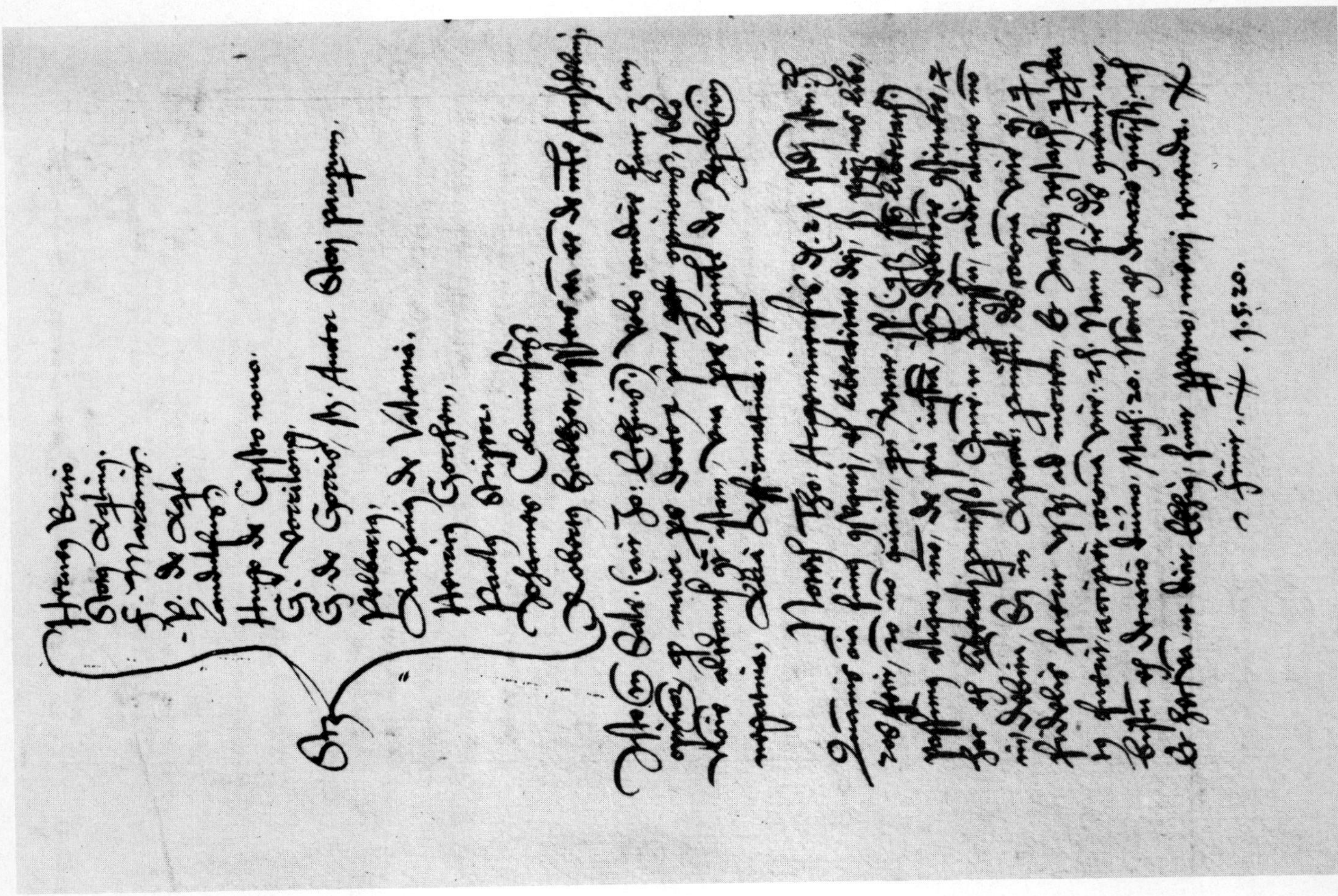

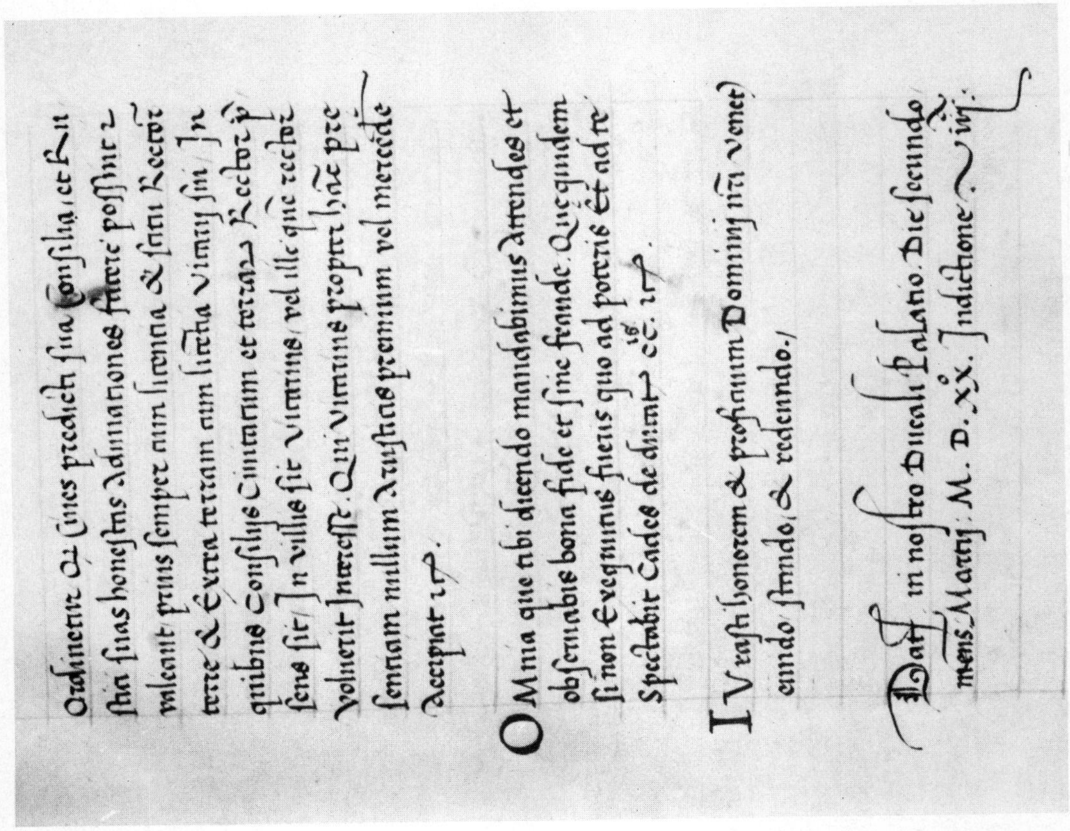

Ordinentur a Cives predicti sua Consilia et R[illegible]
sua suas honestas Admirationes facere possint et
valeant prius semper cum licentia et scitu Rectoris
terre et extra terram cum litera Vicarij sui. In
quibus Consilijs Civitatum et terrarum Rector ipse
sens sit, In villis sit Vicarius, vel ille quem rector
voluerit interesse. Qui Vicarius propter hanc pre
sentiam nullum Angarias premium vel mercedem
accipiat etc.

Omnia que tibi dicendo mandabimus attendes et
observabis bona fide et sine fraude. Que quidem
si non exequutus fueris quo ad poteris et ad re
spectabit Cadas de duc. [illegible] etc.

In Vestri honorem et profectum Dominij nostri venet
eundo, stando, et redeundo.

Datum in nostro Ducali Palatio. Die secundo
mensis Martij. M. D. XX. Indictione viij.

Abb. 84 Cod. Ser. n. 1778, fol. 18r Venedig, 1520

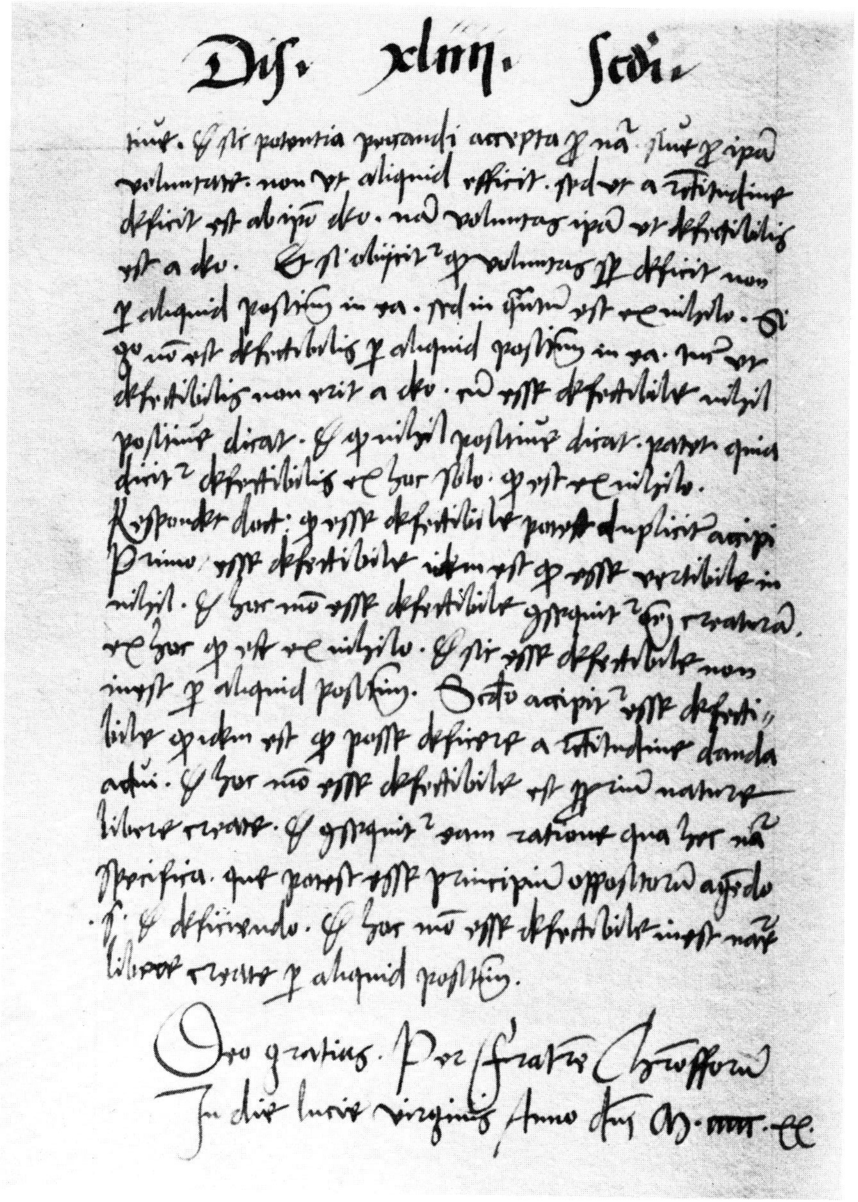

Abb. 85 Cod. 3793, fol. 178v (Mondsee), 1520

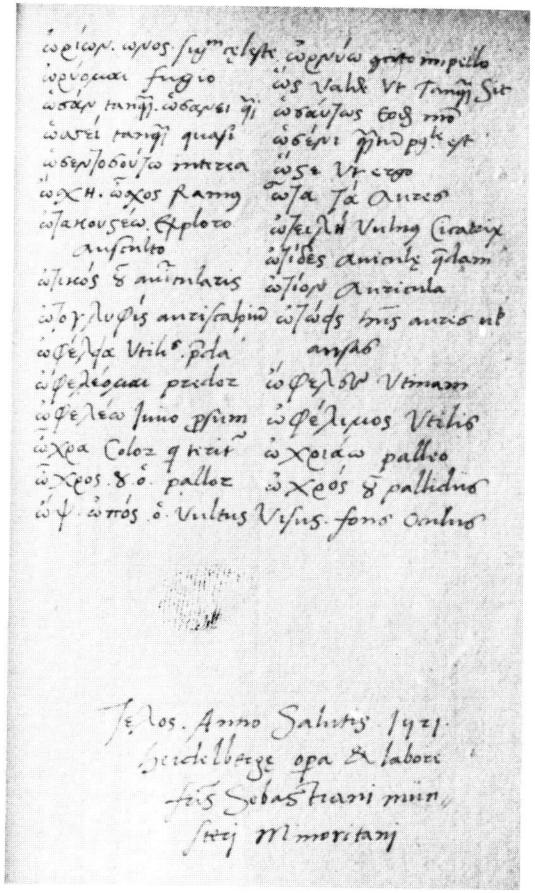

Abb. 86 Cod. 9675, fol. 141r Heidelberg, 1521

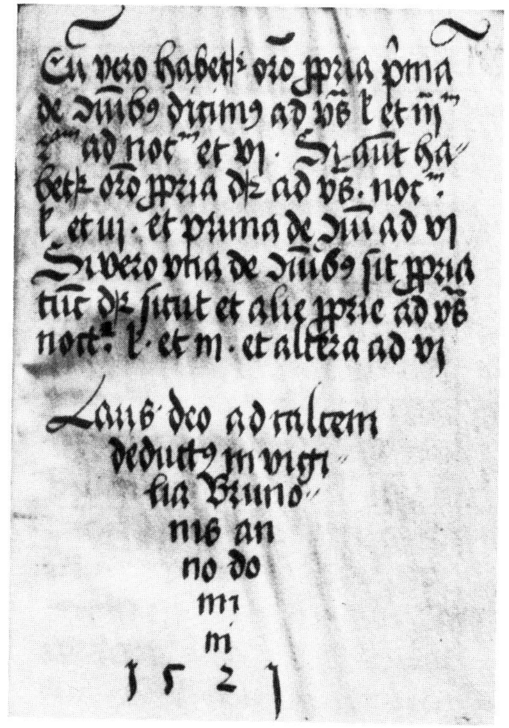

Abb. 87 Cod. 2027, fol. 185r (Gaming), 1521

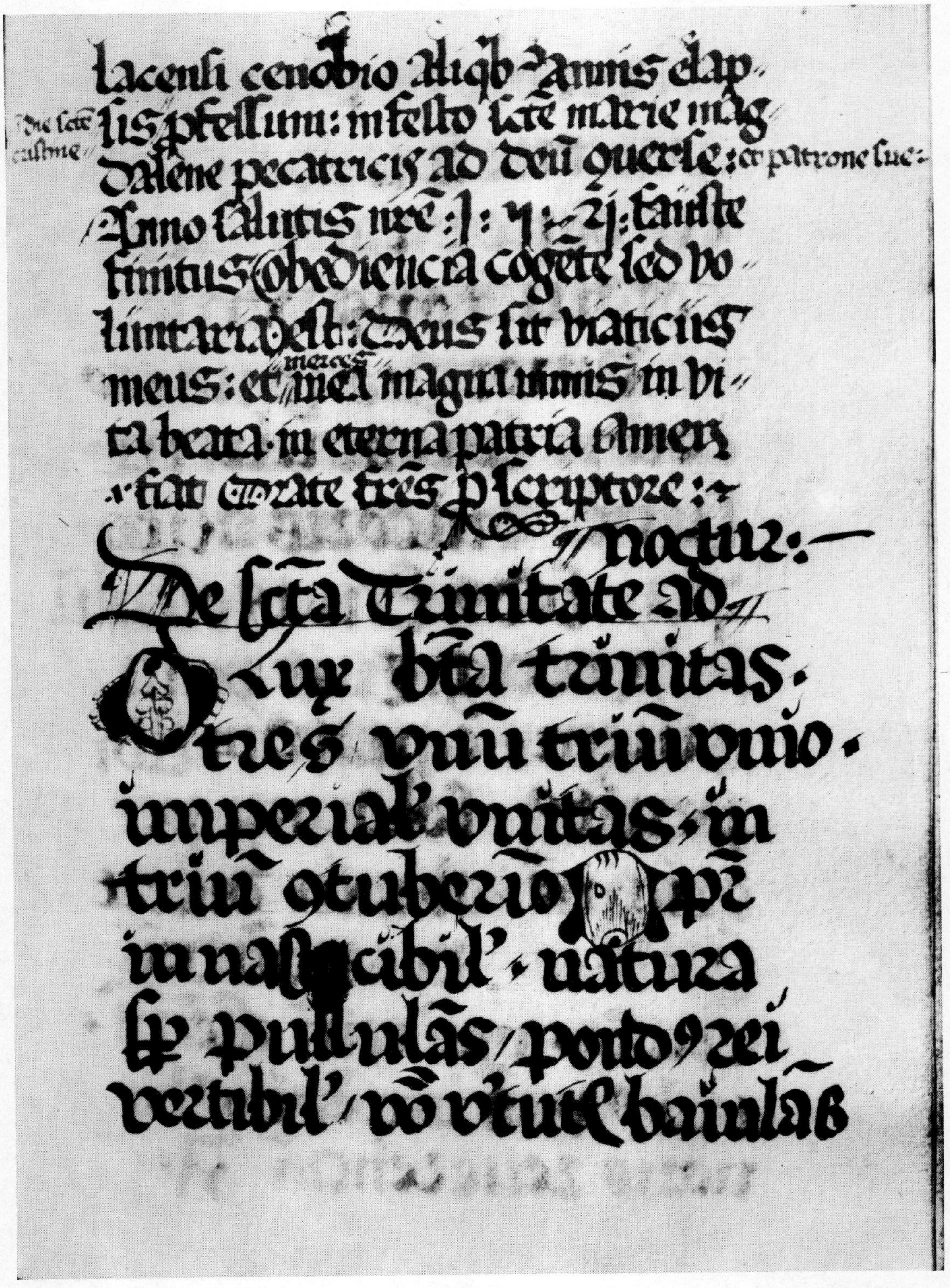
lacensi cenobio aliquibus annis elap-
sis professum: in festo sancte marie mag-
dalene peccatricis ad deum querelle:
Anno salutis nostre: 1521: fauste
finitus. Obediencia cogente sed voluntarie [illegible]: Deus sit viaticus
meus: et merces mea magna nimis in vita beata in eterna patria. Amen.
Orate fratres pro scriptore:
De sancta Trinitate ad nocturnum:
O quam beata trinitas.
O tres unum trium unio.
imperialis unitas. in
trium contubernio [illegible]
innascibilis natura
[illegible] pullulans [illegible]
[illegible]

Abb. 88 Cod. 3819, fol. 181r (Mondsee), 1521

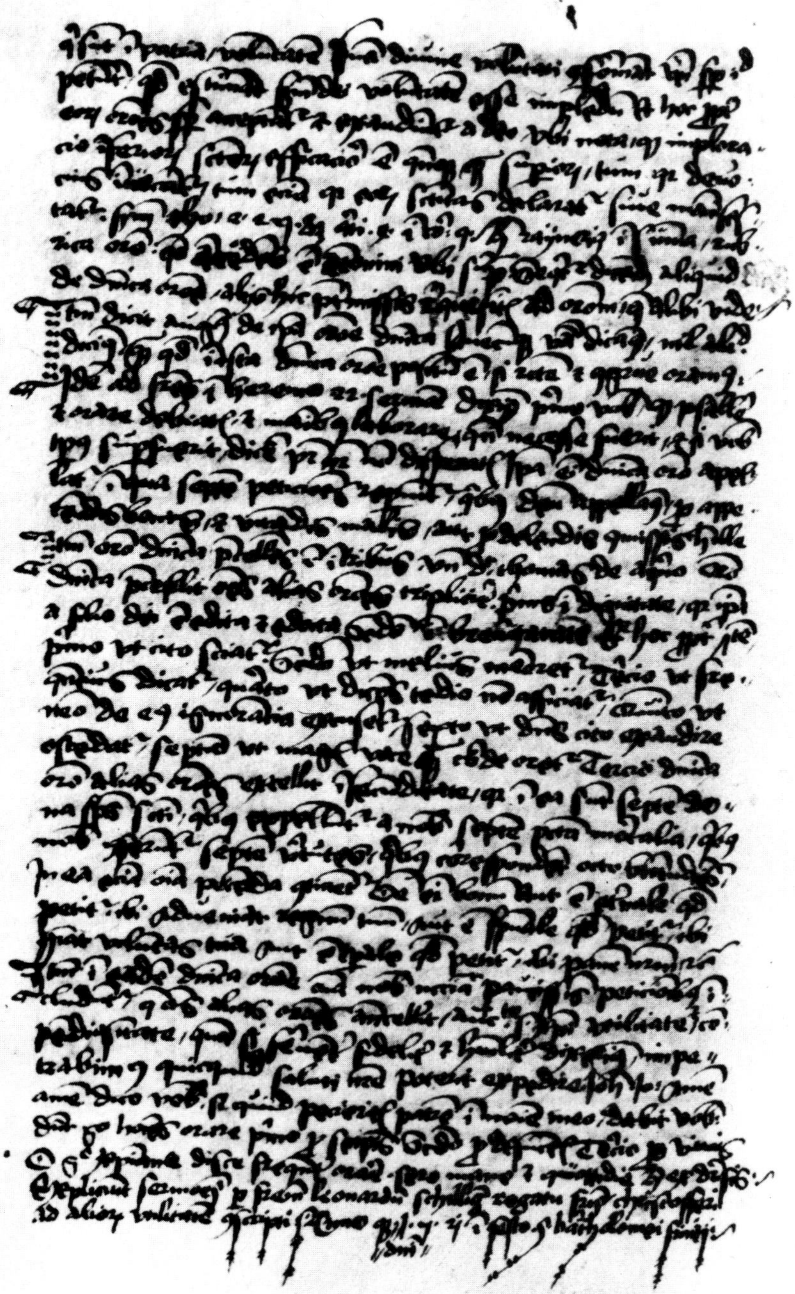

Abb. 89 Cod. 3590, fol. 112v (Mondsee), 1521

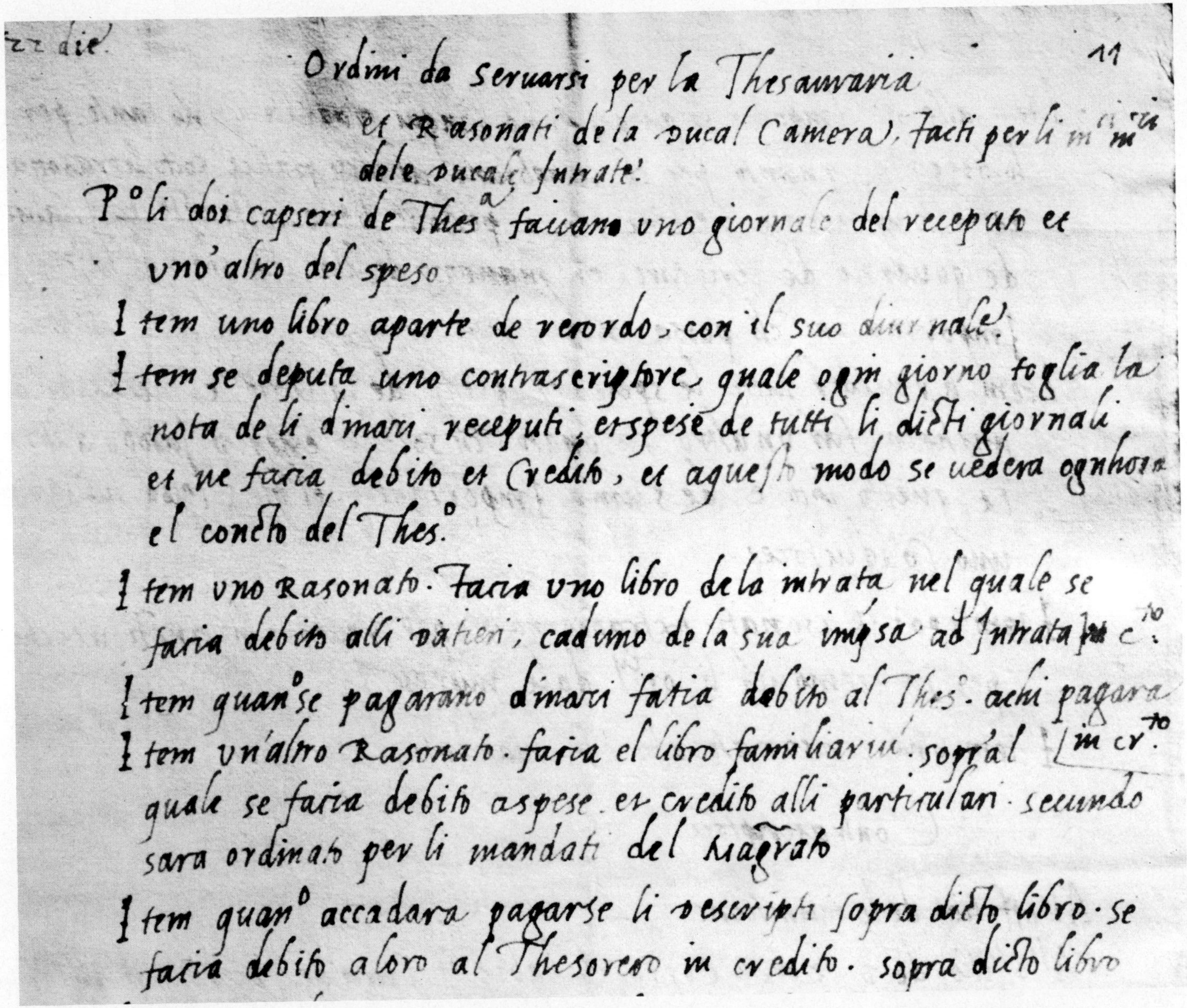
22 die · Ordini da servarsi per la Thesauraria · 11
et Rasonati de la ducal Camera, facti per li m^ci m^ri dele ducale intrate.
P^o li doi capseri de Thes^a facciano uno giornale del receputo et uno altro del speso
Item uno libro aparte de recordo, con il suo diurnale.
Item se deputa uno contrascriptore, quale ogni giorno toglia la nota de li dinari receputi et spese de tutti li dicti giornali et ne faria debito et credito, et a questo modo se vedera ognhora el concto del Thes^o.
Item uno Rasonato faria uno libro dela intrata nel quale se faria debito alli datieri, caduno de la sua impsa ad intrata in c^to.
Item quan^o se pagarano dinari faria debito al Thes^o a chi pagara
Item un'altro Rasonato faria el libro familiarium sopra'l quale se faria debito a spese et credito alli particulari secundo sara ordinato per li mandati del Mag^ro [in cr^to]
Item quan^o accadara pagarse li descripti sopra dicto libro se faria debito a loro al Thesorero in credito sopra dicto libro

Abb. 90 Cod. Ser. n. 12281, fol. 11r (Mailand), 1522

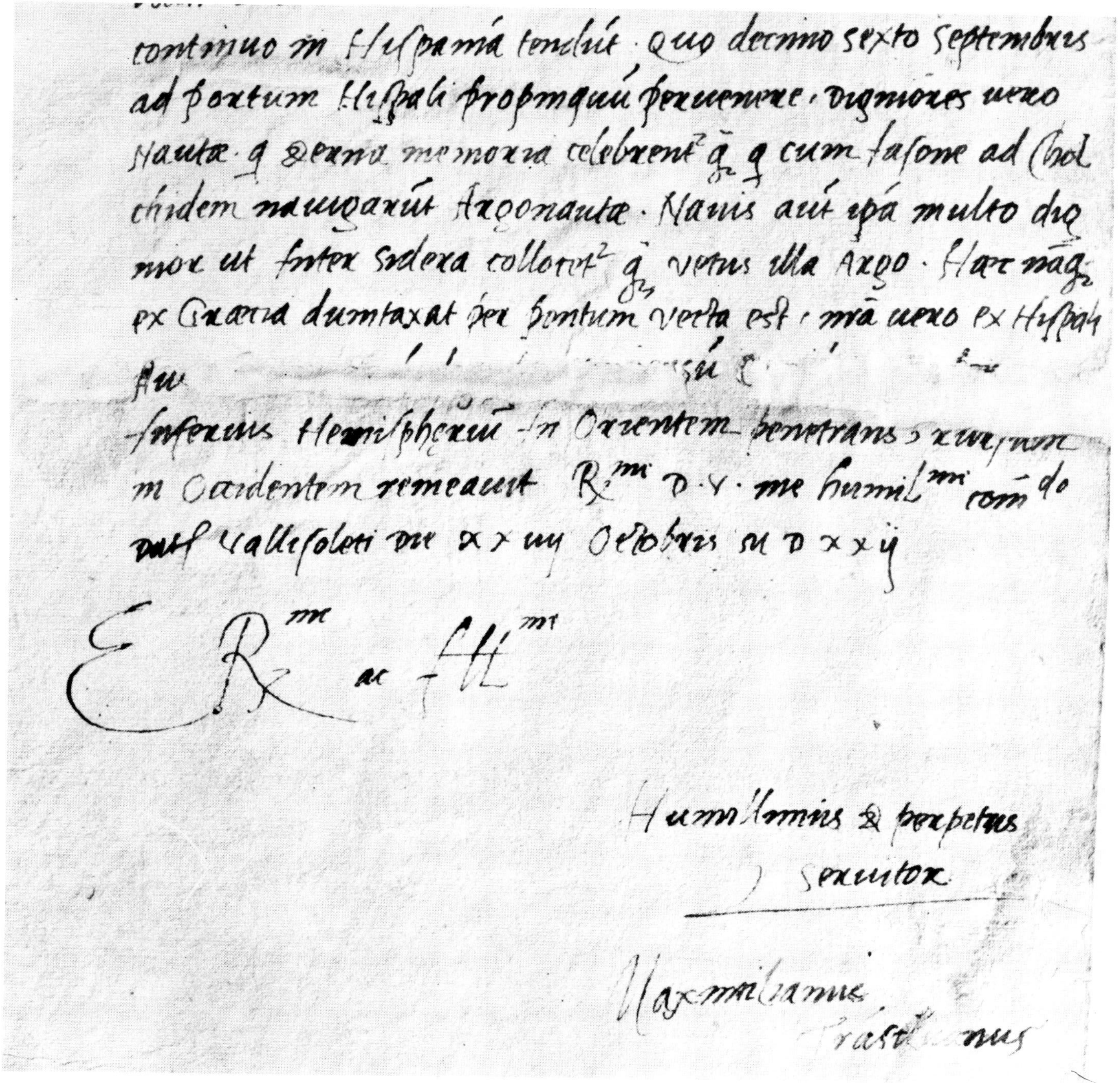

continuo in Hispaniā tendit. Quo decimo sexto Septembris
ad portum Hispali propinquū peruenere. Digniores uero
Nautæ q̄ Iasonis memoria celebrent̄ q̄ q cum Iasone ad Col
chidem nauigarūt Argonautæ. Nauis aūt ipā multo dig
nior ut inter sidera collocet̄ q̄ uetus illa Argo. Hæc nāq
ex Græcia dumtaxat per pontum uecta est: nrā uero ex Hispali
Au[illegible]
inferius Hemisphæriū in Orientem penetrans: rursum
in Occidentem remeauit. R̄mæ D. V. me humil̄me comēdo
Dat. Valliosoleti die xxiiii Octobris MDXXII

E R̄me ac Ill̄me

Humillimus & perpetuus
Seruitor

Maximilianus
Transyluanus

Abb. 91 Cod. 4280*, fol. 12r Valladolid, 1522

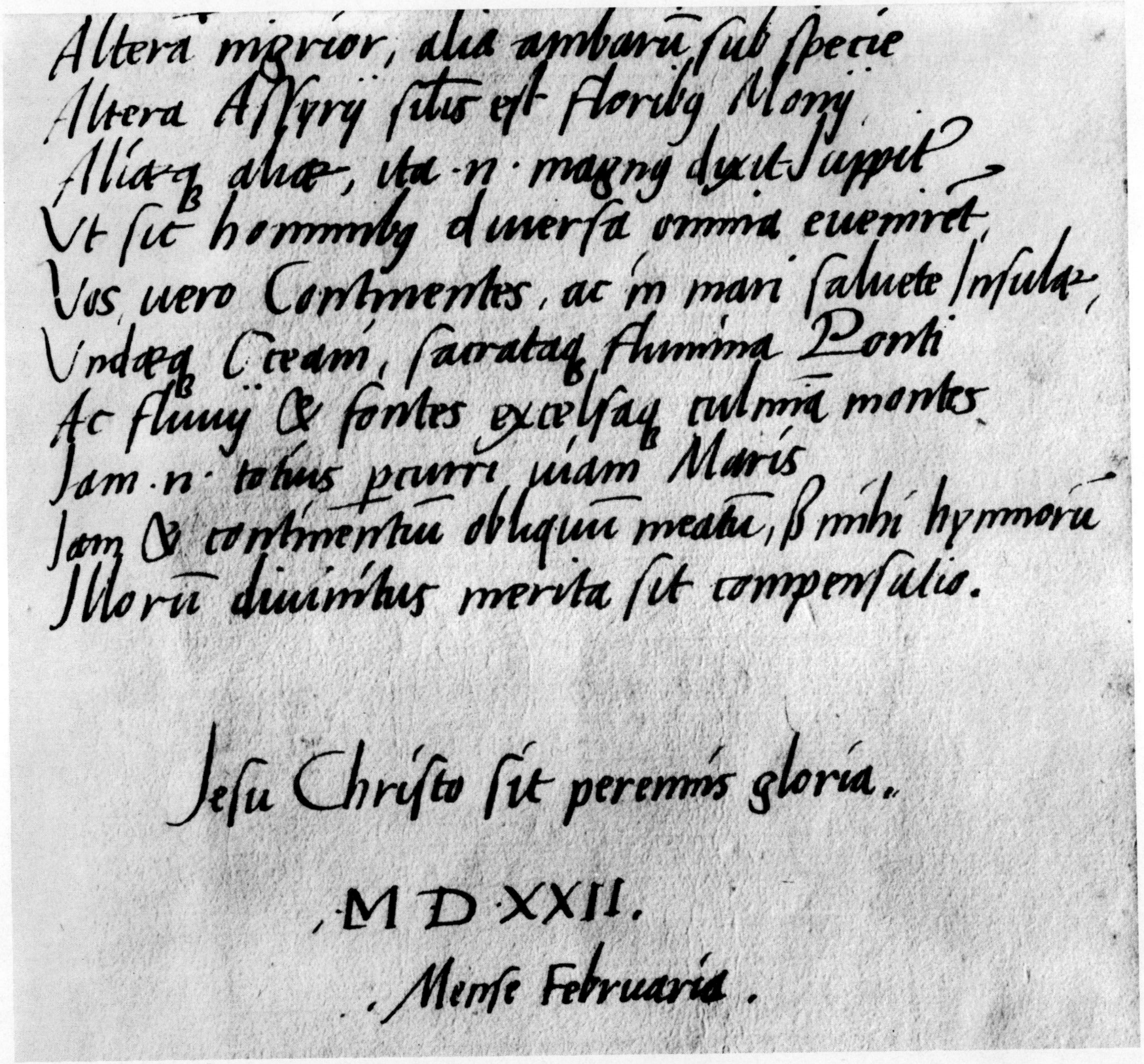

Altera minor, alia ambarū sub specie
Altera Assyrij situs est floribq Moni
Aliaq aliæ, ita n. magnq dixit suppet
Vt sit hominibq diuersa omnia eueniret,
Vos uero Continentes, ac in mari saluete Insulæ,
Undæq Oceani, sacrataq flumina Ponti
Ac fluuij & fontes excelsaq culmīa montes.
Jam n. totius percurri uiam Maris
Jam & continentiū obliquū meatū, ꝗ mihi hymnorū
Illorū diuinitus merita sit compensatio.

Jesu Christo sit perennis gloria.

MDXXII.

Mense Februario.

Abb. 92 Cod. 9470, fol. 91r 1522

Abb. 94 Cod. 3280, fol. 1r (Böhmen), 1522

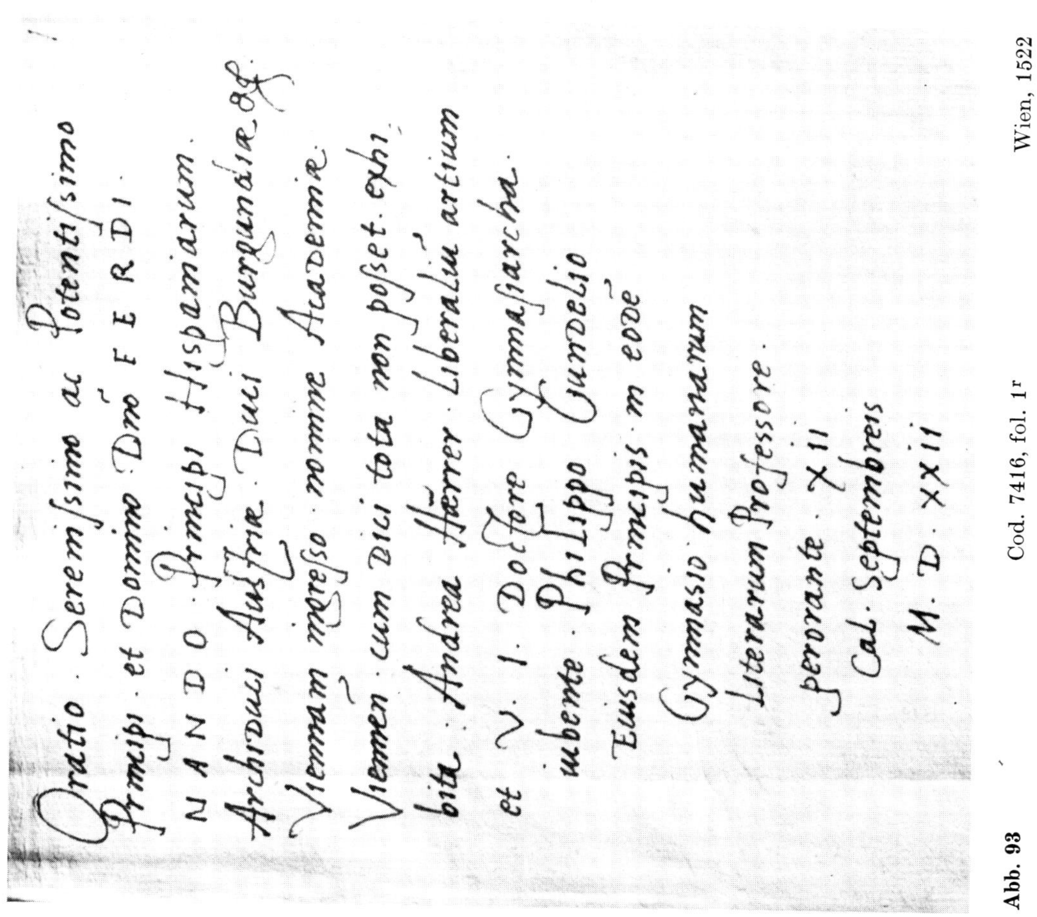

Oratio · Seremissimo ac Potentissimo
Principi · et Domino Dn̄o FERDI
NANDO · Principi Hispaniarum ·
Archiduci Austriae · Duci Burgundiae &c.
Viennam ingresso · nomine Academiae
Viennen · cum dici tota non posset · exhi
bita · Andrea Haerrer · Liberaliu artium
et V. I. Doctore Gymnasiarcha ·
iubente · Philippo Gundelio
Eiusdem Principis in eode
Gymnasio humanarum
Literarum Professore ·
perorante · XII
Cal · Septembreis
M · D · XXII

Abb. 93 Cod. 7416, fol. 1r Wien, 1522

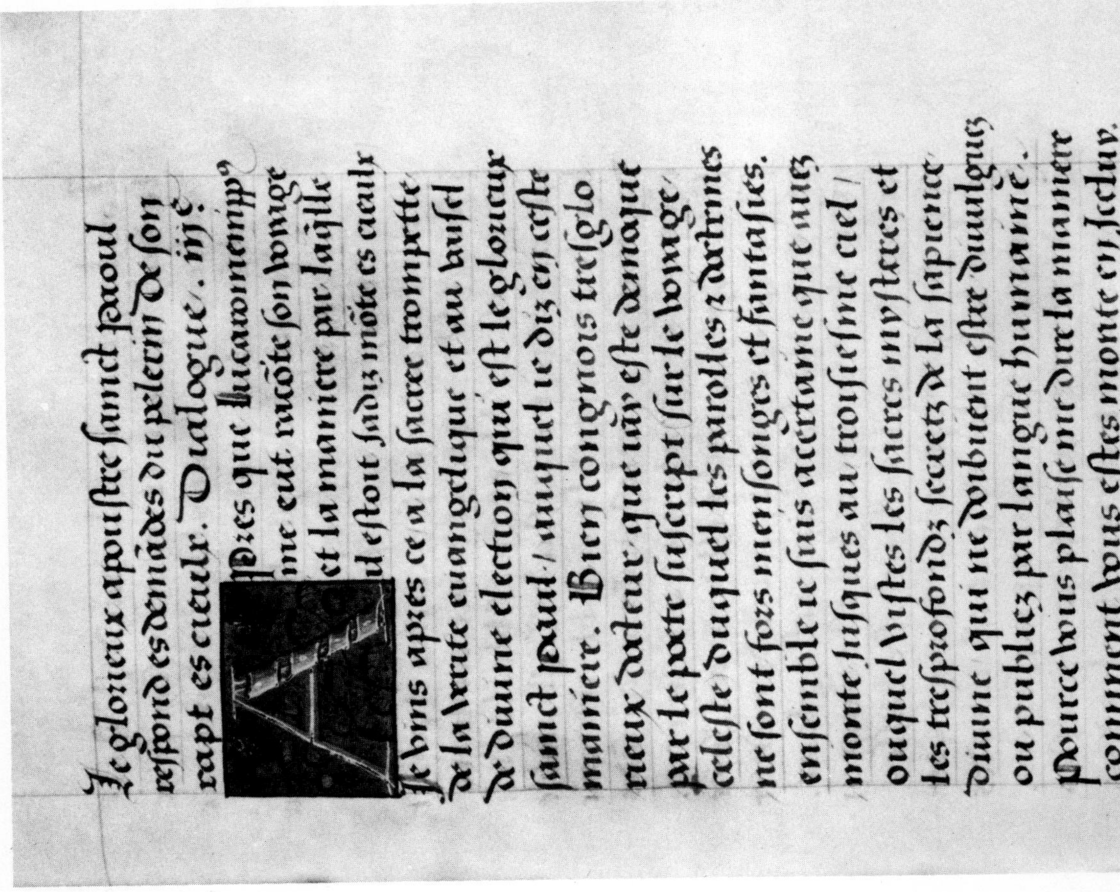

Abb. 98 Cod. 2645, fol. 42r 1524

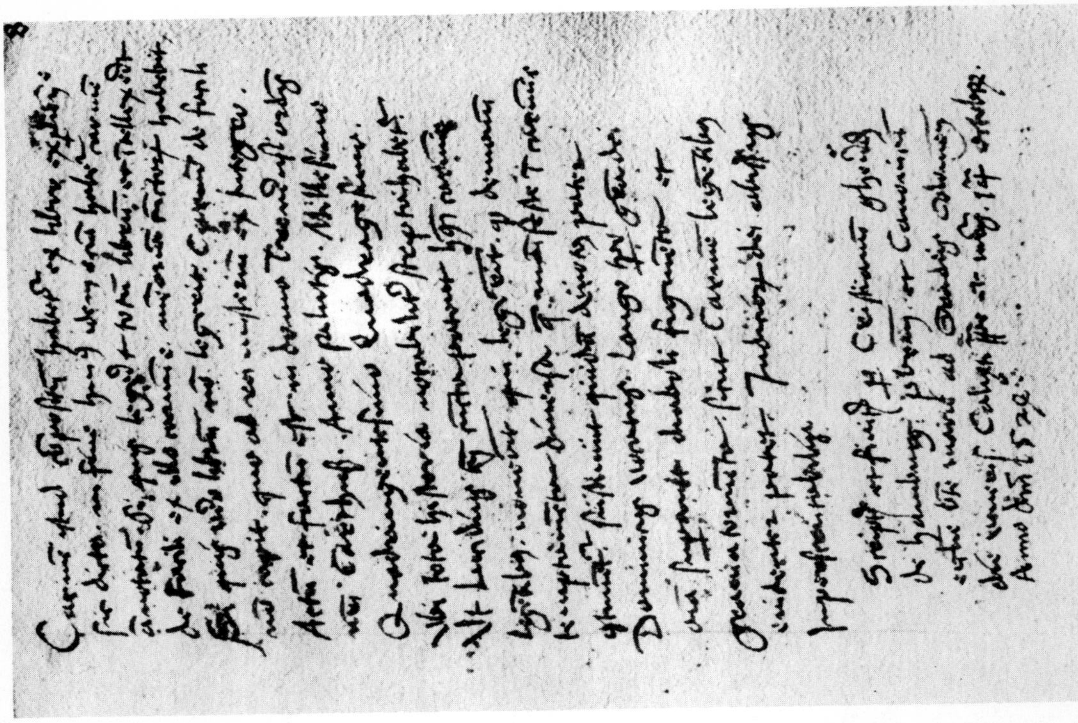

Abb. 99 Cod. 3275, fol. 80r 1524

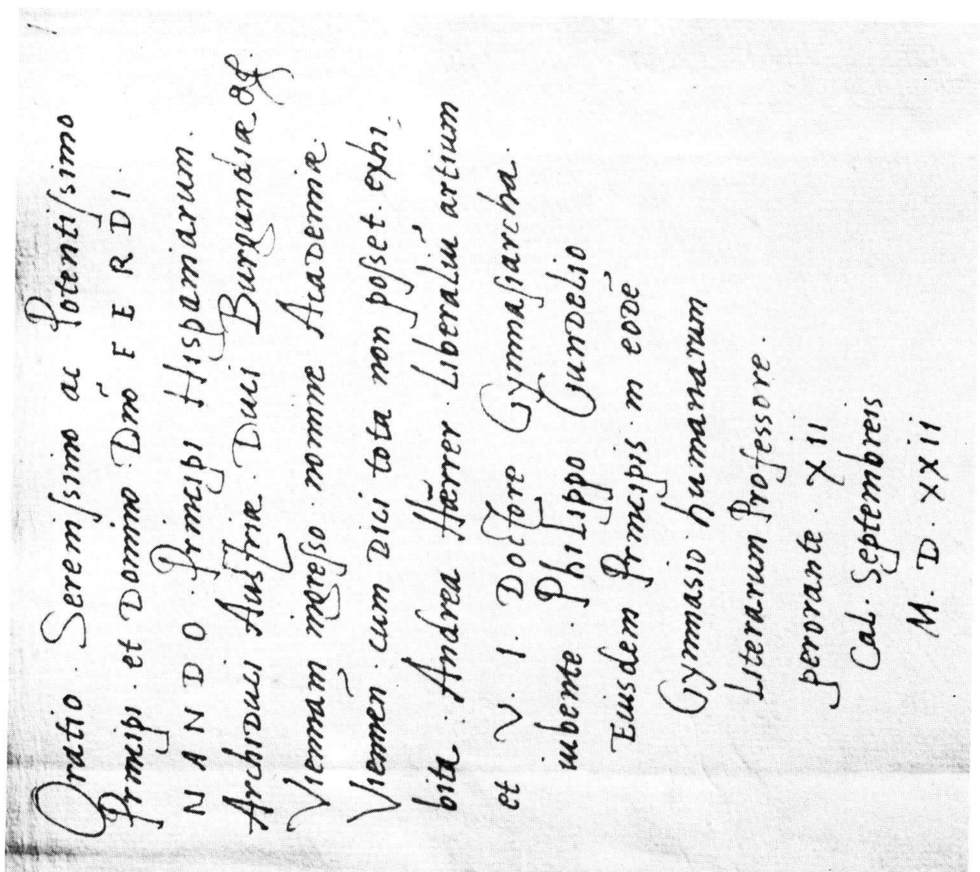

Abb. 93 Cod. 7416, fol. 1r Wien, 1522

Abb. 94 Cod. 3280, fol. 1r (Böhmen), 1522

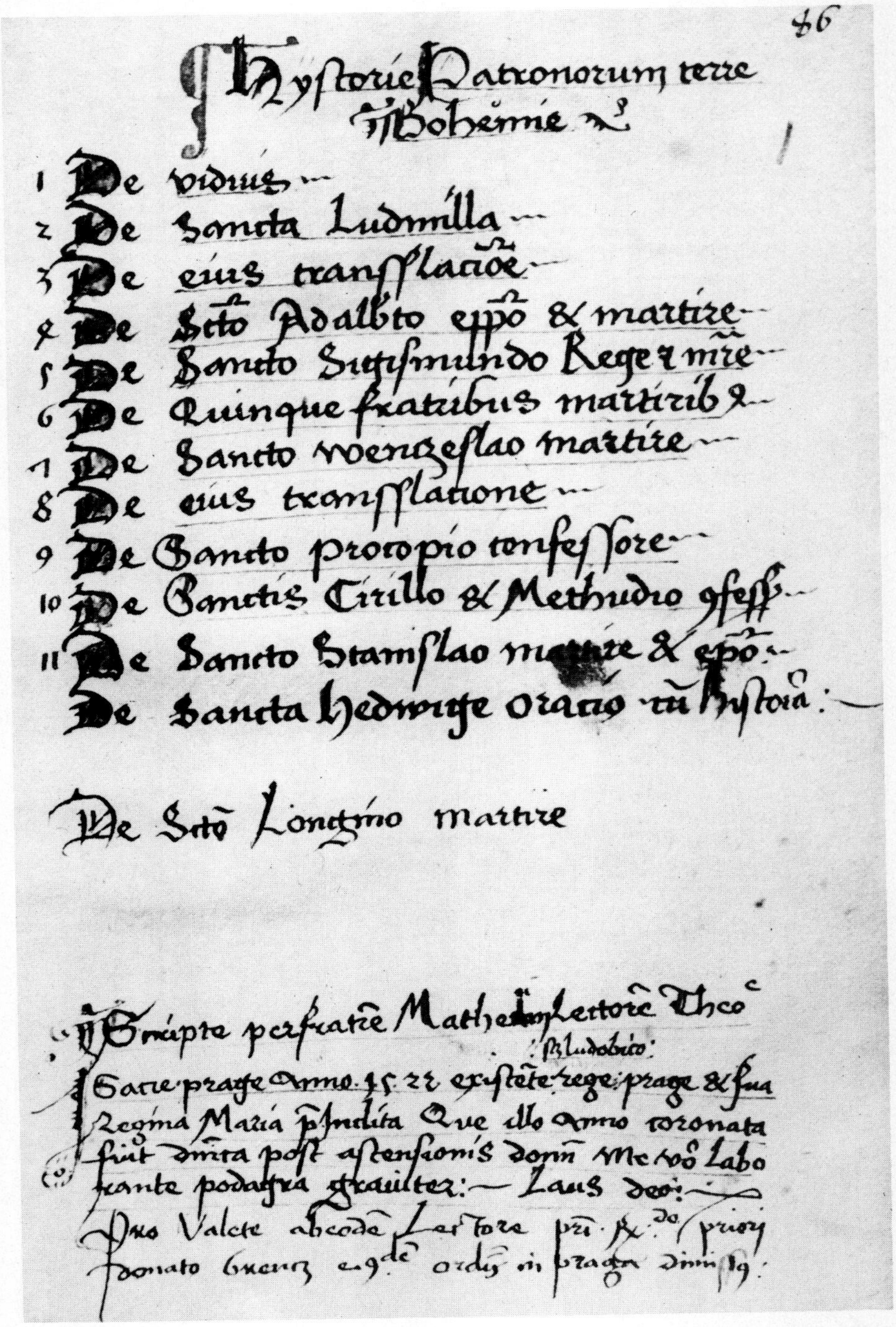
46
Hystorie Patronorum terre Bohemie etc.
1 De vidius
2 De Sancta Ludmilla
3 De eius transslacioe
4 De Scto Adalbto epo & martire
5 De Sancto Sigismundo Rege & mre
6 De Quinque fratribus martirib
7 De Sancto wenzeslao martire
8 De eius transslatione
9 De Sancto procopio confessore
10 De Sanctis Cirillo & Methudio cfess
11 De Sancto Stanislao martire & epo
De Sancta hedwige oratio cu hystoria
De Scto Longino martire
Scripte per fratrem Mathiam lectorem Theo
Ludovico
Sacre prage Anno 1522 existete rege prage & sua
Regina Maria preclita Que illo Anno coronata
fuit dnica post ascensionis domini Me vero Labo
rante podagra graviter. Laus deo.
Pro Valete abcode Lectore pri. priori
Donato

Abb. 95 Cod. 4759, fol. 1r Prag, 1522

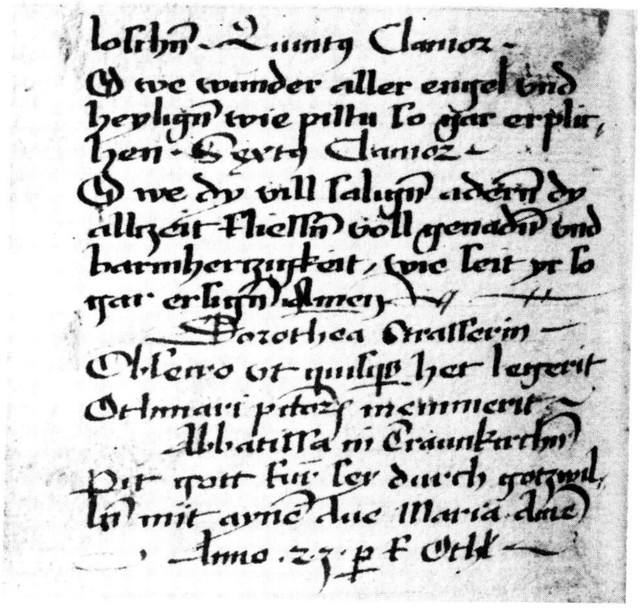

Abb. 96 Cod. 4090, fol. 92v (Mondsee), 1523

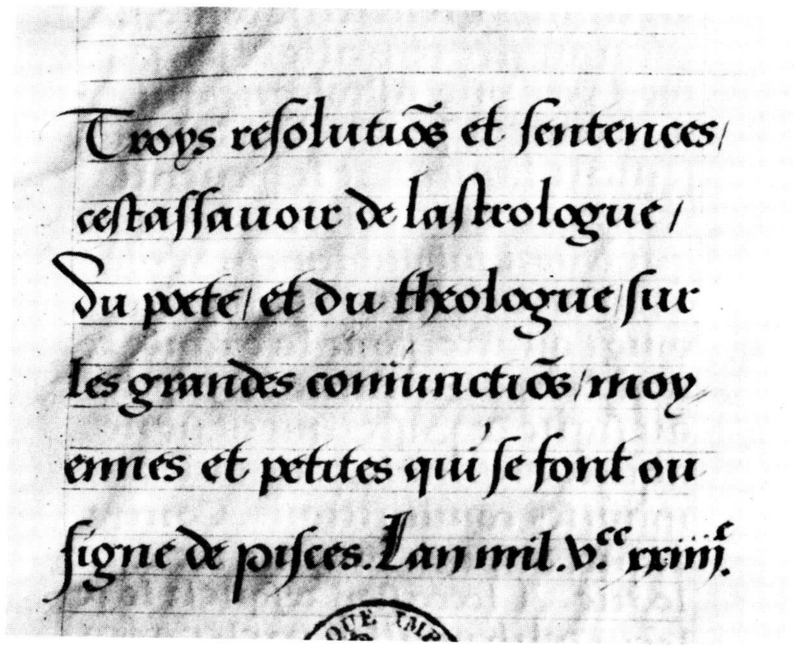
Troys resolutiōs et sentences/
cestassauoir de lastrologue/
du poete/ et du theologue/ sur
les grandes coniunctiōs/ moy
ennes et petites qui se font ou
signe de pisces. Lan mil. v.cc xxiiij.

Abb. 97 Cod. 2645, fol. 1r 1524

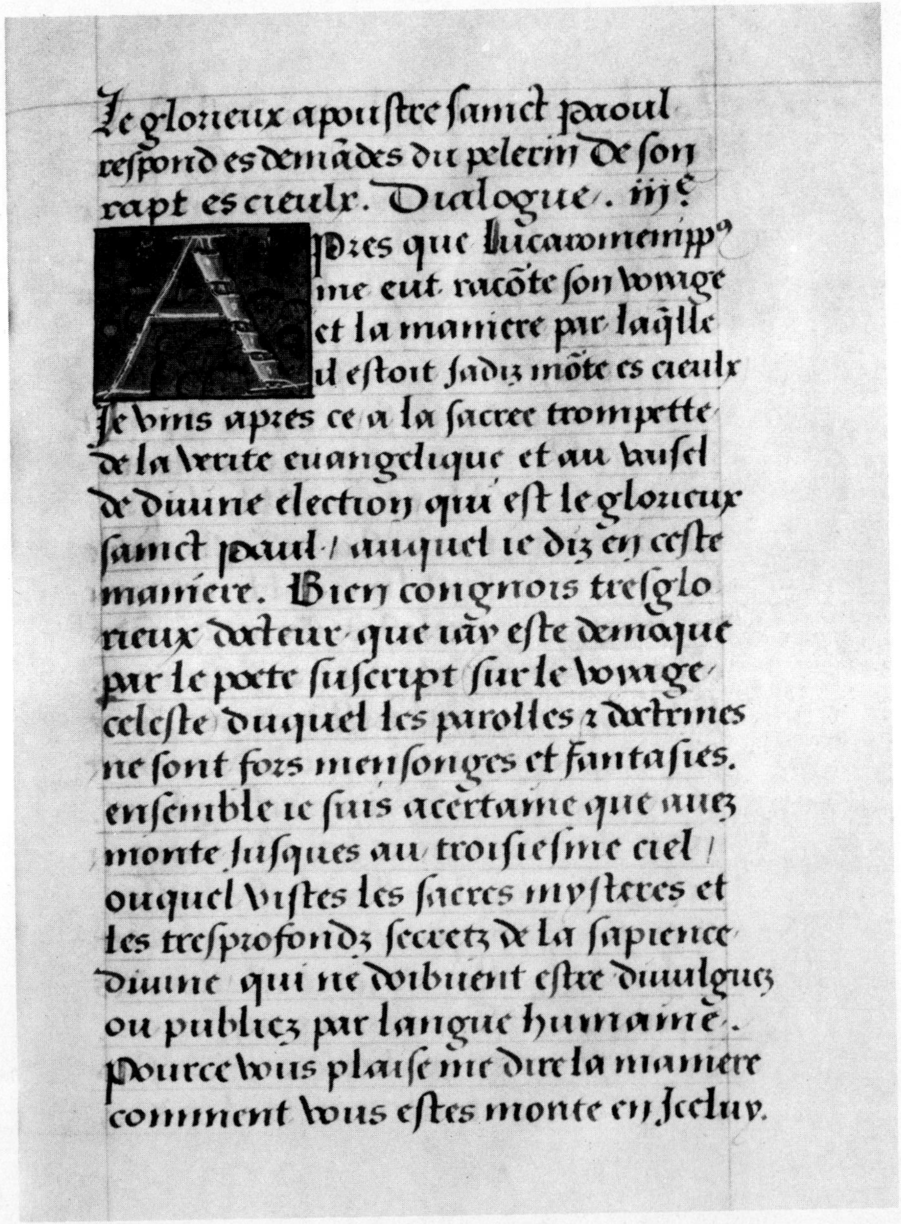

Abb. 98 Cod. 2645, fol. 42r 1524

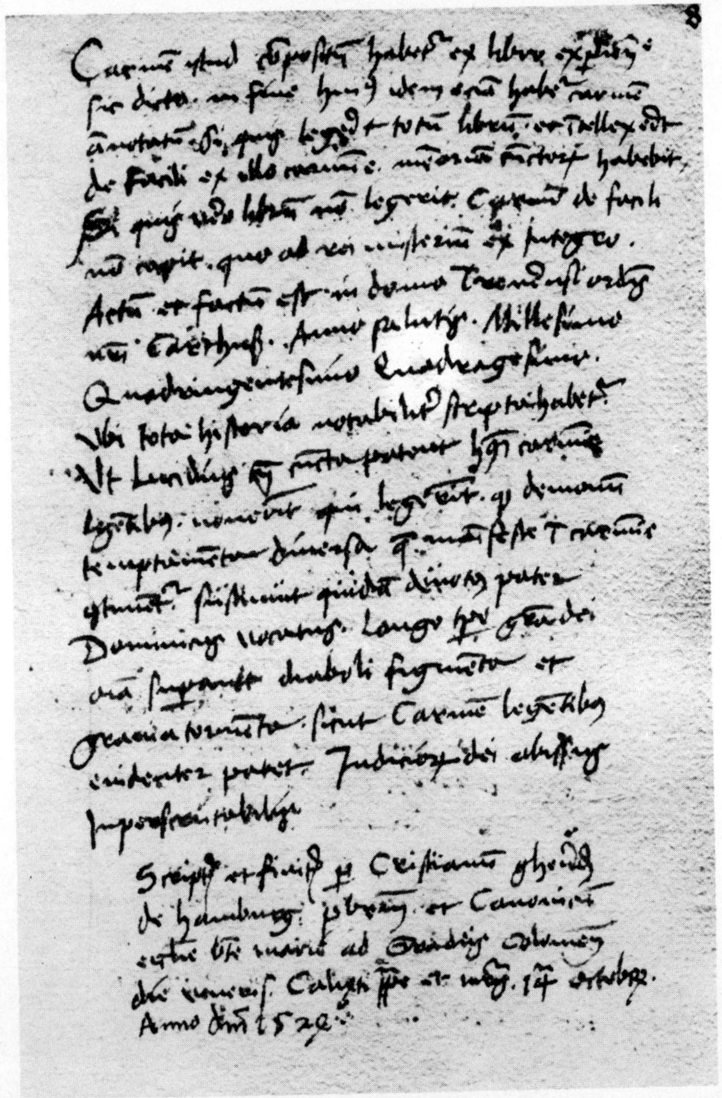

Abb. 99 Cod. 3275, fol. 80r 1524

Abb. 100

Cod. 2755, fol. IIIv—1r

1524

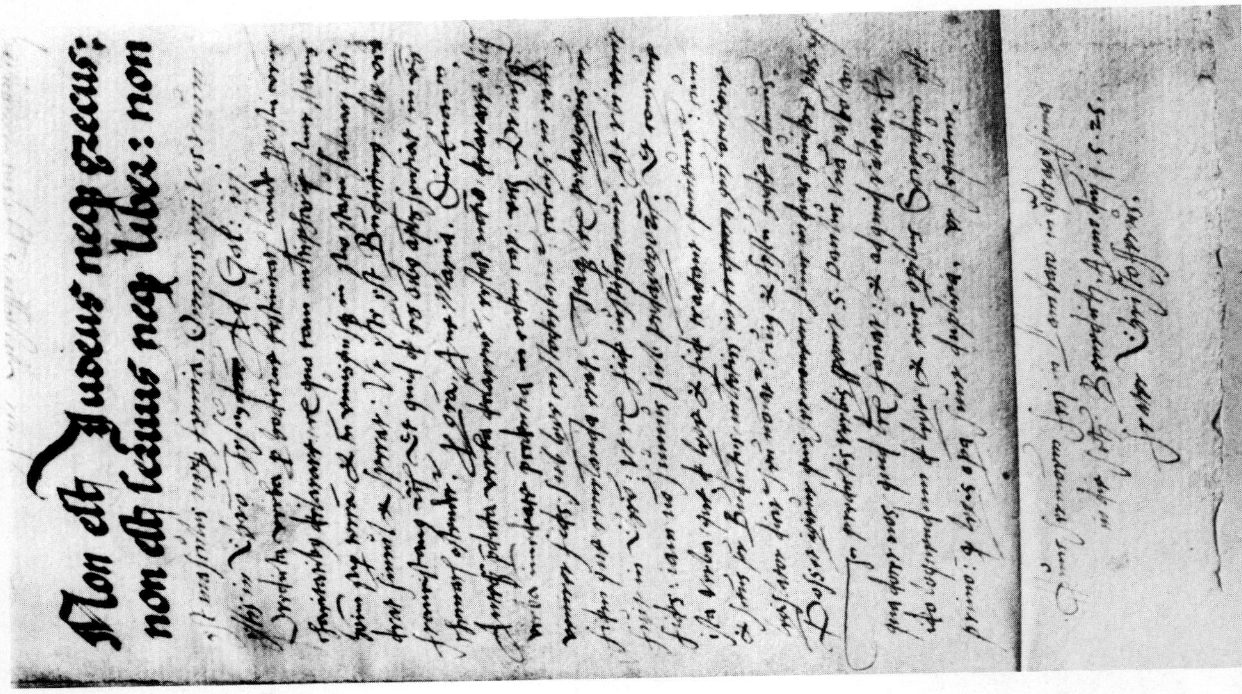
Non est Iudeus neque grecus; non est seruus neque liber: non

Abb. 102 Cod. 3565, fol. 155ʳ (Mondsee), 1525

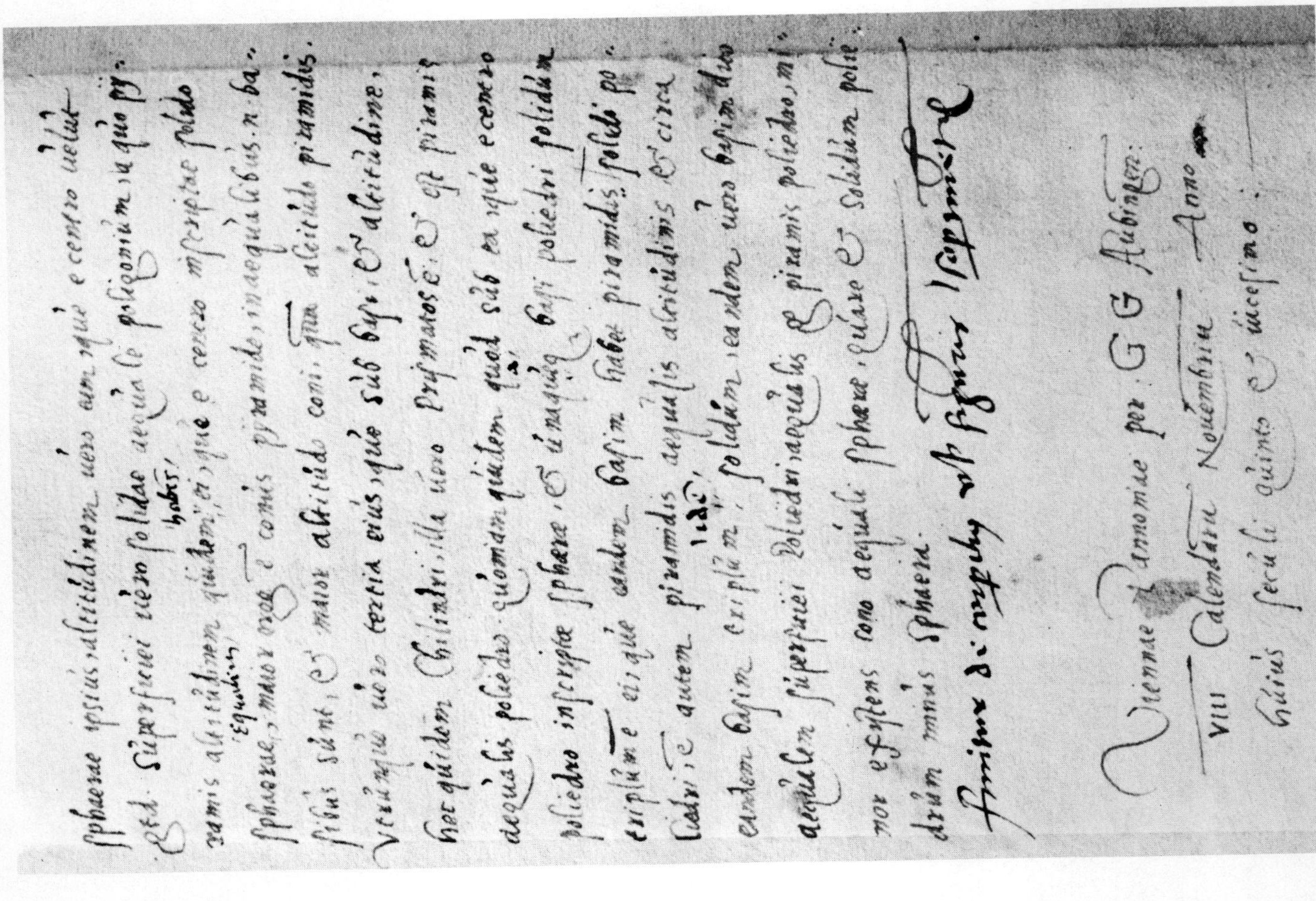
Viennae Pannoniae per G G Aubingen:
VIIII Calendarum Nouembrium Anno
huius seculi quinto et vicesimo

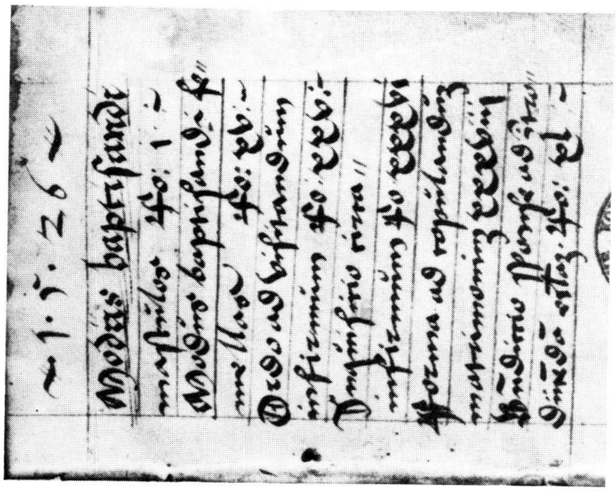

Abb. 104 Cod. 2025, fol. 2r Formbach, 1526

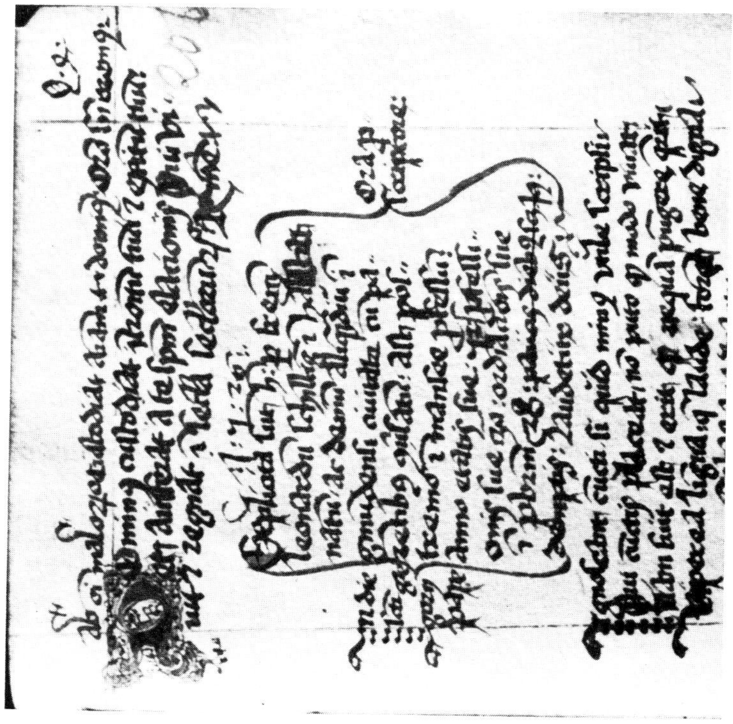

Abb. 105 Cod. 3553, fol. 206r (Mondsee), 1526

Abb. 103 Cod. 11713, fol. 175v (Mondsee ?), 1526

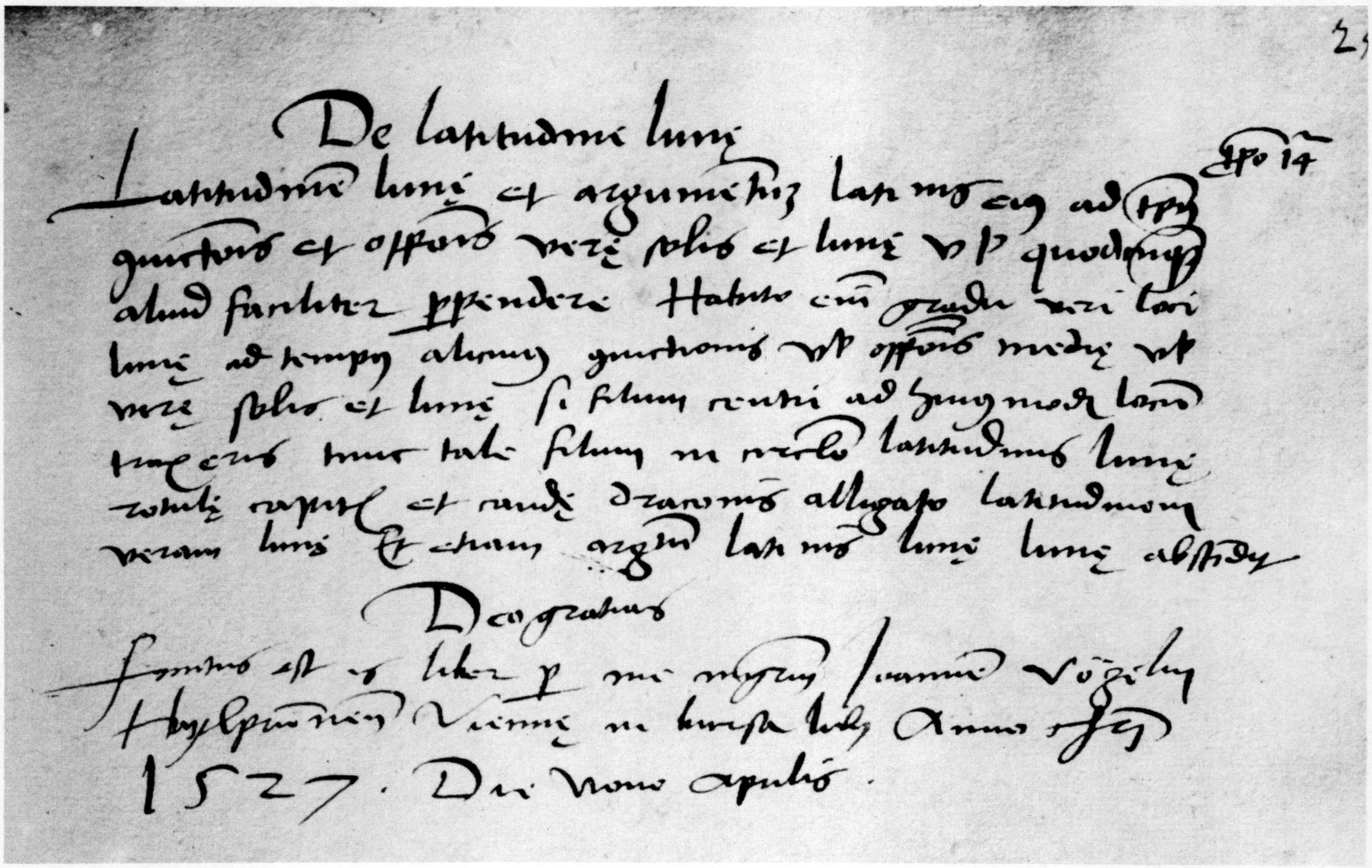

De latitudine lune

Deo gratias

1527. Die nona aprilis.

Abb. 106 Cod. 5273, fol. 257r Wien, 1527

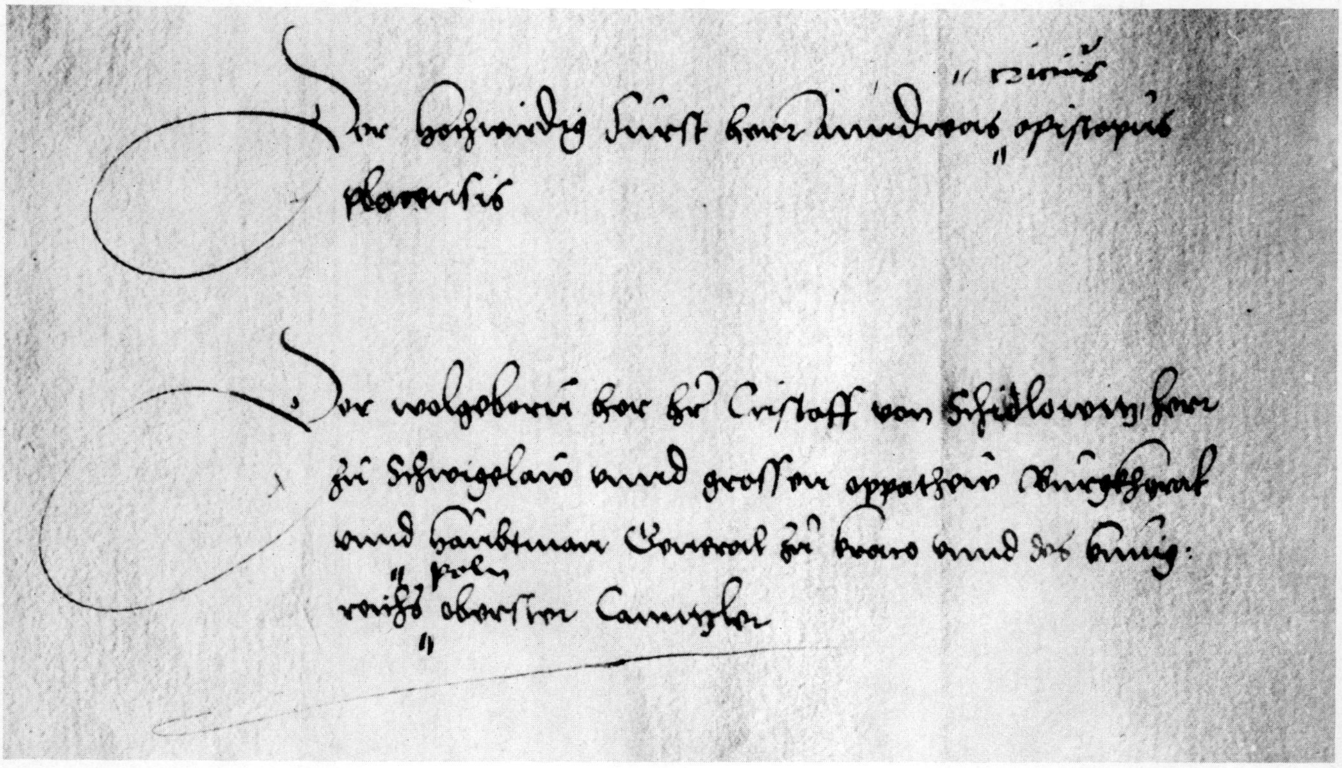

Der hochwirdig furst herr ... episcopus

Der wolgeboren herr her Cristoff von Schidlowitz herr

Abb. 107 Cod. 8667, fol. 3v Ofen, 1527

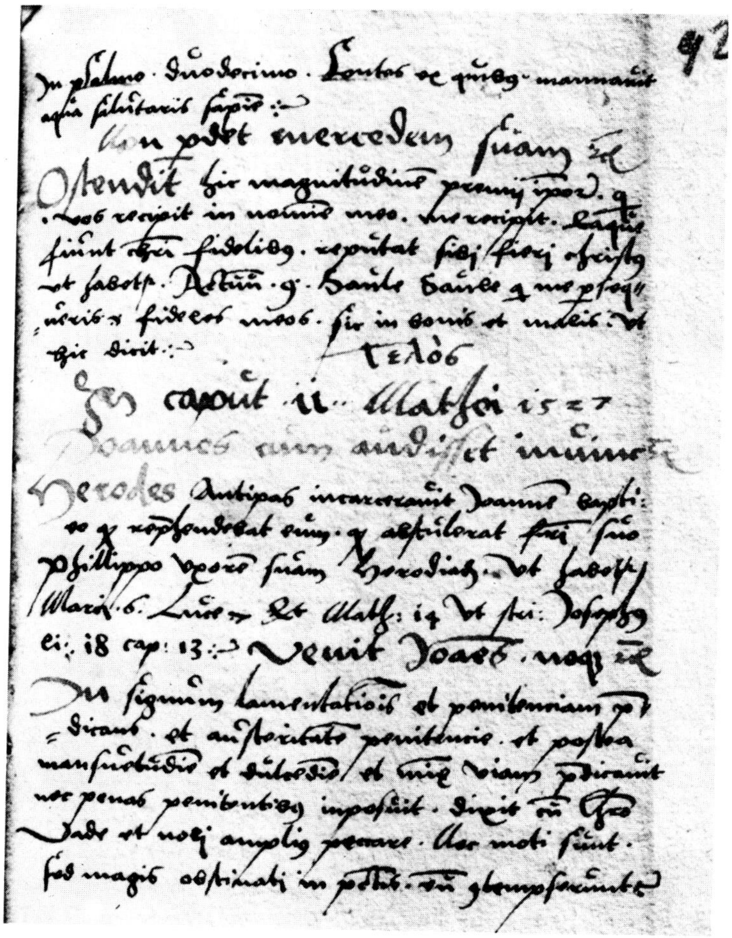

Abb. 108 Cod. 4070, fol. 92r (Mondsee ?), 1527

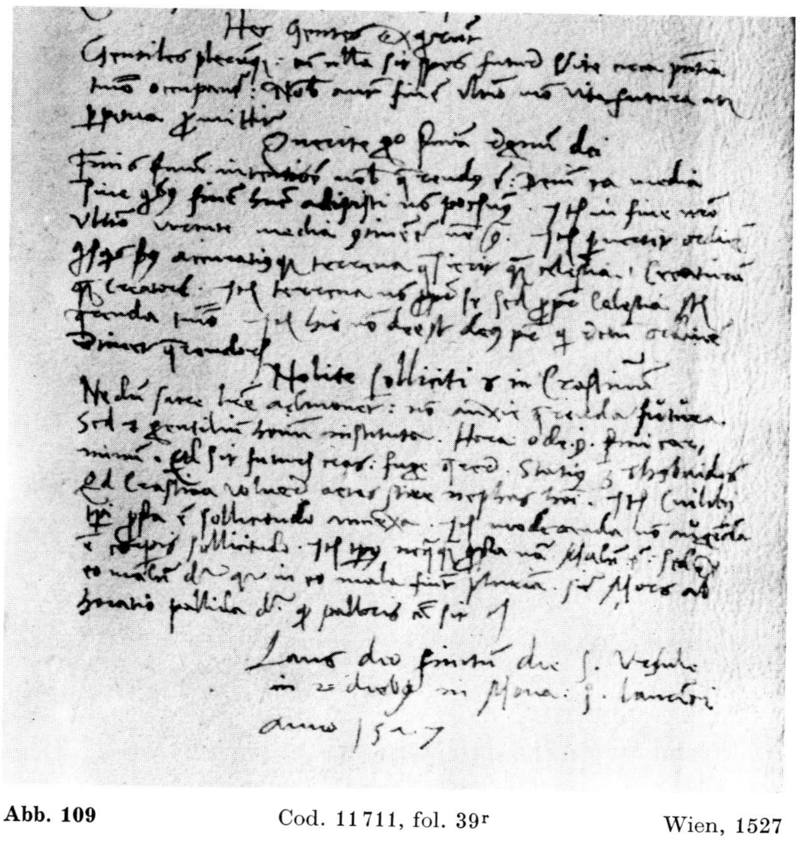

Abb. 109 Cod. 11711, fol. 39r Wien, 1527

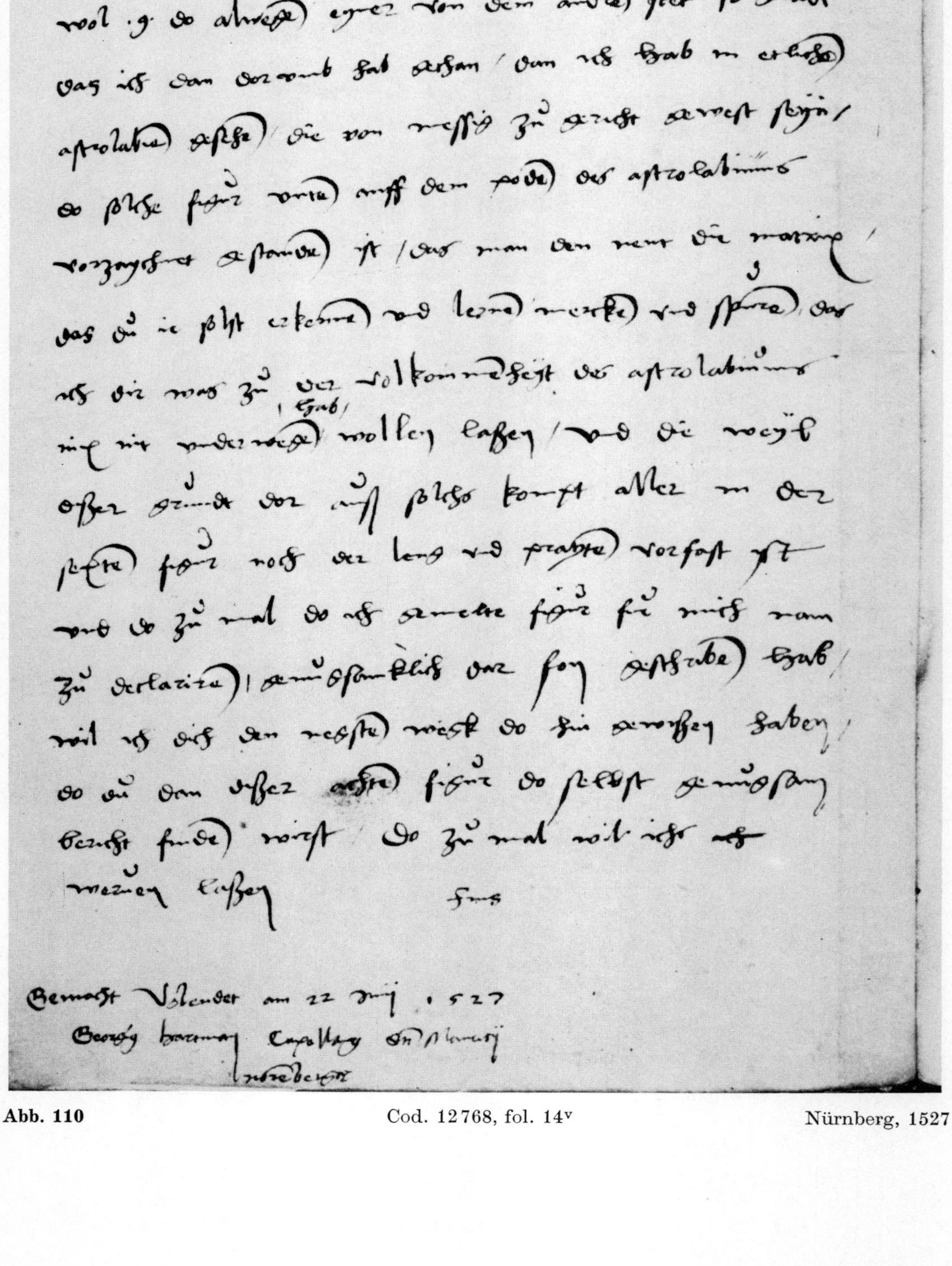

Zu letzt so lere wie man allerle
horizonten formiren sol

Abb. 110 Cod. 12768, fol. 14v Nürnberg, 1527

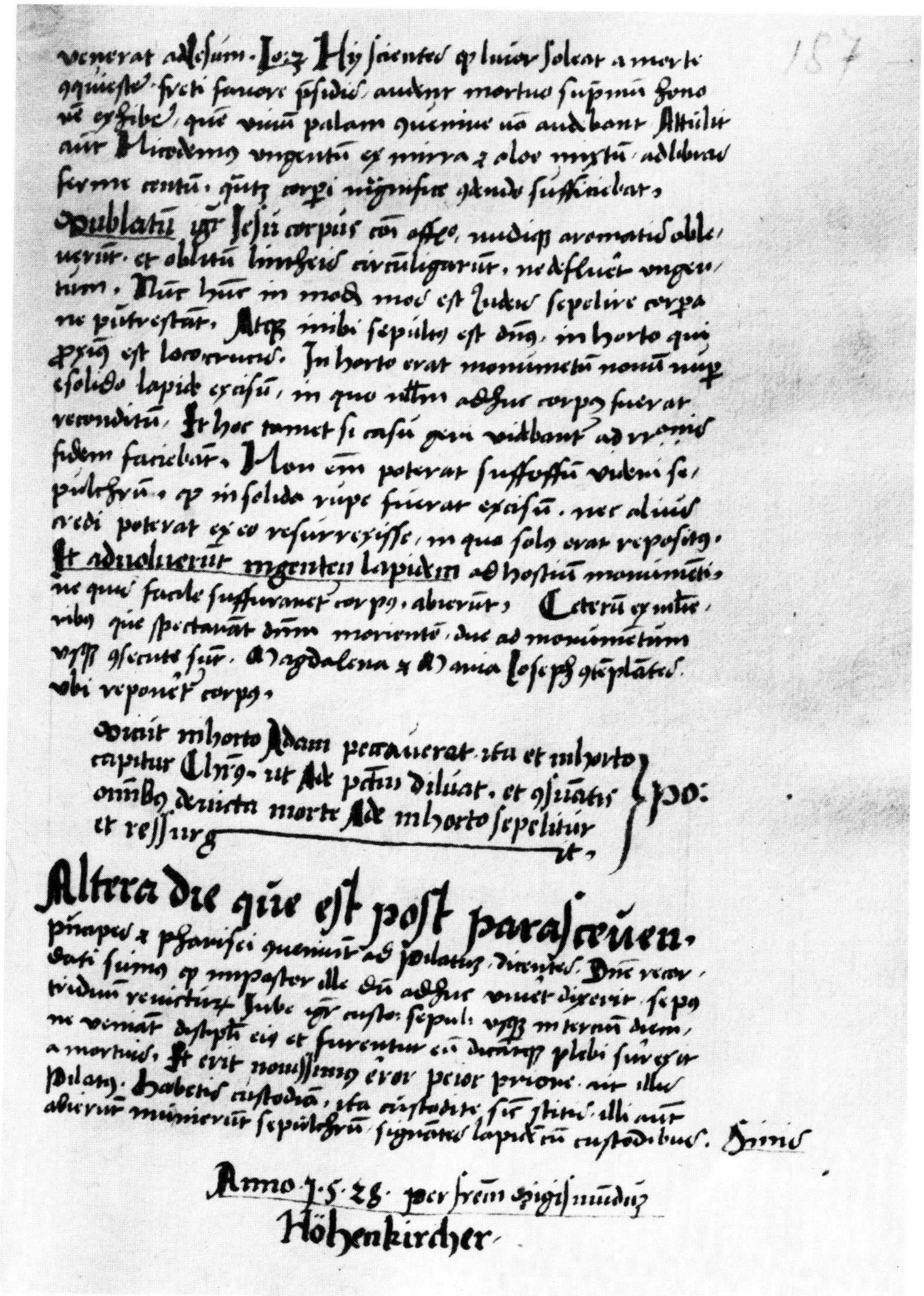
Altera die que est post parasceuen.

Anno 1.5.28. per fratrem Sigismundum
Höhenkircher.

Abb. 111 Cod. 3594, fol. 187r (Mondsee), 1528

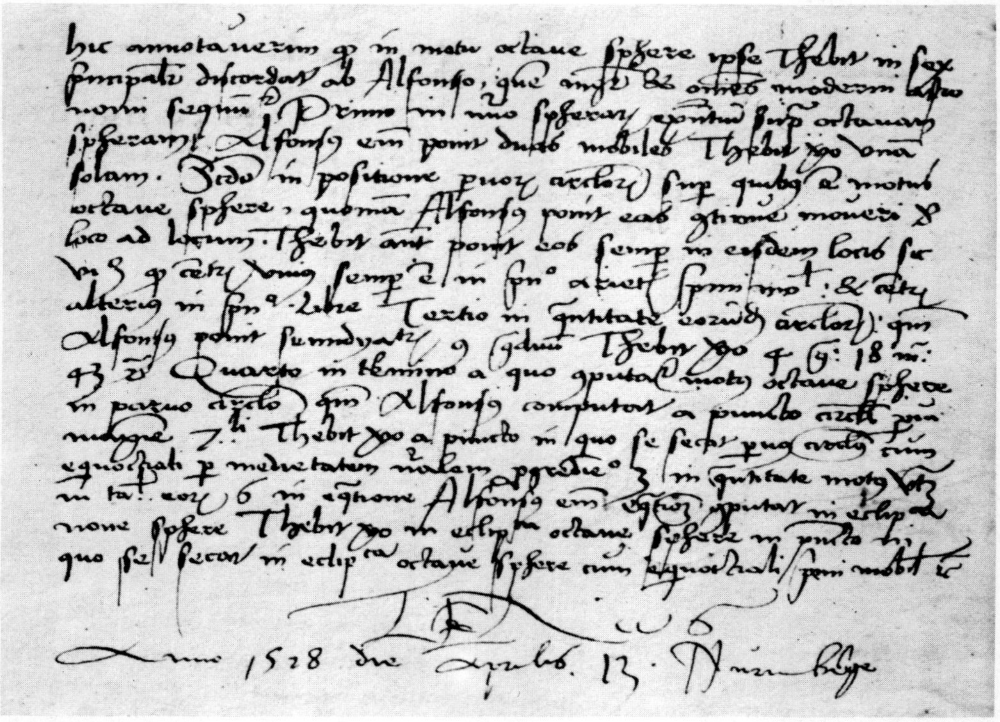

Anno 1528 die Aprilis 13. Nürnberge

Abb. 112 Cod. 5495, fol. 58v Nürnberg, 1528

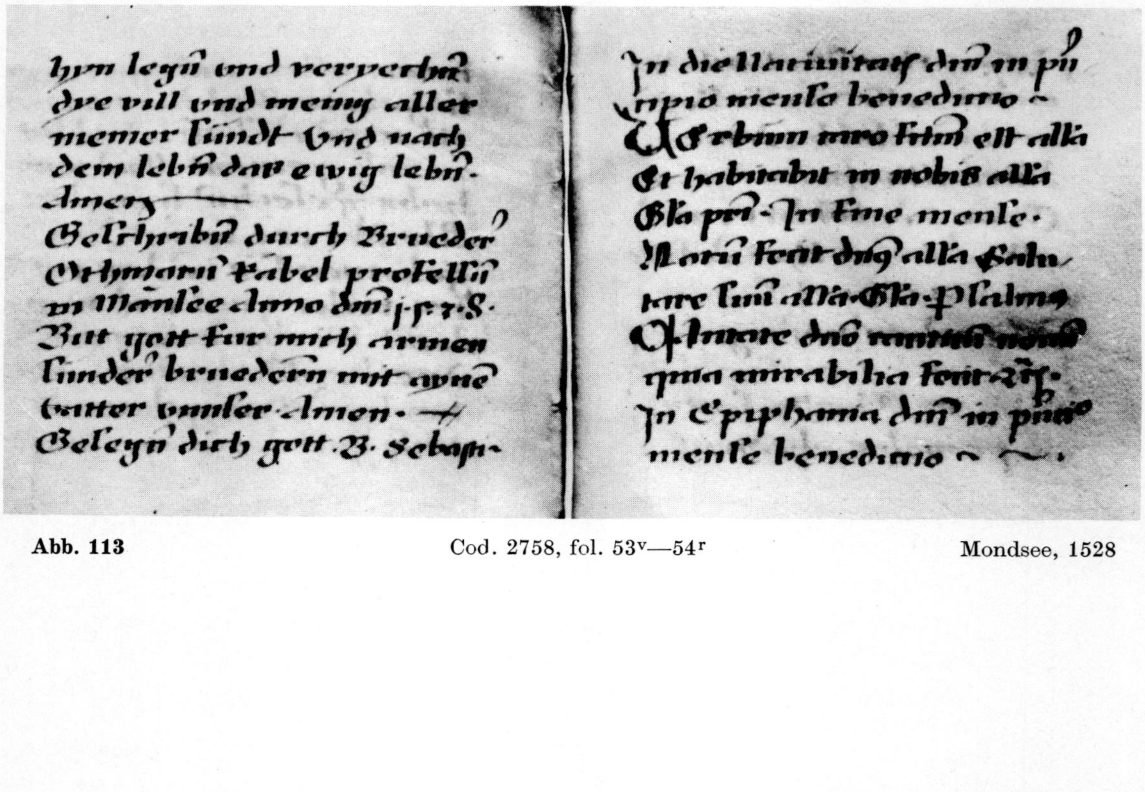

hyn legñ und verperchñ
dye vill und menig aller
meiner sündt und nach
dem lebñ das ewig lebñ.
Amen
Geschribñ durch Brueder
Othmarñ Kabel professñ
zu Mansee Anno dni 1.5.2.8.
Bitt gott für mich armen
sünder bruedern mit ayne
vatter unnser. Amen.
Geseygñ dich gott B. Sebastian

In die Nativitatis dni in pri
ncipio mensse benedicimo
Verbum caro factum est alla
Et habitabit in nobis alla
Gla patri. In fine mense.
Notum fecit dns alla Salu
tare suum alla Gla Psalmus
Cantate dno canticum novum
quia mirabilia fecit etc.
In Epiphania dni in princi
mense benedicimo

Abb. 113 Cod. 2758, fol. 53v—54r Mondsee, 1528

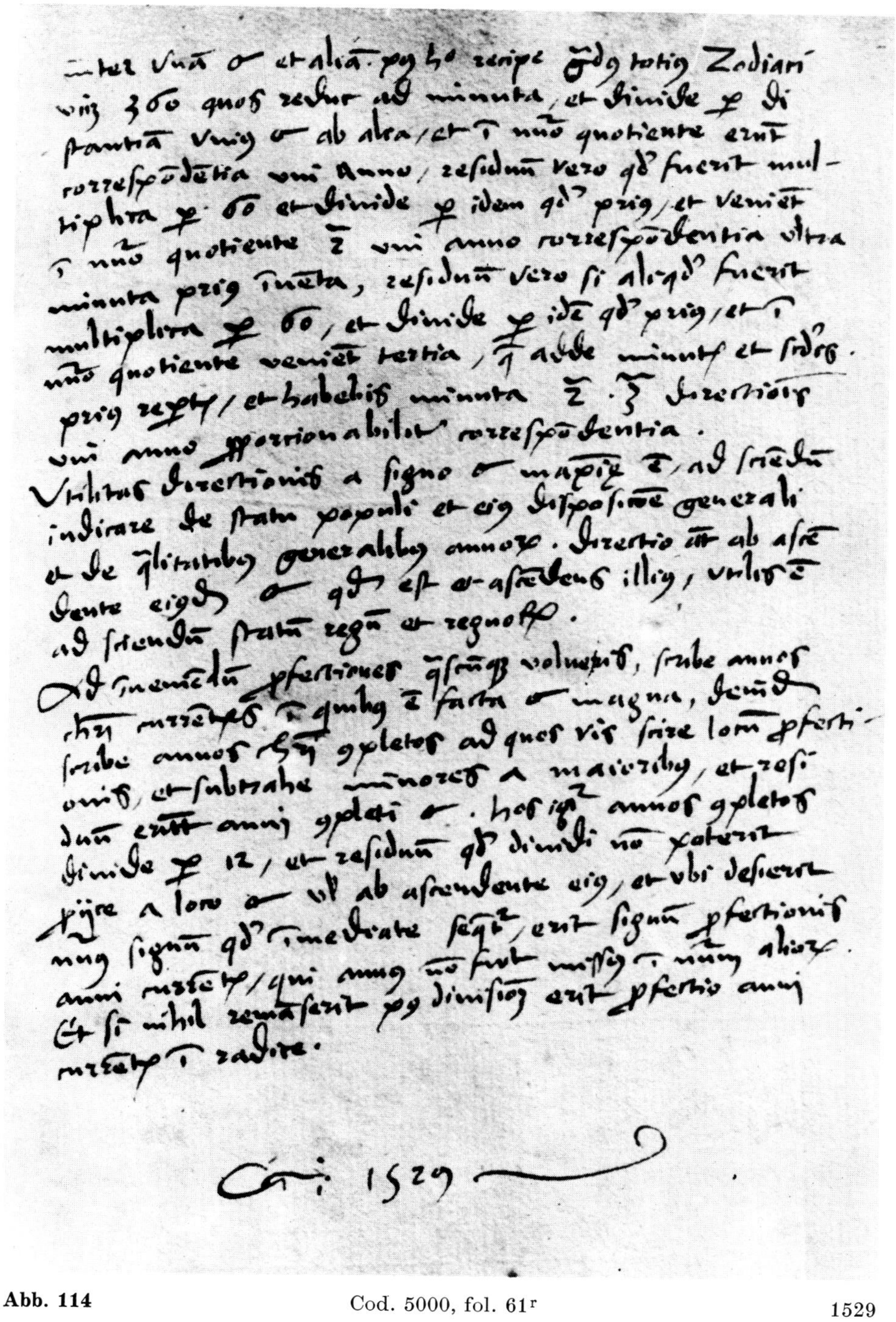

inter unam [sign] et aliam. post hoc recipe gradus totius Zodiaci
viz 360 quos reduc ad minuta, et divide per di-
stantiam unius [sign] ab alia, et in numero quotiente erunt
correspondentia uni anno, residuum vero quod fuerit multiplica per 60 et divide per idem quod prius, et veniet
in numero quotiente secunda uni anno correspondentia ultra
minuta prius inventa, residuum vero si aliquid fuerit
multiplica per 60, et divide per idem quod prius, et in
numero quotiente veniet tertia, quarta adde minutis et secundis
prius receptis, et habebis minuta secunda tertia directionis
uni anno proportionabiliter correspondentia.
Utilitas directionis a signo [sign] magis est ad sciendum
indicare de statu populi et eius dispositione generali
et de conditionibus generalibus annorum. Directio autem ab ascendente eius [sign] quod est ascendens illius, utilis est
ad sciendum statum regum et regnorum.
Ad inveniendum perfectiones coniunctionum quarumcumque volueris, scribe annos
Christi currentes in quibus est facta [sign] magna, deinde
scribe annos Christi completos ad quos vis scire locum perfectionis, et subtrahe minores a maioribus, et resi-
duum erunt anni completi [sign]. hos igitur annos completos
divide per 12, et residuum quod dividi non poterit
proiice a loco [sign] vel ab ascendente eius, et ubi defecerit
numerus signum quod immediate sequitur, erit signum perfectionis
anni currentis, qui annus non fuit missus in numerum aliorum.
Et si nihil remanserit post divisionem erit perfectio anni
currentis in radice.

Cri 1529

Abb. 114 Cod. 5000, fol. 61r 1529

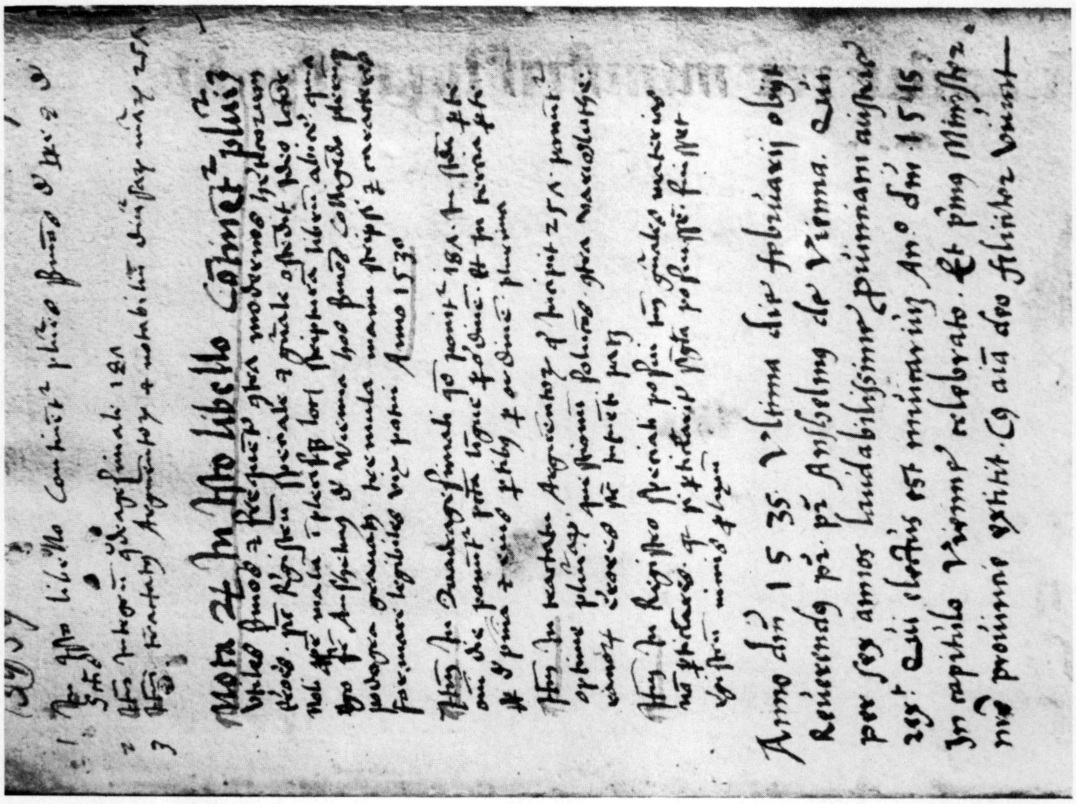

Abb. 116 Cod. 4339, fol. 1r St. Pölten (?), 1530

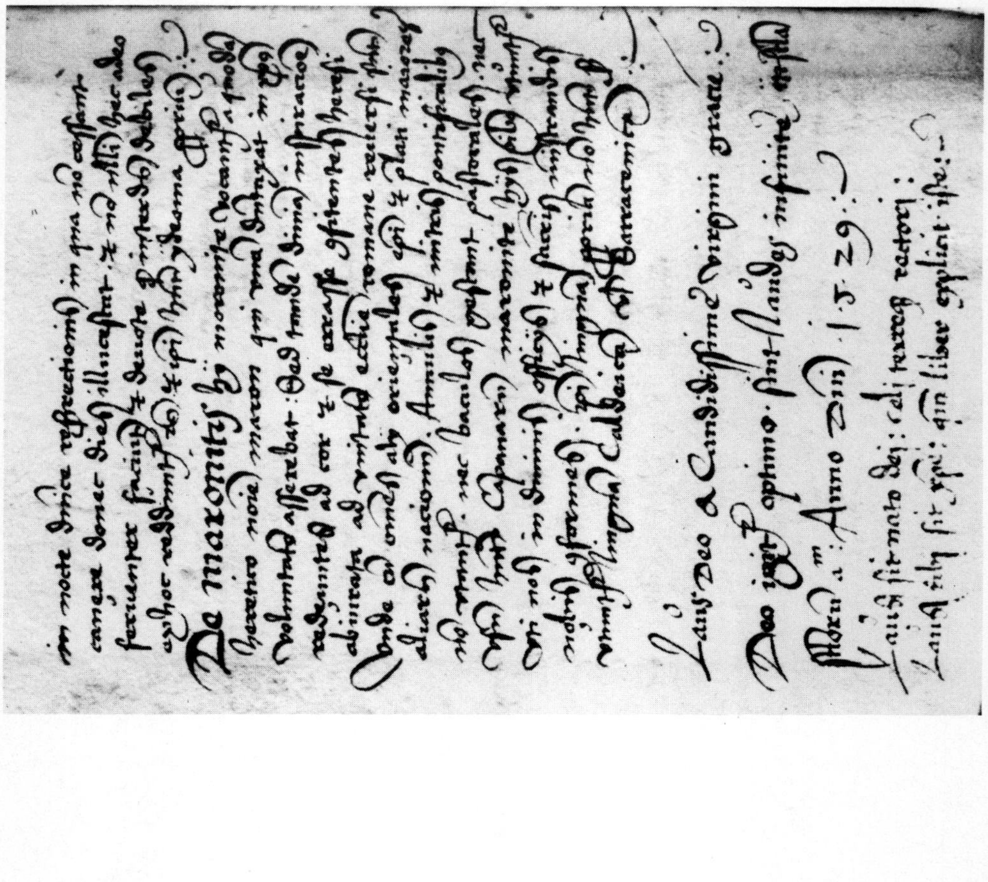

Abb. 115 Cod. 12893, fol. 74v 1529

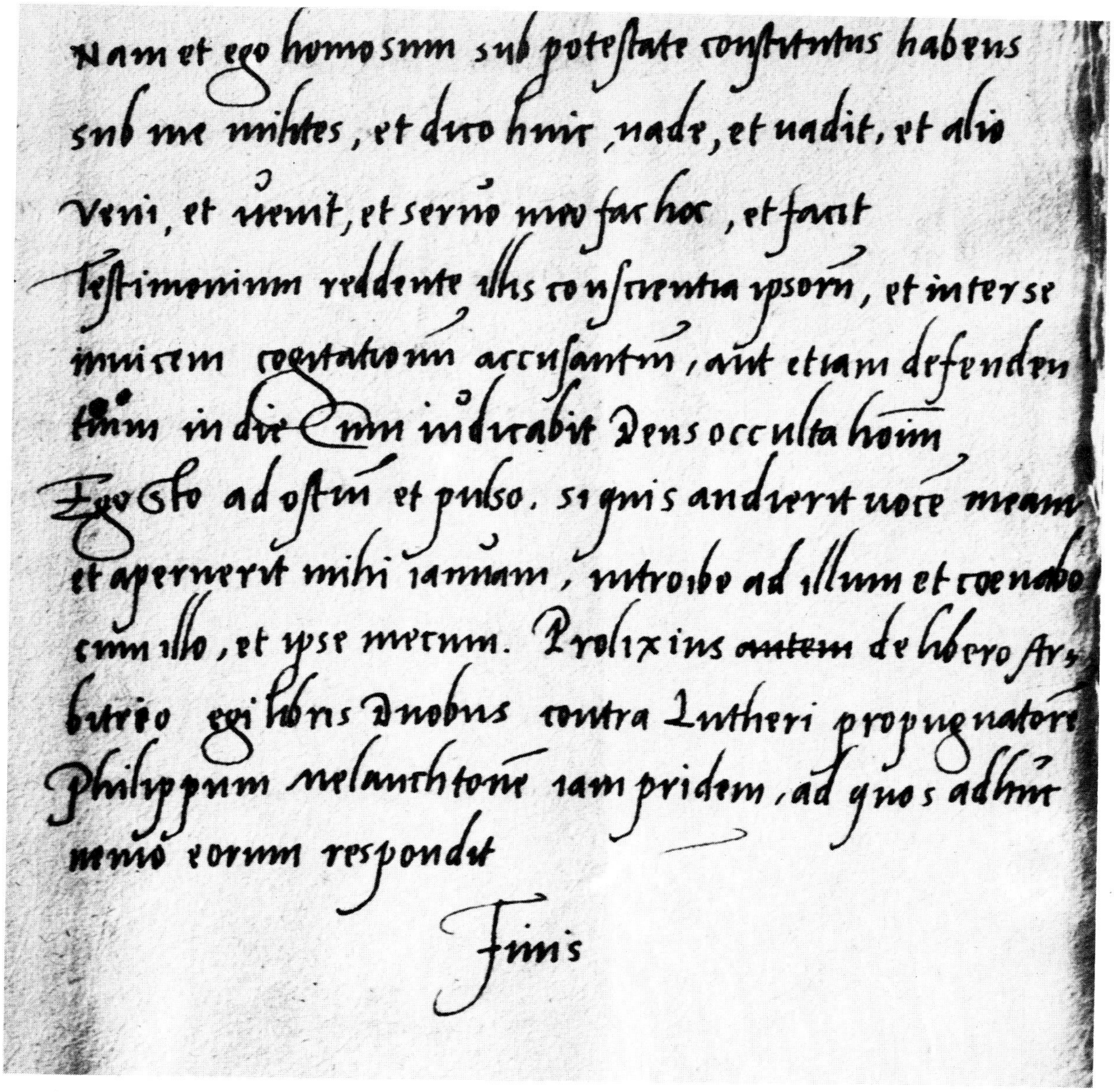

Nam et ego homo sum sub potestate constitutus habens
sub me milites, et dico huic, uade, et uadit, et alio
Veni, et uenit, et seruo meo fac hoc, et facit
testimonium reddente illis conscientia ipsorum, et inter se
inuicem cogitationum accusantium, aut etiam defenden-
tium in die cum iudicabit Deus occulta hominum
Ego sto ad ostium et pulso. si quis audierit uocem meam
et aperuerit mihi ianuam, introibo ad illum et coenabo
cum illo, et ipse mecum. Prolixius ~~autem~~ de libero ar-
bitrio egi libris duobus contra Lutheri propugnatorem
Philippum Melanchtonem iam pridem, ad quos adhuc
nemo eorum respondit

Finis

Abb. 117 Cod. 11828, fol. 123r Dresden, 1530

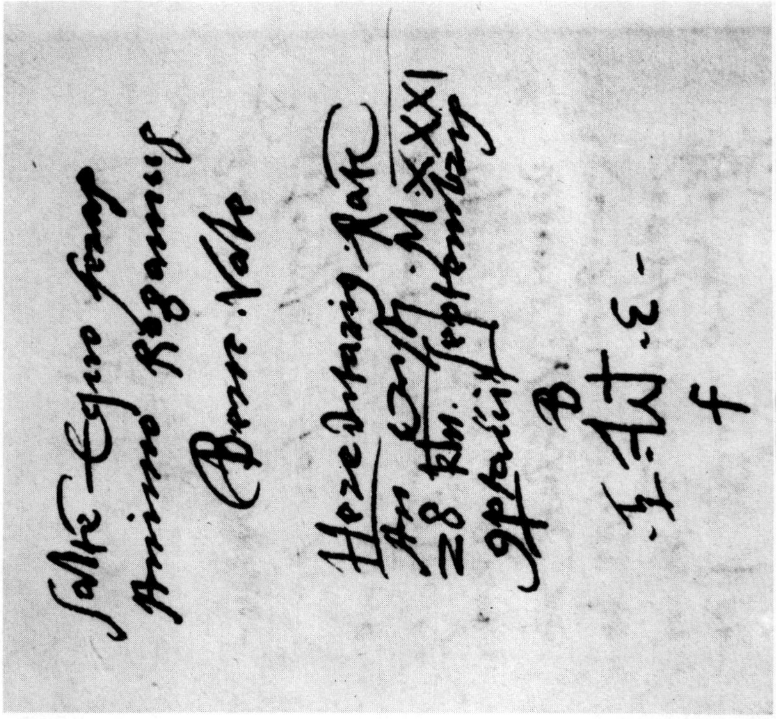

Abb. 119 Cod. 11724, fol. 6v 1531

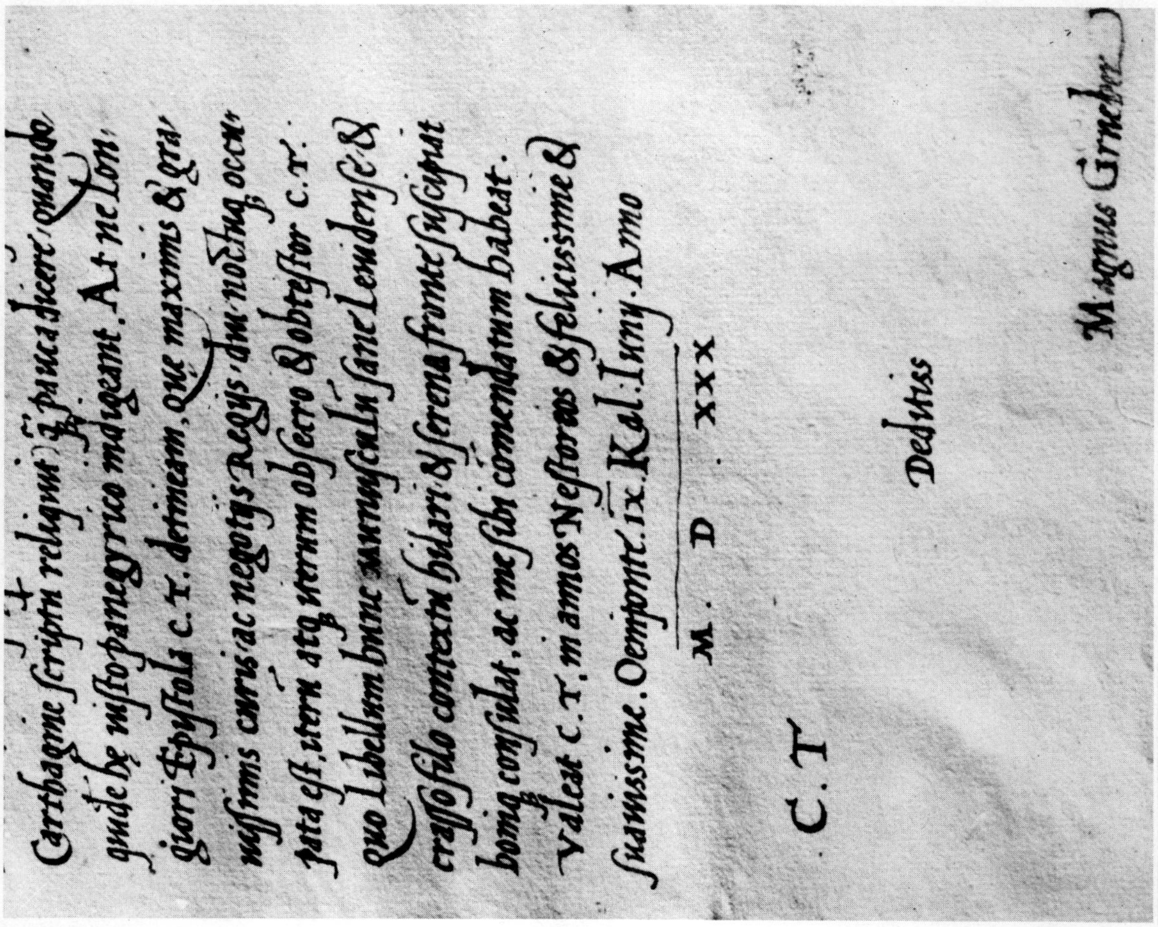

Abb. 118 Cod. 8559, fol. IVr Innsbruck, 1530

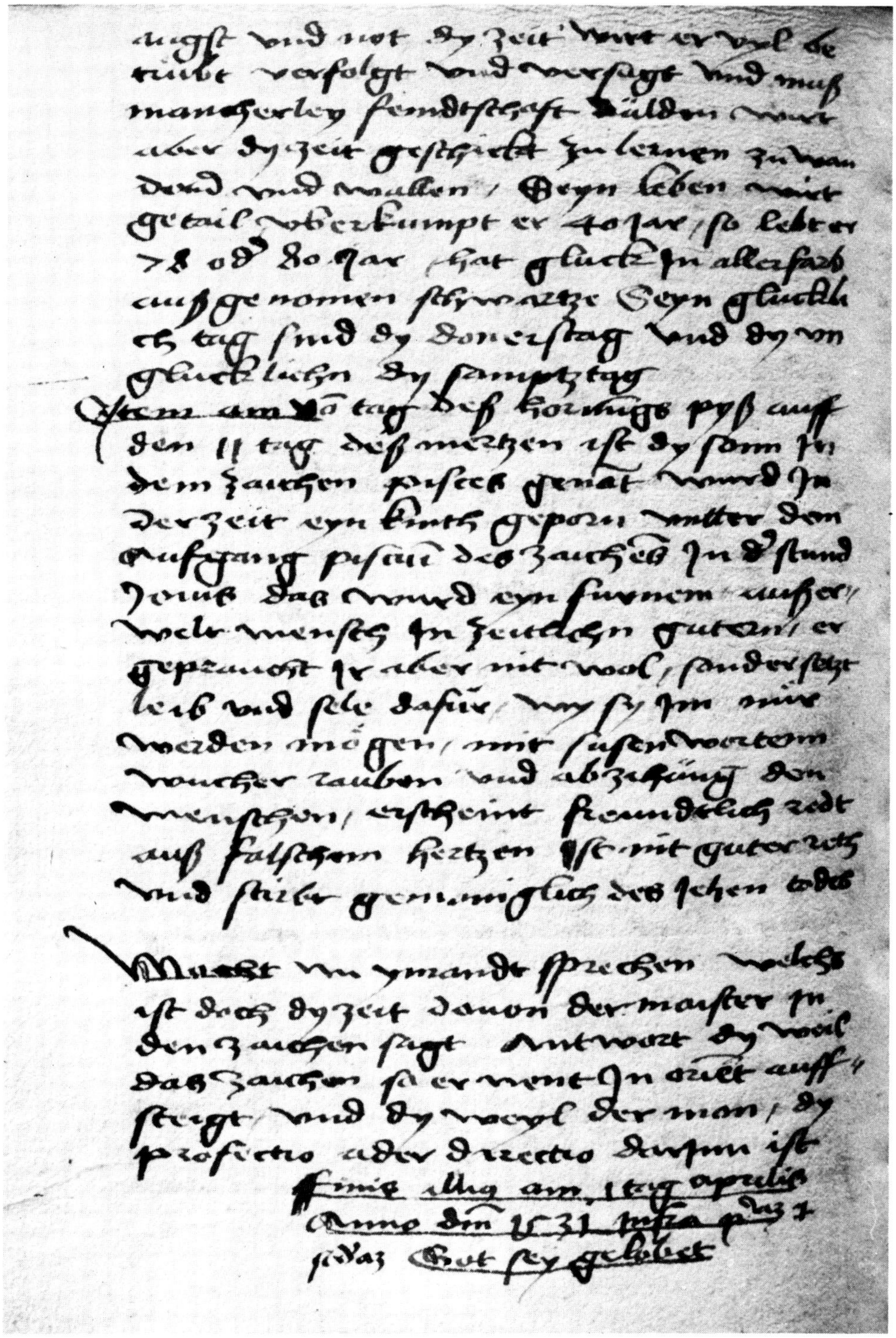
angst und not dy zeit wirt er vil be-
trubt verfolgt und versagt und muss
mancherley feindtschaft dulden wirt
aber dy zeit geschickt zu lernen zu wan-
deln und wallen / Seyn leben wirt
getail / uberkumpt er 40 jar / so lebt er
78 oder 80 jar / hat gluck jn allerfach
aussgenomen schwartze Seyn glucklich
ch tag sind dy donerstag und dy un-
glucklichen dy sampztag
Item am 10 tag des hornungs pyss auff
den 11 tag des mertzen ist dy sonn jn
dem zaichen pisces genat wurd jn
der zeit eyn kinth geporn unter dem
aufgang pisciu des zaichens jn der stund
Jouis das wurd eyn furnem ausser-
welt mensch jn zeitlichen gutern / er
gepraucht jr aber nit wol / sunder setzt
leib und sele dafur / wy sy jm nur
werden mogen / mit sussen worten
wucher rauben und abzehung den
menschen / erscheint freundtlich redt
auss falschem hertzen ist nit guter rete
und stirbt gemainiglich des schen todes

Mocht nu ymandt sprechen welchs
ist doch dy zeit davon der maister jn
den zaichen sagt Antwort dy weil
das zaichen so er wont jn dieli auff-
steigt / und dy weyl der man / dy
profectio oder directio darjnn ist
Finis lbg am 1 tag aprilis
Anno dm 1531
Got sey gelobet

Abb. 120 Cod. 5255, fol. 64v 1531

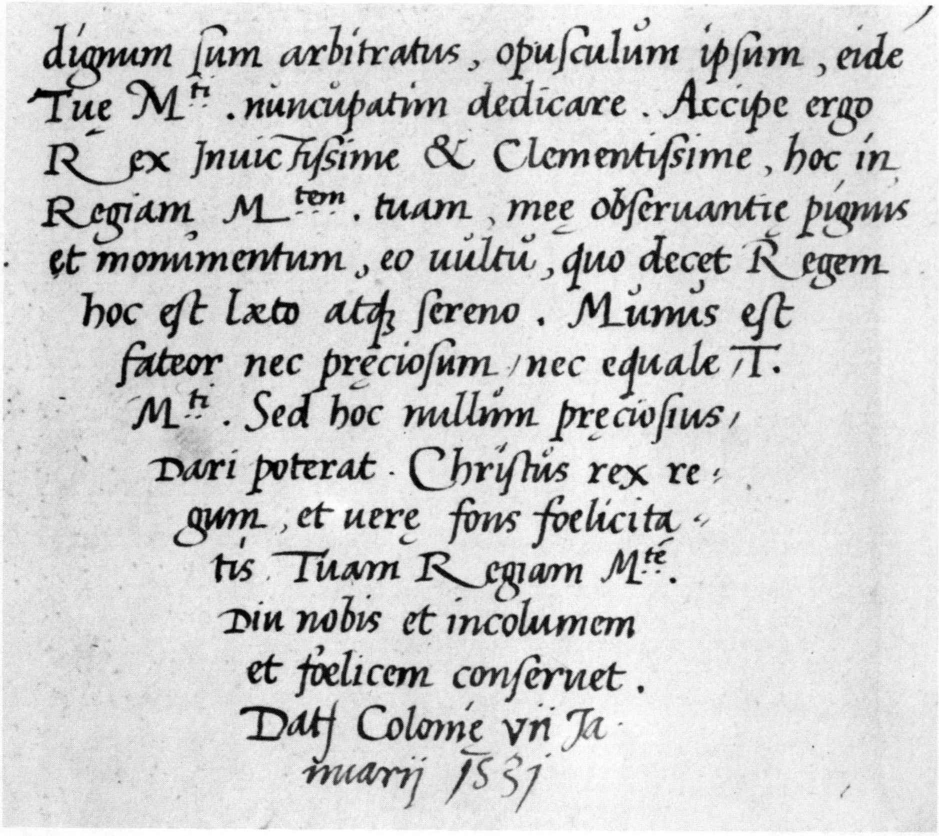

dignum sum arbitratus, opusculum ipsum, eide
Tue Mti. nuncupatim dedicare. Accipe ergo
Rex Inuictissime & Clementissime, hoc in
Regiam Mtem. tuam, mee obseruantie pignus
et monimentum, eo uultu, quo decet Regem
hoc est læto atq; sereno. Munus est
fateor nec preciosum, nec equale T.
Mti. Sed hoc nullum preciosius,
Dari poterat. Christus rex regum, et uere fons foelicita-
tis. Tuam Regiam Mte.
Diu nobis et incolumem
et foelicem conseruet.
Datū Colonie vii Ja-
nuarij 1531

Abb. 121 Cod. 8081, fol. 3r Köln, 1531

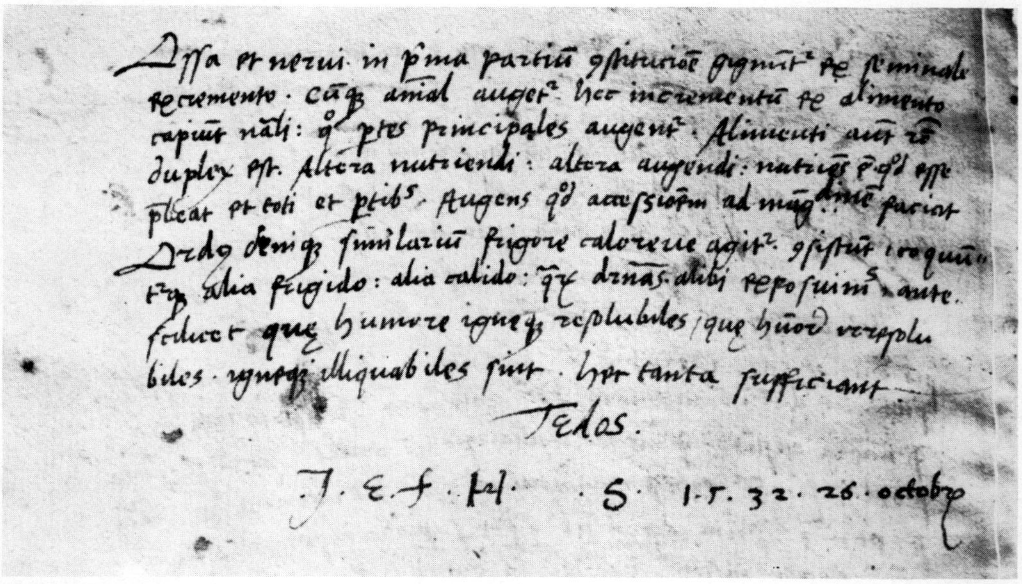

Ossa et nerui in prima partium constitutione gignuntur de seminali
excremento. cumque animal augetur hec incrementum de alimento
capiunt nati: quod partes principales augentur. Alimenti autem vis
duplex est. Altera nutriendi: altera augendi: nutriens est quod esse
plicat et toti et partibus. Augens quod accessionem ad magnitudinem faciat
Ordo denique similarium frigore caloreue agitur. constituuntur eo quoniam
tum alia frigido: alia calido: quae duas alibi reposuimus ante.
scilicet que humore igneque resolubiles, que humore vero resolu
biles. igneque illiquabiles sunt. hec tanta sufficiant
Telos.
J. E. F. H. S. 1.5.32. 26. octobr

Abb. 122 Cod. 11198, fol. 292v 1532

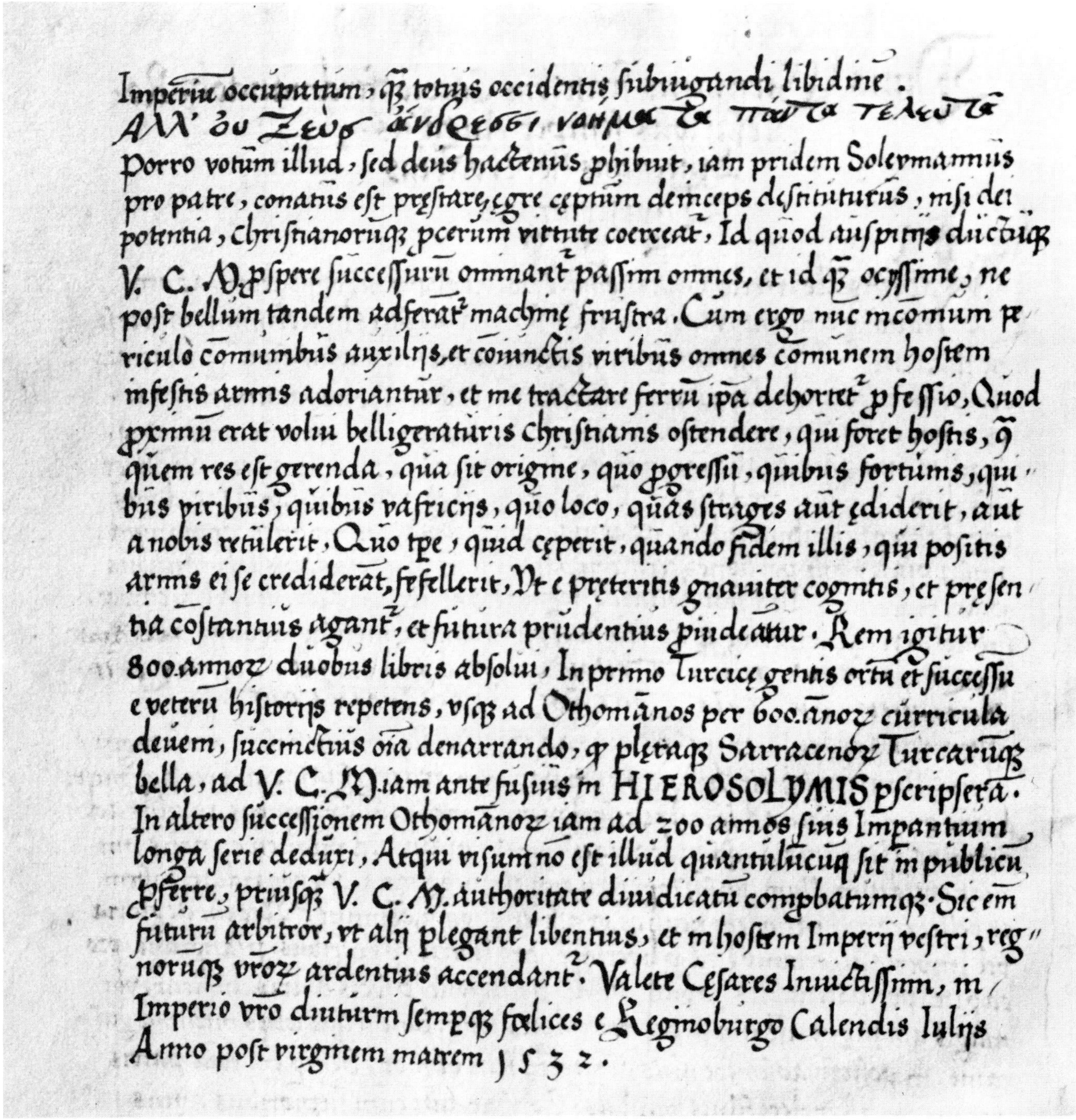
Imperiu occupatum, q3 totius occidentis subiugandi libidine.
Ἀλλ' οὐ Ζεὺς ἄνδρεσσι νοήματα πάντα τελευτᾷ
Porro votum illud, sed deus hactenus phibuit, iam pridem Soleymannus
pro patre, conatus est prestare, egre ceptum deinceps destituturus, nisi dei
potentia, Christianorumq3 pcerum virtute coerceat. Id quod auspitiis ductuq3
V. C. M. psperè successuru ominant passim omnes, et id q3 ocyssime, ne
post bellum tandem adferat machine frustra. Cum ergo nuc in comum p
riculo comunibus auxiliis, et coniunctis viribus omnes comunem hostem
infestis armis adoriantur, et me tractare ferru ipa dehortet pfessio, Quod
primu erat volui belligeraturis Christianis ostendere, qui foret hostis, q
quem res est gerenda, qua sit origine, quo pgressu, quibus fortunis, qui
bus viribus, quibus vastitiis, quo loco, quas strages aut ediderit, aut
a nobis retulerit. Quo tpe, quid ceperit, quando fidem illis, qui positis
armis ei se crediderat, fefellerit, Ut e preteritis grauiter cognitis, et presen
tia costantius agant, et futura prudentius pvideatur. Rem igitur
800. annor duobus libris absolui, In primo Turcice gentis ortu et successu
e veteru historiis repetens, vsq3 ad Othomanos per 600. anor curricula
deueni, succinctius oia denarrando, q pleraq3 Sarracenor Turcarumq3
bella, ad V. C. M. iam ante fusius in HIEROSOLYMIS pscripsera.
In altero successionem Othomanor iam ad 200 annos suis Impantium
longa serie deduxi, Atqui visum no est illud quantulucuq sit in publicu
pferre, priusq3 V. C. M. authoritate diiudicatu comprobatumq3. Sic em
futuru arbitror, vt alii plegant libentius, et in hostem Imperii vestri, reg
norumq3 vror ardentius accendant. Valete Cesares Inuictissimi, in
Imperio vro diuturni sempq3 fœlices e Regnoburgo Calendis Iuliis
Anno post virginem matrem 1532.

Abb. 123 Cod. 8747, fol. 2v Regensburg, 1532

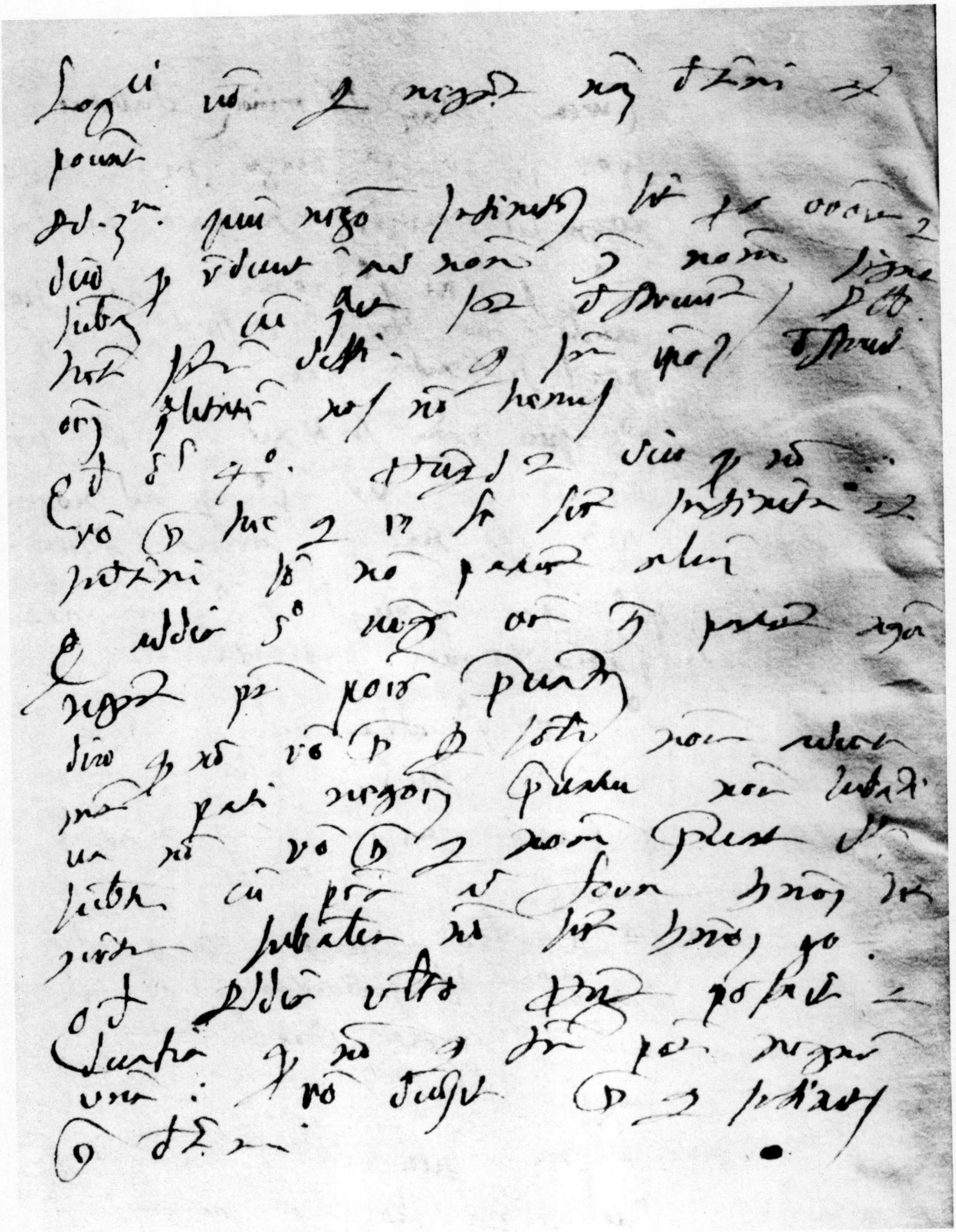

Abb. 124 Cod. 10849**, fol. 57v 1533

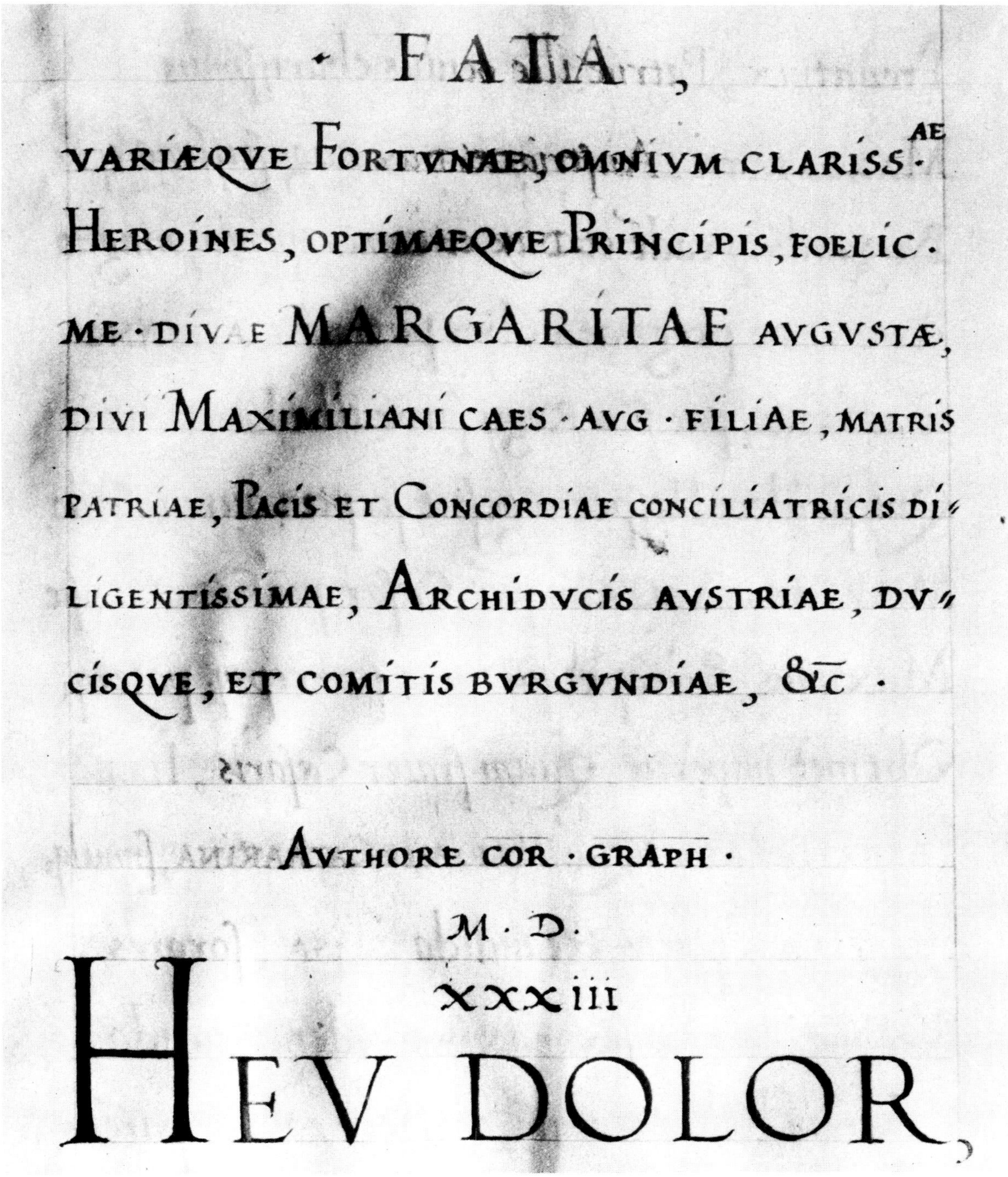

· FATA,

VARIÆQVE FORTVNAE, OMNIVM CLARISS[AE]·
HEROINES, OPTIMAEQVE PRINCIPIS, FOELIC·
ME · DIVAE MARGARITAE AVGVSTÆ,
DIVI MAXIMILIANI CAES · AVG · FILIAE, MATRIS
PATRIAE, PACIS ET CONCORDIAE CONCILIATRICIS DI=
LIGENTISSIMAE, ARCHIDVCIS AVSTRIAE, DV=
CISQVE, ET COMITIS BVRGVNDIAE, &c ·

AVTHORE COR · GRAPH ·

M · D ·
XXXIII

HEV DOLOR,

Abb. 125 Cod. 2557, fol. 3r (Antwerpen), 1533

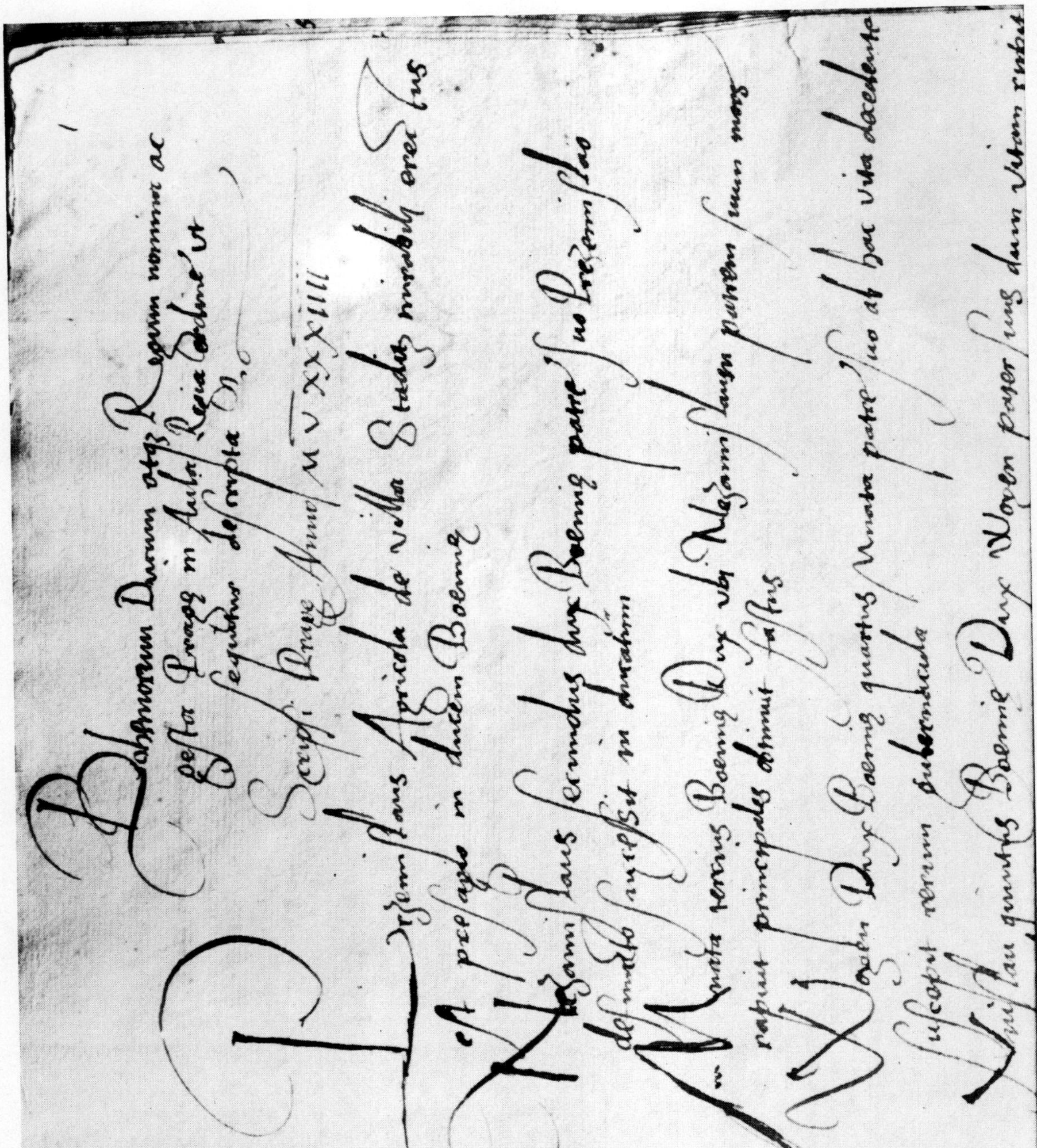

Bohemorum Ducum atque Regum nomina ac
gesta Pragae in Aula Regia ordine ut
sequuntur descripta
Scripsi Pragae Anno MDXXXIIII
Przemislaus Agricola de villa Stadicz miraculose erectus
et prefatus in ducem Boemie
Nezamislaus secundus dux Boemie patre suo Przemislao
de medio sublato successit in ducatum
Mnata tercius Boemie Dux ubi Nezamislaus parentem suum mors
rapuit principales dominii factus
Wogen Dux Boemie quartus Mnata patre suo ab hac vita decedente
suscepit rerum gubernacula
Vnislaus quintus Boemie Dux Wogen pater suus dum vitam [illegible]

Abb. 126 Cod. 8491, fol. 1r Prag, 1534

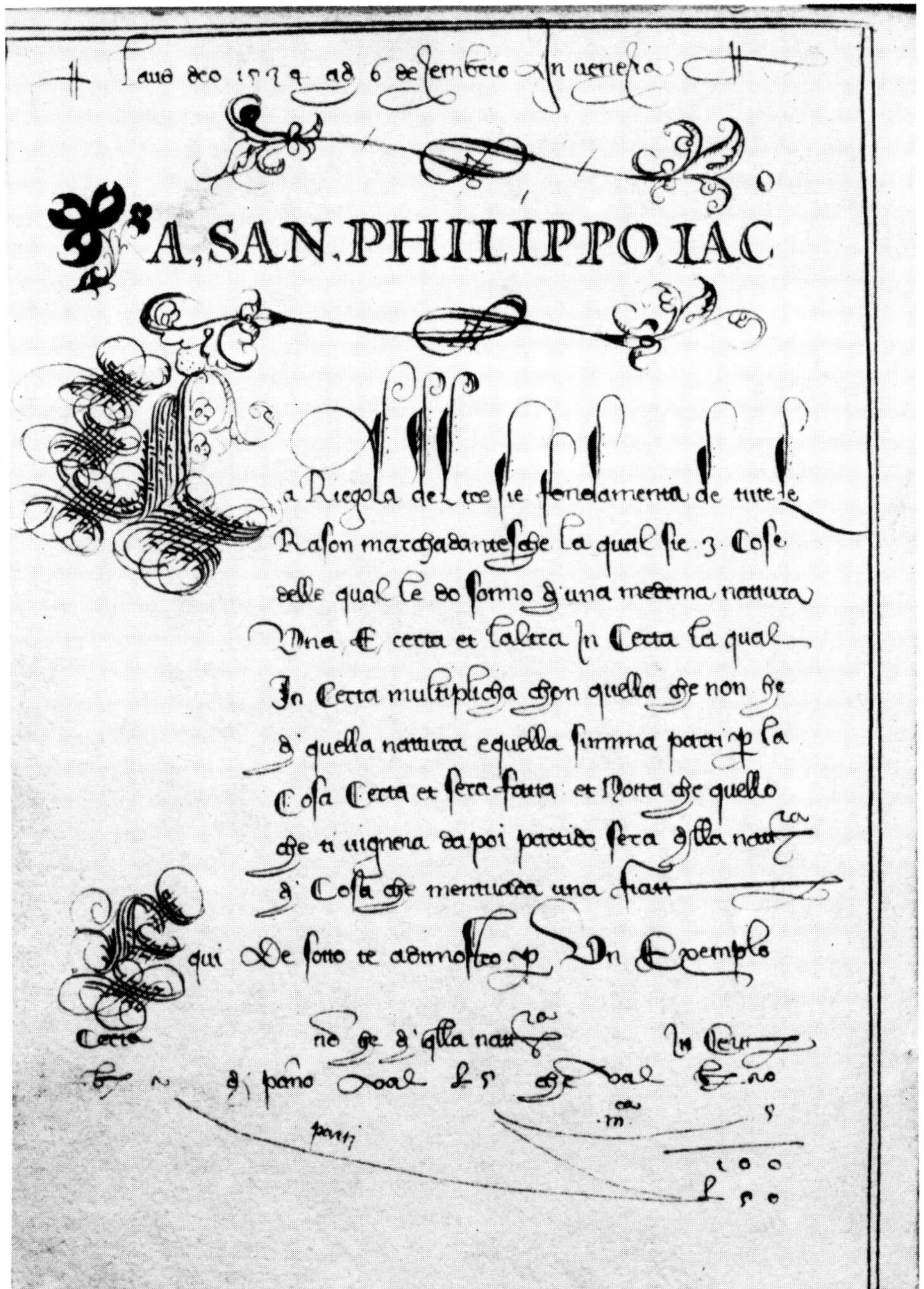
Laus deo 1534 adì 6 de setembrio in venetia

A. SAN. PHILIPPO IAC

La Riegola del tre sie fondamento de tute le
Rason marchadantesche la qual sie 3 Cose
delle qual le do sonno d'una medema natura
Una è certa et laltra In Certa la qual
In Certa multiplicha chon quella che non sie
d'quella natura e quella summa partir per la
Cosa Certa et sera fatta et Nota che quello
che ti uignera da poi partido sera d'quella natura
d' Cosa che mentuada una fiata
qui De sotto te adimostro per Un Exemplo

Abb. 127 Cod. 15395, fol. 22v Venedig, 1534

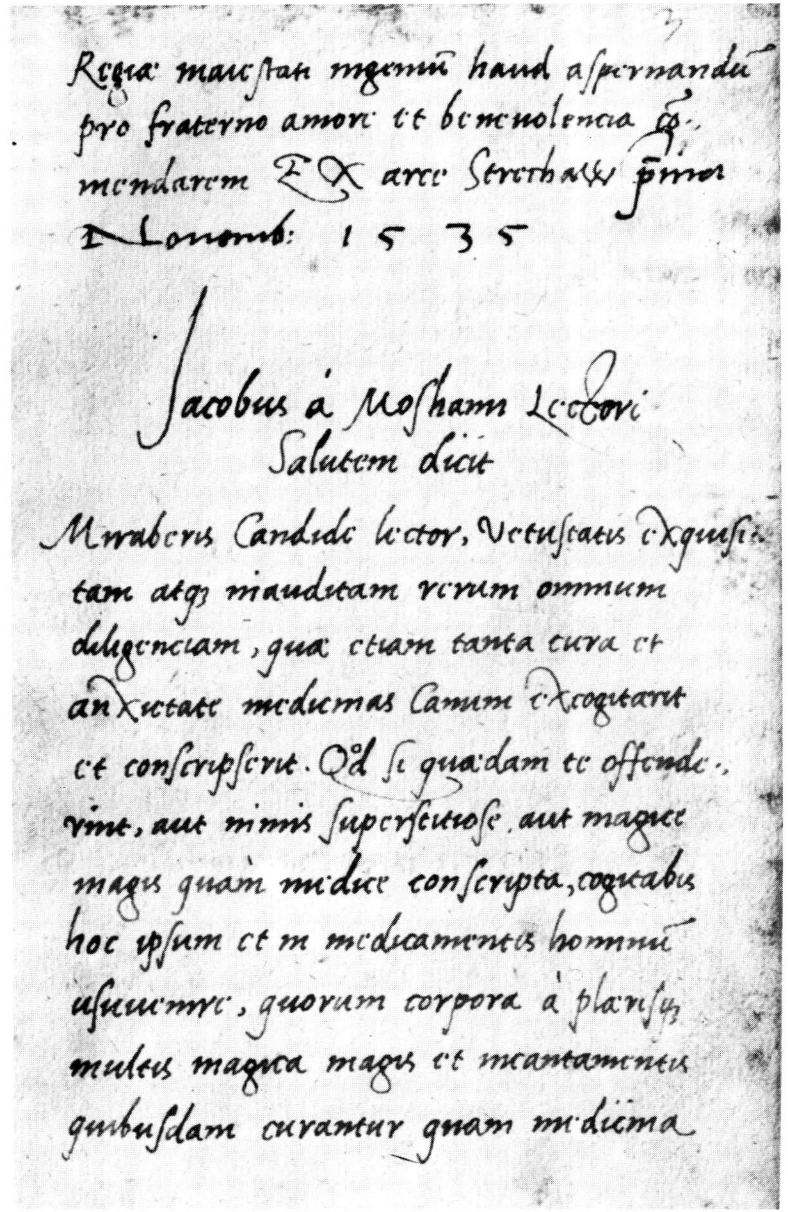
Regia maiestati ingenium haud aspernandu
pro fraterno amore et beneuolencia co-
mendarem Ex arce Strechaw primo
Nonarum 1535

Jacobus à Mosham Lectori
Salutem dicit

Miraberis Candide lector, Vetustatis exquisi-
tam atque inauditam rerum omnium
diligenciam, qua etiam tanta cura et
anxietate medicinas Canum excogitarit
et conscripserit. Quod si quaedam te offende-
rint, aut nimis superstitiose, aut magice
magis quam medice conscripta, cogitabis
hoc ipsum et in medicamentis hominum
usuvenire, quorum corpora a plerisque
multis magica magis et incantamentis
quibusdam curantur quam medicina

Abb. 128 Cod. 6006, fol. 3r Strechau, 1535

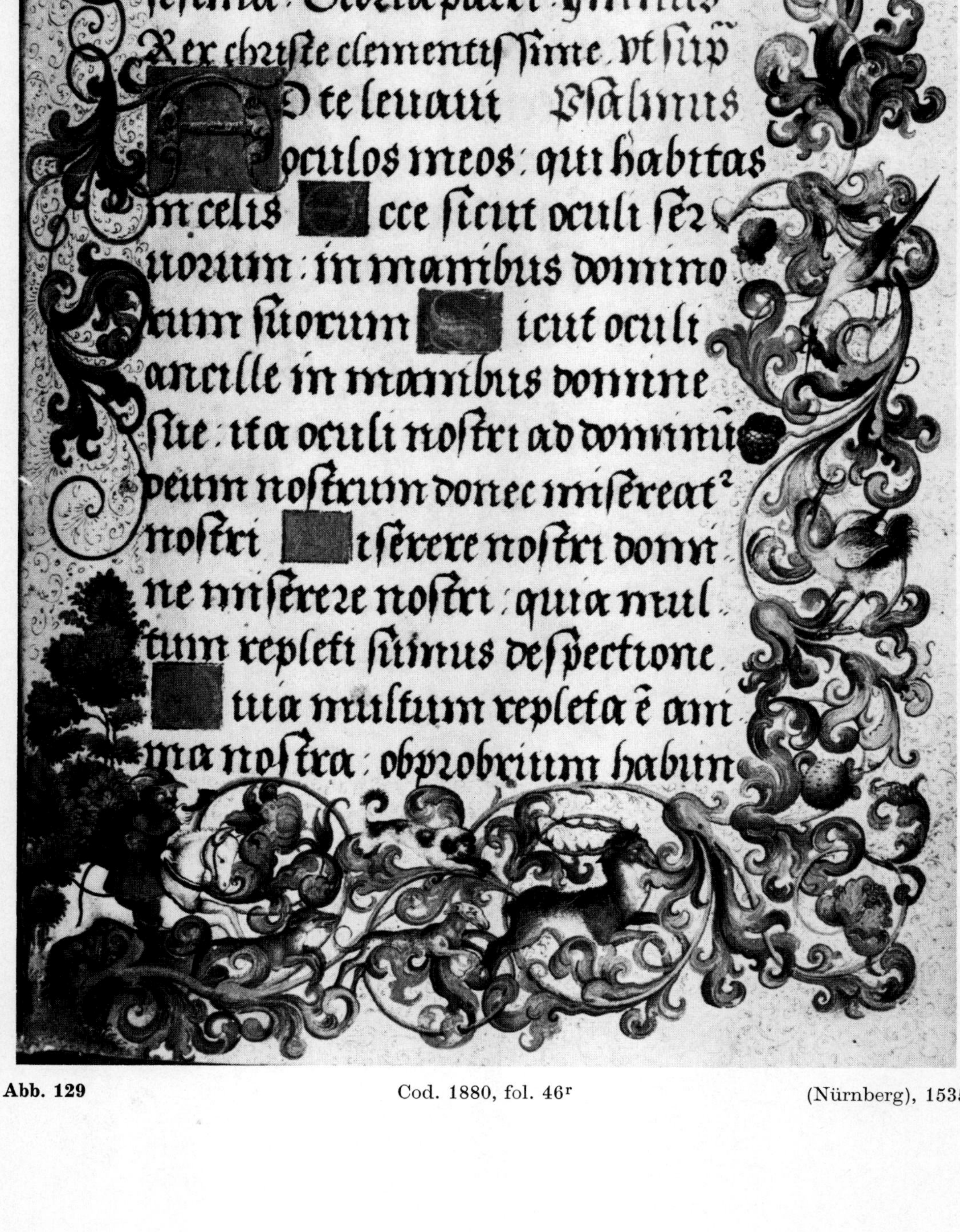
Deus in adiutorium
meum intende. Domi-
ne ad adiuuandū me
festina. Gloria patri. Ymnus
Rex christe clementissime. vt sup̄
AD te leuaui Psalmus
oculos meos: qui habitas
in celis cce sicut oculi seruorum: in manibus domino-
rum suorum icut oculi
ancille in manibus domine
sue: ita oculi nostri ad dominū
deum nostrum donec misereat²
nostri iserere nostri domine miserere nostri: quia multum repleti sumus despectione
uia multum repleta ē ani-
ma nostra: obprobrium habun

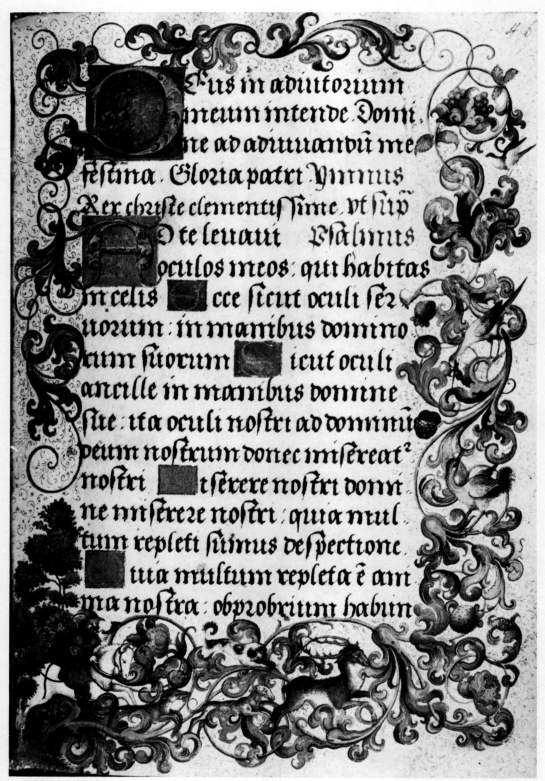

Abb. 129 Cod. 1880, fol. 46r (Nürnberg), 1535

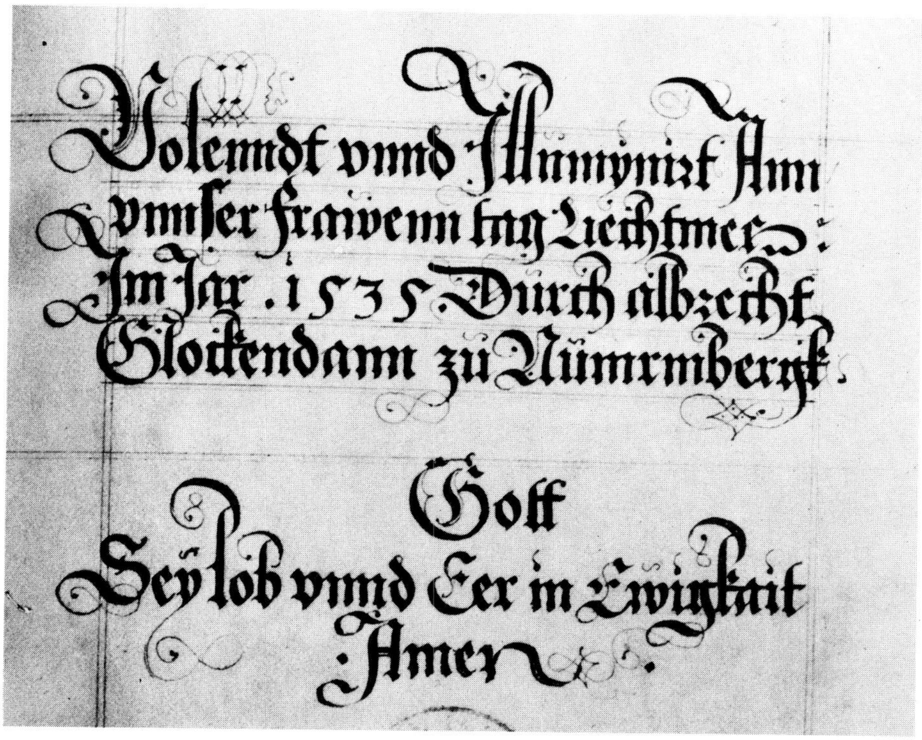
Volenndt vnnd Illumyniert Am
vnnser frawenn tag Liechtmeß:
Im Jar .1535. Durch albrecht
Glockendann zu Nürmbergk.
Gott
Sey lob vnnd Eer in Ewigkait
:Amen

Abb. 130 Cod. 1880, fol. 1ʳ (Nürnberg), 1535

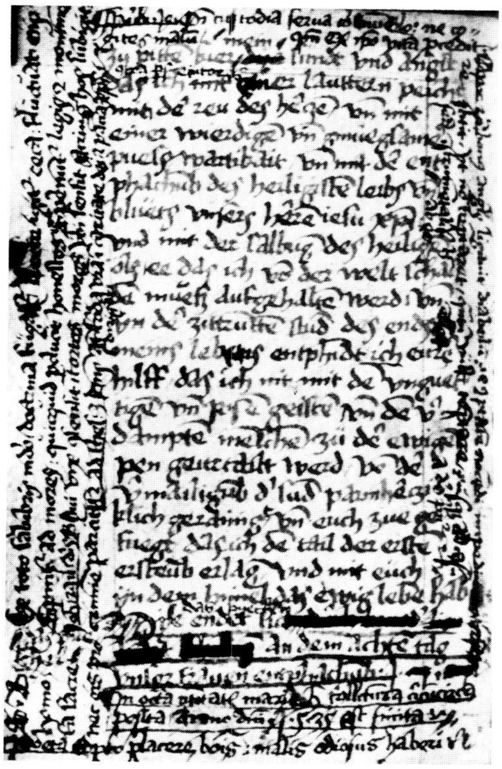

Abb. 131 Cod. 3031, fol. 136ᵛ (Mondsee), 1535

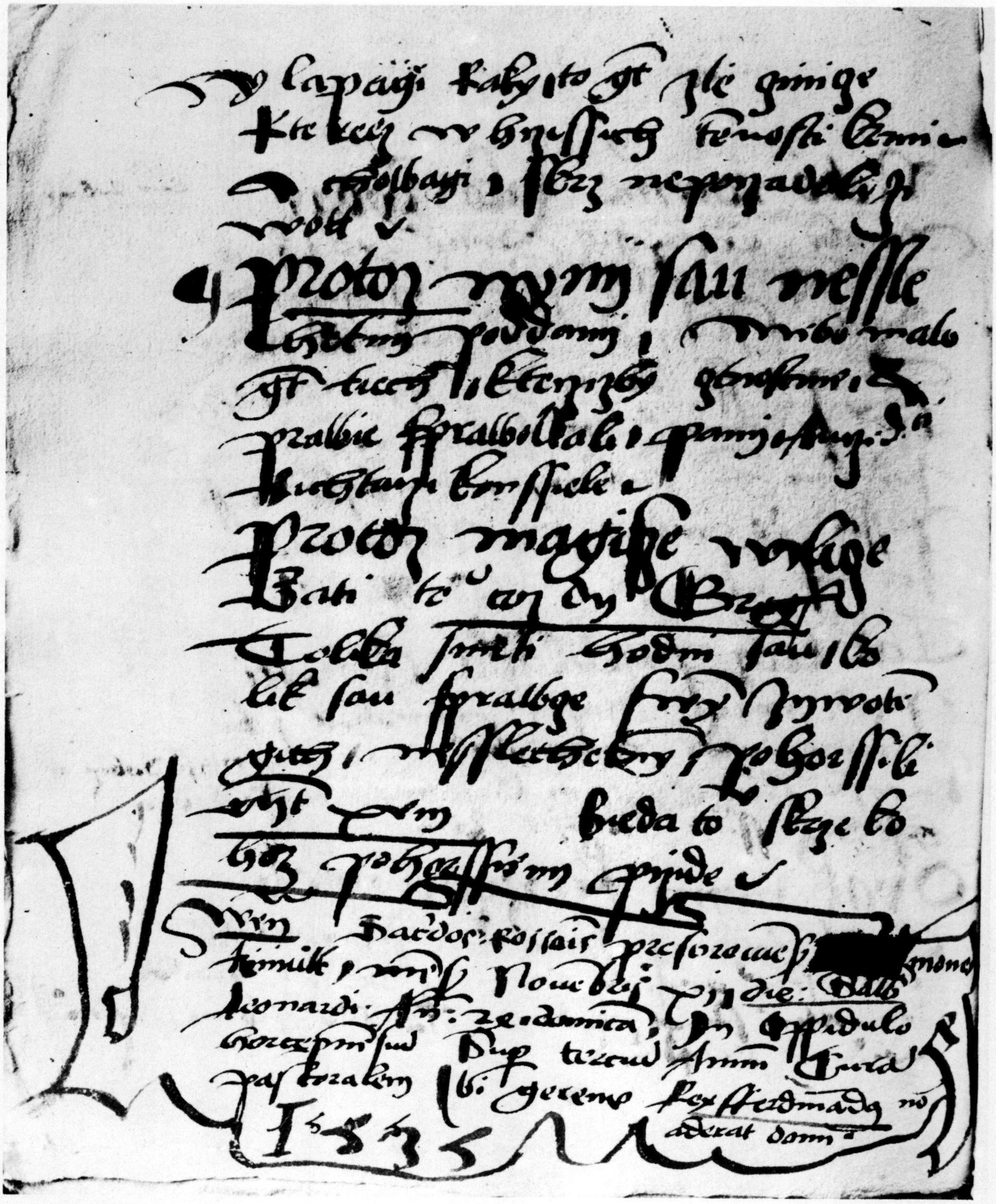

Abb. 132 Cod. 4277, fol. 235^v Hořepnik, 1535

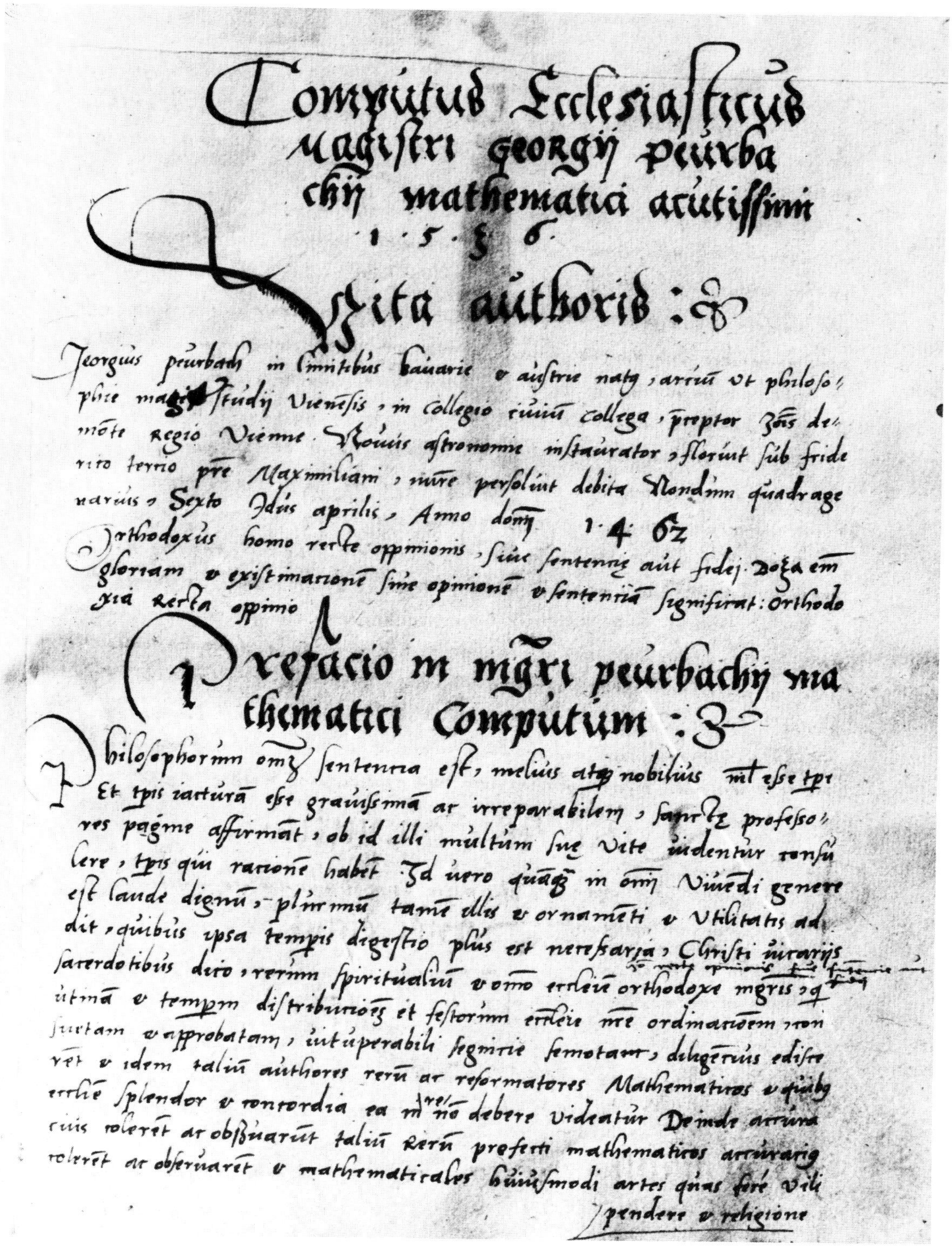

Abb. 133 Cod. Ser. n. 2680, fol. 1r 1536

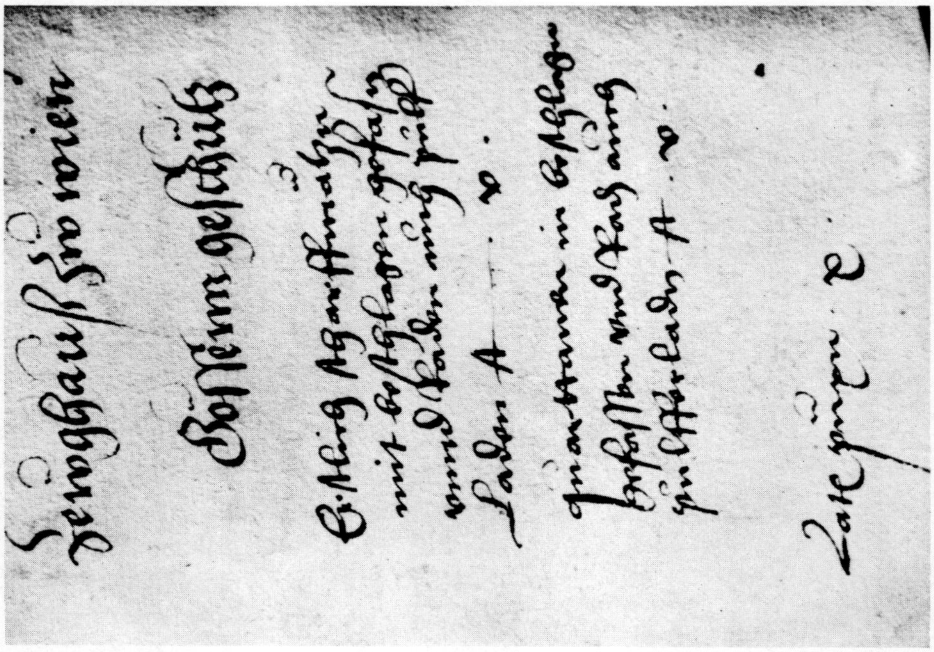

Abb. 135 Cod. 11096, fol. 1r 1536

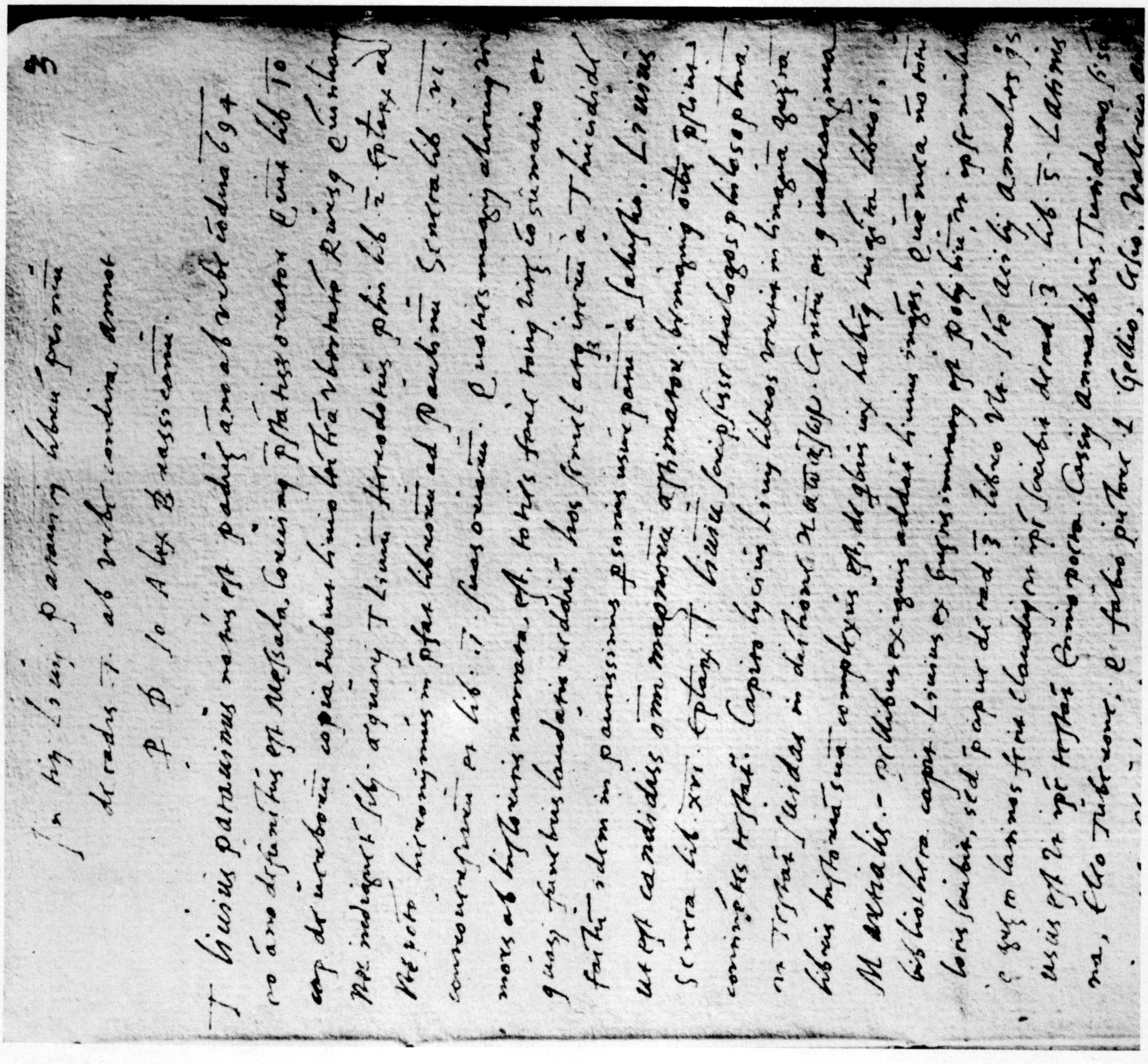

Abb. 134 Cod. 9615, fol. 3r (Wien ?), 1536

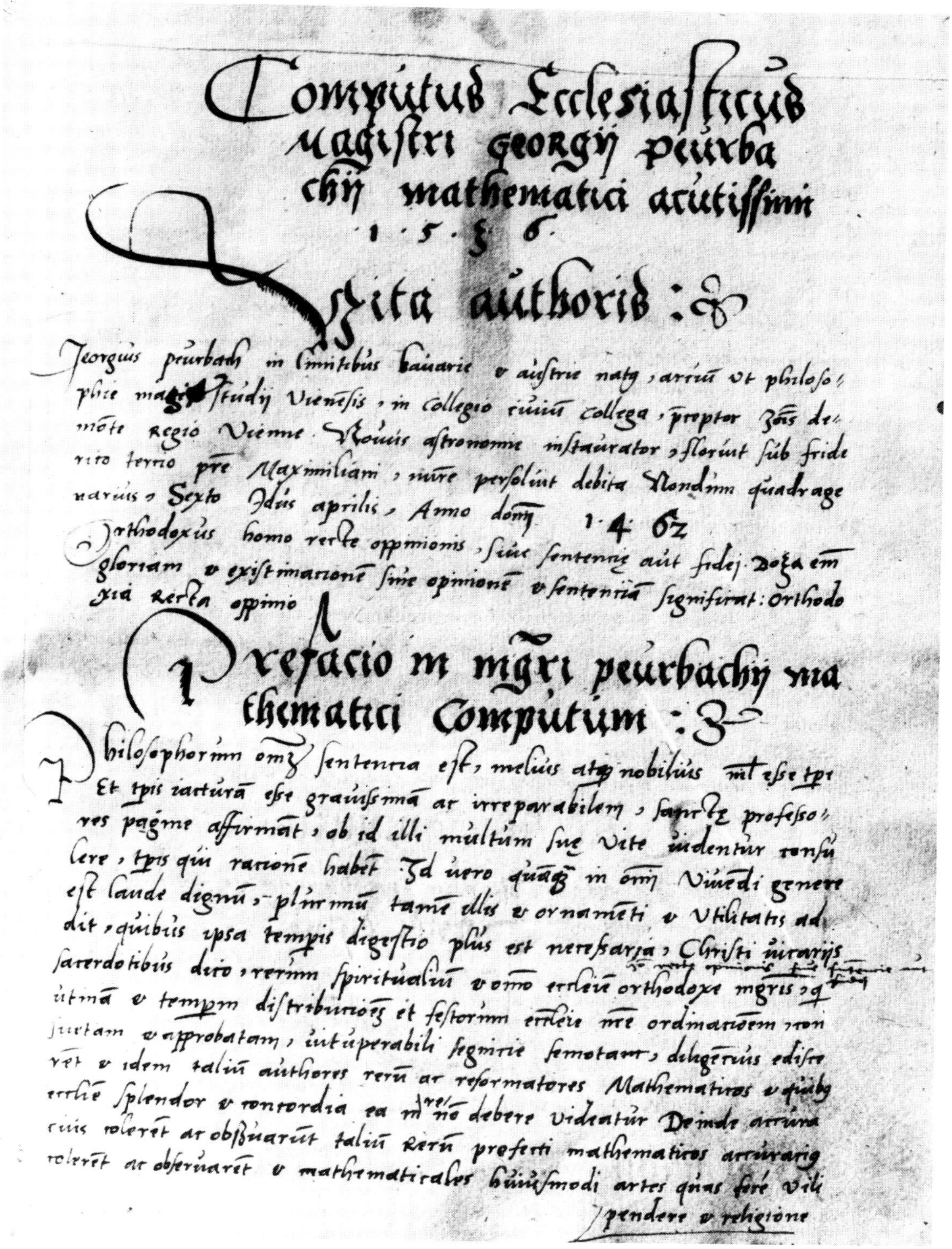

Computus Ecclesiasticus magistri Georgij peurbachij mathematici acutissimi 1536

Vita authoris:

Georgius peurbach in finitibus bauarie et austrie natus, artium et philosophie magister studij Viennensis, in collegio ciuium collega, preceptor Joannis de monte regio Vienne. Nouus astronomie instaurator, floruit sub friderico tertio patre Maximiliani, nature persoluit debita nondum quadragenarius, Sexto Idus aprilis, Anno domini 1462

Orthodoxus homo recte opinionis, siue sententie aut fidei. Doxa enim gloriam et existimationem siue opinionem et sententiam significat: Orthodoxia recta opinio

Prefacio in magistri peurbachij mathematici Computum:

Philosophorum omnium sententia est, melius atque nobilius nil esse tempore Et temporis iacturam esse grauissimam ac irreparabilem, sacre etiam professores pagine affirmant, ob id illi multum sue vite videntur consulere, temporis qui rationem habet. Id vero quamquam in omni viuendi genere est laude dignum, plurimum tamen illis et ornamenti et vtilitatis addit, quibus ipsa temporis digestio plus est necessaria, Christi videlicet sacerdotibus dico, rerum spiritualium et omnis ecclesie orthodoxe magistris, qui ... et temporum distributionesque et festorum ecclesie nostre ordinationem non ... iustam et approbatam, inuituperabili segnicie semotam, diligentius edisceret et idem talium authores rerum ac reformatores Mathematicos et quibus ecclesie splendor et concordia ea in re non debere videatur Deinde accuracius coleret ac obseruarent talium rerum professi mathematicos accuratiusque coleret ac obseruaret et mathematicales huiusmodi artes quas fore vili pendere et religione

Abb. 133 Cod. Ser. n. 2680, fol. 1r

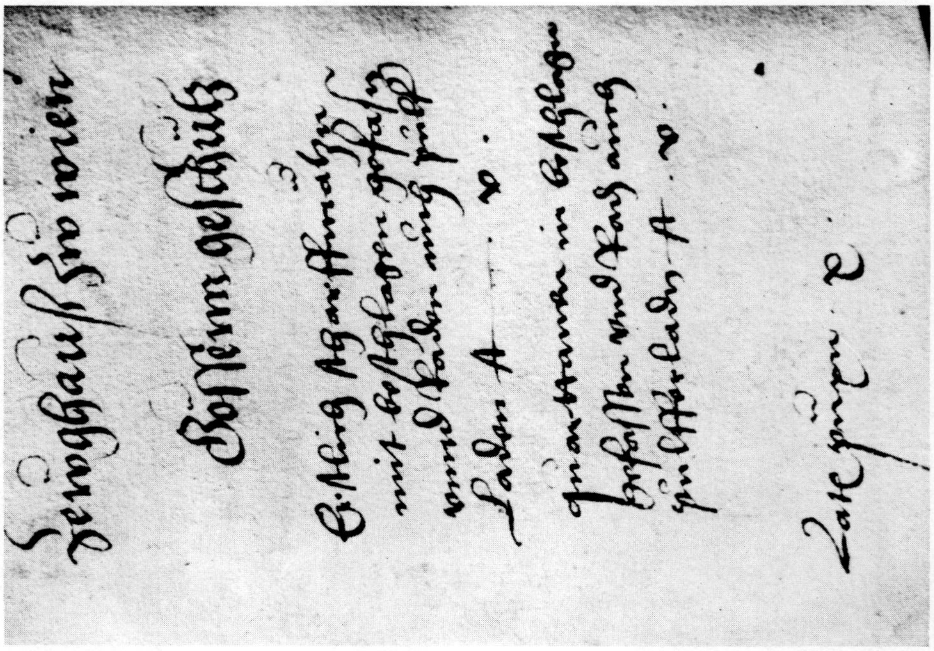

Abb. 135 Cod. 11096, fol. 1r 1536

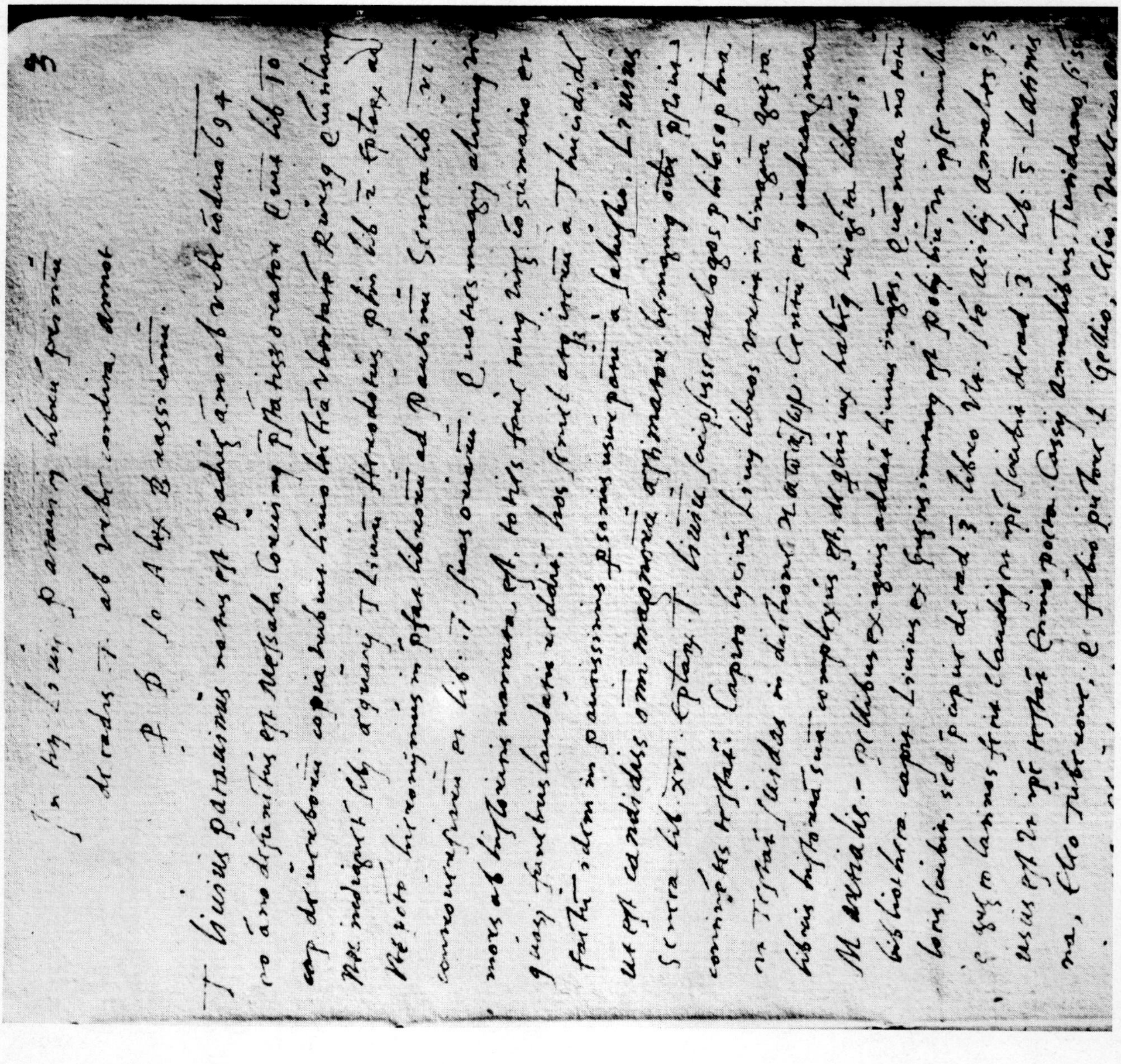

Abb. 134 Cod. 9615, fol. 3r (Wien ?), 1536

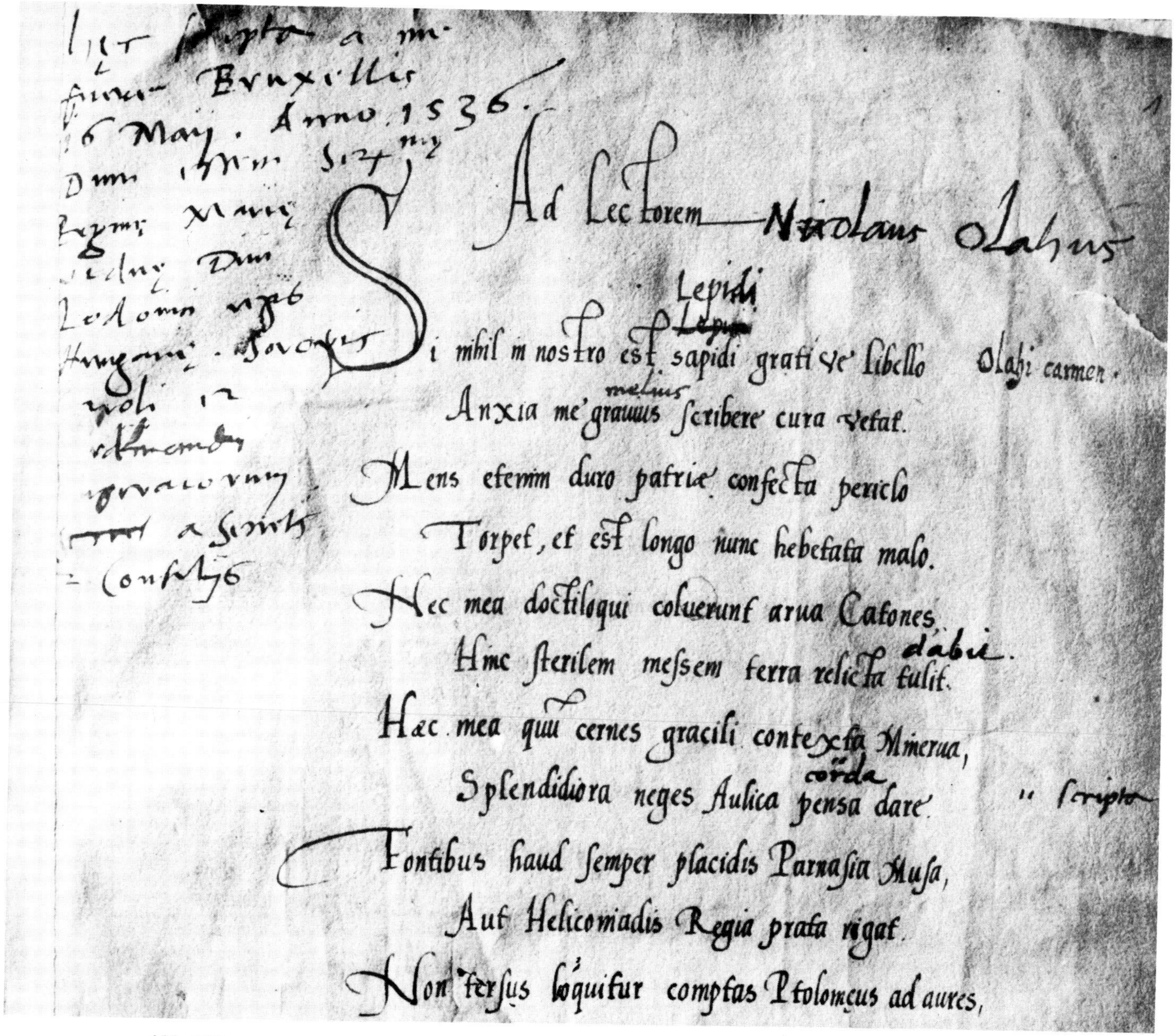

Abb. 136 — Cod. 8739, fol. 1r — Brüssel, 1536

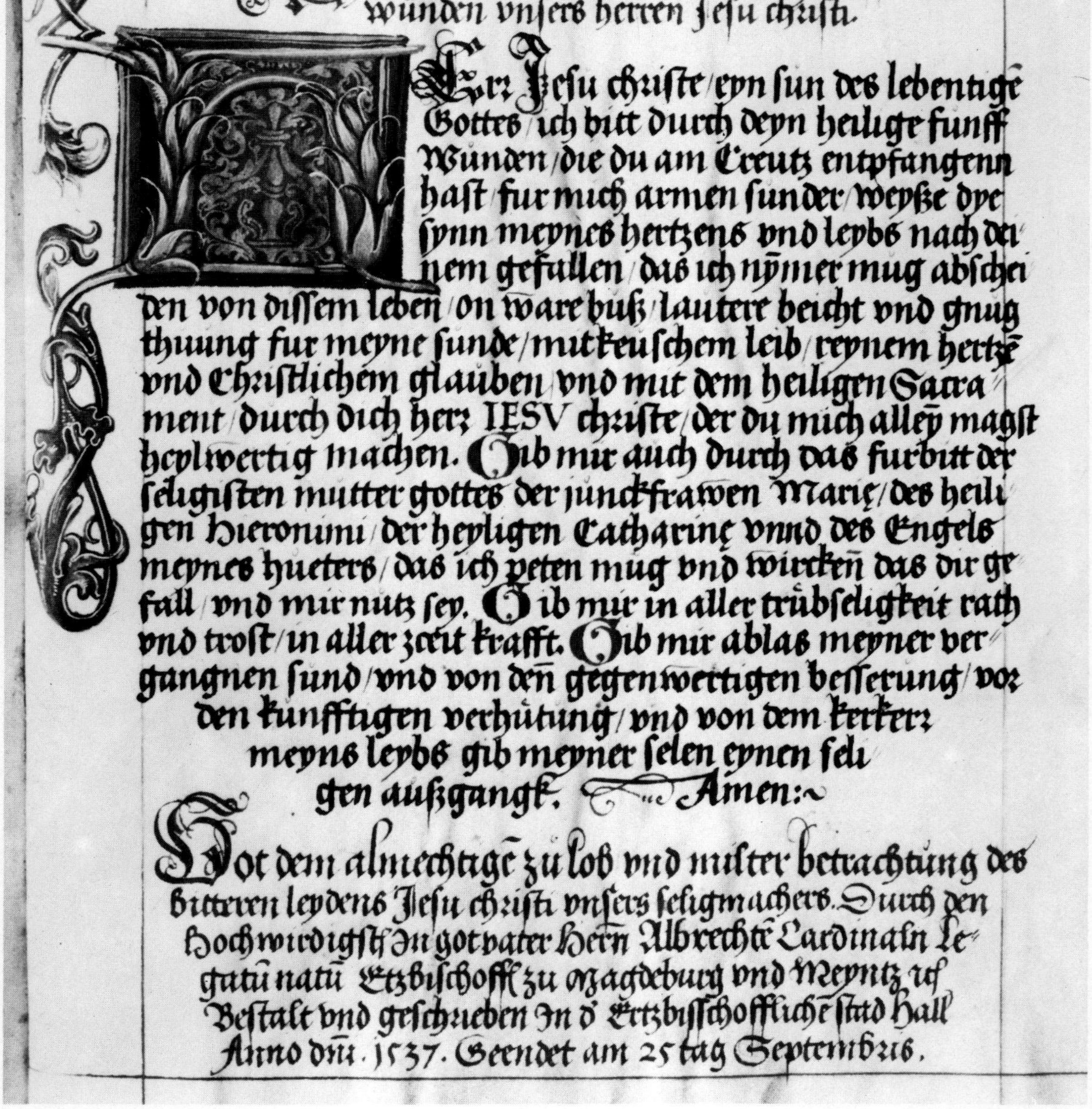
das grab / vnnd so Christus erscheynen wird yn seynem le
ben / so erstehe du mit yme yn seyner glorien.

Eyn gebett von den heyligen funff
wunden vnsers herren Jesu christi.

Herr Jesu christe / eyn sun des lebentigẽ
Gottes / ich bitt durch deyn heiligẽ funff
Wunden / die du am Creutz entpfangenn
hast fur mich armen sunder / weyße dye
synn meynes hertzens vnd leybs nach dei
nem gefallen / das ich nÿmer mug abschei
den von dissem leben / on ware buß / lautere beicht vnd gnug
thuung fur meyne sunde / mit keuschem leib / reynem hertzẽ
vnd Christlichem glauben / vnd mit dem heiligen Sacra
ment / durch dich herr IESV christe / der du mich alleyn magst
heylwertig machen. Gib mir auch durch das furbitt der
seligisten mutter gottes der junckfrawen Marię / des heili
gen Hieronimi / der heyligen Catharinę vnnd des Engels
meynes hueters / das ich beten mug vnd wircken das dir ge
fall / vnd mir nutz sey. Gib mir in aller trubseligkeit rath
vnd trost / in aller zeit krafft. Gib mir ablas meyner ver
gangnen sund / vnd von den gegenwertigen besserung / vor
den kunfftigen verhutung / vnd von dem kerker
meyns leybs gib meyner selen eynen seli
gen außgangk. Amen:

Got dem almechtigẽ zu lob vnd nutzer betrachtung des
bitteren leydens Jesu christi vnsers seligmachers. Durch den
Hochwirdigstẽ In got vater Hern Albrechtẽ Cardinaln Le
gatũ natũ Ertzbischoff zu Magdeburg vnd Meyntz etc
Bestalt vnd geschrieben In d' Ertzbisschofflichẽ statt Hall
Anno dñi. 1537. Geendet am 25 tag Septembris.

Abb. 137 Cod. 1847, fol. 99r Halle, 1537

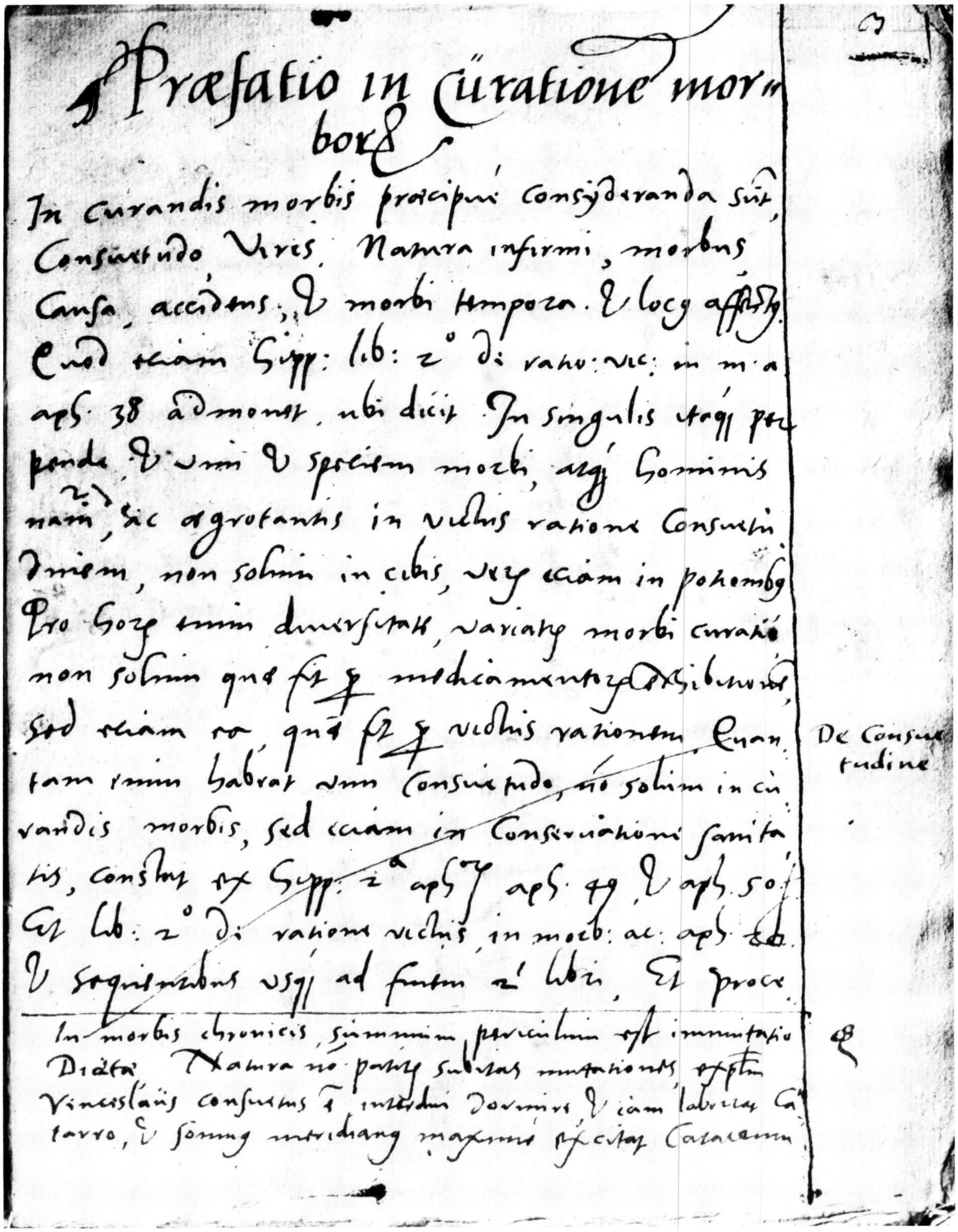

Præfatio in Curatione morborum

In curandis morbis præcipue consyderanda sunt,
Consuetudo, Vires, Natura infirmi, morbus
Causa, accidens, et morbi tempora, et locus affectus.
Quod etiam Hipp: lib: 2° de ratio: vic: in m: a
aph. 38 admonet, ubi dicit: In singulis itaque per
pende, et vim et speciem morbi, atque hominis
naturam, sic aegrotantis in victus ratione consuetu
dinem, non solum in cibis, verum etiam in potionibus.
Pro horum enim diversitate, variatur morbi curatio
non solum quae fit per medicamentorum exhibitionem,
sed etiam ea quae fit per victus rationem. Quan
tam enim habeat vim consuetudo, non solum in cu
randis morbis, sed etiam in conservatione sanita
tis, constat ex Hipp: 2° aph. 7, aph. 49, et aph. 50.
Et lib: 2° de ratione victus in morb: ac: aph. 10
et sequentibus usque ad finem 2i libri. Et proce

De Consue tudine

In morbis chronicis summum periculum est immutatio
Diætæ. Natura non patitur subitas mutationes, exemplum
Vinceslaus consuetus est interdum dormire et iam laborat ca
tarro, et somnus meridianus maxime excitat Catarrum.

Abb. 138 Cod. 11228, fol. 3r Wittenberg, 1537

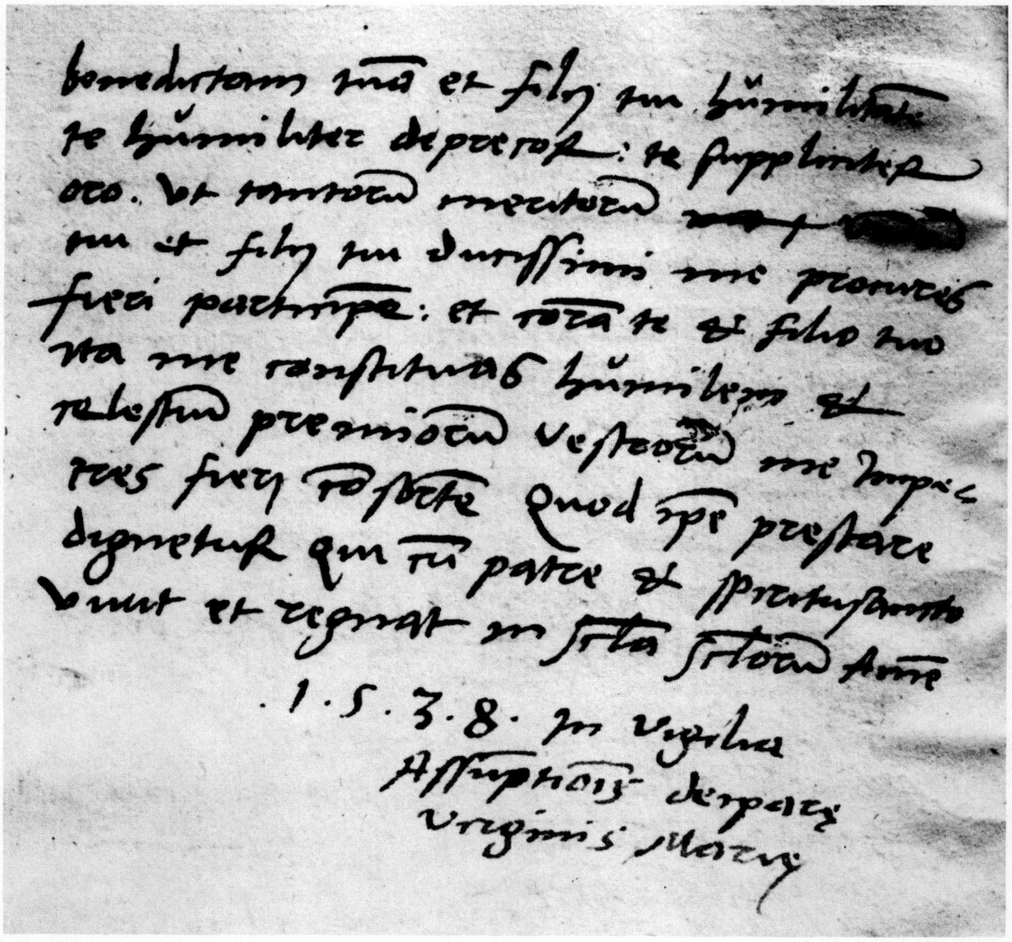

benedictionem tuam et filii tui humiliter
te humiliter deprecor: te suppliciter
oro. Ut sanctorum meritorum [illegible]
tui et filii tui dulcissimi me precibus
fieri participem: et tota te et filio tuo
ita me constituas humilem et
celestium premiorum vestrorum me impertes
fieri possite Quod ipse prestare
dignetur qui cum patre et spiritu sancto
vivit et regnat in secula seculorum Amen
.1.5.3.8. In vigilia
Assumptionis deipare
virginis Marie

Abb. 139 Cod. 11585, fol. 208ᵛ Speyer, 1538

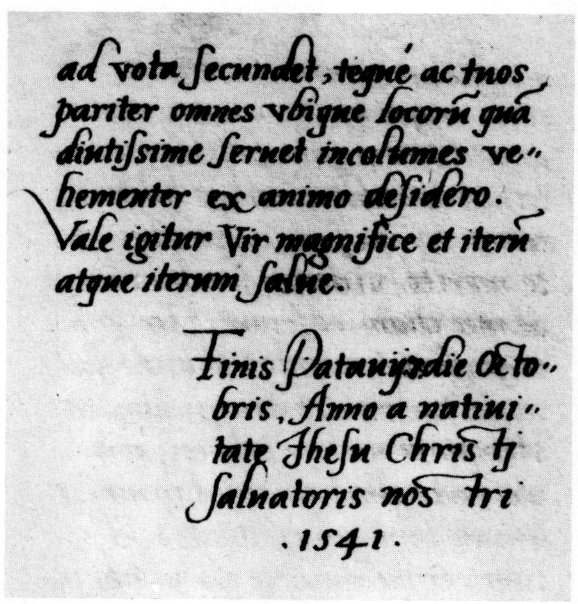

ad vota secundet, teque ac tuos
pariter omnes ubique locorum quam
diutissime servet incolumes vehementer ex animo desidero.
Vale igitur Vir magnifice et iterum
atque iterum salve.

Finis Patauij die Octo-
bris, Anno a natiui-
tate Jhesu Christi
saluatoris nostri
.1541.

Abb. 140 Cod. 11089, fol. 39ᵛ Padua, 1541

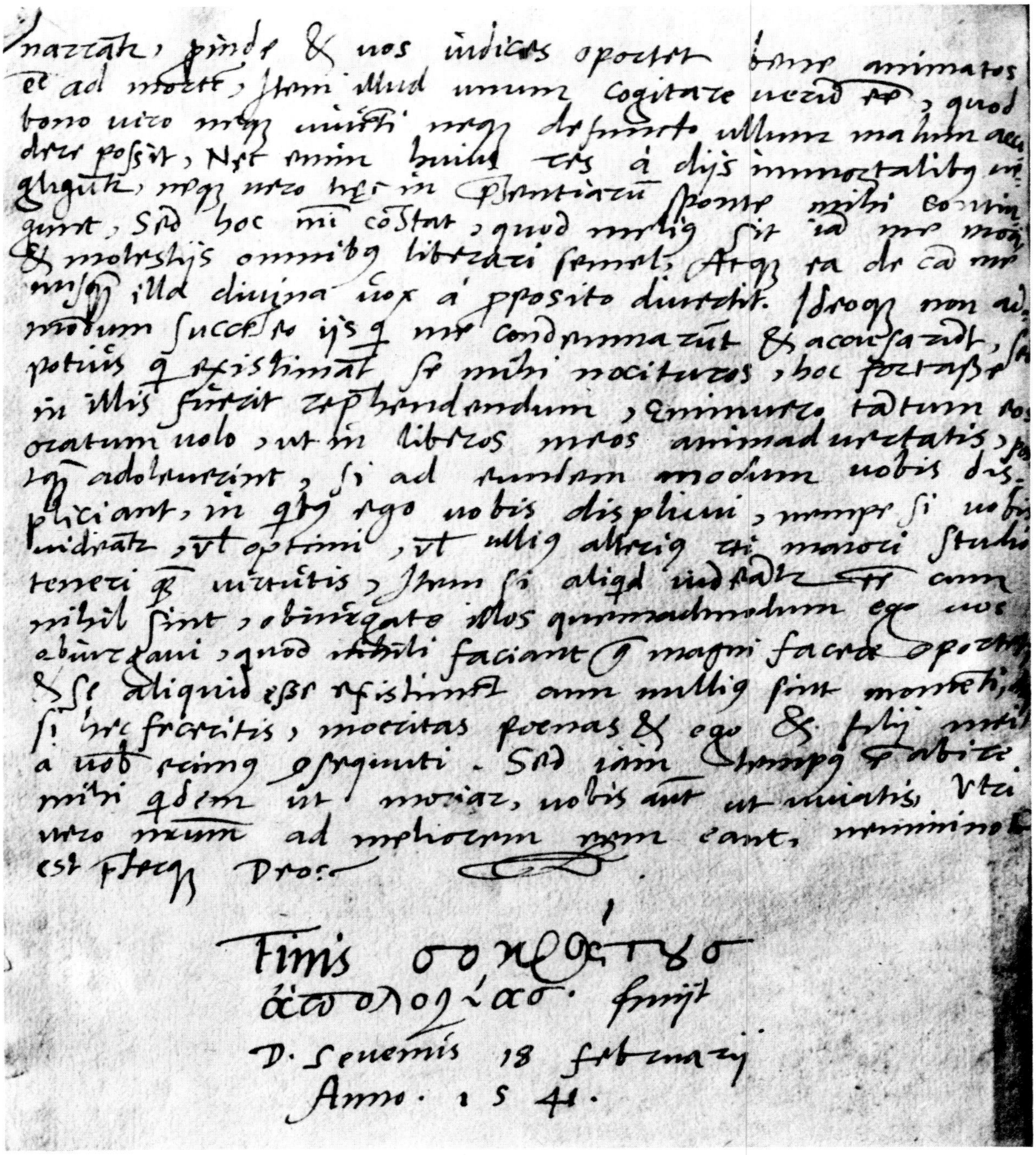

narrate, proinde & nos iudices oportet bono animatos
esse ad mortem, Item illud unum cogitare verum esse, quod
bono viro neque vivente neque defuncto ullum malum accidere possit, Nec enim huius res a dijs immortalibus ne-
gligitur, neque meae res in praesentiarum sponte mihi contin-
gunt, Sed hoc mihi constat, quod melius sit iam me mori
& molestijs omnibus liberari semel, Atque ea de causa mi-
nime illa divina vox a proposito duxit. Ideoque non admodum succenseo ijs qui me condemnarunt & accusarunt, s[ed]
potius quod existimat se mihi nocituros, hoc fortasse
in illis fuerit reprehendendum, Enimvero tantum ro-
gatum volo, ut in liberos meos animadvertatis, postquam adoleverint, si ad eundem modum vobis dis-
pliciant, in quibus ego vobis displicui, nempe si vobis
videatur, ut optimi, ut illius alterius rei maiori studio
tenere quam virtutis, Item si aliquid videantur esse cum
nihil sint, obiurgato illos quemadmodum ego vos
obiurgavi, quod nihili faciant quae magni facere oportet
& se aliquid esse existiment cum nullius sint momenti,
si hec feceritis, meritas poenas & ego & filij mihi
a vobis consequuti. Sed iam tempus est abire,
mihi quidem ut moriar, vobis autem ut vivatis, Utri
vero nostrum ad meliorem rem eant, neminem notum
est praeter Deo.

Finis σωκράτου
ἀπολογίας. feriis
D. Severinis 18 februarij
Anno. 1541.

Abb. 141 Cod. 11324, fol. 15v 1541

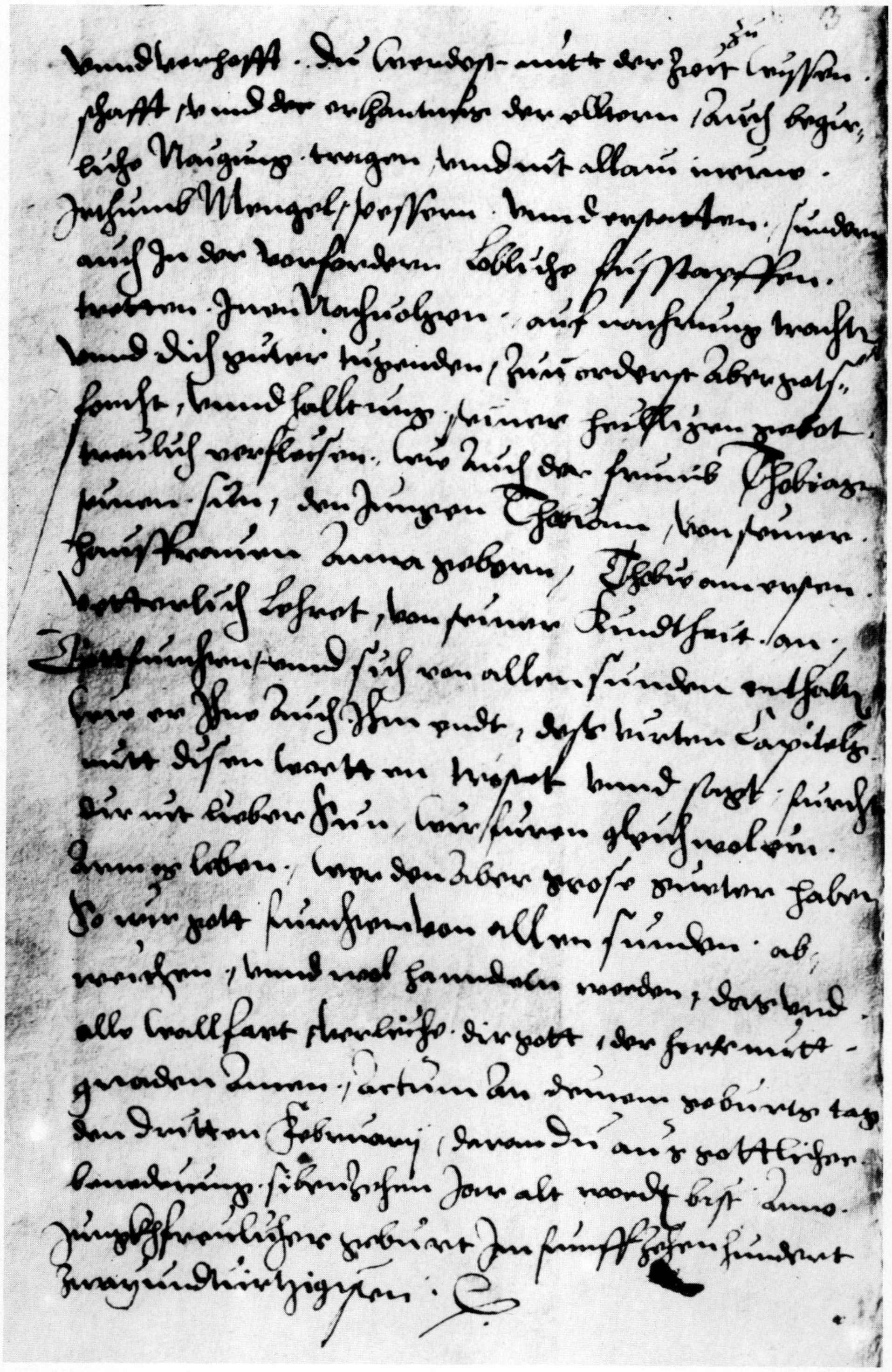

vnderweyst. Die lernest mitt der heiligen wissen-
schafft, vnd der erkantnus der alten, auch begir-
liche Naigung tragen, vnd nit allain irner
Jrhalb Mangel, presten vnd ersetzen, sunder
auch zu der vorfaren löbliche fußstapfen
treten, Jrem Nachvolgen, auf erhebung warhe-
vnd aller guten tugenden, zu ordnung aber gots-
forcht, vnd haltung seiner heiligen gebot
treulich verfleyssen, wie auch der fromme Thobias
seinen sune, den Jungen Thobiam, von seiner
hausfrawen Anna geborn, Thobias am ersten
vetterlich lehret, von seiner kindheit an
gotfurchten, vnd sich von allen sunden enthal-
ten, wie er Jme auch Jm redt, des vierten Capitels
mitt disen worten vermant vnd sagt, furcht
dir nit liebes Sun, wir furen gleichwol ein
armes leben, wann den aber grosse guten haben
So wir gott furchten, von allen sunden ab-
weichen, vnd wol handeln werden, das wend
alle wolfart verleihe dir gott, der herr mitt
genaden Amen, Actum an deinem geburtstag
den dritten Februarij, daran du aus gottlicher
verleihung, sibentzehen Jar alt wordt bist Anno
Jungkfreulichen geburt Jm funfftzehen hundert
zwayundviertzigsten.

Abb. 142 Cod. 12809, fol. 3r Nürnberg, 1542

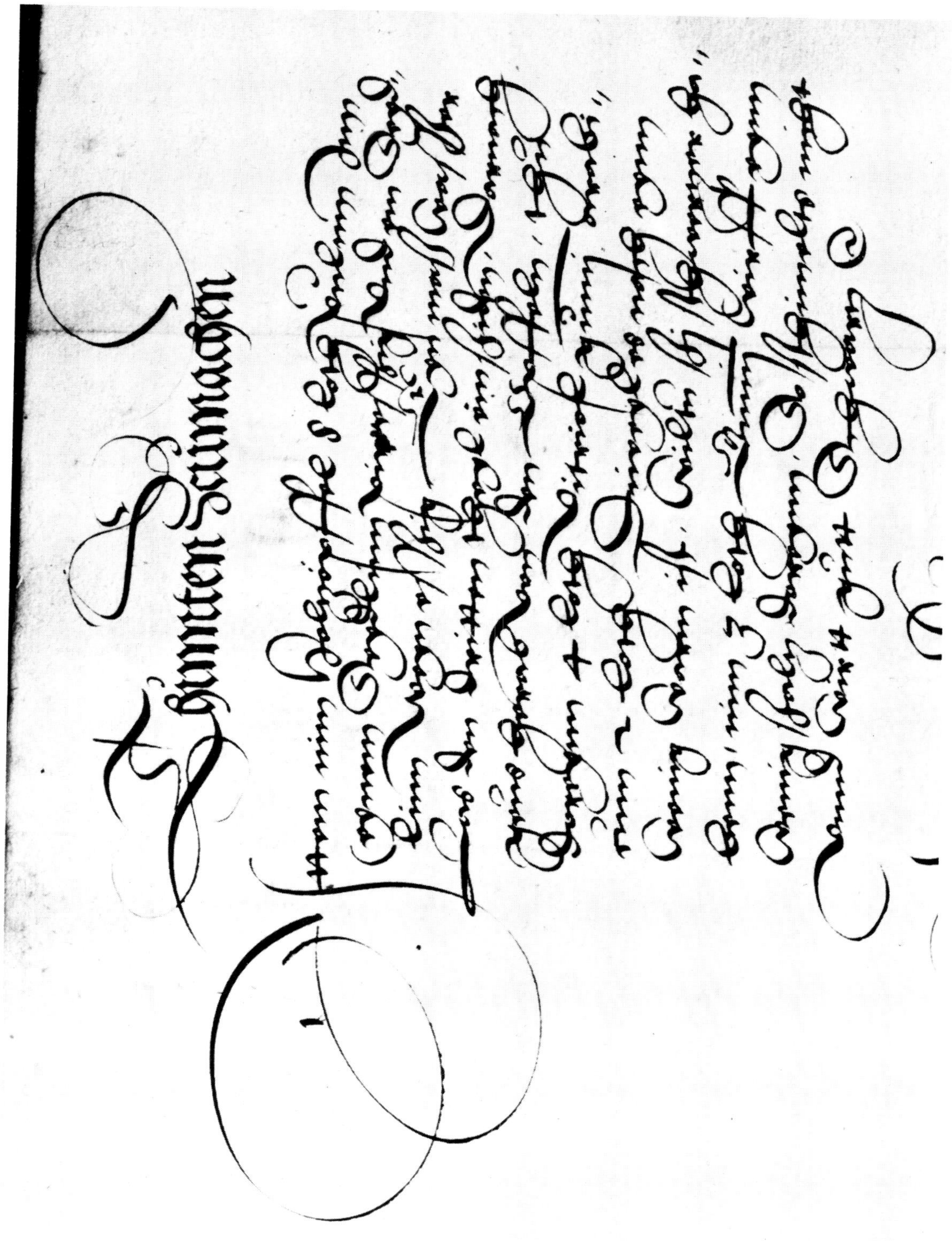

Abb. 143

Cod. 10916, fol. 1r

1542

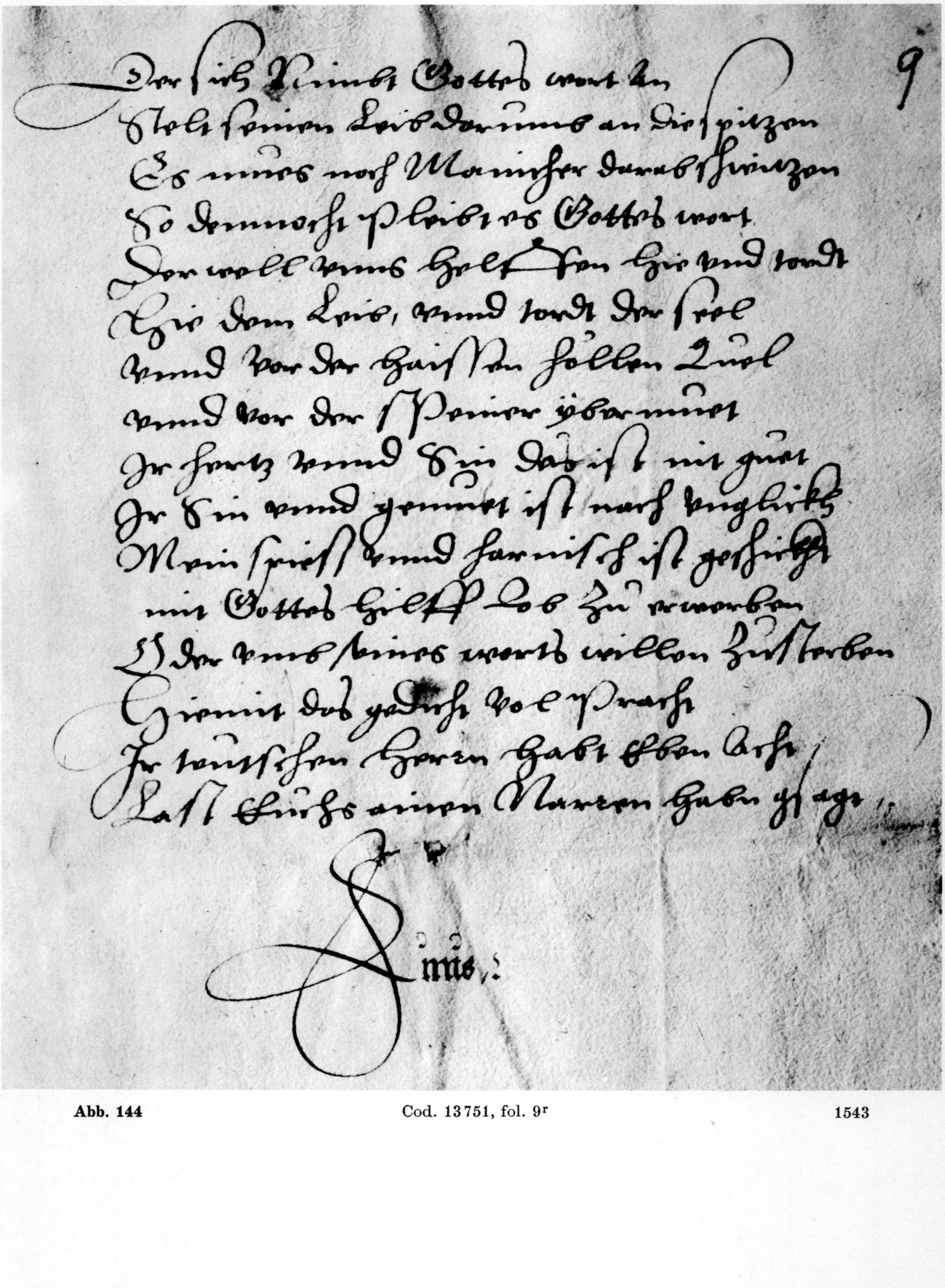

Abb. 144 Cod. 13751, fol. 9^r 1543

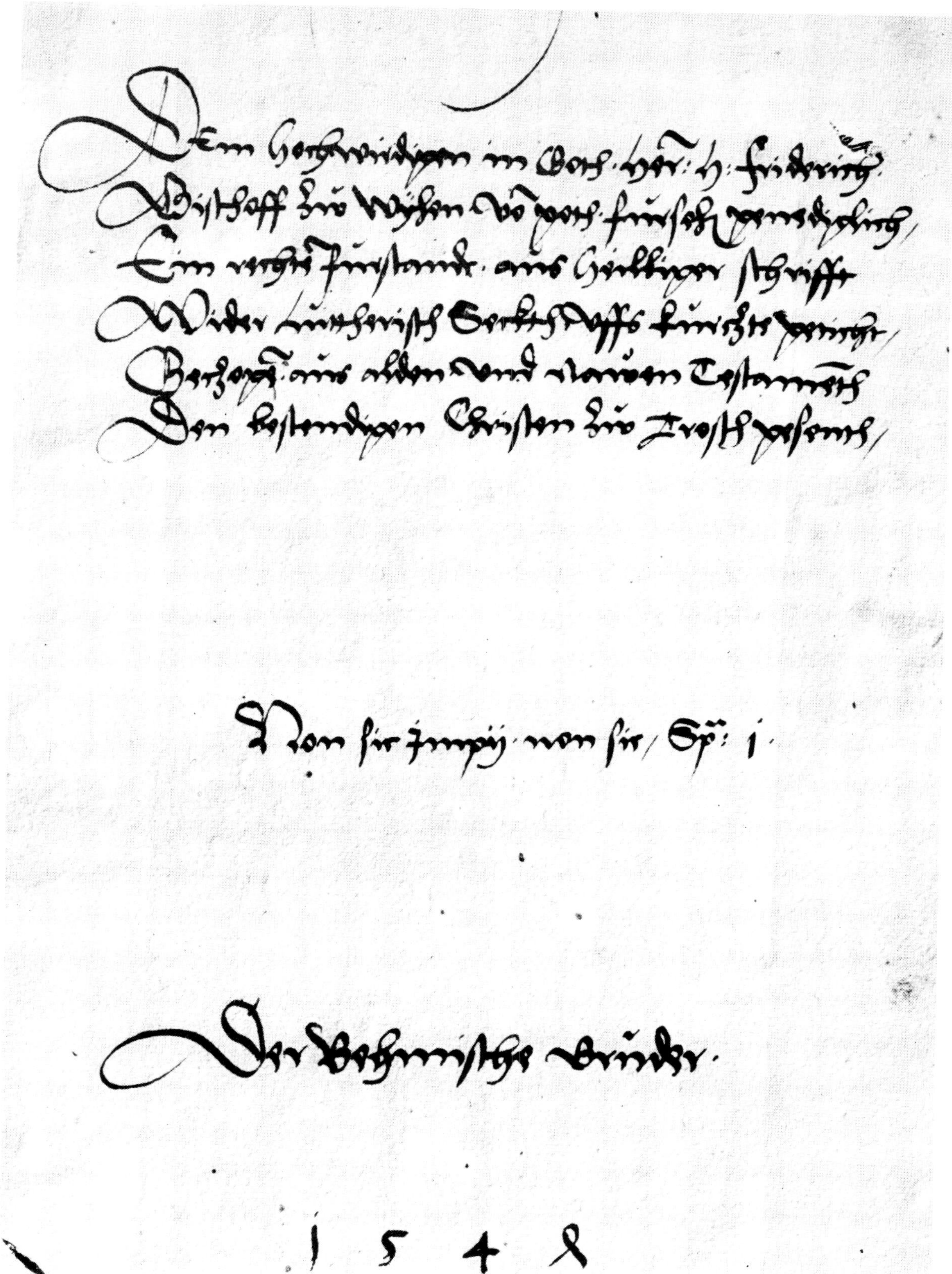

Dem hochwirdigen in Gott, her: h: Friderich
Bischoff zů Wyen vō gots fursch verschafung
Ein rechte furstand aus Heilliger schrifft
Wider Lutherisch Sectische kurtzer bericht
Bezeugt aus alten vnd newen Testament
Den bestendigen Christen zů Trost gesamelt

Non sic impij non sic / Ps: 1

Der Behemische drucker

1548

Abb. 145 Cod. 8160, fol. 1r 1544

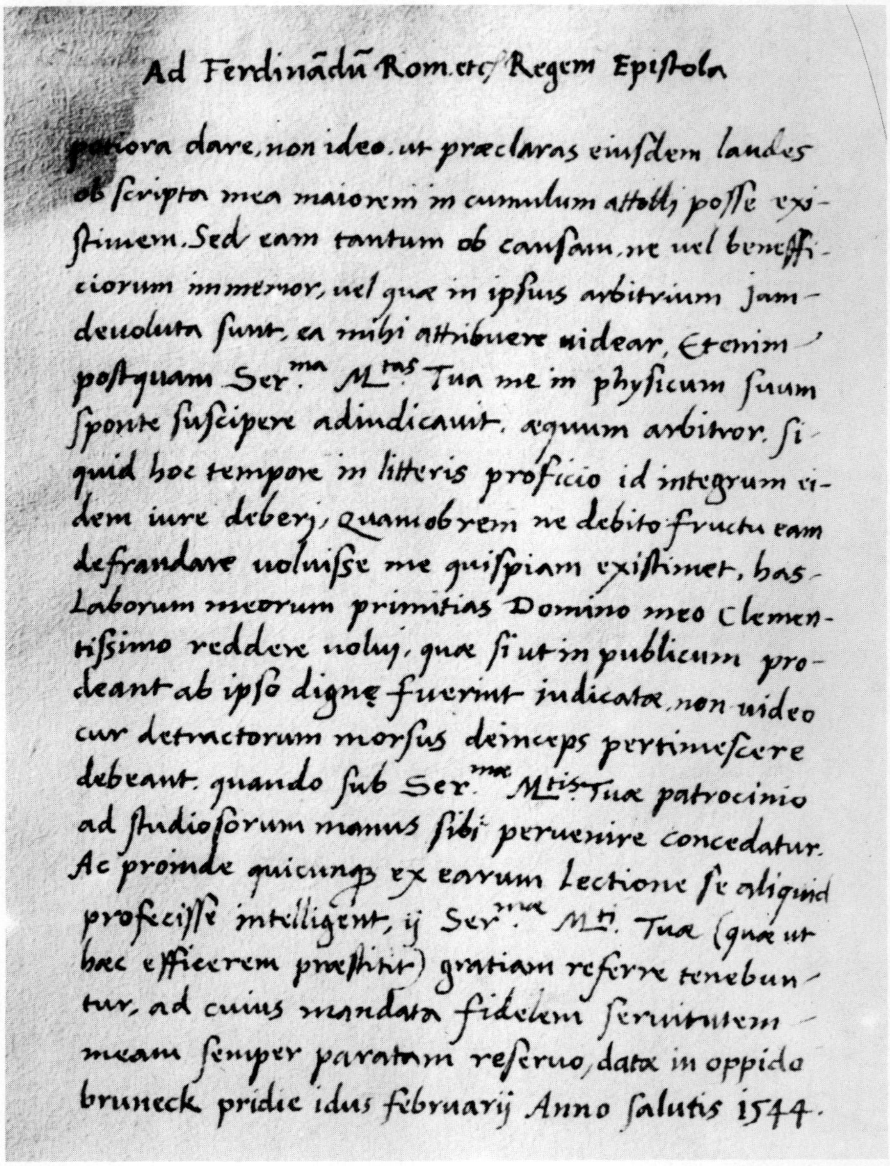

Ad Ferdinādū Rom. etc. Regem Epistola

potiora dare, non ideo, ut praeclaras eiusdem laudes
ob scripta mea maiorem in cumulum attolli posse exi-
stimem. Sed eam tantum ob causam, ne uel beneffi-
ciorum inmemor, uel quae in ipsius arbitrium jam-
deuoluta sunt, ea mihi attribuere uidear, Etenim
postquam Ser.ma M.tas Tua me in physicum suum
sponte suscipere adiudicauit, aequum arbitror, si
quid hoc tempore in litteris proficio id integrum eidem iure deberi, Quamobrem ne debito fructu eam
defraudare noluisse me quispiam existimet, has
Laborum meorum primitias Domino meo Clementissimo reddere uolui, quae si ut in publicum pro-
deant ab ipso digne fuerint iudicatae, non uideo
cur detractorum morsus deinceps pertimescere
debeant, quando sub Ser.mae M.tis Tuae patrocinio
ad studiosorum manus sibi peruenire concedatur.
Ac proinde quicunque ex earum lectione se aliquid
profecisse intelligent, ij Ser.mae M.ti Tuae (quae ut
haec efficerem praestitit) gratiam referre tenebun-
tur, ad cuius mandata fidelem seruitutem
meam semper paratam reseruo, datae in oppido
bruneck pridie idus februarij Anno salutis 1544.

Abb. 146 Cod. 11237, fol. 5v Bruneck, 1544

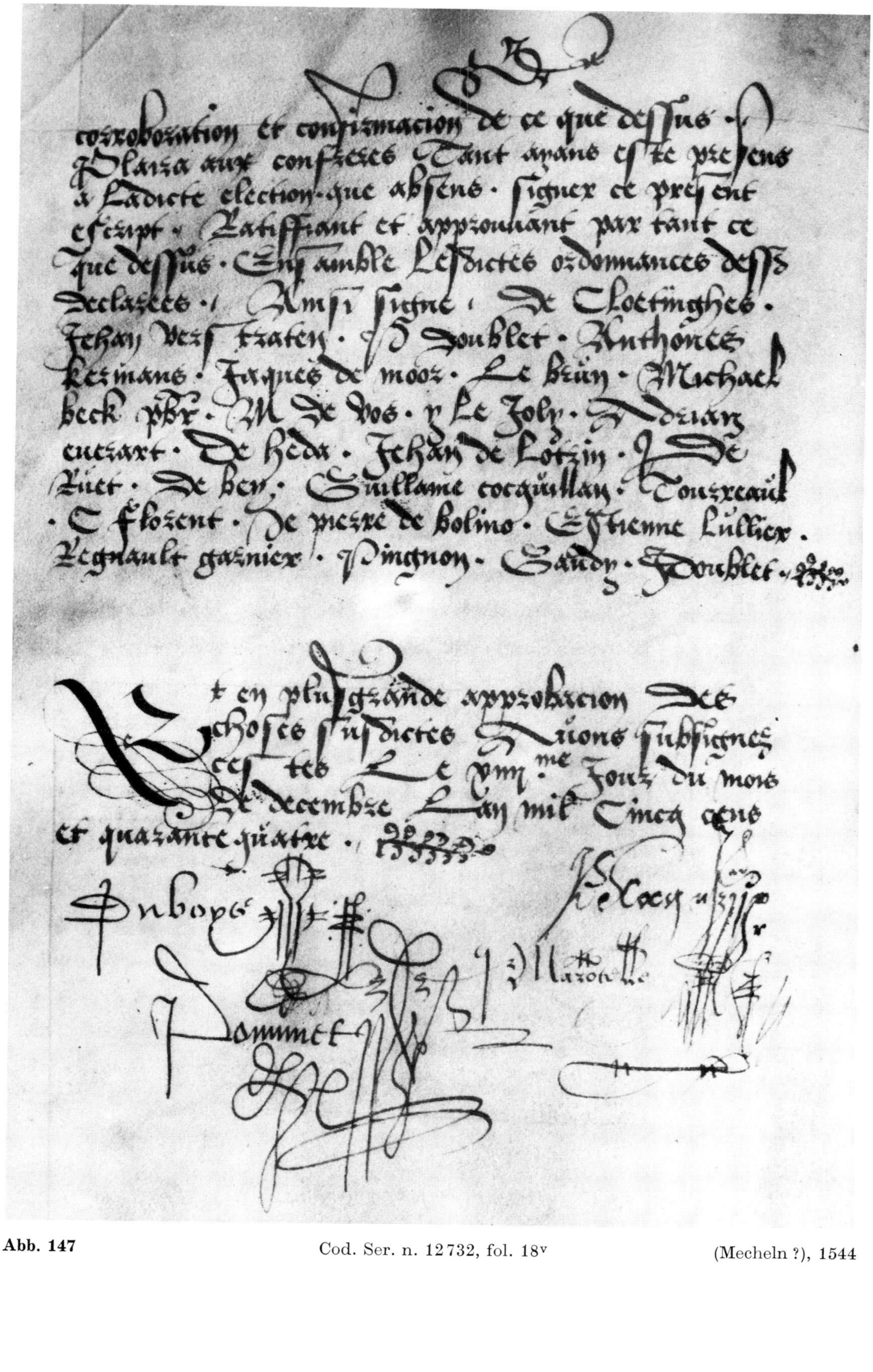

corroboration et confirmacion de ce que dessus ·
Plaira aux confreres tant ayans este presens
à ladicte election que absens · signer ce present
escript · Ratiffiant et approuuant par tant ce
que dessus · Ensamble lesdictes ordonnances dessus
declarees · Ainsi signe · de Cloetinghes ·
Jehan vers traten · J. Doublet · Anthoine
Kermans · Jacques de moor · Le brun · Michael
beck pbr · M de vos · P le Joly · Adriaen
enteart · de heda · Jehan de Lorzin · J de
Riet · de bey · Guillame cocquillan · Tourneaul
· C florent · de pierre de Bolino · Estienne Lullier ·
Regnault garnier · Pingnon · Sandy · Doublet ·

Et en plusgrande approbacion des
choses susdictes Auons subsignes
ces tes le xviiime jour du mois
de decembre lan mil cinq cens
et quarante quatre ·

Dubois
Dommet

Abb. 147 Cod. Ser. n. 12732, fol. 18ᵛ (Mecheln ?), 1544

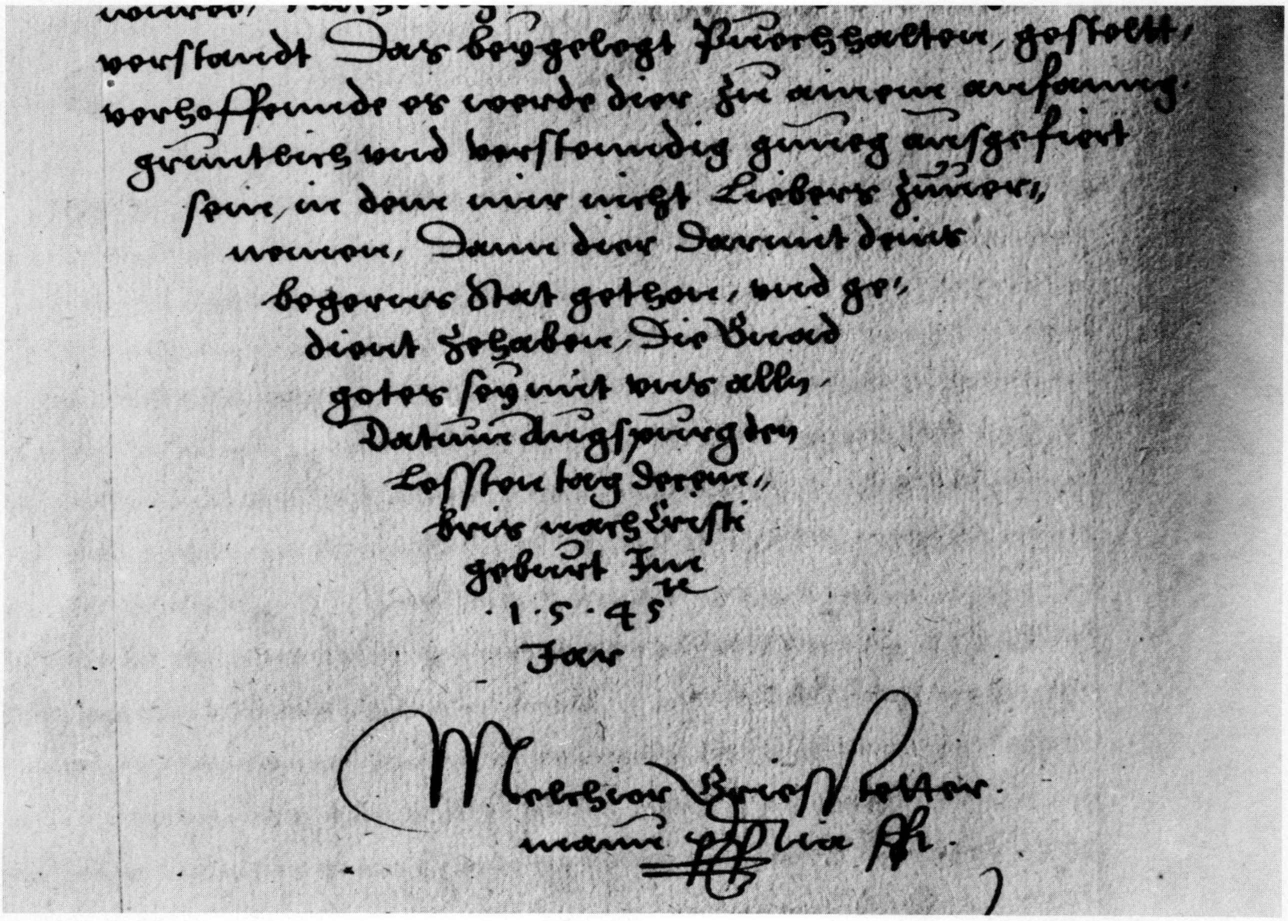

Abb. 148 Cod. 10979, fol. IIv Augsburg, 1545

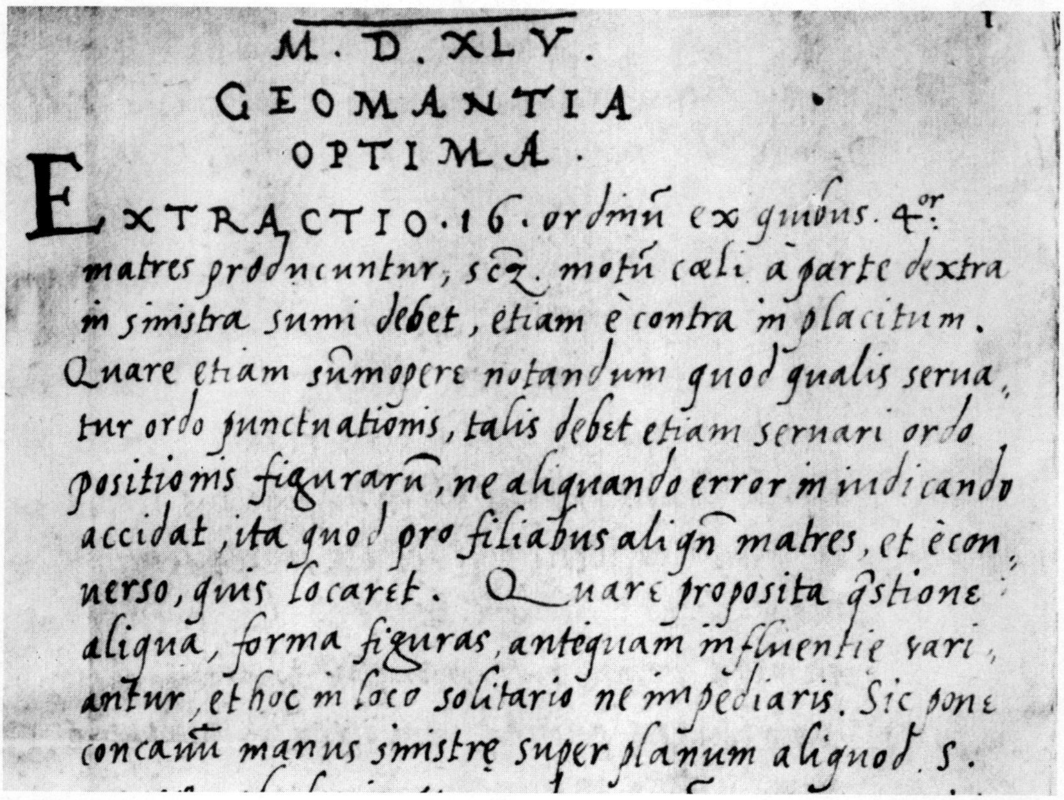

M. D. XLV.
GEOMANTIA
OPTIMA.

EXTRACTIO. 16. ordinū ex q̄nibus. 4or matres producuntur, scz. motū cæli à parte dextra in sinistra sumi debet, etiam è contra in placitum. Quare etiam sūmopere notandum quod qualis serua tur ordo punctuationis, talis debet etiam seruari ordo positionis figurarū, ne aliquando error in iudicando accidat, ita quod pro filiabus aliqn matres, et è con uerso, quis locaret. Quare proposita q̄stione aliqua, forma figuras, antequam influentie vari antur, et hoc in loco solitario ne impediaris. Sic pone concauū manus sinistre super planum aliquod. s.

Abb. 149 Cod. 10741, fol. 1r 1545

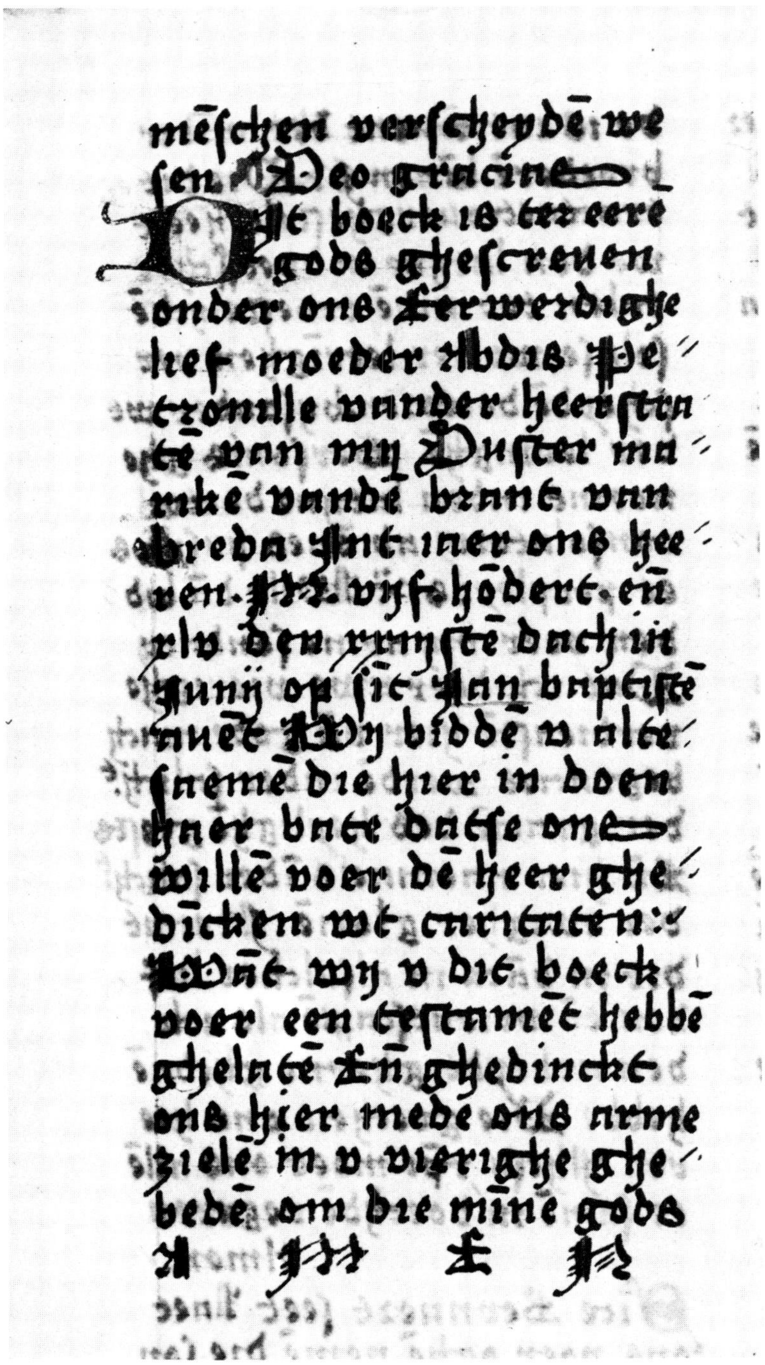
mēschen verscheydē we
sen. Deo gracias
Dit boeck is ter eere
gods ghescreuen
onder ons Eerwerdighe
lief moeder Abdis Pe
tronille vander heerstra
te van my Suster ma
rike vande brant van
breda. Int iaer ons hee
ren. M. vyf hōdert. eñ
xlv den xxiiijstē dach in
Junij op sint Jan baptiste
auent Wy biddē v allē
samē die hier in doen
lesen ende datse ons
willē voer dē heer ghe
dencken wt caritaten.
Wāt wy v dit boeck
voer een testamēt hebbē
ghelatē Eñ ghedinckt
ons hier mede ons arme
zielē in v vierighe ghe
bedē om die mine gods

Abb. 150 Cod. Ser. n. 12795, fol. 402v Löwen, 1545

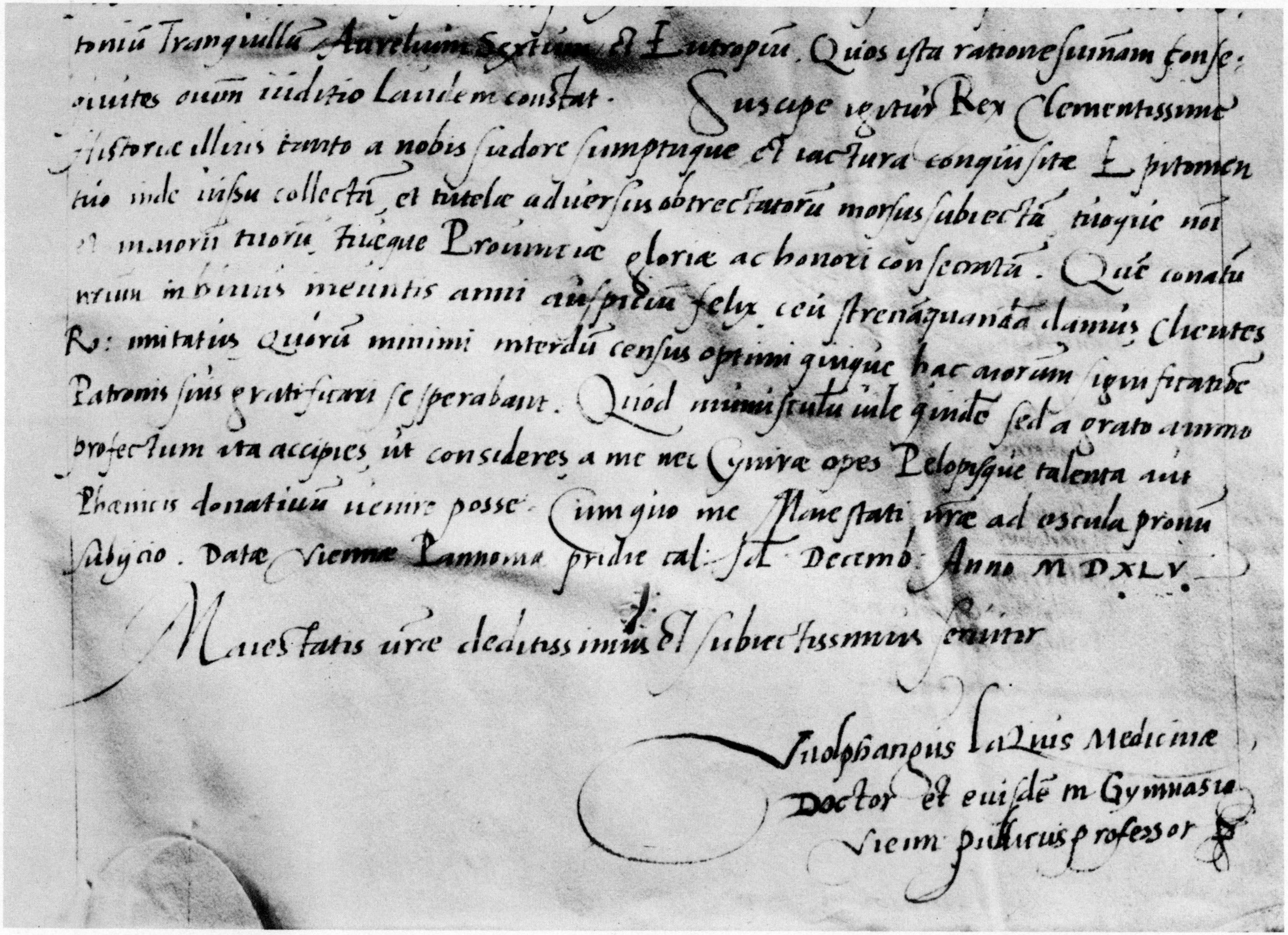
tonium Tranquillum, Aurelium Sextum et Eutropium. Quos ista ratione summam conse-
quutos omnium iudicio laudem constat. Suscipe igitur Rex Clementissime
historiae illius tanto a nobis sudore sumptuque et iactura conquisitae Epitomen
tuo inde iussu collectam, et tutelae aduersus obtrectatorum morsus subiectam, tuoque nomini tuorumque Prouinciae gloriae ac honori consecratam. Quae conatu
meum in limine ineuntis anni auspicium felix, ceu strenam quandam damus, Clientes
Romanos imitatus, quorum minimi interdum census optimi quinque hac aurorum significatione
Patronis suis gratificari se sperabant. Quod munusculum vile quidem, sed a grato animo
profectum ita accipies, ut consideres a me nec Cyniræ opes Pelopisque talenta aut
Phœnicis donatiuum venire posse. Cum quo me Maiestati vestræ ad oscula pronum
subiicio. Datæ Viennæ Pannoniæ pridie cal. Ja. Decemb. Anno MDXLV.

Maiestatis vestræ deditissimus et subiectissimus seruitor

Wolphgangus Lazius Medicinæ
Doctor et eiusdem in Gymnasio
Vienn. publicus professor

Abb. 151 Cod. 7894, fol. 2r Wien, 1545

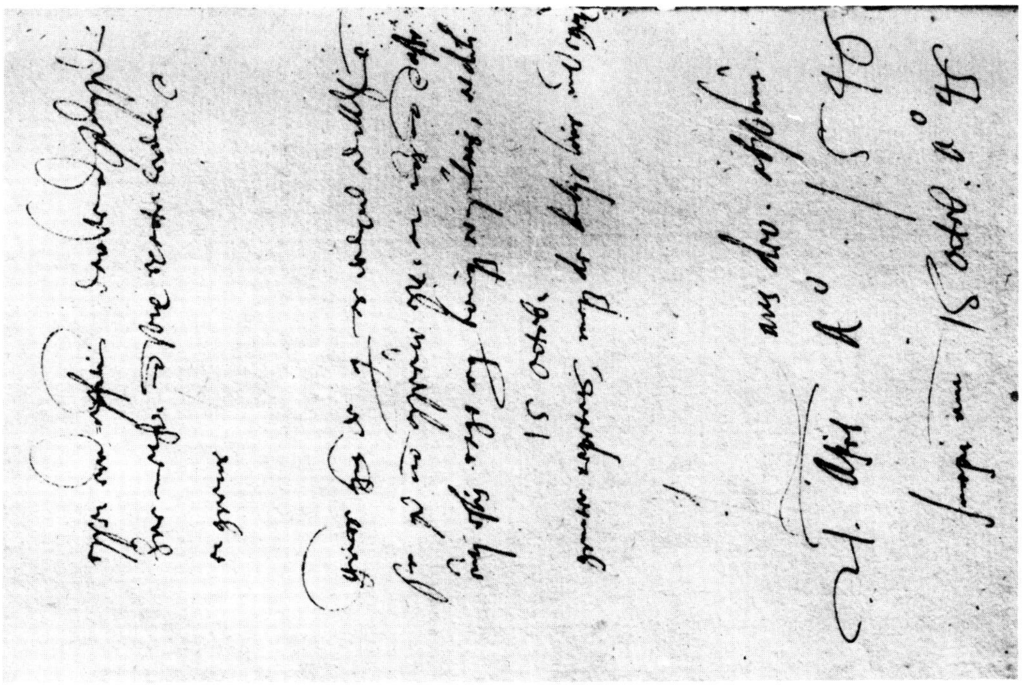

Abb. 153 Cod. 10570, fol. 39v Wittenberg, 1546

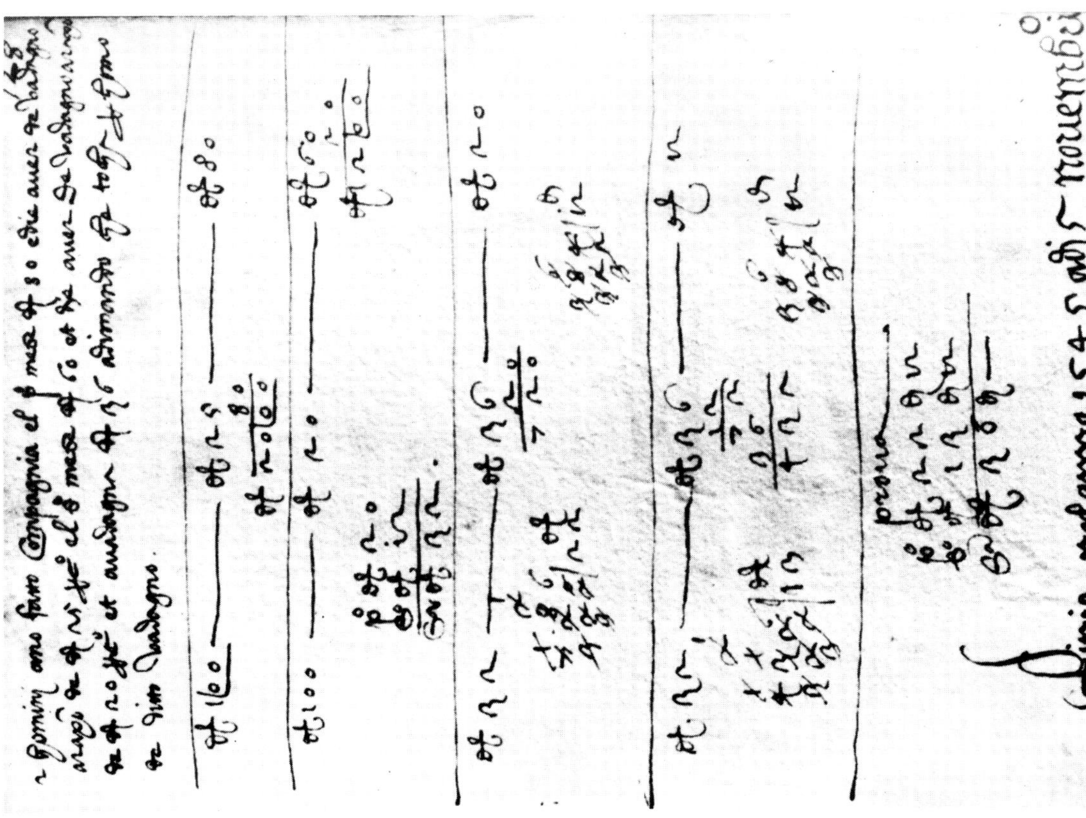

Abb. 152 Cod. 10576, fol. 128r 1545

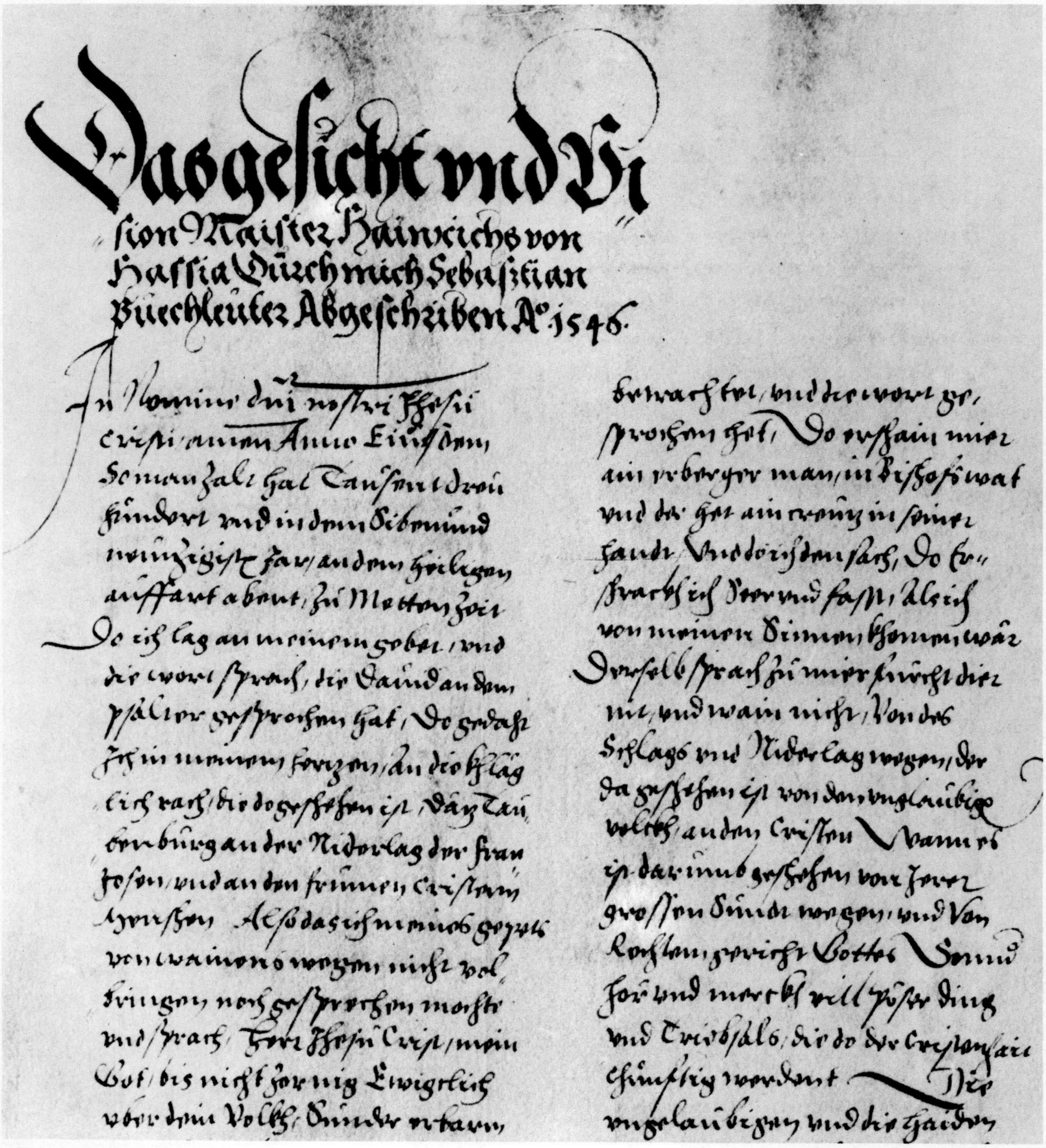
Das gesicht vnd Vision Maister Hainrichs von Hassia durch mich Sebastian Büechleüter Abgeschriben Ao. 1546.

In Nomine dni nostri Jhesu
Cristi amen Anno Ein tausent,
Do man zalt hat Tausent drey
hundert vnd in dem Sibenvnd
neunzigist Jar, an dem heiligen
auffart abent, zu Metten zeit
Do ich lag an meinem gebet, vnd
die wort sprach, die Dauid an dem
psalter gesprochen hat, Do gedacht
ich in meinem hertzen, an die schläg
lich rach, die do geschehen ist, daz Tau
senburg an der Nidorlag der fran
zosen, vnd an den frumen Cristen
menschen, Also das ich meines gepets
von waynens wegen nicht vol
bringen, noch gesprechen mochte
vnd sprach, Herr Jhesu Crist, mein
Got, bis nicht zornig Ewigklich
vber dein Volkh, Sunder erbarm,

derbarmhet, vnd der wort gesprochen hat, Do erschain mier
ain erbeyger man, in bischofs wat
vnd der hat ain creutz in seiner
handt, vnd do ich den sach, do er-
schrackh ich ser vnd fast, als ich
von meinen Sinnen khomen wär
Derselb sprach zu mir fürcht dir
nit, vnd wain nicht, von des
schlags vnd Niderlag wegen, der
da geschehen ist von den vnglaubigen
volckh an den Cristen, wann es
ist darumb geschehen von Jrer
grossen Sünde wegen, vnd von
Rechten gericht Gottes, Sunnd
Jer vnd merckh vill böser ding
vnd Trubsals, die do der Cristenhait
zukunftig werdent. Die
vnglaubigen vnd die haiden

Abb. 154 Cod. 2820, fol. 172r **1546**

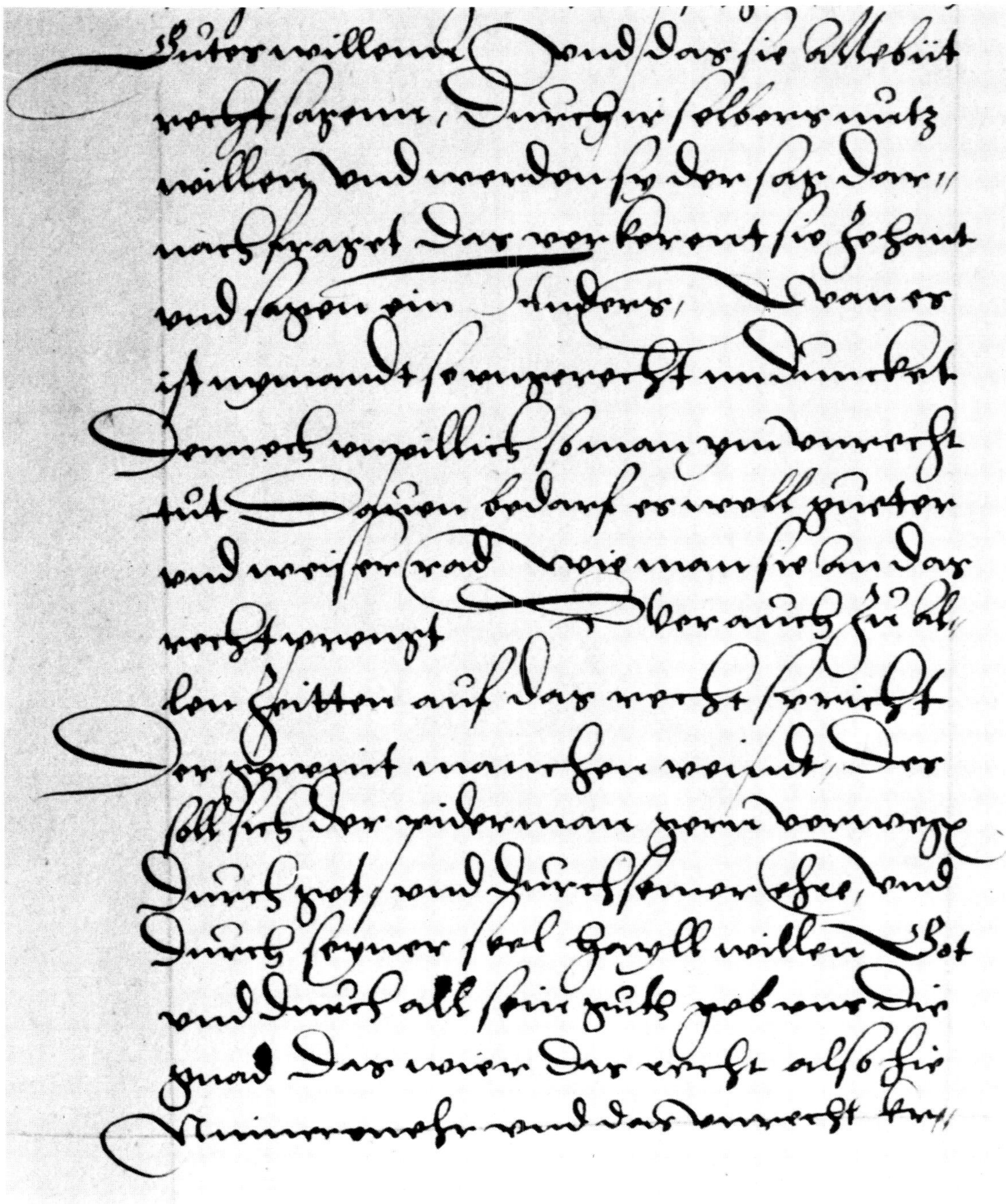

Abb. 155 Cod. 7702, fol. 112r (Niederösterreich), 1547

Abb. 156 Cod. 11566, fol. 10^{v} Zerbst, 1547

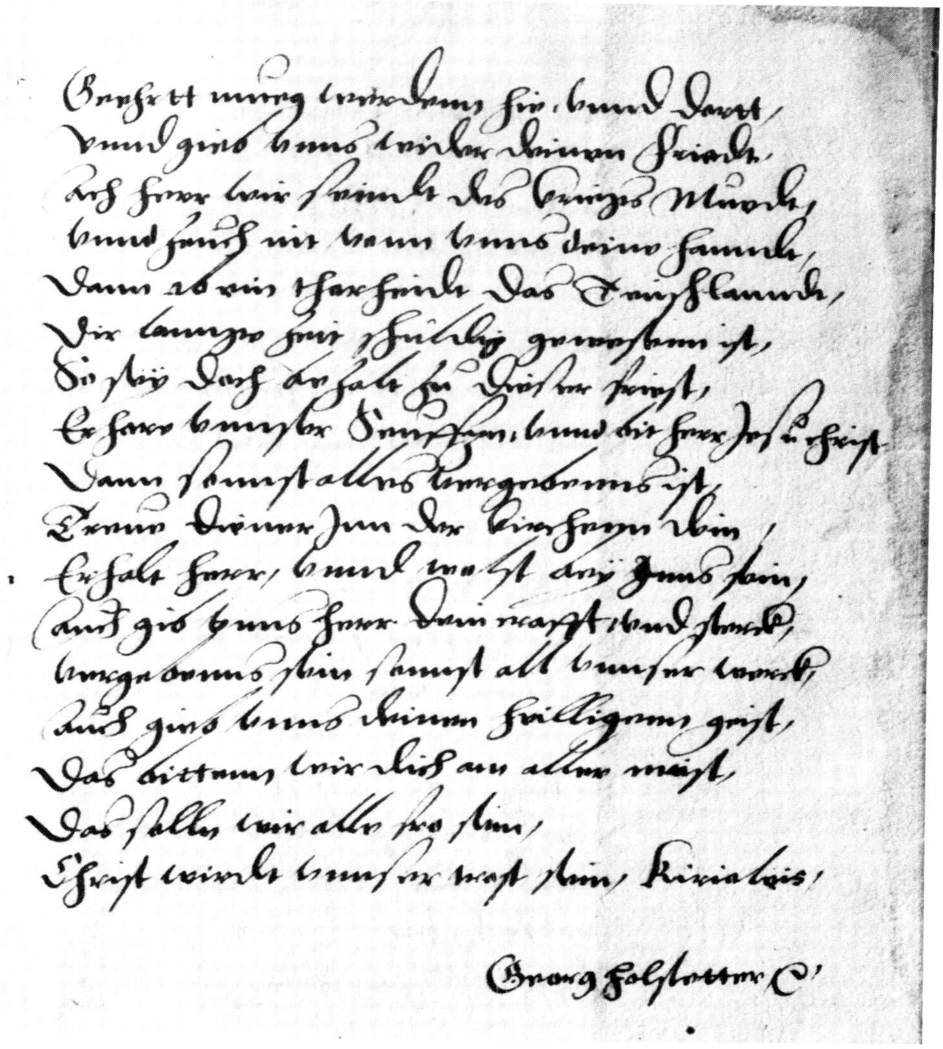

Abb. 157 Cod. 12537, fol. 11v 1547

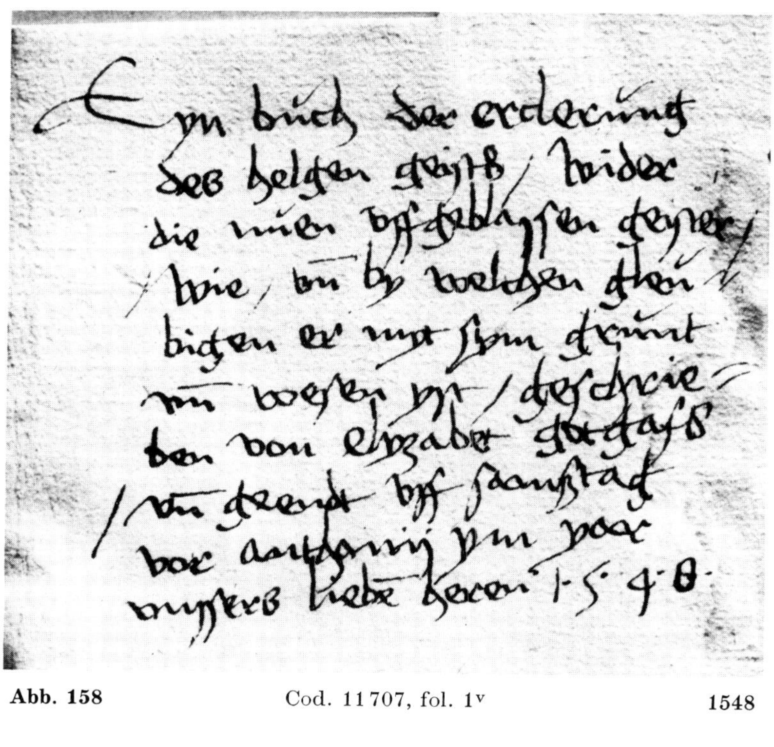

Abb. 158 Cod. 11707, fol. 1v 1548

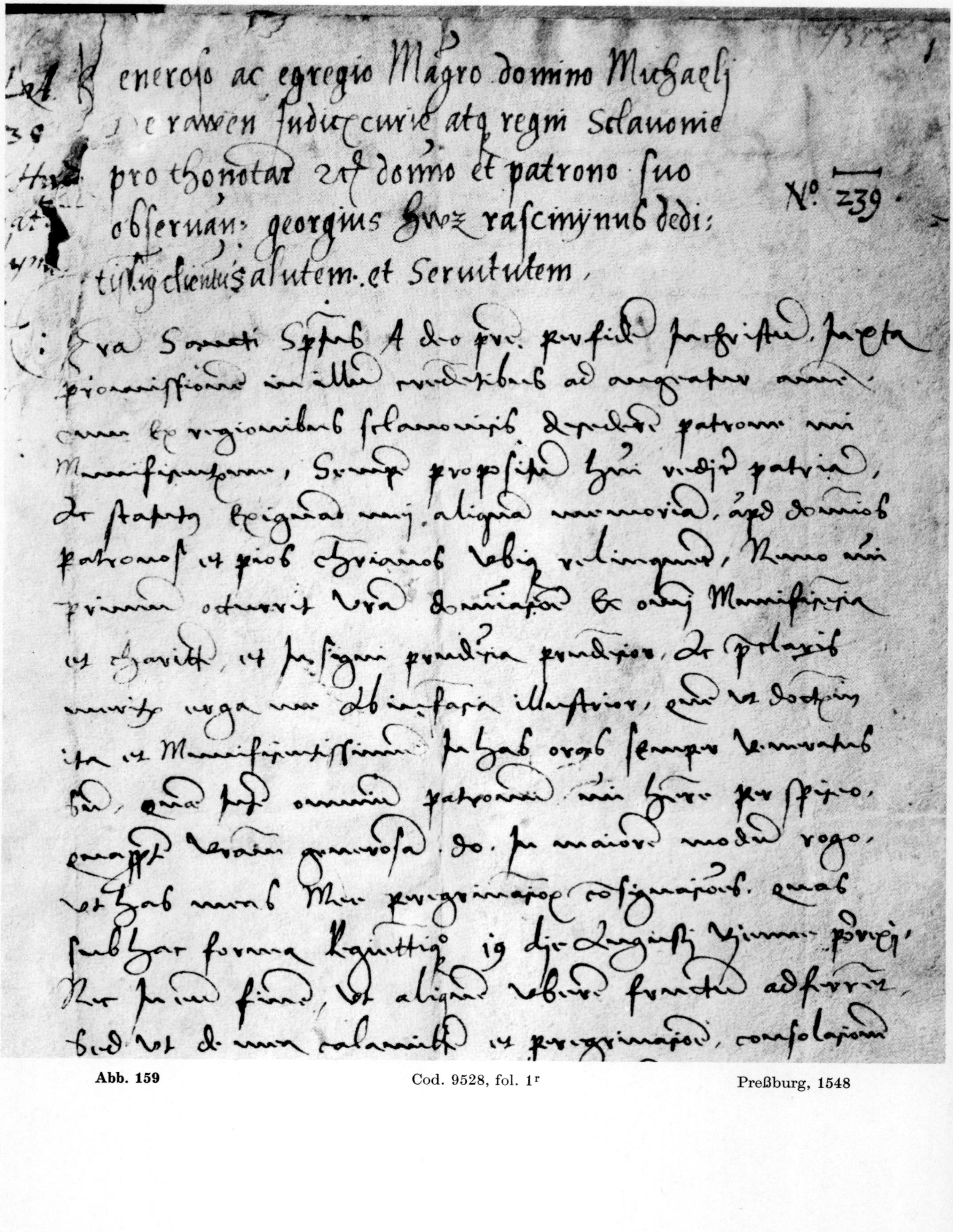
Generoso ac egregio Magro domino Michaeli
[illegible] rawen Judic curie atq regni Sclauonie
prothonotar etc domino et patrono suo
obseruan: georgius Huz rascinynus dedi:
tissimus cliens salutem. et Seruitutem.

N°. 239.

Abb. 159 Cod. 9528, fol. 1r Preßburg, 1548

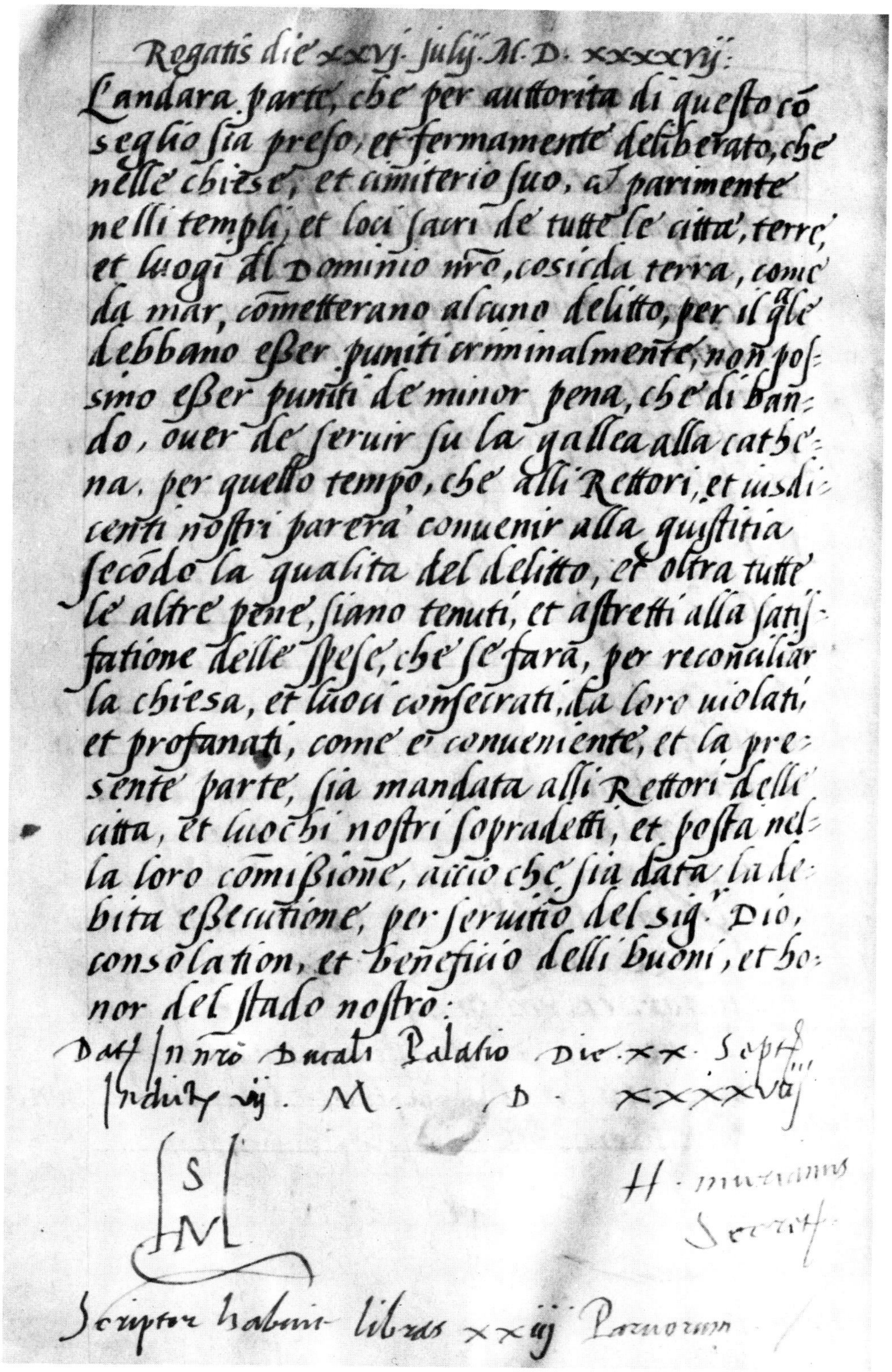
Rogatis die xxvj. July. M.D. xxxxvij:
L'andara parte, che per auttorita di questo cõ
seglio sia preso, et fermamente deliberato, che
nelle chiese, et cimiterio suo, at parimente
nelli templi, et loci sacri de tutte le citta, terre,
et luogi dl Dominio nrõ, cosi da terra, come
da mar, cõmetterano alcuno delitto, per il qle
debbano esser puniti criminalmente, non pos-
simo esser puniti de minor pena, che di ban-
do, ouer de seruir su la gallea alla cathe-
na, per quello tempo, che alli Rettori, et iusdi-
centi nostri parera conuenir alla giustitia
secõdo la qualita del delitto, et oltra tutte
le altre pene, siano tenuti, et astretti alla satis-
fatione delle spese, che se fara, per recõciliar
la chiesa, et luoci consecrati, da loro violati,
et profanati, come e conueniente, et la presente parte, sia mandata alli Rettori delle
citta, et luochi nostri sopradetti, et posta nella loro cõmissione, accio che sia data la debita essecutione, per seruitio del sig.r Dio,
consolation, et beneficio delli buoni, et honor del stado nostro:
Dat. in nrõ Ducali Palatio Die xx. Septẽbris
Indict. vij. M. D. xxxxviij
SM
H. mucianus
Secret.
Scriptor habuit libras xxiij Paruorum

Abb. 160 Cod. Ser. n. 98, fol. 82v Venedig, 1548

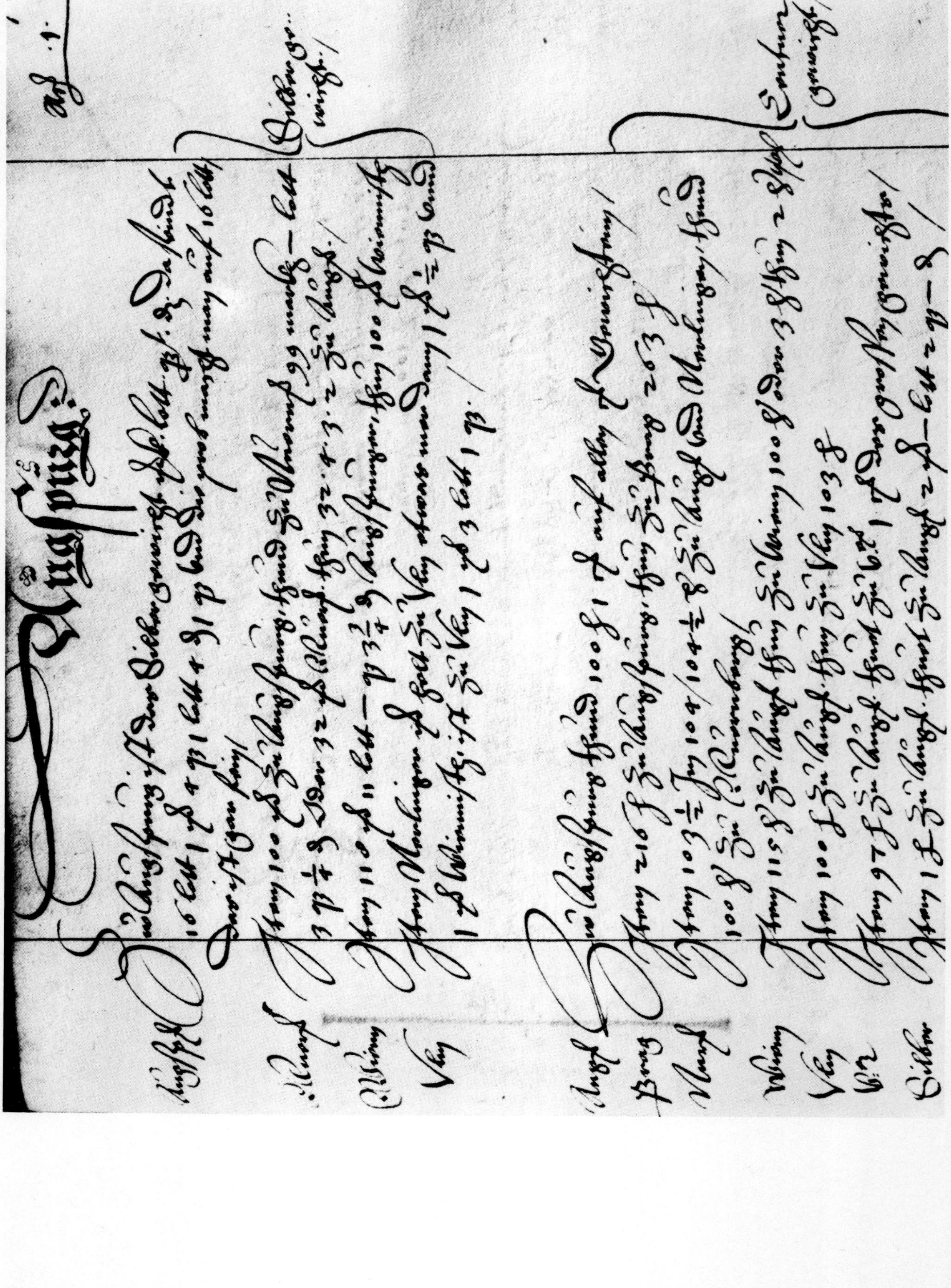

Abb. 161 Cod. 10720, fol. 1r 1548

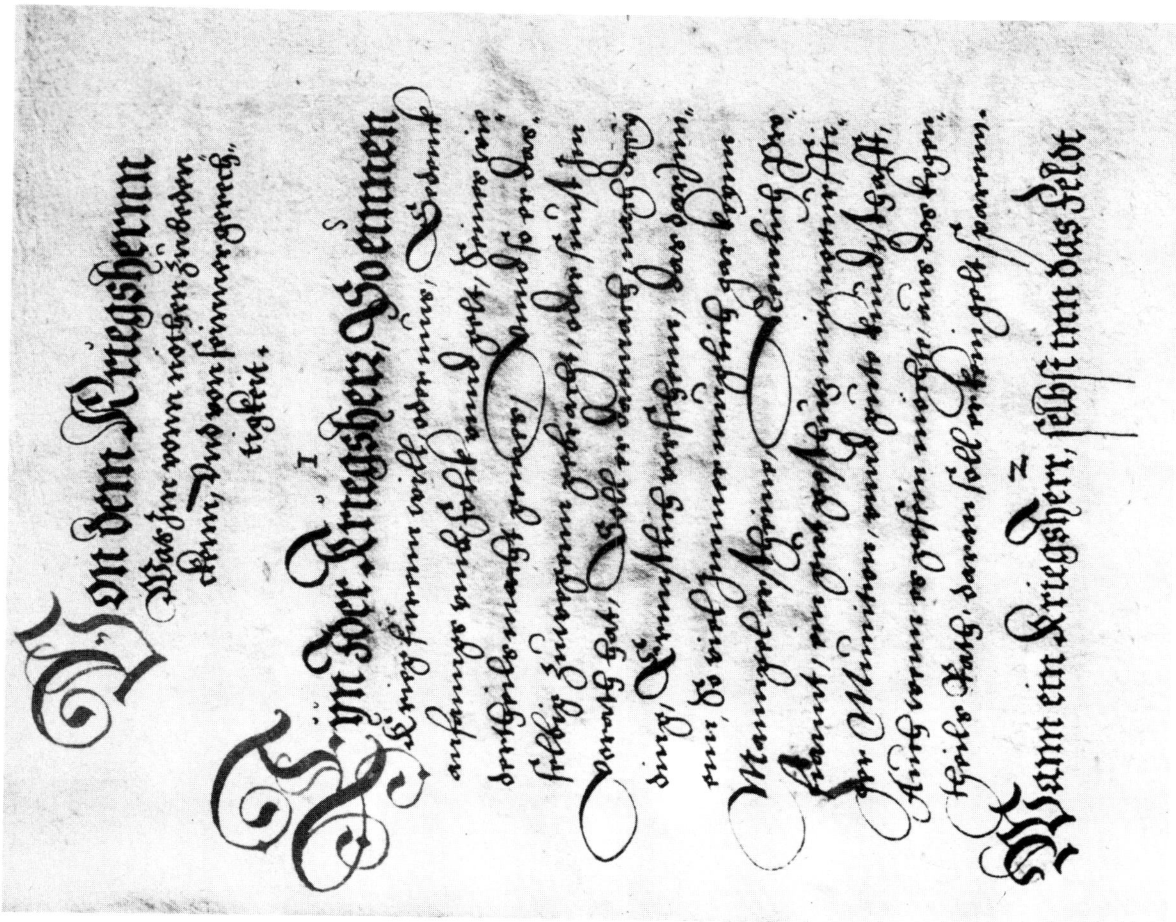

Abb. 163 Cod. 10776, fol. 1r 1549

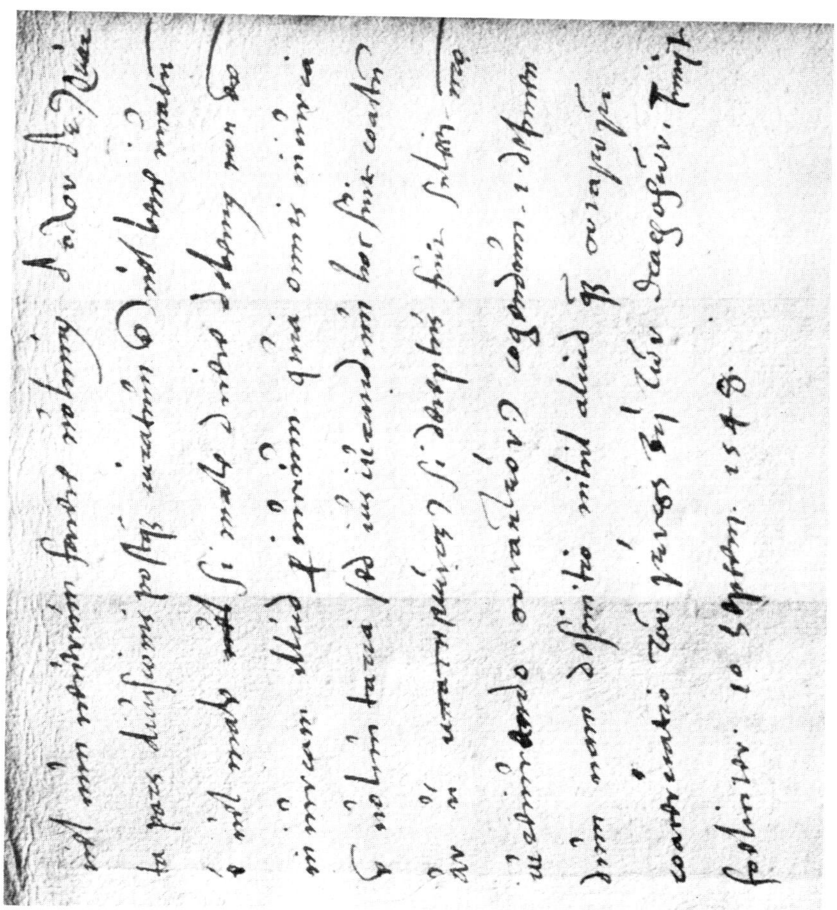

Abb. 162 Cod. 9555, fol. 170v (Straßburg), 1548

filijs suis richardo et roberto in refectorium monachorum et predicti pueri
afferentes de fenestra coquine scutellas sicut solebant monachi facere
porrigebant patri suo et ipse per seipsum prima fercula ante abbatem et postea
ante monachos ponebat quod cum egisset cum magna humilitate veniebat ante
abbatem et sic ab eo accepta licentia letus et gaudens ibat ad curiam suam
aliquando vero mittebat de sua mensa abbati scutellam argenteam plenam piscibus
et mandabat ei ut eam retineret atque inde voluntatem suam faceret hic autem
richardus non solum ecclesiam istam multa dedit sed alijs ecclesijs quadam igitur
die cum venisset gemegias ibidem ea nocte quievit mane vero surgens
sicut sua consuetudo semper erat perrexit orare ad monasterium et post orationem
super altare unum lignulum posuit recedente vero illo venerunt secretarij ad
altare putantes se ibi inventuros esse vel marcam auri vel unciam vel aliquid
huiusmodi itaque invenerunt lignulum atque quid significaret non parum mirari
ceperunt ad ultimum inquirunt ab eo quid hoc esset quod super altare illud posuisset
tunc respondit quod hoc esset unum monasterium scilicet quoddam manerium quod ipse illis
pro anima sua dabat. finis. ¶ Odericus vitalis utrensis id est sancti ebrulfi monachus
persequutus est normanorum historiam usque ad tempora regis stephani et eodem anno quo
captus est predictus rex stephanus terminavit historiam quam persequutus est henricus
huntendunensis archidiaconus usque ad captivitatem predicti regis stephani videlicet
anno domini 1141.

Josephus Tesserarius negociator et municeps rothomagensis
hanc historiam propria manu scribere desijt 11. kal. augusti
anno a christo nato . 49° supra sesquimillesimum:

Abb. 164 Cod. 7218, fol. 71^v Rouen, 1549

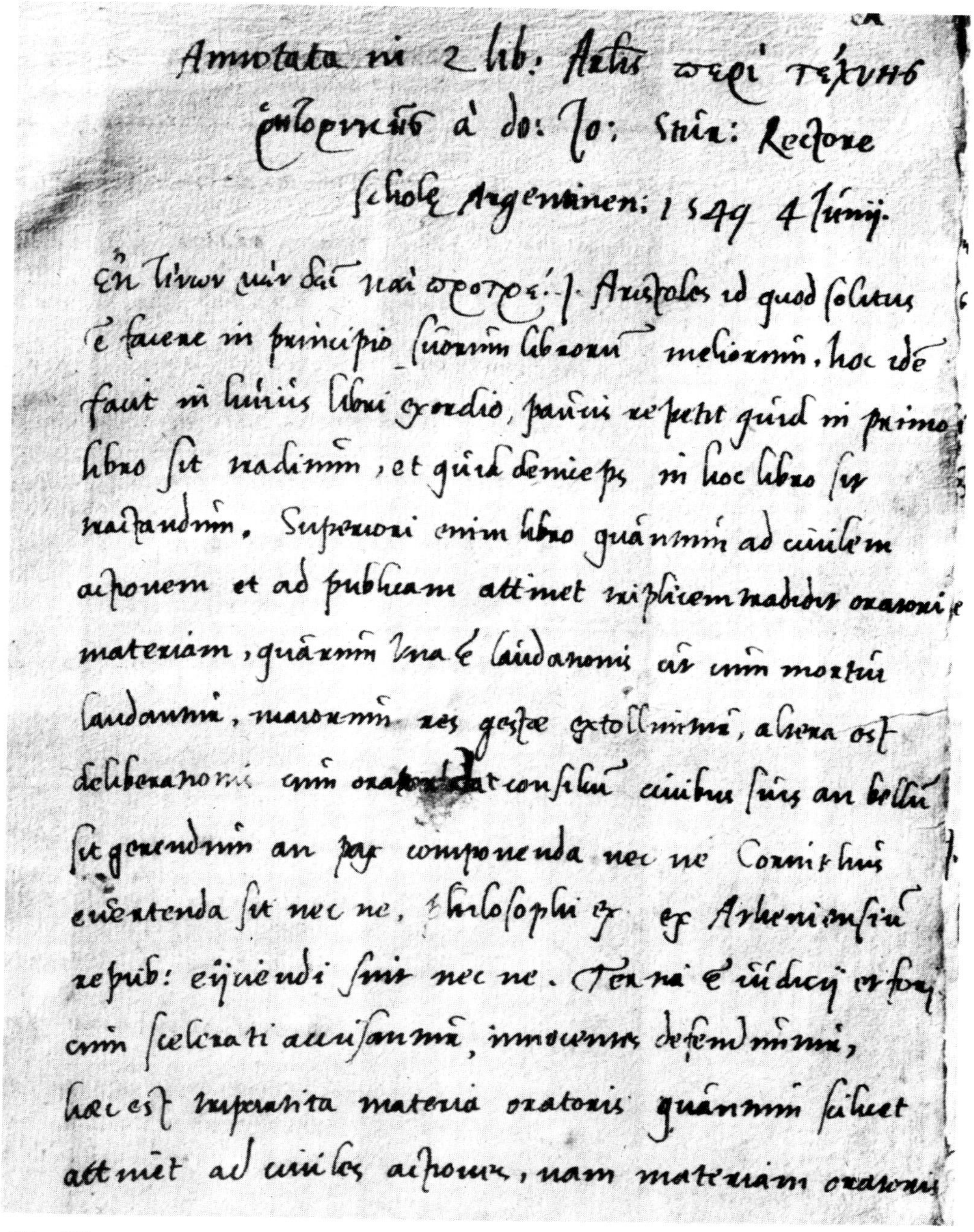

Annotata in 2 lib: Aristotelis περὶ τέχνης ῥητορικῆς à do: Jo: Stur: Rectore schole Argentinen: 1549 4 Junij.

Ἐκ τίνων μὲν δεῖ καὶ προτρέπειν ... Aristoteles id quod solitus est facere in principio suorum librorum meliorum, hoc idem facit in huius libri exordio, paucis repetit quid in primo libro sit tractatum, et quid deinceps in hoc libro sit tractandum. Superiori enim libro quantum ad ciuilem actionem et ad publicam attinet triplicem tradidit oratoriae materiam, quarum una est laudationis cum mortui laudantur, maiorum res gestae extolluntur, altera est deliberationis cum orator dat consilium ciuibus suis an bellum sit gerendum an pax componenda nec ne Corinthus euertenda sit nec ne, Philosophi ex Atheniensium repub: eijciendi sint nec ne. Tertia est iudicij et fori cum scelerati accusantur, innocentes defenduntur, haec est triplicata materia oratoris quantum scilicet attinet ad ciuiles actiones, nam materiam oratoris

Abb. 165 Cod. 9556, fol. 1r (Straßburg), 1549

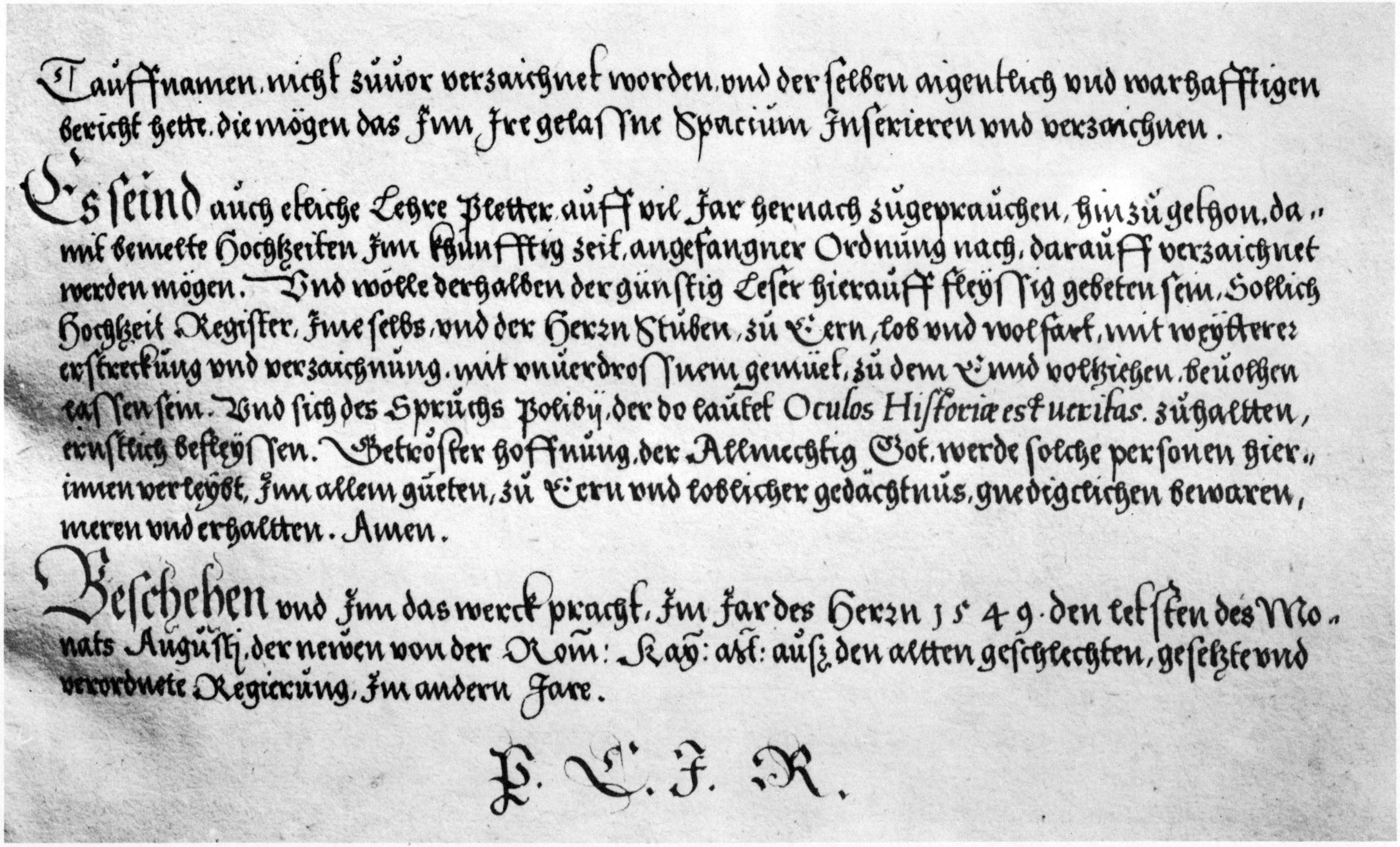

Tauffnamen nicht zuuor verzaichnet worden, vnd der selben aigentlich vnd warhafftigen
bericht hette, die mögen das Inn Ire gelassne Spacium Inserieren vnd verzaichnen.
Es seind auch etliche Lehre Pletter auff vil Jar hernach zugepräuchen, hinzu gethon, damit bemelte Hochzeiten Inn khunfftig zeit, angefangner Ordnung nach, darauff verzaichnet
werden mögen. Vnd wölle derhalben der günstig Leser hierauff fleyssig gebeten sein, Sollich
Hochzeit Register, Ime selbs, vnd der Herrn Stuben, zu Eern, Lob vnd wolfart, mit weytterer
erstreckung vnd verzaichnung, mit vnuerdrossnem gemüet, zu dem End volziehen, beuolhen
lassen sein. Vnd sich des Spruchs Polibij, der do lautet Oculos Historiae est veritas, zuhaltten,
ernstlich befleyssen. Betrösster hoffnung, der Allmechtig Got, werde solche personen hier-
innen verleybt, Inn allem gueten, zu Eern vnd loblicher gedächtnus, gnedigclichen bewaren,
meren vnd erhaltten. Amen.
Beschehen vnd Inn das werck pracht, Im Jar des Herrn 1549. den letsten des Monats Augusti, der newen von der Röm: Kay: Mt: auss den altten geschlechten, gesetzte vnd
verordnete Regierung, Im andern Jare.
P. L. F. R.

Abb. 166 Cod. 9405*, fol. 3r (Augsburg), 1549

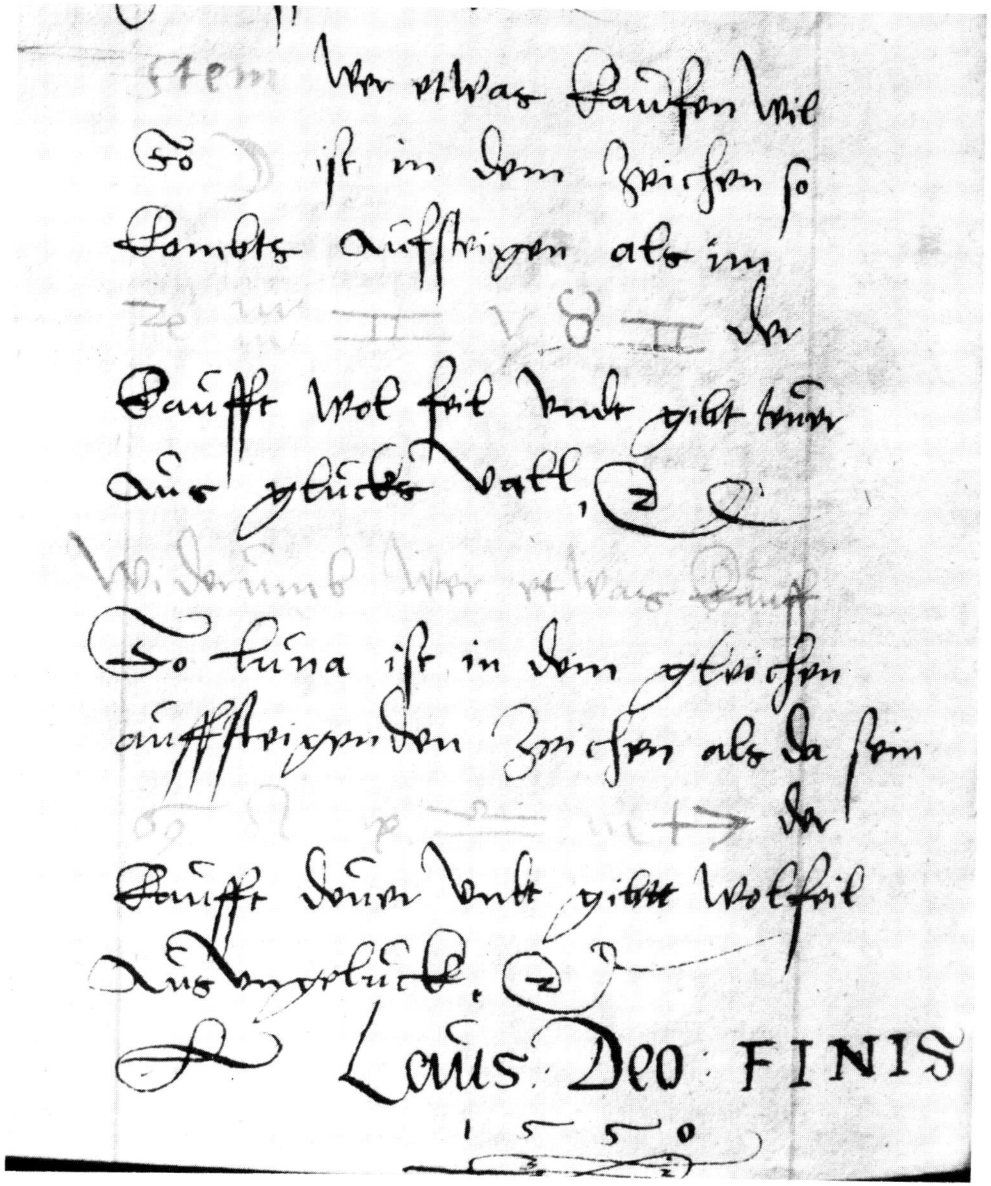

Item Wer etwas kauffen wil
So ist in dem zeichen so
lambts aufsteigen als im
der
kaufft wol feil vnd gilt teuer
aus glücks vall,
So Luna ist in dem gleichen
aufsteigenden zeichen als da sein
der
kaufft teuer vnd gilt wolfeil
aus vngelück.
Laus Deo: FINIS
1550

Abb. 167 Cod. 10528, fol. 225v 1550

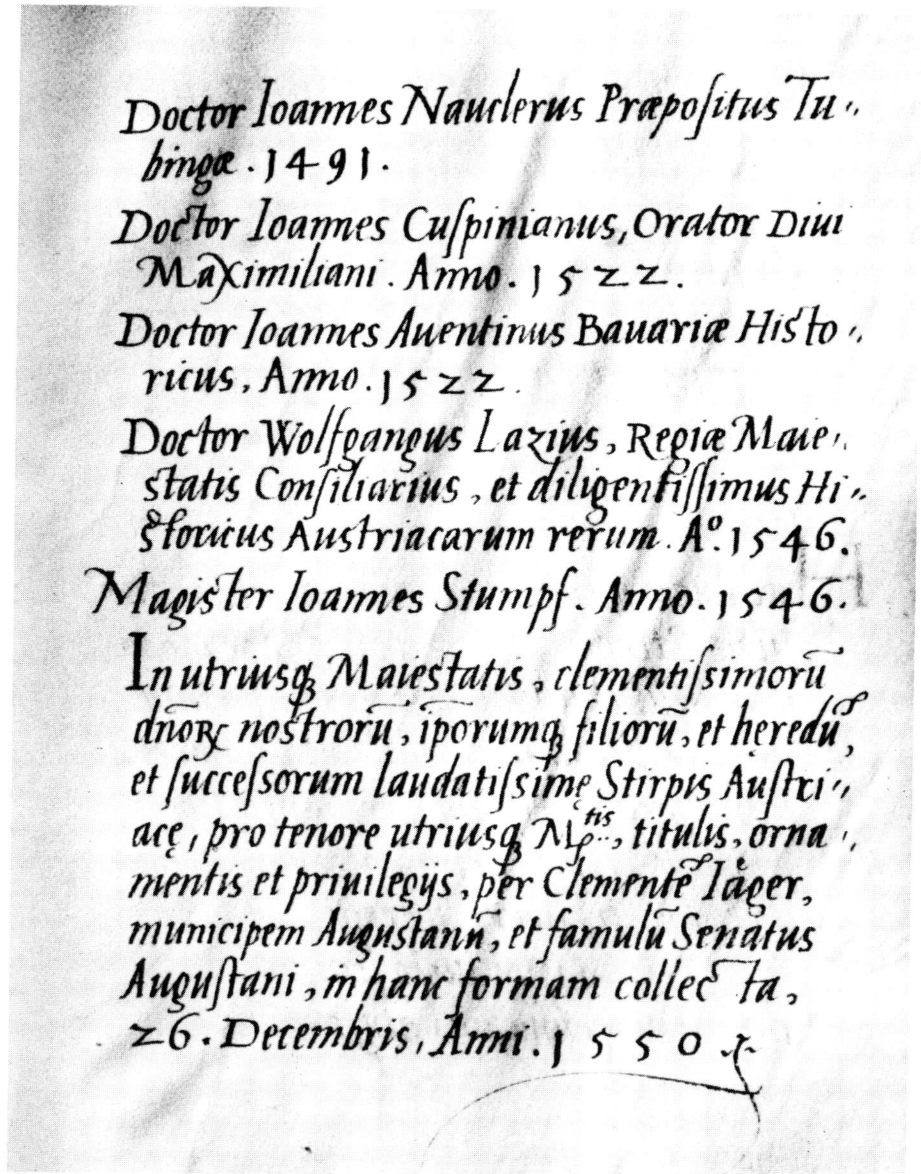

Doctor Ioannes Nauclerus Præpositus Tu-
bingæ. 1491.
Doctor Ioannes Cuspinianus, Orator Diui
Maximiliani. Anno. 1522.
Doctor Ioannes Auentinus Bauariæ Histo-
ricus, Anno. 1522.
Doctor Wolfgangus Lazius, Regiæ Maiestatis Consiliarius, et diligentissimus Hi-
storicus Austriacarum rerum. A°. 1546.
Magister Ioannes Stumpf. Anno. 1546.
In utriusq Maiestatis, clementissimoru
dnorum nostroru, iporumq filioru, et heredu,
et successorum laudatissime Stirpis Austri-
ace, pro tenore utriusq Mtis, titulis, orna-
mentis et priuilegijs, per Clemente Jäger,
municipem Augustanu, et famulu Senatus
Augustani, in hanc formam collecta,
26. Decembris, Anni. 1550.

Abb. 168 Cod. 7390, fol. 15r Augsburg, 1550

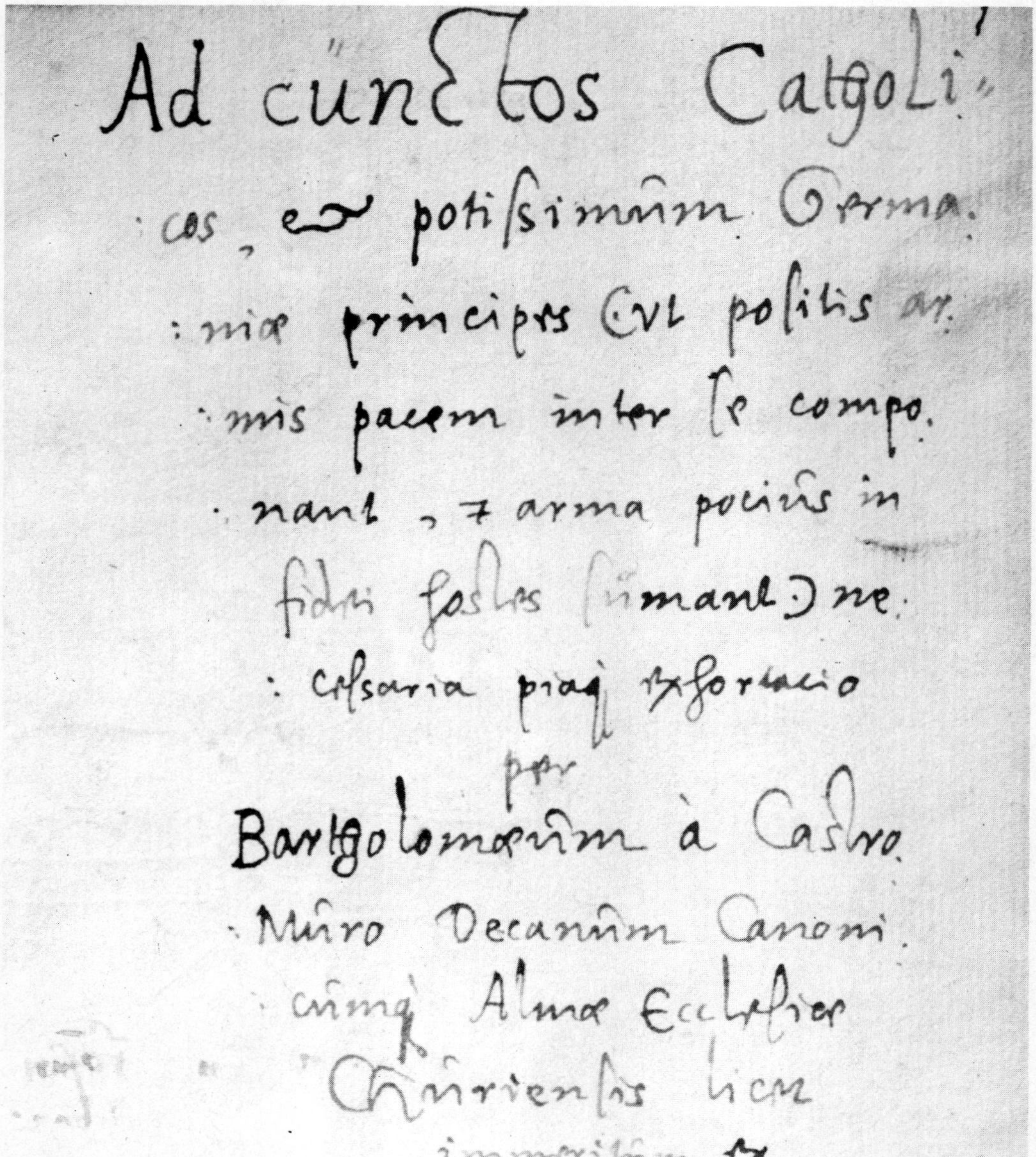
Ad cūnctos Catholi-
cos, et potissimum Germa-
nie principes ut positis armis pacem inter se compo-
nant, et arma pocius in
fidei hostes sumant, Ne-
cessaria piaque exhortacio
per
Bartholomeum à Castro
Muro Decanum Canoni-
cumque Alme Ecclesie
Churiensis licet
immeritum ex
literis sacris fi-
deliter collecta
Anno Domini 1550

Abb. 169 Cod. 10501, fol. 1r 1550

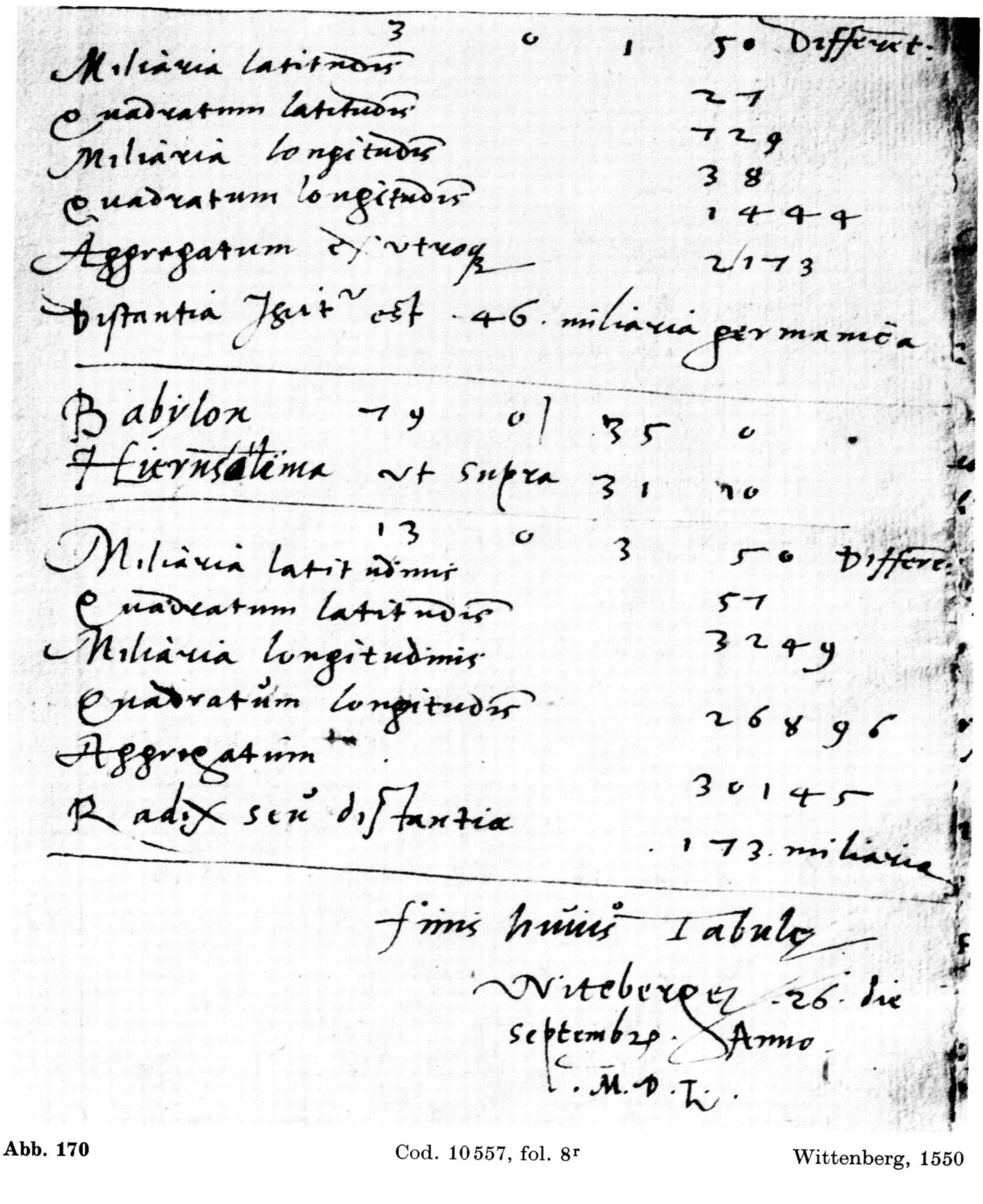
3 0 1 50 Different.
Miliaria latitudinis
Quadratum latitudinis 27
Miliaria longitudinis 729
Quadratum longitudinis 38
1444
Aggregatum ex utroque 2173
Distantia igitur est 46. miliaria germanica

Babylon 79 0 | 35 0
Hierusalem ut supra 31 40

13 0 3 50 Differe.
Miliaria latitudinis
Quadratum latitudinis 57
Miliaria longitudinis 3249
Quadratum longitudinis 26896
Aggregatum
30145
Radix seu distantia
173. miliaria

Finis huius Tabulae
Witebergae 26. die
Septembris Anno
M.D.L.

Abb. 170 Cod. 10557, fol. 8^r Wittenberg, 1550

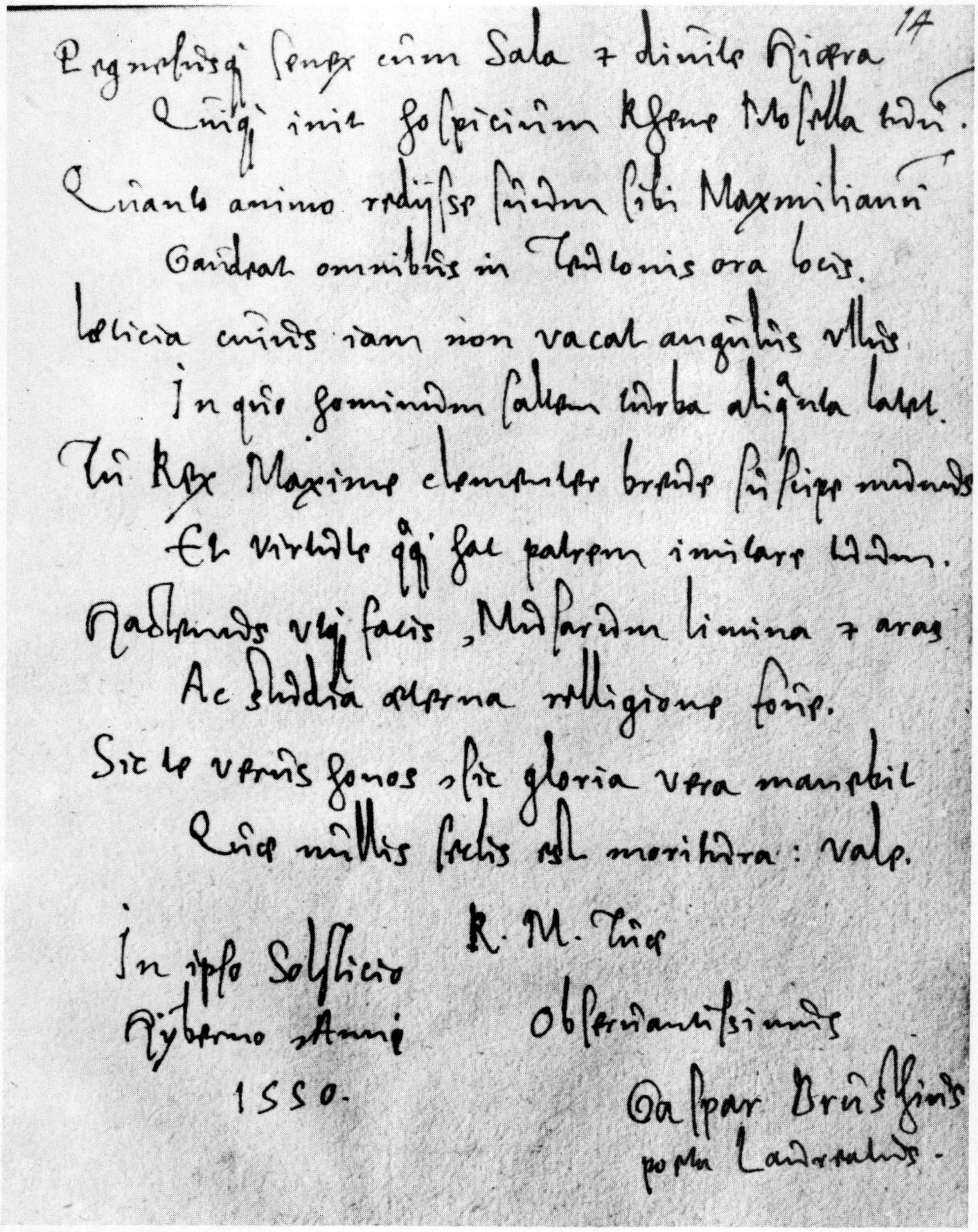

Regnesusq; senex cum Sala & divite Nicra 14
Cuiq; init hospicium Rhene Mosella tuo.
Quanto animo rediisse suum sibi Maximilianum
Gaudeat omnibus in Teutonis ora locis.
Leticia cuius iam non vacat angulus ullus
In quo hominum saltem turba aliqua latet.
Tu Rex Maxime clementer breve suscipe munus
Et virtute quoque hac patrem imitare tuum.
Restaurans usq; facis, Musarum limina & aras
Ac studia aeterna relligione fove.
Sic te verus honos sic gloria vera manebit
Quae nullis seclis est moritura: vale.

In ipso Solsticio
Hyberno Anni
1550.

R. M. Tuae
Observantissimus
Caspar Bruschius
poeta Laureatus.

Abb. 171 Cod. 9906, fol. 14r 1550

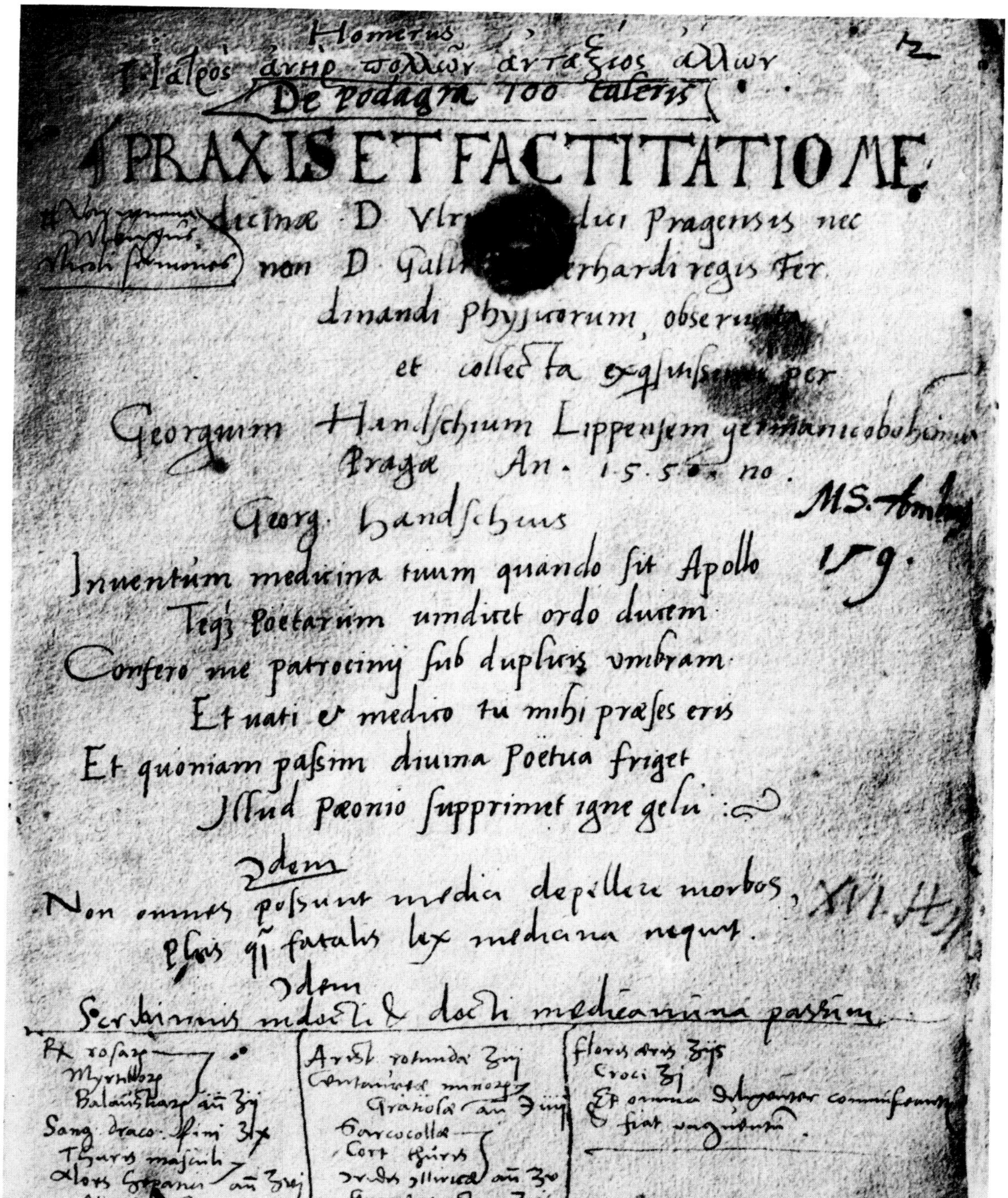

Homerus
Ἰατρὸς ἀνὴρ πολλῶν ἀντάξιος ἄλλων
De podagra 100 taleris
PRAXIS ET FACTITATIO ME-
dicinae D. Vlr… …dici Pragensis nec
non D. Galli… …erhardi regis Fer-
dinandi physicorum, obser…
et collecta ex… per
Georgium Handschium Lippensem germanicobohemum
Pragae An. 1.5.5. no.
Georg. Handschius
Inventum medicina tuum quando sit Apollo
Teq; Poetarum undiret ordo ducem
Confero me patrocinij sub duplicis umbram
Et vati et medico tu mihi praeses eris
Et quoniam passim divina Poetica friget
Illud Paeonio supprimet igne gelu:
159.
Idem
Non omnes possunt medici depellere morbos,
Plus q̄ fatalis lex medicina nequit.
Idem
Scribimus indocti & docti medicamina passim

Abb. 172 Cod. 11006, fol. 2r Prag, 1550

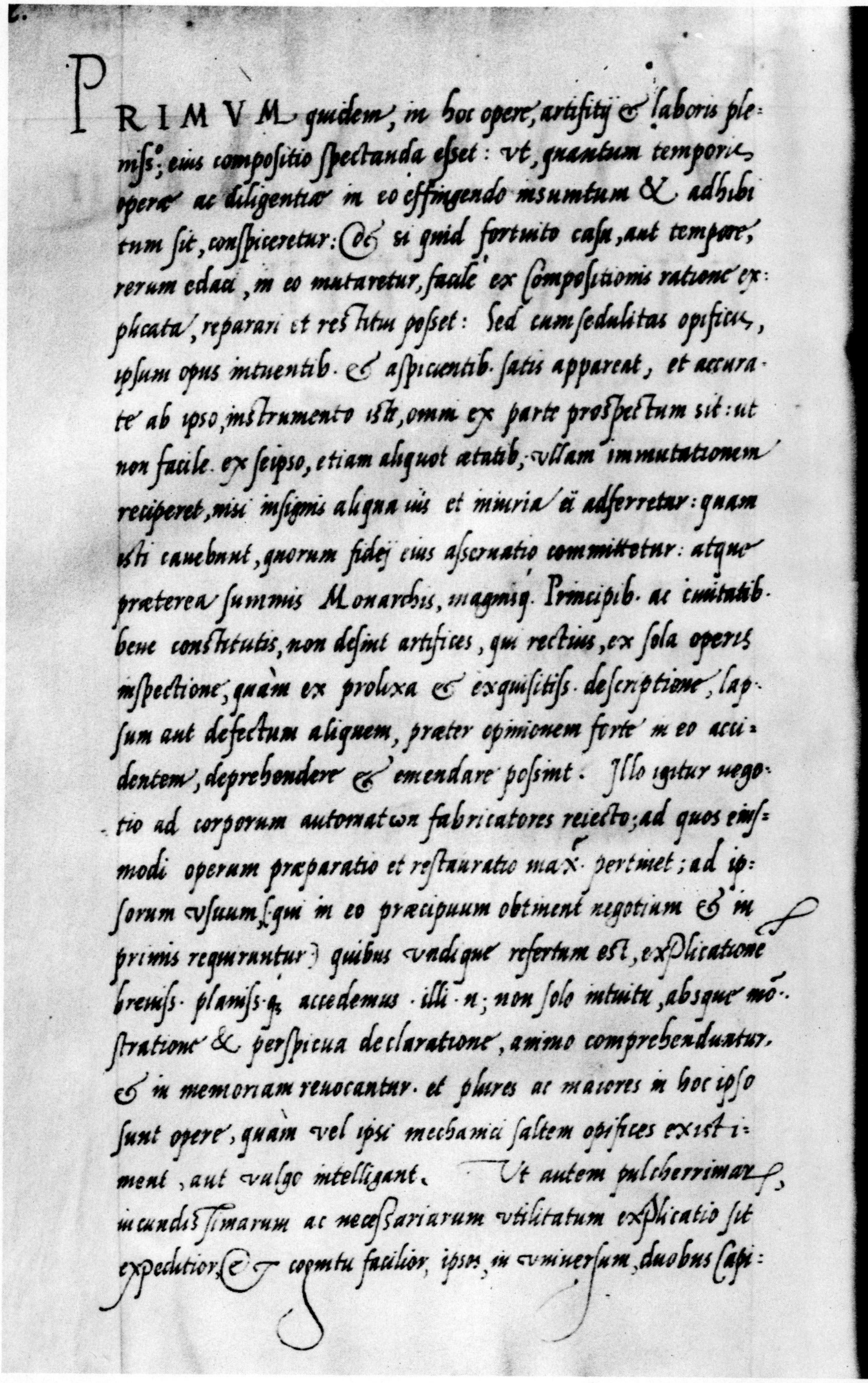

PRIMVM quidem, in hoc opere, artifitij & laboris ple-
nissimo; eius compositio spectanda esset: ut, quantum temporis
operæ ac diligentiæ in eo effingendo insumtum & adhibi
tum sit, conspiceretur: & si quid fortuito casu, aut tempore,
rerum edaci, in eo mutaretur, facile ex compositionis ratione explicata, reparari et restitui posset: Sed cum sedulitas opificis,
ipsum opus intuentib. & aspicientib. satis appareat, et accurate ab ipso, instrumento isti, omni ex parte prospectum sit: ut
non facile ex seipso, etiam aliquot ætatib. ullam immutationem
reciperet, nisi insignis aliqua vis et iniuria ei adferretur: quam
isti cavebunt, quorum fidei eius asservatio committetur: atque
præterea summis Monarchis, magnisq. Principib. ac civitatib.
bene constitutis, non desint artifices, qui rectius, ex sola operis
inspectione, quam ex prolixa & exquisitiss. descriptione, lap-
sum aut defectum aliquem, præter opinionem forte in eo acci-
dentem, deprehendere & emendare possint. Illo igitur negotio ad corporum automatωn fabricatores reiecto; ad quos eius-
modi operum præparatio et restauratio max. pertinet; ad ipsorum usuum (qui in eo præcipuum obtinent negotium & in
primis requiruntur) quibus undique refertum est, explicatione
breviss. planissq. accedemus illi n.; non solo intuitu, absque mo-
stratione & perspicua declaratione, animo comprehenduntur,
& in memoriam revocantur. et plures ac maiores in hoc ipso
sunt opere, quam vel ipsi mechanici saltem opifices existiment, aut vulgo intelligant. Ut autem pulcherrimarum,
iucundissimarum ac necessariarum utilitatum explicatio sit
expeditior, & cognitu facilior, ipsos, in universum, duobus capi-

Abb. 173 Cod. 11029, pag. 2 (Breslau ?), 1551

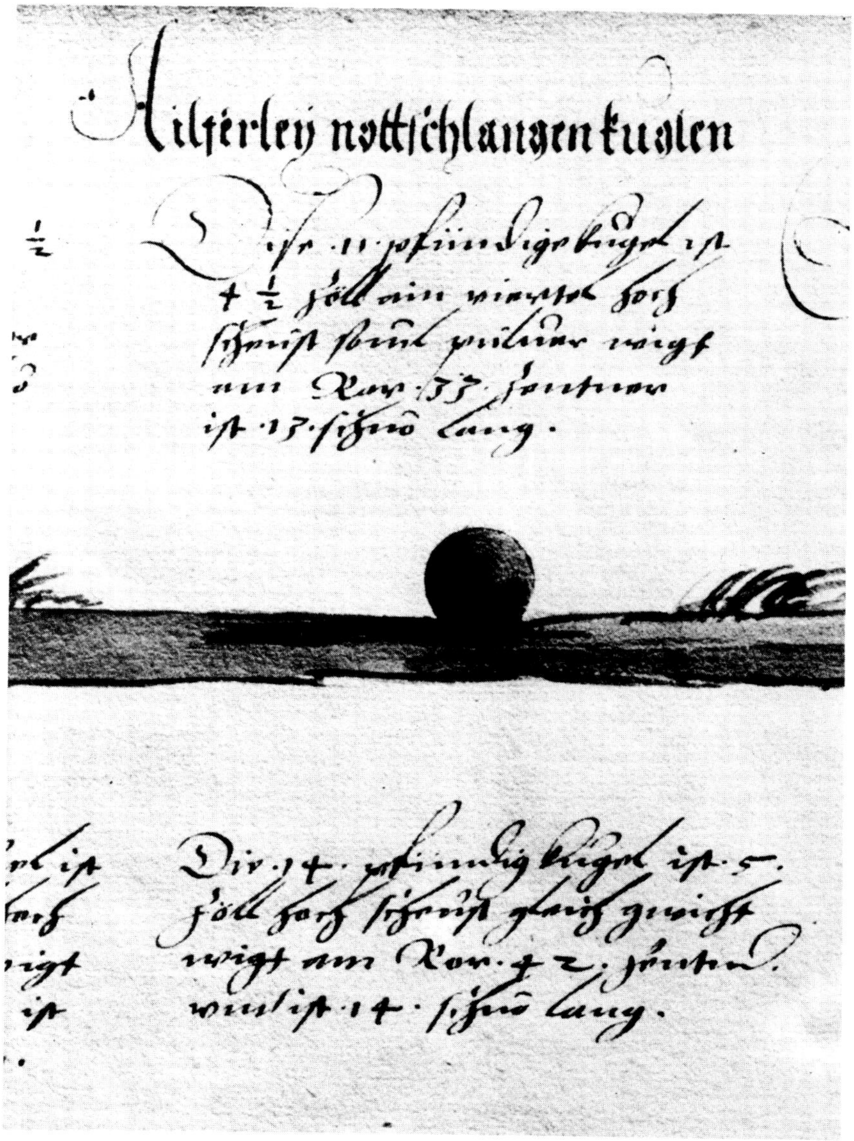

Allerley nottschlangen kuglen

Dise .11. pfündige kugl ist
4 ½ zöll ain viertel vorschrift schwer pulver wigt
ain Ror .35. zentner
ist .13. schuch lang.

Dir .14. pfündig kugl ist .5.
zöll vorschrift glaich gewicht
wigt ain Ror .42. zentner
und ist .14. schuch lang.

Abb. 174 Cod. 10732, fol. 9r 1551

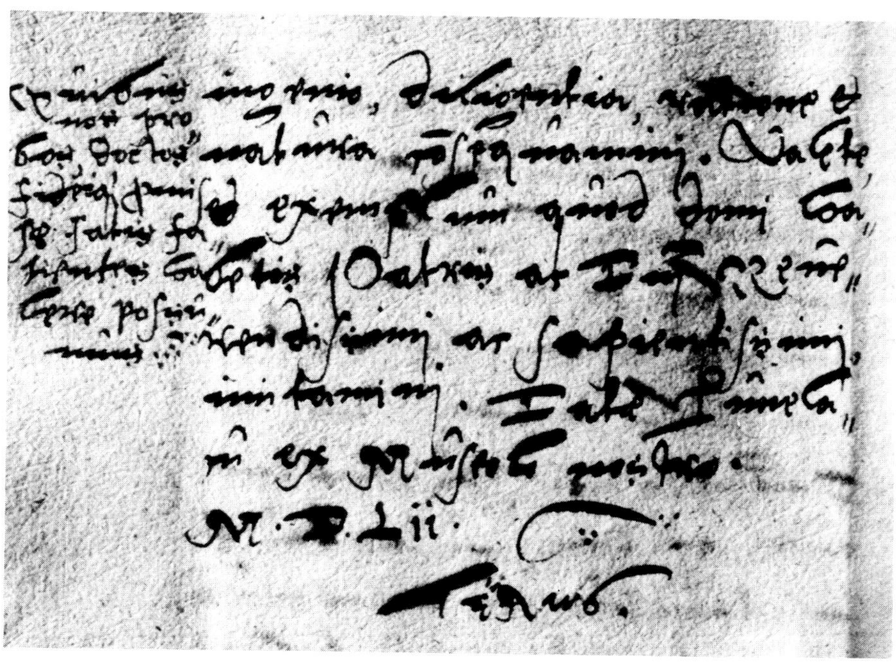

Abb. 175 Cod. 10474, fol. 63v Mondsee, 1552

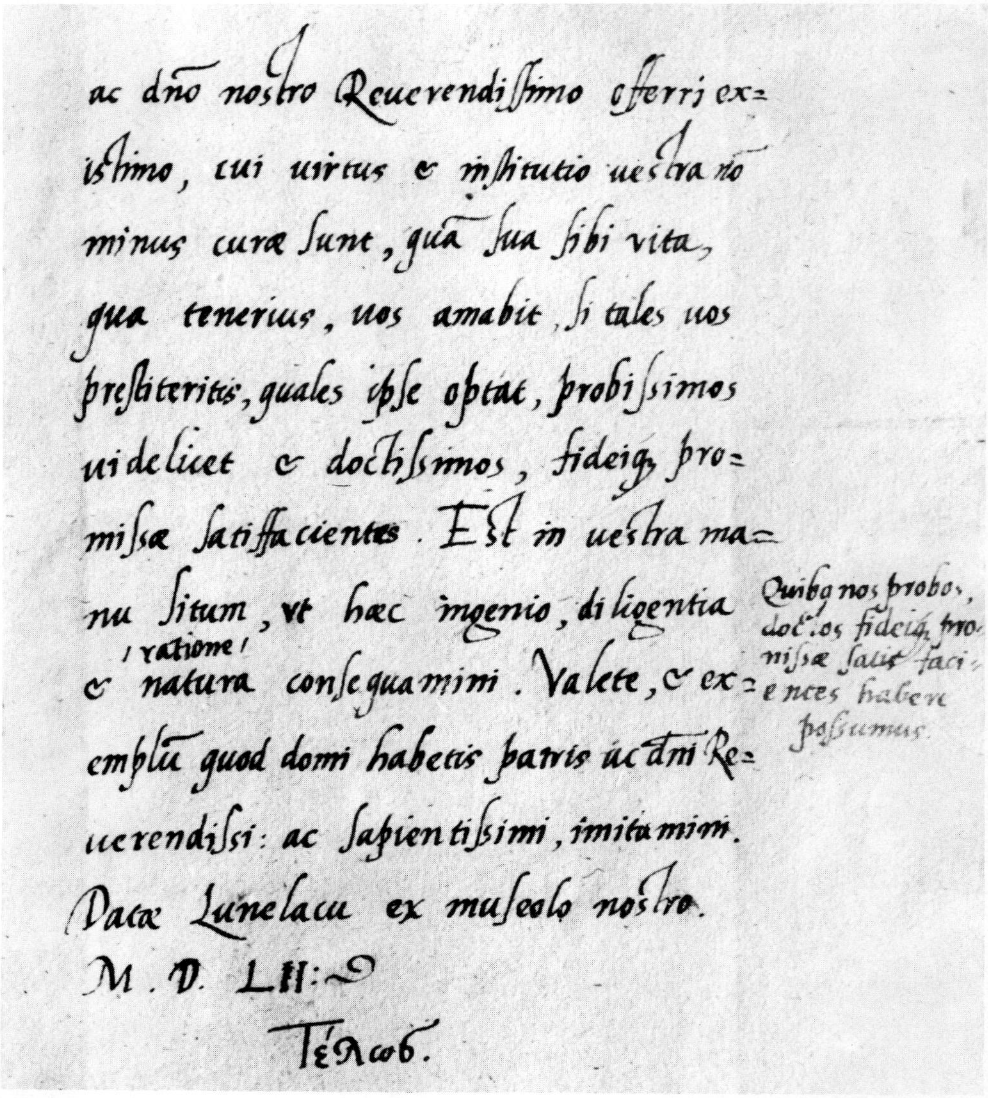
ac dño nostro Reuerendissimo offerri ex=
istimo, cui uirtus & institutio uestra nō
minus curæ sunt, quā sua sibi vita,
qua tenerius, uos amabit, si tales uos
prestiteritis, quales ipse optat, probissimos
uidelicet & doctissimos, fideiq; pro=
missæ satisfacientes. Est in uestra ma=
nu situm, vt hæc ingenio, diligentia
& /ratione/ natura consequamini. Valete, & ex=
emplū quod domi habetis patris ac dnī Re=
uerendissi: ac sapientissimi, imitamini.
Datæ Lunelacu ex museolo nostro.
M. D. LII.
Τέλος.

Quibus nos probos, doctos fideiq; pro=
missæ satis faci=
entes habere
possumus.

Abb. 176 Cod. 10472, fol. 60r Mondsee, 1552

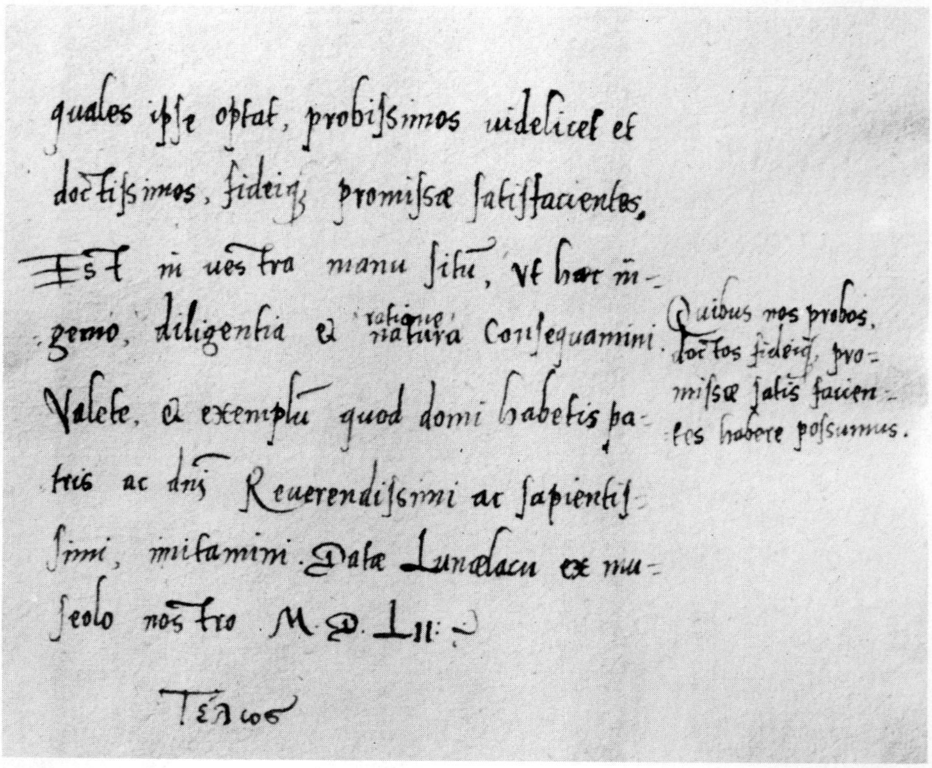
quales ipse optat, probissimos uidelicet et
doctissimos, fideiq; promissæ satisfacientes.
Est in uestra manu situ, vt hæc in=
genio, diligentia et ratione natura consequamini.
Valete, et exemplū quod domi habetis pa=
tris ac dnī Reuerendissimi ac sapientis=
simi, imitamini. Datæ Lunelacu ex mu=
seolo nostro M. D. LII.
Τέλος

Quibus nos probos,
doctos fideiq; pro=
missæ satis facien=
tes habere possumus.

Abb. 177 Cod. 10473, fol. 52r Mondsee, 1552

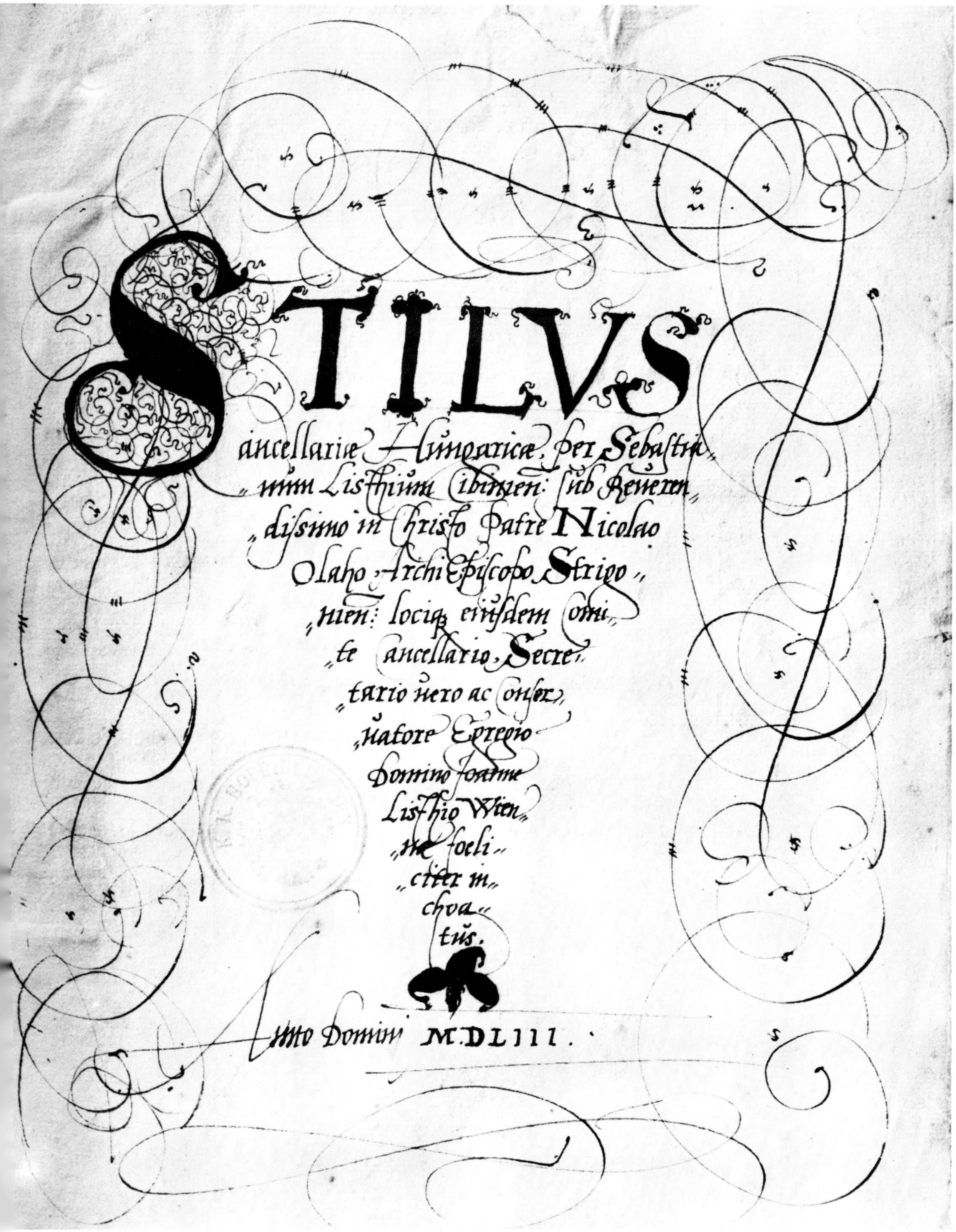
STILVS
Cancellariae Hungaricae per Sebastia-
num Listhium Cibinien: sub Reveren-
dissimo in Christo Patre Nicolao
Olaho Archiepiscopo Strigo-
nien: sociis eiusdem Comite Cancellario, Secre-
tario vero ac conser-
vatore Egregio
Domino Joanne
Listhio Wien-
ne foeli-
citer in-
choa-
tus.

Anno Domini M.DLIII.

Abb. 178 Cod. 8471, fol. 1ʳ Wien, 1553

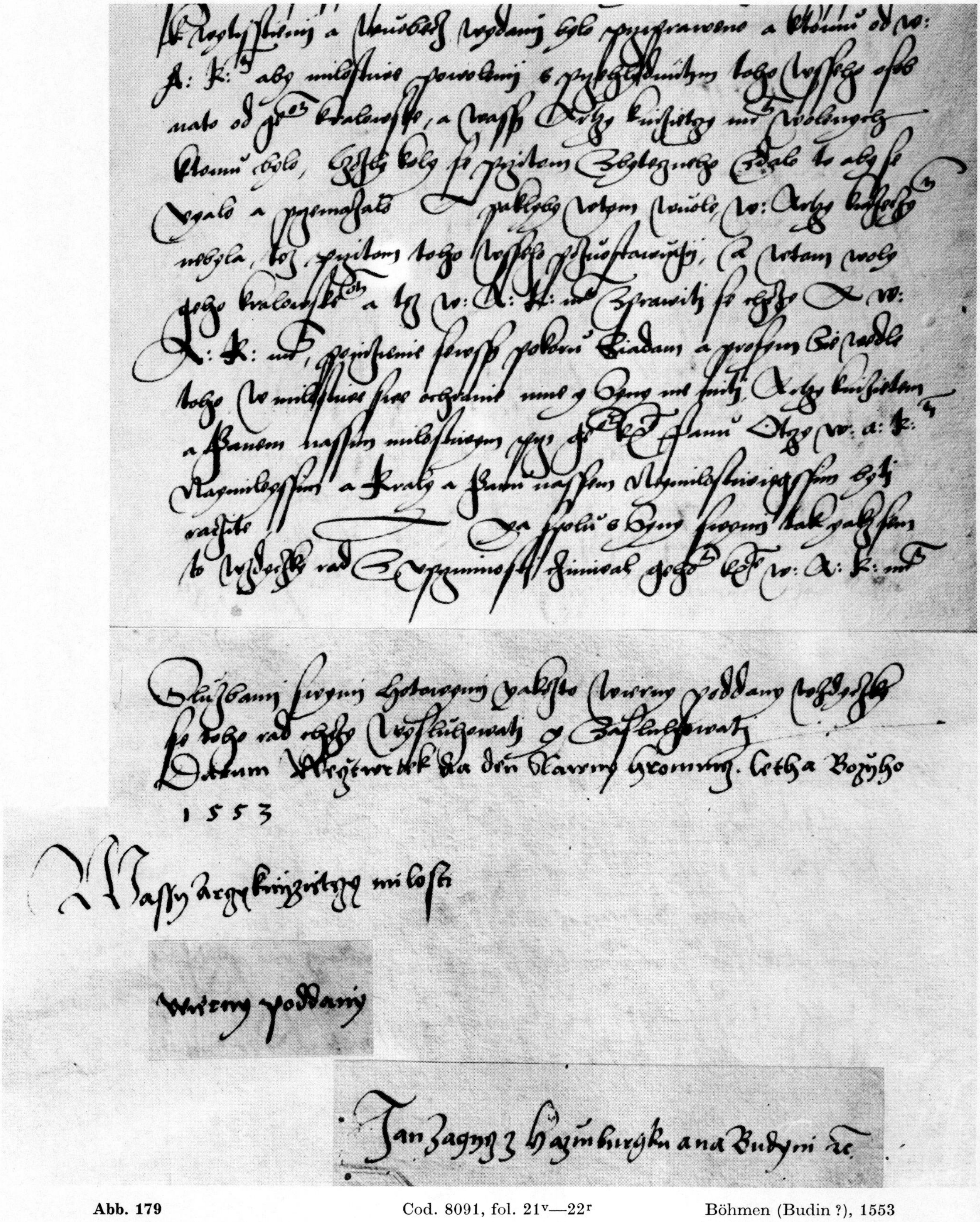

Abb. 179 Cod. 8091, fol. 21ᵛ—22ʳ Böhmen (Budin ?), 1553

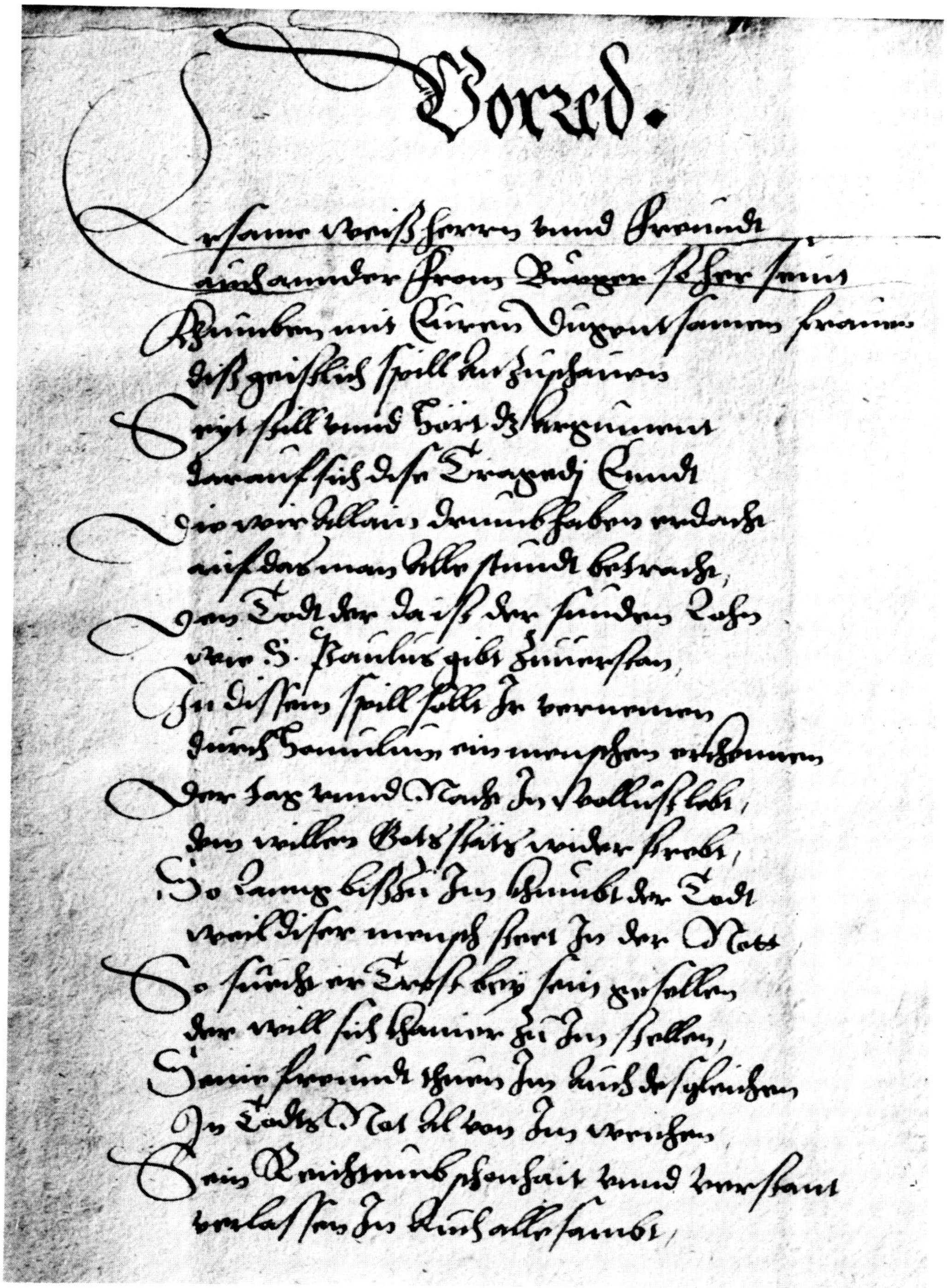

Abb. 180 Cod. 9935, fol. 2r 1553

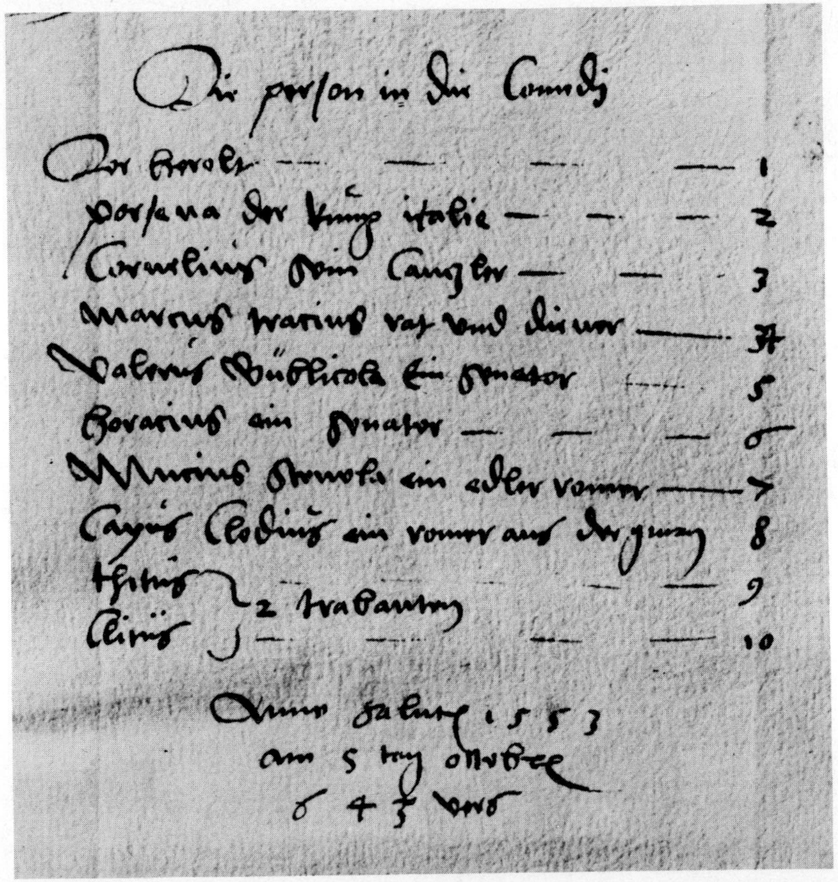

Die person in die Comedi

Der herolt — — — — 1
Persona der kunig italie — — — 2
Cornelius sein Cantzler — — 3
Marcus varius rat und diener — 4
Valerius Publicola ein senator — 5
Horatius ein senator — — — 6
Mucius Scevola ein adler romer — 7

Abb. 181 Cod. Ser. n. 14366, fol. 8r (Nürnberg), 1553

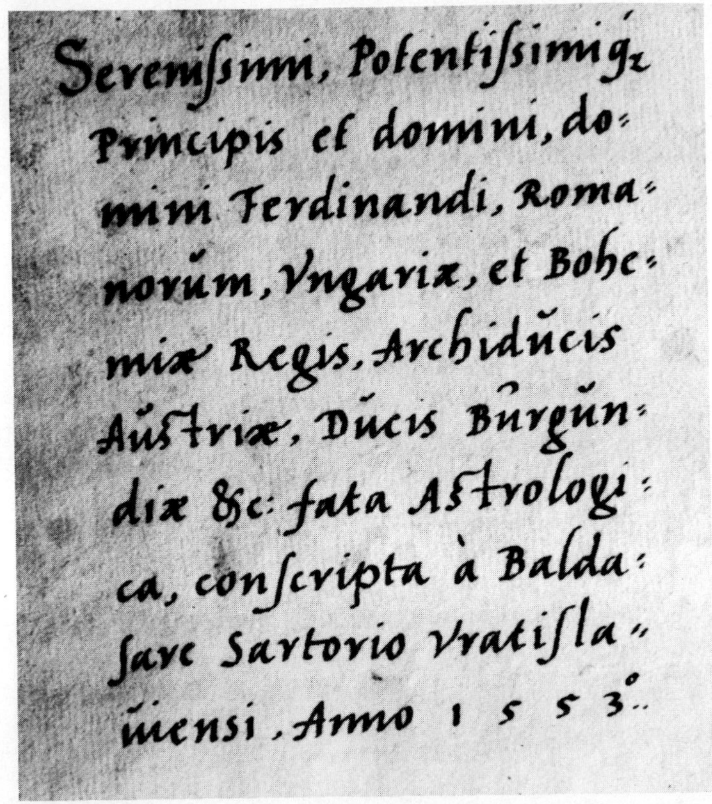

Serenissimi, Potentissimiqz
Principis et domini, do:
mini Ferdinandi, Roma:
norum, Vngariæ, et Bohe:
miæ Regis, Archiducis
Austriæ, Ducis Burgun:
diæ &c: fata Astrologi:
ca, conscripta à Balda:
sare Sartorio Vratisla:
uiensi. Anno 1553.

Abb. 182 Cod. 10678, fol. VIIr 1553

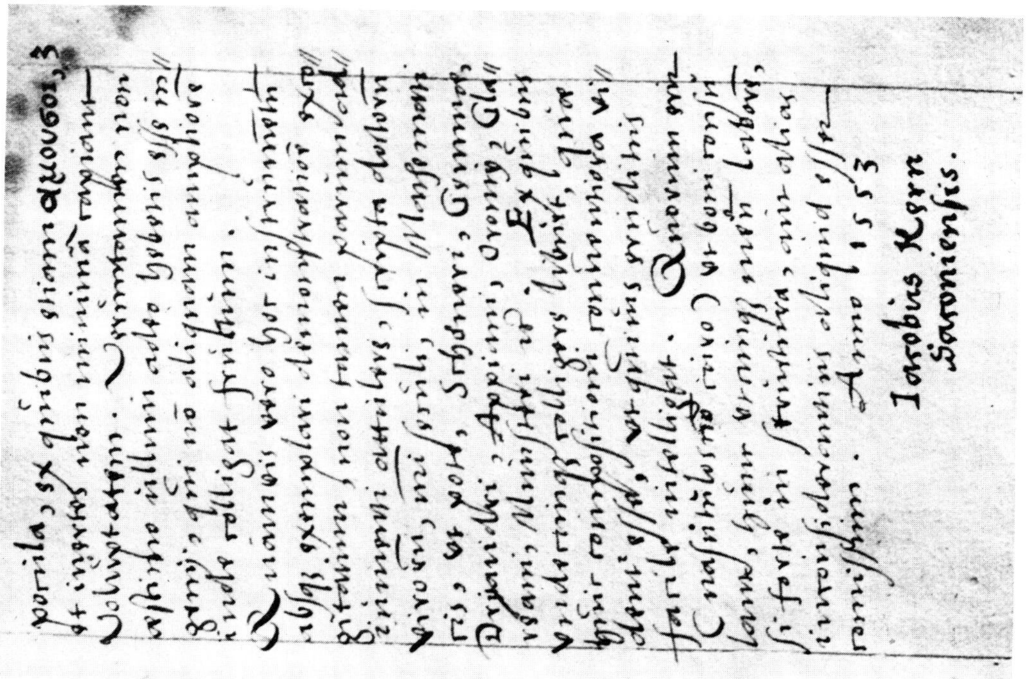
Anno 1553

Iacobus Korn

Saxoniensis.

Abb. 184 Cod. 10613, fol. 3r 1553

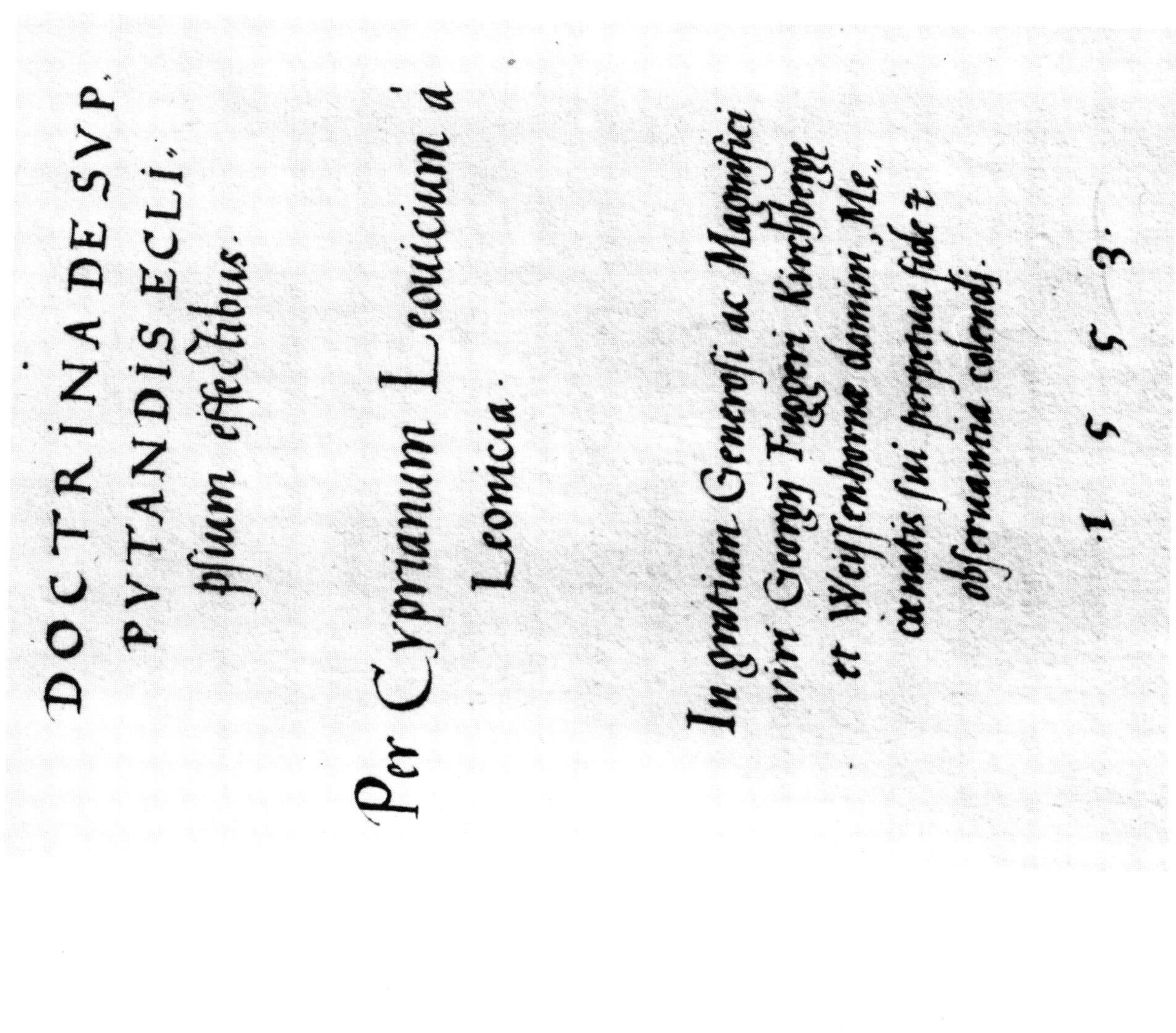
DOCTRINA DE SVP
PVTANDIS ECLI.
psium effectibus.

Per Cyprianum Leouicium a
Leonicia.

In gratiam Generosi ac Magnifici
viri Georgij Fuggeri, Kirchberge
et Weissenhorne domini, Me
cænatis sui perpetua fide &
obseruantia colendi.

1 5 5 3.

Abb. 183 Cod. 10933, fol. 1r 1553

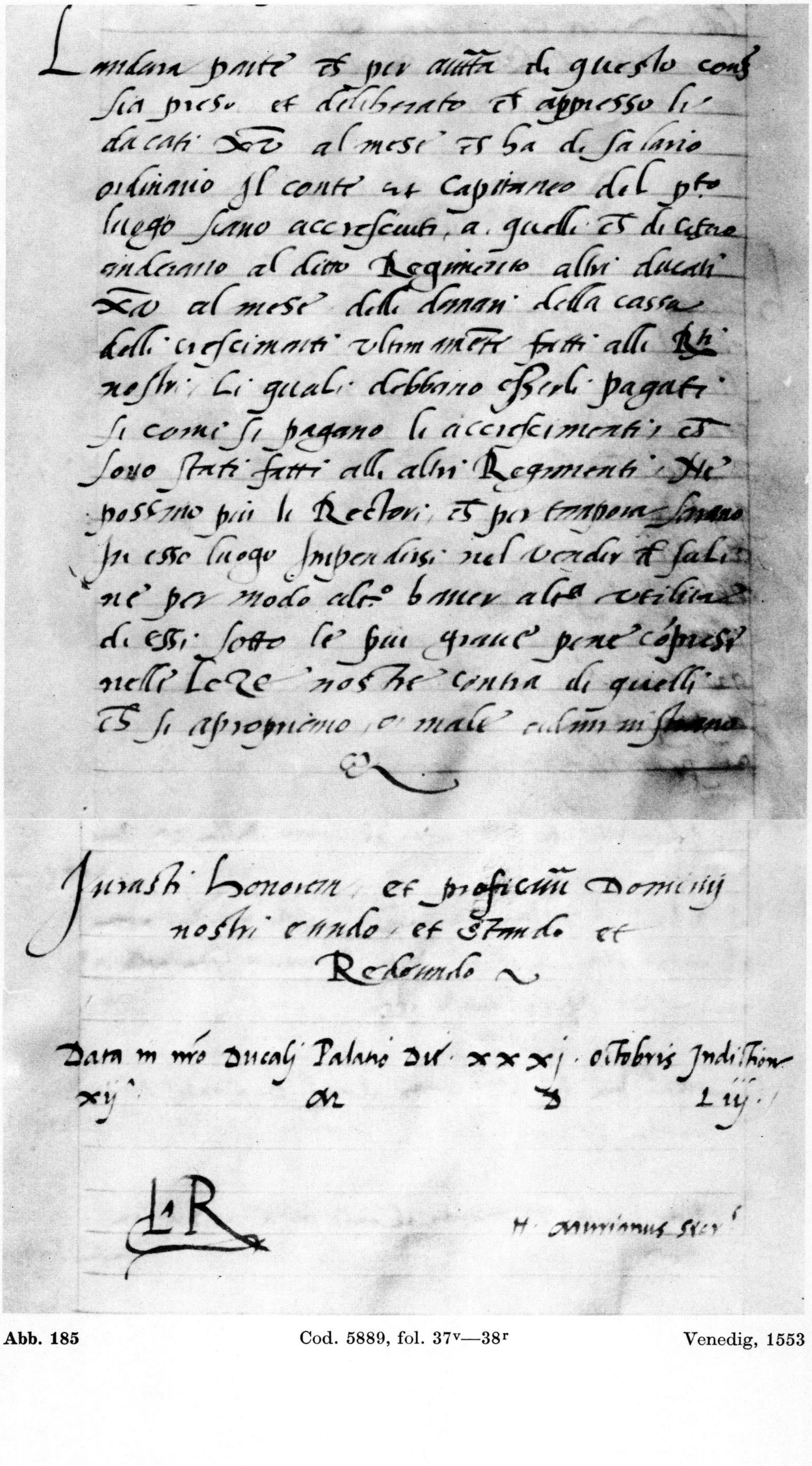
Landara parte et per auttorità di questo cons[iglio]
sia presa et deliberato et appresso li
ducati XXV al mese et ha di salario
ordinario il conte et capitaneo del p[redet]to
luogo siano accresciuti a quelli et di cetero
sindicatto al detto Regimento altri ducati
XXV al mese delli denari della cassa
delli crescimenti ultimamente fatti alli R[egimen]ti
nostri. Li quali debbano esserli pagati
si come si pagano li accrescimenti che
sono stati fatti alli altri Regimenti. Ne
possino piu li Rectori et per tempora siano
in esso luogo impendersi nel vender di sali
ne per modo alcuno haver alcuna utilità
di essi, sotto le piu grave pene compresi
nelle leze nostre contra di quelli
che si appropriano o male administrano

Jurasti honorem et proficuum Dominij
nostri eundo et stando et
Redeundo

Data in n[ost]ro Ducali Palatio die xxxj octobris Inditione
xij MDLIII

H. Marrianus secr[etarius]

Abb. 185 Cod. 5889, fol. 37v—38r Venedig, 1553

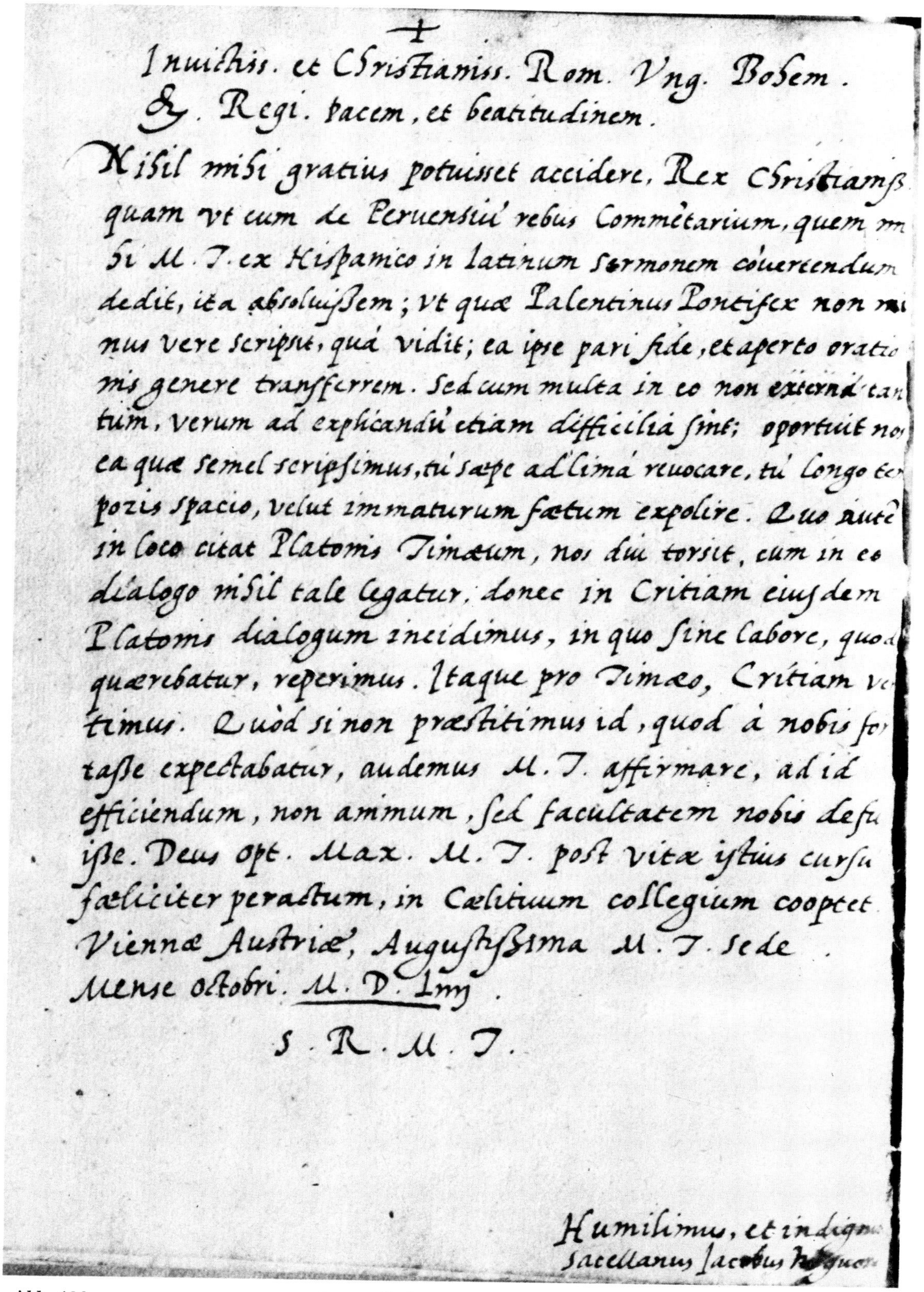

+

Inuictiss. et Christianiss. Rom. Vng. Bohem. &c. Regi. pacem, et beatitudinem.

Nihil mihi gratius potuisset accidere, Rex Christianiss. quam vt cum de Peruensiu rebus Commẽtarium, quem mihi M. T. ex Hispanico in latinum sermonem cõuertendum dedit, ita absoluissem; vt quae Palentinus Pontifex non minus vere scripsit, quã vidit; ea ipse pari fide, et aperto orationis genere transferrem. Sed cum multa in eo non externa tantum, verum ad explicandũ etiam difficilia sint; oportuit nos ea quae semel scripsimus, tũ saepe ad limã reuocare, tũ longo temporis spacio, velut immaturum faetum expolire. Quo autẽ in loco citat Platonis Timaeum, nos diu torsit, cum in eo dialogo nihil tale legatur, donec in Critiam eiusdem Platonis dialogum incidimus, in quo sine labore, quod quaerebatur, reperimus. Itaque pro Timaeo, Critiam vertimus. Quòd si non praestitimus id, quod à nobis fortasse expectabatur, audemus M. T. affirmare, ad id efficiendum, non animum, sed facultatem nobis defuisse. Deus opt. Max. M. T. post vitae istius cursu faeliciter peractum, in Caelitium collegium cooptet. Viennae Austriae, Augustissima M. T. sede. Mense octobri. M. D. Liiij.

S. R. M. T.

Humilimus, et indign...
Sacellanus Jacobus ...

Abb. 186 Cod. 6009, fol. 1v Wien, 1554

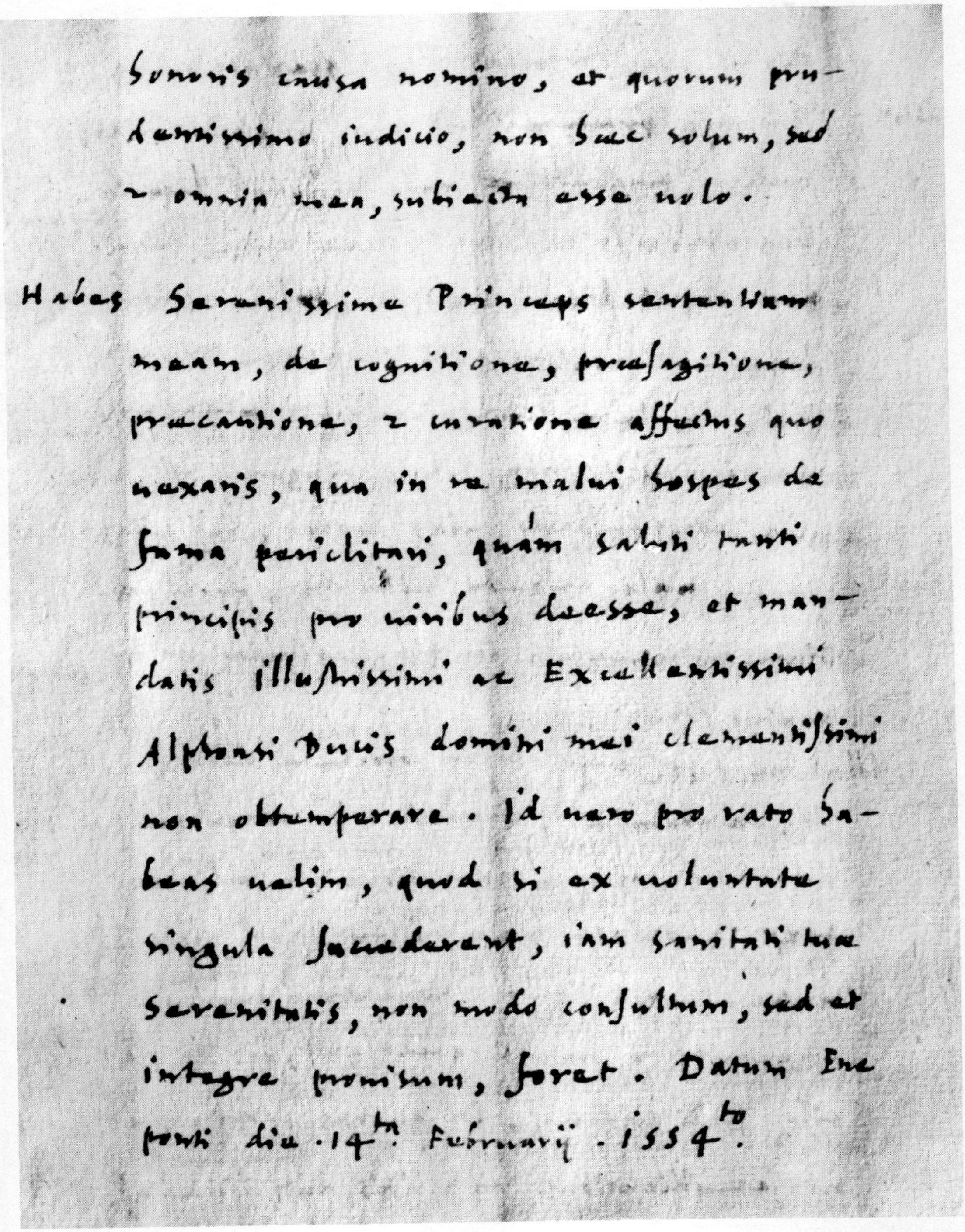
honoris causa nomino, et quorum pru-
dentissimo iudicio, non haec solum, sed
et omnia mea, subiecta esse volo.

Habes Serenissime Princeps sententiam
meam, de cognitione, praesagitione,
praecautione, et curatione affectus quo
vexaris, qua in re malui hospes de
fama periclitari, quam saluti tanti
principis pro viribus deesse, et man-
datis illustrissimi ac Excellentissimi
Alphonsi Ducis domini mei clementissimi
non obtemperare. Id vero pro rato ha-
beas velim, quod si ex voluntate
singula successerant, iam sanitati tuae
Serenitatis, non modo consultum, sed et
integre provisum, foret. Datum Oeni
ponti die ·14ta· Februarij ·1554to·

Abb. 187 Cod. 11155, fol. 24^{v} Innsbruck, 1554

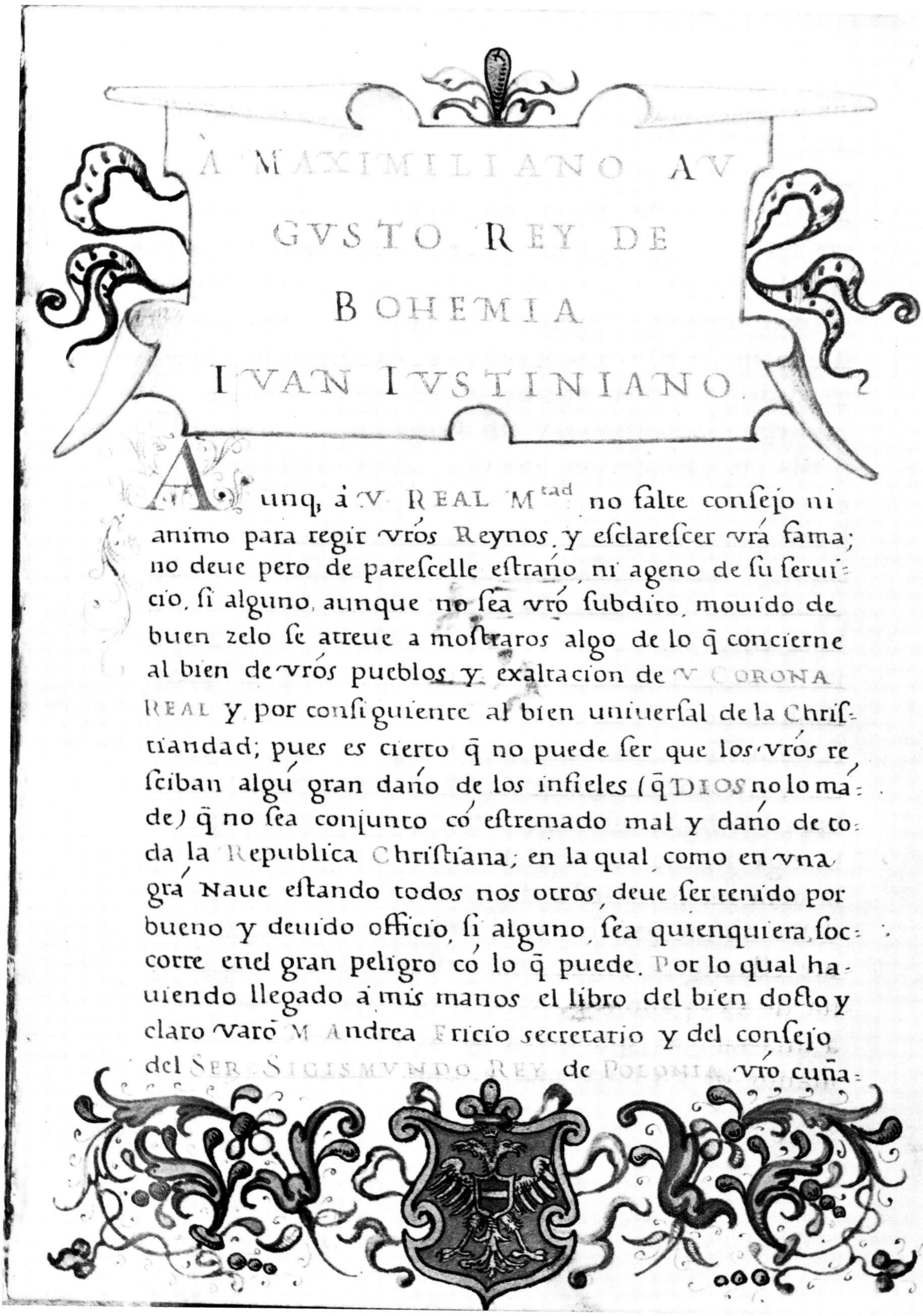
A MAXIMILIANO AV
GVSTO REY DE
BOHEMIA
IVAN IVSTINIANO.

Aunq, à V. REAL M^{tad} no falte conſejo ni animo para regir vrós Reynos, y eſclareſcer vrá fama; no deue pero de pareſcelle eſtraño, ni ageno de ſu ſeruicio, ſi alguno, aunque no ſea vró ſubdito, mouido de buen zelo ſe atreue a moſtraros algo de lo q̃ concierne al bien de vrós pueblos y exaltacion de V. CORONA REAL y por conſiguiente al bien uniuerſal de la Chriſtiandad; pues es cierto q̃ no puede ſer que los vrós reſciban algú gran daño de los infieles (q̃ DIOS no lo mãde) q̃ no ſea conjunto có eſtremado mal y daño de toda la Republica Chriſtiana; en la qual, como en vna grã Naue eſtando todos nos otros, deue ſer tenido por bueno y deuido officio, ſi alguno, ſea quienquiera, ſoccorre enel gran peligro có lo q̃ puede. Por lo qual hauiendo llegado à mis manos el libro del bien docto y claro varó M. Andrea Fricio ſecretario y del conſejo del SER. SIGISMVNDO REY de POLONIA, vró cuña-

Abb. 138 Cod. 2641, fol. 1^r Padua, 1555

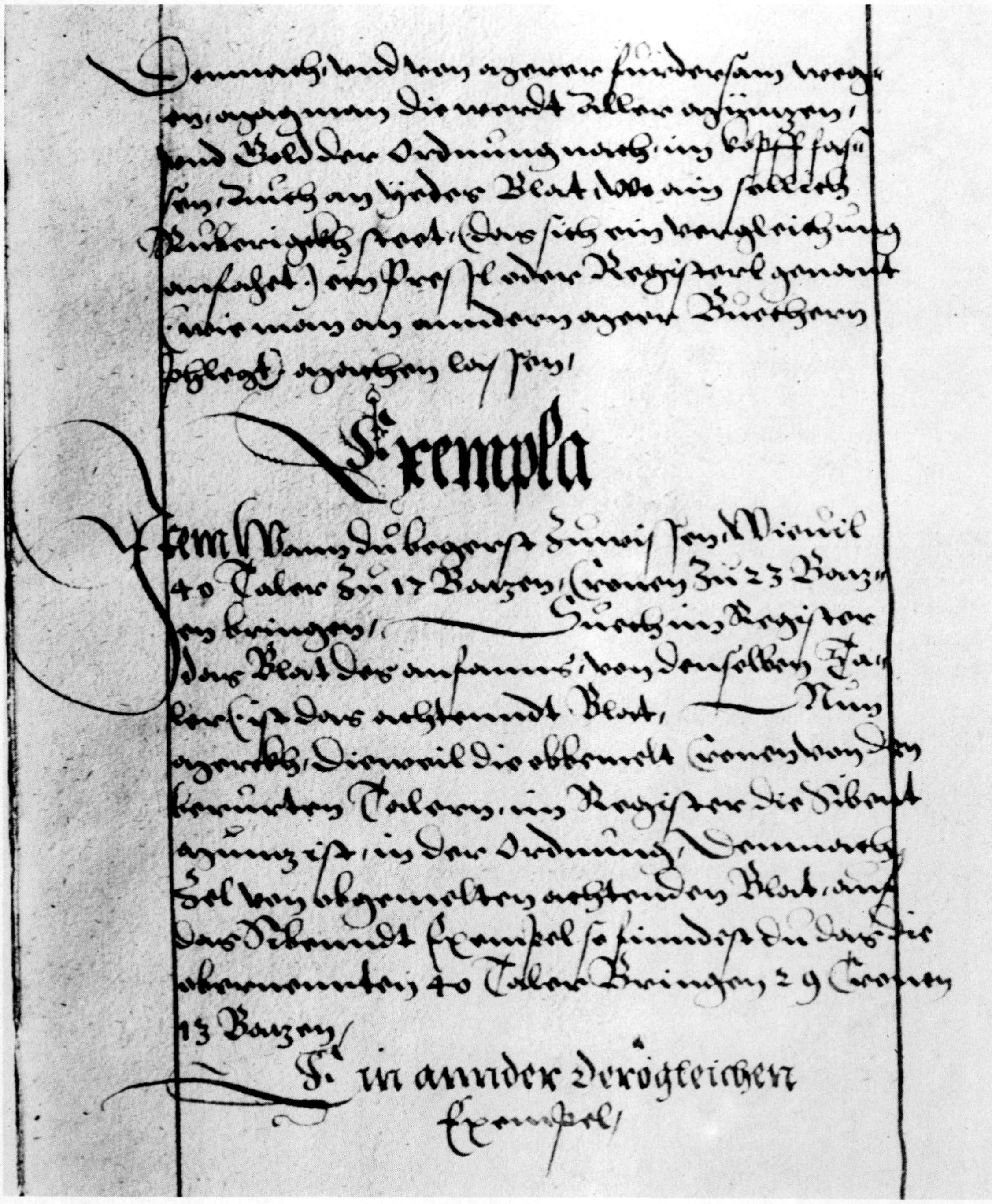
Demnach vnnd dem ganntzen sunndersam vorge-
en, genomen die werdt aller Münzen,
vnnd Gold der Ordnung nach, in Kopff gesetzt, durch an yeder Blat, also ain sollich
Rubricken steet. (das sich ain vergleichung
anfahet.) ain Tessel oder Registerl genannt
(wie man an anndern gmain Büchern
pflegt) gemacht hab sey,

Exempla

Item Wann du begerst zuwissen, Wieuil
40 Taler zu 17 Batzen, Cronen zu 23 Batz-
en bringen, Such im Register
den Blat des anfanngs, von denselben Talern, ist das achtzehendt Blat, Nun
gemerckt, dieweil die obbemelt Cronen von den
benannten Talern, im Register die sibendt
Münz ist, in der Ordnung, Demnach
sol man obgemelten achtzehenden Blat, auf
das sibendt Exempel, so findest du das die
obbemelten 40 Taler bringen 29 Cronen
13 Batzen,

Ein annder dergleichen
Exempel,

Abb. 189 Cod. 10753, fol. 5r (Innsbruck), 1555

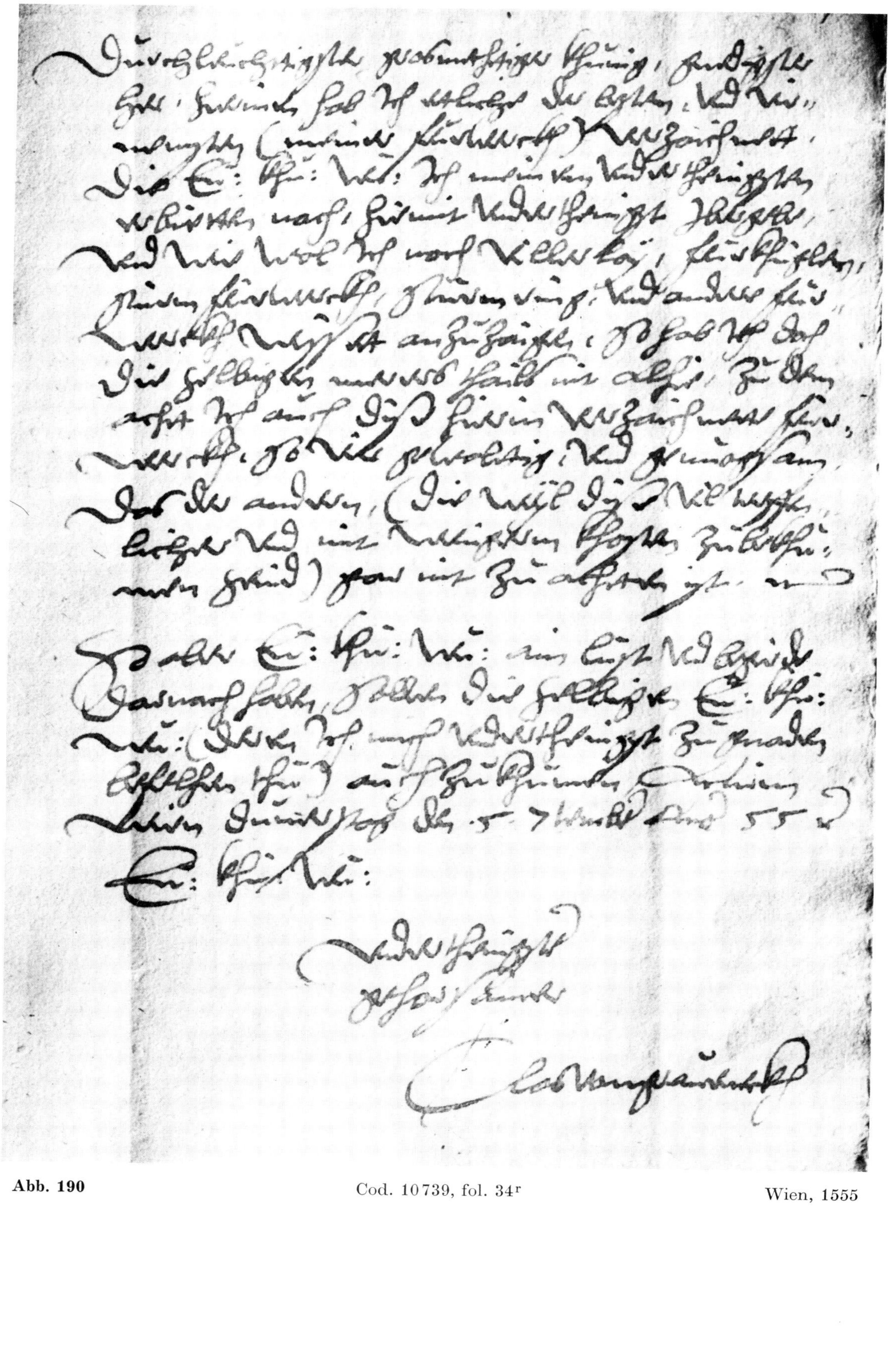

Abb. 190 Cod. 10739, fol. 34r Wien, 1555

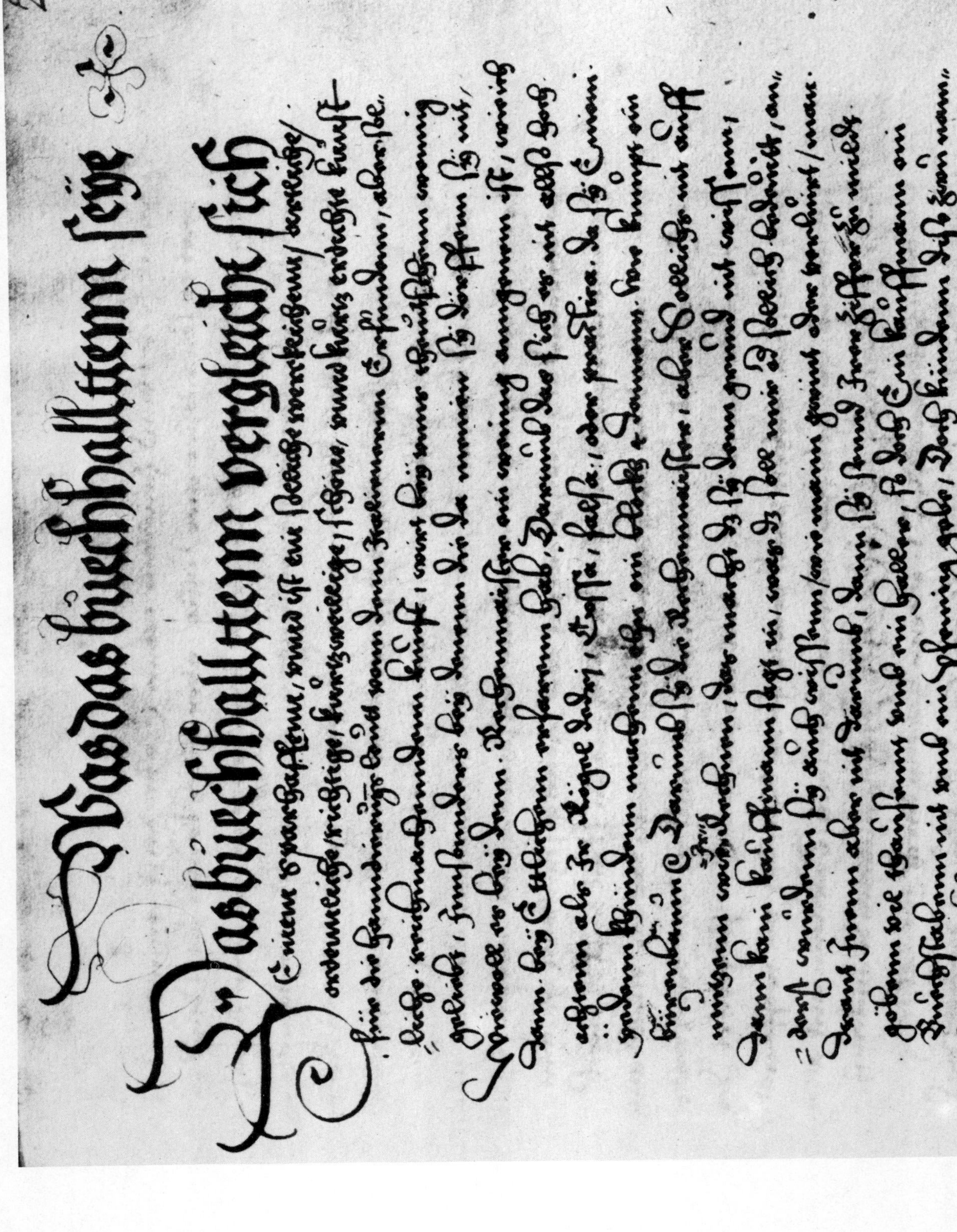

Abb. 191 Cod. 10906, fol. 2r 1555

Stat Onolzbach.

Anno Tausent, vier Hundert, Fünf vnnd Achtzig hat Marchgraf Albrecht von Brandenburg Churfürst, ainen Thurnier zu Onolzbach gehalten, alda vast ehrlich gethurniert worden, vnnd ward die Thurniers Ordnung abermaales gebessert, Es ist auch im negsten Jahr hernach Maximilianus zu ainem Römischen König erwählet worden.

Beschluß des Lebens vnsers Römischen Kaiser Friderichs.

Abb. 192 Cod. 8614*, fol. 449r (Augsburg), 1555

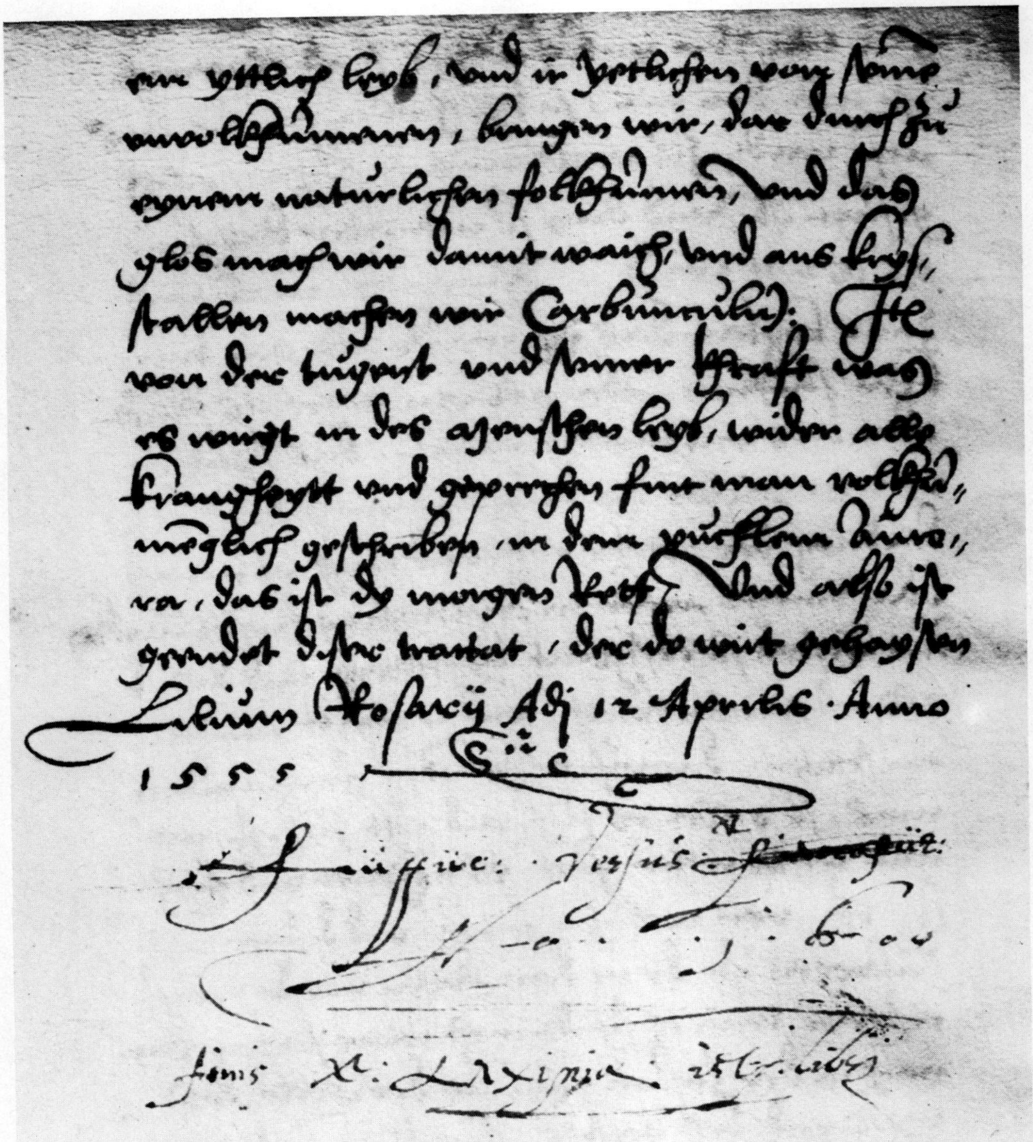

ein ytlichs leyb, und ir yetlichen ungesunde
unvolkhumenes, bringen wir, dar durch zu
einem naturlichen folkhumenes, und dasz
glas machen wir damit waich, und aus kry-
stallen machen wir Carbunkel. Item
von der tugent und seiner krafft was
es wirkt in des menschen leyb, wider alle
kranckheytt und gepresten hat man volkhe
unglich geschriben, in dem buchlein aure-
ra, das ist die morgen rott. Und also ist
gendet diser tractat, der do wirt gehaissen
Lilium Rosarii Adi 12 Aprilis Anno
1555

Abb. 193 Cod. 11338, fol. 77v 1555

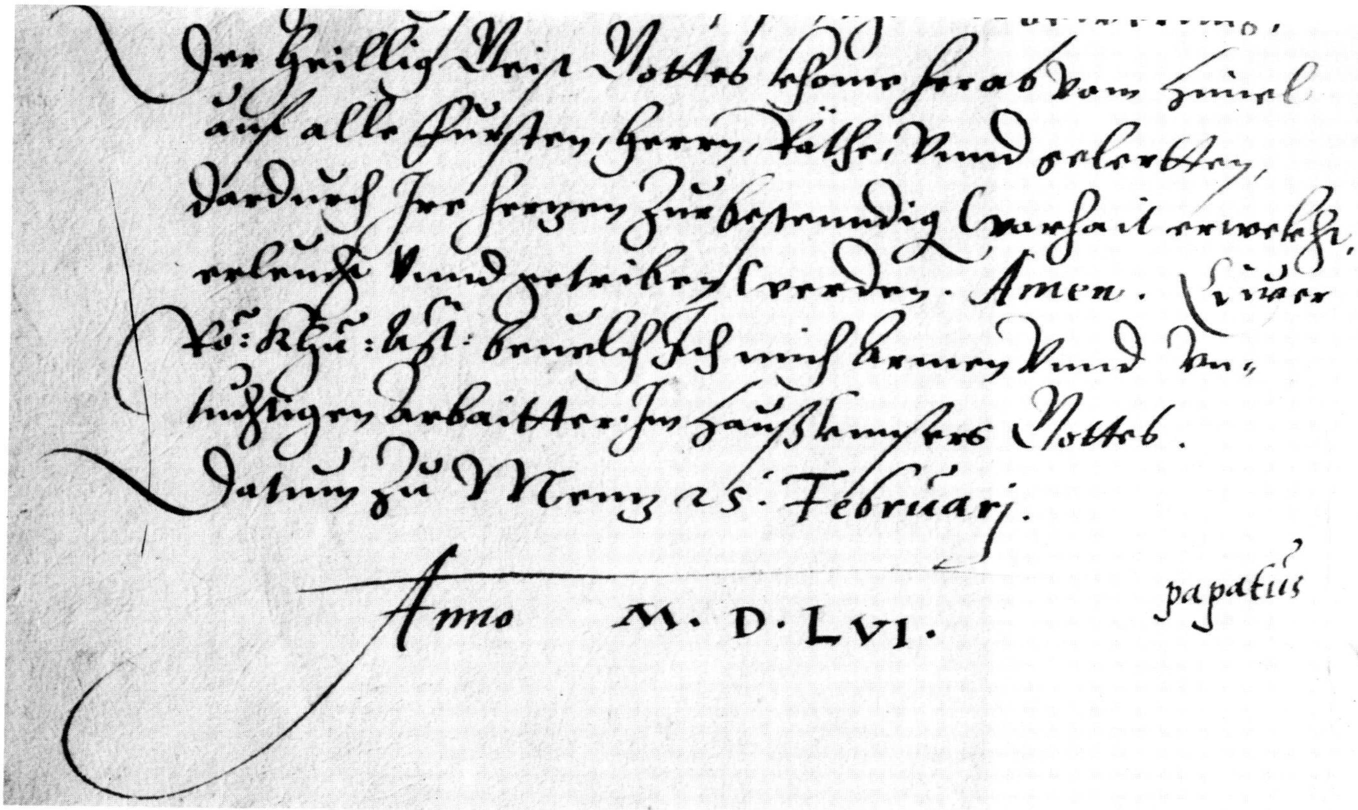
der heillig Geist Gotteß khomme herab vom himel
auf alle Fürsten, herren, Völker, vnnd gelertten,
dardurch Jre hertzen zu bestenndig warhait erwekht,
erleucht vnnd getriben werden. Amen. Euer
Kö: Khü: [illegible]: beuelh Jch mich armen vnnd [illegible]
[illegible] arbaitter [illegible] Gotteß.
Datum zu Mentz 25. Februarij.
Anno M. D. LVI.
papatius

Abb. 194 Cod. 11818, fol. 4v Mainz, 1556

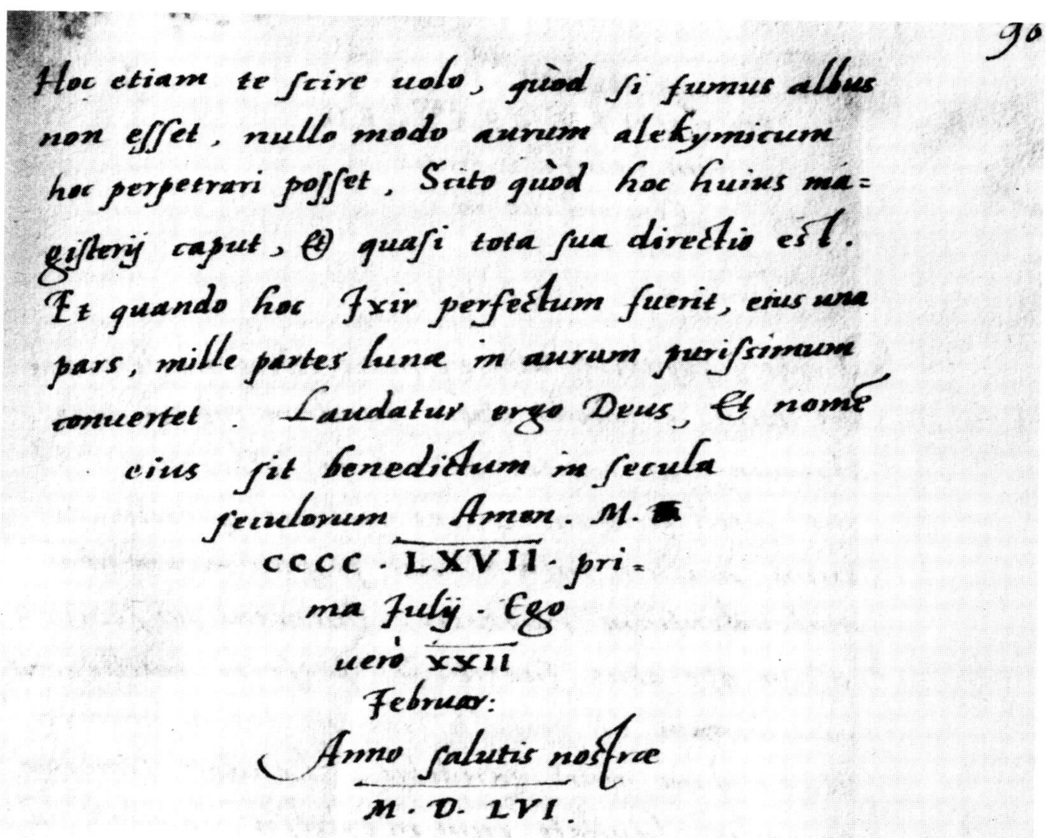
90
Hoc etiam te scire uolo, quod si fumus albus
non esset, nullo modo aurum alekymicum
hoc perpetrari posset. Scito quod hoc huius ma=
gisterij caput, et quasi tota sua directio est.
Et quando hoc Ixir perfectum fuerit, eius una
pars, mille partes lunae in aurum purissimum
conuertet. Laudatur ergo Deus, et nomē
eius sit benedictum in secula
seculorum Amen. M. [redacted]
CCCC. LXVII. pri=
ma Julij. Ego
uero XXII
Februar:
Anno salutis nostrae
M. D. LVI.

Abb. 195 Cod. 11336, fol. 96r 1556

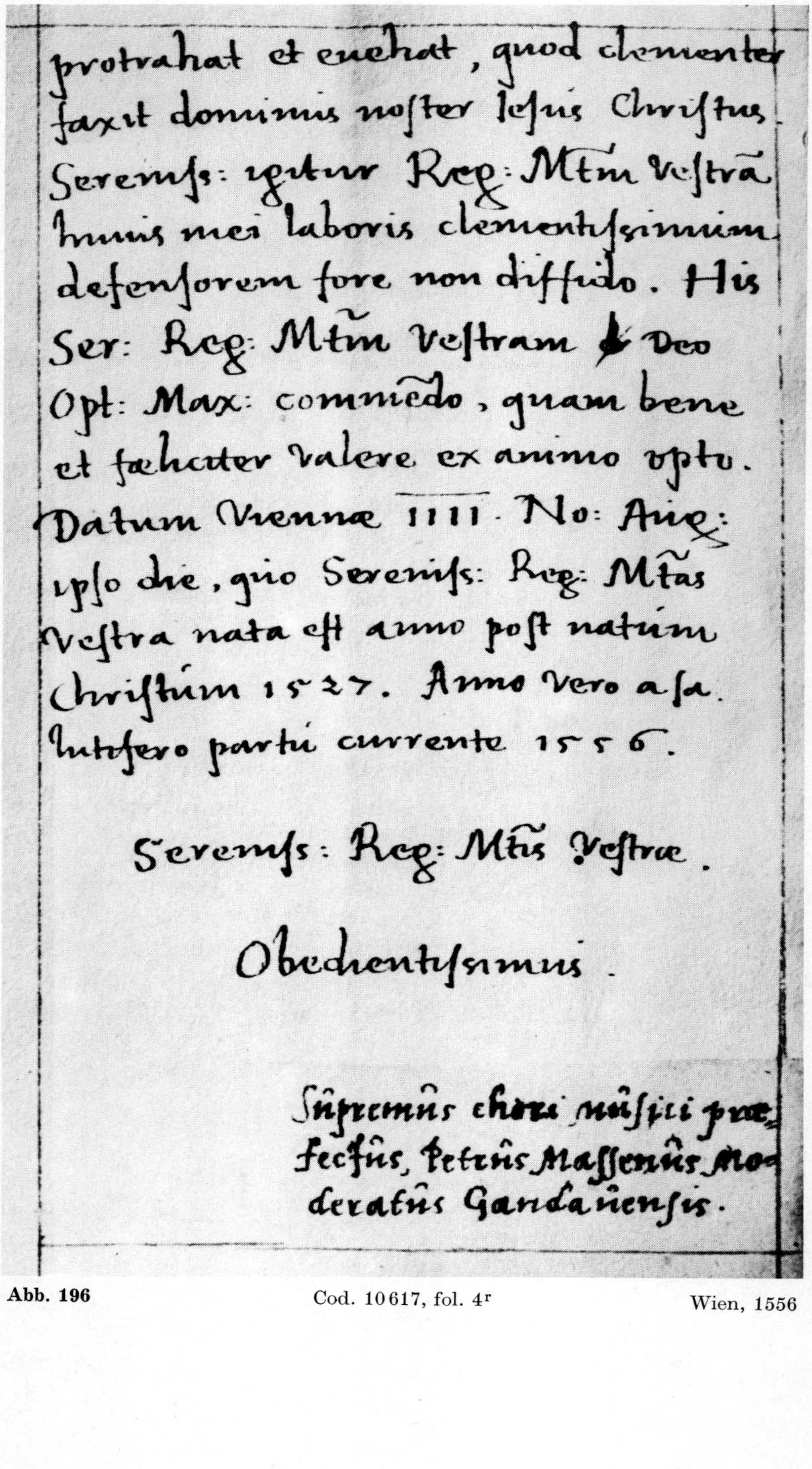

protrahat et euehat, quod clementer
faxit dominus noster Iesus Christus.
Sereniss: igitur Reg: Mtem Vestram
huius mei laboris clementissimum
defensorem fore non diffido. His
Ser: Reg: Mtem Vestram & Deo
Opt: Max: commendo, quam bene
et foeliciter valere ex animo opto.
Datum Viennae IIII No: Aug:
ipso die, quo Sereniss: Reg: Mtas
Vestra nata est anno post natum
Christum 1527. Anno vero a sa-
lutifero partu currente 1556.

Sereniss: Reg: Mtis Vestrae.

Obedientissimus.

Supremus chori musici prae-
fectus, Petrus Massenus Mo-
deratus Gandauensis.

Abb. 196 Cod. 10617, fol. 4r Wien, 1556

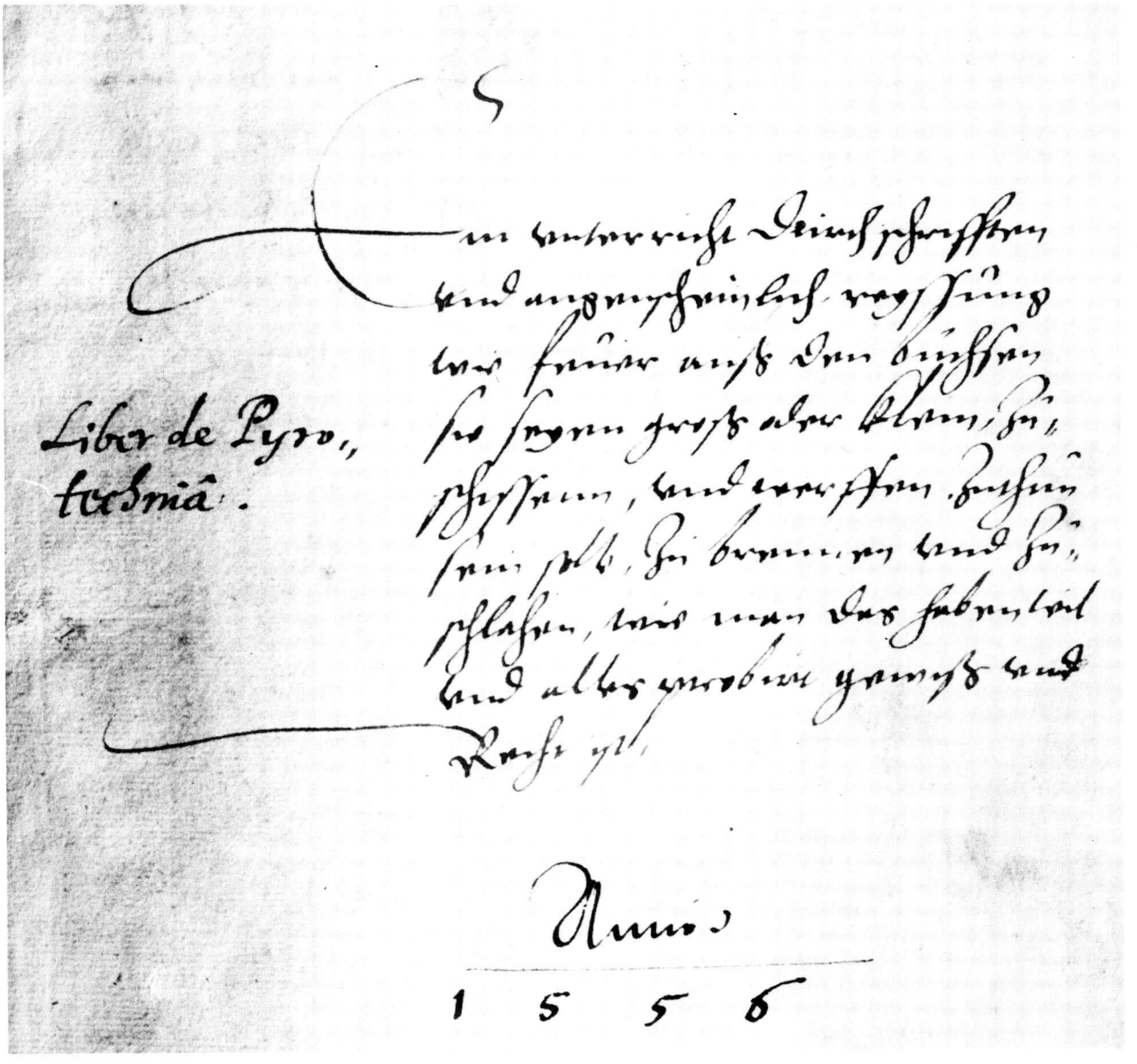

Abb. 197 Cod. 10945, fol. 1r 1556

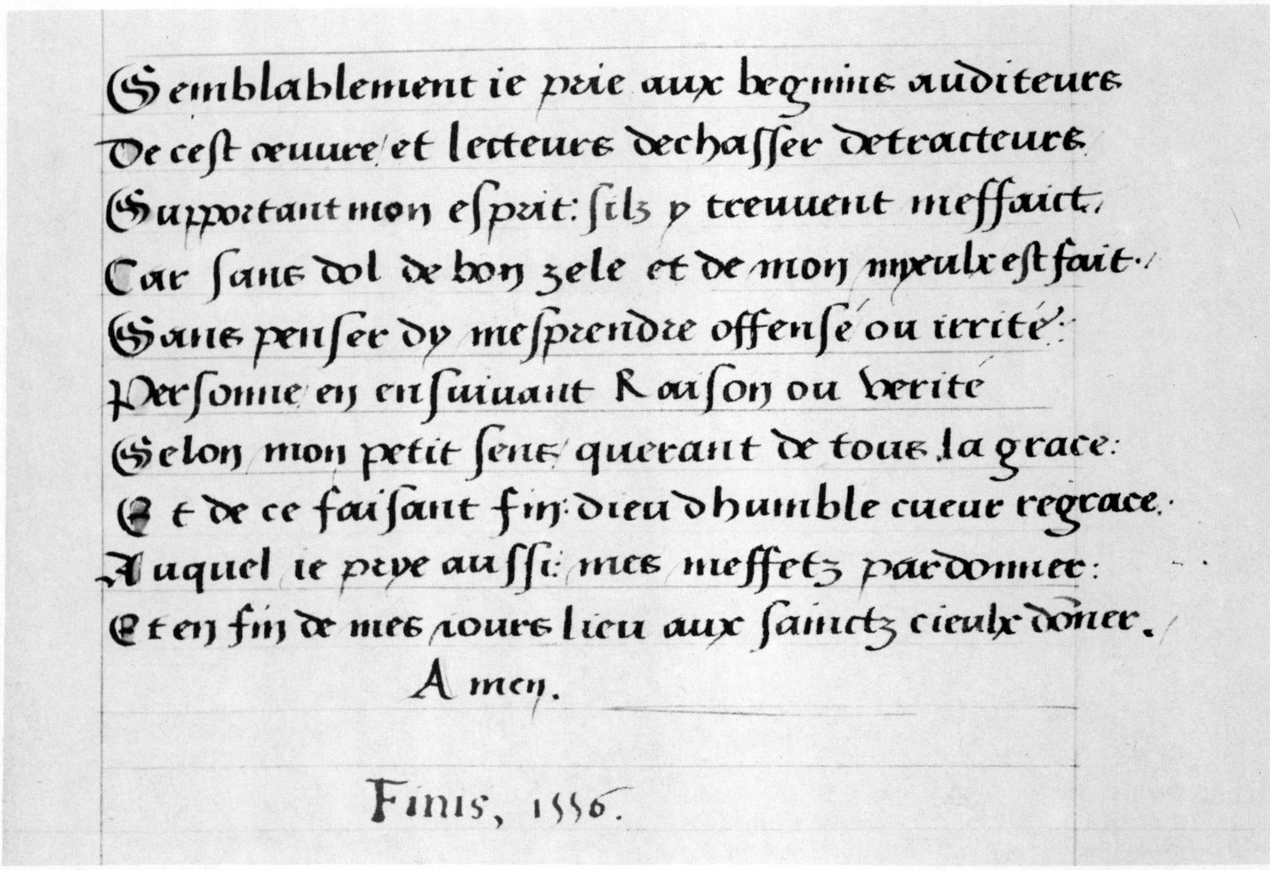
Semblablement ie prie aux beguins auditeurs
De cest oeuure et lecteurs dechasser detracteurs
Supportant mon esprit: silz y treuuent meffaict,
Car sans dol de bon zele et de mon myeulx est fait.
Sans penser dy mesprendre offensé ou irrité:
Personne en ensuiuant Raison ou verite
Selon mon petit sens querant de tous la grace:
Et de ce faisant fin: dieu dhumble cueur regrace.
Auquel ie prye aussi: mes meffetz pardonner:
Et en fin de mes iours lieu aux sainctz cieulx doner.
Amen.

Finis, 1556.

Abb. 198 Cod. 2638, fol. 81r (Flandern), 1556

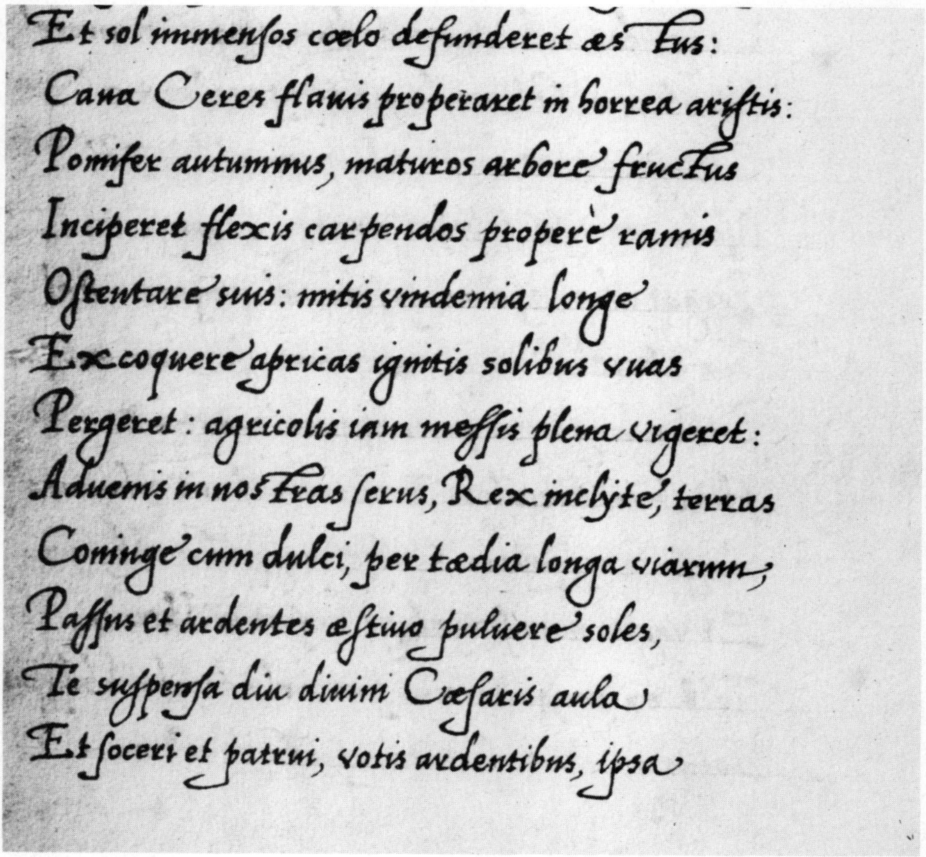
Et sol immensos coelo defunderet aestus:
Cana Ceres flauis properaret in horrea aristis:
Pomifer autumnus, maturos arbore fructus
Inciperet flexis carpendos propere ramis
Ostentare suis: mitis vindemia longe
Excoquere apricas ignitis solibus vuas
Pergeret: agricolis iam messis plena vigeret:
Aduenis in nostras serus, Rex inclyte, terras
Coniuge cum dulci, per taedia longa viarum,
Passus et ardentes aestiuo puluere soles,
Te suspensa diu diuini Caesaris aula
Et soceri et patrui, votis ardentibus, ipsa

Abb. 199 Cod. 9872, fol. 2r (Brabant ?), 1556

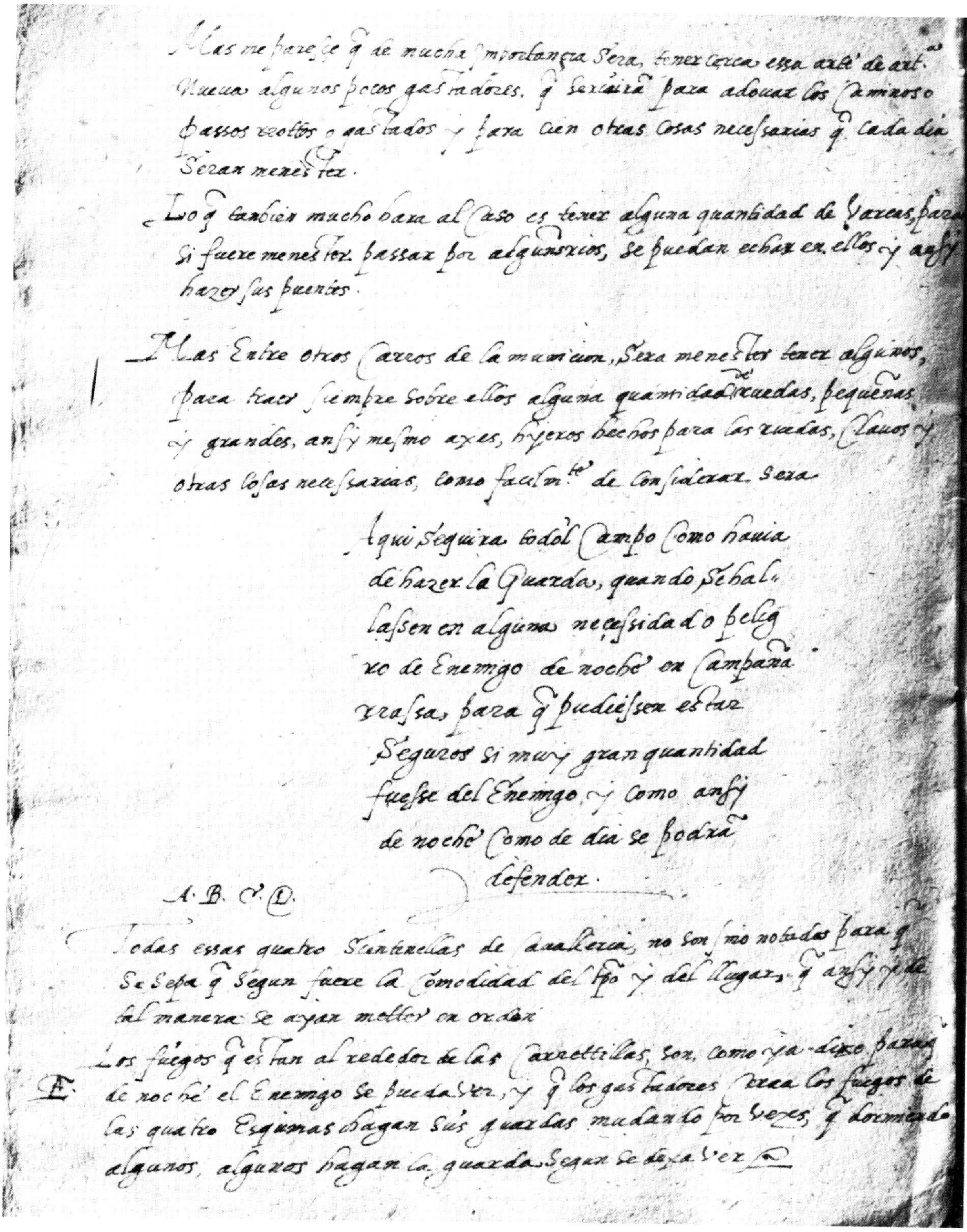

Mas me pareçe q̃ de mucha importançia sera, tener cerca essa arte de art.ª
Nueua algunos pocos gastadores, q̃ seruirã para adouar los caminos o
passos rrottos o gastados y para cien otras cosas necessarias q̃ cada dia
seran menester.

Lo q̃ tanbien mucho vaza al caso es tener alguna quantidad de vareas, para
si fuere menester passar por algunos rrios, se puedan echar en ellos y ansy
hazer sus puentes.

Mas entre otros carros de la muniçion, sera menester tener algunos,
para traer siempre sobre ellos alguna quantidad de rruedas, pequeñas
y grandes, ansy mesmo axes, hyerros hechos para las ruedas, clauos y
otras cosas necessarias, como facilm.te de considerar sera.

Aqui seguira todol campo como hauia
de hazer la guarda, quando se hal-
lassen en alguna necessidad o pelig
ro de enemigo de noche en campaña
rrassa para q̃ pudiessen estar
seguros si muy gran quantidad
fuesse del enemigo y como ansy
de noche como de dia se podrã
defender.

A. B. C. D.

Todas essas quatro sentenellas de caualleria, no son sino notadas para q̃
se sepa q̃ segun fuere la comodidad del t.po y del lugar, q̃ ansy y de
tal manera se ayan metter en orden

Los fuegos q̃ estan al rededor de las carrettillas, son, como ya dixe para q̃
E. de noche el enemigo se pueda ver, y q̃ los gastadores cerca los fuegos de
las quatro esquinas hagan sus guardas mudando por vezes, q̃ dormiendo
algunos, algunos hagan la guarda segun se dexa ver &c.

Abb. 200 Cod. 10758, fol. 4v (Spanien ?), 1557

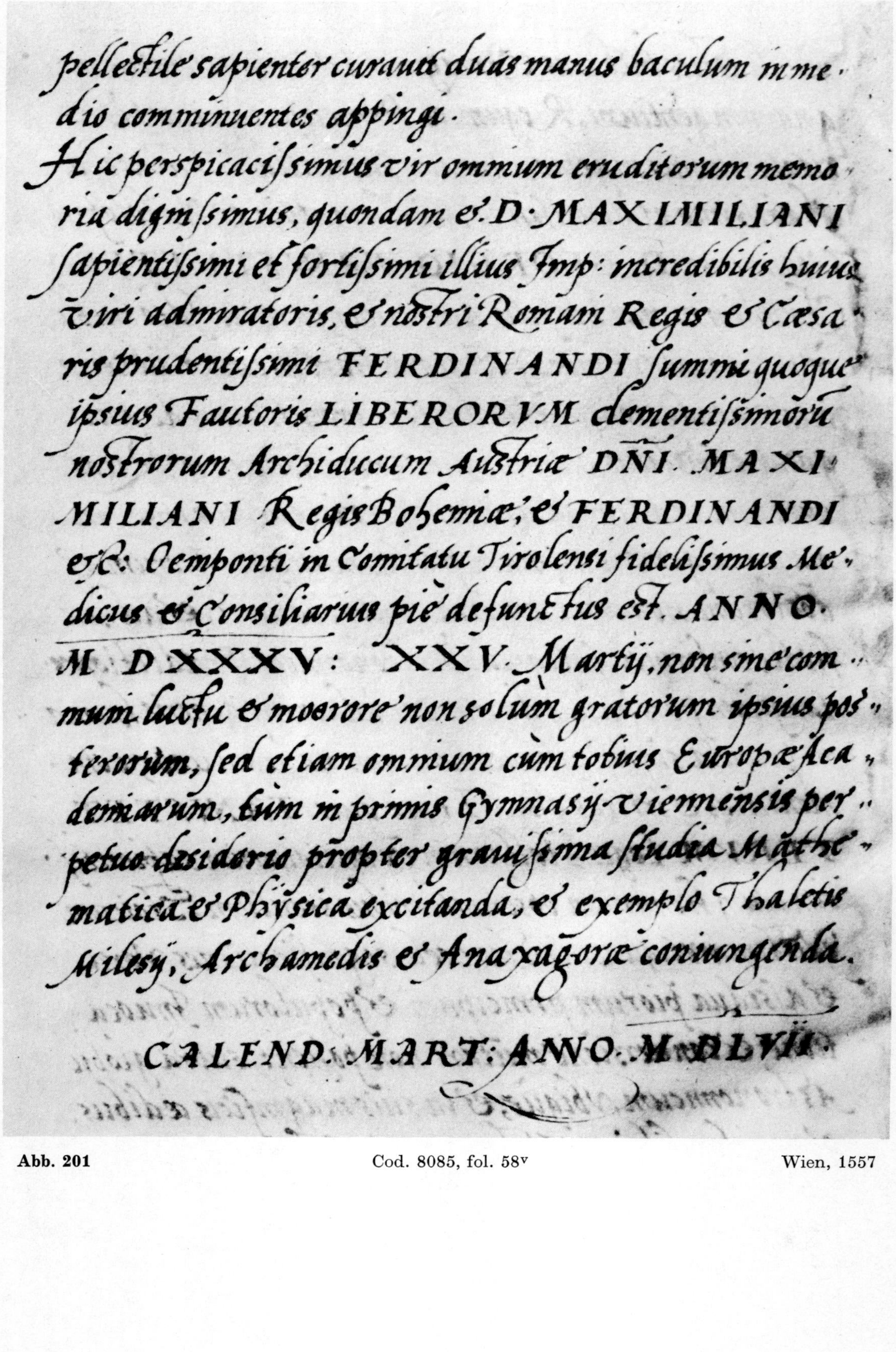
pellectile sapienter curauit duas manus baculum in me-
dio comminuentes appingi.
Hic perspicacissimus vir omnium eruditorum memoria dignissimus, quondam & D. MAXIMILIANI
sapientissimi et fortissimi illius Imp: incredibilis huius
viri admiratoris, & nostri Romani Regis & Cæsaris prudentissimi FERDINANDI summi quoque
ipsius Fautoris LIBERORVM clementissimorũ
nostrorum Archiducum Austriæ DÑI. MAXI-
MILIANI Regis Bohemiæ, & FERDINANDI
&c: Oeniponti in Comitatu Tirolensi fidelissimus Me-
dicus & Consiliarius pie defunctus est. ANNO.
M D XXXV: XXV Martij, non sine com-
muni luctu & moerore non solum gratorum ipsius pos-
terorum, sed etiam omnium cum totius Europæ Aca-
demiarum, tum in primis Gymnasij Viennensis perpetuo desiderio propter grauissima studia Mathe-
matica & Physica excitanda, & exemplo Thaletis
Milesij, Archimedis & Anaxagoræ coniungenda.

CALEND. MART: ANNO. M D LVII.

Abb. 201 Cod. 8085, fol. 58v Wien, 1557

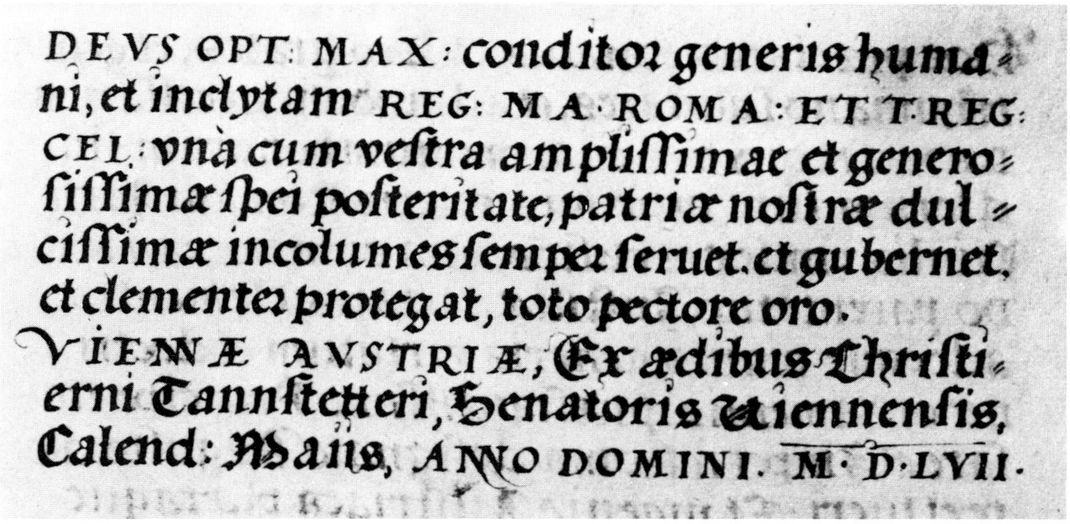

DEVS OPT: MAX: conditor generis humani, et inclytam REG: MA· ROMA: ET T·REG:
CEL: vnà cum vestra amplissimae et genero-
sissimæ spei posteritate, patriæ nostræ dul-
cissimæ incolumes semper seruet. et gubernet.
et clementer protegat, toto pectore oro.
VIENNÆ AVSTRIÆ, Ex ædibus Christi-
erni Tannstetteri, Senatoris Viennensis,
Calend: Maiis, ANNO DOMINI. M·D·LVII·

Abb. 202 Cod. 8085, fol. 11v Wien, 1557

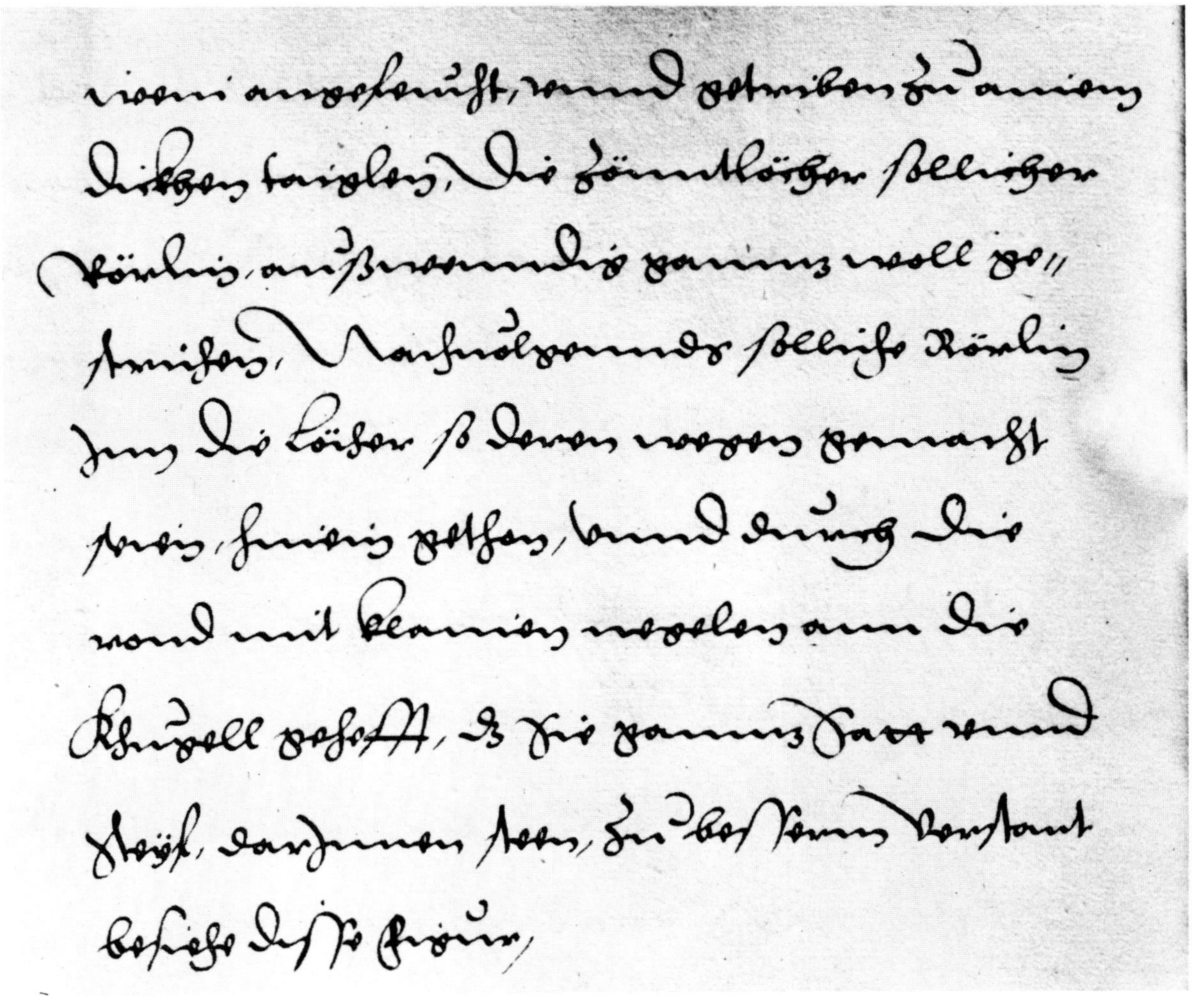

Abb. 203 Cod. 10922, fol. 59v 1557

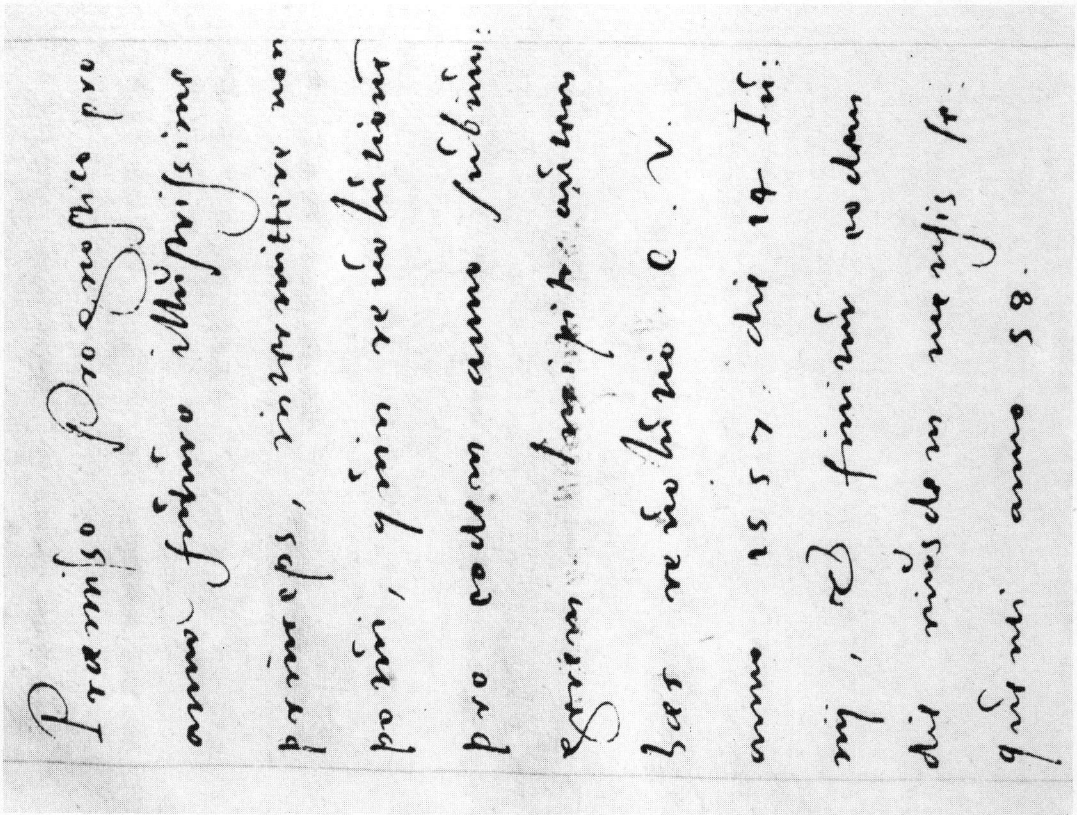

Abb. 204 Cod. 10538, fol. 30r 1557

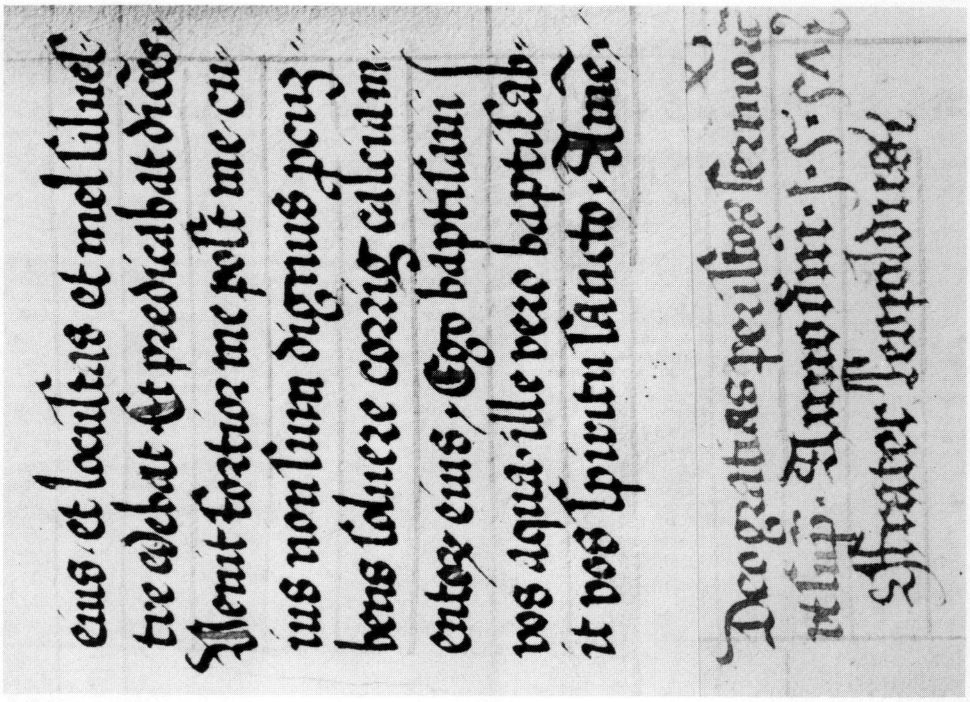

Abb. 205 Cod. 4113, fol. 19v—20r (Mondsee), 1557

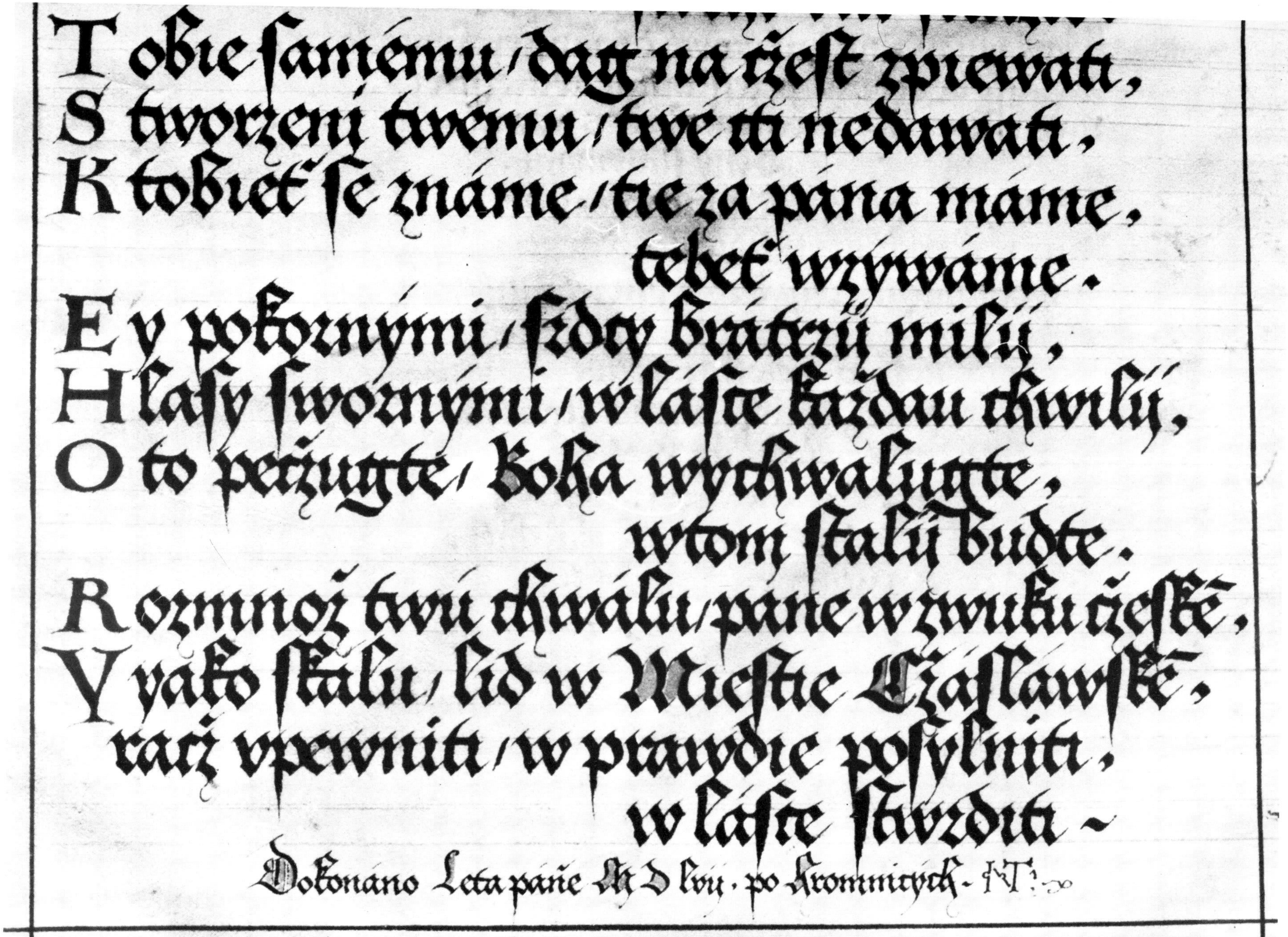
T obie samemu / dag na čzest zpiewati,
S tworzeny twemu / twe cti nedawati,
K tobiet se známe / tie za pána máme,
tebet wzywáme.
E y pokornymi / srdcy bratrzij milij,
H lasy swornymi / w lásce každau chwilij,
O to peczugte / boha wychwalugte,
wtom stalij budte.
R ozmnož twu chwálu / pane w zwuku čzeské,
V yako stalu / lid w Miestie Czaslawské,
racž vpewniti / w prawdie posylniti,
w lásce stwrditi ~
Dokonano Leta paňe M D lvij. po Hromnicych - NT

Abb. 206 Cod. 15503, fol. 444v (Böhmen), 1557

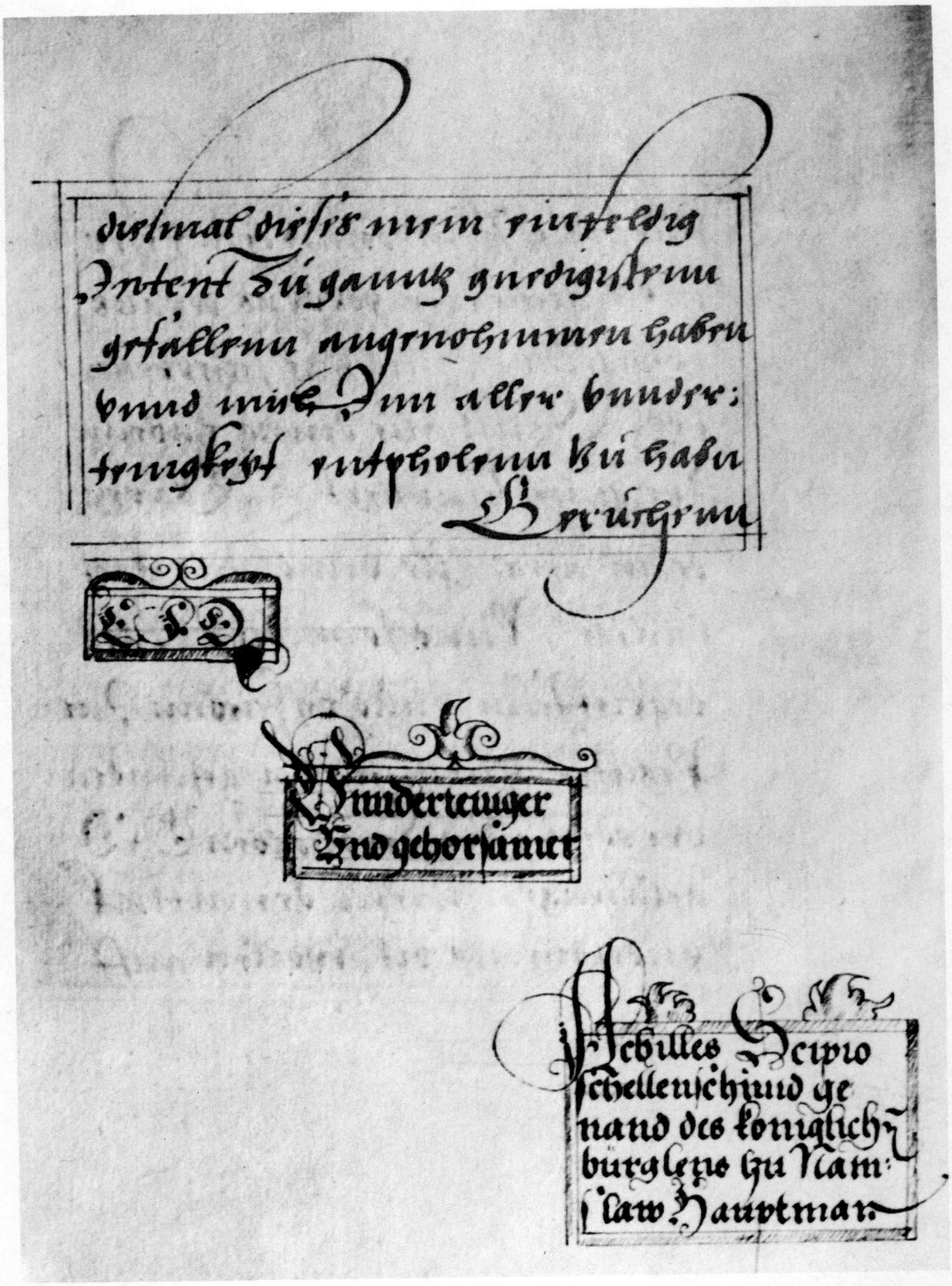
diesmal dieses mein einfeltig
Intent zu ganntz genedigistem
gefallen angenohmen haben
vnnd mich inn aller vnnder:
tenigkeit entpholenn zu haben
Begehren

Vnnderteniger
Vnd gehorsamer

Achilles Scipio
Schellenschmid ge
nand des koniglich
burgleins zu Nam:
slaw Hauptman

Abb. 207 Cod. 10764, fol. 8v Namslau, 1557

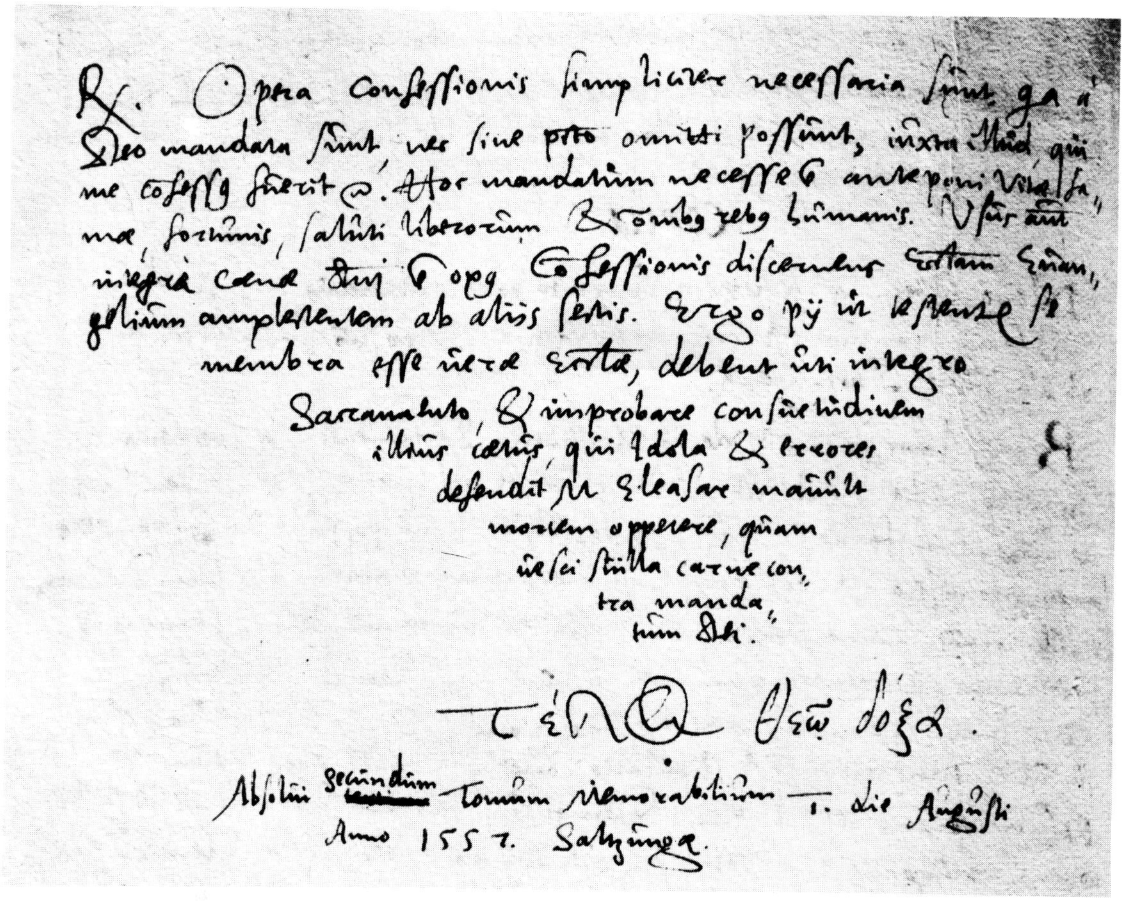
R. Opera confessionis simpliciter necessaria sunt, quae a Deo mandata sunt, nec sine peccato omitti possunt, iuxta illud qui me confessus fuerit etc. Hoc mandatum necesse est anteponi vitae, famae, fortunis, saluti liberorum et omnibus rebus humanis. Usus autem integrae coenae Domini est opus confessionis discernens totam quandam gentium amplectentem ab aliis sectis. Ergo pii in hac sententia membra esse verae Ecclesiae, debent uti integro Sacramento, et improbare consuetudinem illius coetus, qui idola et errores defendit, et eligere malle mortem oppetere, quam vesci stulta carne contra mandatum Dei.

Τέλος Θεῷ δόξα.

Absolvi secundum tomum memorabilium 1. die Augusti Anno 1557. Saltzungae.

Abb. 208 Cod. 11847, fol. 148v Langensalza, 1557

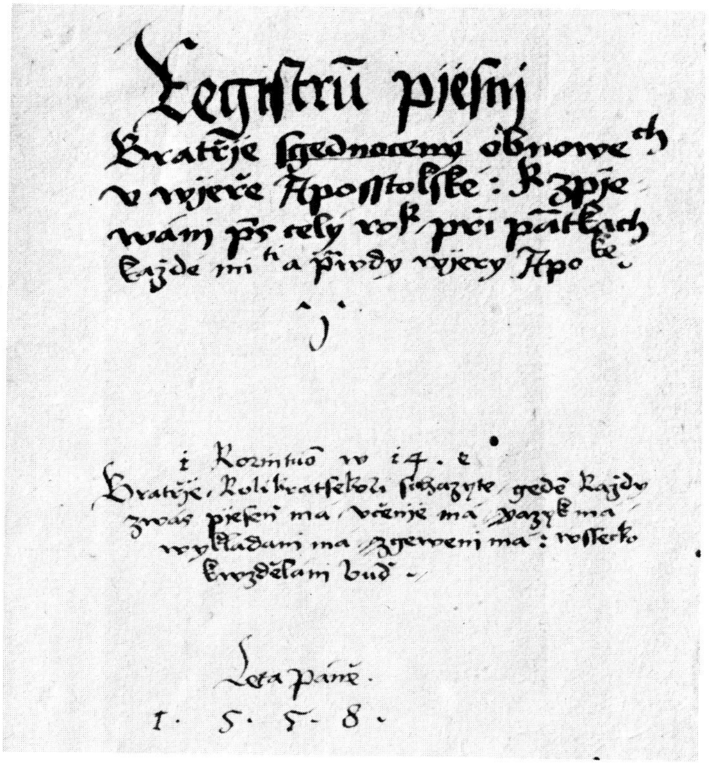
Regystrů pjesnj Bratřje sjednocených obnowených v vjeře Apoštolské: kteréž pjewanj přes celý rok, při pátkách, kteréž mi a pravdy vjery Apoštolské.

i Korintu w 14. c.
Bratřje, kolikrátkoli schazyte, gedē kazdý z vás pjeseň má, včenj má, yazyk má, wykladanj má, zgewenj má: wssecko k wzdělánj bud.

Léta Páně.
1. 5. 5. 8.

Abb. 209 Cod. 7452, fol. 1r (Böhmen oder Mähren), 1558

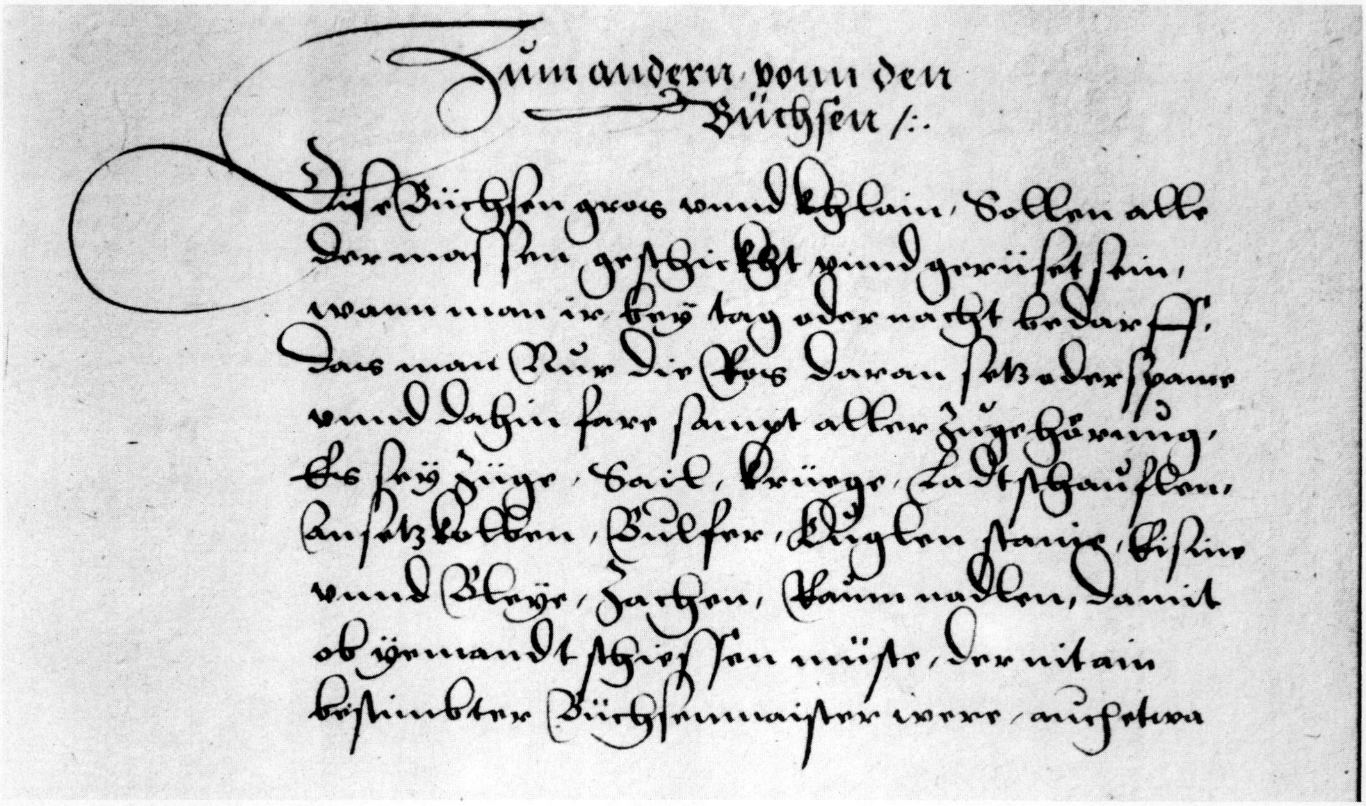

Zum andern vonn den Büchssen /:.

Dise Büchssen gros vnnd khlain, Sollen alle der masssen geschickht vnnd gerüsst sein, wann man ir bey tag oder nacht bedarff, das man Nur die Ross daran setz oder spann vnnd dahin farr sambt aller zugehörung, Als bey züge, Sail, kröge, Ladtschaufflen, Ansetzkolben, Pulfer, Kuglen stang, Eisen vnnd Pleye, Lacher, Raumnadlen, damit ob yemandt schiessen müste, der nit ain bestimbter Büchssenmaister were, auch etwa

Abb. 210 Cod. 10952, fol. 5r 1558

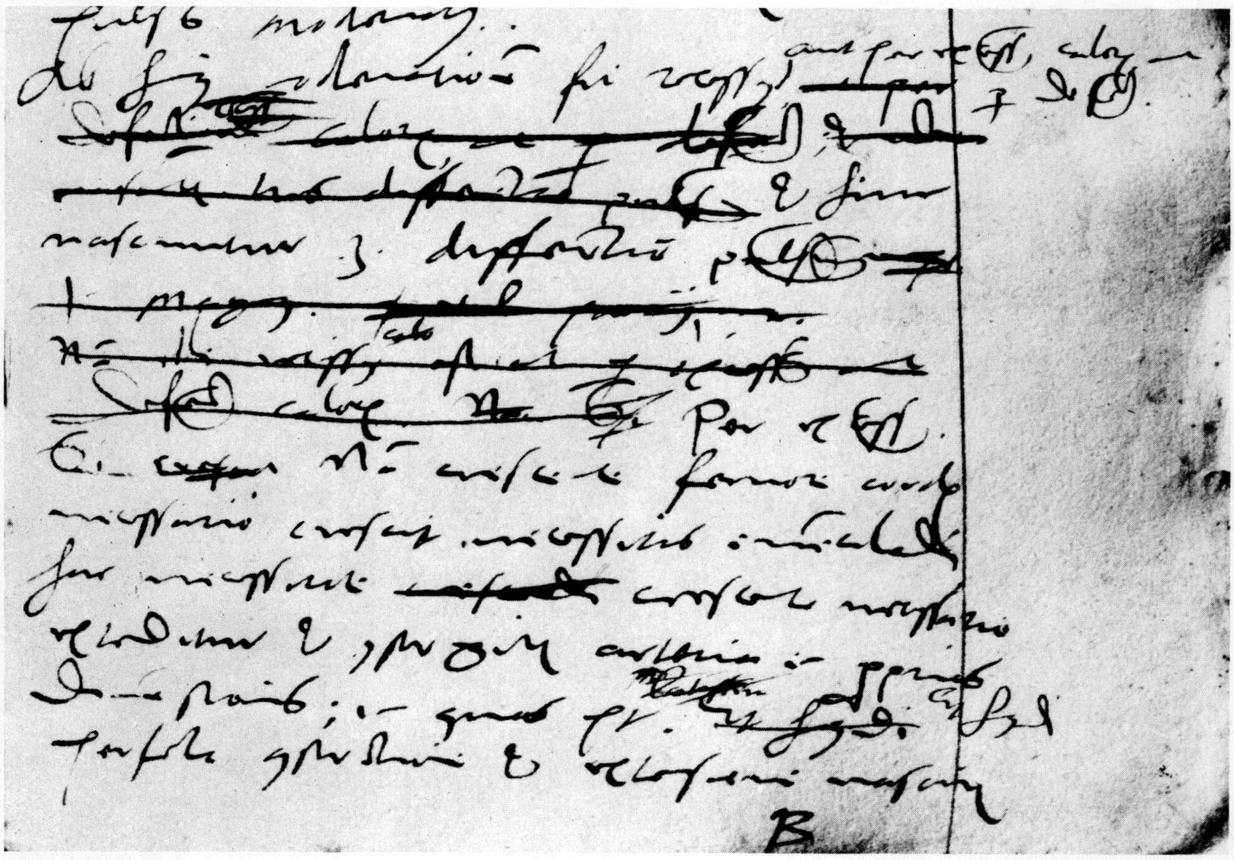

Abb. 211 Cod. 11208, fol. 71r Prag, 1558

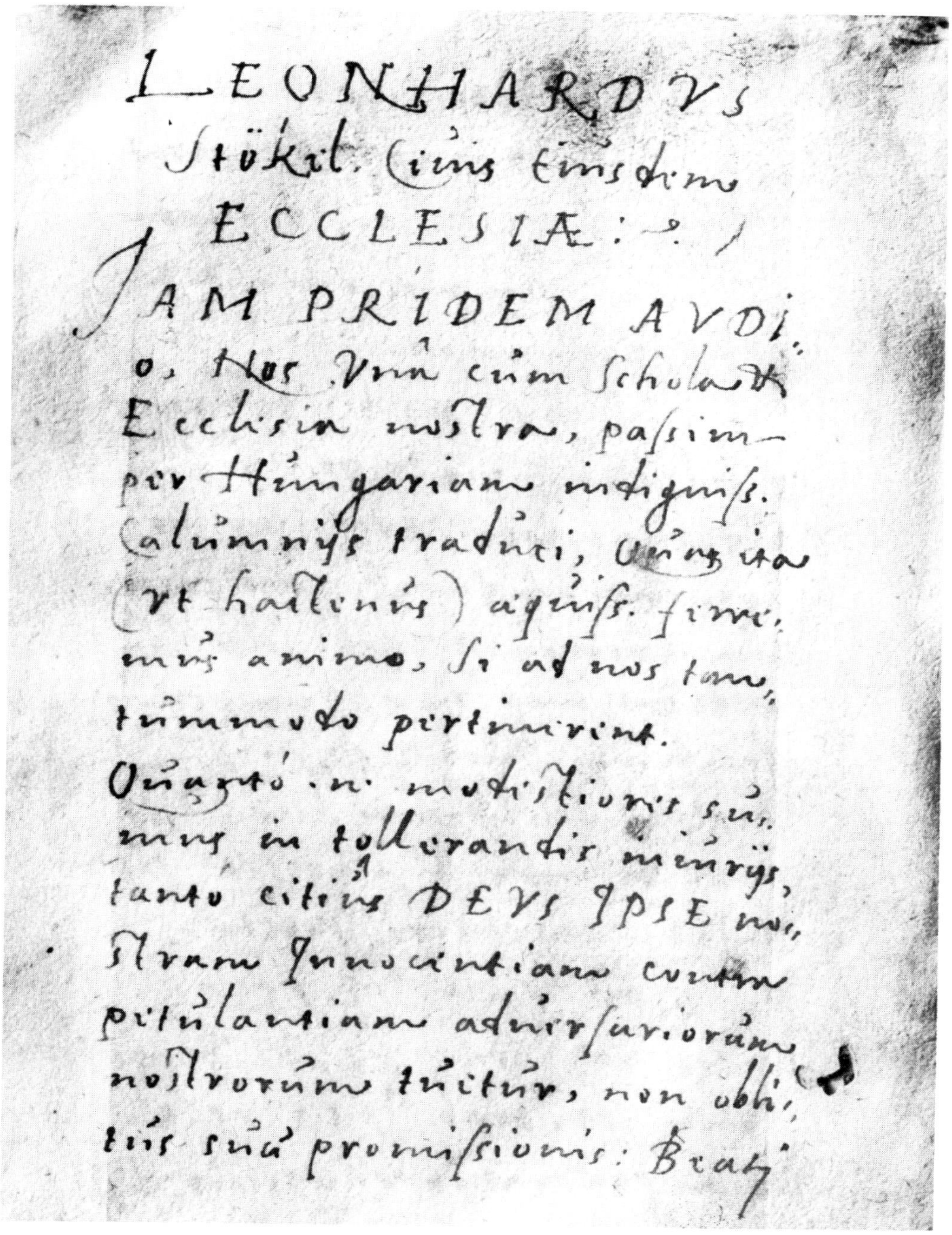
LEONHARDVS
Stökel. Ciuis Eiusdem
ECCLESIAE:
IAM PRIDEM AVDI-
o, Nos Vna cum Schola et
Ecclesia nostra, passim
per Hungariam indignissi.
Calumnijs traduci, Utinam ita
(vt hactenus) aequiss. fere-
mus animo, si ad nos tan-
tummodo pertinerent.
Quanto .n. modestiores sumus in tollerandis iniurijs,
tanto citius DEVS IPSE nostram Innocentiam contra
petulantiam aduersariorum
nostrorum tuetur, non oblitus suae promissionis: Beati

Abb. 212 Cod. 13034, fol. 2r (Slowakei ?), 1558

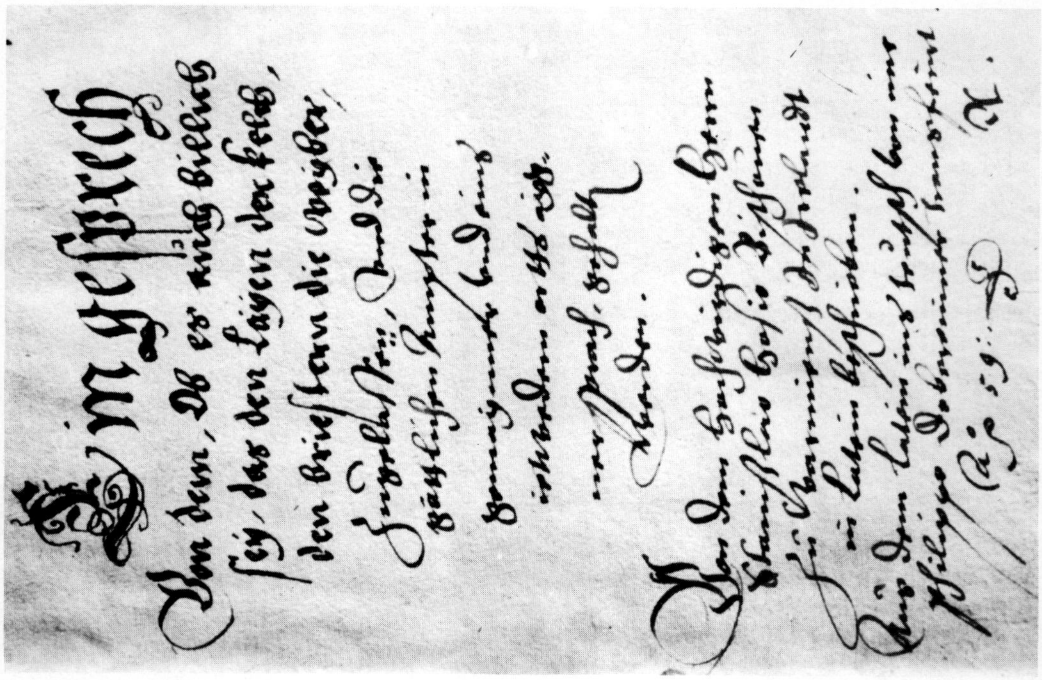
Ain gesprech
Von dem, Ob es nit billich
sey, das den Layen der kelch,

Abb. 214 Cod. 11739, fol. 1r 1559

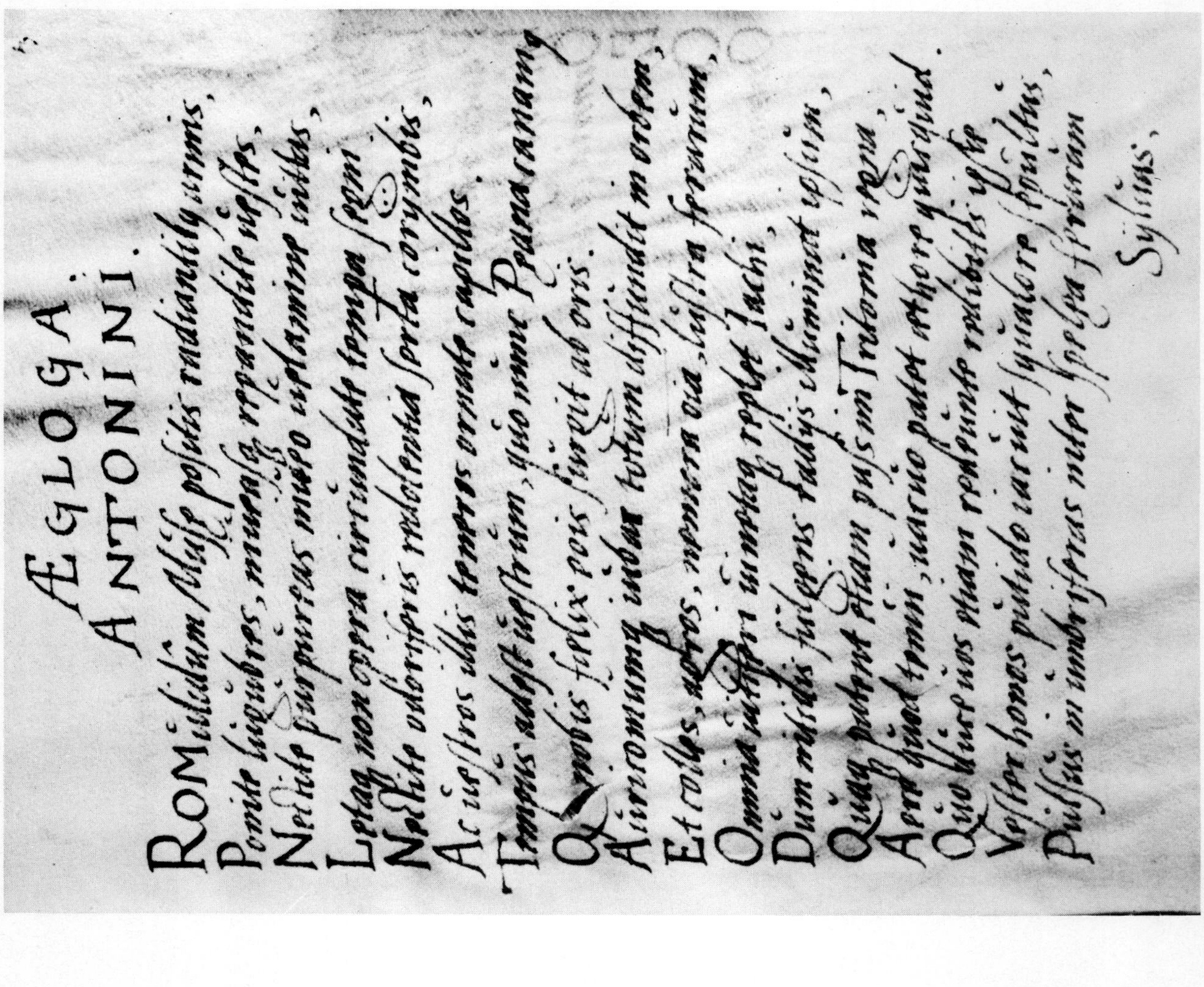
ÆGLOGA
ANTONINI.

Abb. 213 Cod. 9895, fol. 3r Nürnberg, 1558

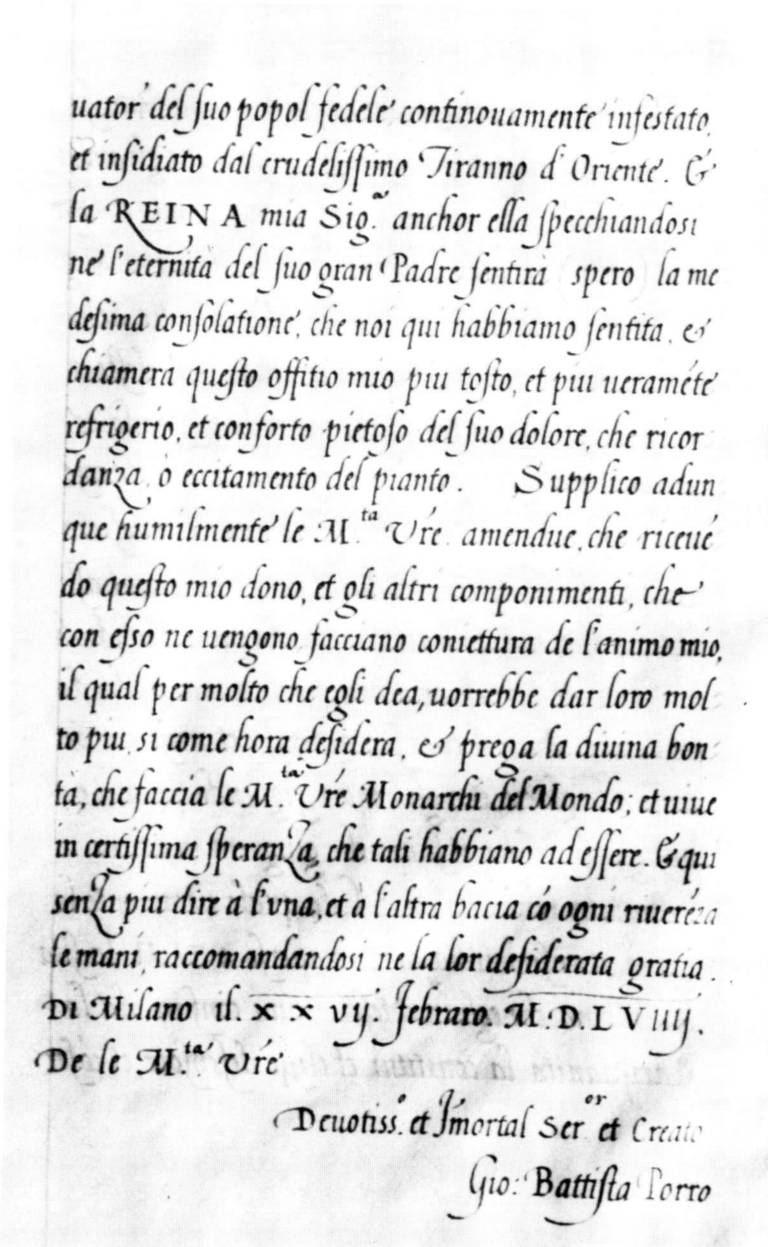
uator' del suo popol fedele' continouamente' infestato,
et insidiato dal crudelissimo Tiranno d' Oriente'. &
la REINA mia Sig.ra anchor ella specchiandosi
ne' l'eternita del suo gran Padre sentira (spero) la me
desima consolatione', che noi qui habbiamo sentita, &
chiamera questo offitio mio piu tosto, et piu ueraméte'
refrigerio, et conforto pietoso del suo dolore, che ricor
danza, o eccitamento del pianto. Supplico adun
que humilmente' le M.ta V.re amendue, che riceué
do questo mio dono, et gli altri componimenti, che
con esso ne uengono, facciano conettura de l'animo mio,
il qual per molto che egli dea, uorrebbe dar loro mol
to piu, si come hora desidera, & prega la diuina bon
tà, che faccia le M.ta V.re Monarchi del Mondo; et uiue
in certissima speranza, che tali habbiano ad essere. & qui
senza piu dire à l'vna, et a l'altra bacia có ogni riueréza
le mani, raccomandandosi ne la lor desiderata gratia.
Di Milano il. x x vij. Febraro. M:D.L VIIIJ.
De le M.ta V.re
Deuotiss. et Imortal Ser.or et Creato
Gio: Battista Porro

Abb. 215 Cod. 7414, fol. 2v Mailand, 1559

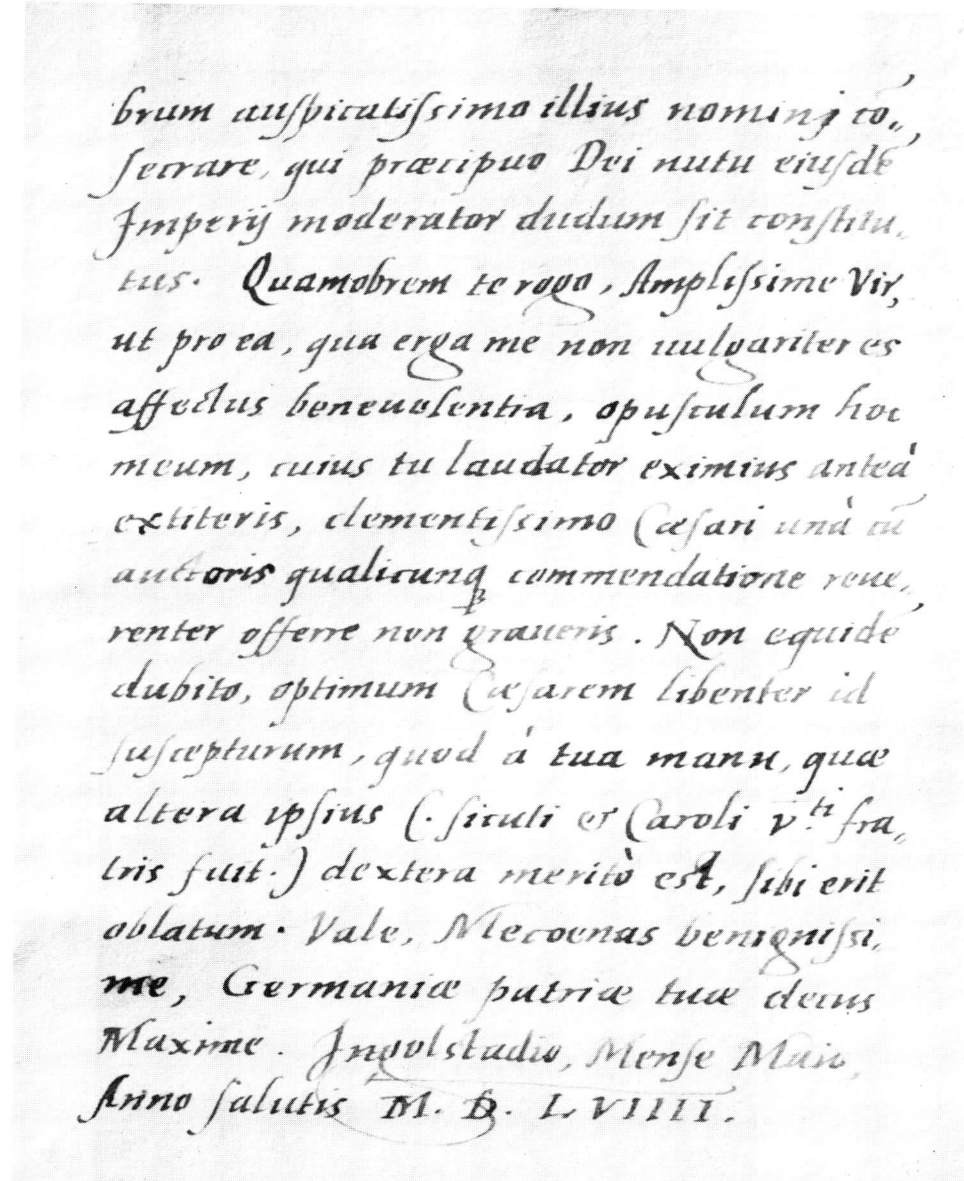
brum auspicatissimo illius nomini co,
secrare, qui præcipuo Dei nutu eiusde
Imperij moderator dudum sit constitu
tus. Quamobrem te rogo, Amplissime Vir,
ut pro ea, qua erga me non uulgariter es
affectus beneuolentia, opusculum hoc
meum, cuius tu laudator eximius anteá
extiteris, clementissimo Cæsari uná cu
autoris qualicunq commendatione reue,
renter offerre non graueris. Non equide
dubito, optimum Cæsarem libenter id
suscepturum, quod á tua manu, quæ
altera ipsius (sicuti et Caroli V.ti fra,
tris fuit.) dextera meritò est, sibi erit
oblatum. Vale, Mecœnas benignissi,
me, Germaniæ patriæ tuæ decus
Maxime. Ingolstadio, Mense Maio,
Anno salutis M. D. LVIIII.

Abb. 216 Cod. 10321, fol. 5r Ingolstadt, 1559

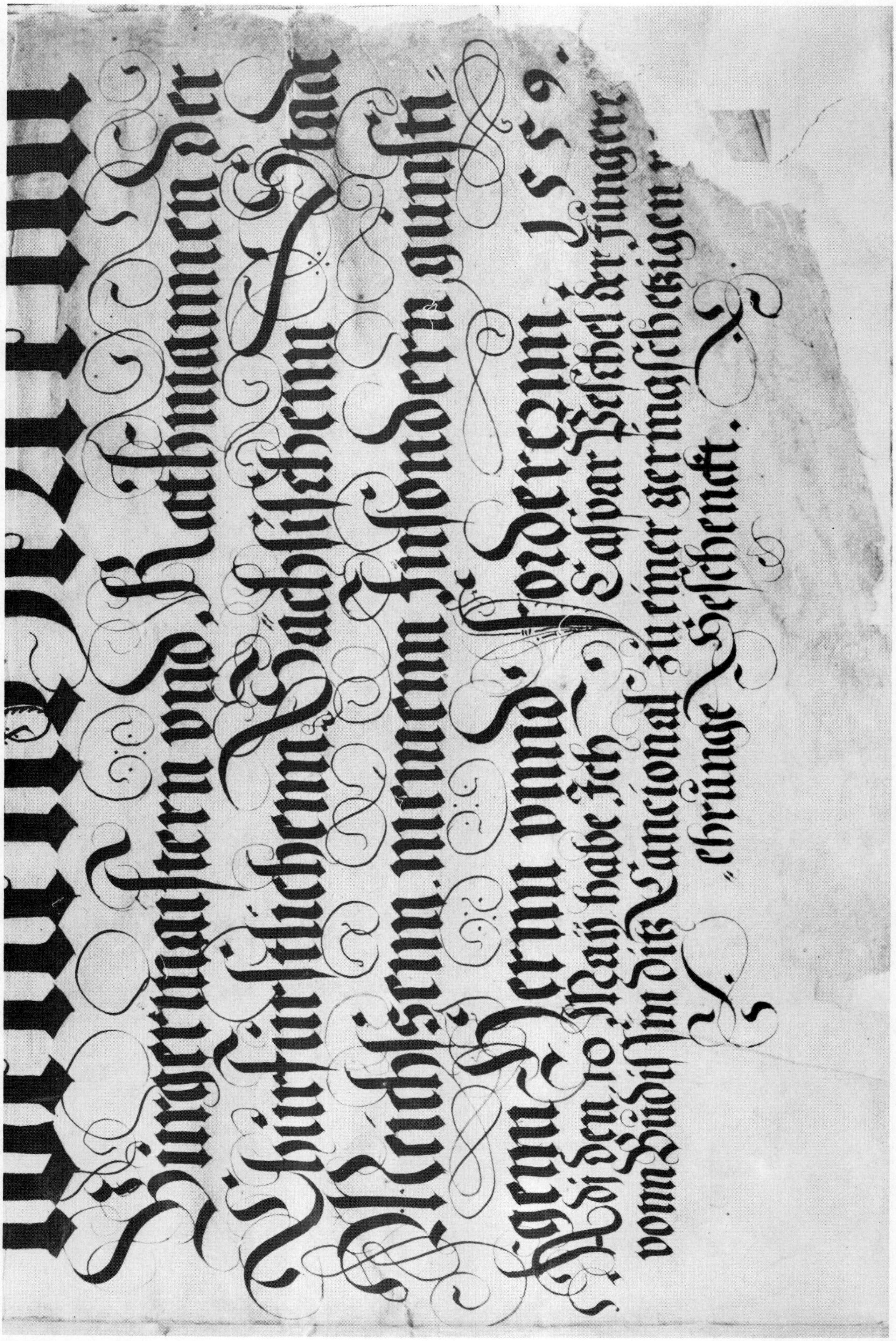

Abb. 217 Cod. 16195, fol. 3r (verkleinert) (Meißen ?), 1559

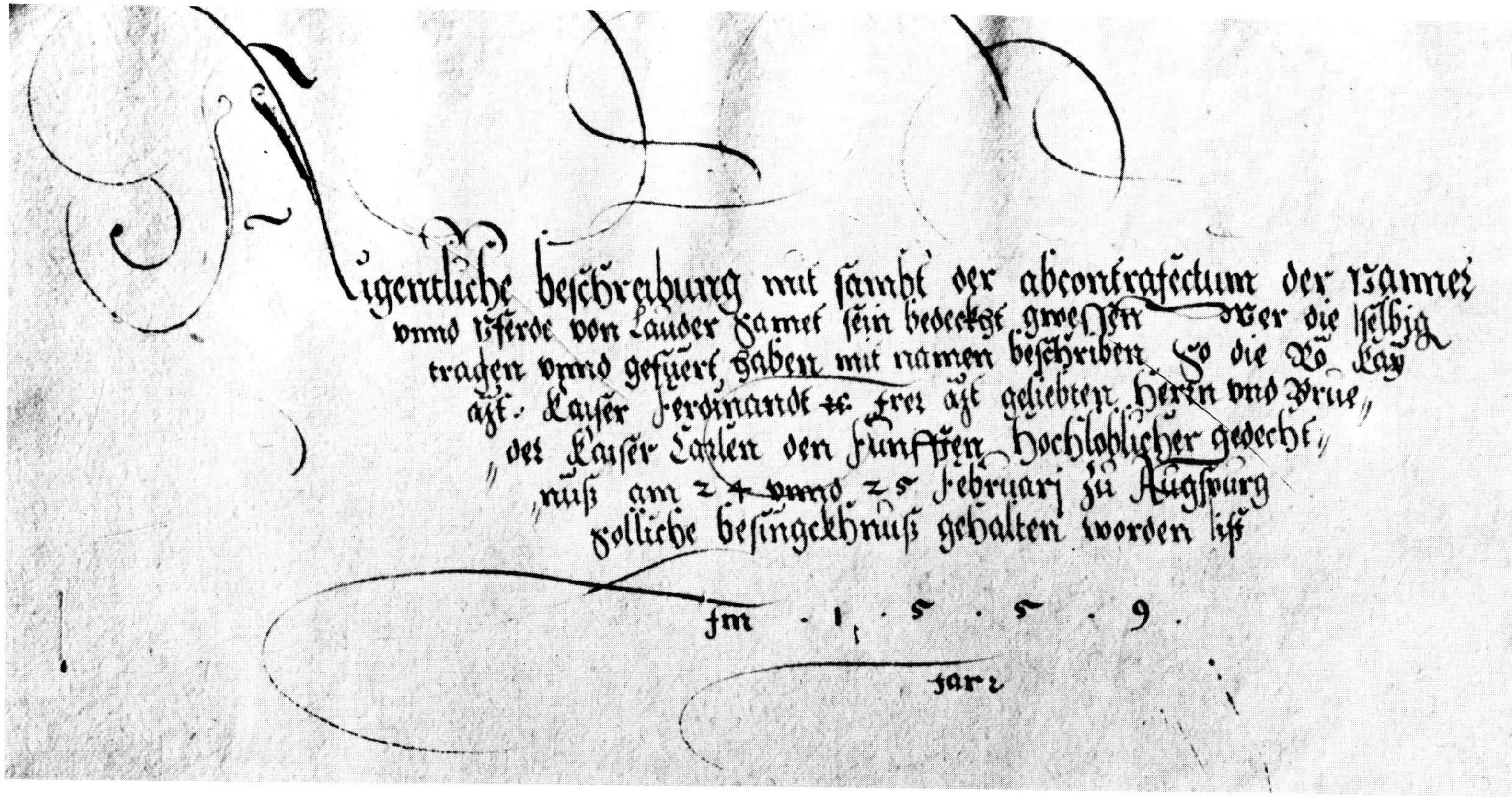
Aigentliche beschreibung mit sambt der abcontrafectum der Namen
vnnd Pferde von lauder Samet sein bedeckt gwesen der dieselbig
tragen vnnd gefüert haben mit namen beschriben So die Rö. Kay
mt. Kaiser Ferdinandt etc. Irer mt. geliebten Herrn vnd Brue
der Kaiser Carlen den Funfften hochloblicher gedecht
nuß am 24 vnnd 25 Februarj zu Augspurg
söliche besingckhnuß gehalten worden ist
Im · 1 · 5 · 5 · 9 ·
Jare

Abb. 218 Cod. 7566, fol. 1r Augsburg, 1559

À la Sereniss.ª Madama MARGHERITA di VALLOIS
DVCHESSA DI SAVOIA.

La marauiglia, Sereniss.ª Signora de l'infinite uirtù di uostra Altezza mi s'impresse di maniera ne l'animo il primo giorno, ch'io la conobbi, che qualhora à lei uolgo il pensiero, un grande, et raro miracolo de la Natura mi par di uedere: Quinci, et da molti beneficii riceuuti dal suo fauore, in me nacque un immenso desiderio d'honorarla; il quale tanto di giorno, in giorno è andato accrescendo, quanto il suo merito, e'l mio debito s'è fatto maggiore: à cui, etiandio che et per l'altezza, et eccellenza del soggetto, et per la bassezza, et imperfettione mia, io non habbia potuto dar compimento; son però certo, ch'ella haurà conosciuto, ch'egli è stato diffetto di sapere, et non di uolontà: Et perche non mi pare, che sotto il nome di si alta, et ualorosa Principessa di mandar'in man degli huomini profane compositioni si conuenga; queste poche ode sacre, e salmi che li uogliamo nominare, sotto la protettione sua ne uerranno in luce: Prenda l'Altezza uostra con lieto animo il picciolo pagamento d'un suo debitore; et al diffetto suo supplisca con la grandezza del mio desiderio; il quale (se le forze de l'ingegno se gli agguagliassero) non minor marauiglia à mortali porgerebbe, che si facciano le tante, et si rare qualità del reale animo suo: rendendola certa, che se da la sterilità de l'intelletto mio cosa nascerà, che del suo merito in qualche parte non indegna mi paia sotto il suo fauore al Mondo si farà uedere: In tanto piaccia à uostra Altezza di conseruarmi ne la gratia sua.

Di Venetia il XV. di Decembre. del MDLIX.

Di V. Altezza

Humiliss.° et perpetuo seruo

Il Tasso.

Abb. 219 Cod. 10264, fol. 1r Venedig, 1559

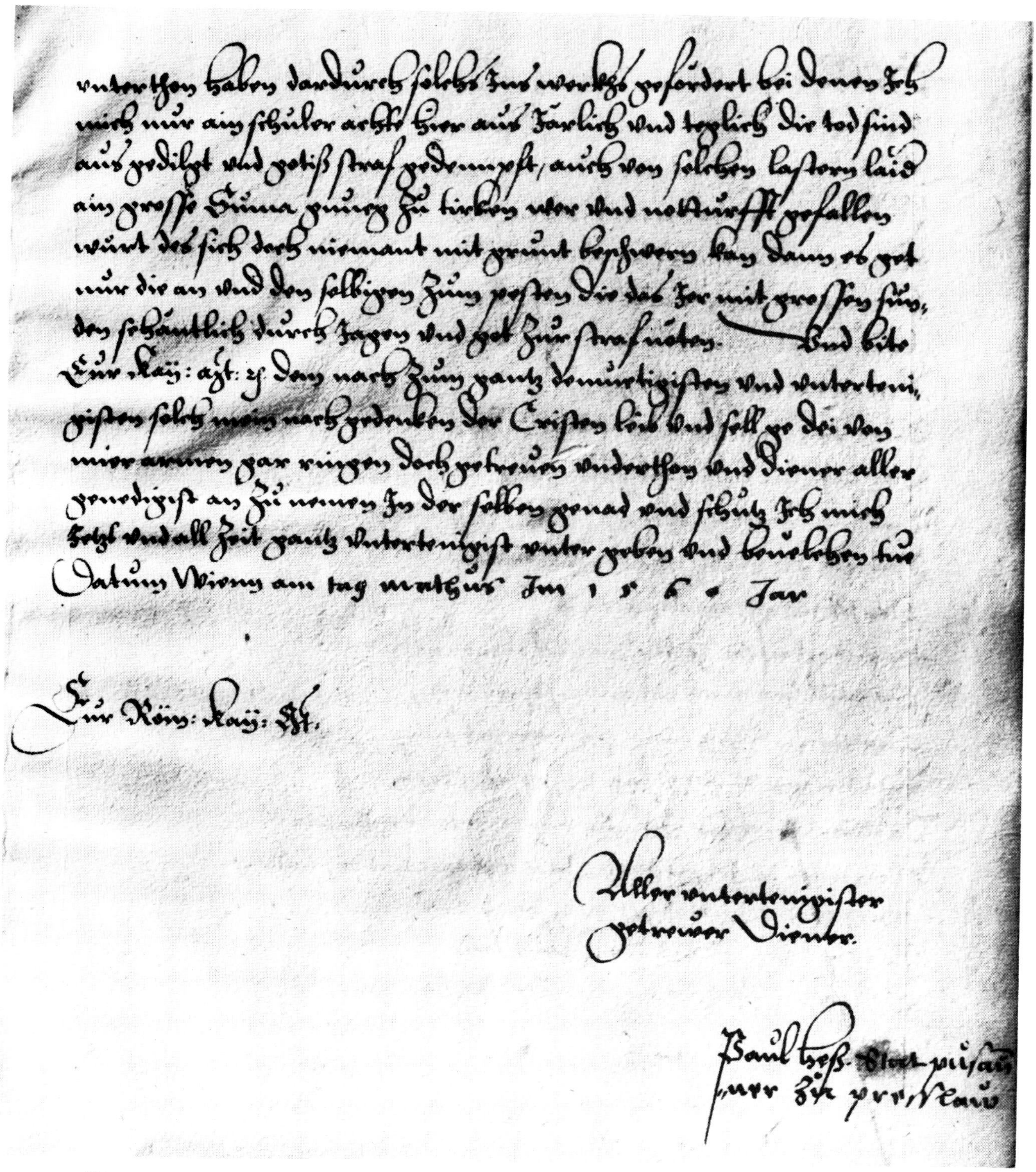
vnderthon haben dardurch solchs zue werckh gefordert bei denen Ich
mich nur ain schuler achte hier aus Jarlich vnd teglich die tod sund
aus gedilgt vnd gewiß straf gedempft, auch von solchen lastern laud
ain grosse Suma guetz zu tirken wer vnd notturfft gefallen
wurt des sich doch niemant mit grunt beschweren kan dann es get
nur die an vnd den selbigen zum pesten die das Jar mit grossen sun,
den schantlich durch Jagen vnd get zur straf sueten. Vnd bite
Eur kay: mt: ch den nach zum gantz demuetigisten vnd vndertenі,
gisten solch mein nach gedenken der Cristen leib vnd sell ge dei von
mier armen gar ringen doch getrewen vnderthon vnd diener aller
genedigist an zu nemen In der selben genad vnd schutz Ich mich
hiebei vnd all zeit gantz vndertenigist vnter geben vnd beuelchen tue
Datum Wienn am tag mathue Im 1 5 6 0 Jar

Zur Rom: kay: Mt.

Aller vndertenigister
getreuer Diener.

Paul heß Stat pusau,
ner zu preslau

Abb. 220 Cod. 12835, fol. 4r Wien, 1560

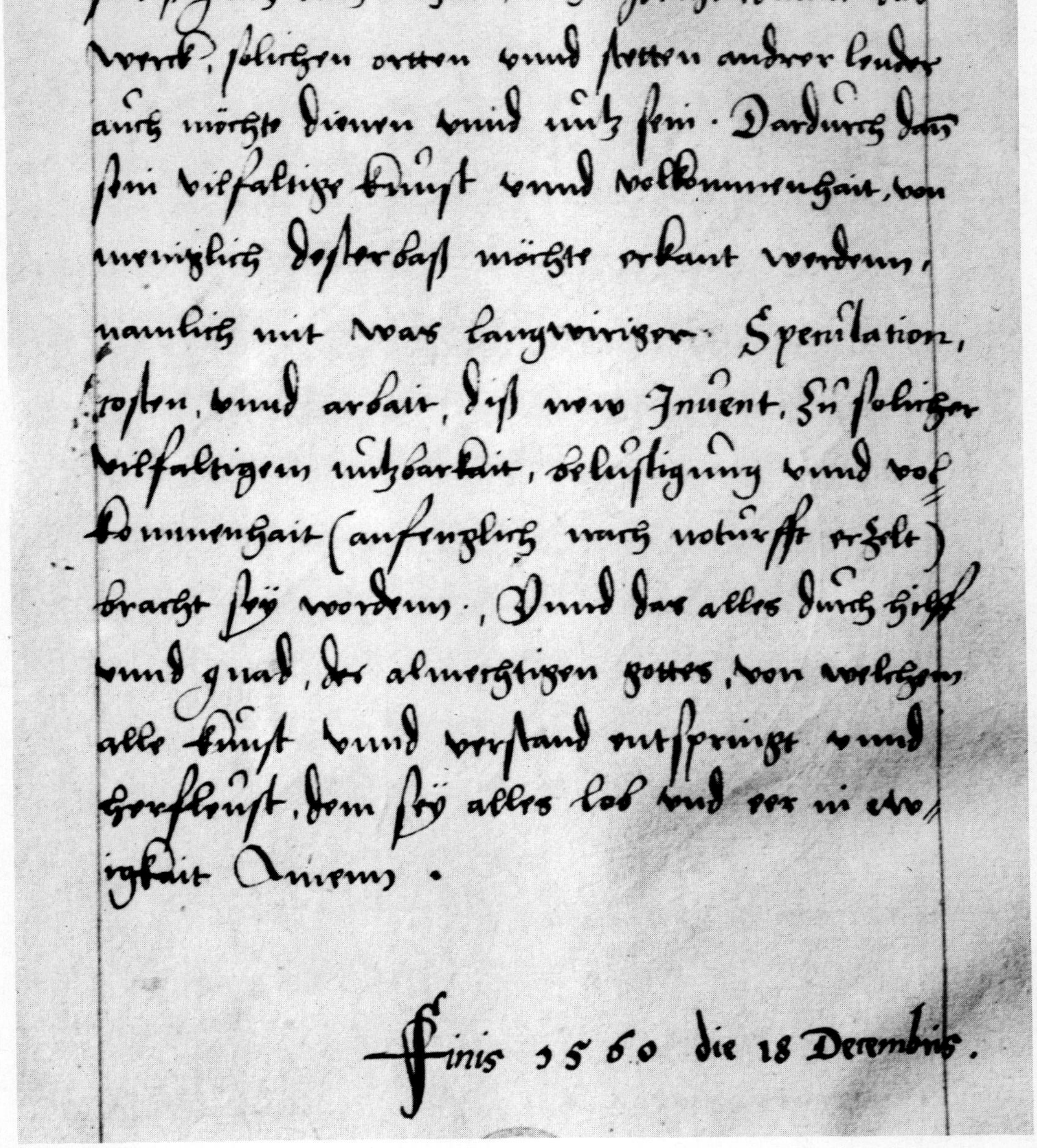

Ergst tail -
aussgerissnen figuren augenscheinlich erlernt
mag werden. Vnnd ist diss, sampt allem dem
so diss gantz buch innhalt, dahingricht, damit das
werck, solichen orten vnnd stetten anderer lender
auch möchte dienen vnnd nutz sein. Dardurch das
sein vilfaltige kunst vnnd volkommenhait, von
meniglich dester bass möchte erkant werden,
namlich mit was langwiriger Speculation,
costen, vnnd arbait, diss new Inuent, zu solicher
vilfaltigen nutzbarkait, belustigung vnnd volkommenhait (anfenglich nach notturfft erzelt)
bracht sey worden. Vnnd das alles durch hilff
vnnd gnad, des almechtigen gottes, von welchem
alle kunst vnnd verstand entspringt vnnd
herfleusst, dem sey alles lob vnnd eer in ewigkait Amen.

Finis 1560 die 18 Decembris.

Abb. 221 Cod. 10783, fol. 81v 1560

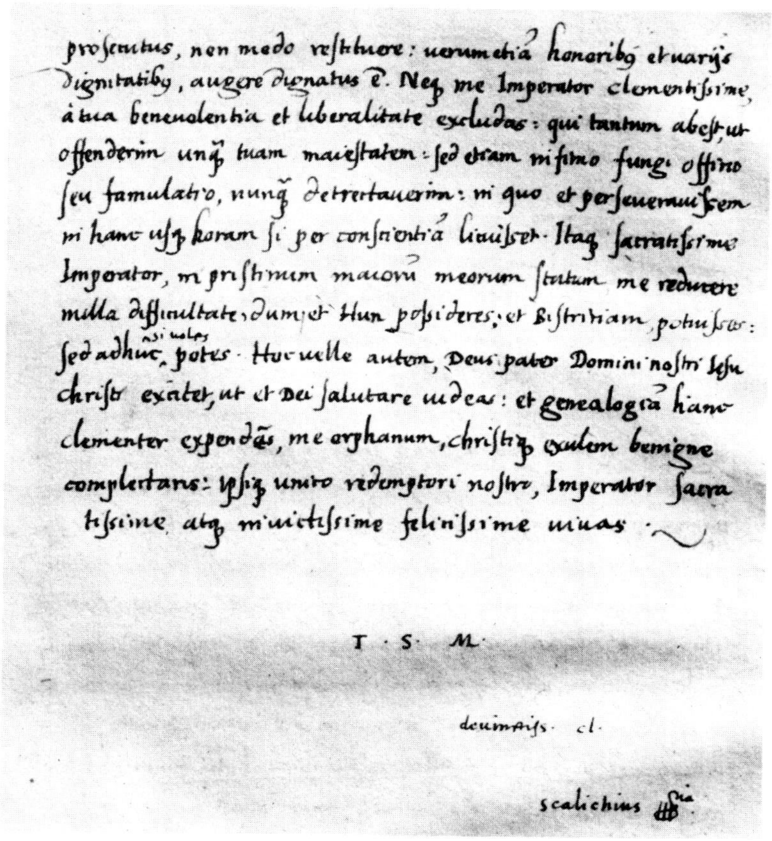
prosecutus, non modo restituere: uerumetiā honoribꝫ et uarijs
dignitatibꝫ, augere dignatus ē. Neq; me Imperator clementissime,
à tua beneuolentia et liberalitate excludas: qui tantum abest, ut
offenderim unq̃ tuam maiestatem: sed etiam minimo fung: officio
seu famulatio, nunq̃ detrectauerim: in quo et perseuerauissem
in hanc usq; horam si per conscientiā licuisset. Itaq; sacratissime
Imperator, in pristinum maiorū meorum statum me reducere
nulla difficultate, dum et Hun possideres, et Bistritiam potuisses:
sed adhuc, si uoles, potes. Hoc uelle autem, Deus pater Domini nostri Iesu
christi excitet, ut et Dei salutare uideas: et genealogiā hanc
clementer expendās, me orphanum, christiq; exulem benigne
complectaris: ipsiq; unico redemptori nostro, Imperator sacra
tissime atq; inuictissime felicissime uiuas.

T. S. M.

deuinctiss. cl.

scalichius mpria

Abb. 222 Cod. 7404, fol. 21ᵛ 1560

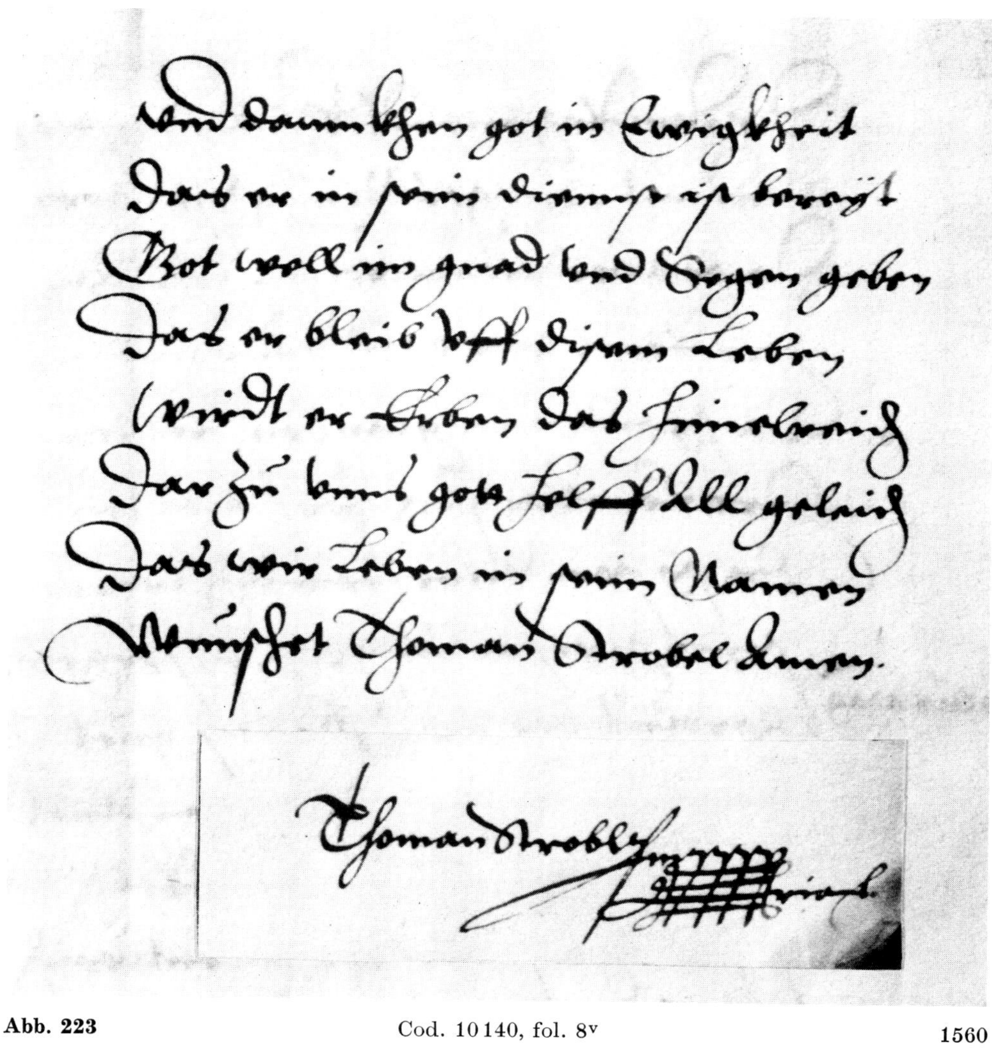
Vnd darumb lob got in Ewigkheit
Das er in seins diennst ist beraijt
Got woll im gnad vnd segen geben
Das er blaib bey disem Leben
Wirdt er Leben das himelreich
Dar zu vnd gots selfs all gelaich
Das wir leben in seim Namen
Wunscht Thomas Strobel Amen.

Thomas Strobl

Abb. 223 Cod. 10140, fol. 8ᵛ 1560

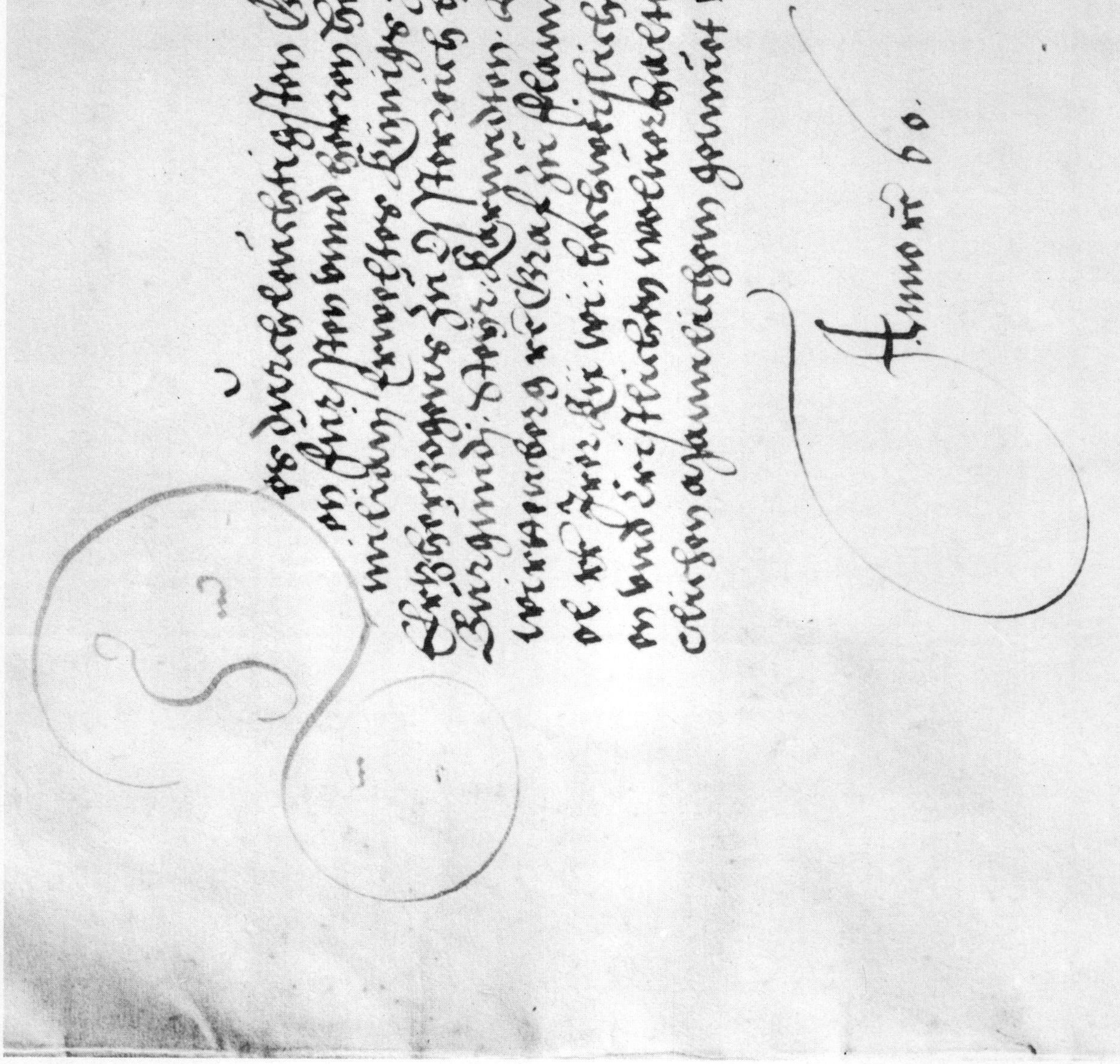

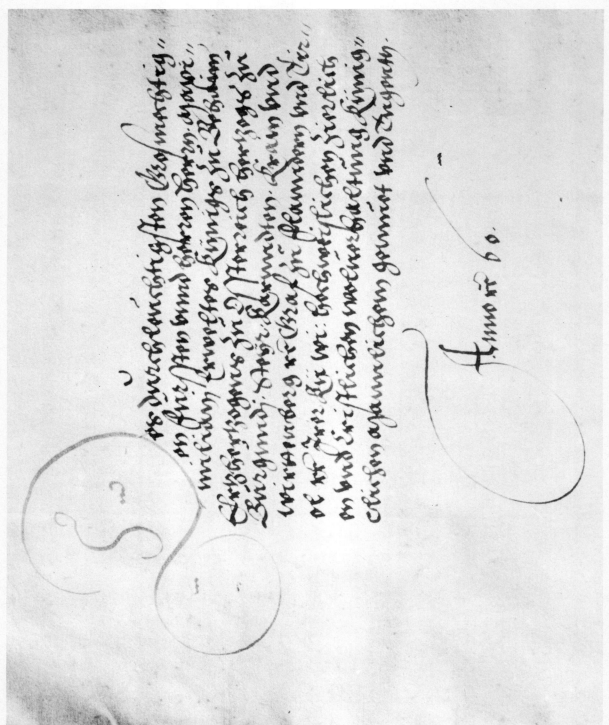

Abb. 224 Cod. 10140, fol. 1r 1560

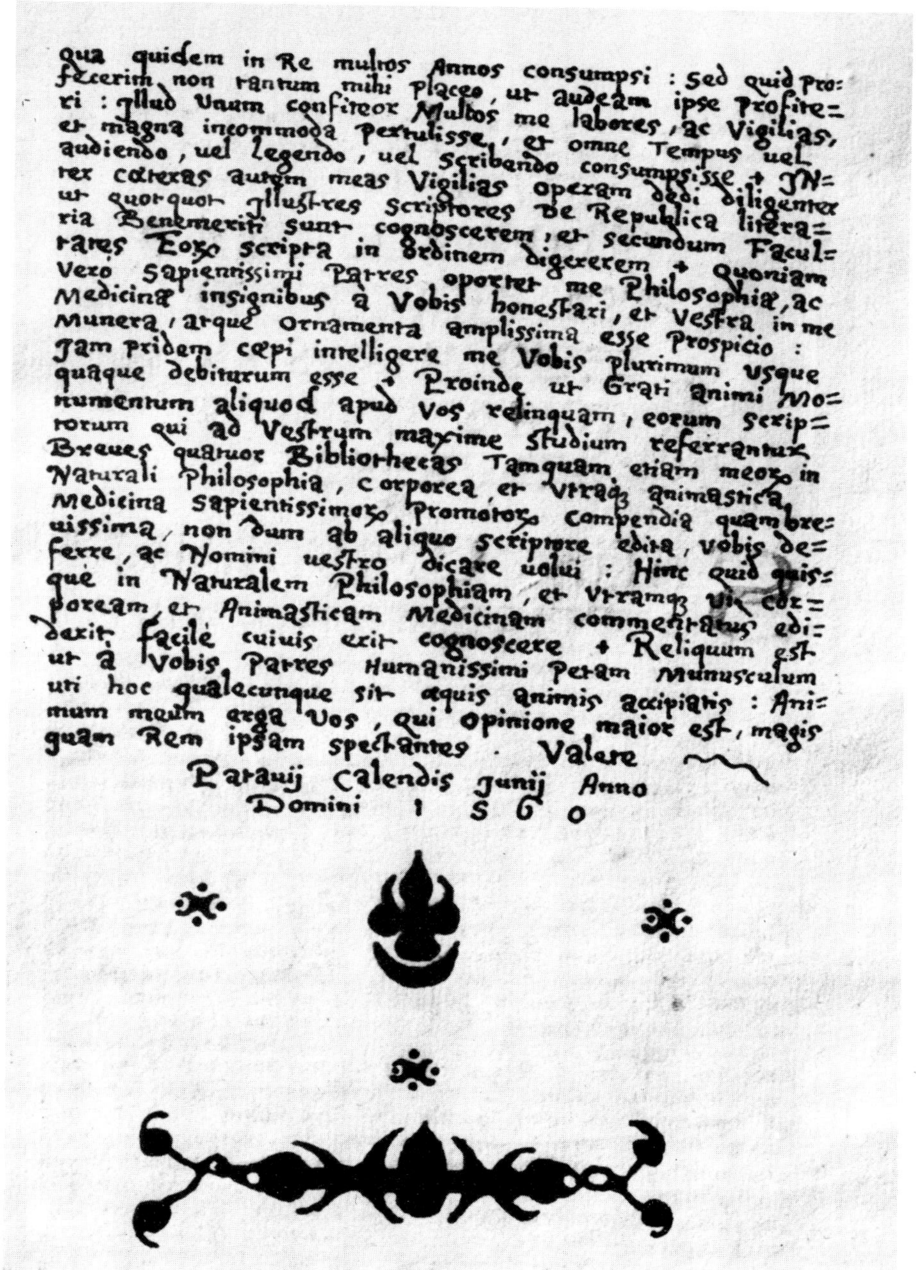

qua quidem in Re multos Annos consumpsi : sed quid pro-
fecerim non tantum mihi placeo, ut audeam ipse profite-
ri : Illud unum confiteor Multos me labores, ac Vigilias,
et magna incommoda pertulisse, et omne Tempus uel
audiendo, uel legendo, uel scribando consumpsisse + Inter cæteras autem meas Vigilias operam dedi diligenter
ut quotquot illustres Scriptores de Republica litera-
ria Benemeriti sunt cognoscerem ; et secundum Facul-
tates Eorum scripta in ordinem digererem + Quoniam
Vero Sapientissimi Patres oportet me Philosophiæ, ac
Medicinæ insignibus a Vobis honestari, et Vestra in me
Munera, atque ornamenta amplissima esse prospicio :
Jam pridem cœpi intelligere me Vobis plurimum usque
quaque debiturum esse + Proinde ut Grati animi monumentum aliquod apud Vos relinquam, eorum scrip-
torum qui ad Vestrum maxime studium referrantur
Breues quatuor Bibliothecas Tamquam etiam meorum in
Naturali Philosophia, corporea, et utraque animastica,
Medicina sapientissimorum Promotorum compendia quam bre-
uissima, non dum ab aliquo scriptore edita, vobis de-
ferre, ac Nomini uestro dicare uolui : Hinc quid quisque in Naturalem Philosophiam, et utramque uel cor-
poream, et Animasticam Medicinam commentatus ediderit facile cuiuis erit cognoscere + Reliquum est
ut a Vobis Patres Humanissimi petam Munusculum
uti hoc qualecunque sit æquis animis accipiatis : Animum meum erga Vos, qui opinione maior est, magis
quam Rem ipsam spectantes. Valere
Patauij Calendis Junij Anno
Domini 1560

Abb. 225 Cod. 9614, fol. 1v Padua, 1560

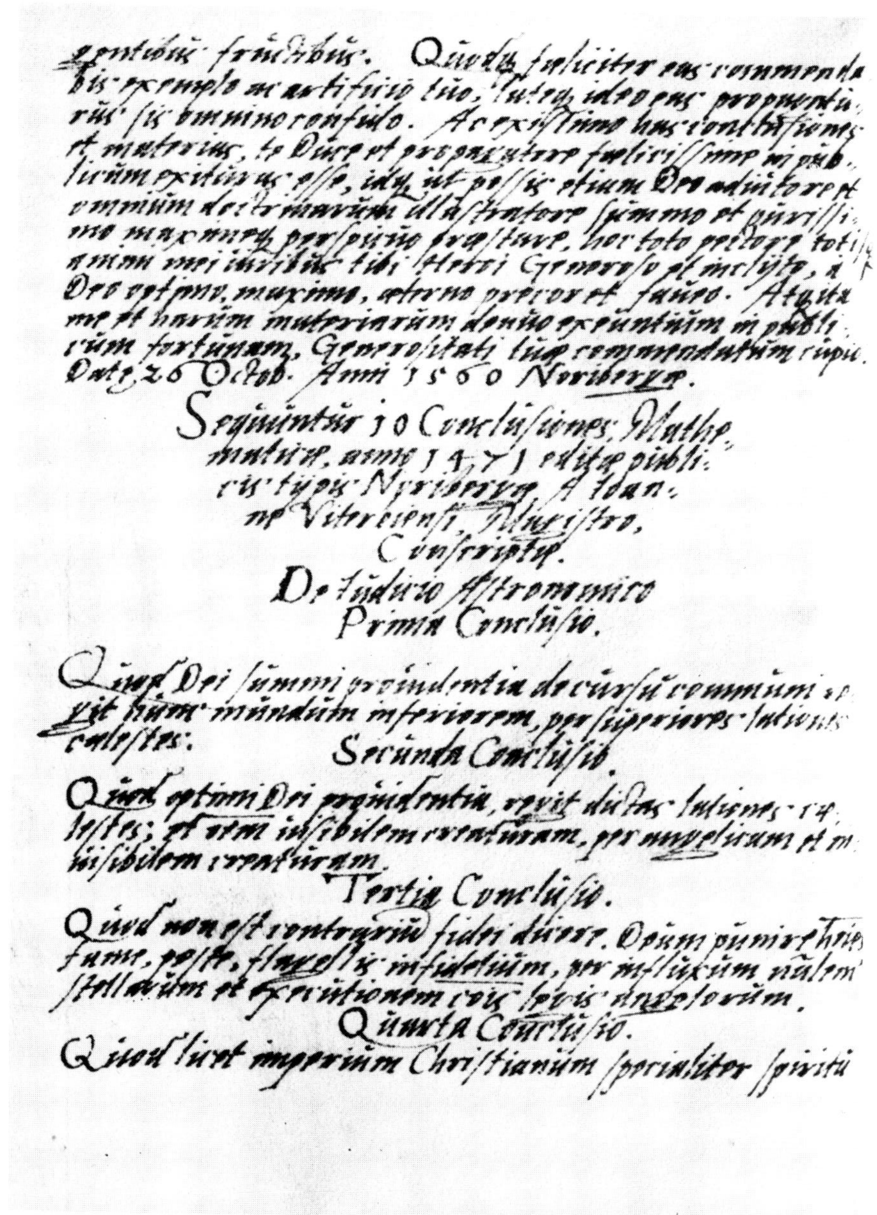

Datæ 26 Octob. Anni 1560 Norimbergæ.

Sequuntur 10 Conclusiones Mathe-
maticæ, anno 1471 editæ publi-
cis typis Norimbergæ. A Joanne Vitriensi, Magistro,
Conscriptæ.

De Judicio Astronomico
Prima Conclusio.

Quod Dei summi prouidentia de cursu communi [illegible]
git hunc mundum inferiorem, per superiores [illegible]
cœlestes.

Secunda Conclusio.

Quod optimi Dei prouidentia, regit [illegible]
lestes; et item insibilem creaturam, per angelicam et in-
uisibilem creaturam.

Tertia Conclusio.

Quod non est contrarium fidei dicere. [illegible]
fame, peste, flagellis infidelium, per influxum [illegible]
stellarum et [illegible] angelorum.

Quarta Conclusio.

Quod licet imperium Christianum specialiter spiritu

Abb. 226 Cod. 10637, fol. 6v Nürnberg, 1560

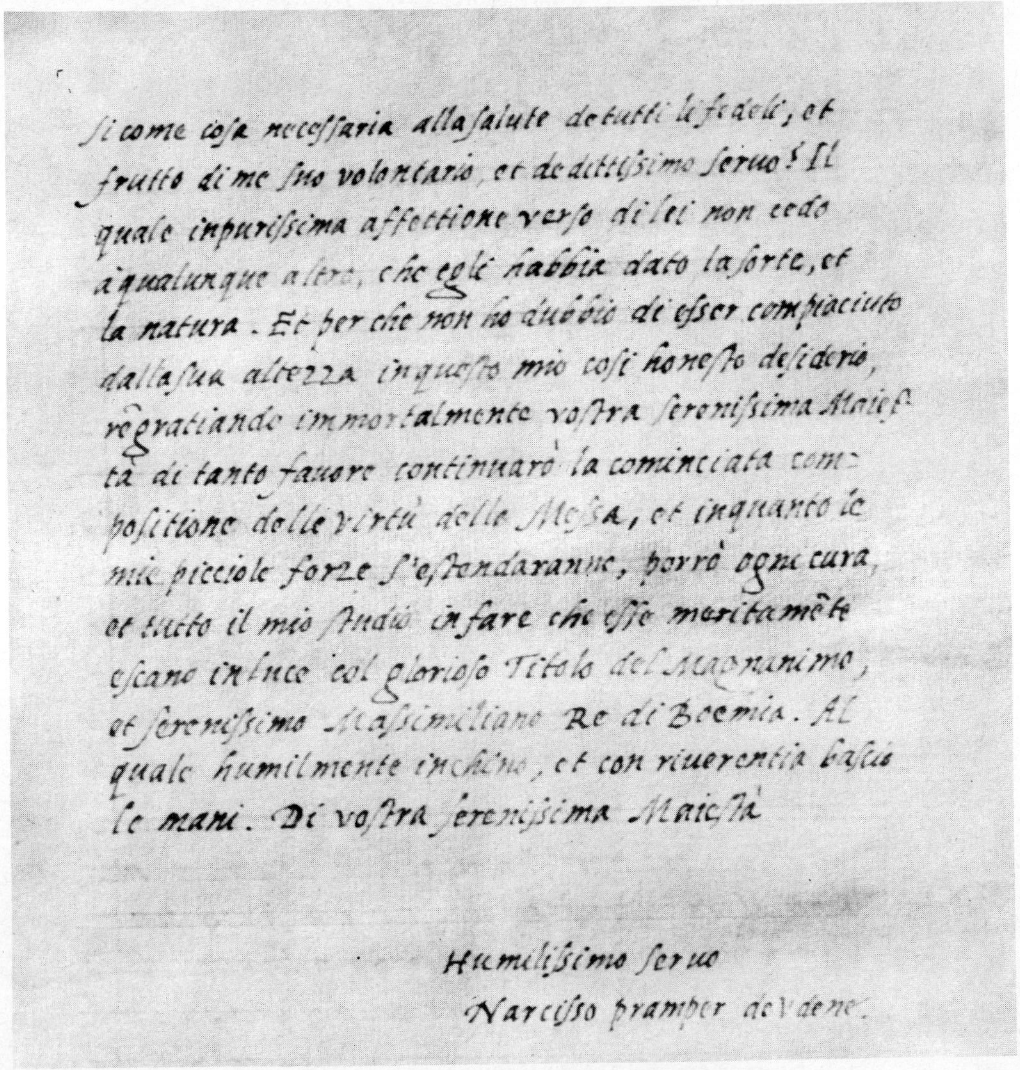

Abb. 227 Cod. 10519, fol. 8v 1560

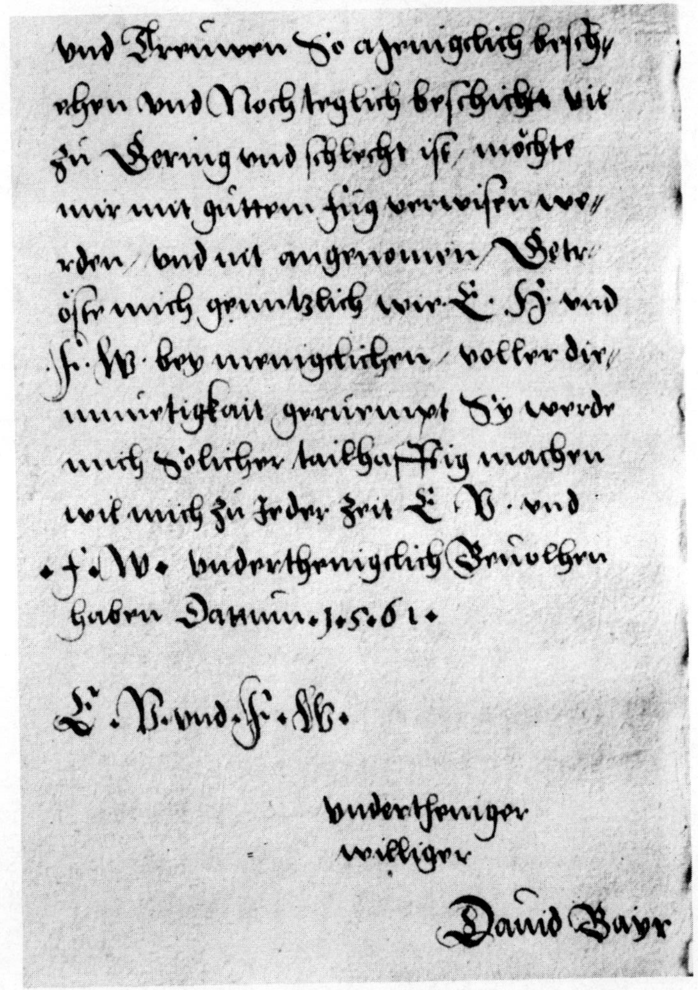

Abb. 228 Cod. 8931, fol. 4v (Augsburg ?), 1561

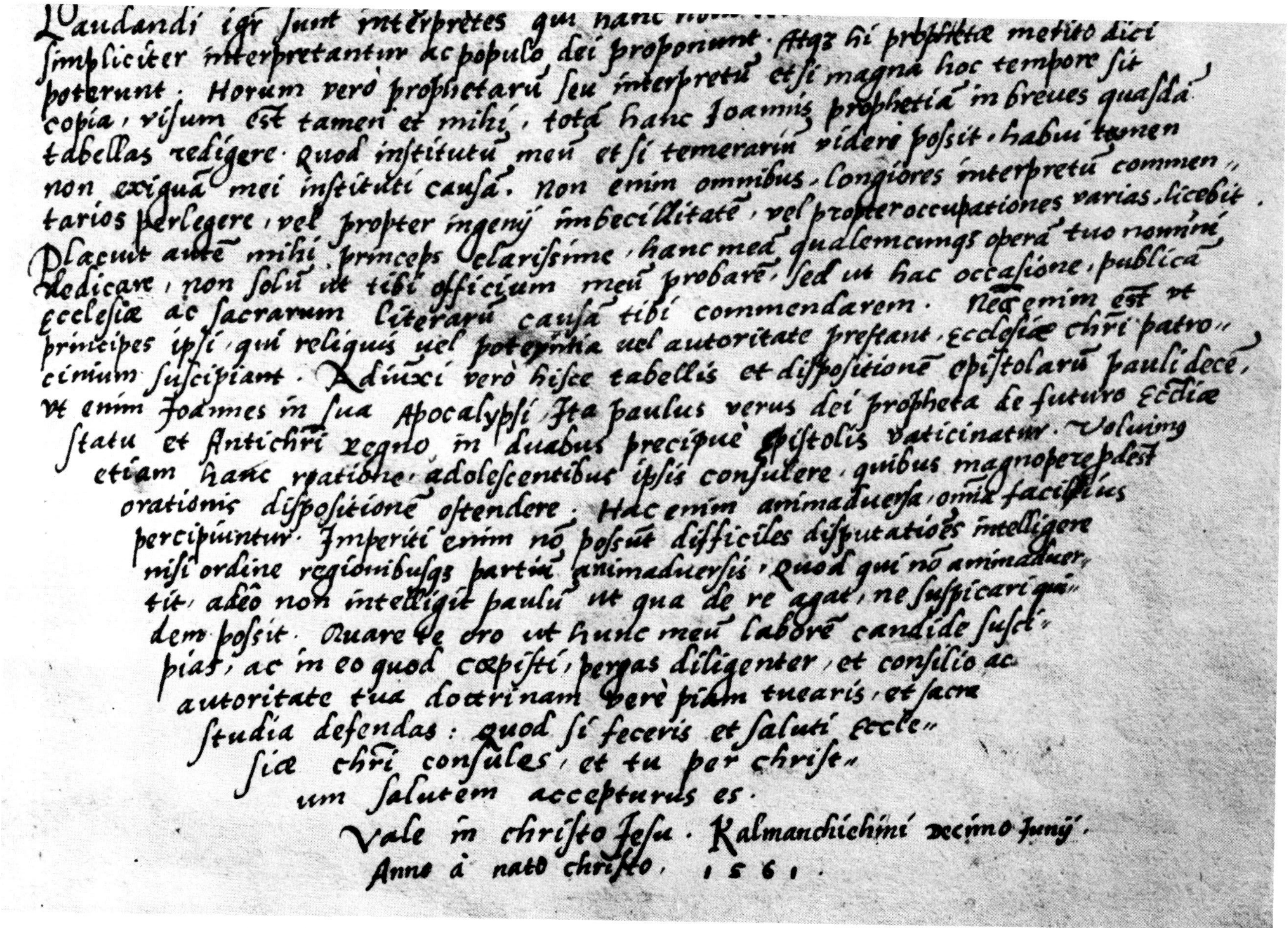

Laudandi igr sunt interpretes qui hanc ... propheticae merito dici simpliciter interpretantur ac populo dei proponunt. Atque hi prophetae merito dici poterunt. Horum vero prophetarũ seu interpretũ etsi magna hoc tempore sit copia, visum est tamen et mihi, totã hanc Joannis prophetiã in breues quasdã tabellas redigere. Quod institutũ meũ etsi temerariũ videri possit, habui tamen non exiguã mei instituti causã. Non enim omnibus, longiores interpretũ commentarios perlegere, vel propter ingenij imbecillitatẽ, vel propter occupationes varias, licebit.

Placuit autẽ mihi, princeps clarissime, hanc meã qualemcunque operã tuo nomini dedicare, non solũ ut tibi officium meũ probarẽ, sed ut hac occasione, publicae ecclesiae ac sacrarum literarũ causã tibi commendarem. Nec enim est ut principes ipsi, qui reliquis vel potentia vel autoritate prestant, ecclesiae chri patrocinium suscipiant. Adiunxi vero hisce tabellis et dispositionẽ epistolarũ pauli decẽ, ut enim Joannes in sua Apocalypsi, Ita paulus verus dei propheta de futuro Ecclię statu et Antichri regno, in duabus precipue epistolis vaticinatur. Volui igitur etiam hanc ratione adolescentibus ipsis consulere, quibus magnopere prodest orationis dispositionẽ ostendere. Hac enim animaduersa, omia facilius percipiuntur. Imperiti enim nõ possũt difficiles disputatiões intelligere nisi ordine regionibusque partiũ animaduersis, quod qui nõ animaduertit, adeo non intelligit paulũ ut qua de re agat, ne suspicari quidem possit. Quare te oro ut hunc meũ laborẽ candide suscipias, ac in eo quod cœpisti, pergas diligenter, et consilio ac autoritate tua doctrinam vere piam tuearis, et sacra studia defendas: quod si feceris et saluti ecclesiae chri consules, et tu per christum salutem accepturus es.

Vale in christo Jesu. Kalmanchichini decimo Junij. Anno a nato christo, 1561.

Abb. 229 Cod. 11777, fol. 2r Kalmanchichinum (= Kalmancsa ?), 1561

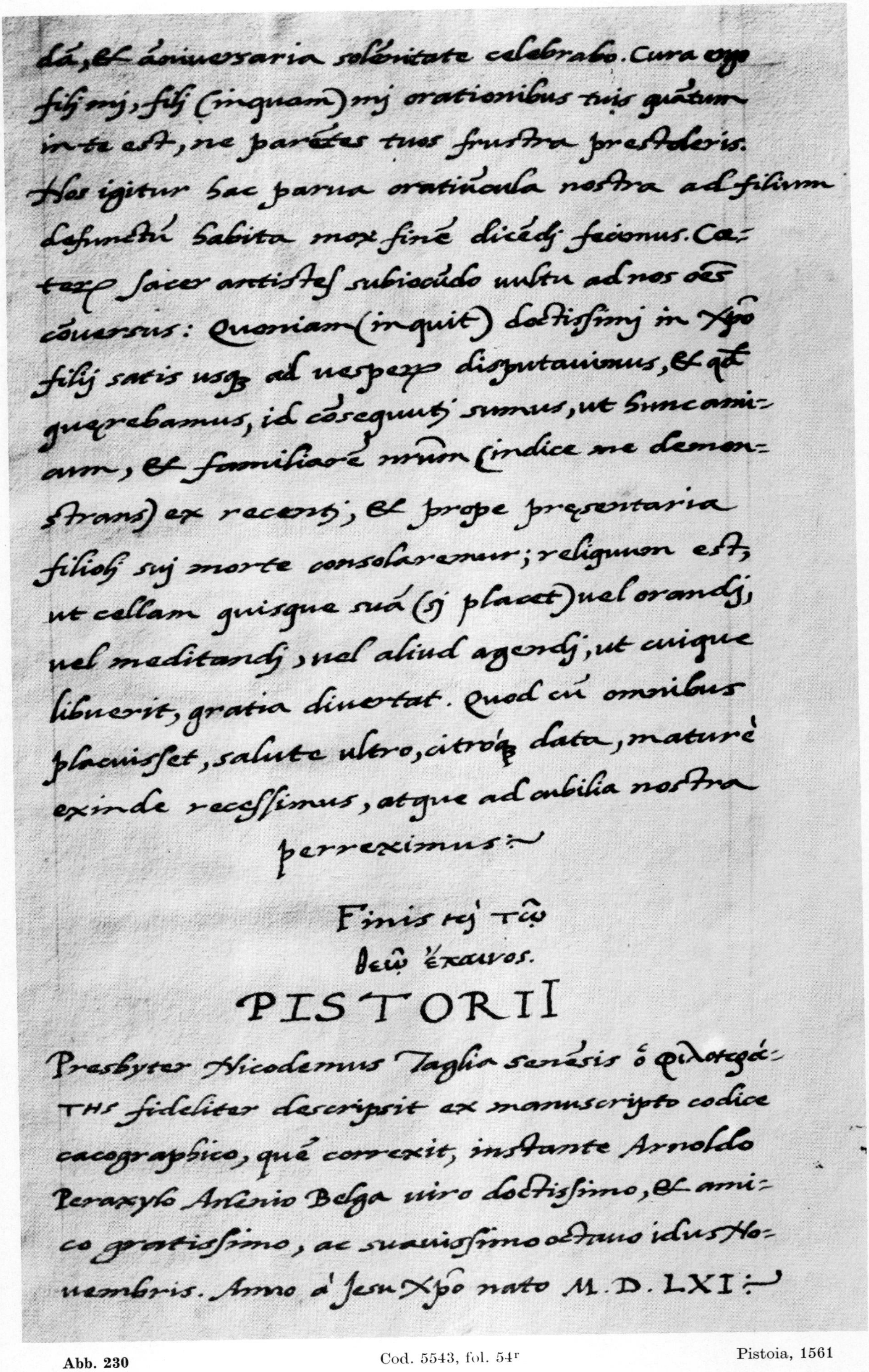

dā, et aniuersaria solēnitate celebrabo. Cura ergo
fili mi, fili (inquam) mi orationibus tuis quātum
in te est, ne parētes tuos frustra prestoleris.
Nos igitur hac parua oratiuncula nostra ad filium
defunctū habita mox finē dicēdi fecimus. Ce-
terū sacer antistes subiocūdo uultu ad nos oēs
cōuersus: Quoniam (inquit) doctissimi in Xp̄o
filij satis usq; ad uesperū disputauimus, et qđ
querebamus, id cōsequuti sumus, ut hunc ami-
cum, et familiarē nrūm (indice me demon-
strans) ex recenti, et prope presentaria
filioli sui morte consolaremur; reliquum est,
ut cellam quisque suā (si placet) uel orandi,
uel meditandi, uel aliud agendi, ut cuique
libuerit, gratia diuertat. Quod cū omnibus
placuisset, salute ultro, citroq; data, maturē
exinde recessimus, atque ad cubilia nostra
perreximus.

Finis τῷ τῷ
θεῷ ἔπαινος.

PISTORII

Presbyter Nicodemus Taglia senēsis ὁ φιλογρά-
της fideliter descripsit ex manuscripto codice
cacographico, quē correxit, instante Arnoldo
Peraxylo Arlenio Belga uiro doctissimo, et amico gratissimo, ac suauissimo octauo idus Nouembris. Anno a Jesu Xp̄o nato M.D.LXI.

Abb. 230 Cod. 5543, fol. 54r Pistoia, 1561

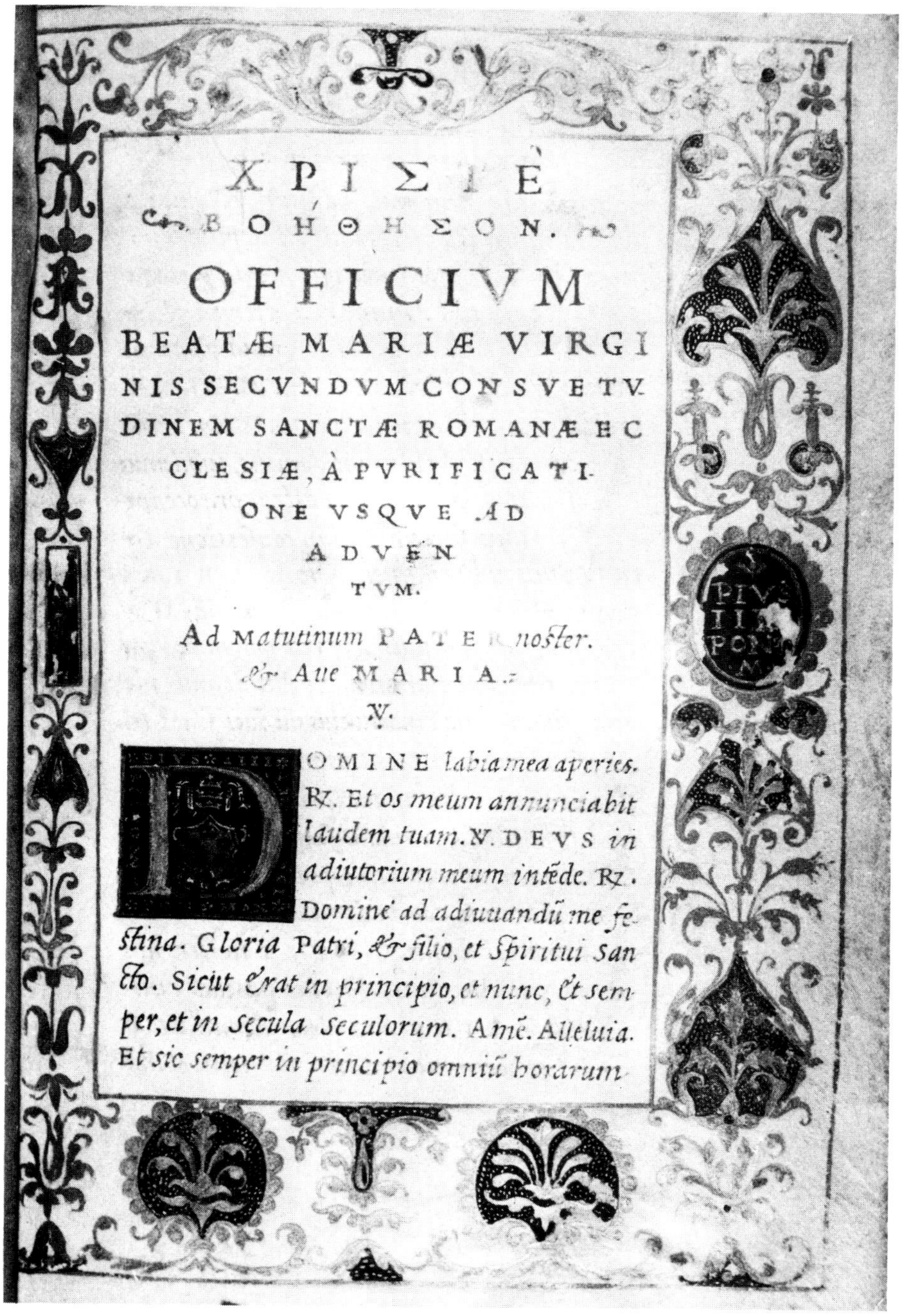

ΧΡΙΣΤΕ
ΒΟΗΘΗΣΟΝ.
OFFICIVM
BEATÆ MARIÆ VIRGI
NIS SECVNDVM CONSVETV
DINEM SANCTÆ ROMANÆ EC
CLESIÆ, À PVRIFICATI
ONE VSQVE AD
ADVEN
TVM.
Ad Matutinum PATER noster.
& Aue MARIA.
℣.

DOMINE labia mea aperies. ℟. Et os meum annunciabit laudem tuam. ℣. DEVS in adiutorium meum intēde. ℟. Domine ad adiuuandū me festina. Gloria Patri, & filio, et Spiritui Sancto. Sicut Erat in principio, et nunc, Et semper, et in secula seculorum. Amē. Alleluia. Et sic semper in principio omniū horarum.

Abb. 231 Cod. 11674, fol. 1r 1561

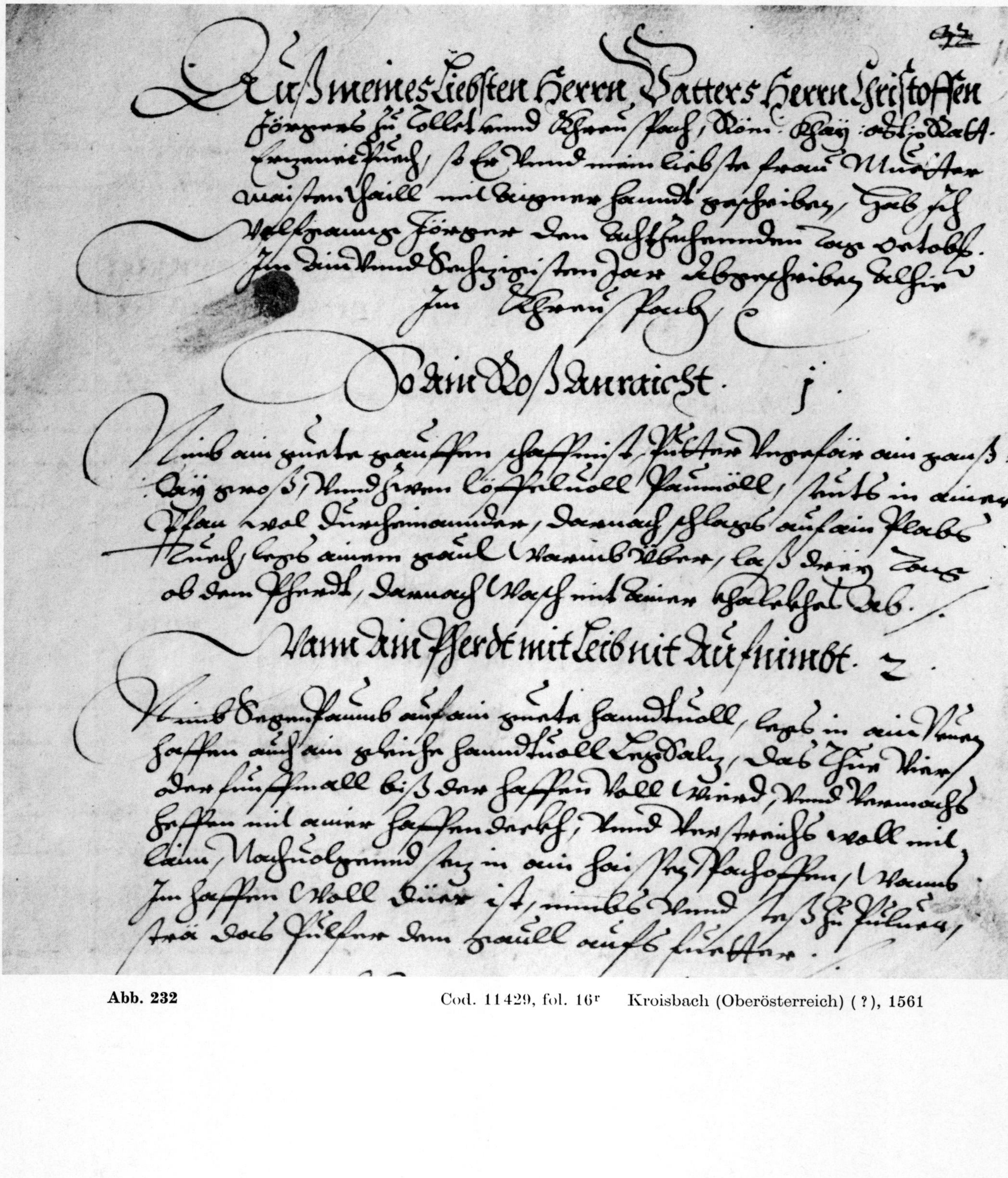

Abb. 232 Cod. 11429, fol. 16r Kroisbach (Oberösterreich) (?), 1561

Hernach volgen etlich

Abb. 233 Cod. 10939, fol. 96v 1561

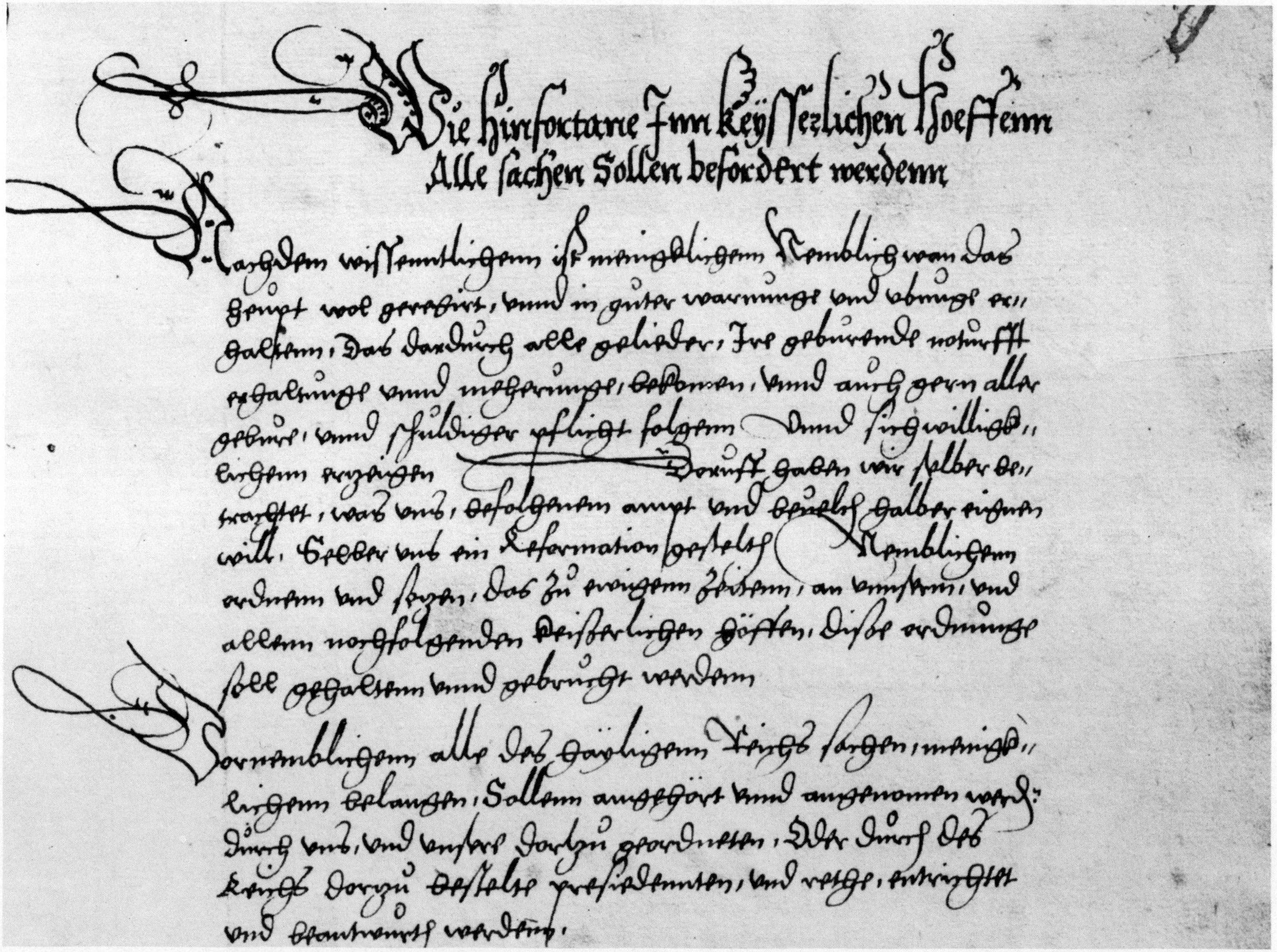

Abb. 234 Cod. 10964, fol. 1r 1561

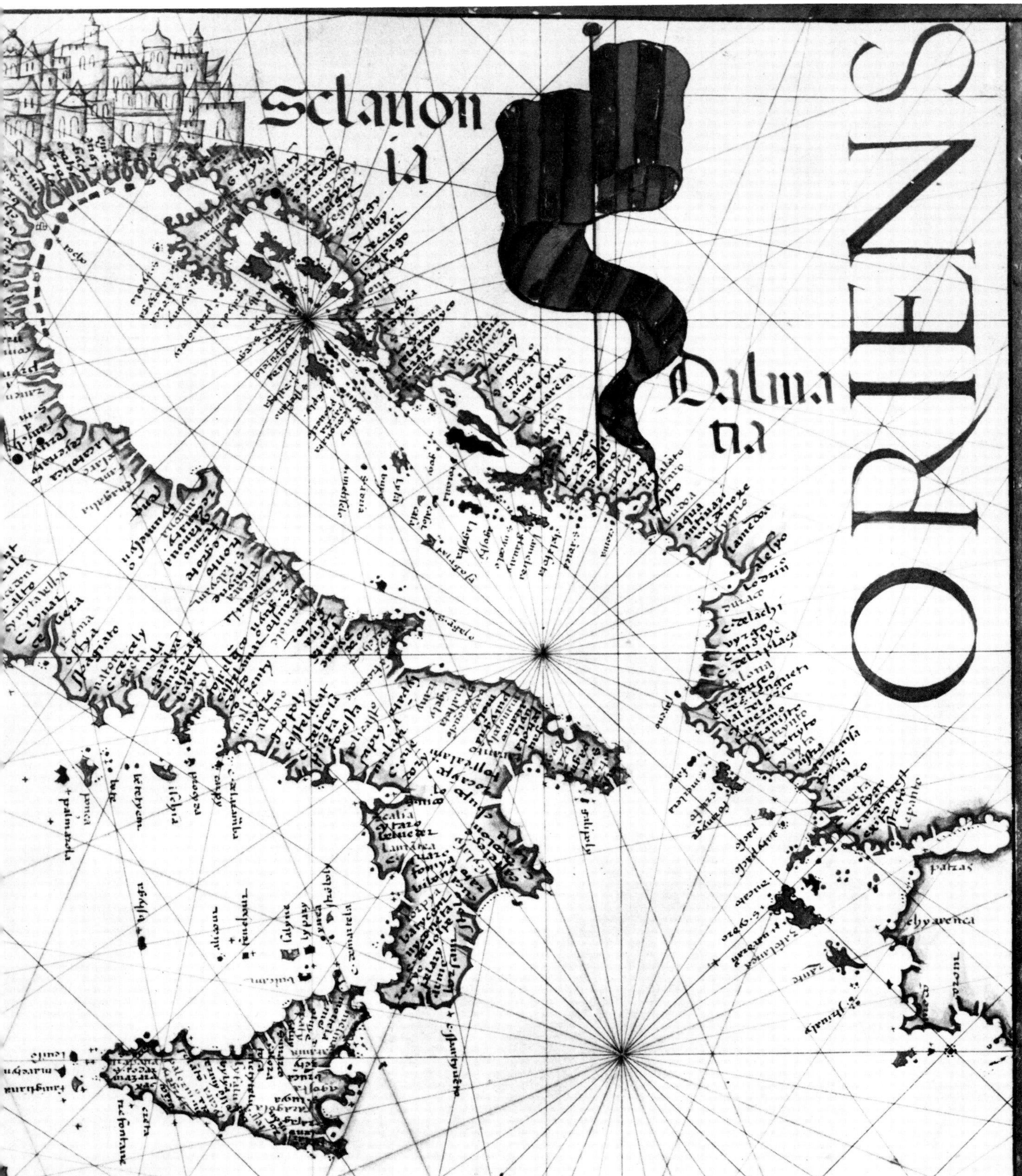

Abb. 235 Cod. 335, fol. 11r (Spanien ?), 1561

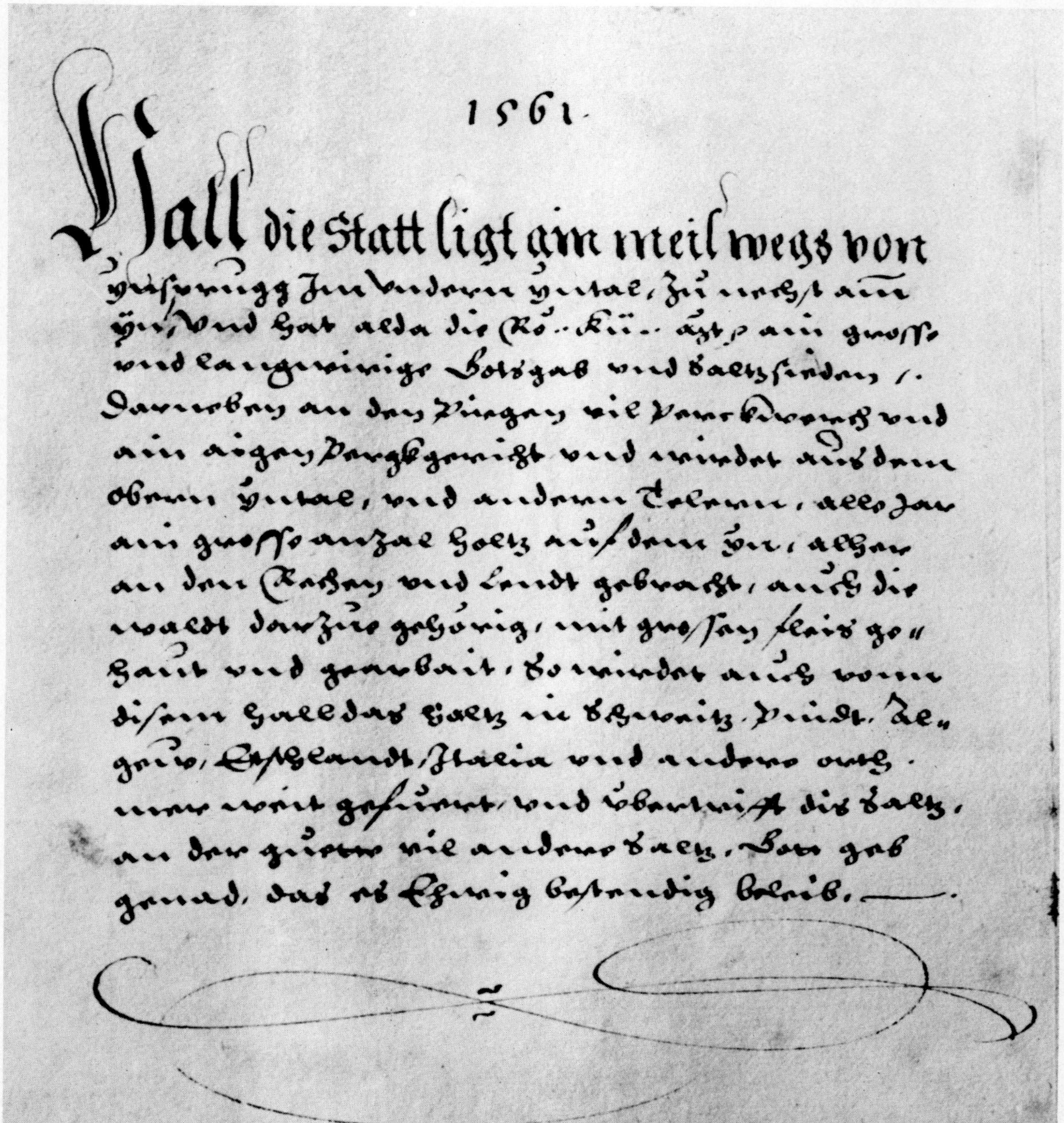

1561.

Hall die Statt ligt ain meil wegs von
Ynsprugg im andern Ynntal, zu negst am
Yn, Und hat alda die Rö. Kü. Mt. ain grosse
und langwirige Salzgrub und Saltzsieden, /.
Darneben an den Pergen vil Paurleuten und
ain aigen Pergkgericht und würdet aus dem
obern Ynntal, und andern Talern, alle Jar
ain grosse anzal Holtz auf dem Yn, alhero
an den Rechen und landt gebracht, auch die
walde darzue gehörig, mit grossen fleis ge-
haut und gearbait. So würdet auch von
disem Hall das Saltz in Schwaitz. [illegible]. [illegible]-
[illegible], Engelandt, Italia und andere ort[illegible]-
[illegible] weit gefüert, und übertrifft dis Saltz,
an der güete vil andere Saltz. Got geb
genad, das es ewig bestendig beleib. —

Abb. 236 Cod. 10852, fol. 231r Tirol, 1561

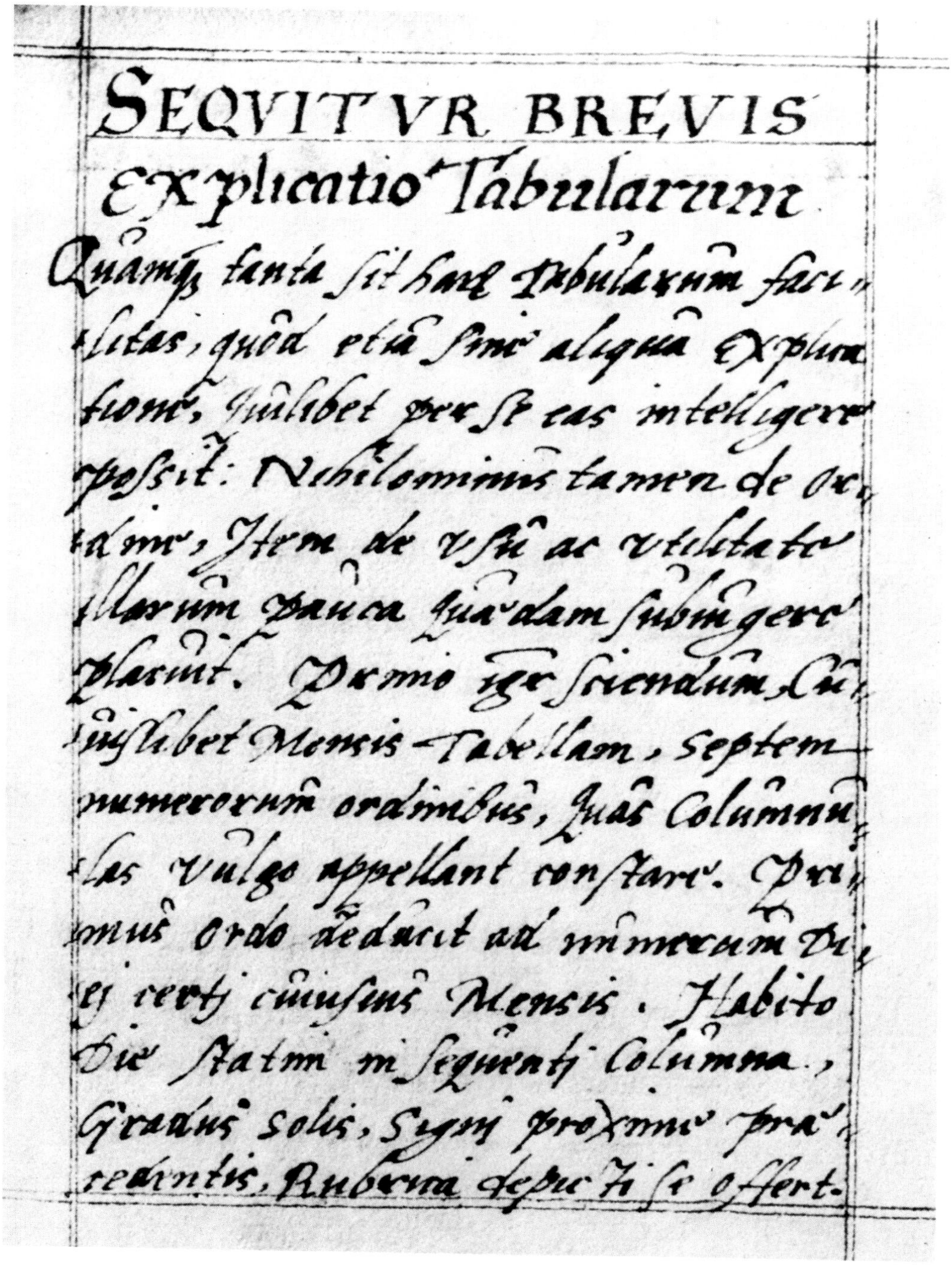
SEQVITVR BREVIS
Explicatio Tabularum
Quamquam tanta sit harum tabularum faci-
litas, quod etiam sine aliqua explicatione, quilibet per se eas intelligere
possit: Nihilominus tamen de ordine, Item de usu ac utilitate
illarum pauca quaedam subiungere
placuit. Primo igitur sciendum, Cu-
iuslibet Mensis Tabellam, septem
numerorum ordinibus, quas Columnel-
las vulgo appellant constare. Primus ordo deducit ad numerum Diei certi cuiusuis Mensis. Habito
Die statim in sequenti Columna,
Gradus solis, Signi proxime prae-
cedentis, Rubrica depicti se offert.

Abb. 237 Cod. 10625, fol. 8r Villach, 1561

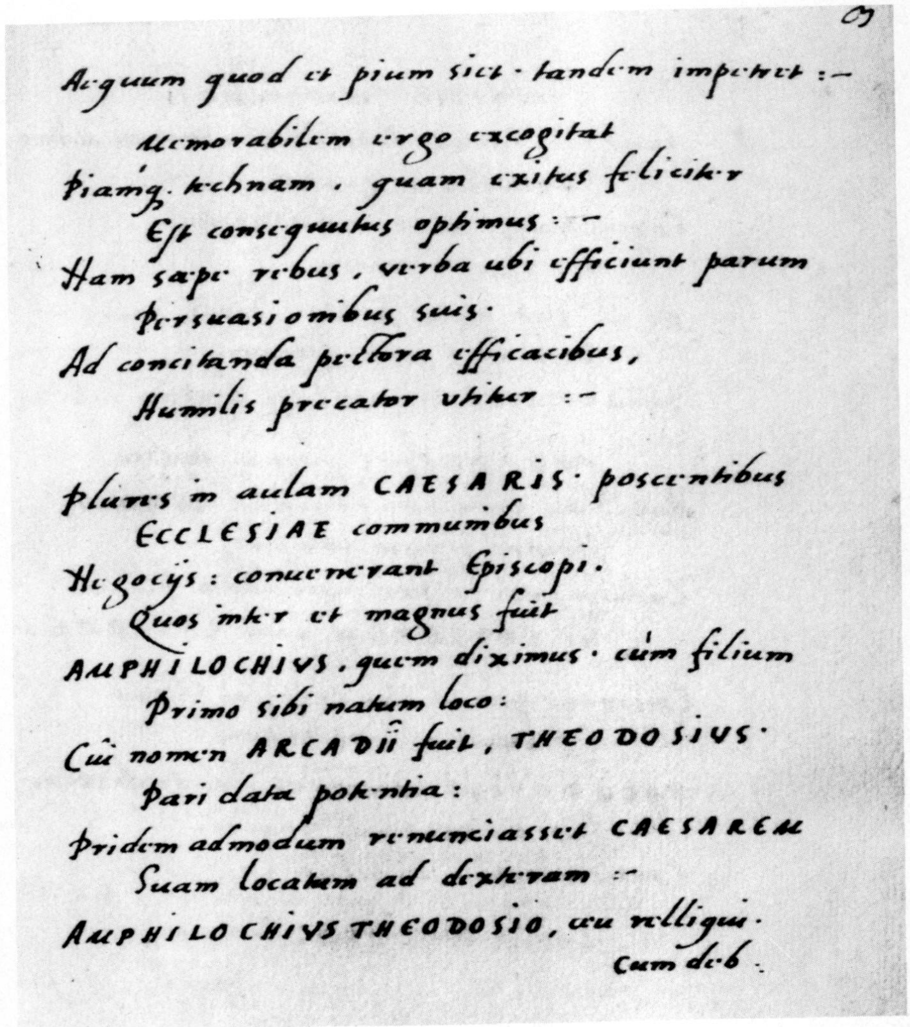
Aequum quod et pium sict · tandem impetret :-
Memorabilem ergo excogitat
Piamq. technam · quam exitus feliciter
Est consequutus optimus :-
Nam saepe rebus, verba ubi efficiunt parum
Persuasionibus suis·
Ad concitanda pectora efficacibus,
Humilis precator utitur :-

Plures in aulam CAESARIS · poscentibus
ECCLESIAE communibus
Negocijs: convenerant Episcopi.
Quos inter et magnus fuit
AMPHILOCHIUS · quem diximus · cum filium
Primo sibi natum loco:
Cui nomen ARCADII fuit, THEODOSIUS·
Pari data potentia:
Pridem admodum renunciasset CAESAREM
Suam locatum ad dexteram :-
AMPHILOCHIUS THEODOSIO, ceu relligio·
Cum deb.

Abb. 238 Cod. 11 627, fol. 3r 1561

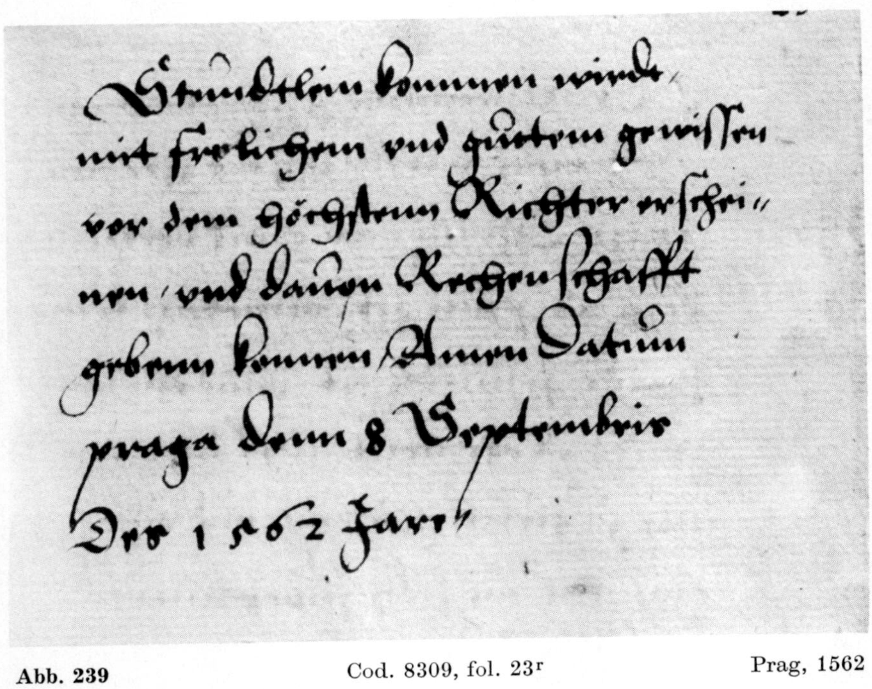
Stundtlein kummen wirdt,
nit frolichem und gutem gewissen
vor dem Höchsten Richter erschei-
nen, und dauon Rechenschafft
geben kunnen. Anno Datum
praga den 8 Septembris
Der 1562 Jars

Abb. 239 Cod. 8309, fol. 23r Prag, 1562

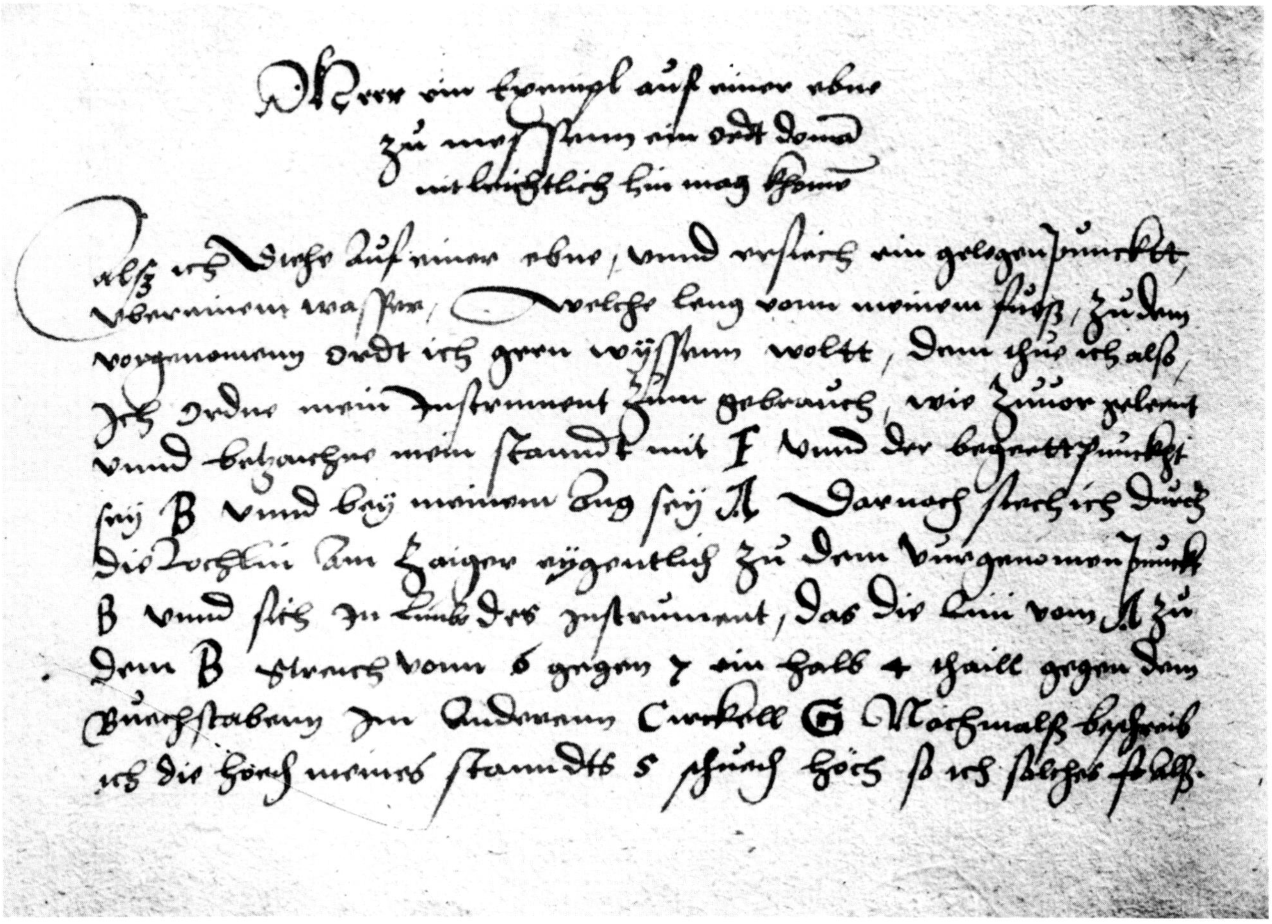

Abb. 240 Cod. 10636, fol. 9v (Wien ?), 1562

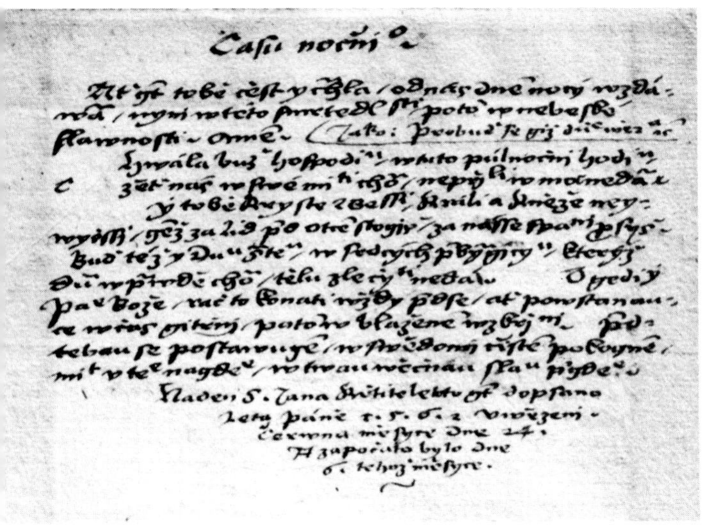

bb. 241 Cod. 7457, fol. 149v (Böhmen oder Mähren), 1562

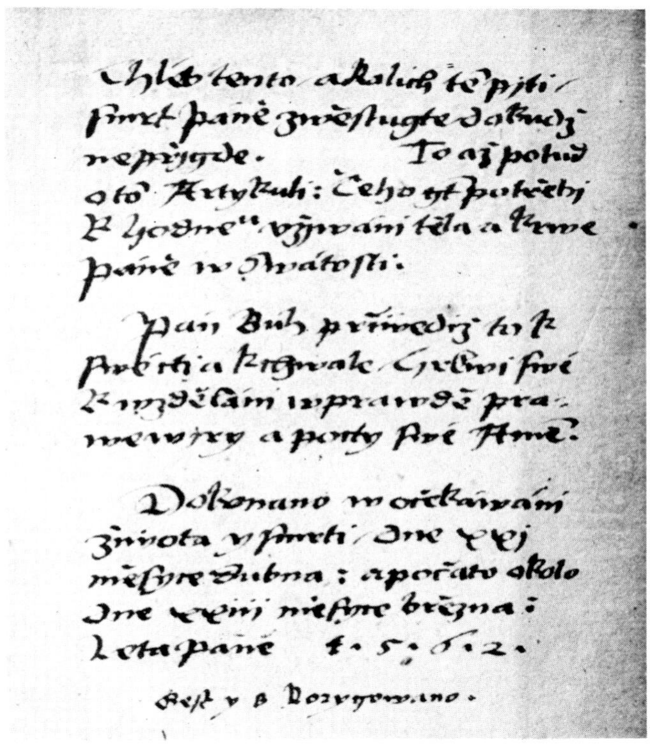

Abb. 242 Cod. 7458, fol. 93v (Böhmen), 1562

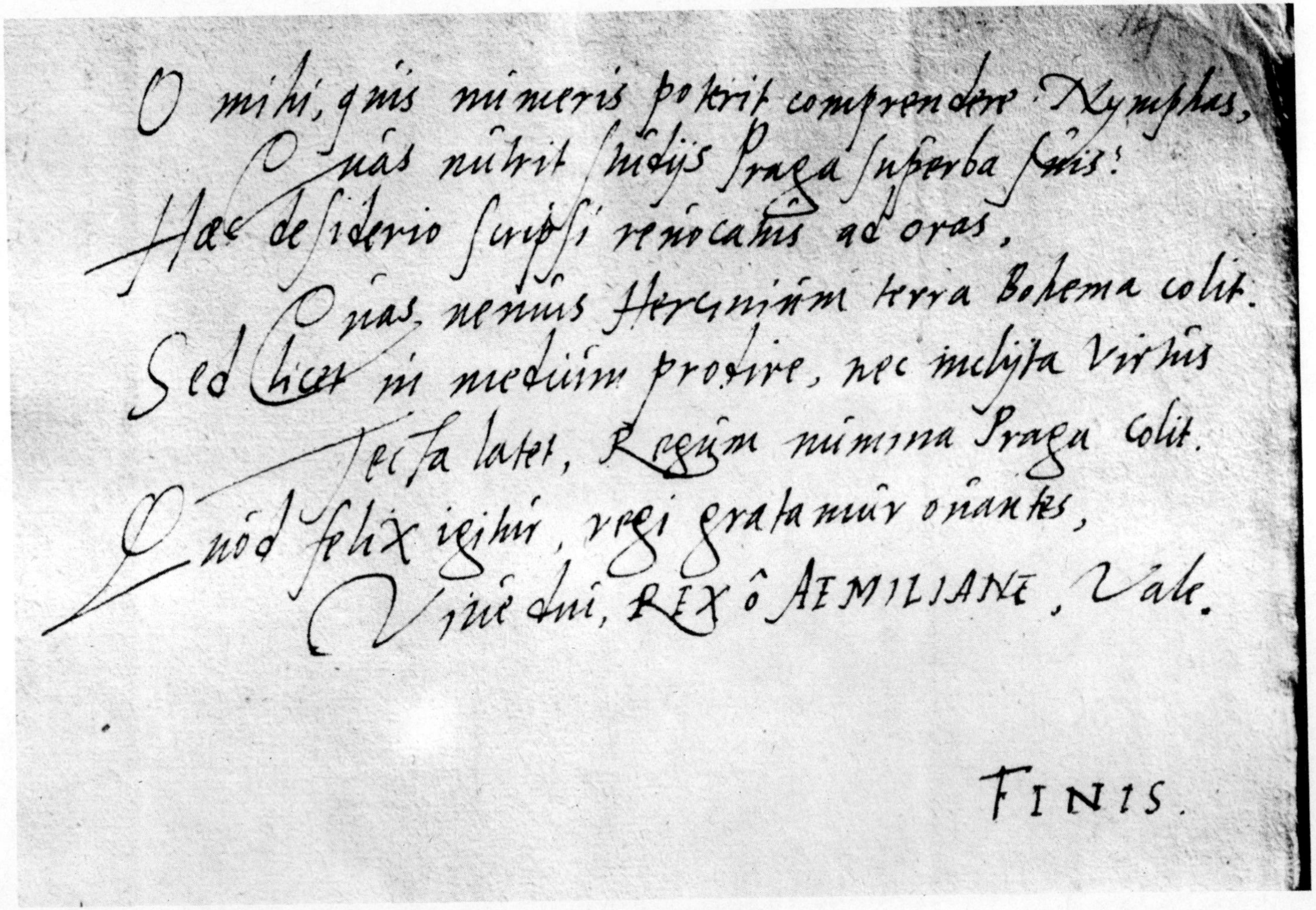

O mihi, quis numeris poterit comprendere Nymphas,
Quas nutrit studijs Praga superba suis:
Hæc desiderio scripsi revocatus ad oras,
Quas nemus Hercynium terra Bohema colit.
Sed licet in medium prodire, nec inclyta Virtus
Tecta latet, Regum numina Praga colit.
Quod felix igitur, regi gratamur orantes,
Vive diu, REX ô AEMILIANE, Vale.

FINIS.

Abb. 243 Cod. 10107, fol. 14r Prag, 1562

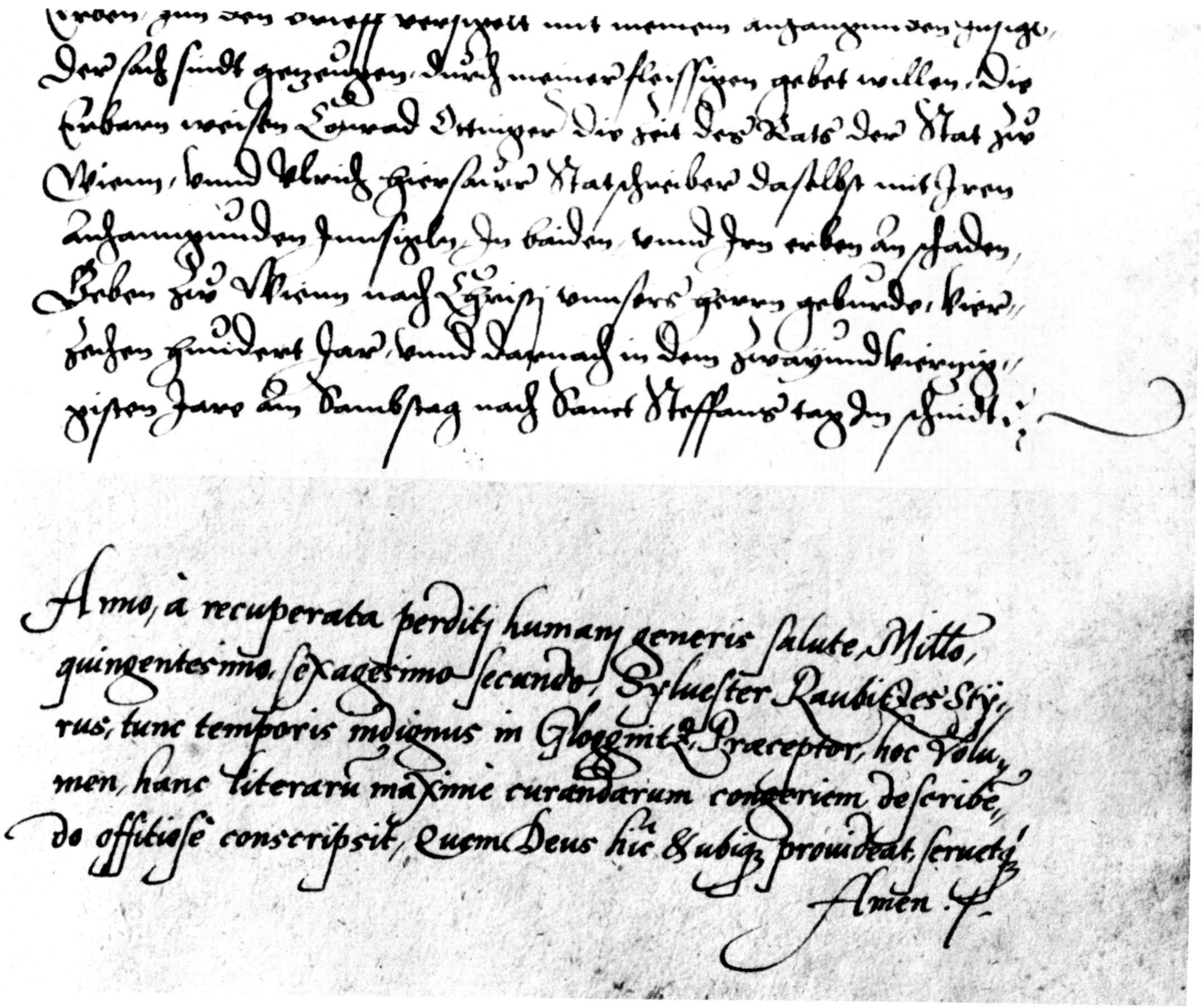
Der sach sindt gezeugen, durch meiner fleissigen gebet willen, Die erbarn weisen Conrad Ottinger die zeit des Rats der Stat zu Wienn, vnnd Vlrich Hierssauer Statschreiber daselbst mit jren anhanngunden Innsigln, die baiden, vnnd jren erben an schaden. Geben zu Wienn nach Christi vnnsers herrn geburde, vierzehen hundert Jar, vnnd darnach in dem zwayundvierzigisten Jare am Sambstag nach Sannt Steffans tag des schnidt.

Anno, à recuperata perditi humani generis salute, Millo, quingentesimo, sexagesimo secundo, Sylvester Raubitzer Styrus, tunc temporis indignus in Gloggnitz Praeceptor, hoc volumen, hanc literarū maxime curandarum congeriem describendo offitiose conscripsit, Quem Deus hic & ubiqz provideat, servetqz Amen.

Abb. 244 Cod. 8456, fol. 143r Gloggnitz, 1562

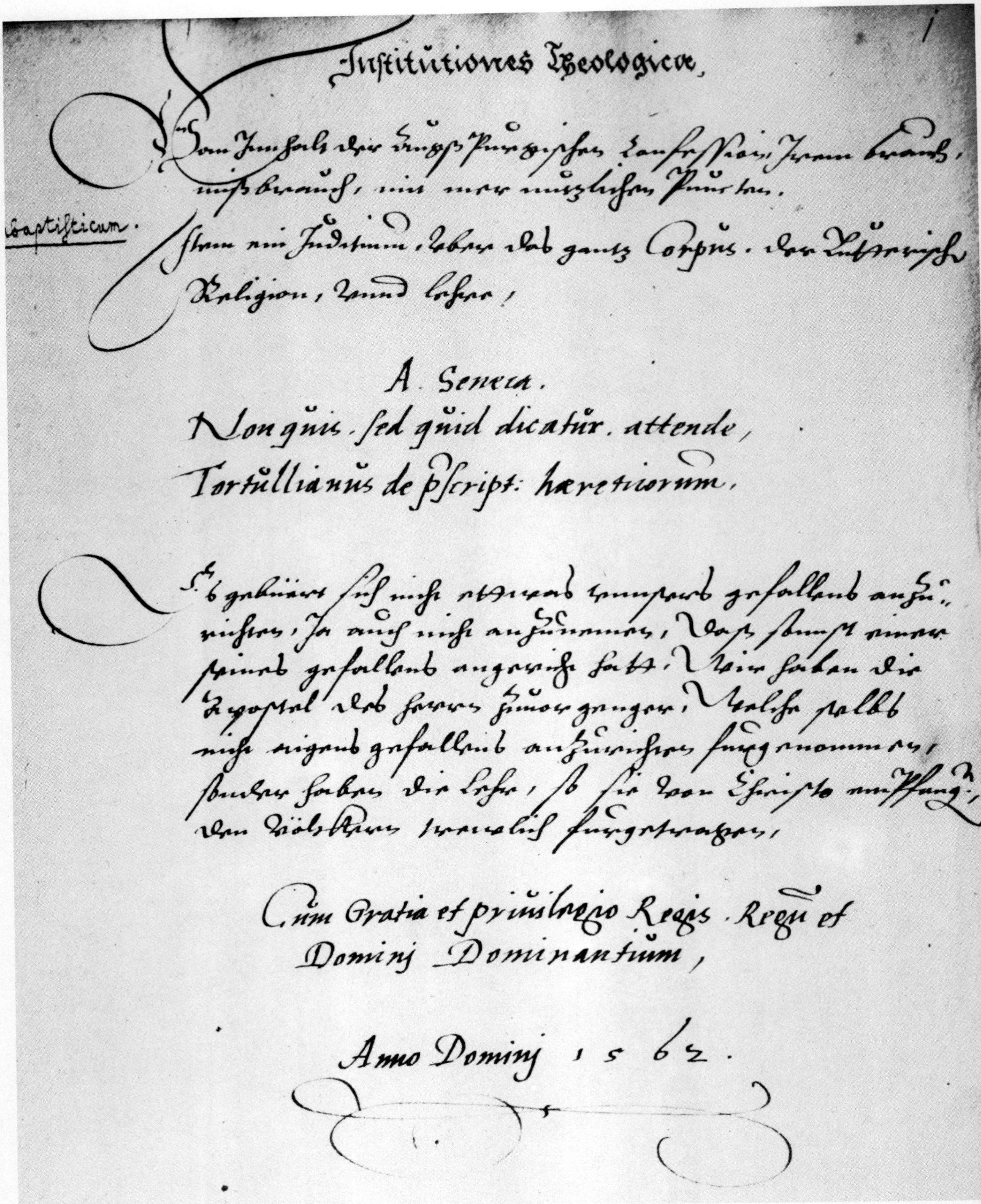

Institutiones Theologicæ,

baptisticum.

Vom Inhalt der Augspurgischen Confession, Irem brauch, missbrauch, mit mer nützlichen Punkten.

Item ein Iudicium, über das gantz Corpus. der Lutherisch Religion, Unnd lehre,

A. Seneca.

Non quis, sed quid dicatur, attende,

Tertullianus de præscript: hæreticorum,

Es gebüret sich nicht etwas vonn vnserm gefallenn anzu richten, Ja auch nicht anzunemen, das sonst einer seines gefallens angericht hatt. Wir haben die Apostel des herren zuvorgangen, welche selbs nicht eigens gefallens anzurichten fürgenommen, sondern haben die lehre, so sie von Christo empfangen, den völckern trewlich fürgetragen,

Cum Gratia et privilegio Regis Regum et Domini Dominantium,

Anno Domini 1562.

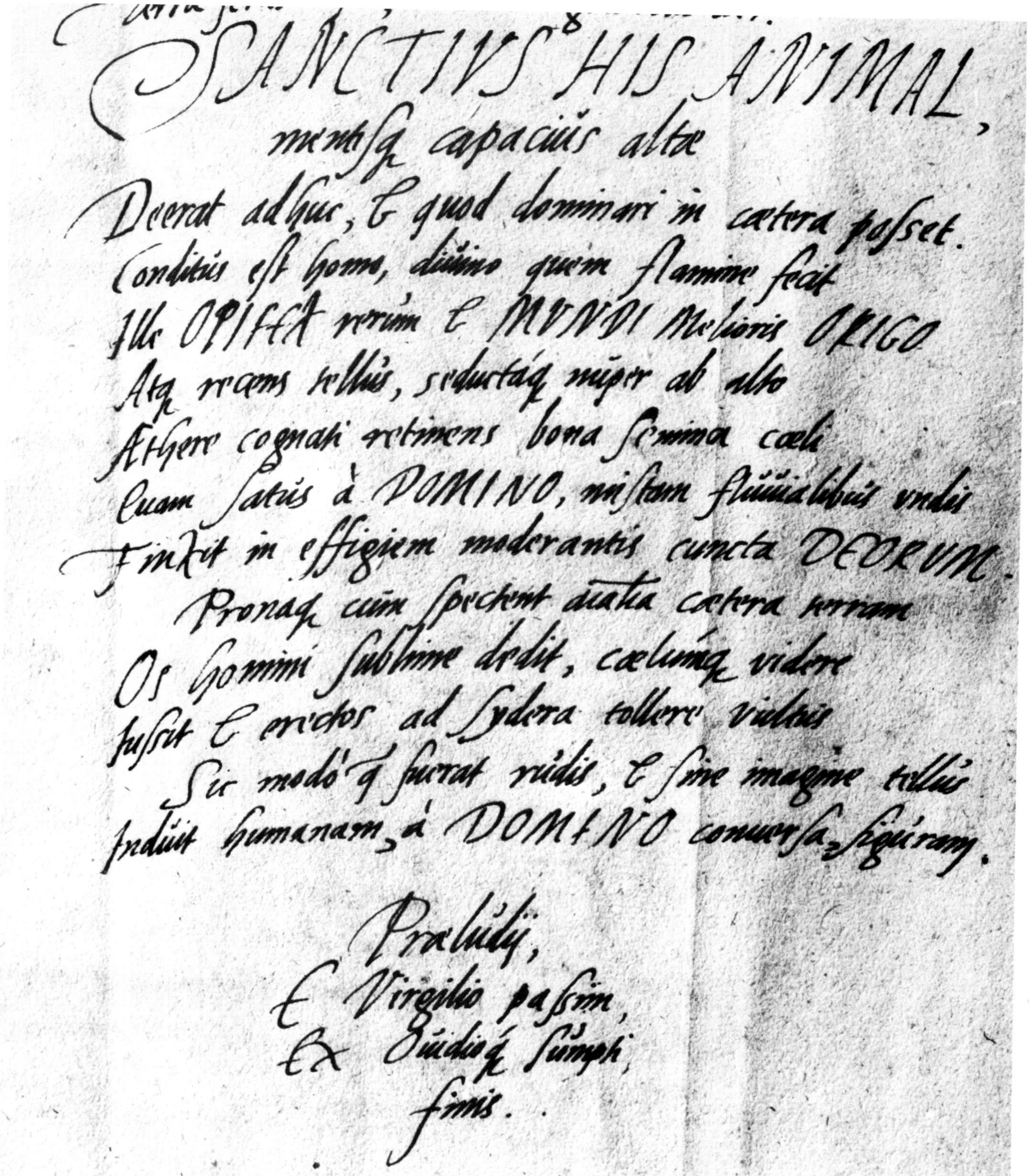

SANCTIUS HIS ANIMAL,
mentisq capacius altae
Deerat adhuc, & quod dominari in caetera posset.
Conditus est homo, divino quem flamine fecit
Ille OPIFEX rerum & MUNDI Melioris ORIGO
Atq recens tellus, seductaq nuper ab alto
Aethere cognati retinens bona semina coeli
Quam satus à DOMINO, mistam fluvialibus undis
Finxit in effigiem moderantis cuncta DEORUM.
Pronaq cum spectent animalia caetera terram
Os homini sublime dedit, coelumq videre
Jussit & erectos ad sydera tollere vultus
Sic modo q fuerat rudis, & sine imagine tellus
Induit humanam, à DOMINO conversa figuram.

Praeludij,
E Virgilio passim,
Ex Ovidioq sumpti,
finis.

Abb. 246 Cod. 10043, fol. 3v 1562

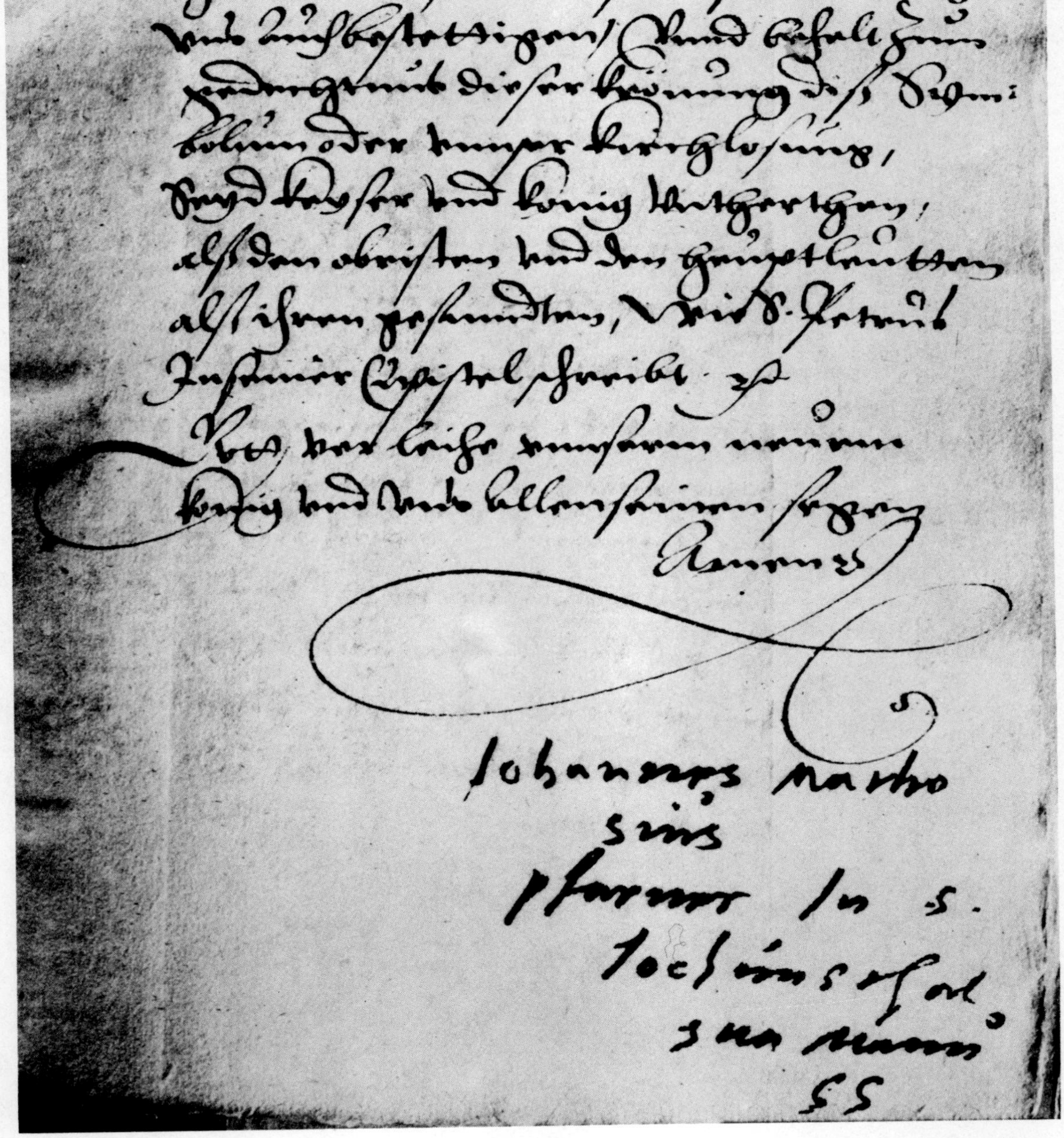

Mitgeholfft mit lindergttigen Hertzen
Die kron [illegible] singen, und [illegible]
nicht. gott der nicht feilen kan, und
Haubter, und für und für, sein Warheit
und zu bestettigen, und befehl Jm
zierdengemüt dieser krönung diß Diade-
ma oder kayser krönung,
Beyd kayser und konig vorgesetzten,
als den obristen und den hauptleutten
als ihren gesandten, wie S. Petrus
Jn seiner Epistel schreibt etc.
Bey der leiche unsers neuen
konig und [illegible] segen
Amen

Johannes Mathesius
pfarrer in S.
Joachimsthal
3 marcii
[illegible]

Abb. 247 Cod. 11580, fol. 30r Joachimsthal (?), 1562

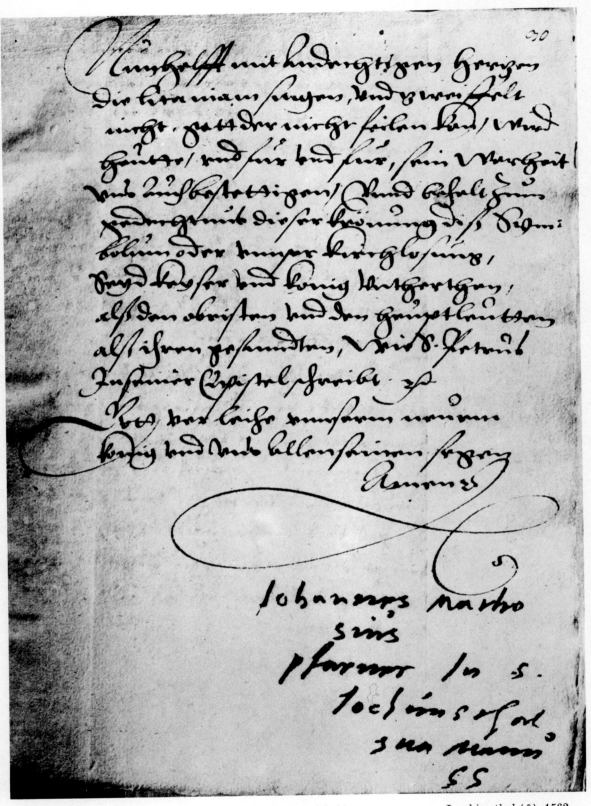

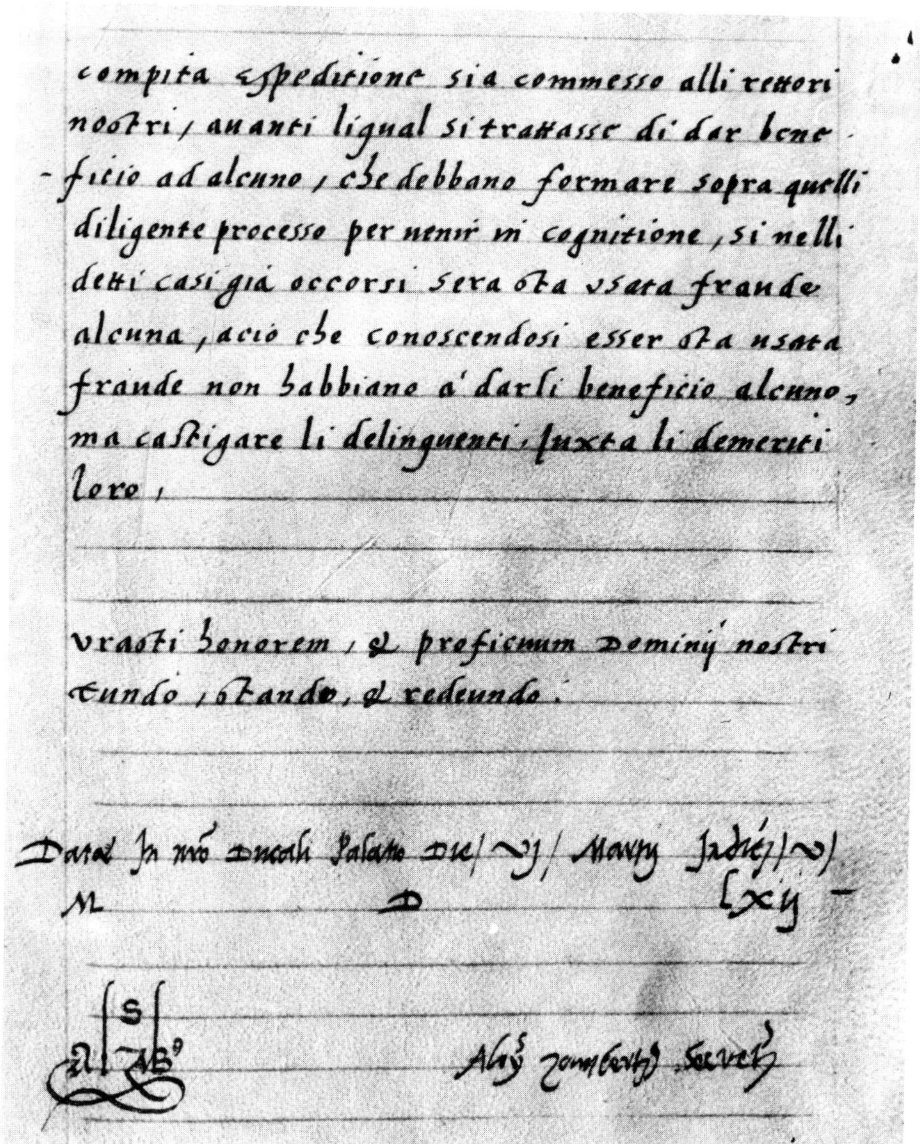
compita espeditione sia commesso alli rettori
nostri, avanti liqual si trattasse di dar bene-
-ficio ad alcuno, che debbano formare sopra quelli
diligente processo per venir in cognitione, si nelli
detti casi già occorsi sera stà usata fraude
alcuna, aciò che conoscendosi esser stà usata
fraude non habbiano a' darli beneficio alcuno,
ma castigare li delinquenti, iuxta li demeriti
loro,

vrasti honorem, et proficuum Dominij nostri
eundo, stando, et redeundo.

Datae In nrō Ducali Palatio Die VI Martij Indie V
M D LXII

Aloys Zambertus Secret.

Abb. 248 Cod. 5902, fol. 59r Venedig, 1562

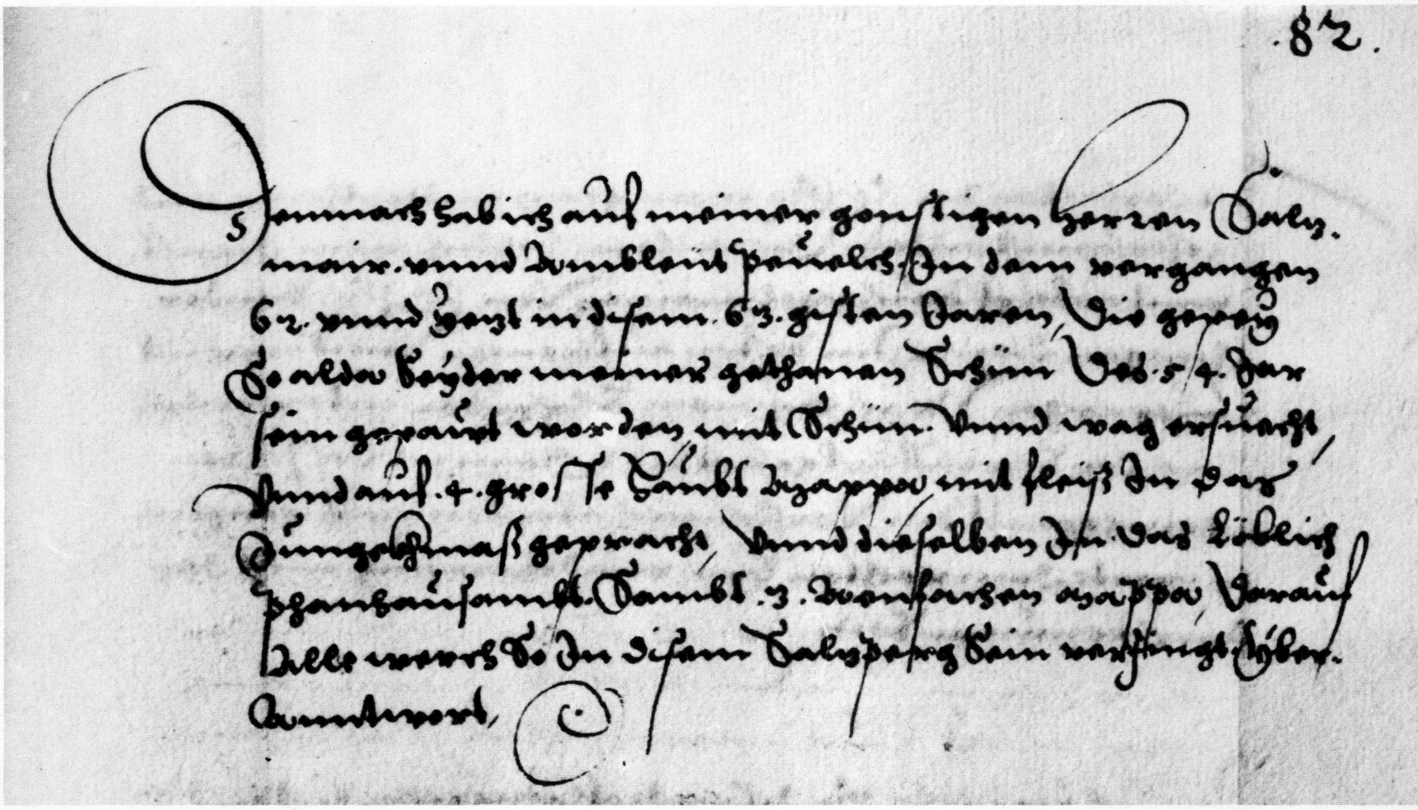

·82·

Dennach hab ich auf meiner genedigen herren Salz-
mair. vnnd Amtleut beuelch in dem vergangen
62. vnnd yezt in disem 63. jisten Jaren, die gepew
so alda beyder meiner gehaltenen schin des. 5/4. dar
sein gepaut worden mit schin. vnnd was ersuecht,
Sind auch .4. grosse Sambl zappen mit fleis in das
Junggeschnaß gemacht, vnnd dieselben in das Lobleich
gehausamt (?). Sambl .3. wonhafen zappen daran
alles werck so in disem Salzperg dain vnnstigt (?) über-
antwort,

Abb. 249 Cod. 7687, fol. 82r Hall in Tirol, 1563

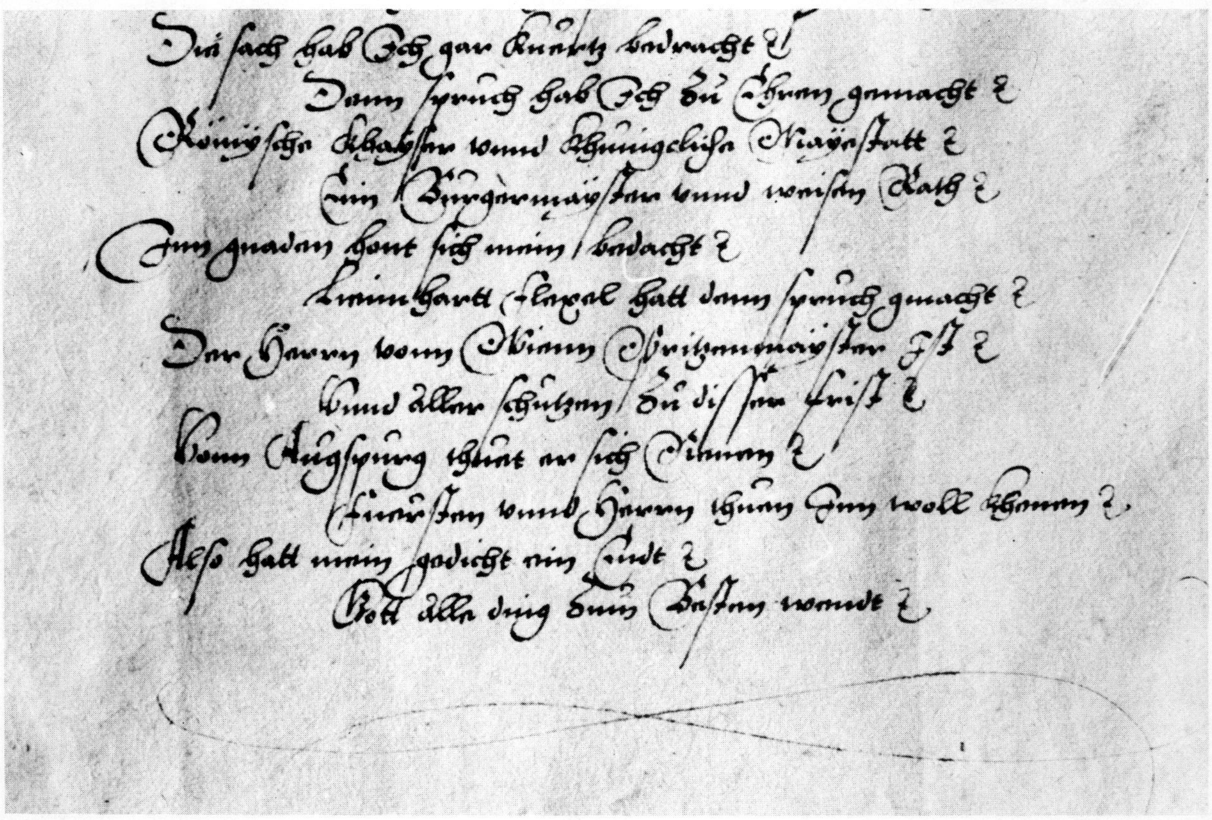

Dise sach hab Ich gar kuertz bedracht
Denn spruch hab Ich zu Ehren gemacht
Römische Khayser vnnd Khünigliche Mayestatt
Ein Burgermaister vnnd weisen Rath
Eur gnaden heut sich mein bedacht
Lienhartt Flexel hatt denn spruch gemacht
Der Herren vom Wienn Britzenmaister Ist
Vnnd aller schützen zu disser frist
Vonn Augspurg thuet er sich Nennen
Fürsten vnnd Herren thuen Ine woll khennen
Also hatt mein gedicht ein Endt
Gott alle ding zum Besten wendt

Abb. 250 Cod. 7632, fol. 24r (Wien), 1563

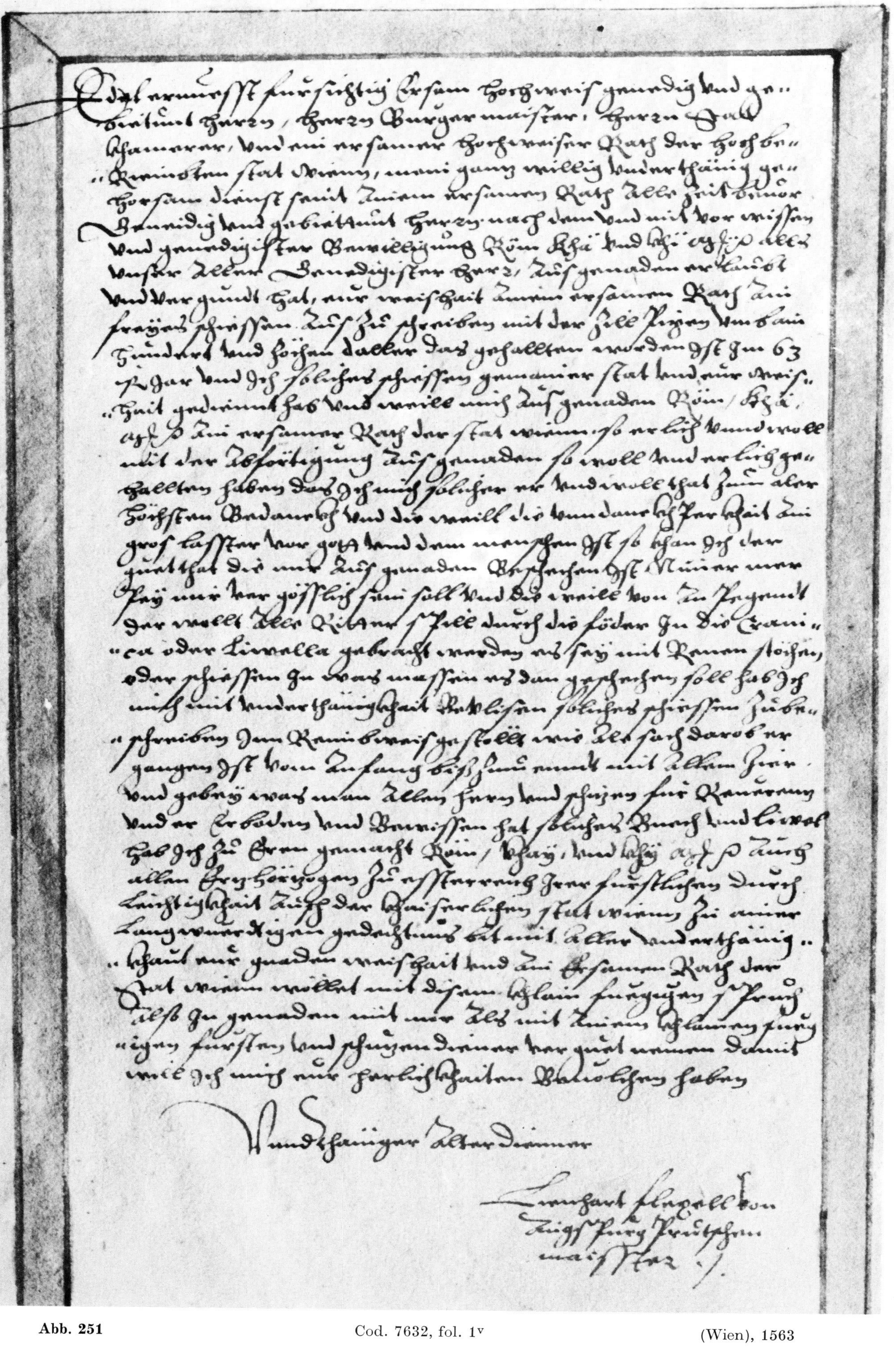
Edl ernuesst fursichtig ersam hochweis genedig und ge-
bietund herrn, herrn Burgermaister, herrn Stat-
khamrer, und ain ersamer hochweiser Rath der hoch be-
-ruembten stat Wienn, mein ganz willig undertheinig gehorsam dienst sambt ainem ersamen Rath alle zeit beuor
Genedig und gebietund herrn, nach dem und mit vorwissen
und genedigister bewilligung Röm. khä. und khü. maj. etc. als
unser aller genedigister herr, aus genaden erlaubt
und vergundt hat, eur weishait ainem ersamen Rath ain
fragen schiessen aus zu schreiben mit der zall zigen von ain
hundert und sechzehn daller das gehalten worden ist im 63
Jar und ich solichs schiessen gemainer stat und eur weis-
-hait gedient hab und weill mich aus genaden Röm. khä.
maj. etc. ain ersamer Rath der stat wienn so erlich und woll
mit der abfertigung aus genaden so woll und erlich gehalten haben das ich mich solicher er und woll that zum aller
hochsten bedankh und dieweill die undankhbarkait ain
gros lasster vor gott und dem menschen ist so khan ich der
guetthat die mir aus genaden beschehen ist nimer vergessen mir vergesslich sein soll und dieweill von der gegent
der welt aller Ritter schiess durch die feder zu die Crani-
-ca oder Liverlla gebracht werden ob sey mit Rennen stechen,
oder schiessen zu wass massen es dan geschehen soll hab ich
mich mit undertheinigkait vermelten solichs schiessen zu be-
-schreiben dem Reimbweis gestellt wie alle sach darob ergangen ist vom anfang bis zum endt mit allen ehr
und gaben was man allen herrn und schuzen fur Renumen
und er erbedten und bewissen hat solichs buech und biecel
hab ich zu Ern gemacht Röm. khä. und khü. maj. etc. auch
allen Erzherzogen zu osterreich iren furstlichen durch-
-lauchtigkait auch der khaiserlichen stat wienn zu ainer
langwerdigen gedechtnus bit mit aller undertheinig-
-khait eur genaden weishait und ain ersamer Rath der
stat wienn wollet mit disem khlain furgeben schenkh
also zu genaden mit mir als mit ainem khlainen jung-
-igen fursten und schuzendiener vor guet nemen damit
well ich mich eur herlichkaiten bevolchen haben

Undertheiniger alter diener

Lienhart flexell von
Augspurg Preutschen
maister.

Abb. 251 Cod. 7632, fol. 1v (Wien), 1563

~: Allo Ill.re Signore: Il. Sig: Giorgio Zuccari, mio Sig. oss.mo

Credo che si trouerrebbono, molte scienze nuoue, signor mio
Ill.re: se gli huomini, non attendessero a camminare sempre dietro=
all'altrui pedate, et cosi haremmo delle cognitioni mirabili, che si
stanno ascoste, per la negligenza, de la maggior parte degli intellet
ti addormentati. La uirtu del numerare i nomi, e' cosa che era già
nota; et doueua essere di gran pregio, et da grande intelletto, p[er]che
San' Giouanni nell'Apocalisse a xiij Capi. ne fa mentione di=
cendo, che uerrebbe dal mare una bestia; ne uuol dire apertame=
te il nome; ma dice: chi ha intelletto, computi il numero suo, il qua=
le leua insomma secento sessanta sei: tanto dice il testo. La S.V.
Ill.re uedra questa mia opera nuoua, cō secreti nō mai piu a nostri
tempi conosciuti da gli huomini: et accetterà per cortesia questo pic=
ciol presente dal Doni, per i meriti uostri Ill.mi: et degni d'altra=
consecratione che d'un libro: ma questo e' un tributo, che io porgo-
alla fama del nome degno che risuona del. S. Giorgio Zuccari, hono=
re della natione Alemana, gloria della Virtu de sangui nobilissimi
et meriteuole, che non solamente io gli dedichi, la mia bassa uirtù,
ma ogni Eleuato intelletto, la sua alta et Ecc.te. Et per che cō le
stampe, mi riserbo mostrarlo al mondo, però, farò fine, offerendo=
mi seruitore cō tutto il core, et le bacio la mano. Di Vinetia in casa
il Giolito, mag.co alli xi di Febbraio 1562.

Di V. S. Ill.re

Ser.re

Anton Franc.o Doni Fior.no

Abb. 252 Cod. 10982, fol. 2r Venedig, 1563

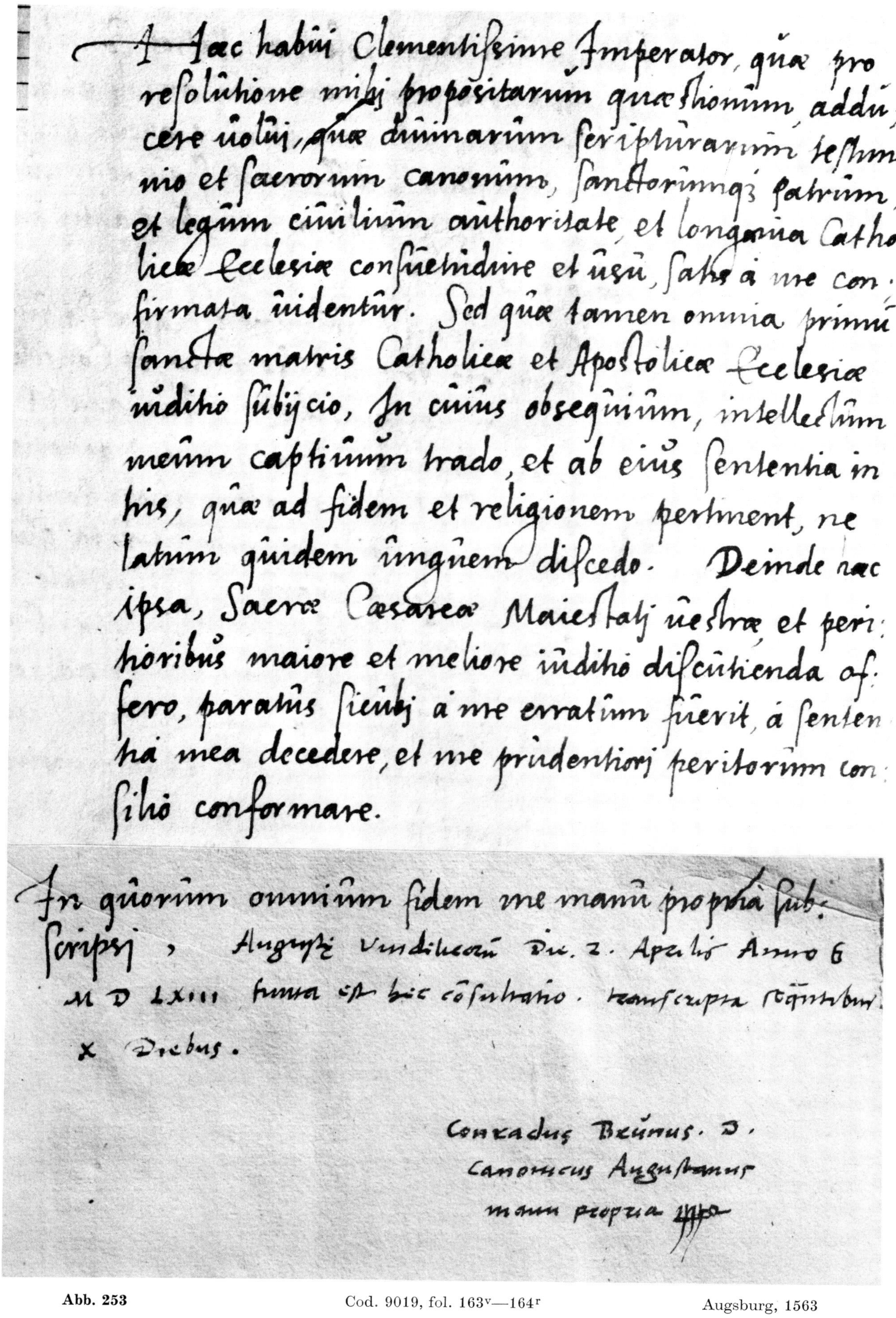

Hæc habui Clementissime Imperator, quæ pro resolutione mihi propositarum quæstionum adducere volui, quæ divinarum scripturarum testimonio et sacrorum canonum, sanctorumque patrum, et legum civilium authoritate, et longæva Catholicæ Ecclesiæ consuetudine et usu, satis a me confirmata videntur. Sed quæ tamen omnia primum sanctæ matris Catholicæ et Apostolicæ Ecclesiæ iudicio subiicio, In cuius obsequium, intellectum meum captivum trado, et ab eius sententia in his, quæ ad fidem et religionem pertinent, ne latum quidem unguem discedo. Deinde hæc ipsa, Sacræ Cæsareæ Maiestati vestræ, et peritioribus maiore et meliore iudicio discutienda offero, paratus sicubi a me erratum fuerit, a sententia mea decedere, et me prudentiori peritorum consilio conformare.

In quorum omnium fidem me manu propria subscripsi, Augustæ Vindelicorum Die 2. Aprilis Anno 6 MDLXIII finita est hæc consultatio. transcripta sequentibus X Diebus.

Conradus Braunus D.
Canonicus Augustanus
manu propria subscripsit

Abb. 253 Cod. 9019, fol. 163ᵛ—164ʳ Augsburg, 1563

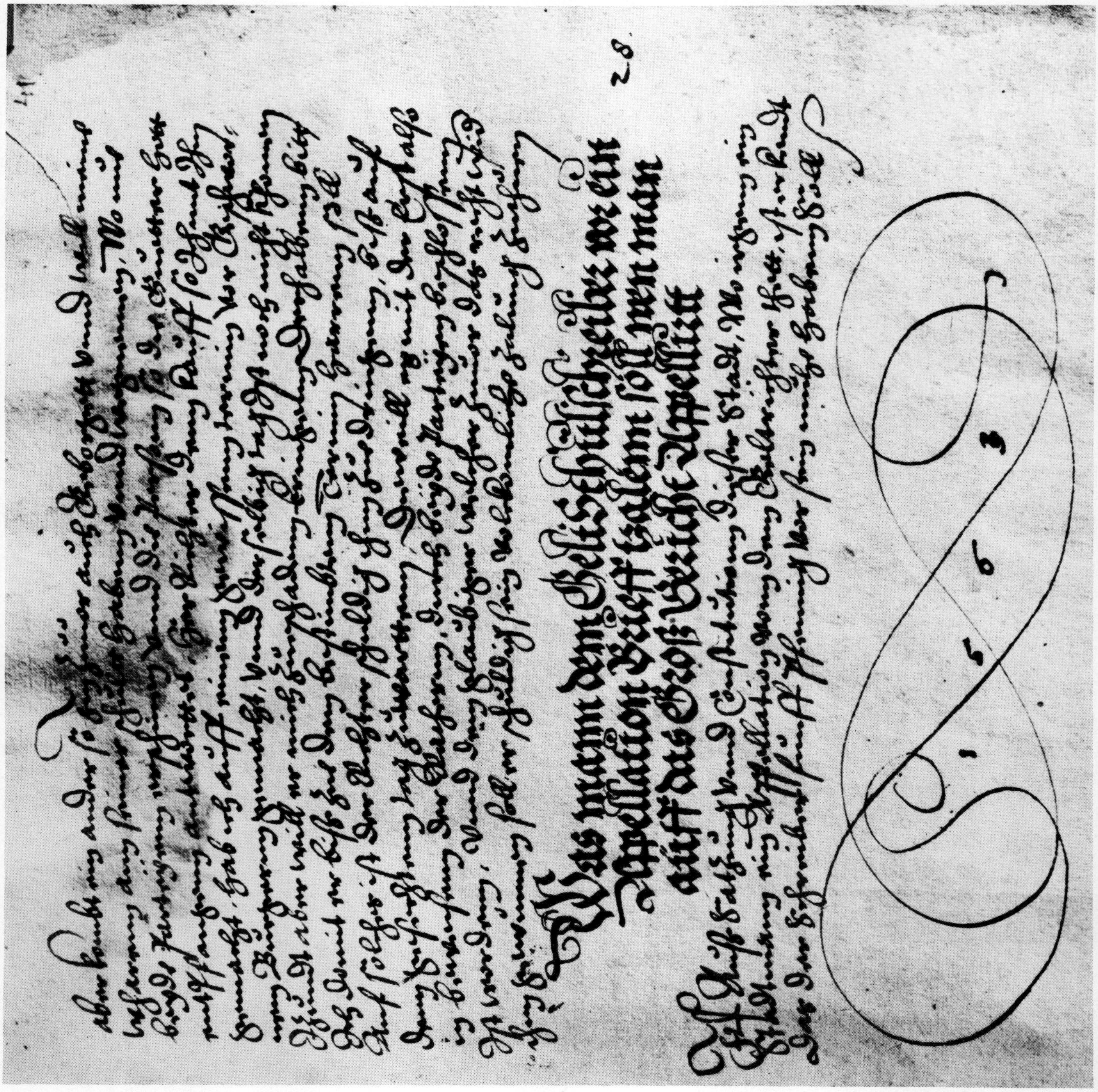

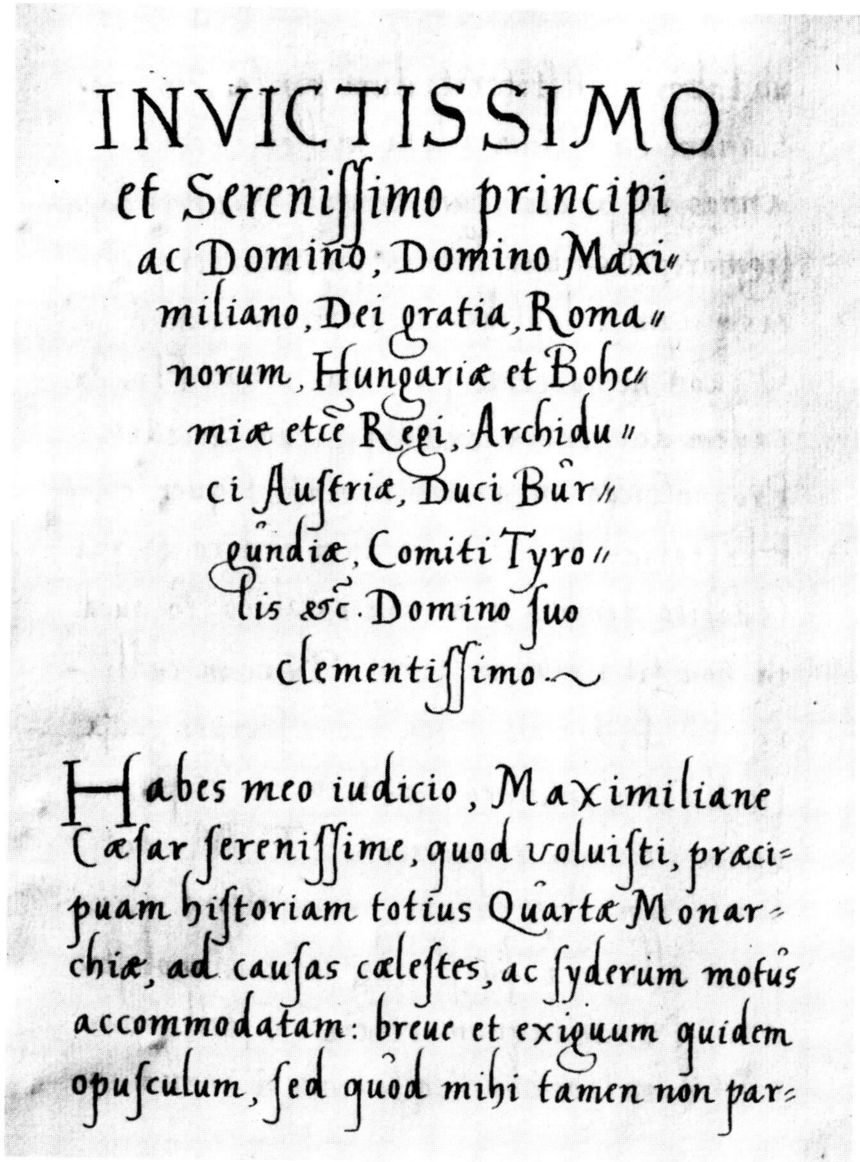
INVICTISSIMO
et Serenissimo principi
ac Domino, Domino Maxi=
miliano, Dei gratia, Roma=
norum, Hungariæ et Bohe=
miæ etc. Regi, Archidu=
ci Austriæ, Duci Bur=
gundiæ, Comiti Tyro=
lis &c. Domino suo
clementissimo.

Habes meo iudicio, Maximiliane
Cæsar serenissime, quod voluisti, præci=
puam historiam totius Quartæ Monar=
chiæ, ad causas cælestes, ac syderum motus
accommodatam: breue et exiguum quidem
opusculum, sed quod mihi tamen non par=

Abb. 255 Cod. 10599, fol. 2r Lauingen, 1563

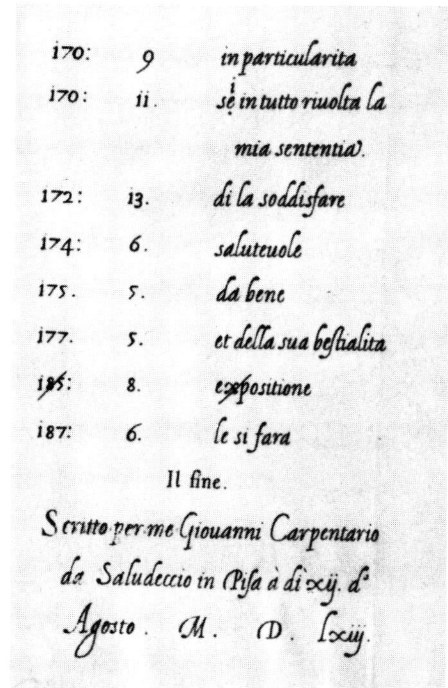

170:	9	in particularita
170:	11.	se in tutto riuolta la
		mia sententia.
172:	13.	di la soddisfare
174:	6.	saluteuole
175.	5.	da bene
177.	5.	et della sua bestialita
185:	8.	expositione
187:	6.	le si fara

Il fine.

Scritto per me Giouanni Carpentario
da Saludeccio in Pisa à di xij. d'
Agosto. M. D. lxiij.

Abb. 256 Cod. 2667, fol. 209r Pisa, 1563

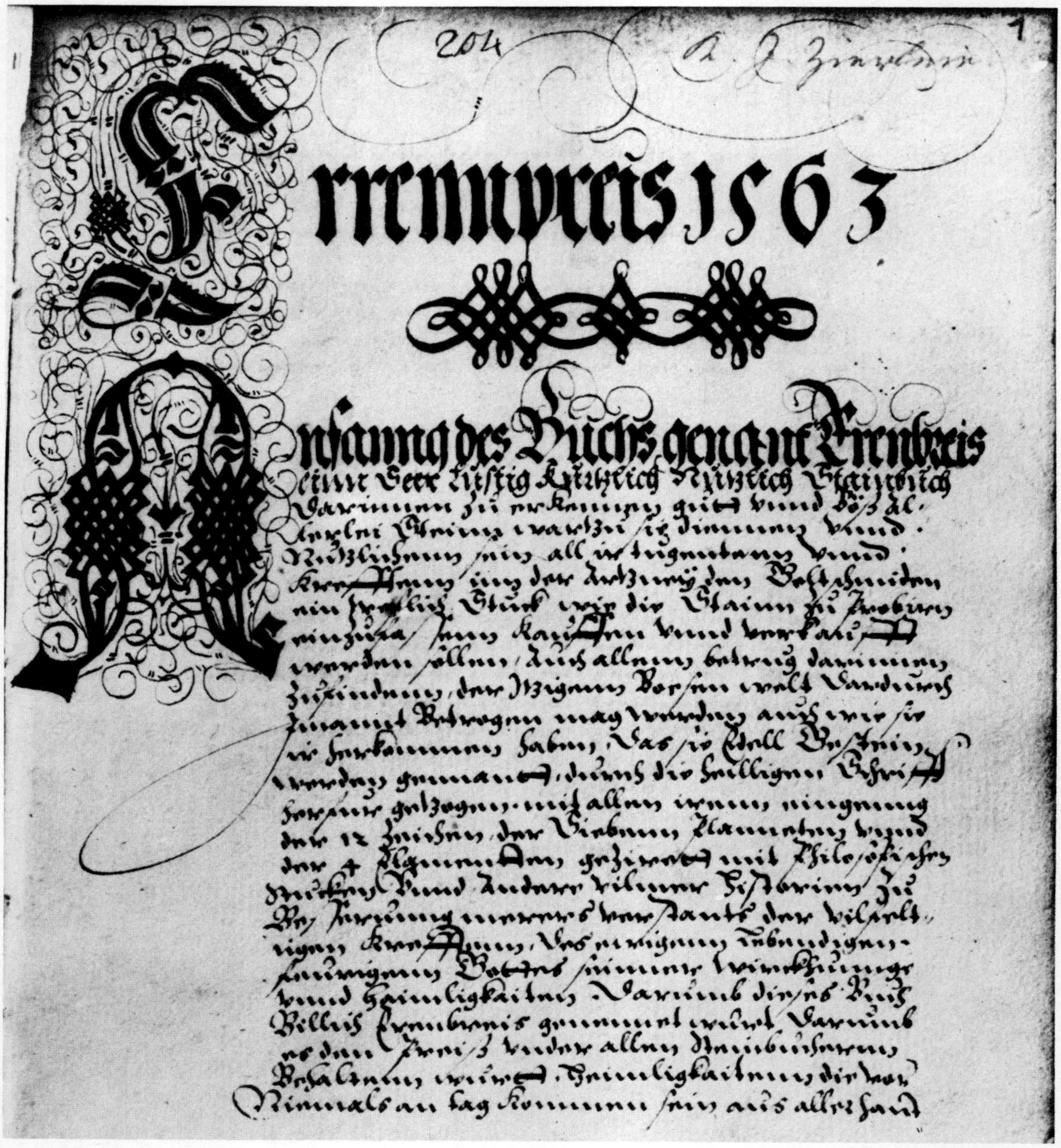

Abb. 257 Cod. 13008, fol. 1r Mainz, 1563

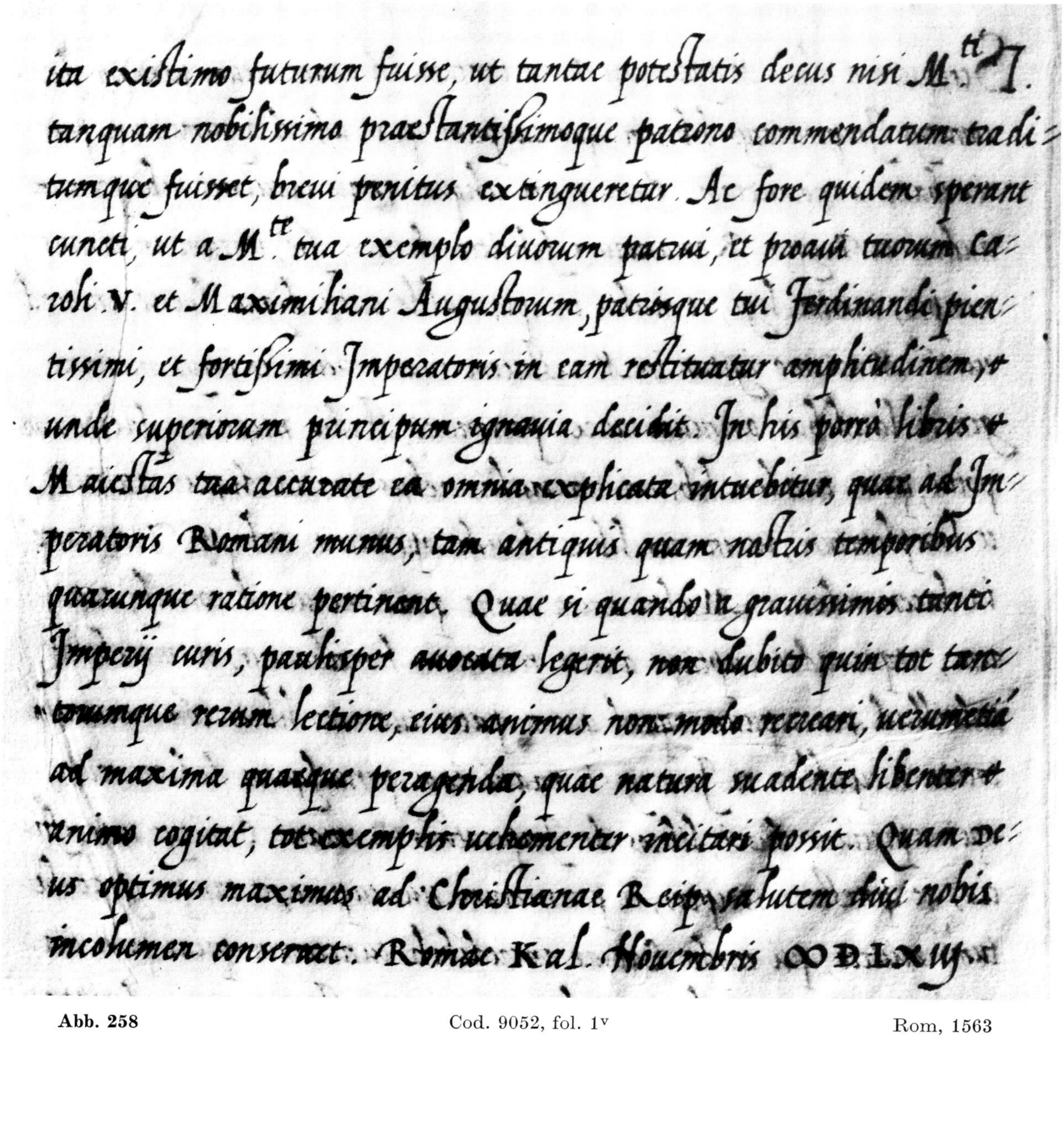
ita existimo futurum fuisse, ut tantae potestatis decus nisi M.ti T.
tanquam nobilissimo praestantissimoque patrono commendatum tradi-
tumque fuisset, breui penitus extingueretur. Ac fore quidem sperant
cuncti, ut a M.te tua exemplo diuorum patrui, et proaui tuorum Caroli V. et Maximiliani Augustorum, patrisque tui Ferdinandi pien-
tissimi, et fortissimi Imperatoris in eam restituatur amplitudinem, &
unde superiorum principum ignauia decidit. In his porro libris &
Maiestas tua accurate ea omnia explicata intuebitur, quae ad Imperatoris Romani munus, tam antiquis quam nostris temporibus
quacunque ratione pertinent. Quae si quando a grauissimis tanti
Imperij curis, paulisper auocata legerit, non dubito quin tot tan-
torumque rerum lectione, eius animus non modo recreari, uerumetiã
ad maxima quaeque peragenda, quae natura suadente libenter &
animo cogitat, tot exemplis uehementer incitari possit. Quam Deus optimus maximus ad Christianae Reip. salutem diu nobis
incolumen conseruet. Romae Kal. Nouembris MDLXIIJ.

Abb. 258 Cod. 9052, fol. 1v Rom, 1563

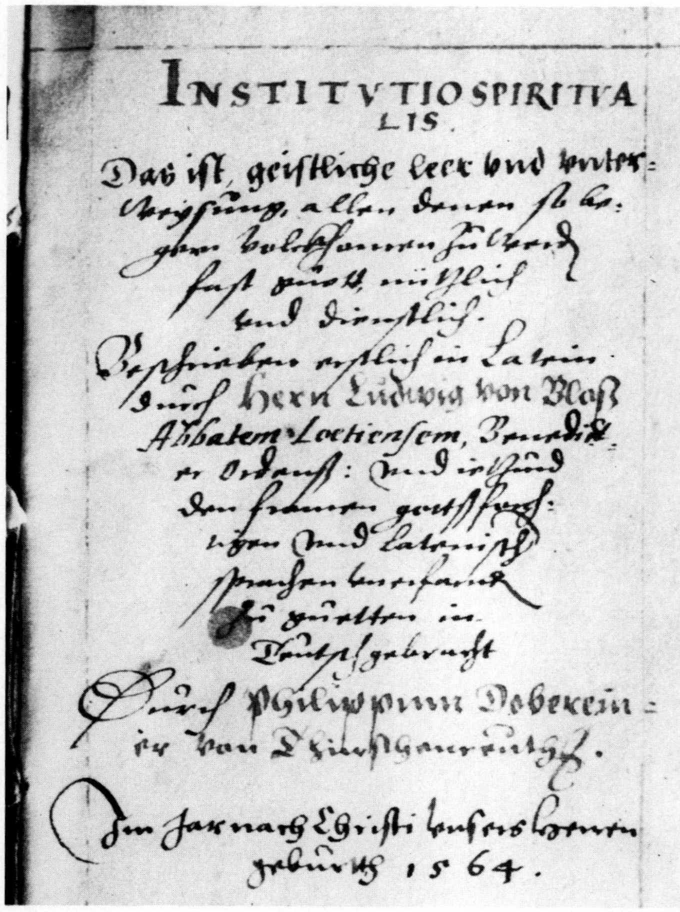
INSTITVTIO SPIRITVA
LIS.
Das ist, geistliche leer und unter-
weisung, allen denen so be-
geren volkhomen zu werden
fast guett, nützlich
und dienstlich.
Beschriben erstlich in Latein
durch Herrn Ludwig von Bloß
Abbatem Laetiensem, Benedict-
er Ordens: und jetzund
den frauen geistlich-
en und lateinisch
sprachen unerfarnen
zu guetten in
Teutsch gebracht
Durch Philippum Doberein-
er von Kirchhaimreuth.
Im Jar nach Christi unsers herrn
geburth 1564.

Abb. 259 Cod. 11727, fol. 1r 1564

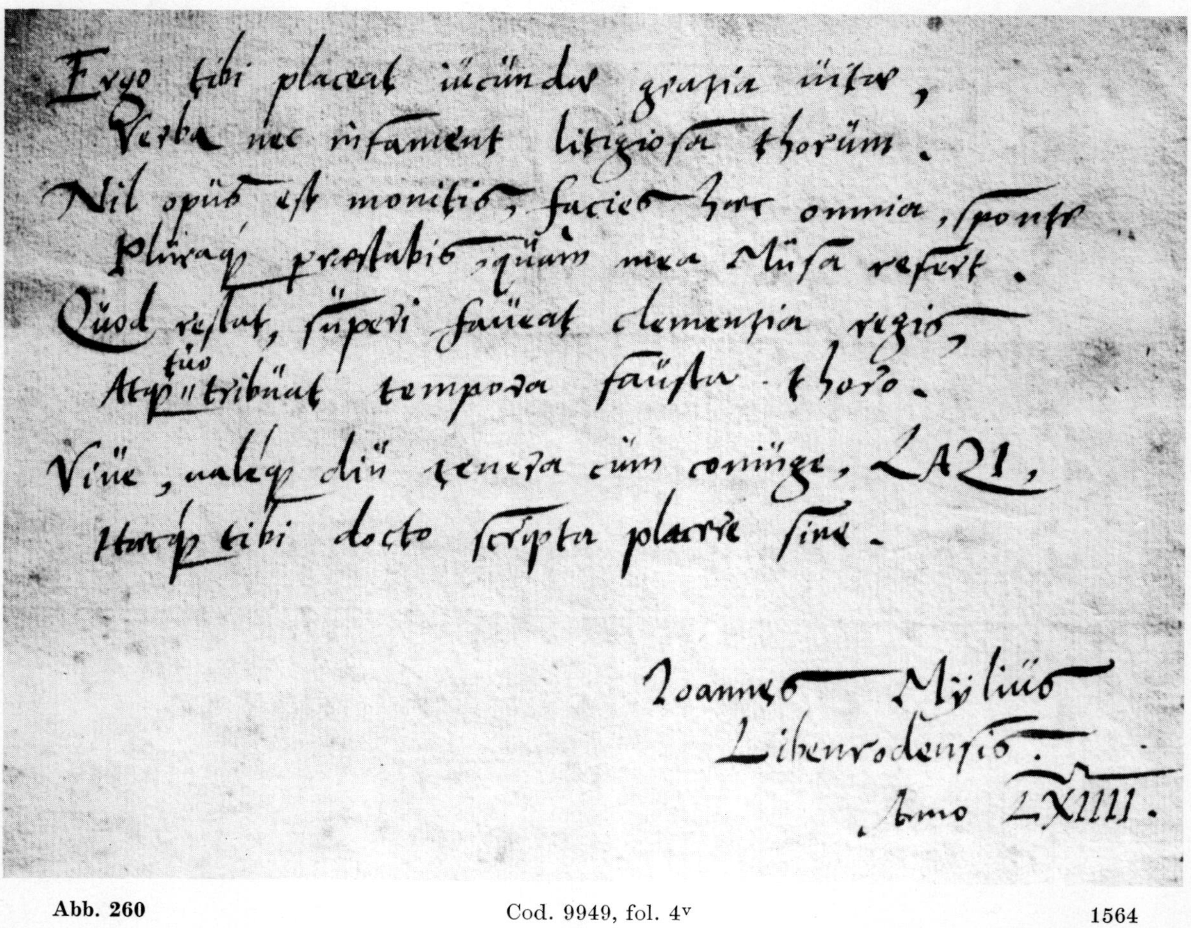
Ergo tibi placeat iucundae gratia vitae,
Verba nec infament litigiosa thorum.
Nil opus est monitis, facies haec omnia sponte
Pluraque praestabis quam mea Musa refert.
Quod restat, superi faveat clementia regis,
Atque tuo tribuat tempora fausta thoro.
Vive, valeque diu tenera cum coniuge, LAZI,
Haecque tibi docto scripta placere sine.

Ioannes Mylius
Libenrodensis.
Anno LXIIII.

Abb. 260 Cod. 9949, fol. 4v 1564

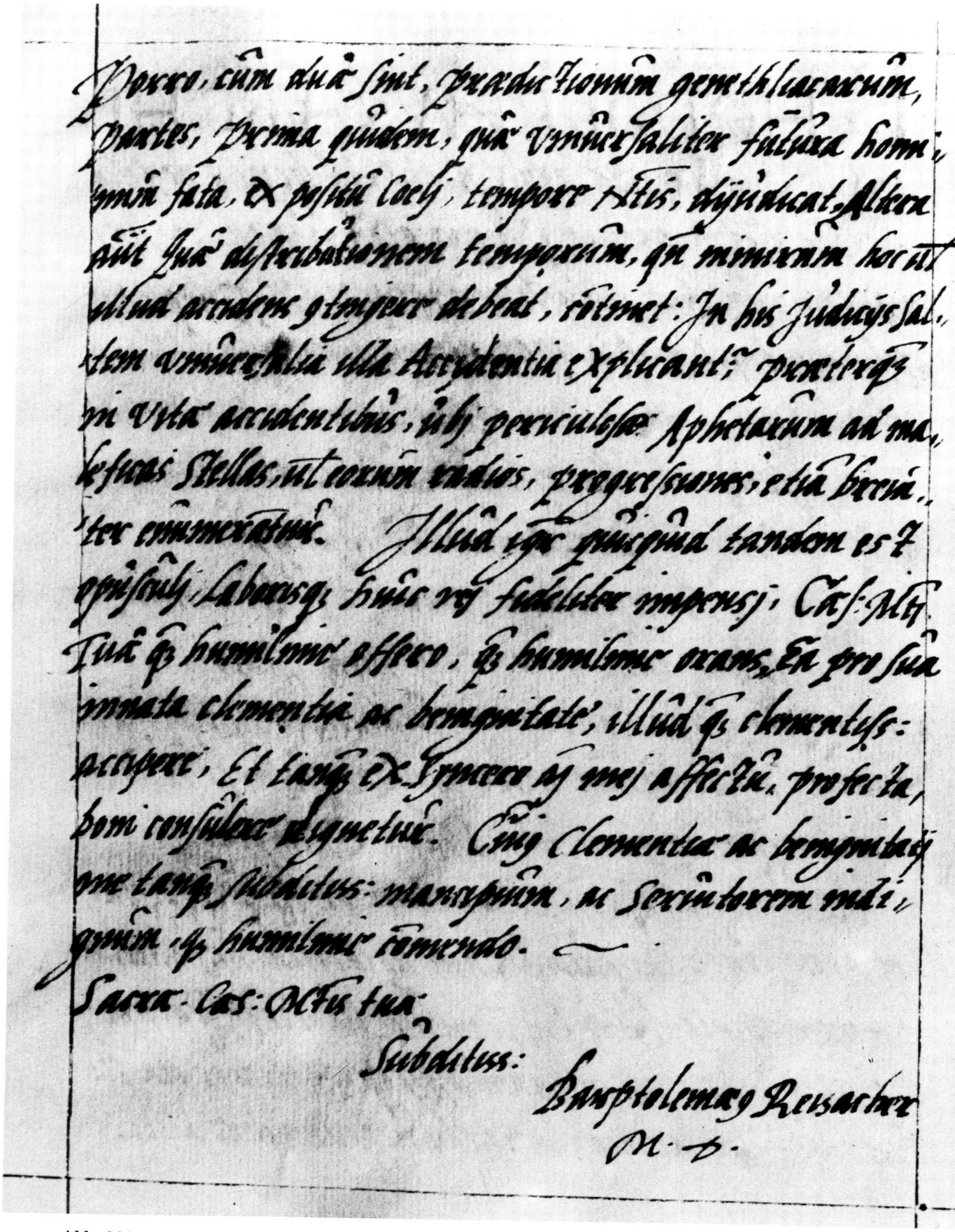

Porro, cum duae sint praedictionum genethliacarum partes, prima quidem, quae universaliter futura hominum fata ex positu coeli, tempore natalis, diiudicat, altera autem quae distributionem temporum, quo minimum hora ut illud accidens contingere debeat, continet: In his iudiciis saltem universalia illa accidentia explicantur, praeterque in vita accidentibus, ubi periculosiores aphetarum ad maleficas stellas, ut eorum radios, progressiones, etiam breviter commemorantur. Illud ergo quicquid tandem est opusculi laborisque huius mei fideliter impensi, Caes: Mti Tuae quam humillime offero, quam humillime orans, ea pro sua innata clementia ac benignitate, illud quam clementissime accipere, et tanquam ex syncero animi mei affectu profecta, boni consulere dignetur. Cuius clementiae ac benignitati me tanquam subditissimum mancipium ac servitorem indignum quam humillime commendo.

Sacrae Caes: Mtis tuae

Subditiss:

Barptolemaeus Reisacher

M. D.

Abb. 261 Cod. 10754, fol. 6r Wien, 1564

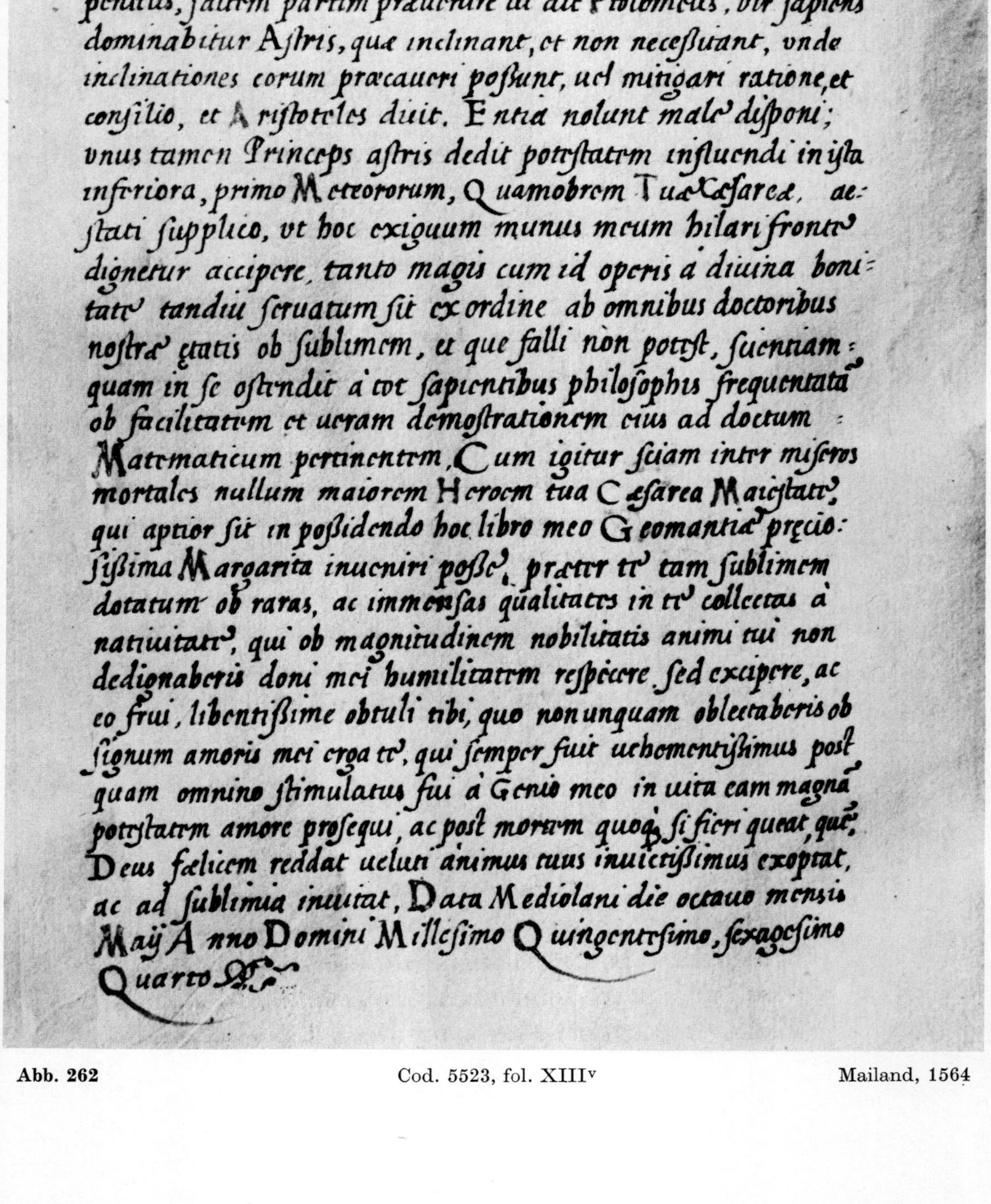
aut in re una, aut in altera; sed non imitari factorem eius, qui
optimæ gloriæ suæ operatur, et beneficio humanæ naturæ perficit.
Ita non debemus unquam sine operatione esse, nec desistere ab
intelligenda scientia cautius, quam potest fieri, id quod huius
doctrinæ altissimæ causa potest percipi, ut tandem sciamus me:
deri, et malitiæ inclinationum Cælestium influxuum, si non
penitus, saltem partim præuenire ut ait Ptolomeus, vir sapiens
dominabitur Astris, quæ inclinant, et non necessitant, unde
inclinationes eorum præcaueri possunt, uel mitigari ratione, et
consilio, et Aristoteles dixit. Entia nolunt male disponi;
vnus tamen Princeps astris dedit potestatem influendi in ista
inferiora, primo Meteororum, Quamobrem Tuæ Cæsareæ ae:
stati supplico, ut hoc exiguum munus meum hilari fronte
dignetur accipere, tanto magis cum id operis à diuina boni:
tate tandiu seruatum sit ex ordine ab omnibus doctoribus
nostræ ętatis ob sublimem, et que falli non potest, scientiam:
quam in se ostendit à tot sapientibus philosophis frequentatã
ob facilitatem et ueram demostrationem eius ad doctum :
Matematicum pertinentem, Cum igitur sciam inter miseros
mortales nullum maiorem Heroem tua Cæsarea Maiestate,
qui aptior sit in possidendo hoc libro meo Geomantiæ precio:
sissima Margarita inueniri posse, præter te tam sublimem
dotatum ob raras, ac immensas qualitates in te collectas à
natiuitate, qui ob magnitudinem nobilitatis animi tui non
dedignaberis doni mei humilitatem respicere, sed excipere, ac
eo frui, libentissime obtuli tibi, quo nonunquam oblectaberis ob
signum amoris mei erga te, qui semper fuit uehementissimus post
quam omnino stimulatus fui à Genio meo in uita eam magnã
potestatem amore prosequi, ac post mortem quoque si fieri queat, quẽ
Deus fœlicem reddat ueluti animus tuus inuictissimus exoptat,
ac ad sublimia inuitat, Data Mediolani die octauo mensis
Maij Anno Domini Millesimo Quingentesimo, sexagesimo
Quarto &c.

Abb. 262 Cod. 5523, fol. XIII^v Mailand, 1564

Inuittissimo, et sempre felicissimo Augusto:

Io offerisco alla Cesarea M.tà Vostra questi miei discorsi, non perch'io non sappia, che il perfetto giudicio et saper suo, non hà in alcun modo bisogno d'aiuti altrui, ma solamente per non comparirle auanti, contra il diuino precetto, con le mani del tutto uote, per mostrarle in parte il gran feruore della fidelissima deuotion mia, qual tengo à V. C. M. et perche da questo poco ella possa hauer qualche saggio dello studio, che quasi tutti gli anni della mia uita hò fatto nelle cose della militia, inuestigando noue industrie campali, per debbellare l'inimico, presago forse, che à Dio benedetto fosse per esser seruitio, che finalmente io l'hauessi ad impiegar contra infideli: I quali già la Christianità tutta sta in uicinissima speranza d'hauer à uedere ò conuertiti quelli alla uera fede, ò estinti dal santissimo braccio di Vostra Cesarea, et Christianissima Maestà. Nella soma benignità della quale io pienamente confido, che si degnerà d'aggradir in me, più quello, che mi può conoscer nel desiderio, che quello ch'io posso à lei porgere con le mani, ò esprimer con la penna et con le parole, cosi Nostro Sig.re Iddio la conserui et esalti sempre secondo il bisogno del mondo, et il comune desiderio di tutti i buoni.

Data in Venetia al primo d'Ottobre. MDLxiiij.

Sempre Augusto et Inuittissimo Imperadore

Di V. C. M.

Humilissimo Seruitore

Il Capitan Alphonso Adriano.

Abb. 263 Cod. 10740, fol. IVr Venedig, 1564

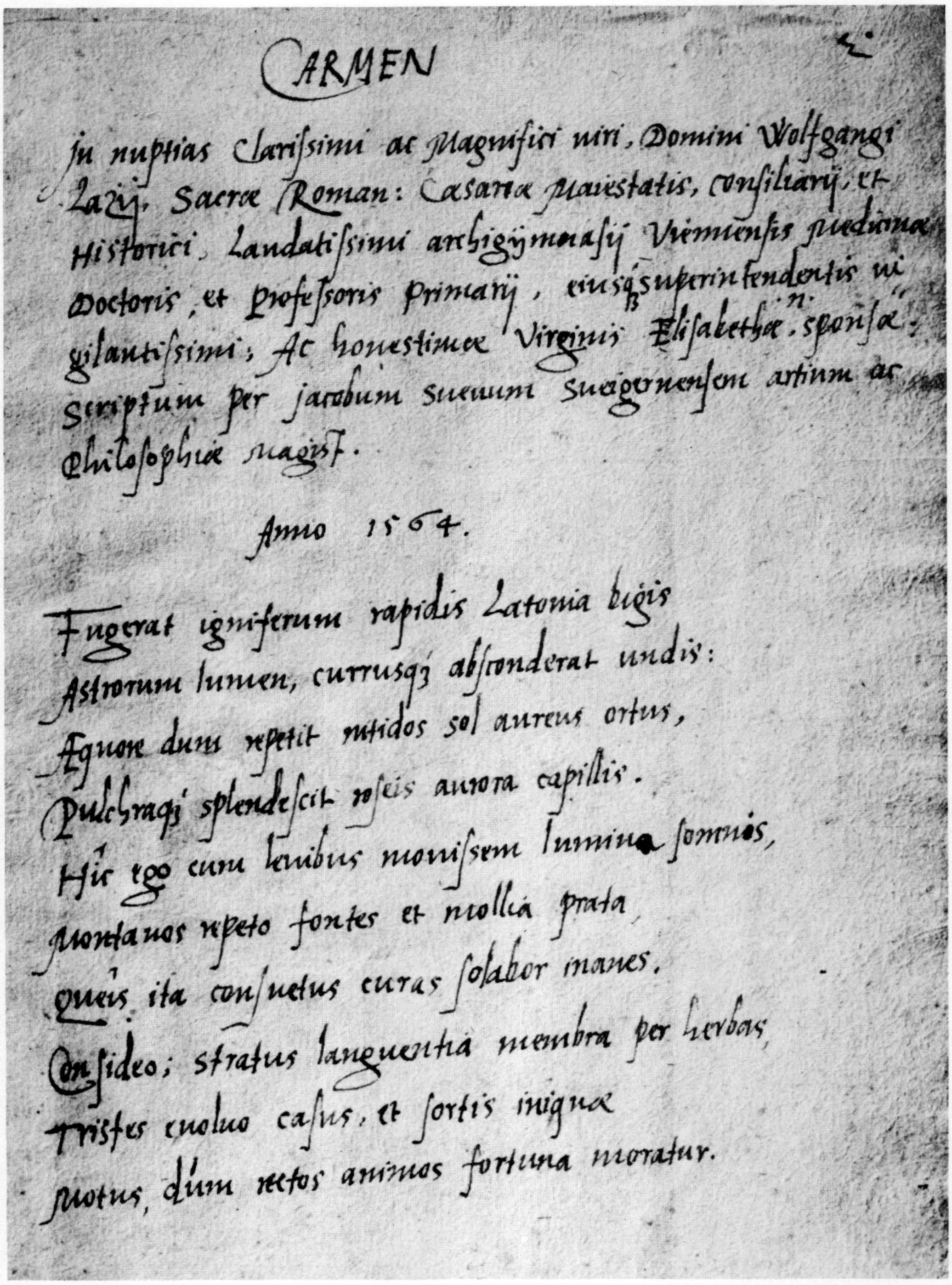

CARMEN

In nuptias Clarissimi ac Magnifici uiri, Domini Wolfgangi Lazij, Sacrae Roman: Caesariae Maiestatis, consiliarij, et Historici, Laudatissimi archigymnasij Viennensis medicinae Doctoris, et Professoris primarij, eiusque superintendentis uigilantissimi; Ac honestimae Virginis Elisabethae. sponsae: scriptum per Jacobum Sueuum Sueigernensem artium ac Philosophiae magist.

Anno 1564.

Fugerat igniferum rapidis Latonia bigis
Astrorum lumen, currusque absconderat undis:
Aequore dum repetit nitidos sol aureus ortus,
Pulchraque splendescit roseis aurora capillis.
Hic ego cum leuibus mouissem lumina somnis,
Montanos repeto fontes et mollia prata,
Queis ita consuetus curas solabor manes.
Consideo; stratus languentia membra per herbas,
Tristes euoluo casus, et sortis iniquae
Motus, dum rectos animos fortuna moratur.

Abb. 264 Cod. 9386*, fol. 2r Wien, 1564

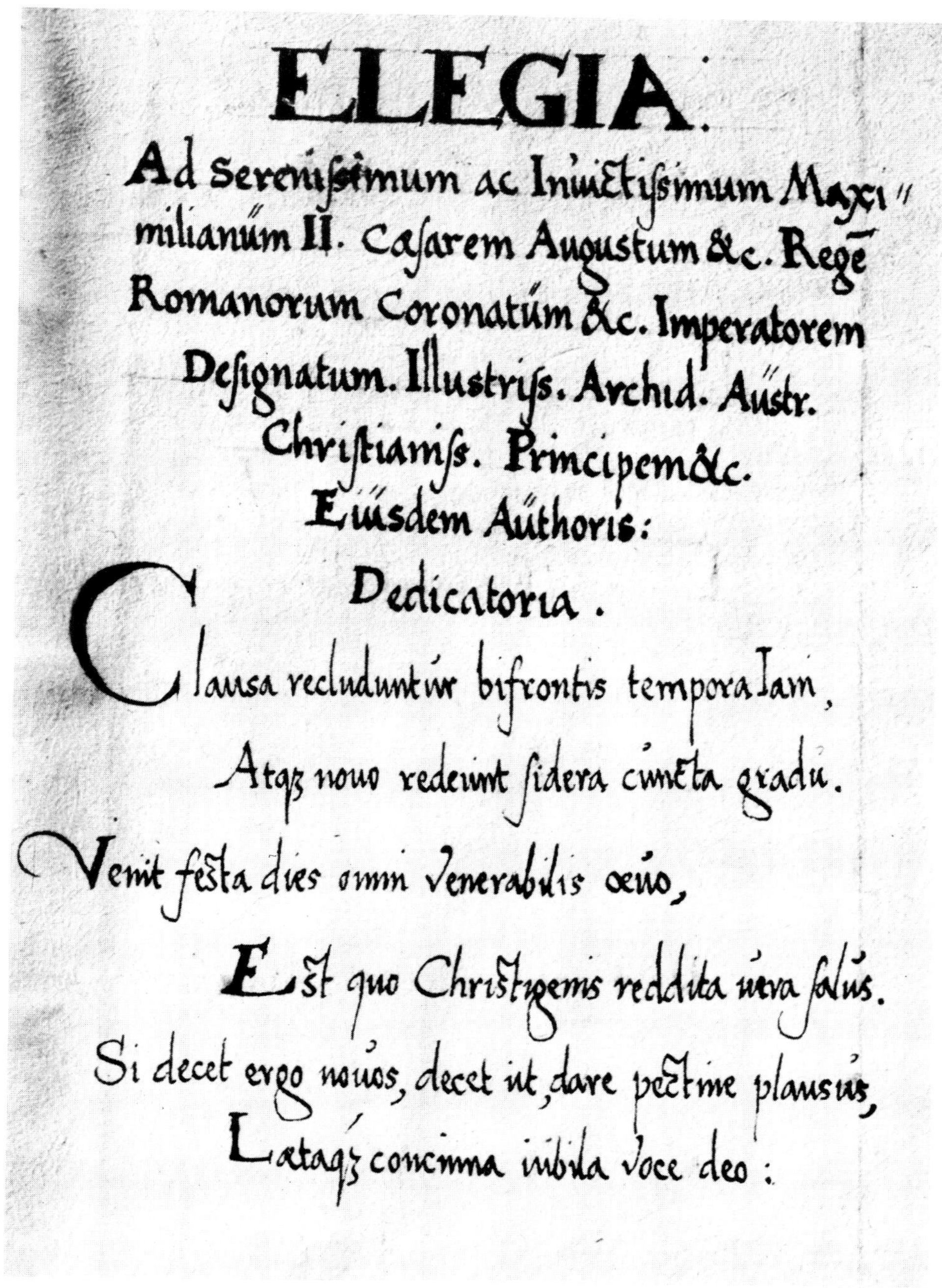

ELEGIA:

Ad Serenissimum ac Inuictissimum Maxi-
milianum II. Caesarem Augustum &c. Regē
Romanorum Coronatum &c. Imperatorem
Designatum. Illustriss. Archid. Austr.
Christianiss. Principem &c.

Eiusdem Authoris:

Dedicatoria.

Clausa recluduntur bifrontis tempora Iani,
Atq; nouo redeunt sidera cuncta gradu.
Venit festa dies omni venerabilis aeuo,
Est quo Christigenis reddita vera salus.
Si decet ergo nouos, decet et, dare pectore plausus,
Laetaq; concinna iubila voce deo:

Abb. 265 Cod. 9840, fol. 2r Wien, 1564

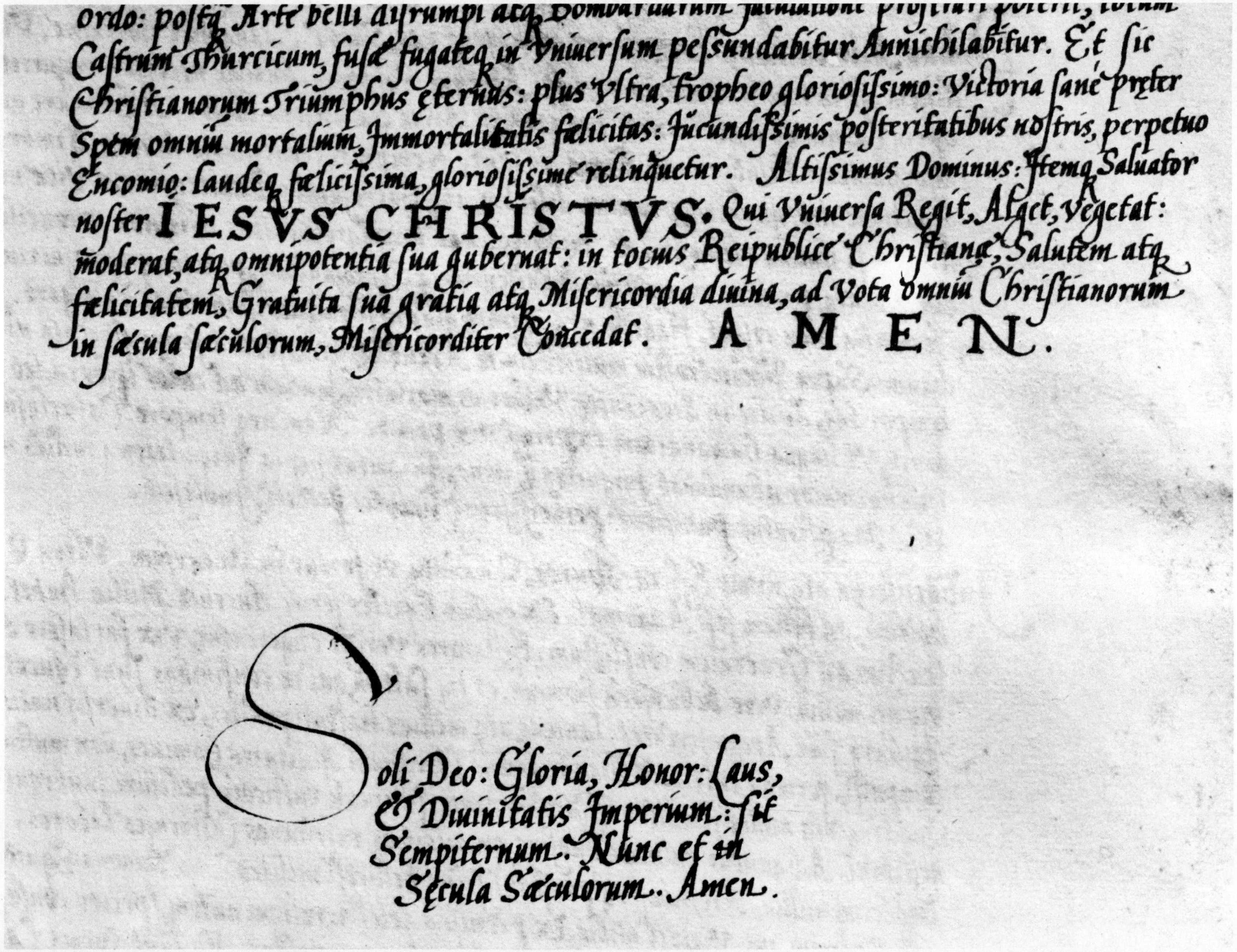
ordo: postq Arte belli disrumpi atq Bombardarum iaculatione prosterni poterit, totum
Castrum Thurcicum, fusa fugataq in Vniuersum pessundabitur Annichilabitur. Et sic
Christianorum Triumphus eternus: plus Vltra, tropheo gloriosissimo: Victoria sane preter
Spem omniu mortalium, Immortalitatis felicitas: Jucundissimis posteritatibus nostris, perpetuo
Encomio: laudeq felicissima, gloriosissime relinquetur. Altissimus Dominus: Itemq Saluator
noster IESVS CHRISTVS. Qui Vniuersa Regit, Alget, vegetat:
moderat, atq omnipotentia sua gubernat: in focms Reipublice Christiane, Salutem atq
felicitatem, Gratuita sua gratia atq Misericordia diuina, ad Vota omniu Christianorum
in saecula saeculorum, Misericorditer Concedat. AMEN.

Soli Deo: Gloria, Honor: Laus,
& Diuinitatis Imperium: sit
Sempiternum. Nunc et in
Secula Saeculorum. Amen.

Abb. 266 Cod. 8323, fol. 24v (Ungarn ?), 1564

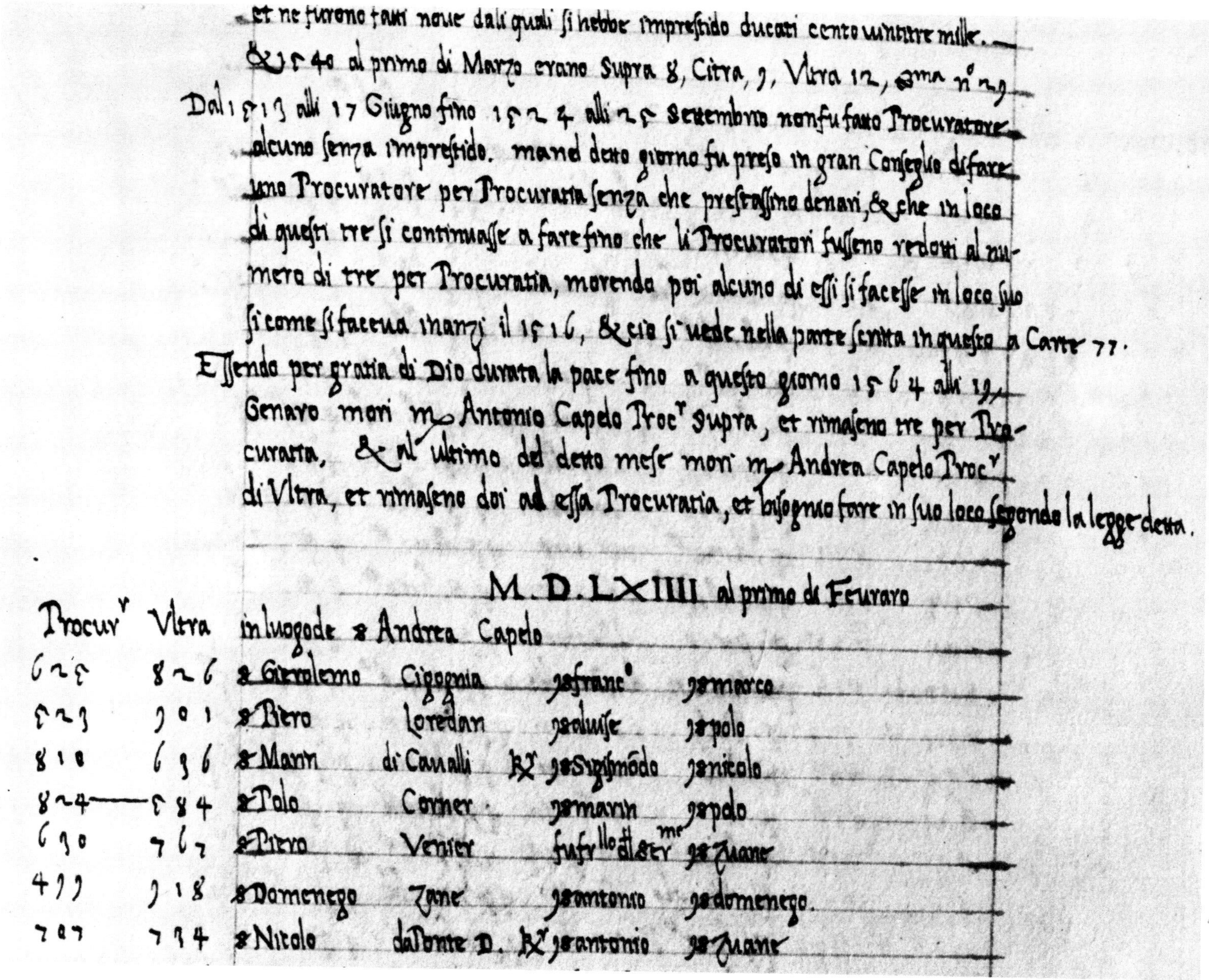
et ne furono fatti nove dali quali si hebbe imprestido ducati cento vintitre mille.
& 1540 al primo di Marzo erano Supra 8, Citra, 9, Vltra 12, summa n° 29
Dal 1513 alli 17 Giugno fino 1524 alli 25 settembrio non fu fatto Procuratore
alcuno senza imprestido. ma nel detto giorno fu preso in gran Conseglio di fare
uno Procuratore per Procuratia senza che prestassino denari, & che in loco
di questi tre si continuasse a fare fino che li Procuratori fusseno redotti al numero di tre per Procuratia, morendo poi alcuno di essi si facesse in loco suo
si come si faceua inanzi il 1516, & ciò si vede nella parte scritta in questo a Carte 77.
Essendo per gratia di Dio durata la pace fino a questo giorno 1564 alli 19,
Genaro mori m. Antonio Capelo Procr Supra, et rimaseno tre per Procuratia, & al ultimo del detto mese mori m. Andrea Capelo Procr
di Vltra, et rimaseno doi ad essa Procuratia, et bisognò fare in suo loco secondo la legge detta.

M.D.LXIIII al primo di Feuraro

Procur^r	Vltra					
		in luogo de s. Andrea Capelo				
625	826	s. Girolemo	Cigogna		q. s. franc°	q. s. marco
523	901	s. Piero	Loredan		q. s. aluise	q. s. polo
810	636	s. Marin	di Cavalli	K	q. s. Sigismondo	q. s. nicolo
824	584	s. Polo	Corner		q. s. marin	q. s. polo
690	767	s. Piero	Venier		fu fr^llo di s. r. m^e	q. s. Zuane
499	918	s. Domenego	Zane		q. s. antonio	q. s. domenego.
707	734	s. Nicolo	da Ponte D.	K	q. s. antonio	q. s. Zuane

Abb. 267 Cod. 6175, fol. 57r (Venedig), 1564 (1564/1565 ?)

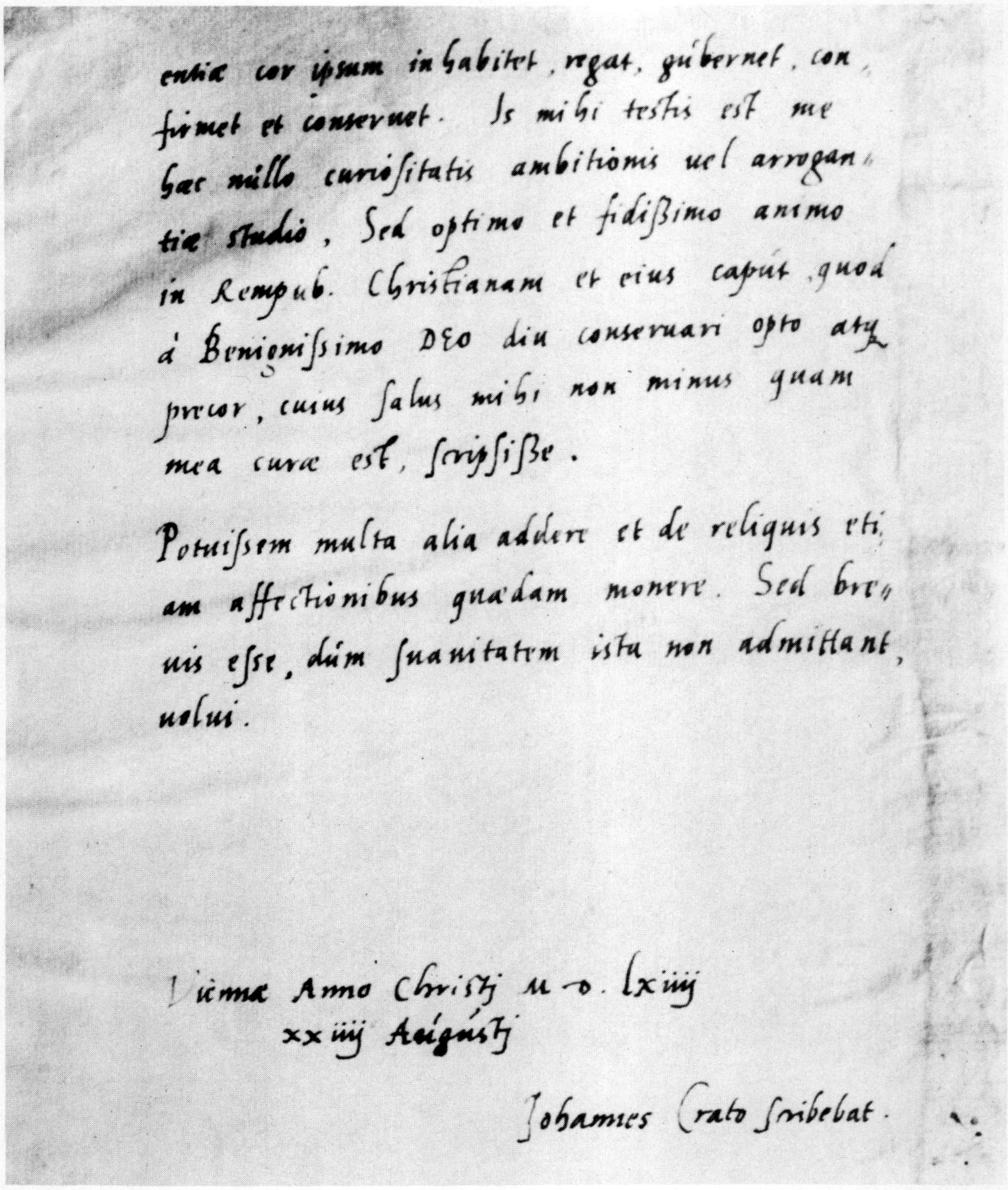
entiae cor ipsum inhabitet, regat, gubernet, con-
firmet et conseruet. Is mihi testis est me
haec nullo curiositatis ambitionis uel arrogan-
tiae studio, Sed optimo et fidißimo animo
in Rempub. Christianam et eius caput, quod
à Benignissimo DEO diu conseruari opto atque
precor, cuius salus mihi non minus quam
mea curae est, scripsiße.

Potuissem multa alia addere et de reliquis etiam affectionibus quaedam monere. Sed bre-
uis esse, dum suauitatem istu non admittant,
uolui.

Viennae Anno Christi M.D.LXIIII
XXIIII Augusti

Johannes Crato scribebat.

Abb. 268 Cod. 11212, fol. 8r Wien, 1564

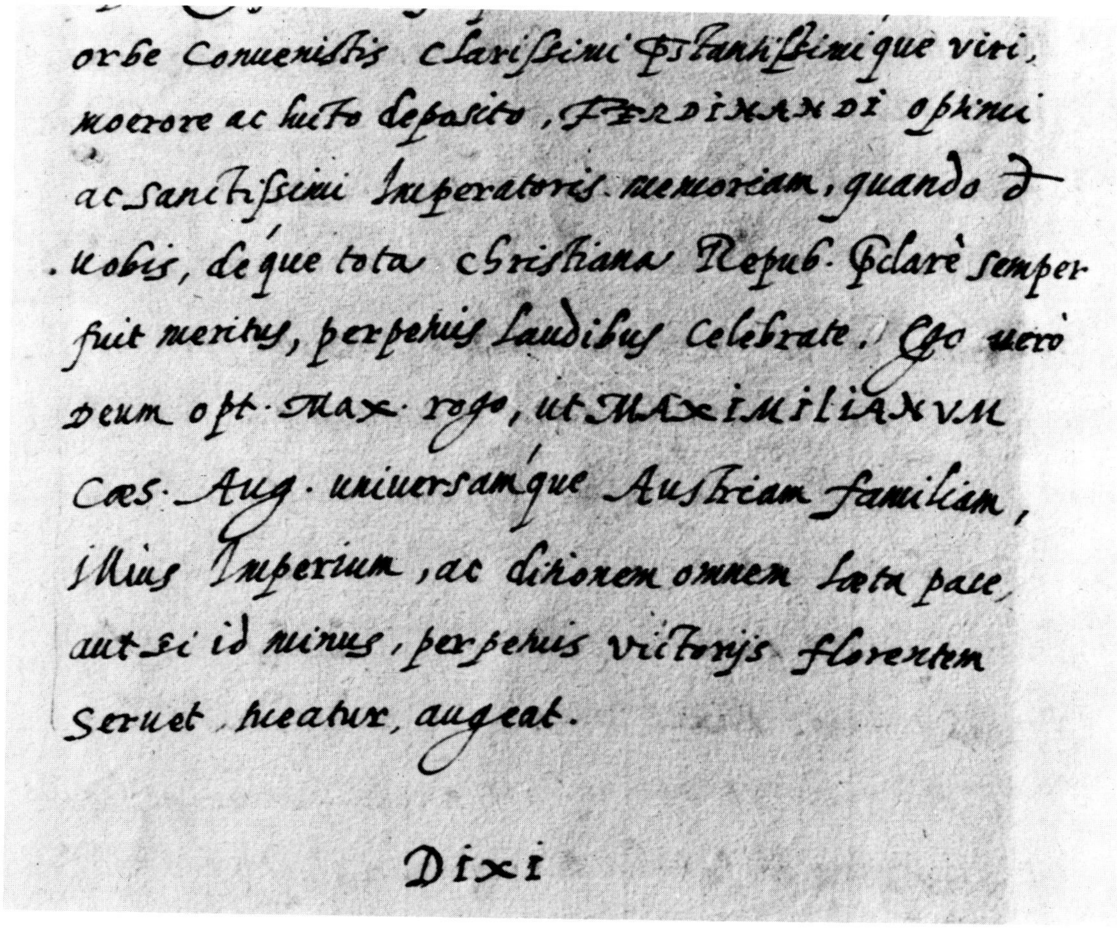
orbe conuenistis clarissimi ornatissimique viri,
moerore ac luctu deposito, FERDINANDI optimi
ac sanctissimi Imperatoris memoriam, quando et
uobis, deque tota Christiana Repub. praeclarè semper
fuit meritus, perpetuis laudibus celebrate. Ego uero
deum opt. max. rogo, ut MAXIMILIANUM
Caes. Aug. uniuersamque Austriam familiam,
illius Imperium, ac ditionem omnem laeta pace,
aut si id minus, perpetuis victorijs florentem
seruet, tueatur, augeat.

Dixi

Abb. 269 Cod. 8109, fol. 34v Wien, 1565

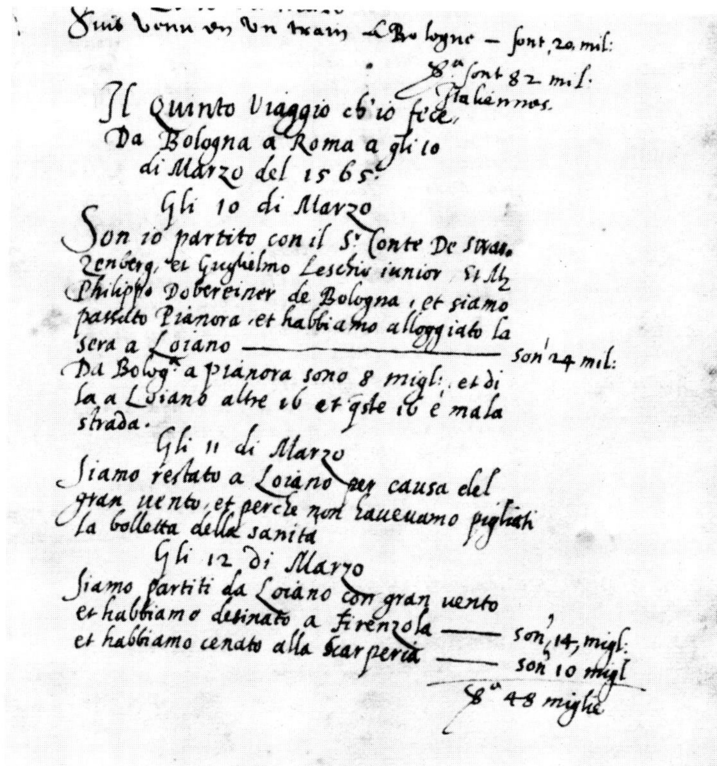
Suis venu en un train de Bologne — sont 20 mil:
S.a sont 82 mil. Italiennes.

Il Quinto Viaggio ch'io fice.
Da Bologna a Roma a gli 10
di Marzo del 1565.
Gli 10 di Marzo
Son io partito con il S.r Conte De Swar-
zenberg, et Guglielmo Leschio iunior et M.
Philippo Dobereiner de Bologna, et siamo
passato Pianora et habbiamo alloggiato la
sera a Loiano ——— son 24 mil:
Da Bolog.a a Pianora sono 8 migl: et di
la a Loiano altre 16 et queste 16 è mala
strada.
Gli 11 di Marzo
Siamo restato a Loiano per causa del
gran uento, et perche non haueuamo pigliati
la bolletta della sanità
Gli 12 di Marzo
Siamo partiti da Loiano con gran uento
et habbiamo desinato a Firenzola ——— son 14 migl:
et habbiamo cenato alla Scarperia ——— son 10 migl
S.a 48 migle

Abb. 270 Cod. 7447, fol. 2r 1565

vnnd Drinckhen, vom Wilbratt, fisch, Koppaunen vnd Vogel
auff das Best so mans hatt kunden bekumen, Rotten vnnd
Weissen Wein, dann aller besten hin gulden Schewern
eingeschenckht, Darneben haben auch die Schutzen zu Prag
den frembten Herren vnnd Schutzen auffgetragen vnnd
zu Disch gedienntt, auch durch das gantz Malzeitt die Statt//
pfeiffer gar fuerstlich gehofiertt, auch als Obst man auff
getragen hatt Ist Trumblen vnnd Pfeiffen dem Obss
vorgangen, auch sein bey sollicher Malzeitt etliche Herren
des Raths gewessen, vnnd Wie sollicher Mall vollent Ist wo//
rden, Hatt alda Herr Hannss Hartler, Rom: Kay: Mayt:
Muntzmaister die Danckhsagung gethon, von wegen der Herrn
vnnd Schutzen zu Prag, gegen den frembten Schutzen Nach//
sollichem hatt man den Ehren Krantz beraitt, Erstlich vorher
sein gangen die Statpfeiffer Nachmals ein Knab Wollicher
beklaidt Ist gewessen hin Rott vnnd Weiss, den Krantz so
vom Golt vnnd Silber Ist gemacht gewessen an ainem stab//
hin getragen, stracks darauff die Herren zu Prag, vnd den
Krantz der Statt Gorlitz auffgesetzt, so Christoff Bögen, Feld//
Hoffprofoss gegen denen vom Gorlitz die Ratt gethon hatt sol//
lichen Ehren Krantz So Benedict Feigel vom Gorlitz auffge//
setzt Ist worden, den mit grossem Danckh an stad seiner
Herren zu Gorlitz angenummen vnnd ainem Erbaren Ratt
zu vberantworten, Am Morgens hatt man vmb das Best
abgeleicht sein Gr. 21 vmb das Best zustechen kunen so
die Schuss all getroffen haben, vnnd hatt Hannss Baumgartner
vom Wien Feld, Ertzhertzog Carolus zu Osterreich
Puchsenschifften das Best gewungen 100 Taller, auch hatt
alda die altstetter zu Prag auff den selbigen tag den frem//
bten Schutzen ain gross fas mit Wein des aller besten auch
Drey fass Weiss Bier, vnnd ain Schockh grosser Karpffen
verehrett vnnd geschenckht, so die Danckhsagung gethon hatt
Albrecht Wöckher vom Nuernberg vom wegen des Rom:
Reichs vnnd an statt aller Schutzen, Also Ist das Haubtschies//
sen ann alle Irrung vnnd Zwitracht mit allen freuden
vollent worden, Den anndern Tag haben die Herren
vnnd Schutzen zu Prag den frembten Schutzen zu Prag
auff bemelter Schiesstatt ain Nachschiessen gehalten, Wollicher
das Best gewungen hatt Veitt Klingenschmidt von Durckhau//
ssen 15 fl. mit 6 Schus, vnnd Ist mitt allen freuden
den 28 Tag Septembris im 65 Jars mitt Gott dem
Herren vollent Worden

Abb. 271 Cod. 8045, fol. 4r (Prag), 1565—1566

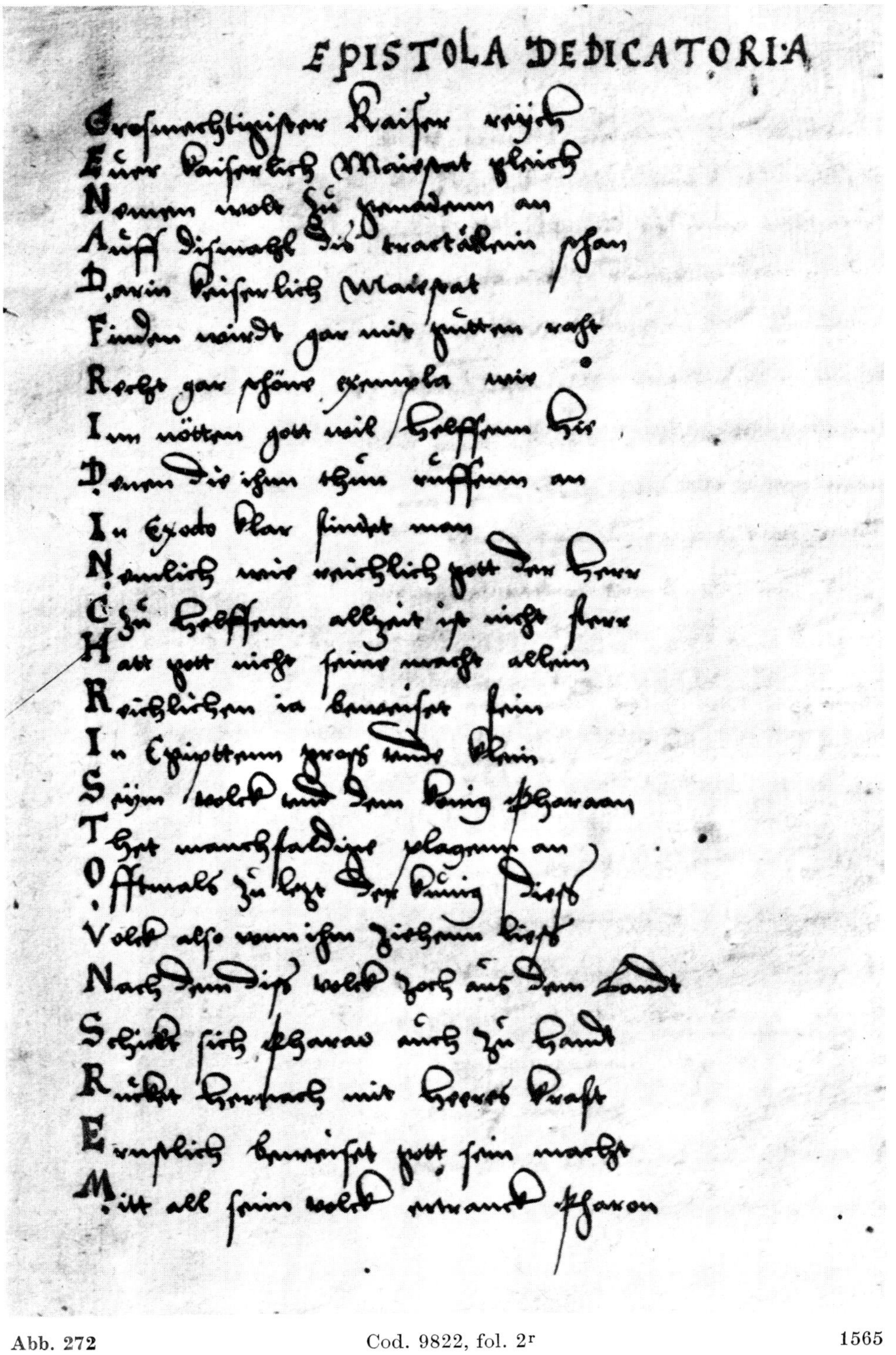
EPISTOLA DEDICATORIA

Groszmechtigister Kaiser reych
Euwer kaiserlich Maiestat gleich
Nemen wolt zu genaden an
Auff dismahl dis tractätlein schan
Darin kaiserlich Maiestat
Finden würdt gar mit gutten rath
Recht gar schöne exempla wie
In nötten gott will helffen hie
Denen die ihm thün ruffen an
In Exodo klar findet man
Nemlich wie weislich gott der herr
Czü helffen allzeit ist nicht ferr
Hat gott nicht seine macht allein
Reichlichen da beweiset fein
In Egiptten gross unnd klein
Seim volck und dem küng Pharaon
That manchfaltige plagen an
Offtmals zu letzt der küng diss
Volck also von ihm ziehen liess
Nach dem diss volck zoch aus dem landt
Schickt sich Pharao auch zu handt
Rückt hernach mit heeres kraft
Endtlich beweisst gott sein macht
Mitt all sein volck ertranck Pharaon

Abb. 272 Cod. 9822, fol. 2r

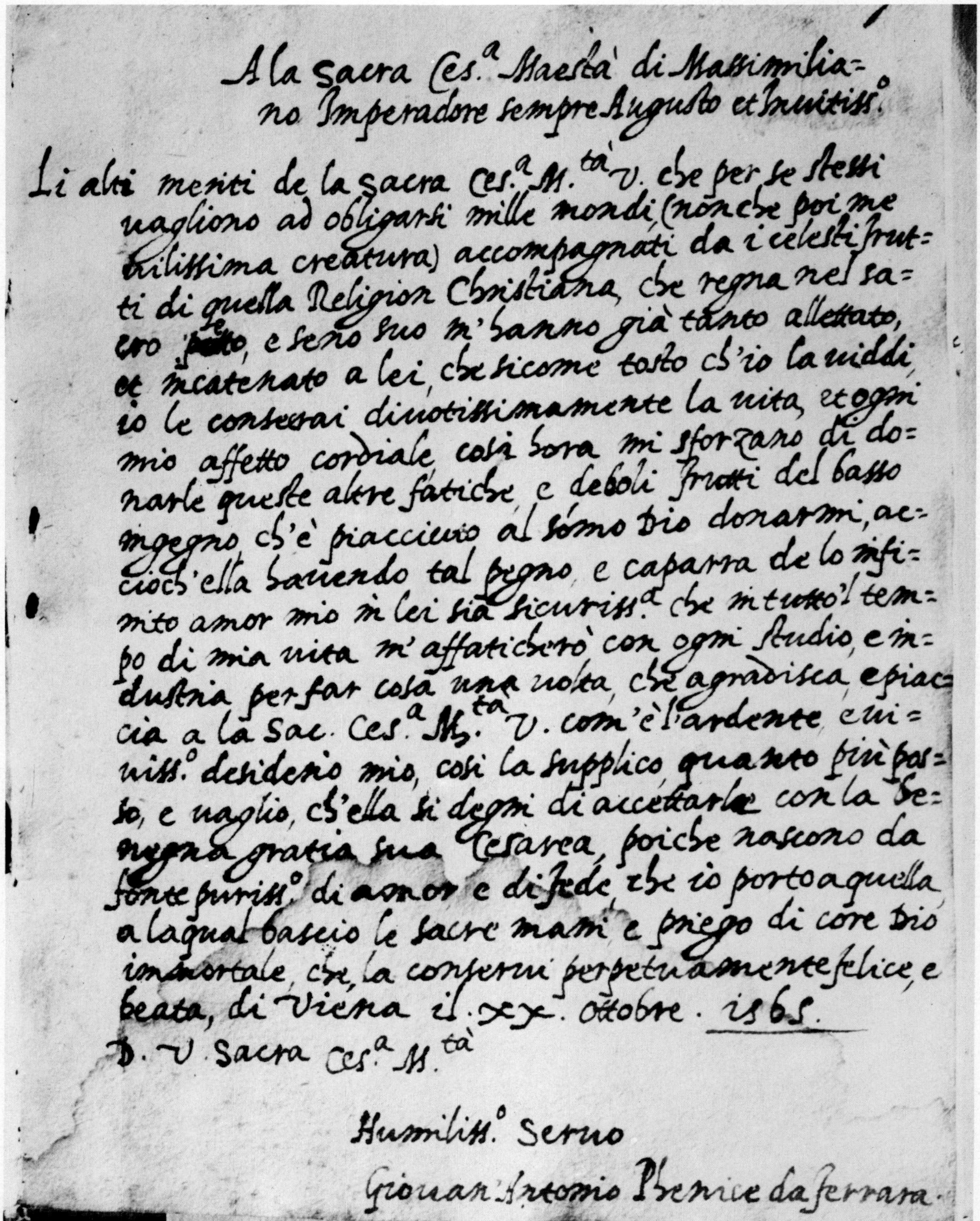

A la sacra Ces.a Maestà di Massimilia=
no Imperadore sempre Augusto et Inuitiss.o

Li alti meriti de la sacra Ces.a M.tà V. che per se stessi
uagliono ad obligarsi mille mondi (non che poi me
uilissima creatura) accompagnati da i celesti frut=
ti di quella Religion Christiana, che regna nel sa=
cro petto, e seno suo m'hanno già tanto allettato,
et incatenato a lei, che sicome tosto ch'io la uiddi,
io le consecrai diuotissimamente la uita, et ogni
mio affetto cordiale così hora mi sforzarò di do=
narle queste altre fatiche e deboli frutti del basso
ingegno ch'è piacciuto al sõmo Dio donarmi, ac=
cioch'ella hauendo tal pegno, e caparra de lo infi=
nito amor mio in lei sia sicuriss.a che in tutto'l tem=
po di mia uita m'affaticherò con ogni studio, e in=
dustria per far cosa una uolta, che agradisca, e piac=
cia a la Sac. Ces.a M.tà V. com'è l'ardente e uiui=
uiss.o desiderio mio, così la supplico quanto più pos=
so, e uaglio, ch'ella si degni di accettarle con la be=
nigna gratia sua Cesarea, poiche nascono da
fonte puriss.o di amor e di fede che io porto a quella
a la qual bascio le sacre mani e priego di core Dio
immortale, che la conserui perpetuamente felice, e
beata, di Vienna il .xx. ottobre. 1565.

D. V. Sacra Ces.a M.tà

Humiliss.o Seruo

Giouan Antonio Phenice da Ferrara.

Abb. 273 Cod. 9969, fol. 1^{r} Wien, 1565

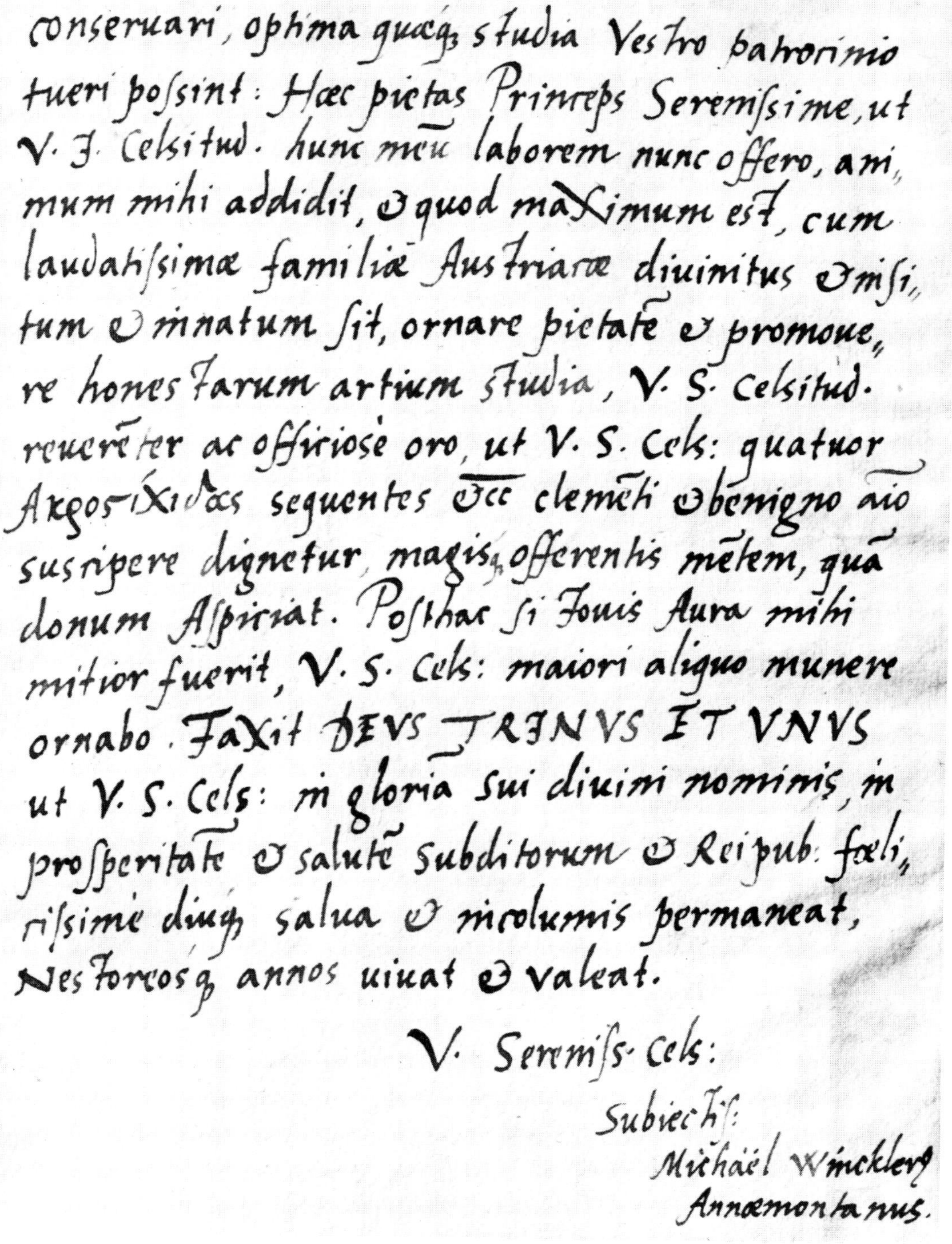
conseruari, optima quæq; studia Vestro patrocinio
tueri possint: Hæc pietas Princeps Serenissime, ut
V. S. Celsitud. hunc meũ laborem nunc offero, animum mihi addidit, & quod maximum est, cum
laudatissimæ familiæ Austriacæ diuinitus & insitum & innatum sit, ornare pietate & promoue-
re honestarum artium studia, V. S. Celsitud.
reuerẽter ac officiose oro, ut V. S. Cels: quatuor
Ἀκροστιχίδας sequentes tã clemẽti & benigno aĩo
suscipere dignetur, magisq; offerentis mẽtem, quã
donum Aspiciat. Posthac si Jouis Aura mihi
mitior fuerit, V. S. Cels: maiori aliquo munere
ornabo. Faxit DEUS TRINUS ET UNUS
ut V. S. Cels: in gloria sui diuini nominis, in
prosperitate & salutẽ subditorum & Reipub: fæli-
cissime diuq; salua & incolumis permaneat,
Nestoreosq; annos uiuat & valeat.

V. Sereniss. Cels:

Subiectiss:
Michaël Wincklerus
Annæmontanus.

Abb. 274 Cod. 9831, fol. 4v 1565

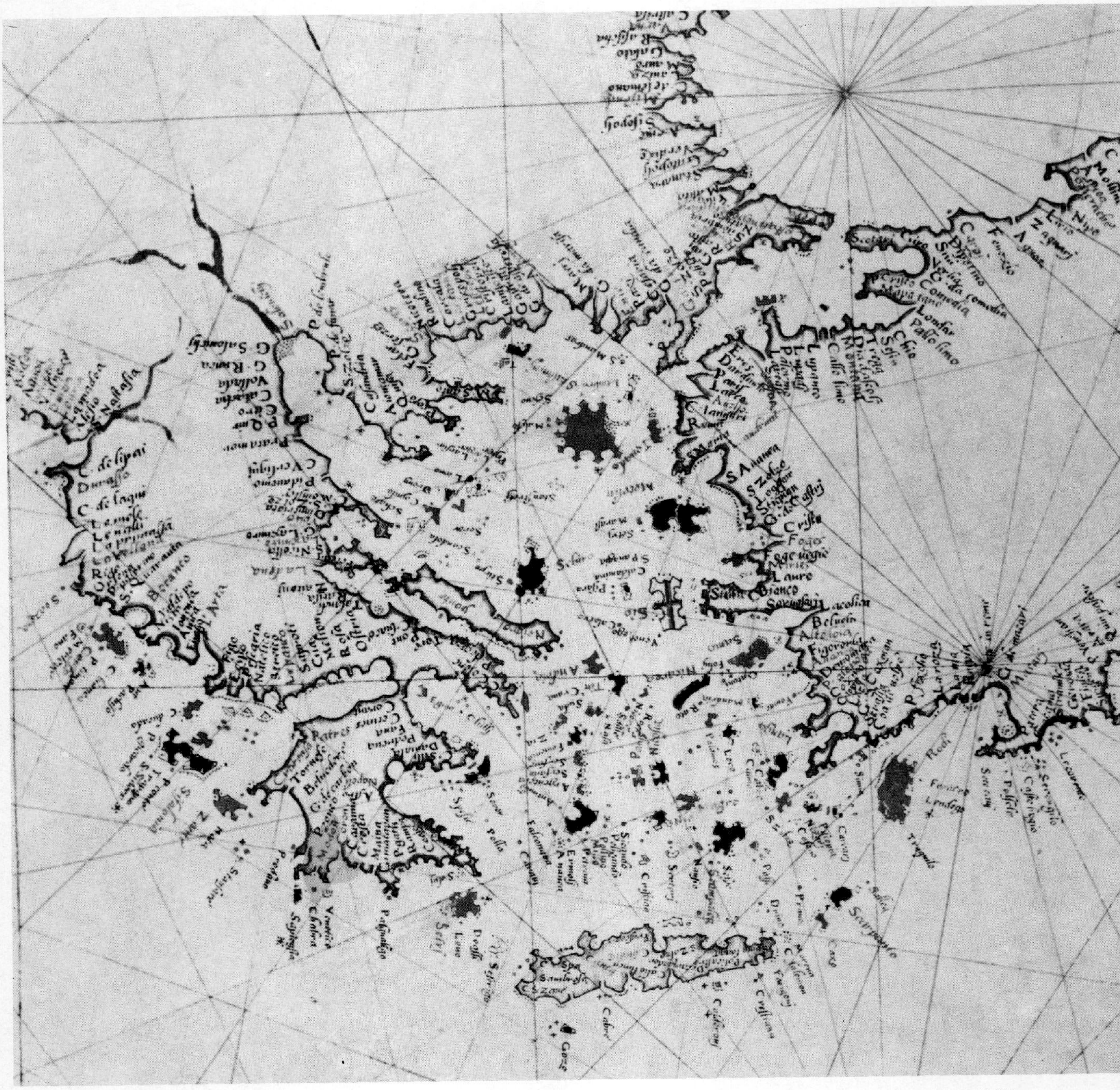

Abb. 275 Cod. Ser. n. 2665 1565

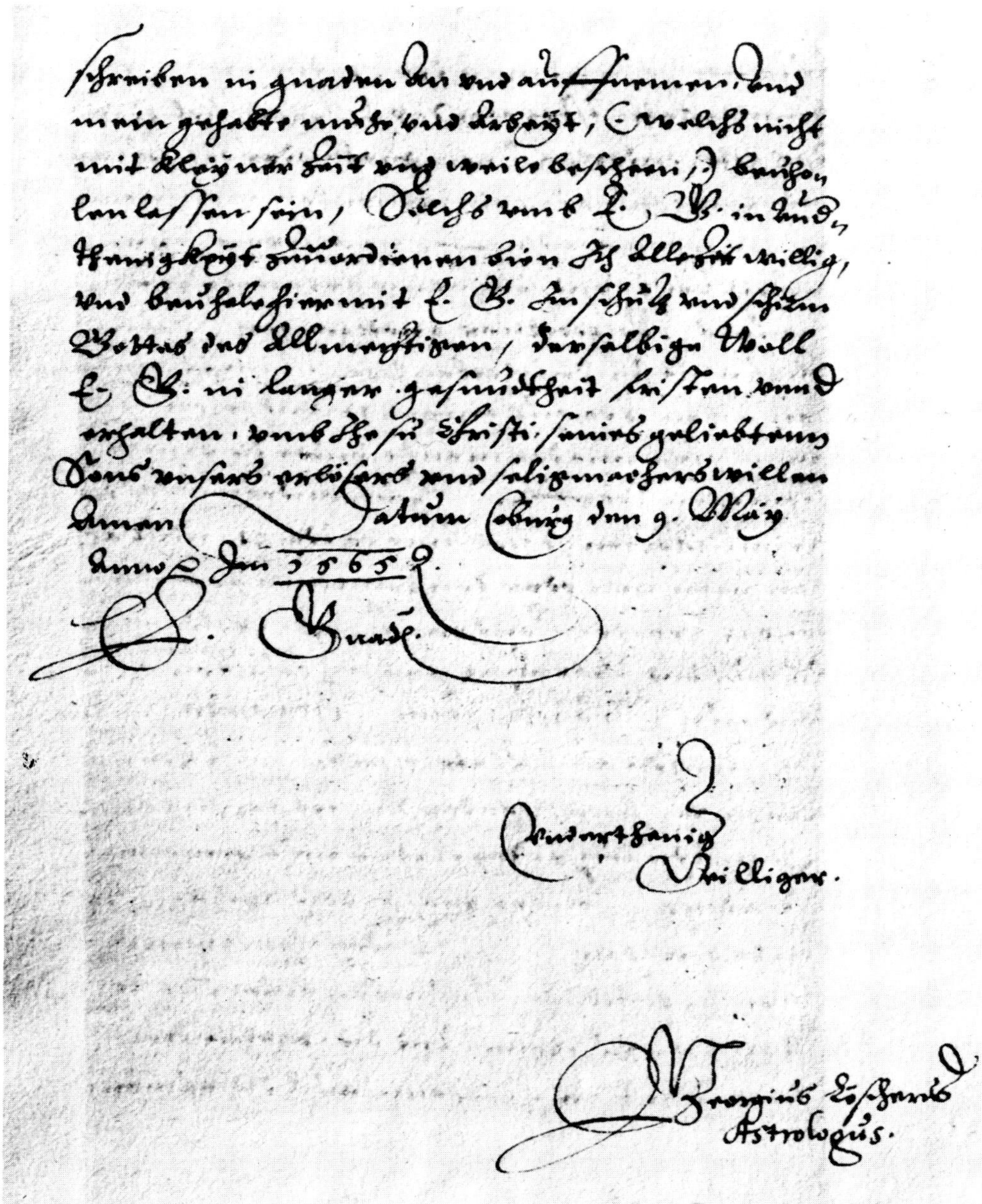
schreiben in gnaden an vnd auffnemen, vnd
meine gehabte mühe vnd arbeit; Welchs nicht
mit kleinem dank [illegible]
[illegible] lassen sein, Welchs vmb E. F. G. in vnder-
thenigkeit zuuerdienen bin Ich allezeit willig,
vnd beuehle hiemit E. F. G. In schutz vnd schirm
Gottes des Allmechtigen, derselbige wolle
E. F. G. in langer gesundtheit fristen vnnd
erhalten, vmb Jhesu Christi seines geliebten
Sons vnsers erlösers vnd seligmachers willen
Amen. Datum Coburg den 9. Maij
Anno Domini 1565.
E. F. G.
Vndertheniger
williger.
Georgius [illegible]
Astrologus.

Abb. 276 Cod. 10595, fol. 9v Coburg, 1565

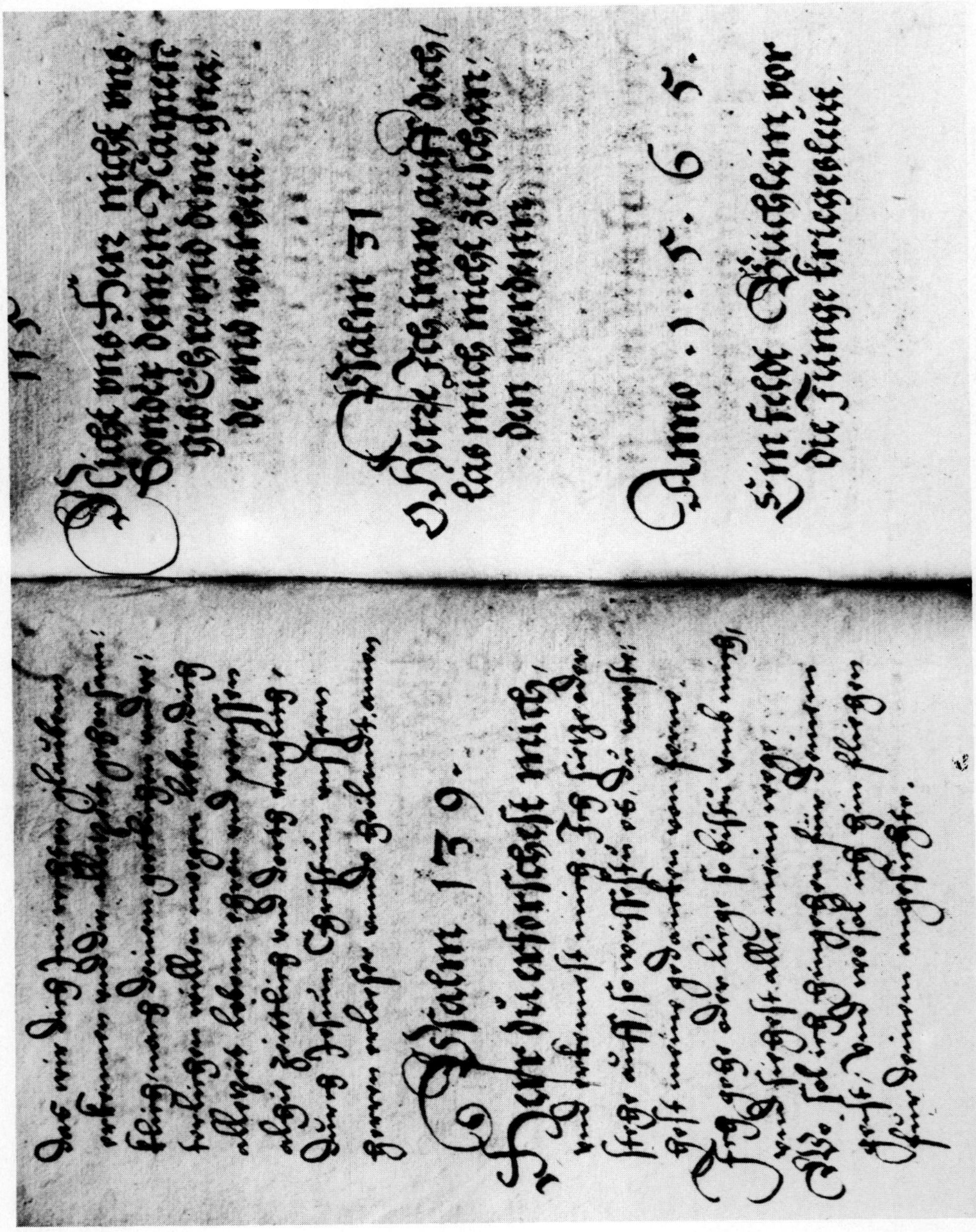

Abb. 277 Cod. 11747, fol. 38v—39r 1565

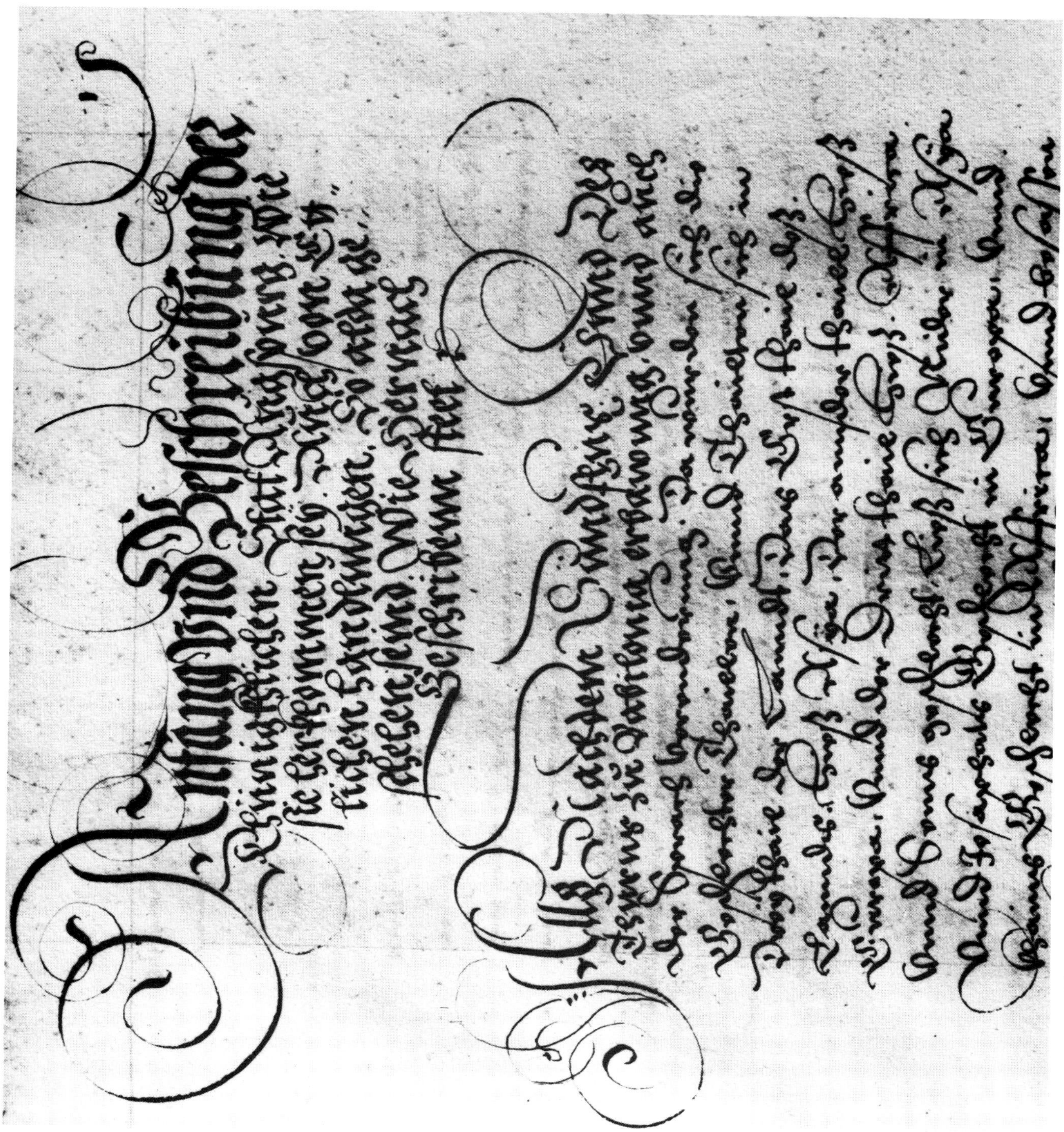

Abb. 278 Cod. 9014, fol. 1r (Augsburg), 1566

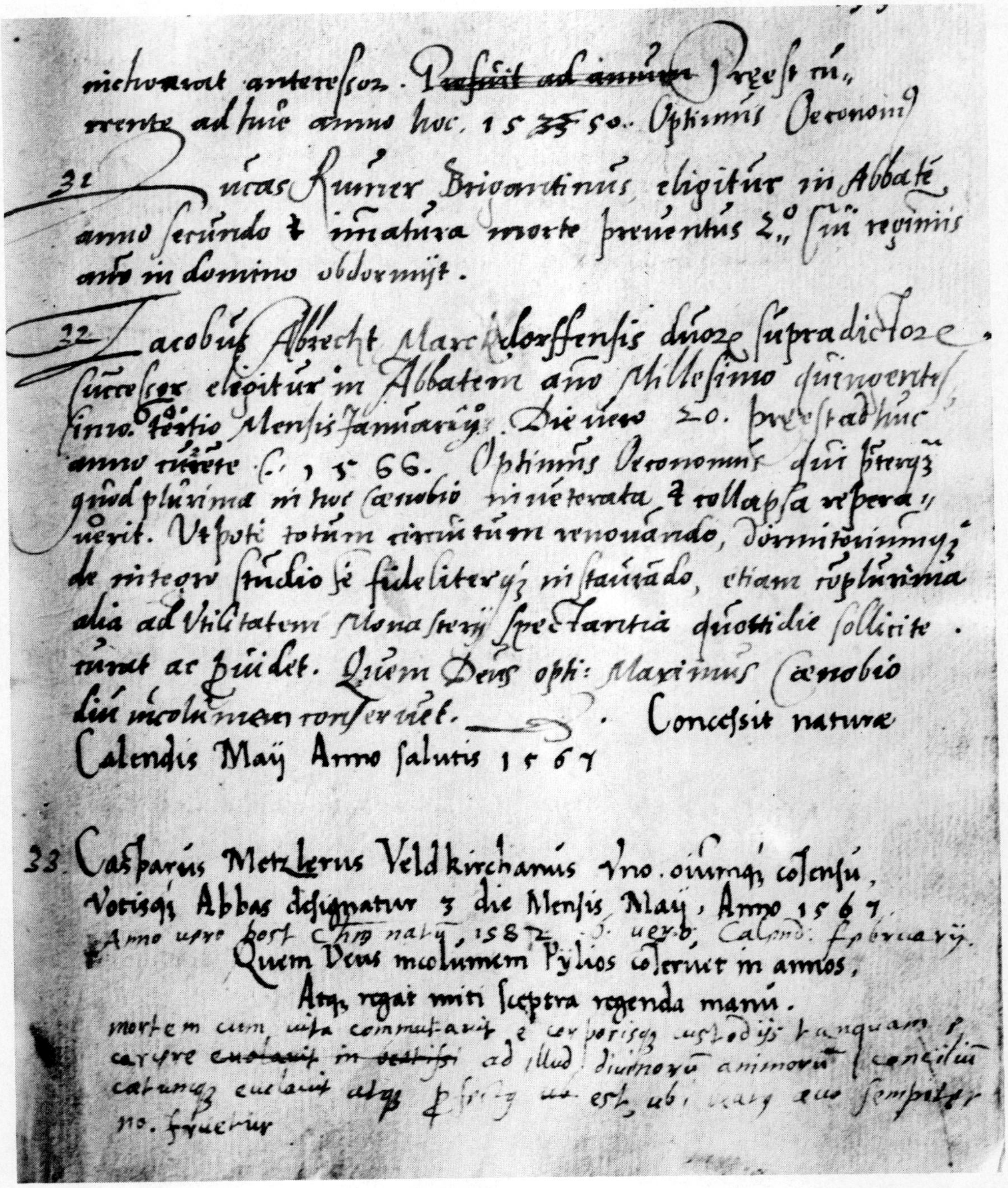

michovniak antecessor. ~~Praefuit ad annum~~ Praeest nunc vivente ad huc anno hoc 15~~55~~50. Optimus Oeconomus

31 Lucas Kurrer Brigantinus eligitur in Abbatem anno secundo et immatura morte praeventus 2o sui regiminis anno in domino obdormivit.

32 Jacobus Abrecht Marckdorffensis dno supradictore successor eligitur in Abbatem anno Millesimo quingentesimo tertio Mensis Januarij. Die vero 20. praeest adhuc anno currente etc. 1566. Optimus Oeconomus qui Itemque quod plurima in hoc Coenobio inveterata et collapsa reparaverit. Utpote totum circuitum renovando, dormitoriumque de integro studio se fideliterque instaurando, etiam complurima alia ad Utilitatem Monasterij spectantia quottidie sollicite curat ac providet. Quem Deus opti: Maximus Coenobio diu incolumem conservet. Concessit naturae Calendis Maij Anno salutis 1567

33 Casparus Metzlerus Veldkirchanus uno omniumque consensu, Votisque Abbas designatur 3 die Mensis Maij, Anno 1567. Anno vero post Christum natum 1582 5. vero Calend: februarij.
Quem Deus incolumem Pylios conservet in annos,
Atque regat miti sceptra regenda manu.
mortem cum vita commutavit e corporisque custodijs tanquam e carcere ~~evolavit in coelestis~~ ad illud divinorum animorum concilium caetumque evolavit atque profectus est, ubi beata aevo sempiterno fruetur

Abb. 279 Cod. 12853, fol. 33r (Mehrerau), 1566

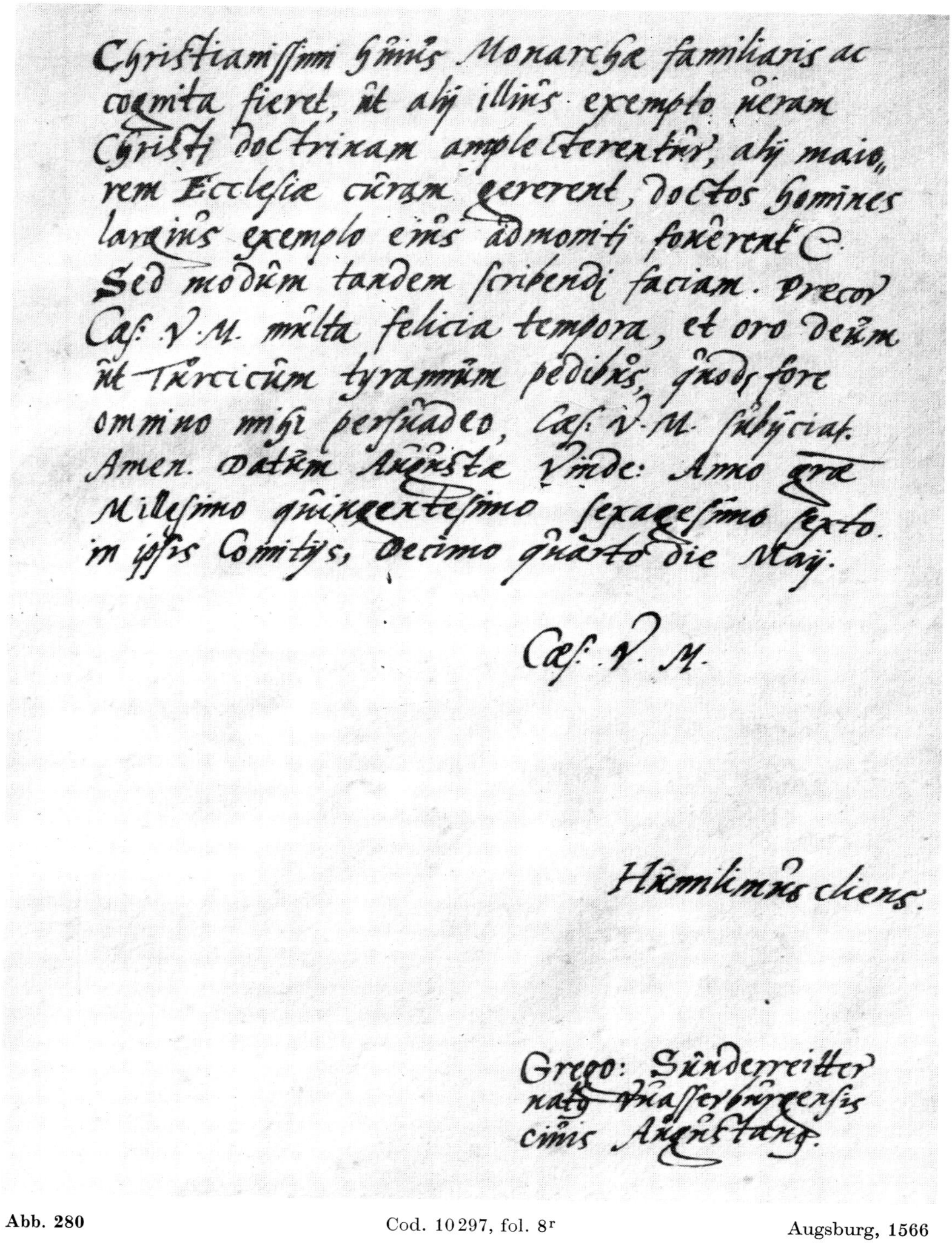
Christianissimi huius Monarchae familiaris ac
cognita fieret, ut alij illius exemplo veram
Christi doctrinam amplecterentur, alij maiorem Ecclesiae curam gererent, doctos homines
largius exemplo eius admoniti fouerent etc.
Sed modum tandem scribendi faciam. Precor
Caes: V. M. multa felicia tempora, et oro deum
ut Turcicum tyrannum pedibus, quod fore
omnino mihi persuadeo, Caes: V. M. subijciat.
Amen. Datum Augustae Vinde: Anno gratiae
Millesimo quingentesimo sexagesimo sexto
in ipsis Comitijs, decimo quarto die Maij.

Caes: V. M.

Humillimus cliens.

Grego: Sunderreitter
natu Wasserburgensis
civis Augustanus.

Abb. 280 Cod. 10297, fol. 8r Augsburg, 1566

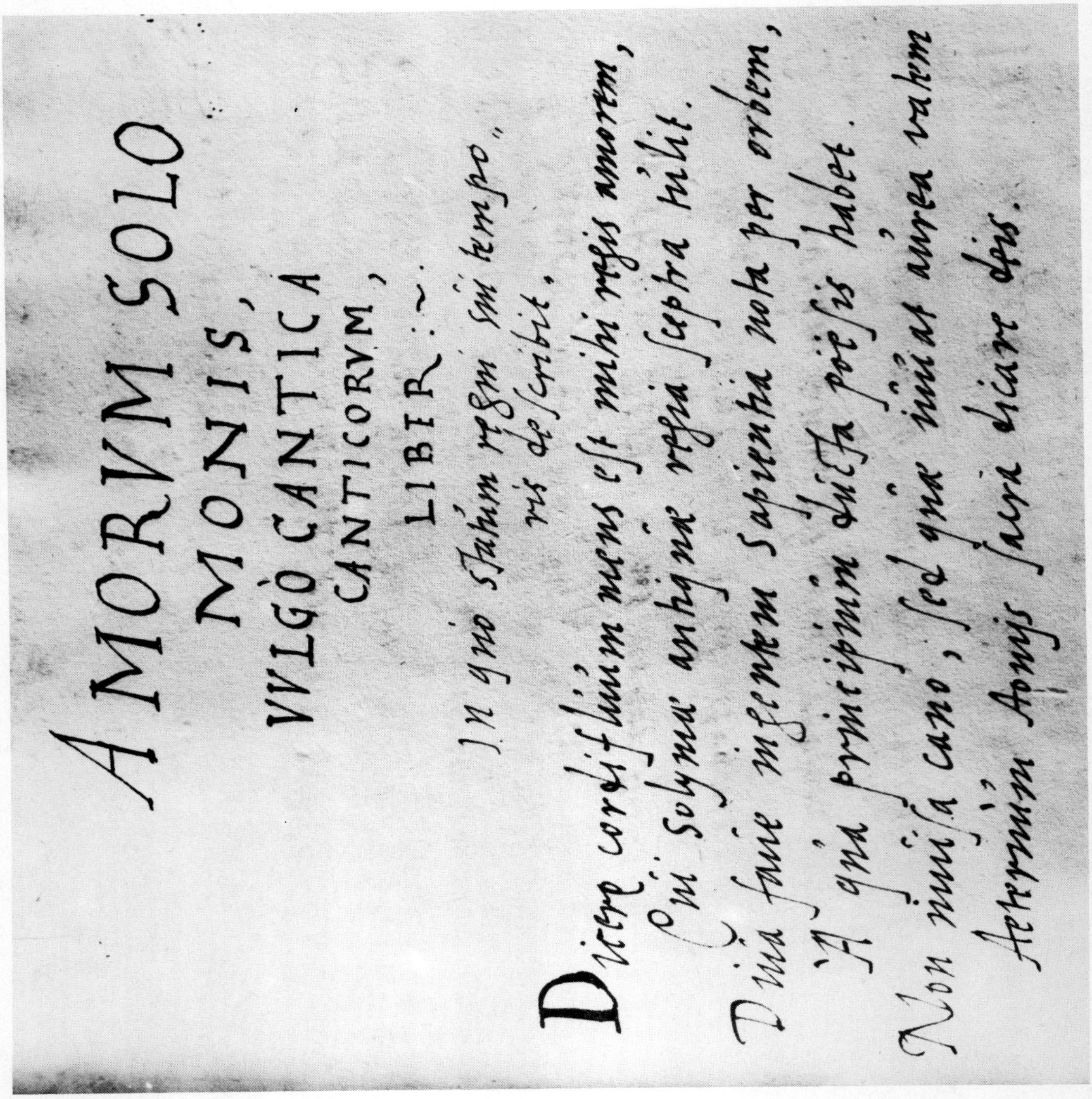

AMORVM SOLO
MONIS,
VVLGÒ CANTICA
CANTICORVM,
LIBER :~

In quo statum regni sui temporis describit.

Dicere cordifluum mens est mihi regis amorem,
Qui Solymae antiquae regia sceptra tulit.
Diua suae insignem sapientia nota per orbem,
A qua principium dicta poësis habet.
Non nuisa cano, sed quae iuuat aurea vatem
Aeternum Aonijs sacra dicare deis.

Abb. 281 Cod. 10164, fol. 23r 1566

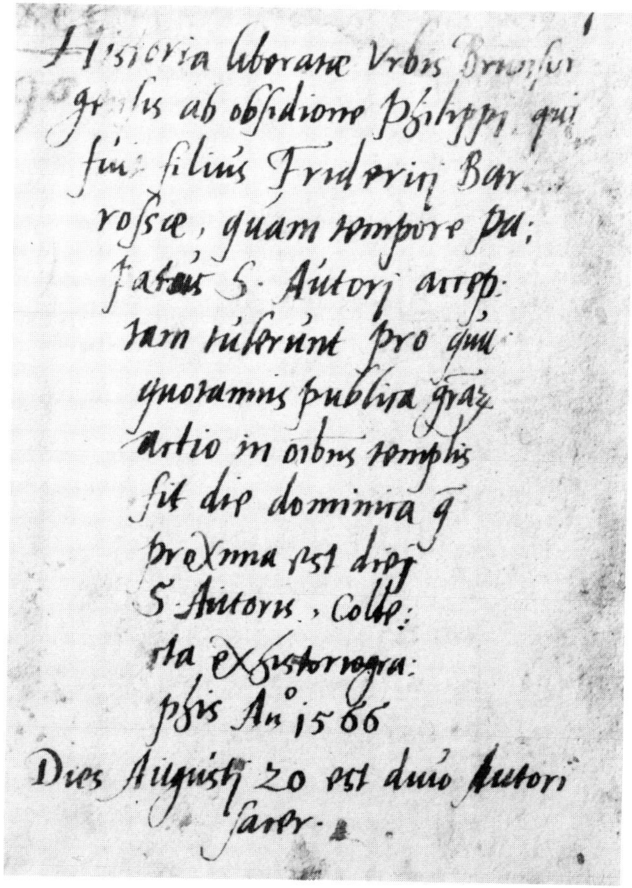
Historia liberatae Urbis Brunsui
gensis ab obsidione Philippi qui
fuit filius Friderici Bar
rossae, quam tempore pu:
fatus S. Autori arrep:
tam tulerunt pro qua
quotannis publica gra:
tiarum actio in omnibus templis
fit die dominica q
proxima est diei
S. Autoris. Colle:
cta ex historiogra:
phis An° 1566
Dies Augusti 20 est diuo Autori
sacer.

Abb. 282 Cod. 8927, fol. 1r (Braunschweig ?), 1566

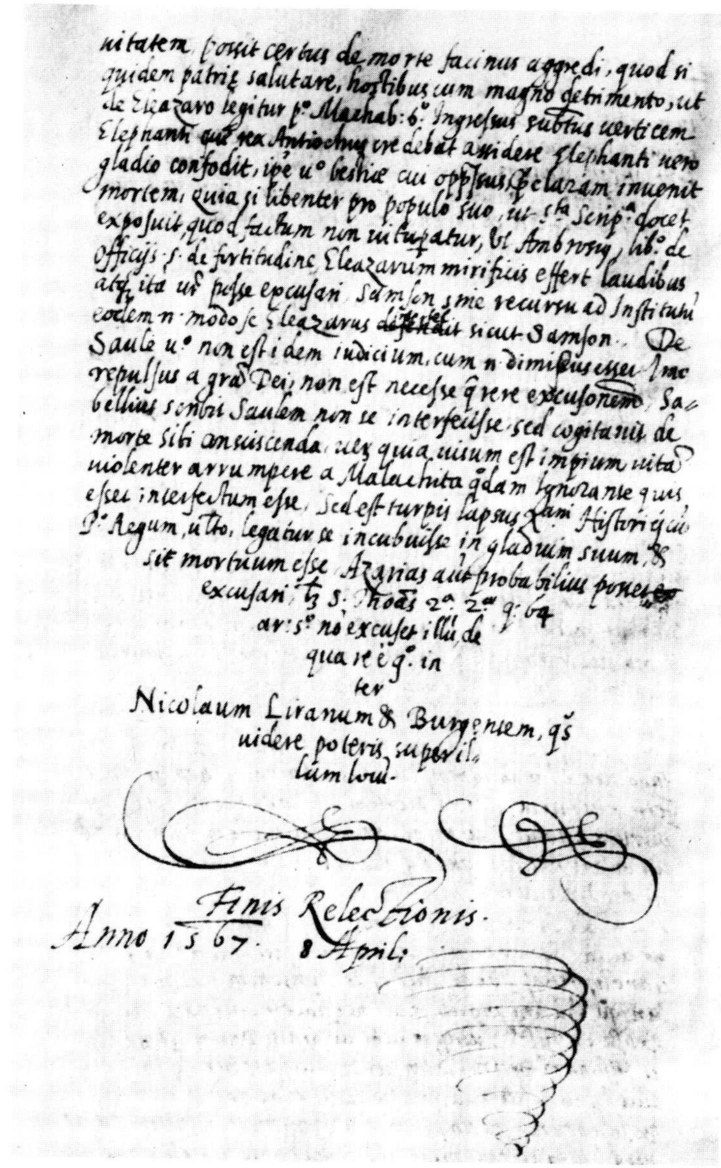
nitatem possit certus de morte facinus aggredi, quod si
quidem patriae salutare, hostibus cum magno detrimento, ut
de Eleazaro legitur p° Machab: 6° ingressus subtus verticem
Elephanti quo rex Antiochus credebat assidere Elephanti vero
gladio confodit, ipse u° bestiae cui oppressus Eleazarum inuenit
mortem, quia si libenter pro populo suo, ut s.ta Scrip.a docet,
exposuit, quod factum non vituperatur, ut Ambrosius lib.° de
Officiis p. de fortitudine Eleazarum mirificis effert laudibus
atque ita ut posse excusari Samson sine recurrere ad Instinctu
eodem n. modo se Eleazarus dedit sicut Samson. De
Saule u° non est idem iudicium, cum n. dimissus esset sine
repulsus a gra. Dei, non est necesse q. rere excusationem. Sa
bellius scribit Saulem non se interfecisse sed cogitauit de
morte sibi consciscenda, et quia uiuum est impium uitam
uiolenter arrumpere a Malachita quodam ignorante quis
esset interfectum esse. Sed est turpis lapsus tam Historici quia
p.° Regum, ultimo, legatur se incubuisse in gladium suum &
sit mortuum esse. Azarias aut probabilius ponere
excusari t.3 S. Thomas 2a 2ae q. 64
ar: 5° no excuset illu de
qua re e.g.° in
ter
Nicolaum Liranum & Burgensem, q.s
uidere poteris, superil.
lum loco.

Finis Relectionis.
Anno 1567. 8 April.

Abb. 283 Cod. 11656, fol. 465v Rom, 1567

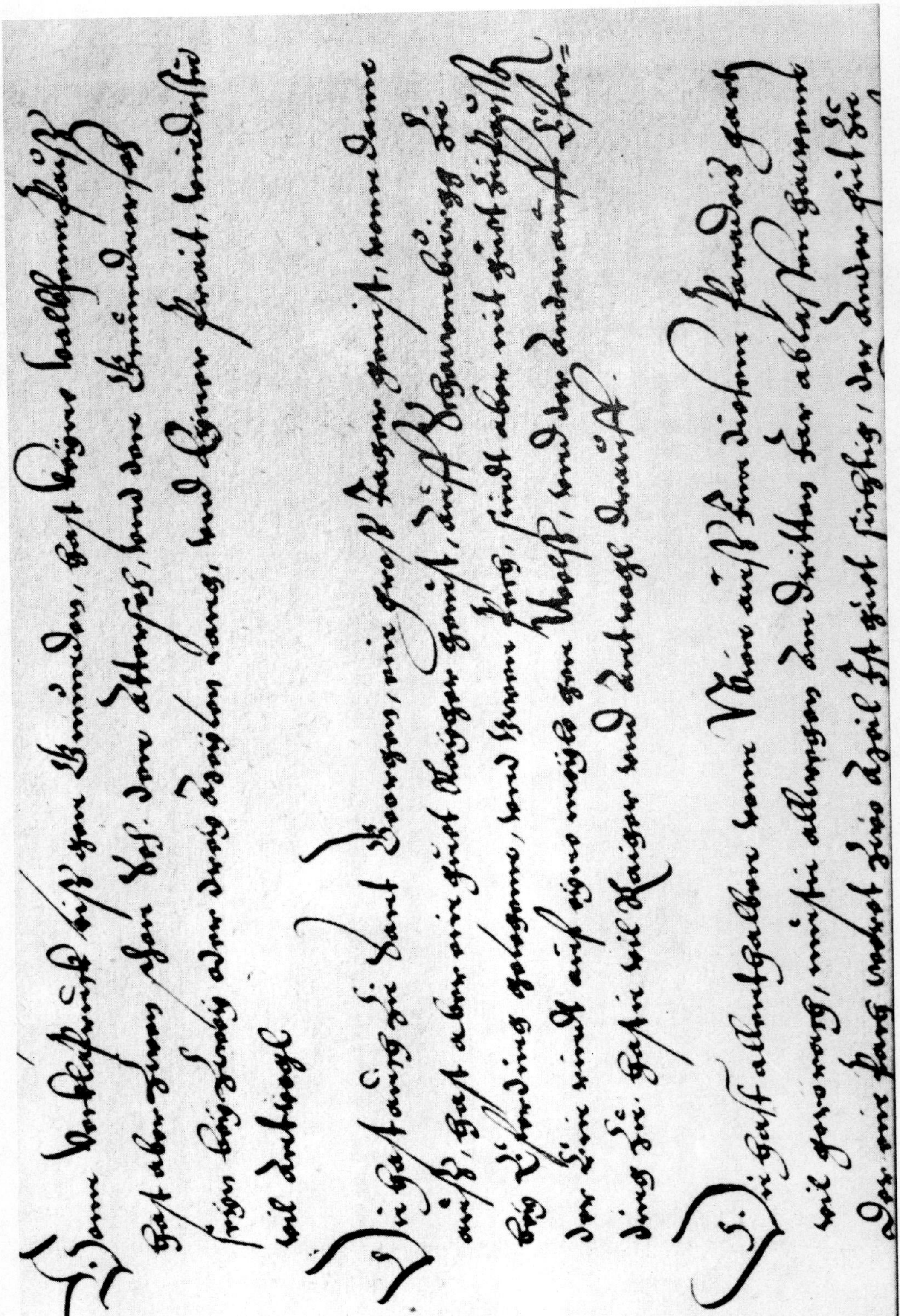
Vonn Vecklapruckh bis gen Gmunden, hat keines walchhenhauß
hat aber einen schen See, den Attersee, und den Gmundnersee
seyen bey zwey oder drey meilen lang, und ainer brait, wierdt da
vil antvogl

Di hat auch zu Sant Georgen, ein gross Jager gemist, wenn dann
auß, hat aber ein güet Raiger gemist, auff Schauenbürgg die
bey Eferding gelegenn, und Zwenn Sech, sindt aber nit güet zufisch
der ain wirdt auß eigen weijer gen Welß, und der ander auff Eferding zu. hat ain vil Raiger und antvogl drauff.

Di. hat allenthalben vonn Wien auß bis diesem paradeis garth
vil gewerch, müesse allwegen am dritten Jar ablassen haimen
Der ain sach wiert zwo zail Ist güet fischig, der ander gibt zu

Abb. 284 Cod. 10808, fol. 14r 1567

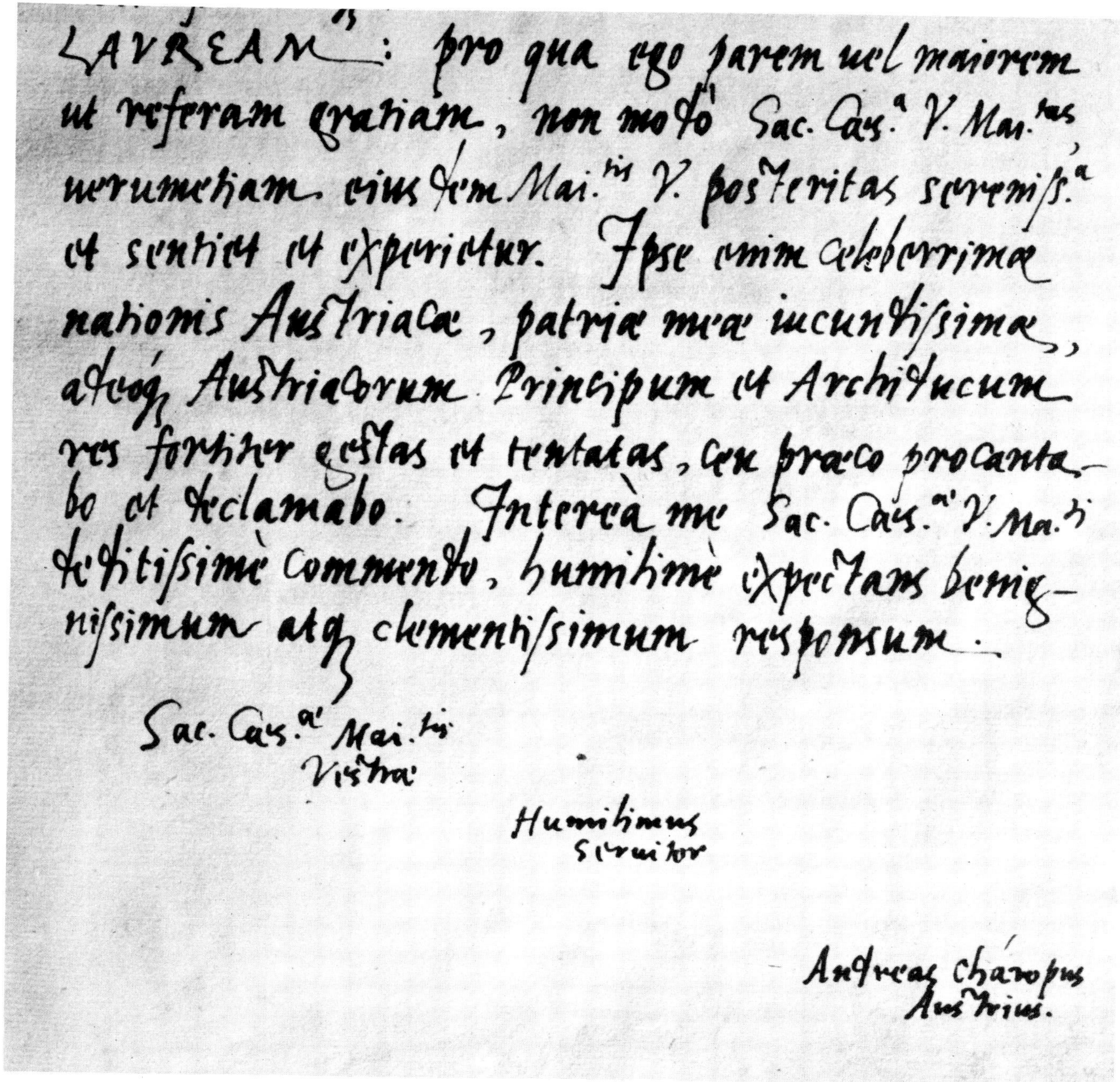

LAVREAM: pro qua ego parem uel maiorem
ut referam gratiam, non modo Sac. Caes.a V. Mai.tas
uerumetiam eiusdem Mai.tis V. posteritas serenis.a
et sentiet et experietur. Ipse enim celeberrimae
nationis Austriacae, patriae meae iucundissimae,
atque Austriacorum Principum et Archiducum
res fortiter gestas et tentatas, ceu praeco procanta-
bo et declamabo. Interea me Sac. Caes.ae V. Ma.ti
deditissime commendo, humilime expectans benig-
nissimum atque clementissimum responsum.

Sac. Caes.ae Mai.tis
Vestrae

Humilimus
seruitor

Andreas Charopus
Austrius.

Abb. 285 Cod. 10136, fol. 4r (Österreich), 1567

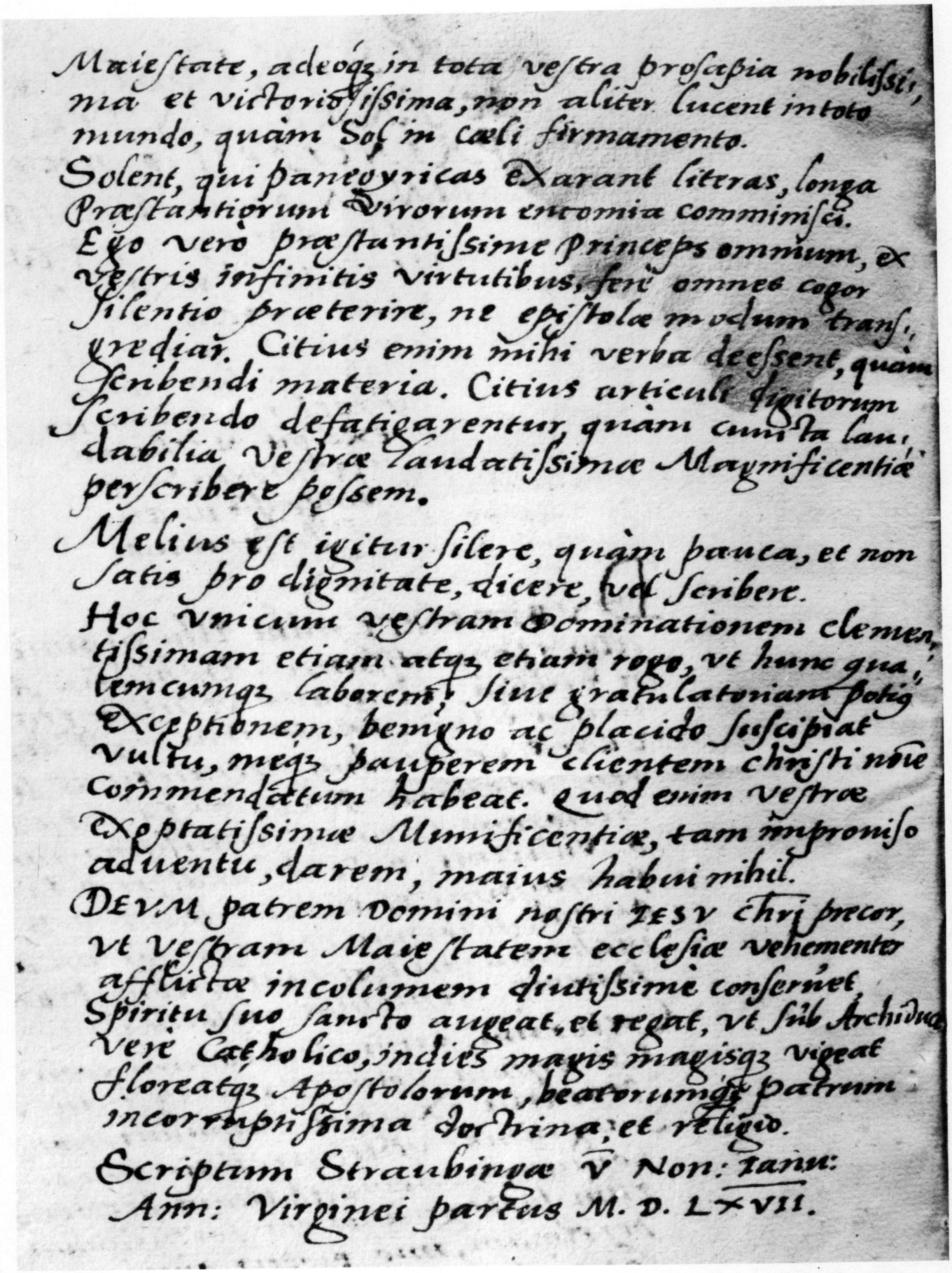
Maiestate, adeoq; in tota vestra prosapia nobilissi-
ma et victoriosissima, non aliter lucent in toto
mundo, quàm Sol in cæli firmamento.
Solent, qui panegyricas exarant literas, longa
Præstantiorum Virorum encomia commisceri.
Ego vero præstantissime Princeps omnium, ex
vestris infinitis virtutibus, ferè omnes cogor
silentio præterire, ne epistolæ modum trans-
grediar. Citius enim mihi verba deessent, quàm
scribendi materia. Citius articuli digitorum
scribendo defatigarentur, quàm cuncta lau-
dabilia Vestræ laudatissimæ Magnificentiæ
perscribere possem.
Melius est igitur silere, quàm pauca, et non
satis pro dignitate, dicere, vel scribere.
Hoc vnicum vestram Dominationem clemen-
tissimam etiam atq; etiam rogo, vt hunc qua-
lemcumq; laborem, siue gratulationem potiùs
exceptionem, benigno ac placido suscipiat
vultu, meq; pauperem clientem christi nõie
commendatum habeat. Quod enim vestræ
exoptatissimæ Munificentiæ, tam improviso
aduentu, darem, maius habui nihil.
DEVM patrem Domini nostri IESV Chri precor,
vt vestram Maiestatem ecclesiæ vehementer
afflictæ incolumem diutissimè conseruet,
Spiritu suo sancto augeat, et regat, vt sub Archiduce
vere Catholico, indies magis magisq; vigeat
floreatq; Apostolorum, beatorumq; patrum
incorruptissima doctrina, et religio.
Scriptum Straubingæ V Non: Ianu:
Ann: Virginei partus M. D. LXVII.

Abb. 286 Cod. 10083, fol. 98v Straubing, 1567

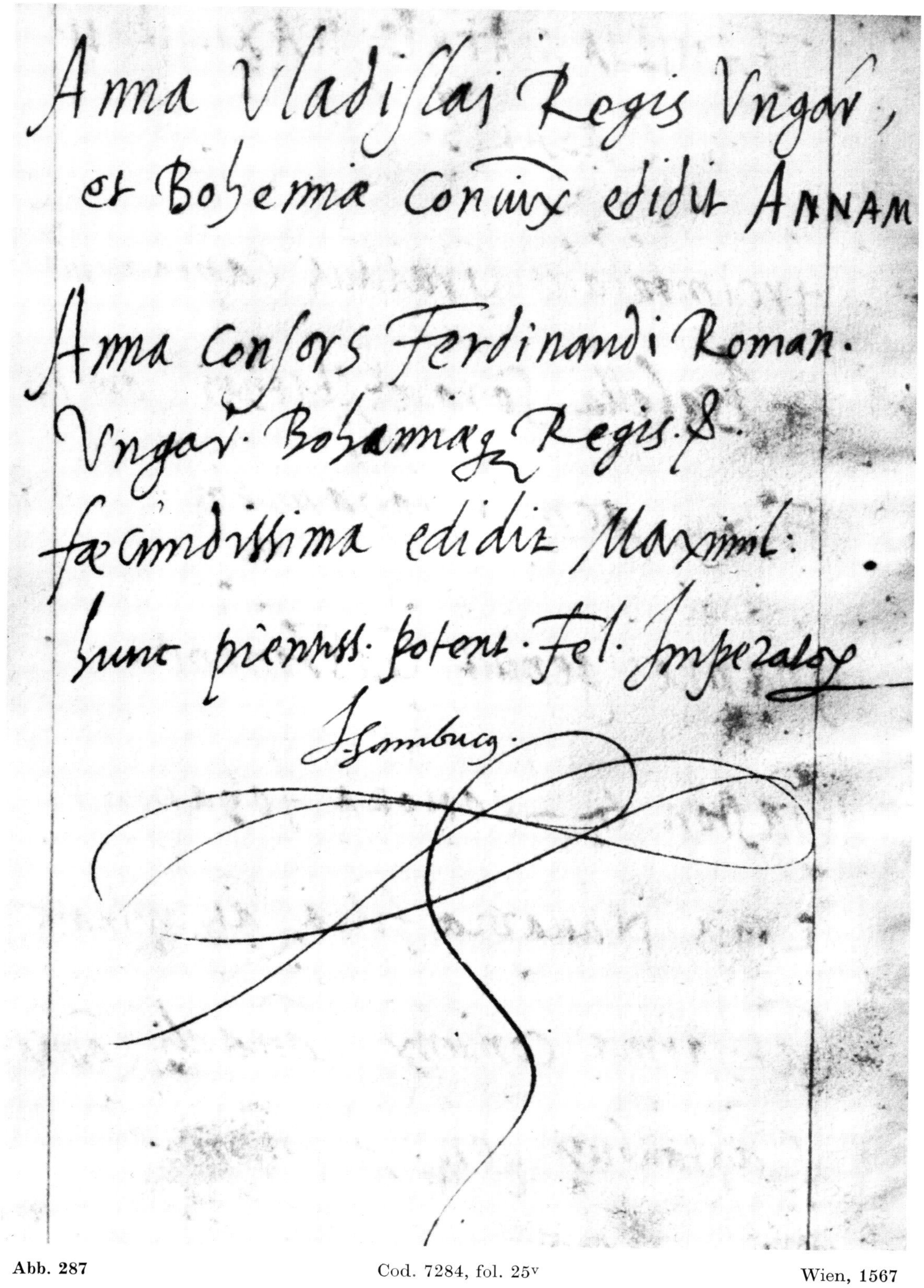
Anna Vladislai Regis Vngar.
et Bohemiae Coniux edidit ANNAM

Anna Consors Ferdinandi Roman.
Vngar. Bohemiaeque Regis &
foecundissima edidit Maximil.
hunc pientiss. potent. Fel. Imperator
I. Homburg.

Abb. 287 Cod. 7284, fol. 25v Wien, 1567

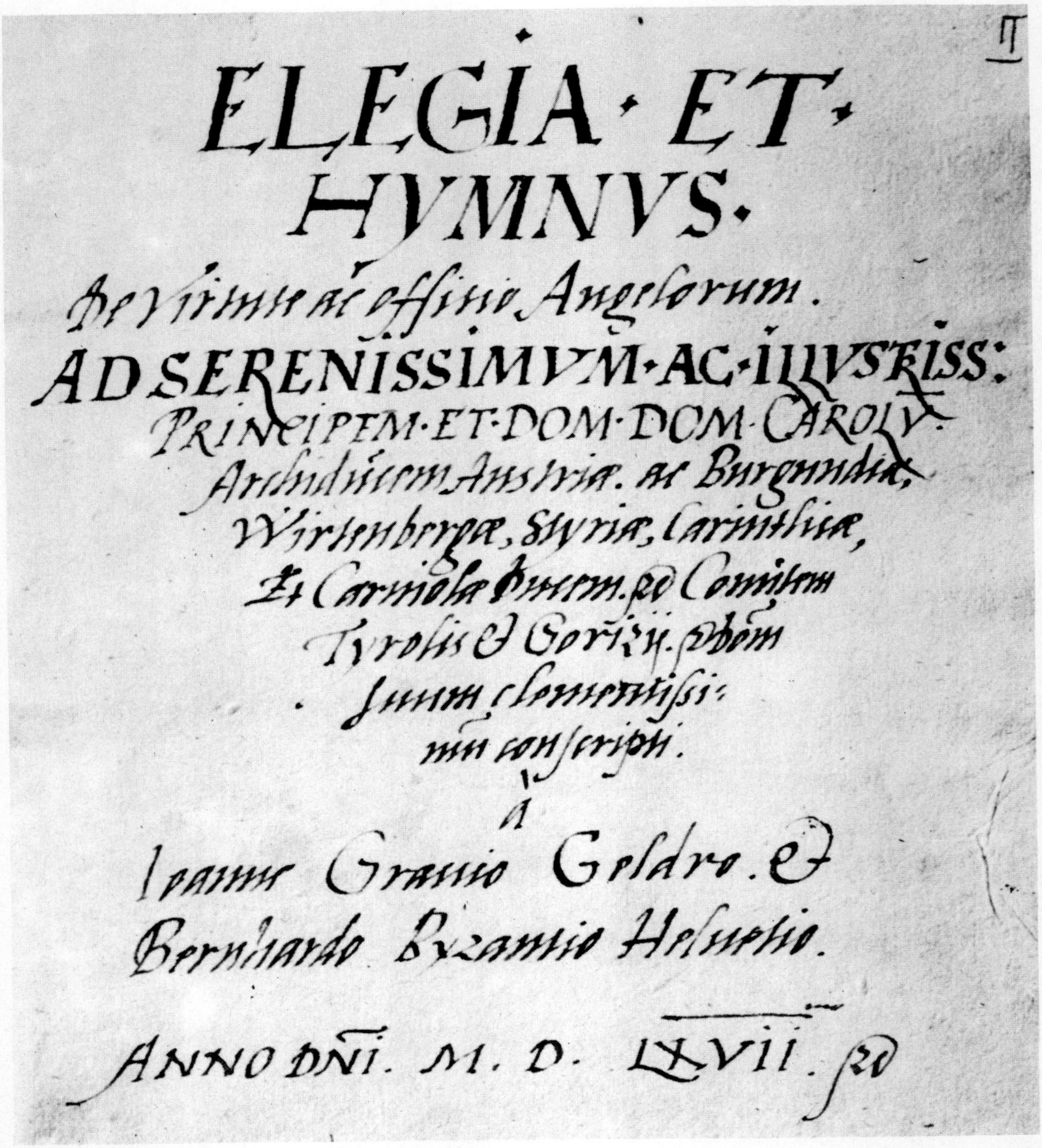
ELEGIA · ET ·
HYMNVS ·
De virtute ac officio Angelorum.
AD SERENISSIMVM · AC · ILLVSTRISS:
PRINCIPEM · ET · DOM · DOM · CAROLV:
Archiducem Austriæ. ac Burgundiæ,
Wirtenbergæ, Styriæ, Carinthiæ,
Et Carniolæ Ducem. etc Comitem
Tyrolis & Goritiæ. etc Dom
inum clementissi-
mum conscripti.
à
Ioanne Gravio Geldro. &
Bernhardo Byzantio Helvetio.
ANNO DNI. M. D. LXVII. etc

Abb. 288 Cod. 9877, fol. IIr 1567

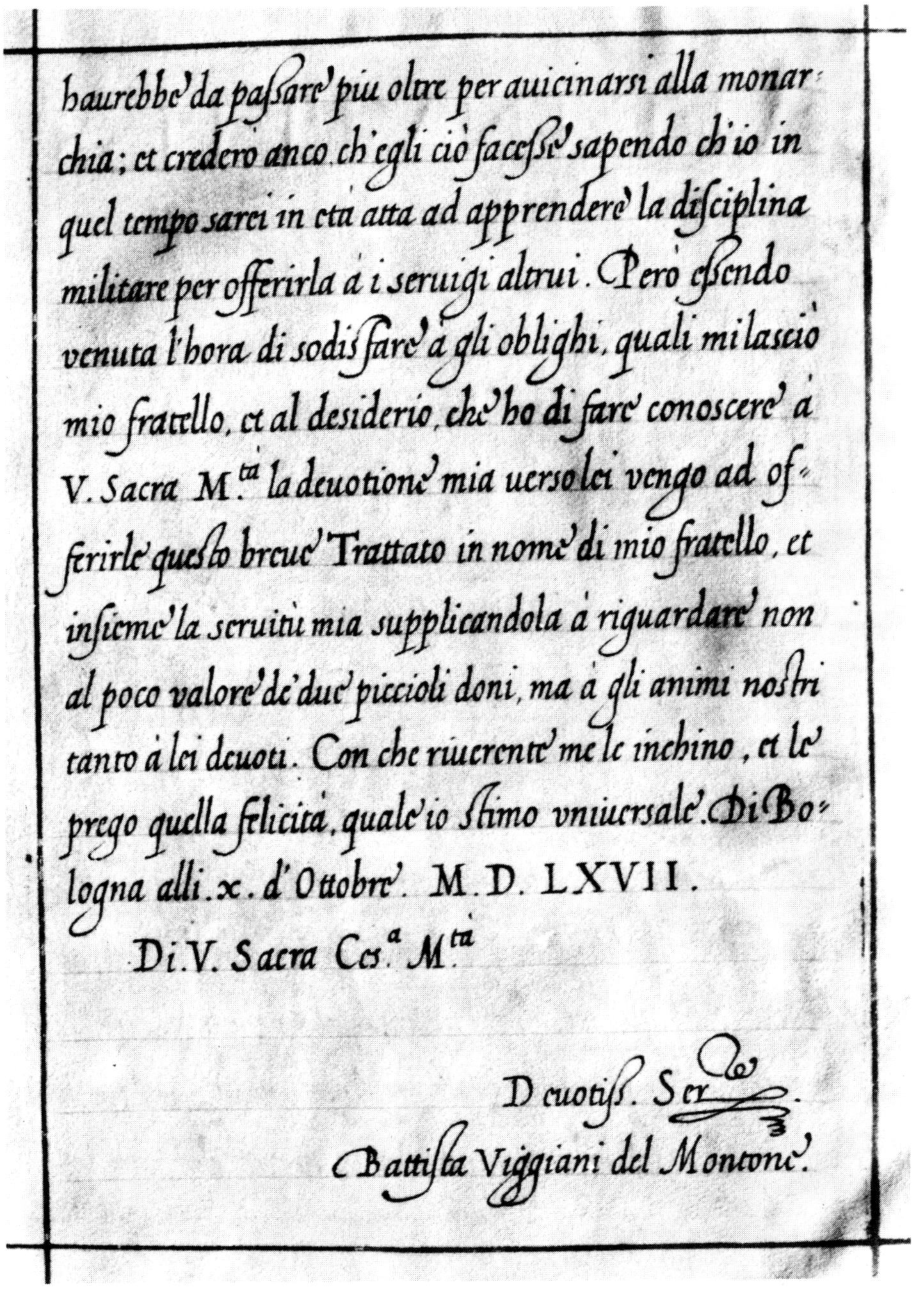

haurebbe da passare piu oltre per auicinarsi alla monarchia; et crederò anco ch'egli ciò facesse sapendo ch'io in
quel tempo sarei in età atta ad apprendere la disciplina
militare per offerirla à i seruigi altrui. Però essendo
venuta l'hora di sodisfare à gli oblighi, quali mi lasciò
mio fratello, et al desiderio, che ho di fare conoscere à
V. Sacra M.tà la deuotione mia uerso lei vengo ad offerirle questo breue Trattato in nome di mio fratello, et
insieme la seruitù mia supplicandola à riguardare non
al poco valore de due piccioli doni, ma à gli animi nostri
tanto à lei deuoti. Con che riuerente me le inchino, et le
prego quella felicità, quale io stimo vniuersale. Di Bologna alli .x. d'Ottobre. M.D.LXVII.

Di V. Sacra Ces.a M.tà

Deuotiss. Ser.

Battista Viggiani del Montone.

Abb. 289 Cod. 10723, fol. 1v Bologna, 1567

me: exultatio mea, erue me a circumdantibus me. Intellectum tibi dabo, et instruam te in via hac qua gradieris: firmabo super te oculos meos. Nolite fieri sicut equus et mulus: quibus non est intellectus. In chamo et freno maxillas eorum constringe: qui non approximant ad te. Multa flagella peccatoris: sperantes autem in domino, misericordia circumdabit. Laetamini in domino et exultate iusti: et gloriamini omnes recti corde.
Contra Bulam.
Domine, ne in furore tuo arguas me: neque

Abb. 291 Cod. 11737, fol. 4r Venedig, 1567

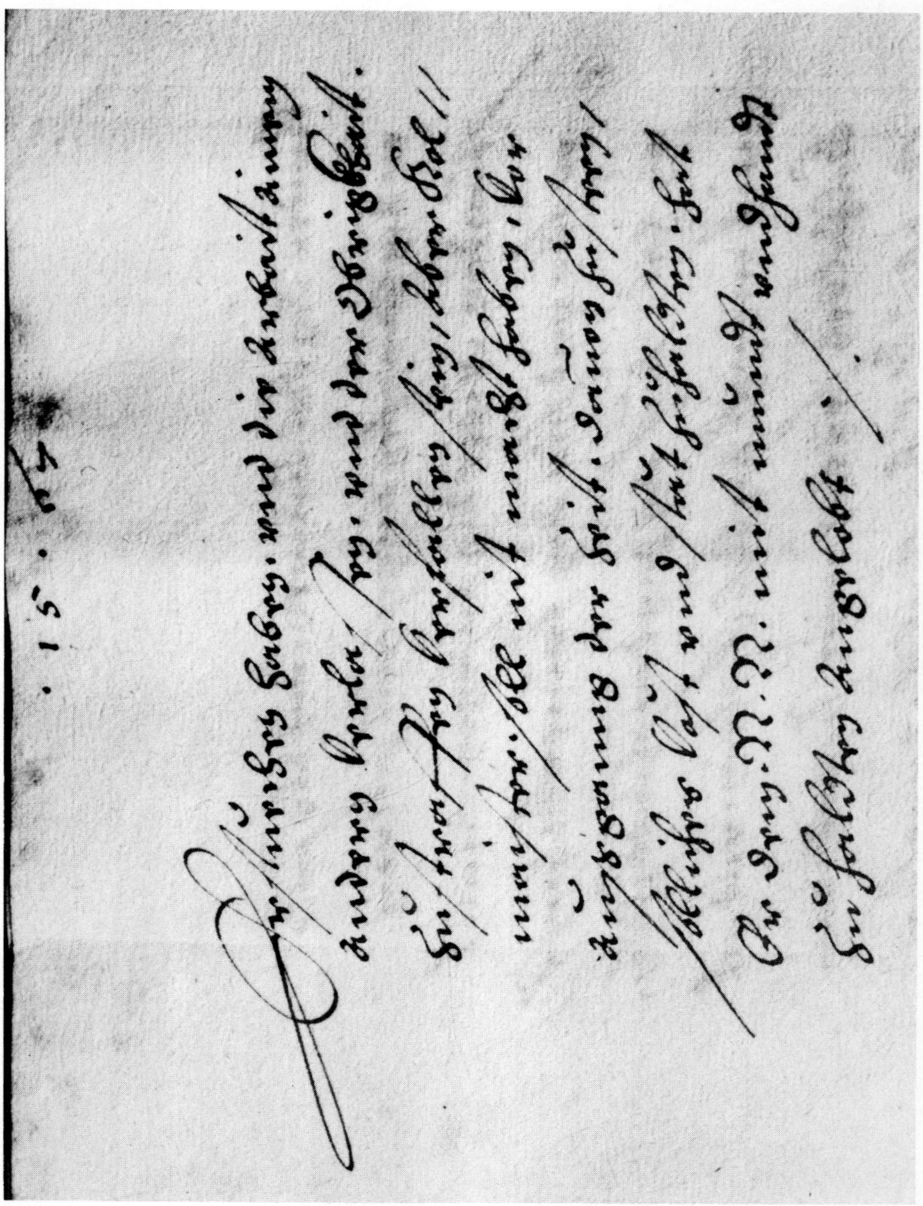

Abb. 290 Cod. 10930, fol. 99v 1567

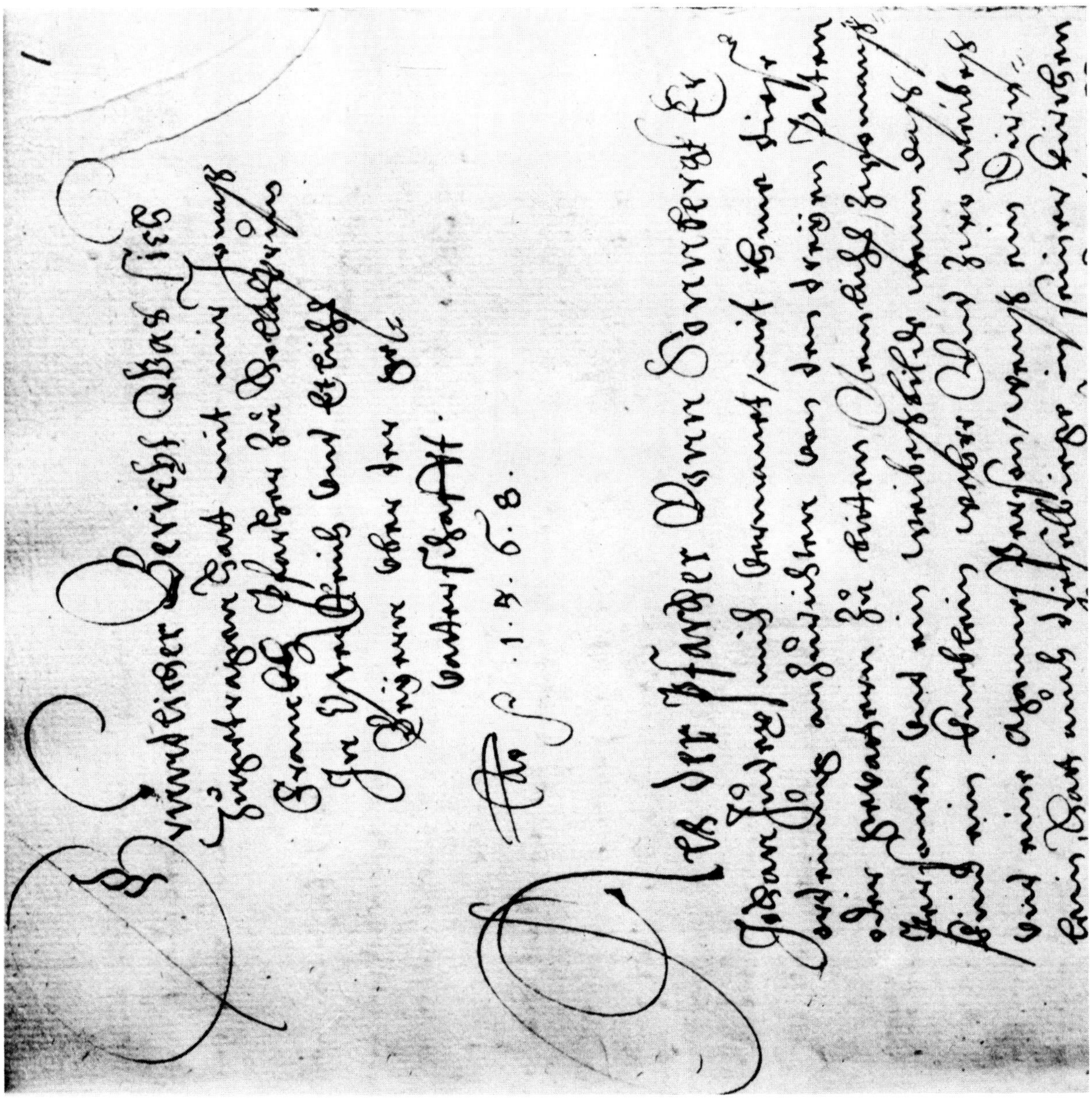

Abb. 292 Cod. 13839, fol. 1r (Niederösterreich), 1568

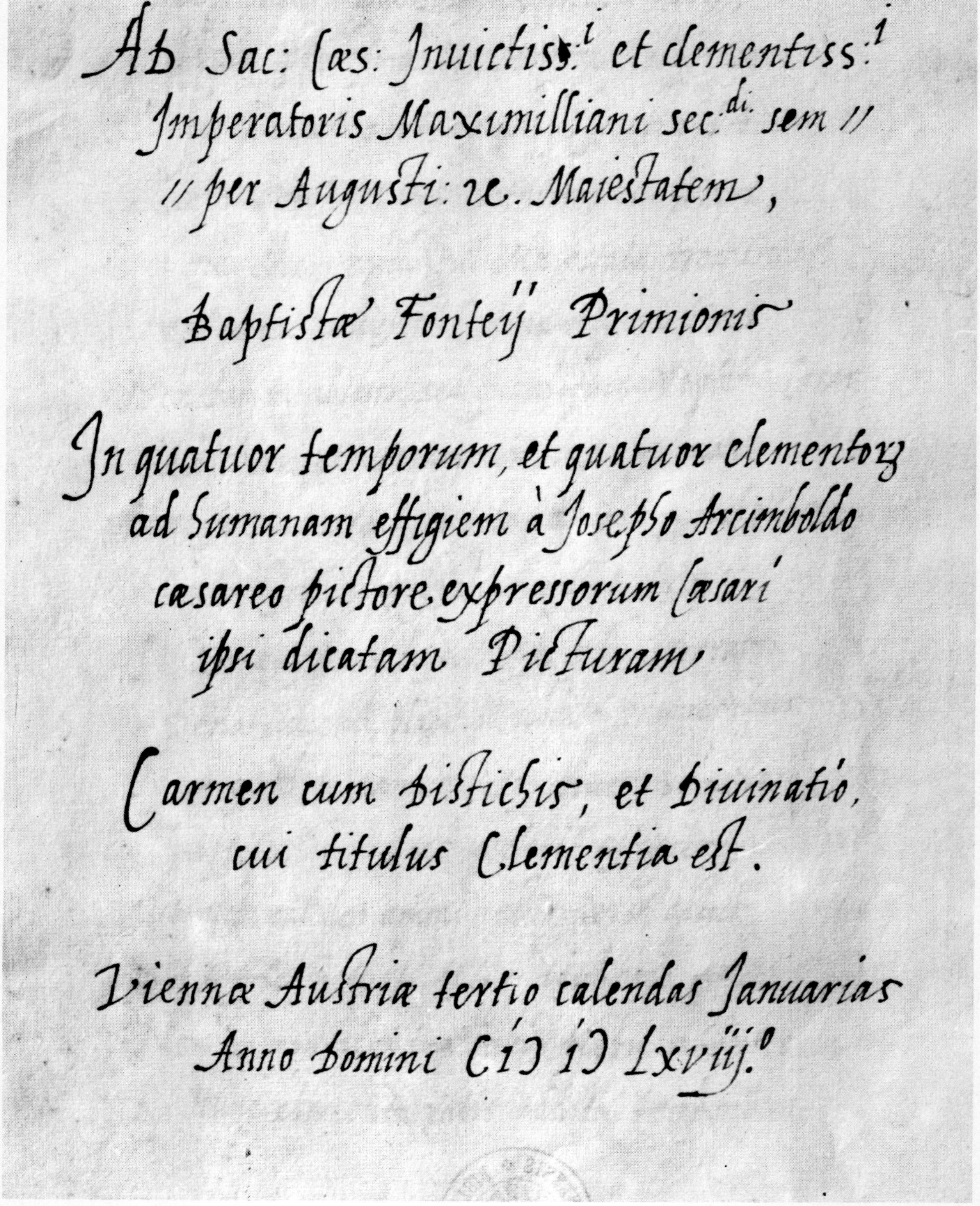
Ad Sac: Cæs: Inuictiss:i et clementiss:i
Imperatoris Maximilliani sec:di sem //
// per Augusti: &c. Maiestatem,

Baptistæ Fonteij Primionis

In quatuor temporum, et quatuor elementorum
ad humanam effigiem à Josepho Arcimboldo
cæsareo pictore expressorum Cæsari
ipsi dicatam Picturam

Carmen cum distichis, et diuinatio,
cui titulus Clementia est.

Viennæ Austriæ tertio calendas Januarias
Anno domini CIↃ IↃ LXViij.o

Abb. 293 Cod. 10152, fol. 1r Wien, 1568

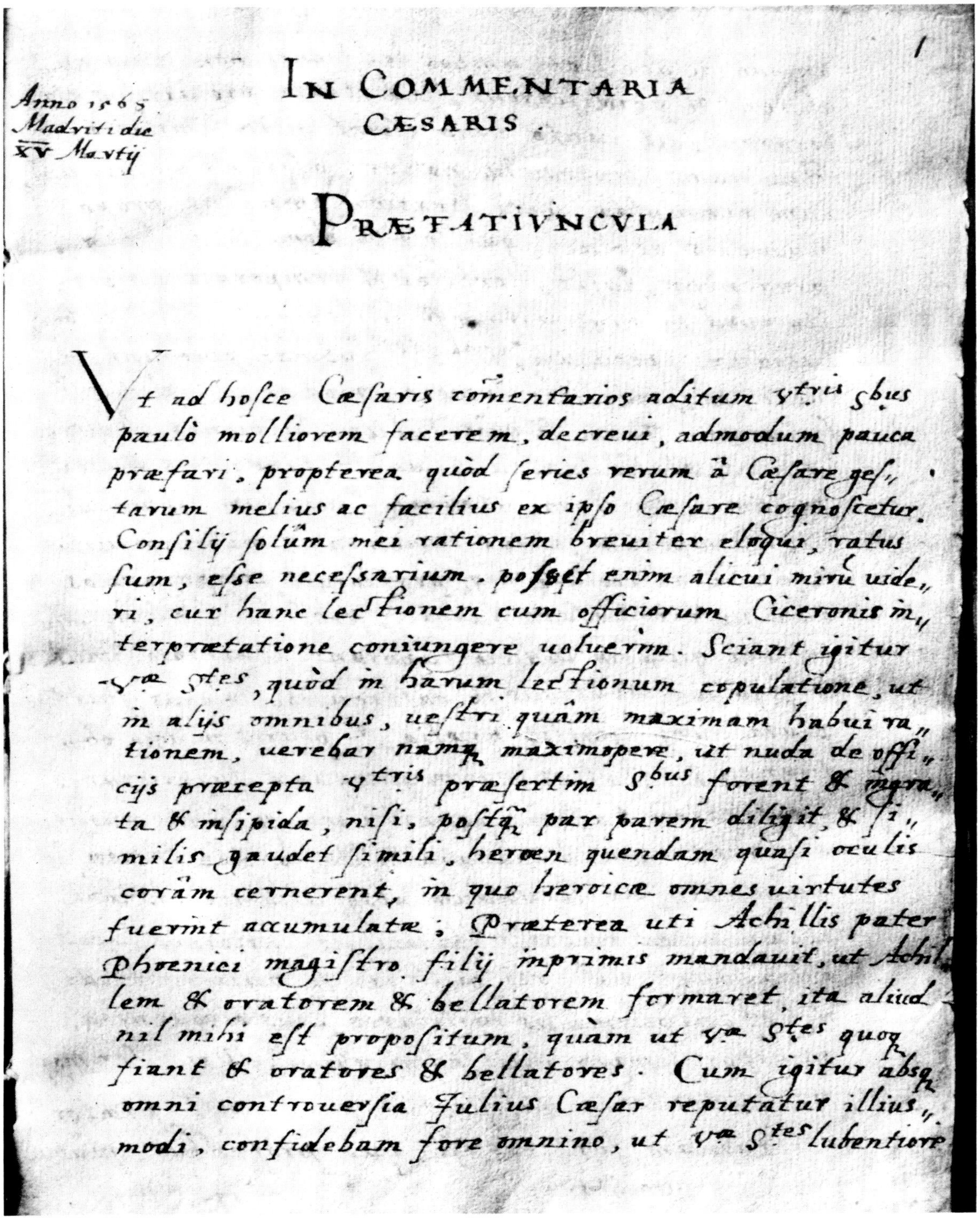

1

Anno 1565
Madriti die
XV Martij

IN COMMENTARIA
CÆSARIS.

PRÆFATIVNCVLA

Vt ad hosce Cæsaris comentarios aditum V.tris C.bus
paulò molliorem facerem, decreui, admodum pauca
præfari. propterea quòd series rerum à Cæsare ges-
tarum melius ac facilius ex ipso Cæsare cognoscetur.
Consilij solùm mei rationem breuiter eloqui, ratus
sum, esse necessarium. possset enim alicui mirū uide-
ri, cur hanc lectionem cum officiorum Ciceronis interpretatione coniungere uoluerim. Sciant igitur
V.æ C.tes, quòd in harum lectionum copulatione, ut
in alijs omnibus, uestri quàm maximam habui rationem, uerebar namq; maximopere, ut nuda de offi-
cijs præcepta V.tris præsertim C.bus forent & ingra-
ta & insipida, nisi, postq̄ par parem diligit, & similis gaudet simili, heroen quendam quasi oculis
coràm cernerent, in quo heroicæ omnes uirtutes
fuerint accumulatæ; Præterea uti Achillis pater
Phoenici magistro filij inprimis mandauit, ut Achil-
lem & oratorem & bellatorem formaret, ita aliud
nil mihi est propositum, quàm ut V.æ C.tes quoq;
fiant & oratores & bellatores. Cum igitur absq;
omni controuersia Julius Cæsar reputatur illius-
modi, confidebam fore omnino, ut V.æ C.tes lubentiore

Abb. 294 Cod. 9398, fol. 1r Madrid, 1568

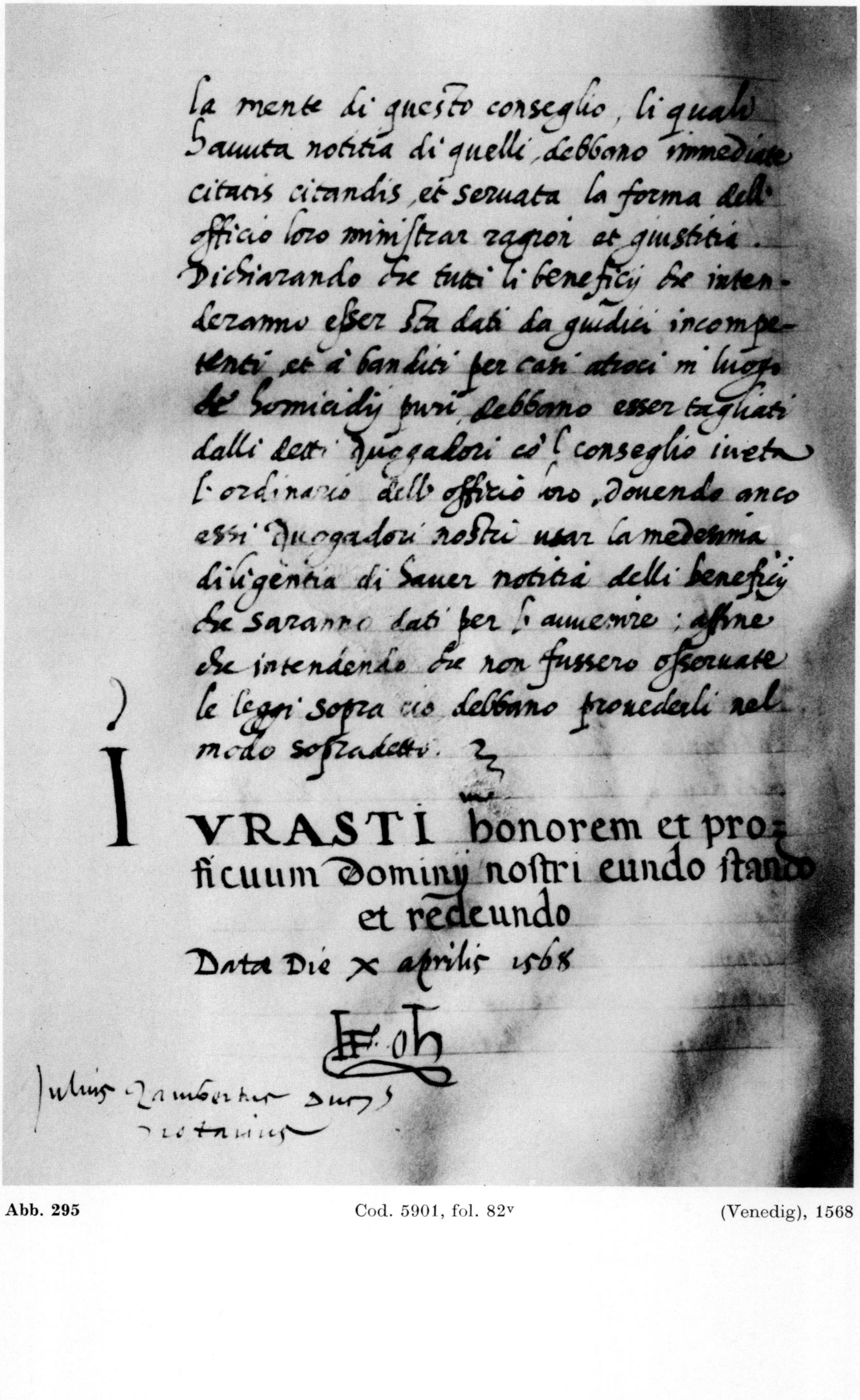
la mente di questo conseglio, li quali
havuta notitia di quelli, debbano immediate
citatis citandis, et servata la forma dell'
officio loro ministrar ragion et giustitia.
Dichiarando che tutti li beneficij che inten-
deranno esser sta dati da giudici incompe-
tenti, et a banditi per casi atroci in luogo
de homicidij puri, debbano esser taghati
dalli detti Avogadori col conseglio iusta
l'ordinario dell'officio loro, dovendo anco
essi Avogadori nostri usar la medesima
diligentia di haver notitia delli beneficij
che saranno dati per l'avenire; affine
che intendendo che non fussero osservate
le leggi sopra cio debbano provederli nel
modo sopradetto.

IVRASTI honorem et pro-
ficuum Dominij nostri eundo stando
et redeundo

Data Die X aprilis 1568

Julius Zambertus Ducalis
Secretarius

Abb. 295 Cod. 5901, fol. 82v (Venedig), 1568

Io fo quì fin Signor à l'opra mia,
Ma non d'amarui è celebrarui ogn'hora;
Come conuien à quel che sol adora,
Mia Alma per la sua gran cortesia.
Perdon gli cheggio se non se gli inuia
Cosa; come appartiene à chi honora
I vertuosi, perche in lei dimora
Ogni atto santo, et mente giusta è pia.
Et humilmente m'inchino baciando.
Non il ginocchio; ma l'ombra del piede:
Si come à quel ch'in terra è lo più degno.
Pregando DIO che uada aumentando
Il suo sourano Impero, come ho fede
Ch'anchor del Turco ui darà il gran Regno.

Abb. 296 Cod. 10883, fol. 21v Mailand, 1568

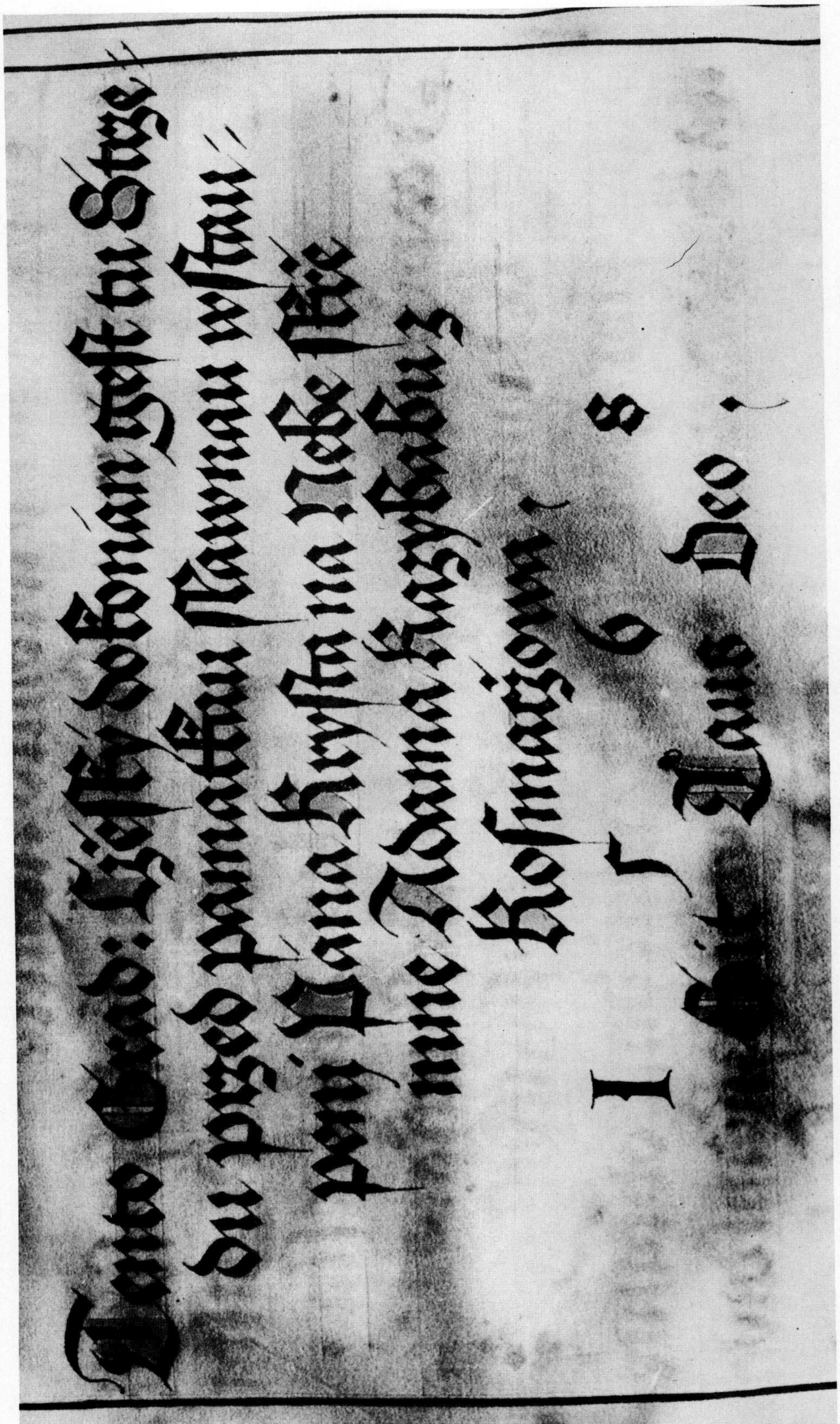

Abb. 297 Cod. 15509, fol. 381v (Böhmen), 1568

Abb. 298 Suppl. mus. 2129, fol. 9r (München), 1568

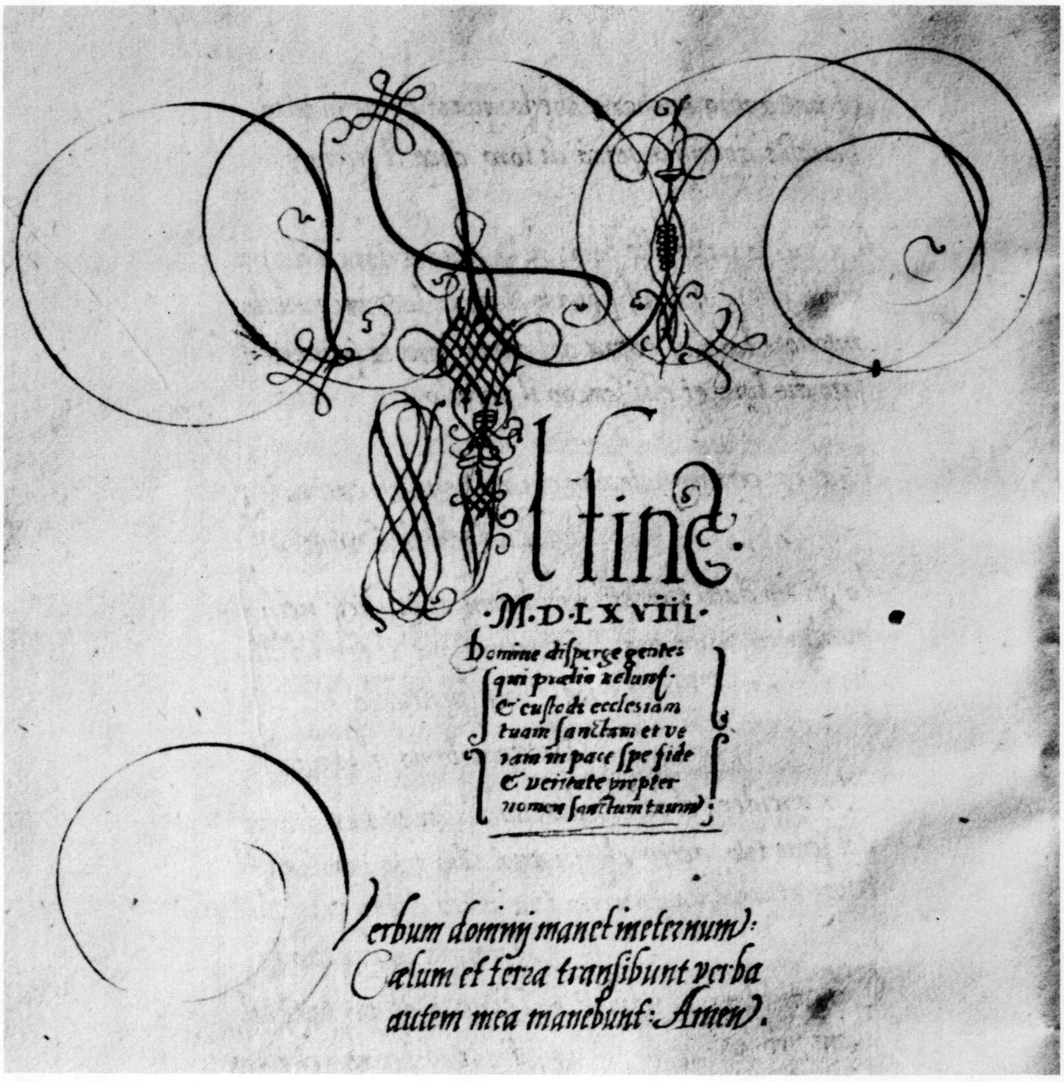

Abb. 299 Cod. 11625, fol. 15v 1568

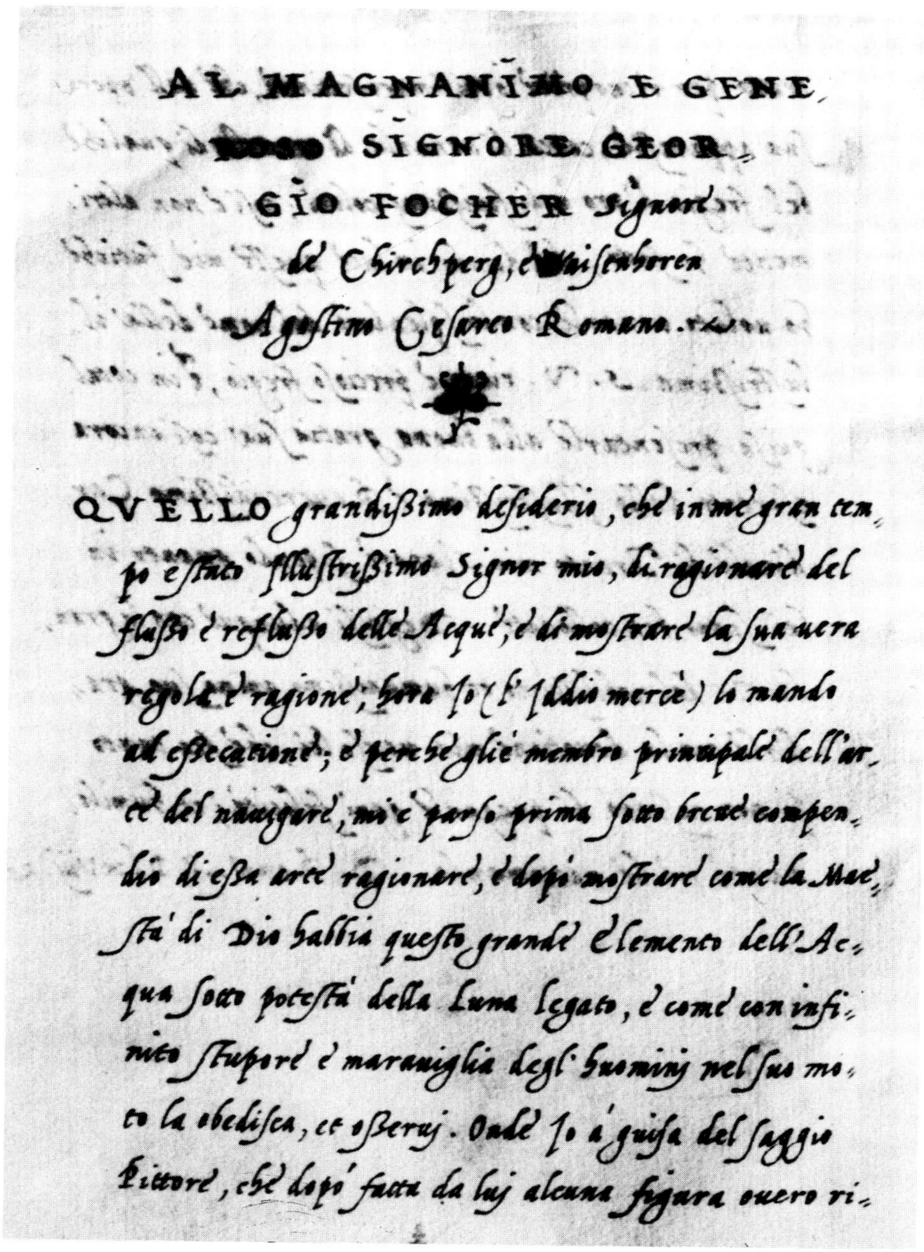

AL MAGNANIMO E GENE-
ROSO SIGNORE GEOR-
GIO FOCHER Signore
de Chirchperg, e Waisenhoren
Agostino Cesareo Romano.

QVELLO grandissimo desiderio, che in me gran tempo è stato Illustrissimo Signor mio, di ragionare del
flusso e reflusso delle Acque, e di mostrare la sua uera
regola e ragione, hora Io (l'Iddio mercè) lo mando
ad essecatione; e perche gli è membro principale dell'arte del nauigare, mi è parso prima sotto breue compen-
dio di essa arte ragionare, e dopò mostrare come la Maestà di Dio habbia questo grande Elemento dell'Ac-
qua sotto potestà della Luna legato, e come con infi-
nito stupore e marauiglia degl'huomini nel suo mo-
to la obedisca, et osserui. Onde Io à guisa del saggio
Pittore, che dopò fatta da luj alcuna figura ouero ri-

Abb. 300 Cod. 10779, fol. III^r Rom, 1568

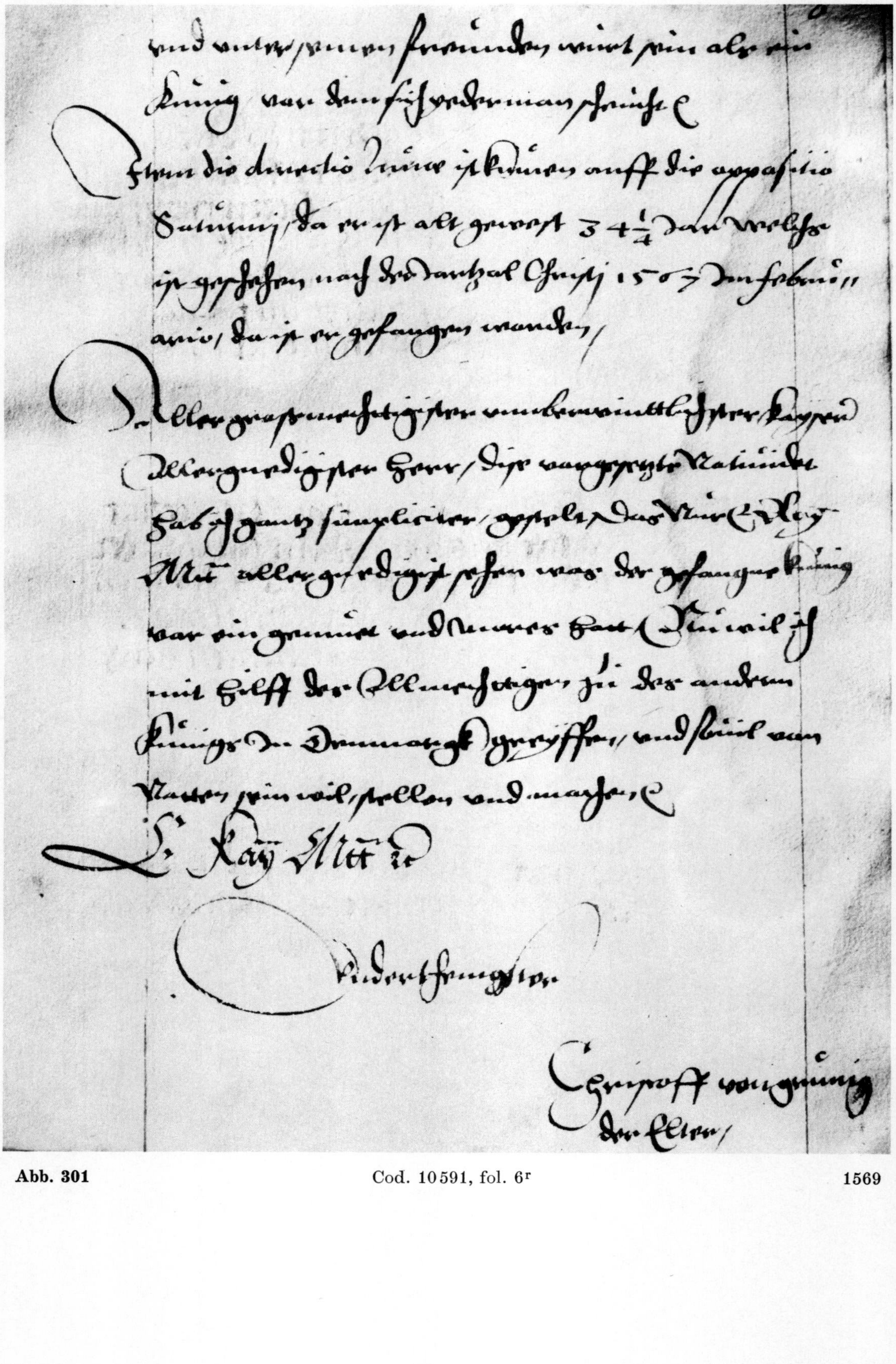

vnd vnter seinen freunden wirt sein alz ein
Kunig vor den fischerleuten geacht etc.

Item die directio lune ist kumen auff die oppositio
Saturnj, da er ist alt gewest 34¼ Jar welche
ist geschehen nach der Jarzal Christj 1507 den sybendten
anno, da ist er gefangen worden.

Allergroßmechtigister vnuberwindtlichister Kayser
Allergnedigister Herr, dise vorgesetzte Natiuitet
hab ich gantz simpliciter gestelt, das Eur Kay.
Mt. allergnedigist sehen was der gefangen kunig
war ein gemuet vnd natur hat. Dieweil ich
mit hilff des allmechtigen zu der andern
Kunige zu Denmargk gegriffen, vnd stuck vom
Natur, sein weil, stellen vnd machen etc.
E. Kay. Mt. etc.

Vndertheniger

Christoff von gruning
der Elter

Abb. 301 Cod. 10591, fol. 6r **1569**

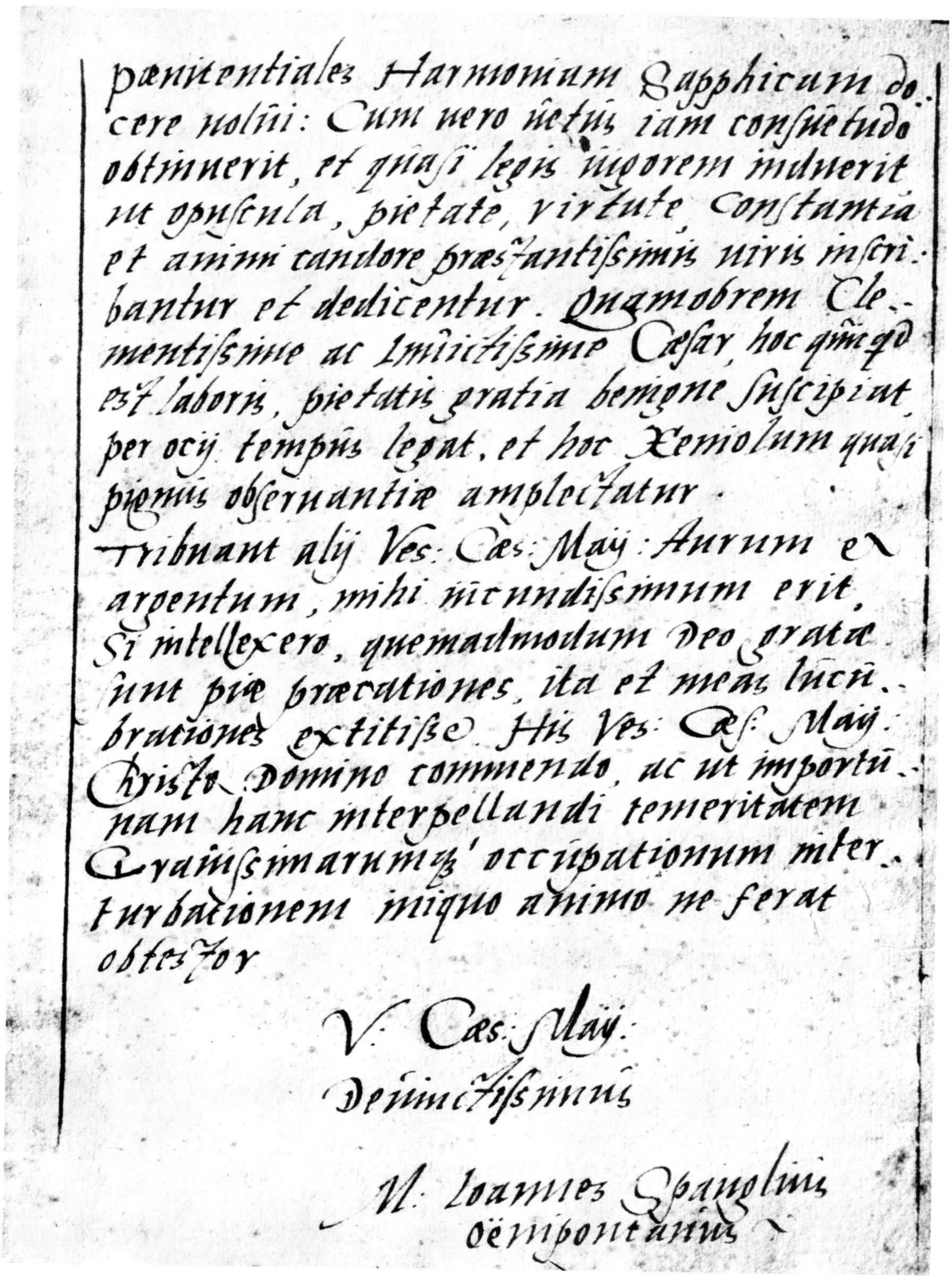

pœnitentiales Harmoniam Sapphicam do-
cere volui: Cum vero vetus iam consuetudo
obtinuerit, et quasi legis vigorem induerit
ut opuscula, pietate, virtute, Constantia
et animi candore præstantissimis viris inscri-
bantur et dedicentur. Quamobrem Clementissime ac Invictissime Cæsar, hoc quicquid
est laboris, pietatis gratia benigne suscipiat,
per ocij tempus legat, et hoc Xeniolum quasi
pignus observantiæ amplectatur.
Tribuant alij Ves: Cæs: Maij: Aurum et
argentum, mihi iucundissimum erit,
Si intellexero, quemadmodum Deo gratæ
sunt piæ precationes, ita et meas lucubrationes extitisse. His Ves: Cæs: Maij:
Christo Domino commendo, ac ut importu-
nam hanc interpellandi temeritatem
Gravissimarumque occupationum inter-
turbationem iniquo animo ne ferat
obtestor

V. Cæs: Maij:
devinctissimus

M. Ioannes Spanglinus
Oenipontanus

Abb. 302 Cod. 9824, fol. 2r

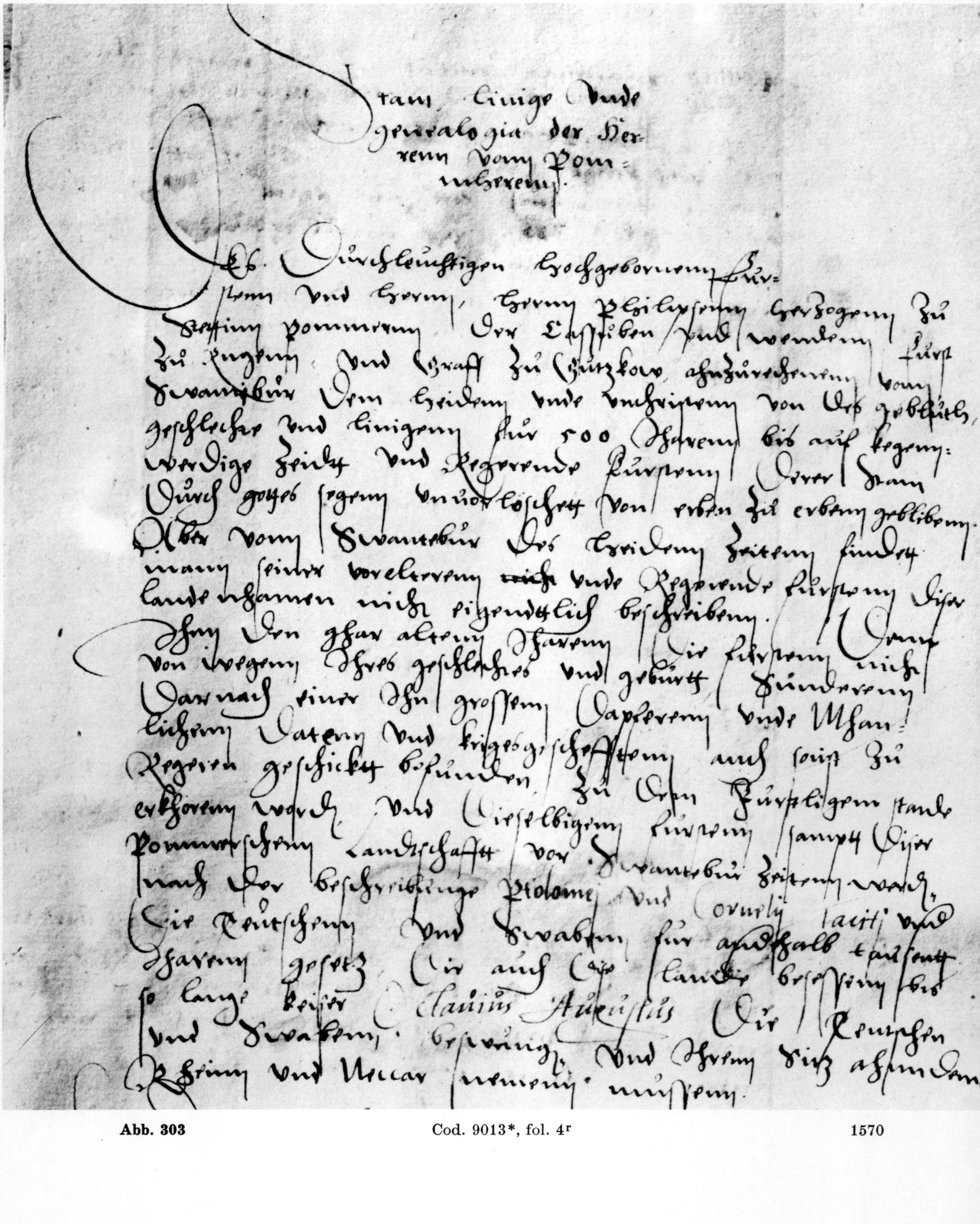
Stam, Linige vnde
Genealogia der Her-
renn vonn Pom-
merenn.

Des Durchleuchtigen hochgebornenn Fürstenn vnd herrn, herrn Philipsenn hertzogenn zu
Stettin pommernn, der Cassuben vnd wenden, fürst
zu Rugenn, vnd Graff zu Gutzkow, ahnzurechenn vonn
Swantibur dem Erstenn vnde vnchristenn von des gotlich
geschlecht vnd Linigenn für 500 jharenn bis auf kegen-
werdige zeidt vnd Regerende fürstenn, derer stam
durch gottes segenn vnerloschen von erben zu erbenn geblibenn.
Aber vonn Swantebur des Ersten zeitenn findet
mann seiner voreltern ~~nich~~ vnde Regerende fürstenn dieser
lande nahmen nicht eigendtlich beschribenn. Dann
Jhn den ghar altenn jharenn die fürstenn nicht
von wegenn ihres geschlechtes vnd geburtt sunderenn
darnach einer ihn grossenn dapferenn vnde uhan-
lichenn datenn vnd krigesgeschefftenn auch sonst zu
Regeren geschickt befunden, zu dem fürstligen stande
erkhorenn worden. vnd dieselbigenn fürstenn sampt dieser
Pommerschenn Landtschafft vor Swantebur zeitenn worden,
nach der beschreibunge Ptolomei vnd Cornelii taciti vnd
die Teutschenn vnd Swabenn für anderhalb tausent
jharenn gesetz, die auch die lande besessenn bis
so lange keiser Claudius Augustus die
vnd Swabenn bezwang. vnd ihrenn sitz ahm den
Rhein vnd Neccar zu nemenn mussenn.

Abb. 303 Cod. 9013*, fol. 4r 1570

Il Partenio

Della Vera, et nuoua disciplina militare,

Nel presente discorso, passato in francia frà dui principali Caualieri della corte del Re sotto finti nomi di Partenio, et di Gallo, ciò è d'un Napolitano, è d'un francese, si pruoua per uiue raggioni, et per esempi dei successi accaduti nelle guerre dei nostri tempi, come non s'è da molti anni in quà ben inteso il combattere in battaglia campale, ne anco l'expugnation delle fortezze; Si nominano alcuni Capitani passati, et presenti di molta uirtu; et si tratta d'alcuni lor fatti; Si mostra parimente come un buon Capitan Generale sempre, che uada à trouar l'inimico per combattere, deue talmente disponere, et ordinar le sue genti, che sia certo d'hauerne à riportar uittoria; et altresi uolendo assalire una fortezza di poterla sicuramente espugnare; Si raggiona di fare in breuissimo tempo una perfetta militia per non incorrere in quei manifesti pericoli, oue un nuouo, et mal disciplinato essercito suol dar sempre di petto, ma c'huom possa con quella ottener securamente delle uittorie. Si producono ancho uarij successi di guerra accaduti per buona, ò mala condotta dei Capitani che l'han gouernate, con dimonstrar la miglior, et piu sicura strada, che in tutte le attion militari seguir si debba. Opera non men utile, che diletteuole, per quei che aman d'esser ueri et honorati guerrieri. Auertendoli che tanto in questo primo, come nel secondo discorso, quanto piu uan leggendo, tanto piu trouaranno cose rare, et non udite ancora di molta excellenza;

Nel anno di nostra salute; 1570.

Abb. 304 Cod. 10974, fol. 1r 1570

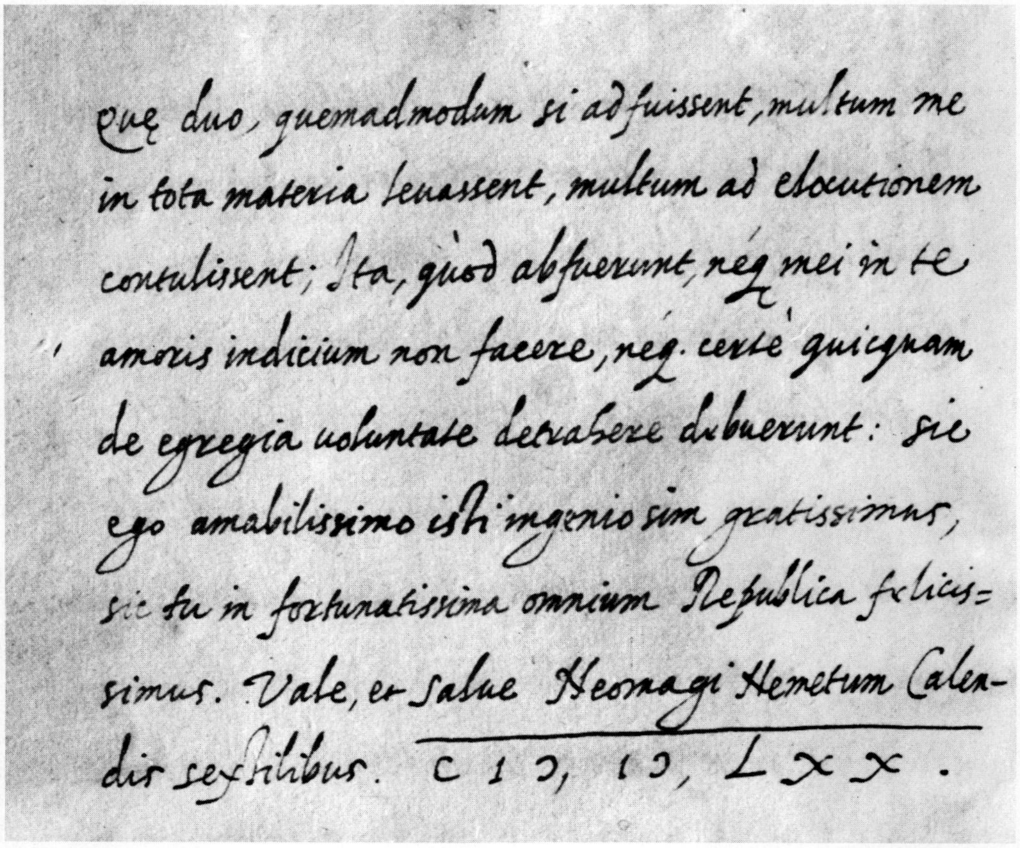
que duo, quemadmodum si adfuissent, multum me
in tota materia leuassent, multum ad elocutionem
contulissent; Ita, quod abfuerunt, neq. mei in te
amoris indicium non facere, neq. certe quicquam
de egregia uoluntate detrahere debuerunt: sic
ego amabilissimo isti ingenio sim gratissimus,
sic tu in fortunatissima omnium Republica felicis=
simus. Vale, et salue Neomagi Nemetum Calendis sextilibus. CIϽ, IϽ, LXX.

Abb. 305 Cod. 10466, fol. 6v Speyer, 1570

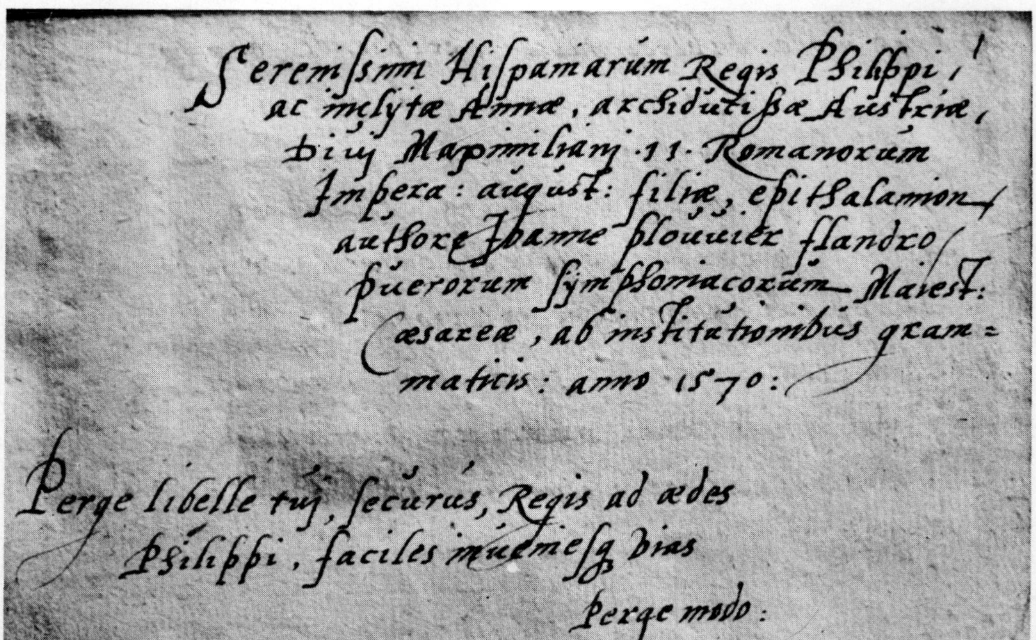
Serenissimi Hispaniarum Regis Philippi,
ac inclytæ Annæ, archiducissæ Austriæ,
Diui Maximiliani II. Romanorum
Impera: august: filiæ, epithalamion,
authore Joanne Flouuier flandro,
puerorum symphoniacorum Maiest:
Cæsareæ, ab institutionibus gram=
maticis: anno 1570:

Perge libelle tuis, securus, Regis ad ædes
Philippi, faciles inueniesq; vias
Perge modo:

Abb. 306 Cod. 10035, fol. 1r 1570

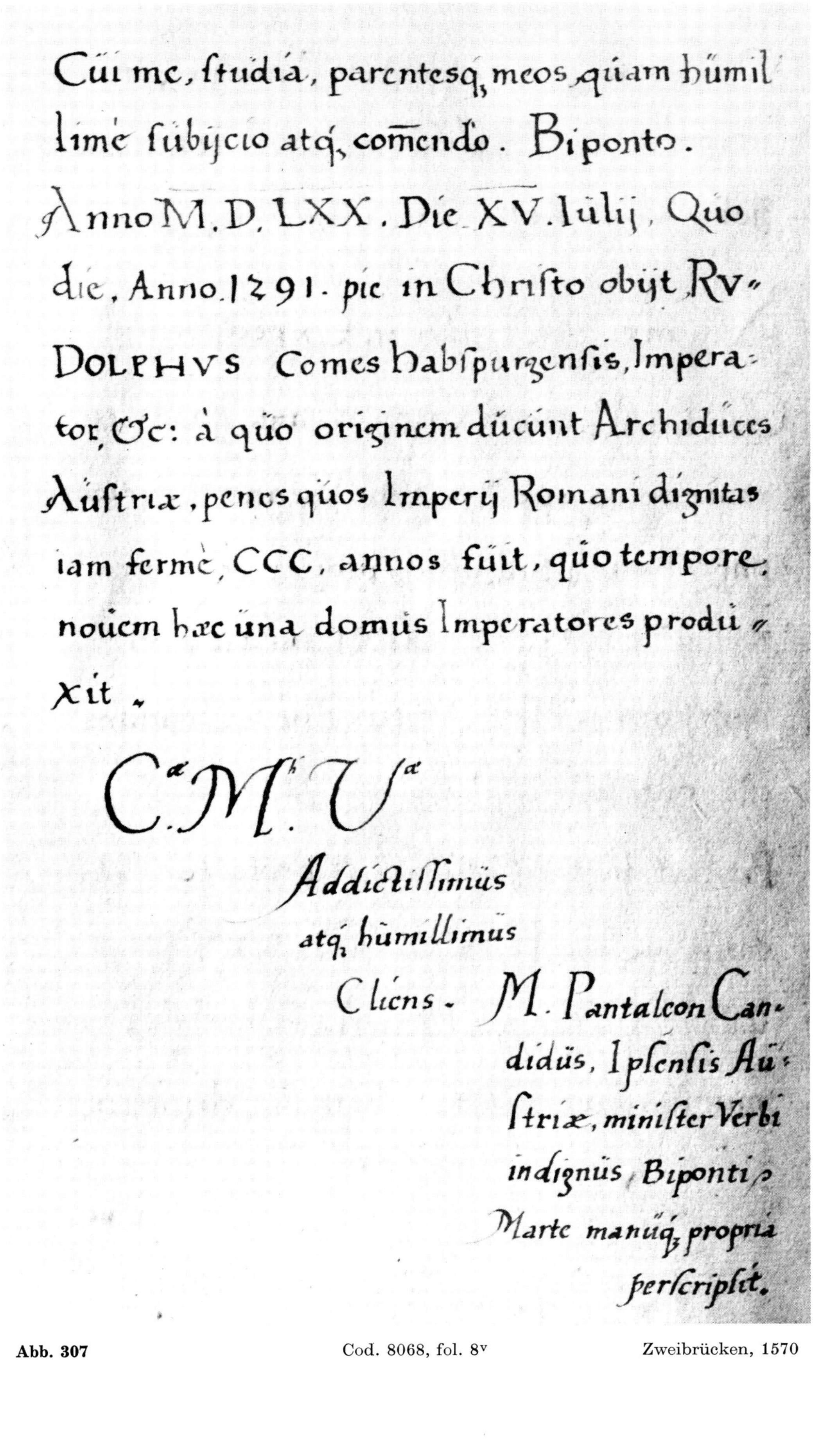

Cũi me, studia, parentesq; meos, quam hũmil-
lime subijcio atq; comẽndo. Biponto.
Anno M.D.LXX. Die XV. Iulij. Quo
die, Anno 1291. pie in Christo obijt Ru-
DOLPHUS Comes habspurgensis, Imperator, &c: à quo originem ducunt Archiduces
Austriæ, penes quos Imperij Romani dignitas
iam ferme, CCC. annos fuit, quo tempore
nouem hæc una domus Imperatores produ-
xit.

C. M. V.

Addictissimus
atq; humillimus
Cliens. M. Pantaleon Can-
didus, Ipsensis Au-
striæ, minister Verbi
indignus, Biponti
Marte manuq; propria
perscripsit.

Abb. 307 Cod. 8068, fol. 8^{v} Zweibrücken, 1570

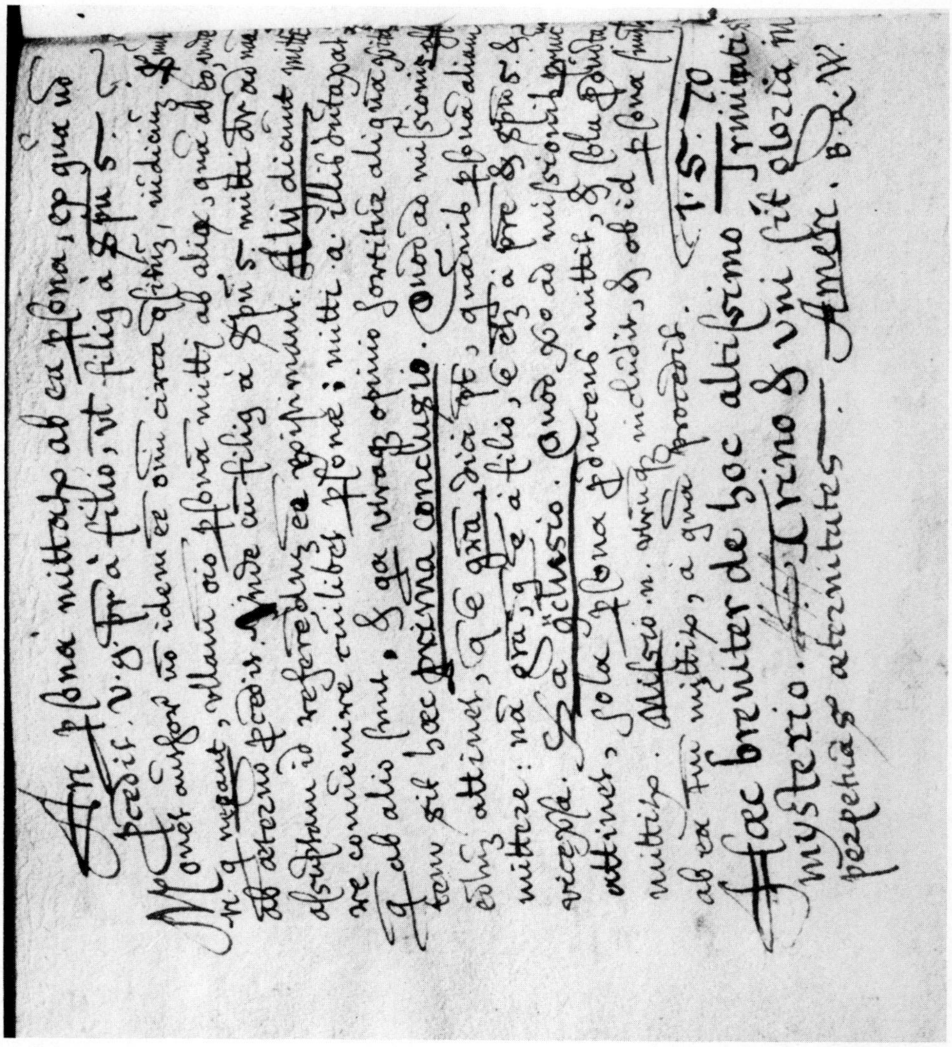

Abb. 309 Cod. 11619, fol. 234^v Ingolstadt, 1570

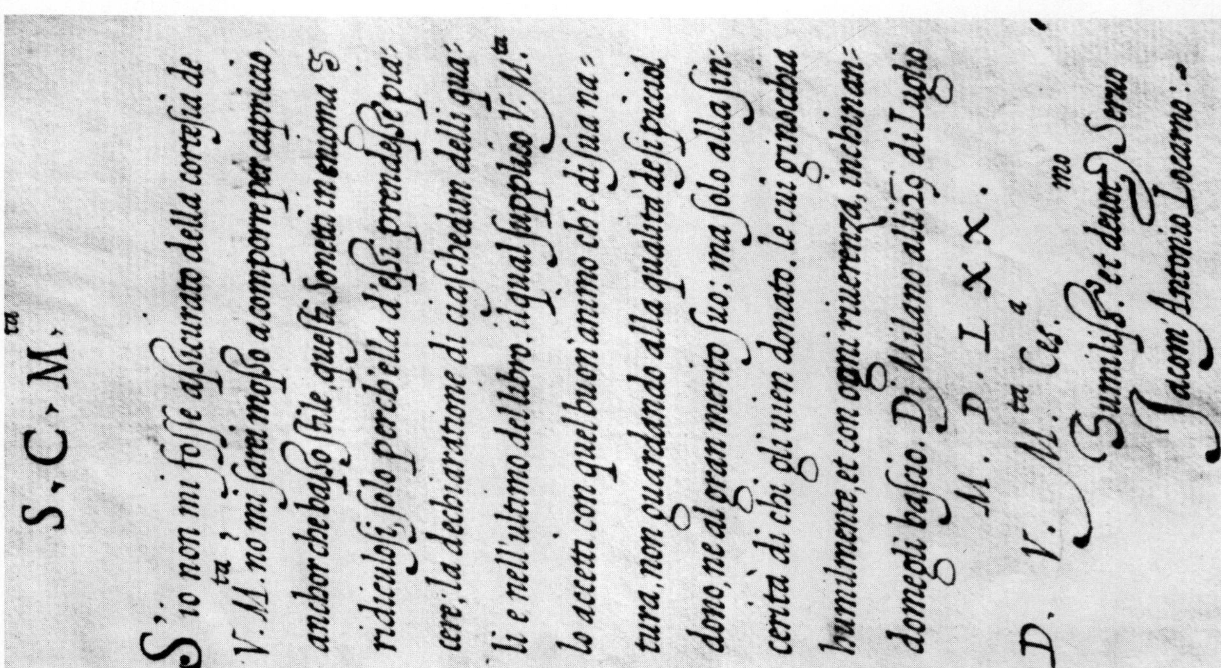
S. C. M.ta
S'io non mi fosse assicurato della cortesia de
V. M.ta, no mi sarei mosso a comporre per capriccio
anchor che basso stile questi Sonetti in enigma et
ridiculosi, solo perchè la d'essi prendesse pia=
cere; la dechiaratione di ciascheduno delli qua=
li è nell'ultimo del libro. il qual supplico V. M.ta
lo accetti con quel buon animo ch'è di sua na=
tura, non guardando alla qualità dessi piccol
dono, ne al gran merito suo; ma solo alla sin=
cerità di chi gli vien donato. le cui ginocchia
humilmente, et con ogni riverenza, inchinan=
domegli basciano. Di Milano alli 20 di Luglio
M. D. LXX.
D. V. M.ta Ces.a
Humiliss.mo et devot.mo Servo
Jacom'Antonio Locarno:–

Abb. 308 Cod. 2664, fol. 1^r Mailand, 1570

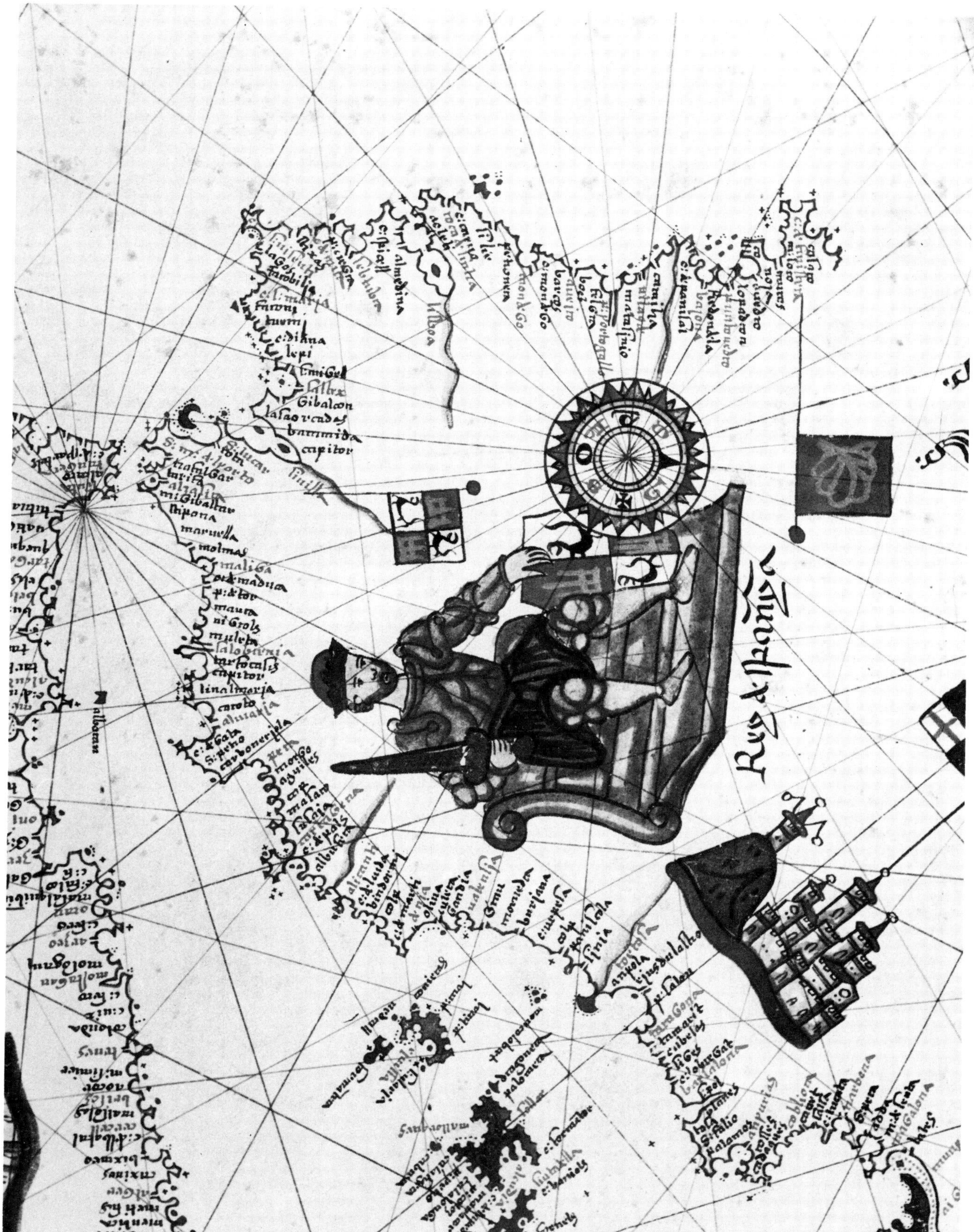

Abb. 310 Cod. 356 Messina, 1570

Abb. 312 Cod. Ser. n. 2603, fol. 6r 1571

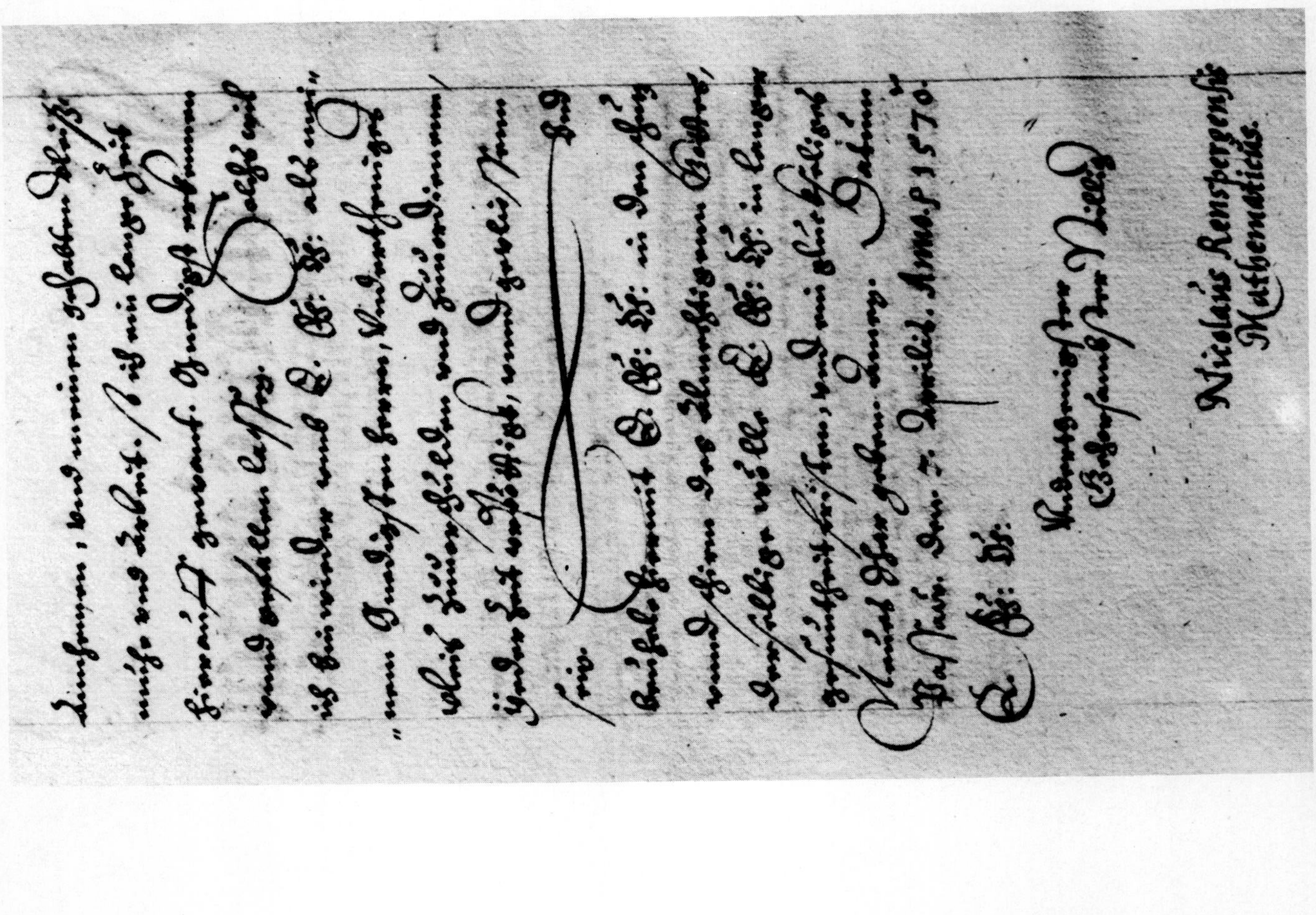

Abb. 311 Cod. 10593, fol. 6v Passau, 1570

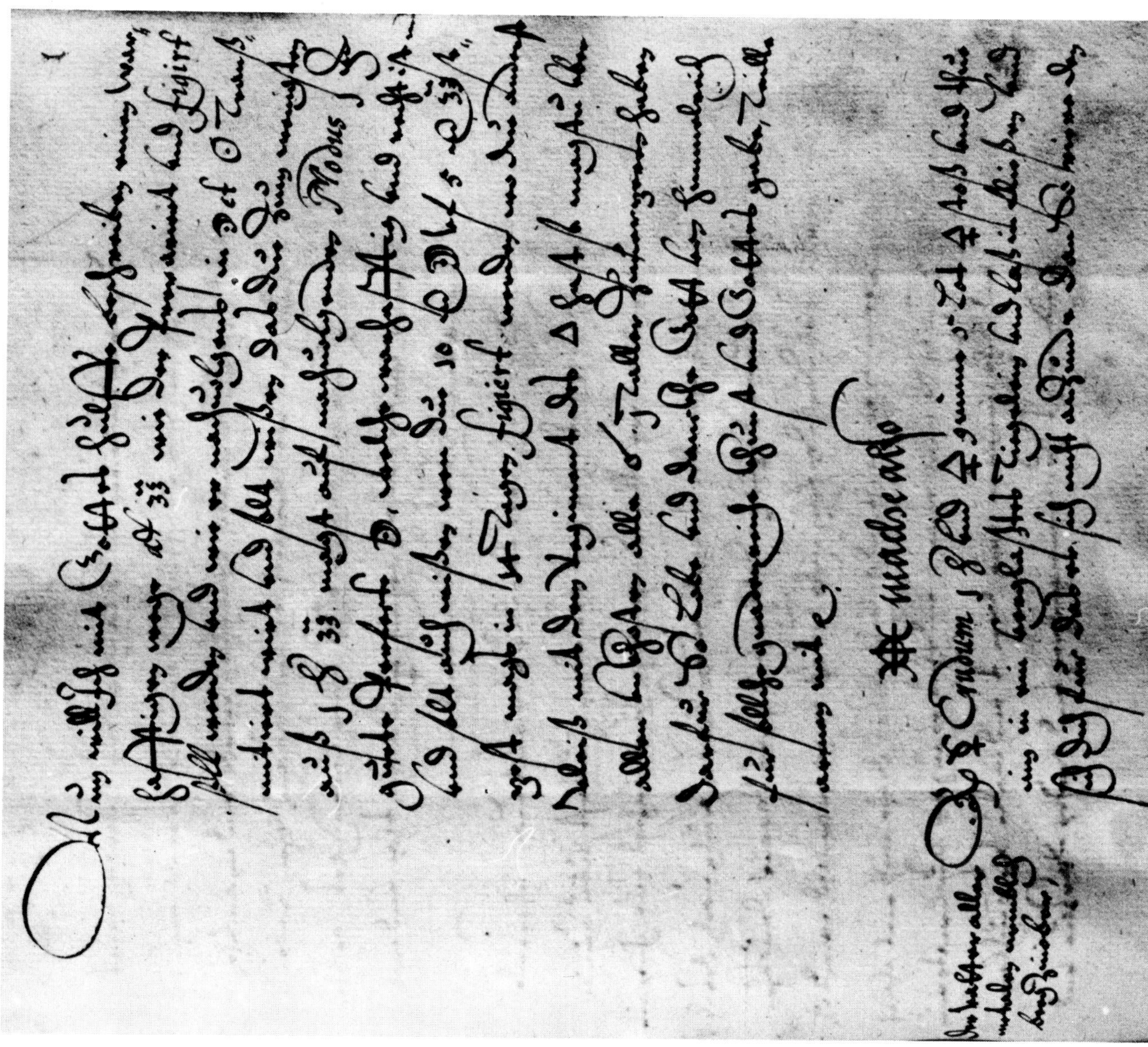

Abb. 313 Cod. 11384, fol. 1r 1571

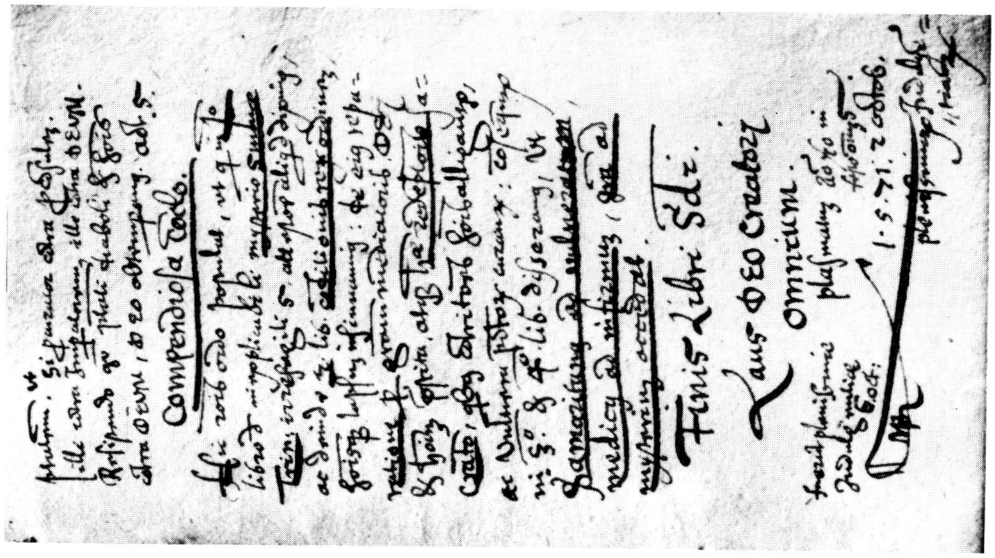

Abb. 314 Cod. 11755, fol. 67r 1571

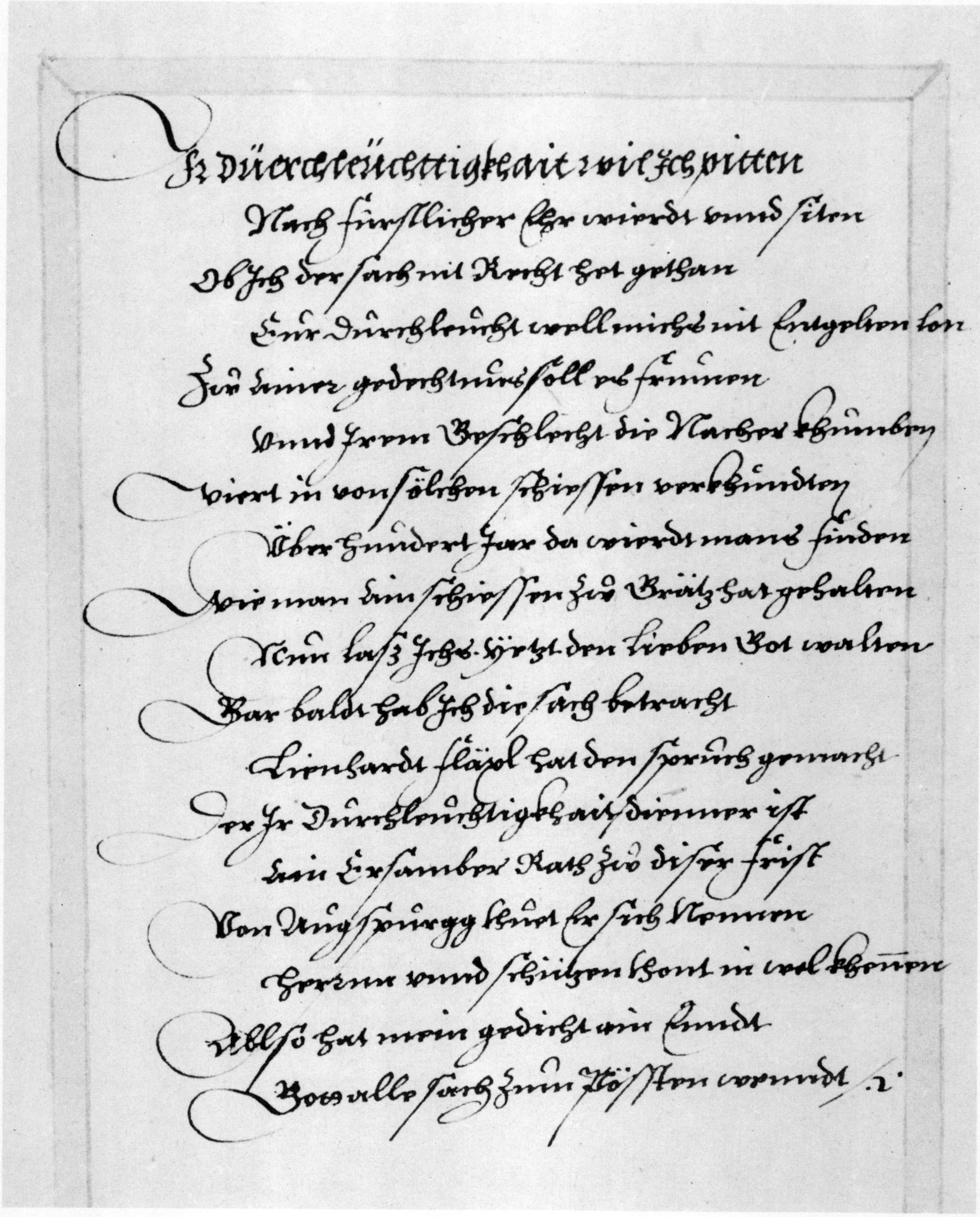
Ir Düerchleüchtigkait wil Ich pitten
Nach fürstlicher ehr wierdt vnnd siten
Ob Ich der sach nit Recht hot gethan
Eur durchleucht woll mirs nit Entgelten lon
Zu diner gedechtnus soll es kummen
Vnnd Irem Geschlecht die Nachkhumen
Wiert in von sölichen schiessen verkhundten
Über hundert Jar da wierdt mans finden
Wie man dis schiessen zu Grätz hat gehalten
Nun lass Ichs yetzt den lieben Got walten
Gar baldt hab Ich die sach betracht
Lienhardt fläxl hat den spruch gemacht
der Ir durchleuchtigkait dienner ist
Ein Ersamber Rath zu diser frist
Von Augspurgg khunt er sich Nennen
Herren vnnd schitzen khunt in wol khenen
Alsso hat mein gedicht ain Endt
Got alle sach zum pössten wendt ./.

Abb. 315 Cod. 10116, fol. 33r 1571

et indigentes, non tamen post habita iustitia,
quae debet splendescere in te, sicut sol in coelo, atque
id omne parua quidem monitione relatum est,
et summa est consilij mei, et percupio vt obserues:
sic enim Imperium tuum amplificabitur quotidie, et amplificatum conseruabitur longo tempore. C I gitur finem uerbis facio, su-
mmisseque rogo, quantum et scio, et possum, vt
me tua qua soles, humanitate complectaris, ac
in numerum minimorum excipias tuorum:
excusesque scribendi modum, si tam tersus non
est, quam par esset quemadmodum tibi tanto
uiro in liberalibus artibus conueniret, quia me
neque iure consultum, neque philosophum, neque
poetam profiteor sed tantum fidelissimum di-
uersarum virtutum amatorem, et caeterarum
huiusmodi rerum. Ità uerò ex animo acclinis
omni debita reuerentia, genu flexo, tibi genua
exosculor, quem deus sua infinita bonitate, et
tuis meritis bene fortunet omni temporis
momento, tranquilloque ac felicissimo statu, ut
tua, et mea fert uoluntas ob commune bene-
ficium Romani Imperij, & omnium fideliū
amicorum, ac seruorum tuorum. Vale, ex
Mediolano octauo calendas Decembris:
M D L X X I

Abb. 316 Cod. 5517, fol. VII^r Mailand, 1571

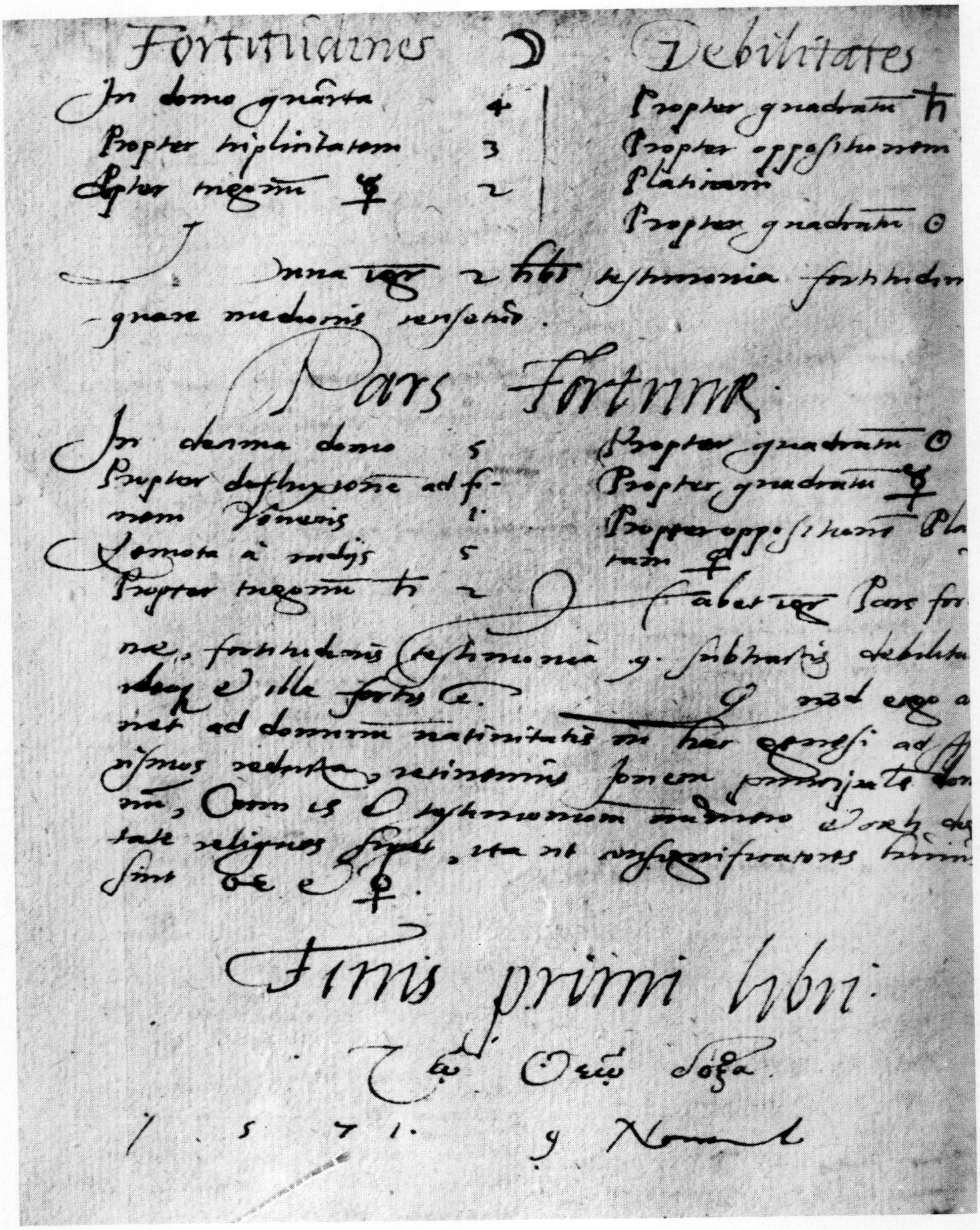
Fortitudines ☽ Debilitates

In domo quarta 4 | Propter quadratum ♄

Propter triplicitatem 3 | Propter oppositionem Platicam

Propter regnum ☿ 2 | Propter quadratum ☉

Luna igitur 2 habet testimonia fortitudinis quare mediocris censetur.

Pars Fortunae

In decima domo 5 | Propter quadratum ☉

Propter coniunctionem ad finem Veneris 1 | Propter quadratum ☿

Remota a radiis 5 | Propter oppositionem Platicam ☿

Propter regnum ♄ 2

Habet igitur Pars fortunae fortitudinis testimonia 9 subtractis debilitatibus [illegible] illa fortis e[st]. Quod vero ergo attinet ad dominum nativitatis in hac genesi [illegible] retinemus [illegible] principatum [illegible] Cum is [illegible] testimonium [illegible] dignitate reliquos superet, ita ut consignificatores [illegible] sint [illegible] ☿.

Finis primi libri

Τῷ Θεῷ δόξα

1571. 9 Novemb.

Abb. 317 Cod. 10567, fol. 48v 1571

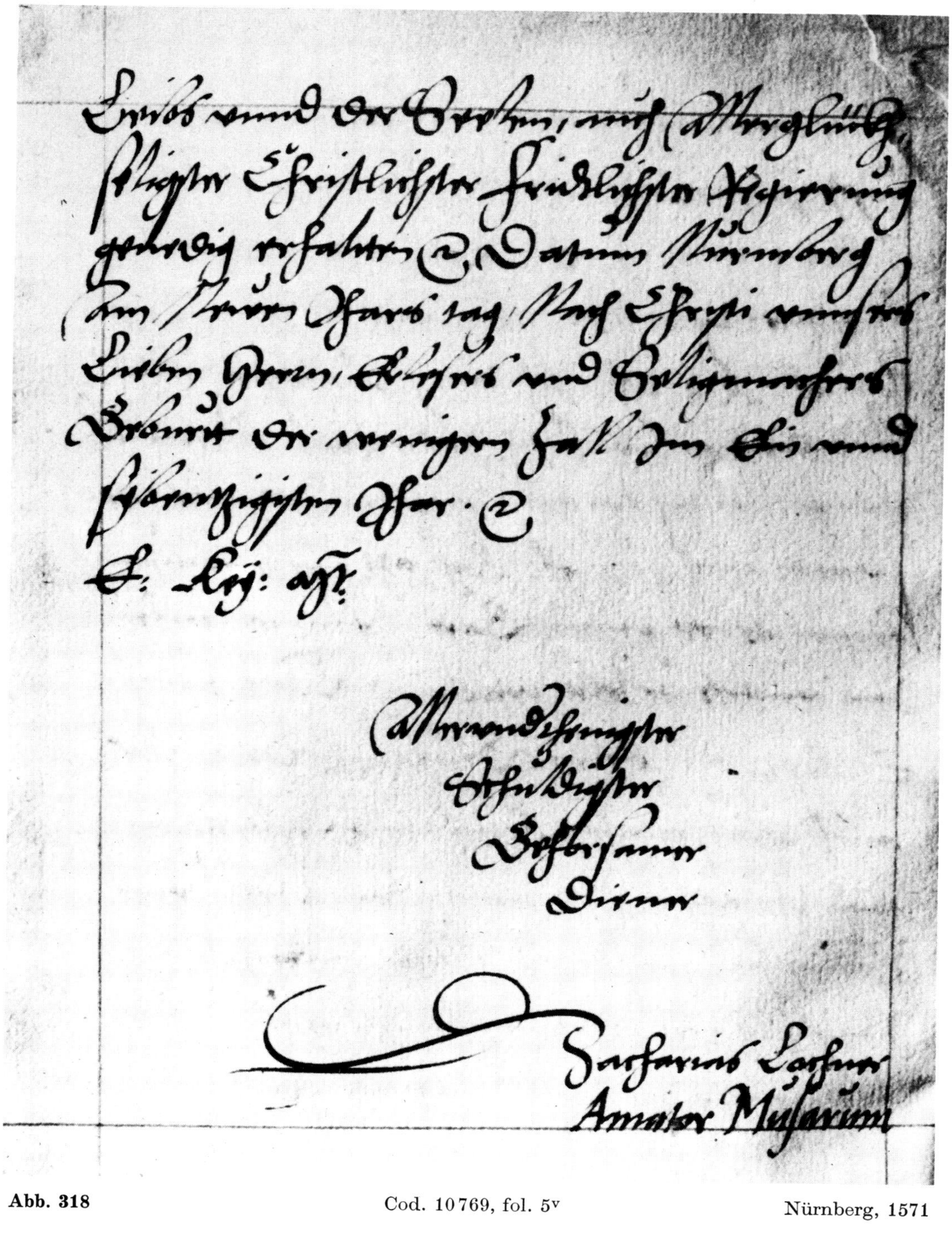
Leibs vnnd der Seelen, auch allerglück-
seligster Christlichster Fridlichster Regierung
genedig erhalten etc. Datum Nürnberg
den Neuen Jars tag Nach Christi vnnsers
Lieben Herren, Kaysers vnd Seligmachers
Geburt der weniger Zall den Ein vnd
Siebentzigisten Jar. etc.
E. Kay: Mt:

Allervndertenigster
Schuldigster
Gehorsamer
Diener

Zacharias Lochner
Amator Musarum

Abb. 318 Cod. 10 769, fol. 5v Nürnberg, 1571

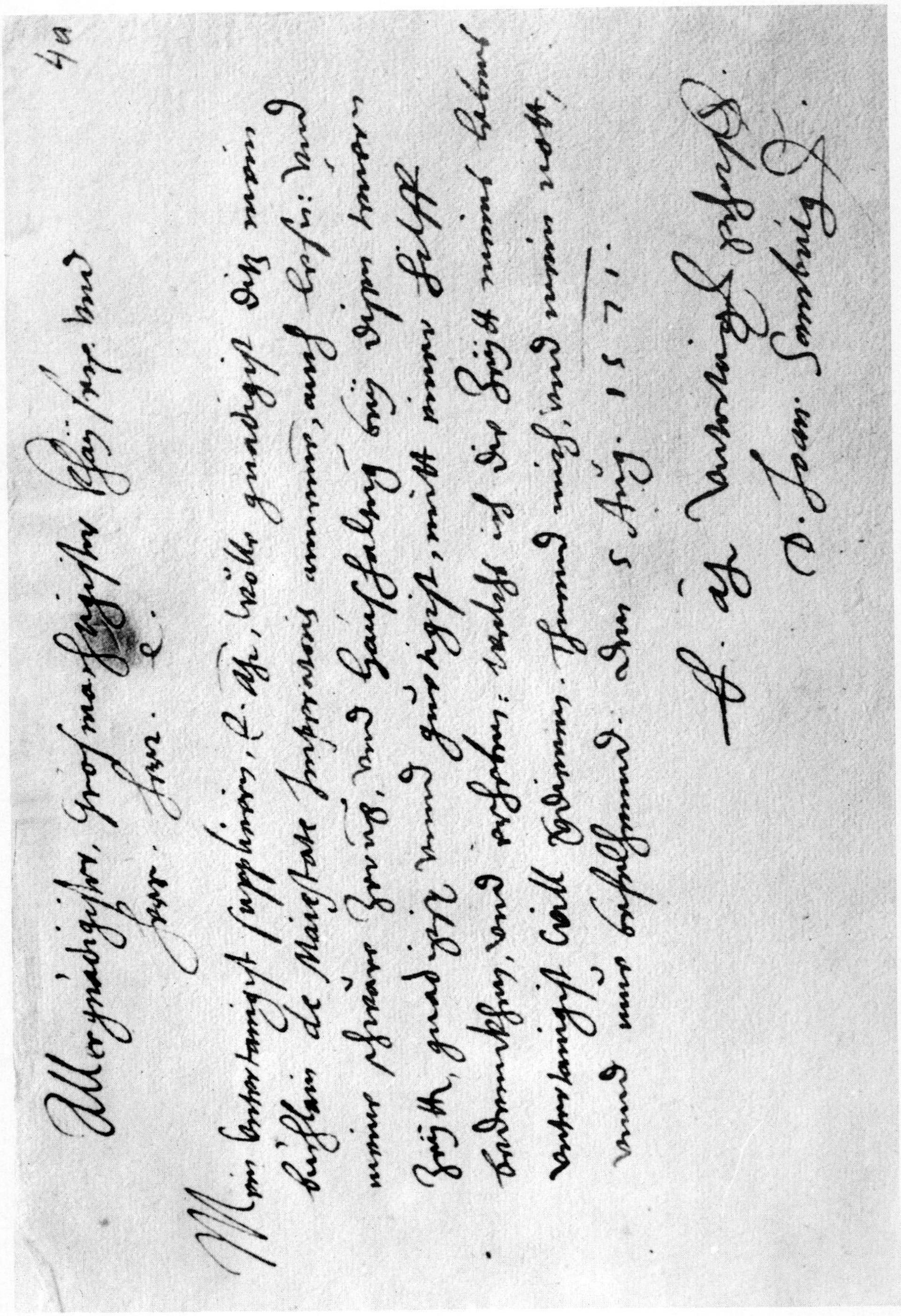

Abb. 319 Cod. 9534, fol. 4a[r] Wien, 1571

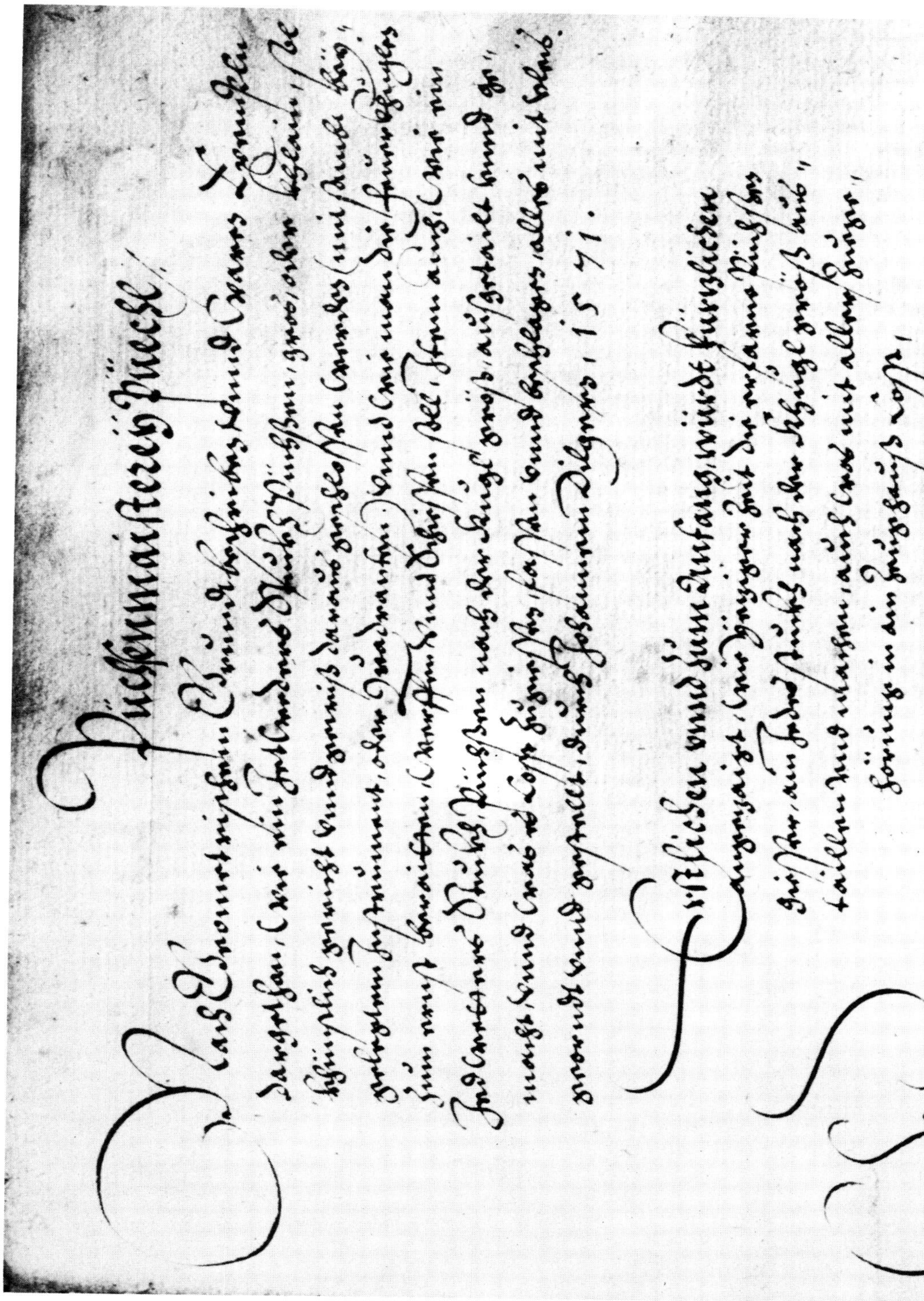
Püchsenmaisterey Püechl
Erstlichen vnnd zum Anfang, würdt kürzlichen

Abb. 320   Cod. 12468, fol. 1r   1571

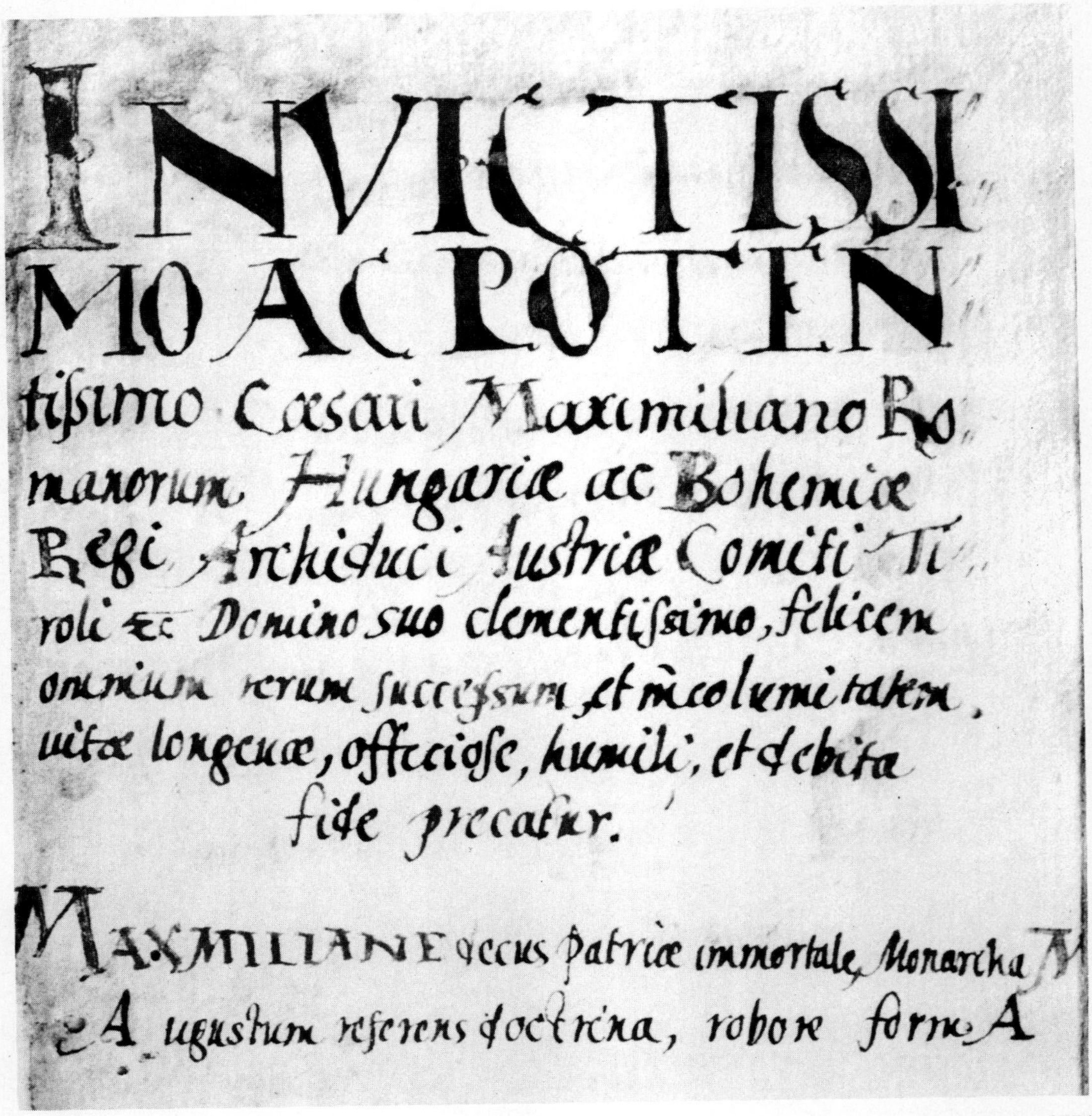

INVICTISSI
MO AC POTEN
tissimo Caesari Maximiliano Ro
manorum Hungariae ac Bohemiae
Regi Archiduci Austriae Comiti Ti
roli etc Domino suo clementissimo, felicem
omnium rerum successum et incolumitatem
vitae longevae, officiose, humili, et debita
fide precatur.

MAXIMILIANE decus patriae immortale, Monarcha M
Augustum referens doctrina, robore formA

Abb. 321 Cod. 9853, fol. 2r 1571

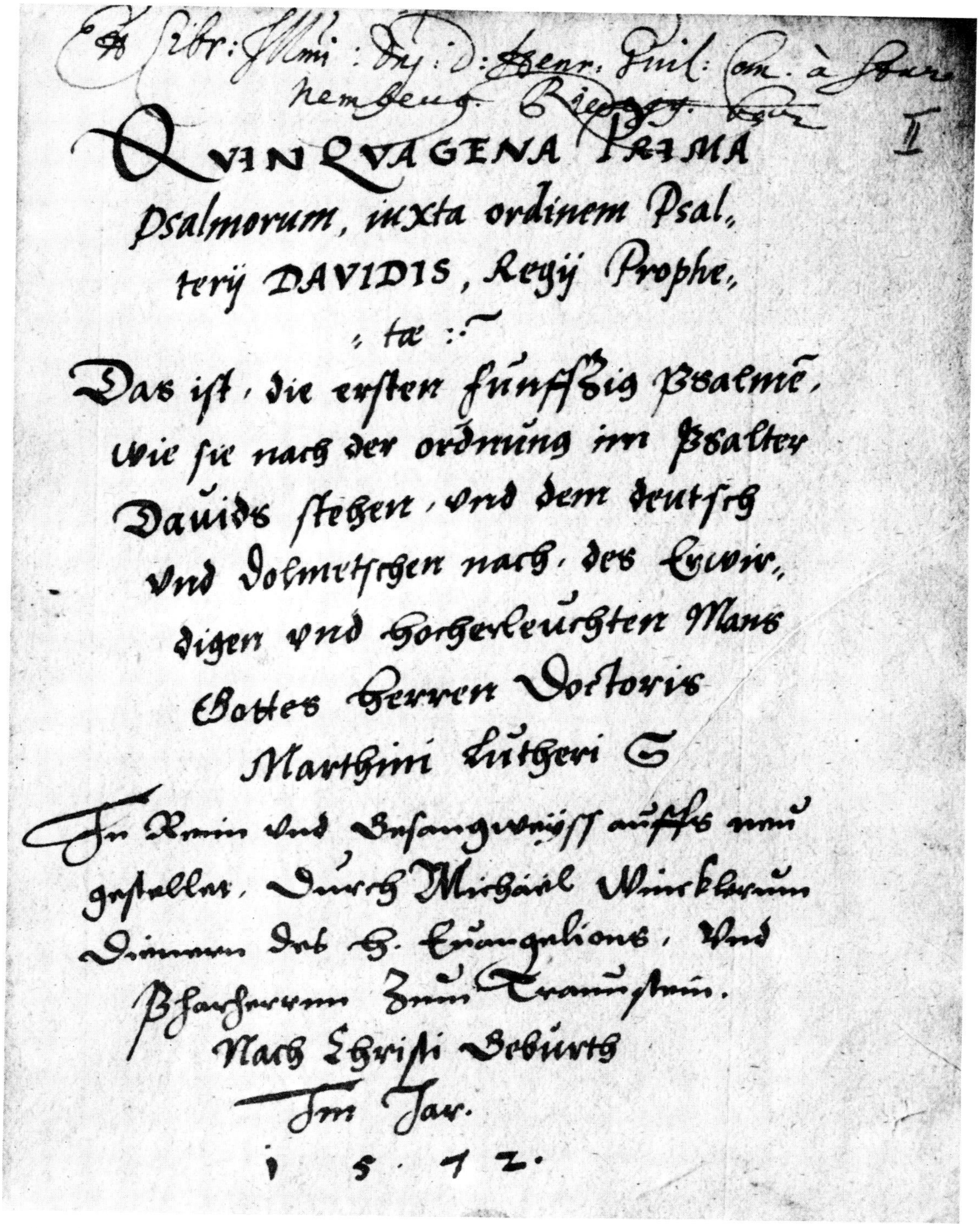
Ex Libr: Illmi: Dni: d: Henr: Guil: Com: à Star-
nemberg. [illegible]
II

QVINQVAGENA PRIMA
Psalmorum, iuxta ordinem Psal-
terij DAVIDIS, Regij Prophe-
tæ:
Das ist, die ersten funffzig Psalme,
Wie sie nach der ordnung im Psalter
Dauids stehen, vnd dem deutsch
vnd dolmetschen nach, des Ehrwir-
digen vnd hocherleuchten Mans
Gottes Herren Doctoris
Marthini Lutheri etc.
In Reim vnd Gesangweiss auffs neu
gestellet, Durch Michaelem Wincklerum
Dienern des H. Euangelions, Vnd
Pfarherrn zum Traunstein.
Nach Christi Geburts
Im Jar.
1572.

Abb. 322 Cod. 11617, fol. IIr 1572

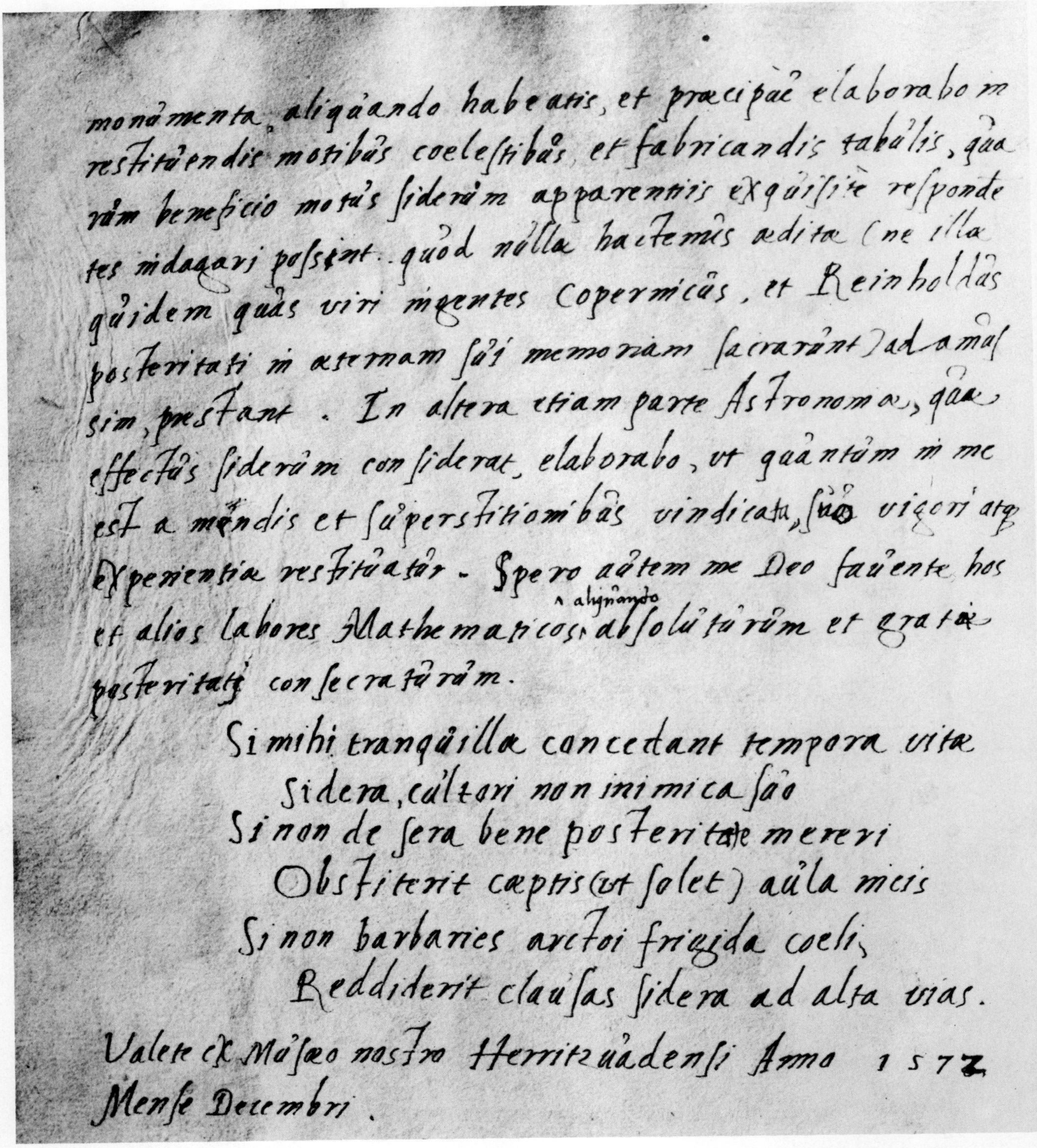
monumenta aliquando habeatis, et praecipue elaborabo in
restituendis motibus coelestibus, et fabricandis tabulis, qua
rum beneficio motus siderum apparentiis exquisite responde
tes indagari possint. quod nulla hactenus edita (ne illa
quidem quas viri ingentes Copernicus, et Reinholdus
posteritati in aeternam sui memoriam sacrarunt) ad amus
sim praestant. In altera etiam parte Astronomiae, quae
effectus siderum considerat, elaborabo, ut quantum in me
est a mendis et superstitionibus vindicata, suo vigori atque
Experientiae restituatur. Spero autem me Deo favente hos
et alios labores Mathematicos aliquando absoluturum et gratae
posteritati consecraturum.

Si mihi tranquilla concedant tempora vitae
Sidera, cultori non inimica suo
Si non de sera bene posteritate mereri
Obstiterit coeptis (ut solet) aula meis
Si non barbaries arctoi frigida coeli,
Reddiderit clausas sidera ad alta vias.

Valete ex Musaeo nostro Herritzuadensi Anno 1572
Mense Decembri.

Abb. 323 Cod. 10932, fol. 9v Herritzuadum, 1572

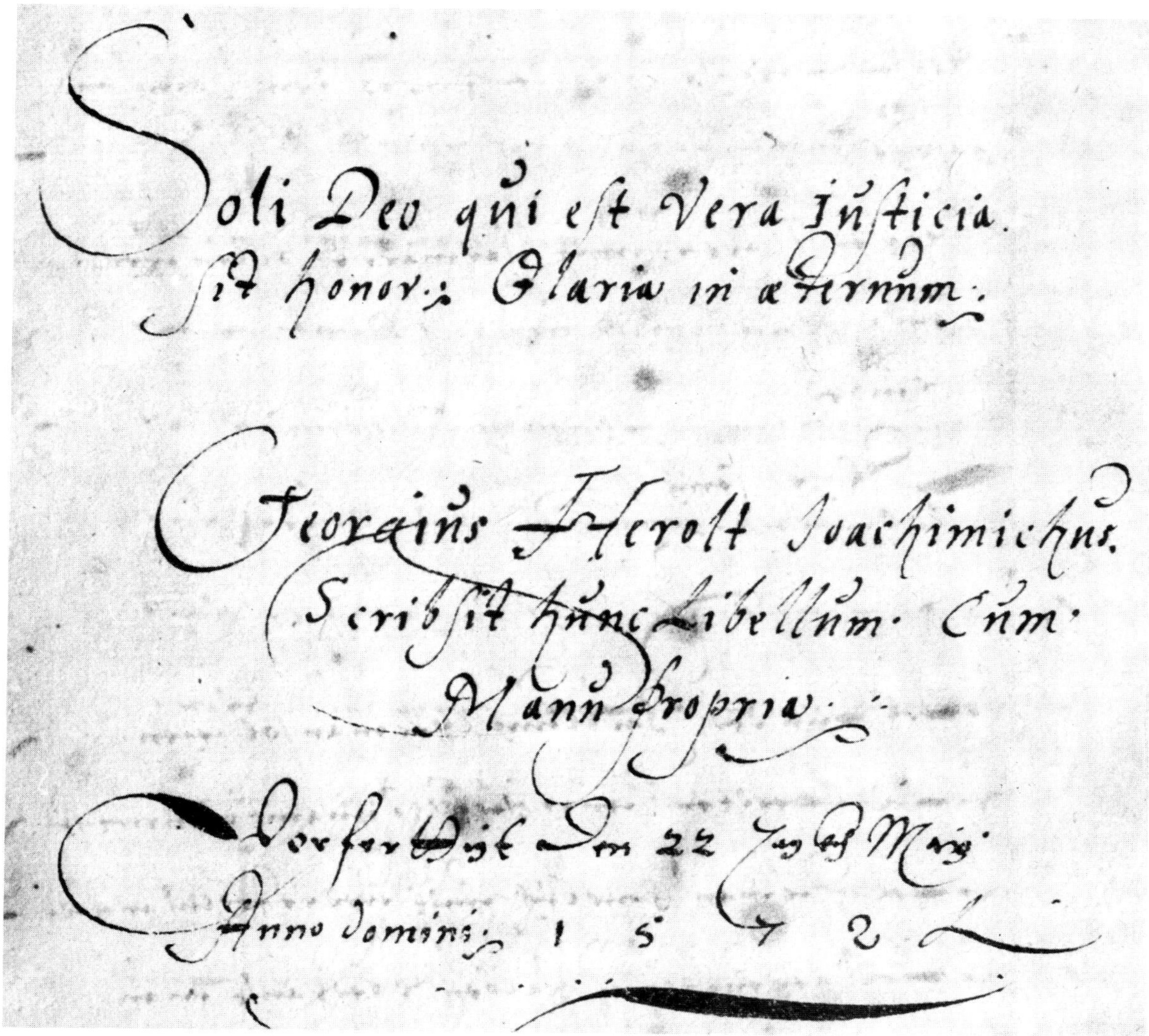
Soli Deo qui est Vera Justicia
sit honor & Gloria in aeternum.
Georgius Herolt Joachimicus
Scribsit hunc Libellum Cum
Manu propria.
Vorfertigt den 22 Tag des Mai
Anno domini 1 5 7 2

Abb. 324 Cod. 7701, fol. 424r (Böhmen), 1572

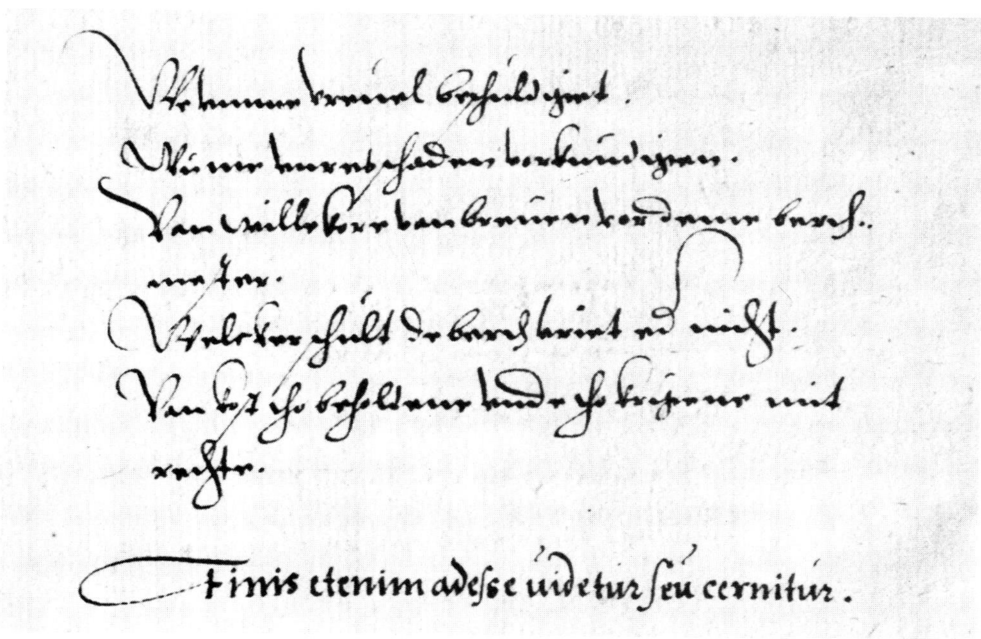
Finis etenim adesse uidetur seu cernitur.

Abb. 325 Cod. Ser. n. 3318, fol. 76v 1572

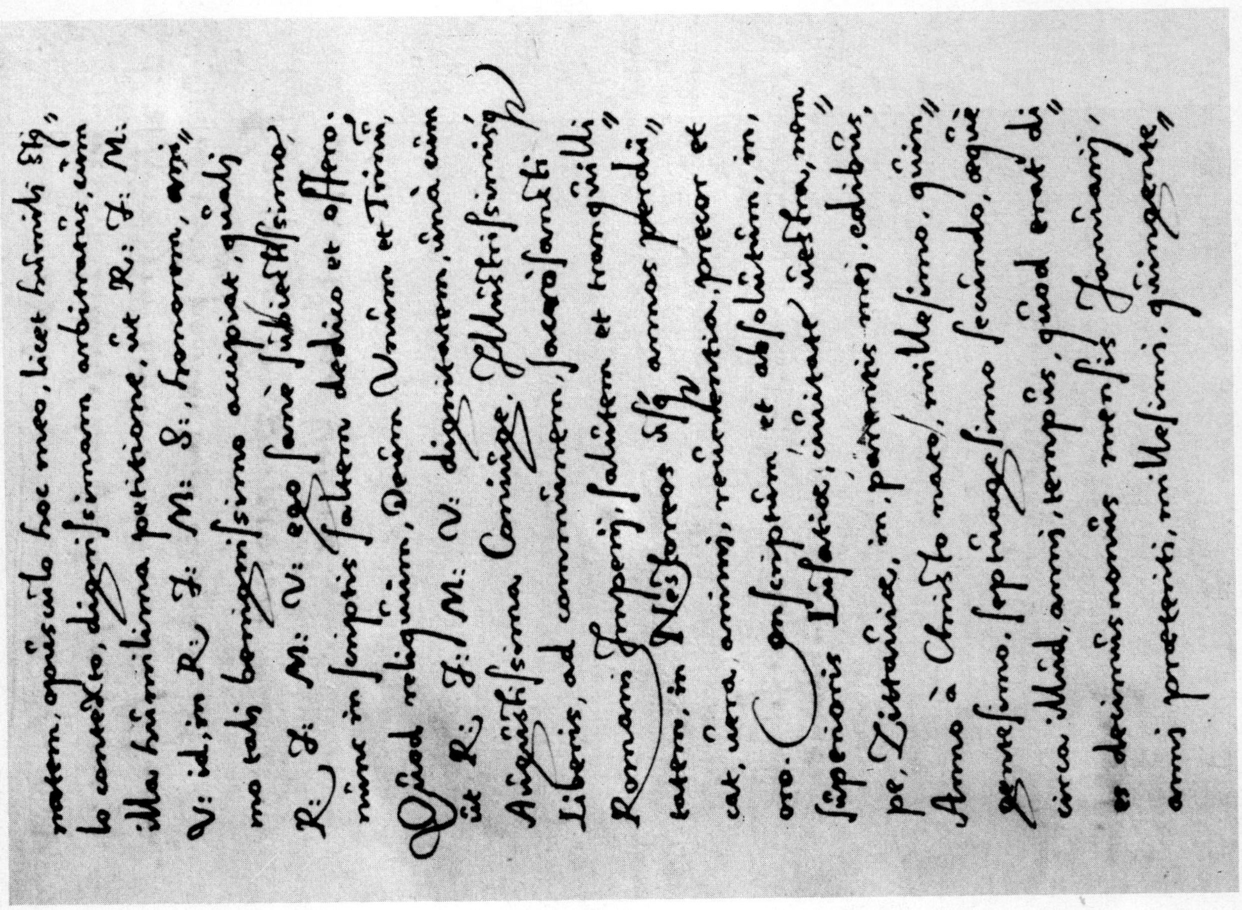

Abb. 326 Cod. 10328, fol. 3r Zittau, 1572

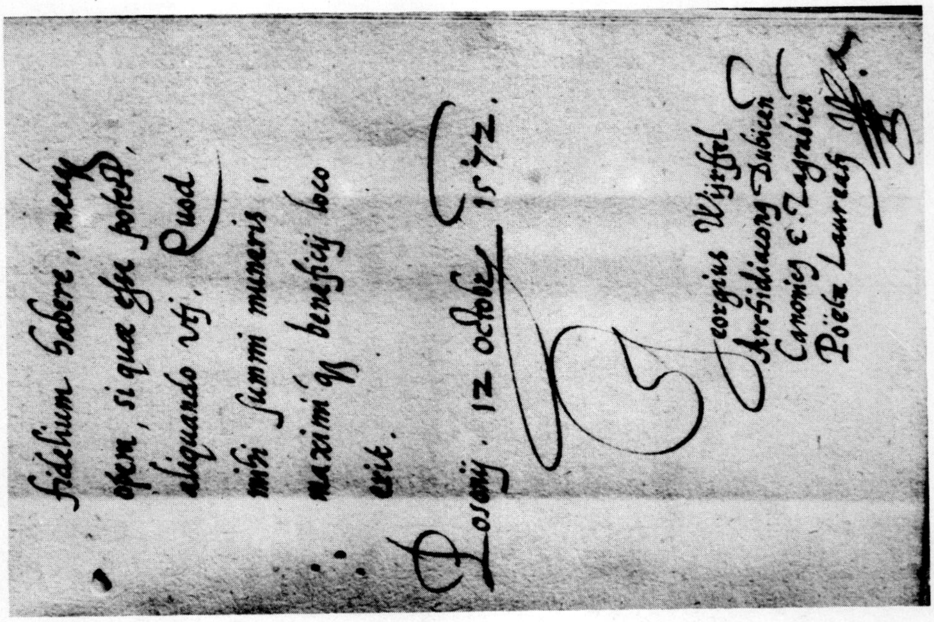

Abb. 327 Cod. 10016, fol. 3r Preßburg, 1572

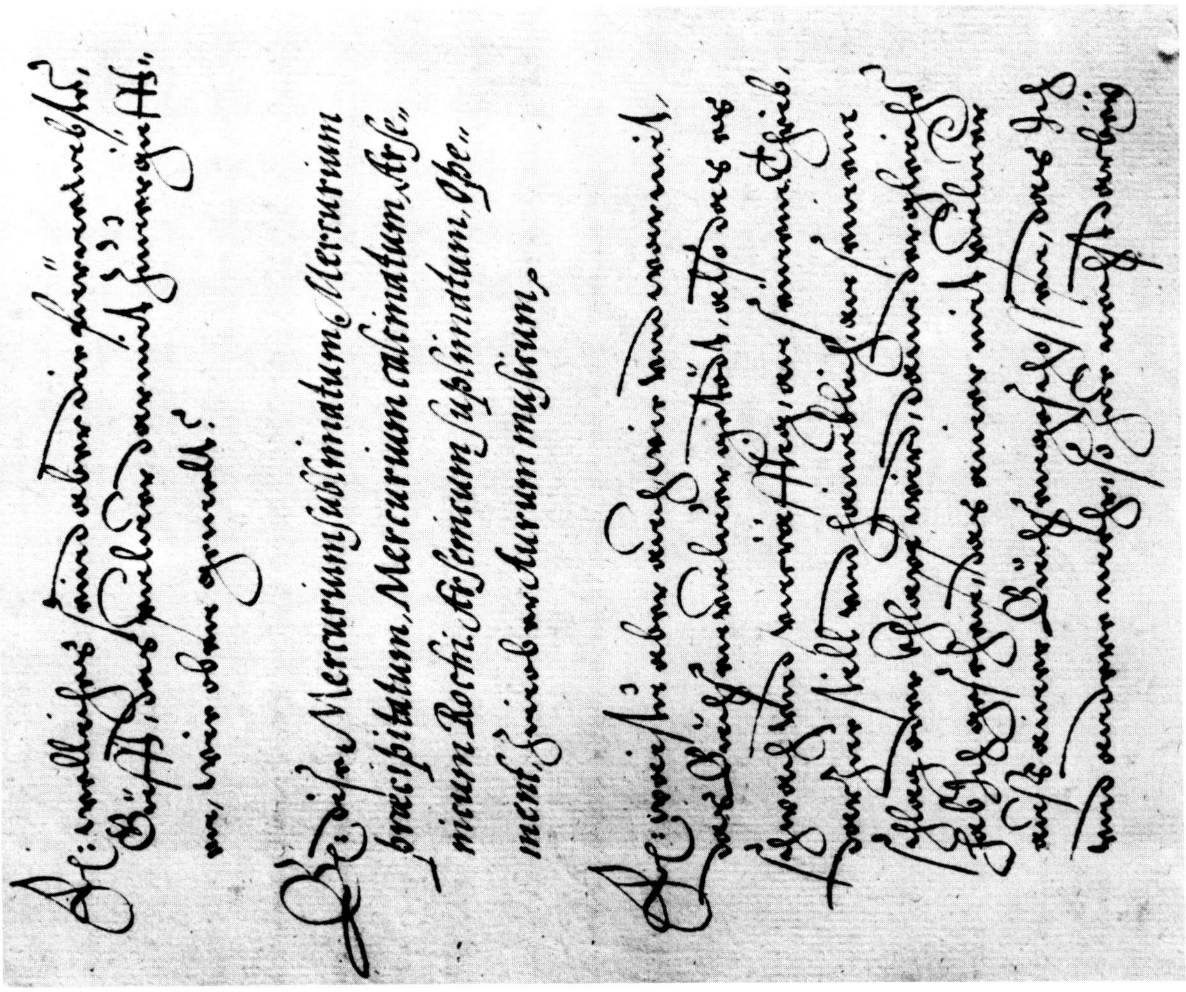

Abb. 329 Cod. 10726, fol. 14r 1573

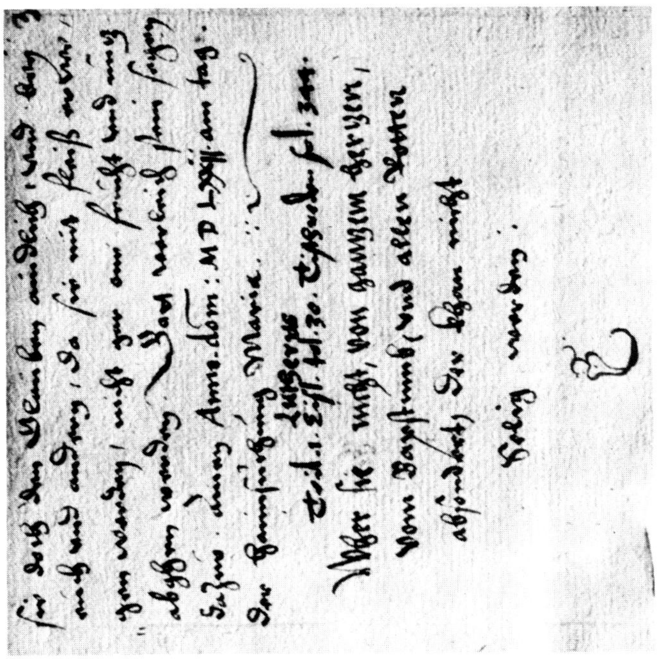

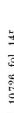

Abb. 328 Cod. 13394, fol. 3r Villach, 1572

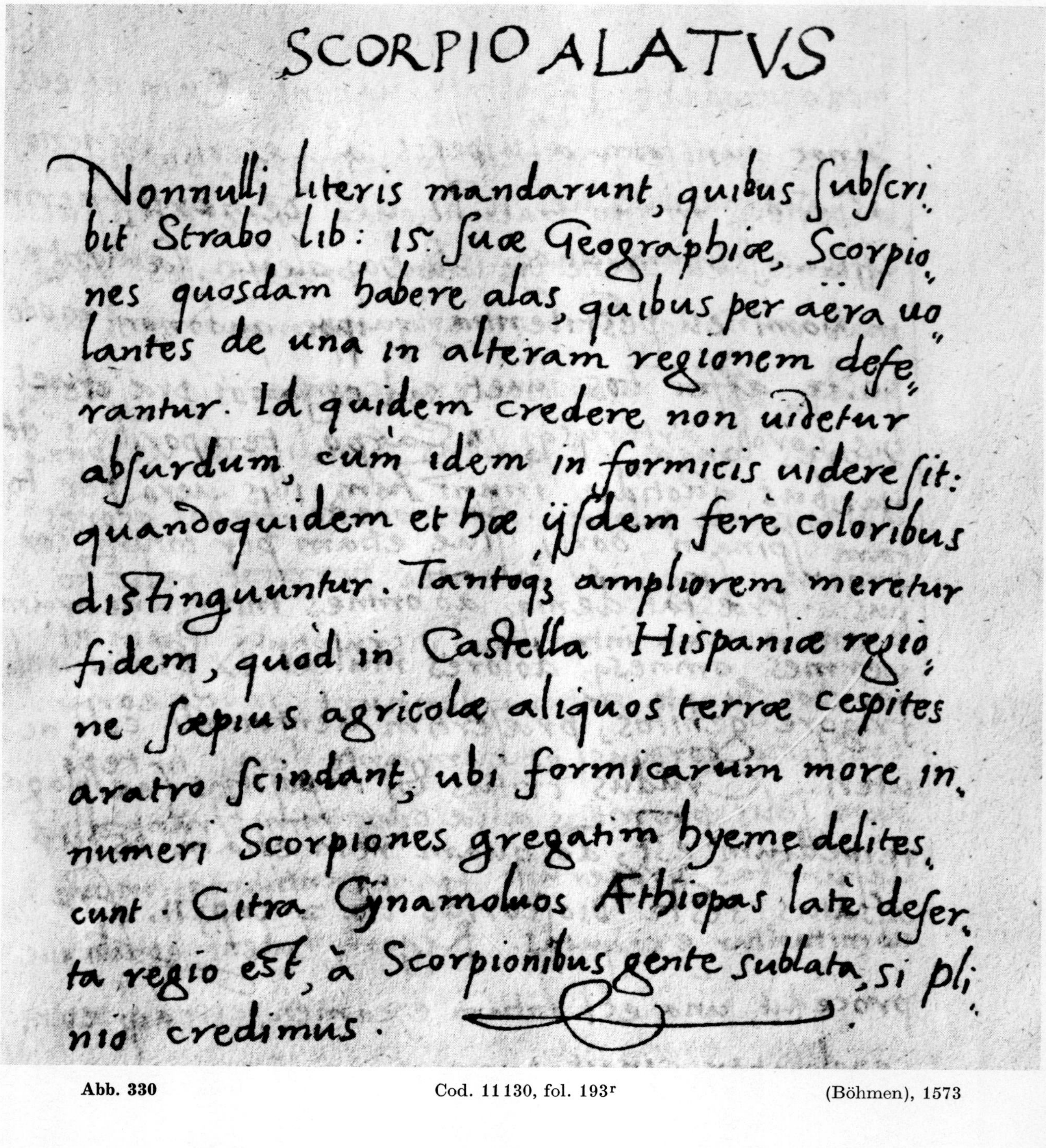

SCORPIO ALATVS

Nonnulli literis mandarunt, quibus subscri-
bit Strabo lib: 15. suæ Geographiæ, Scorpiones quosdam habere alas, quibus per aëra uo-
lantes de una in alteram regionem defe-
rantur. Id quidem credere non uidetur
absurdum, cum idem in formicis uidere sit:
quandoquidem et hæ ijsdem ferè coloribus
distinguuntur. Tantoq; ampliorem meretur
fidem, quod in Castella Hispaniæ regione sæpius agricolæ aliquos terræ cespites
aratro scindant, ubi formicarum more in-
numeri Scorpiones gregatim hyeme delites-
cunt. Citra Cynamoluos Æthiopas latè deser-
ta regio est, à Scorpionibus gente sublata, si pli-
nio credimus.

Abb. 330 Cod. 11130, fol. 193r (Böhmen), 1573

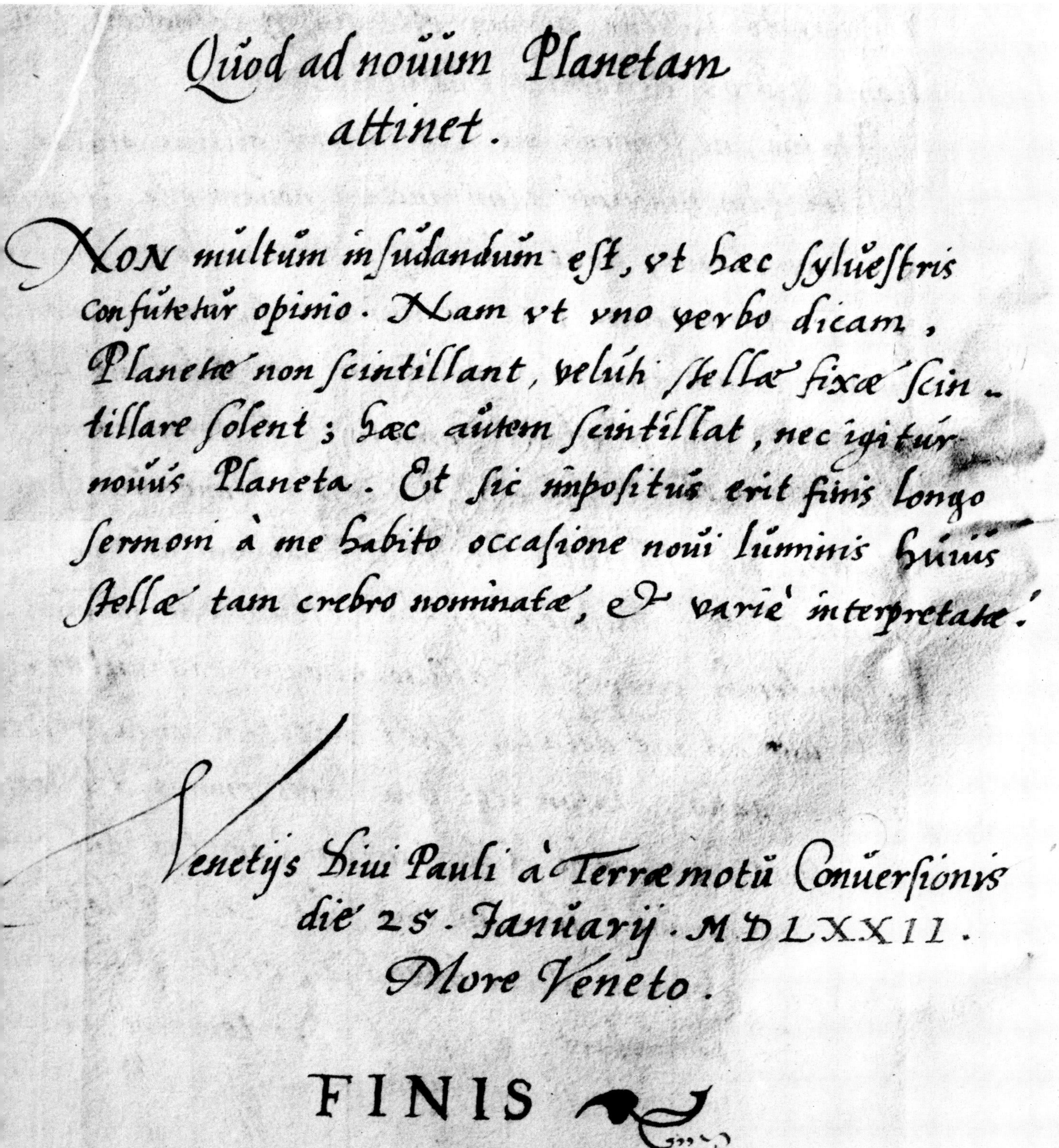

Quod ad nouum Planetam attinet.

NON multum insudandum est, vt hæc syluestris confutetur opinio. Nam vt vno verbo dicam, Planetæ non scintillant, veluti stellæ fixæ scintillare solent; hæc autem scintillat, nec igitur nouus Planeta. Et sic impositus erit finis longo sermoni à me habito occasione noui luminis huius stellæ tam crebro nominatæ, et variè interpretatæ.

Venetijs Diui Pauli à Terræmotu Conuersionis die 25. Januarij. MDLXXII. More Veneto.

FINIS

Abb. 331 Cod. 10913, fol. 12v (Abschrift der Vorlage ?) Venedig, 1573

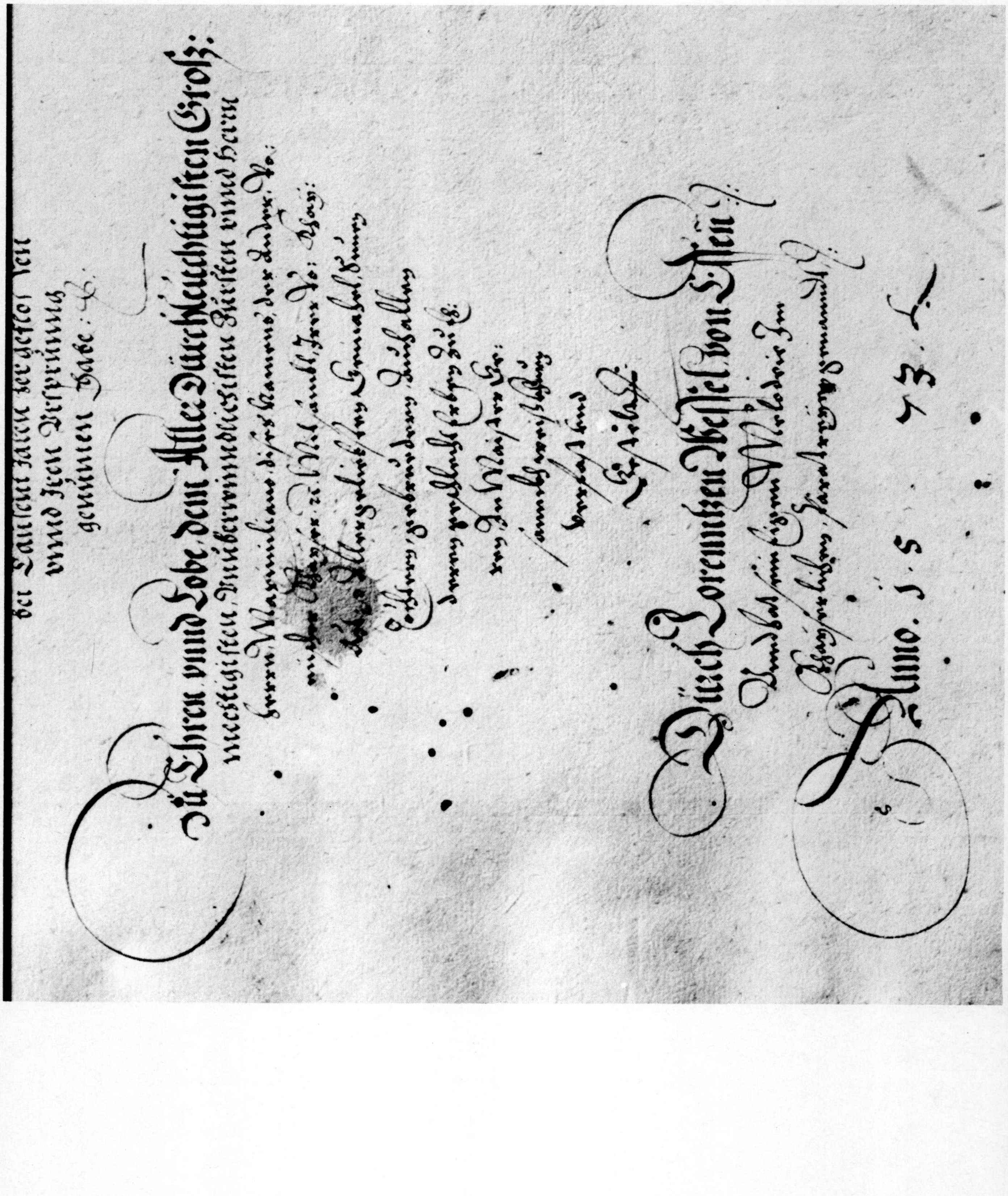

vnnd Iren Vrsprunng
gewunnen habe: &c.
Zů Ehren vnnd Lobe dem Aller Dürchleuchtigisten Grosz:
mechtigisten Vnüberwindtlichisten Fürsten vnnd Herrn
Dürch Lorentzen Wessel von Essen:
Anno. 1 5 7 3.

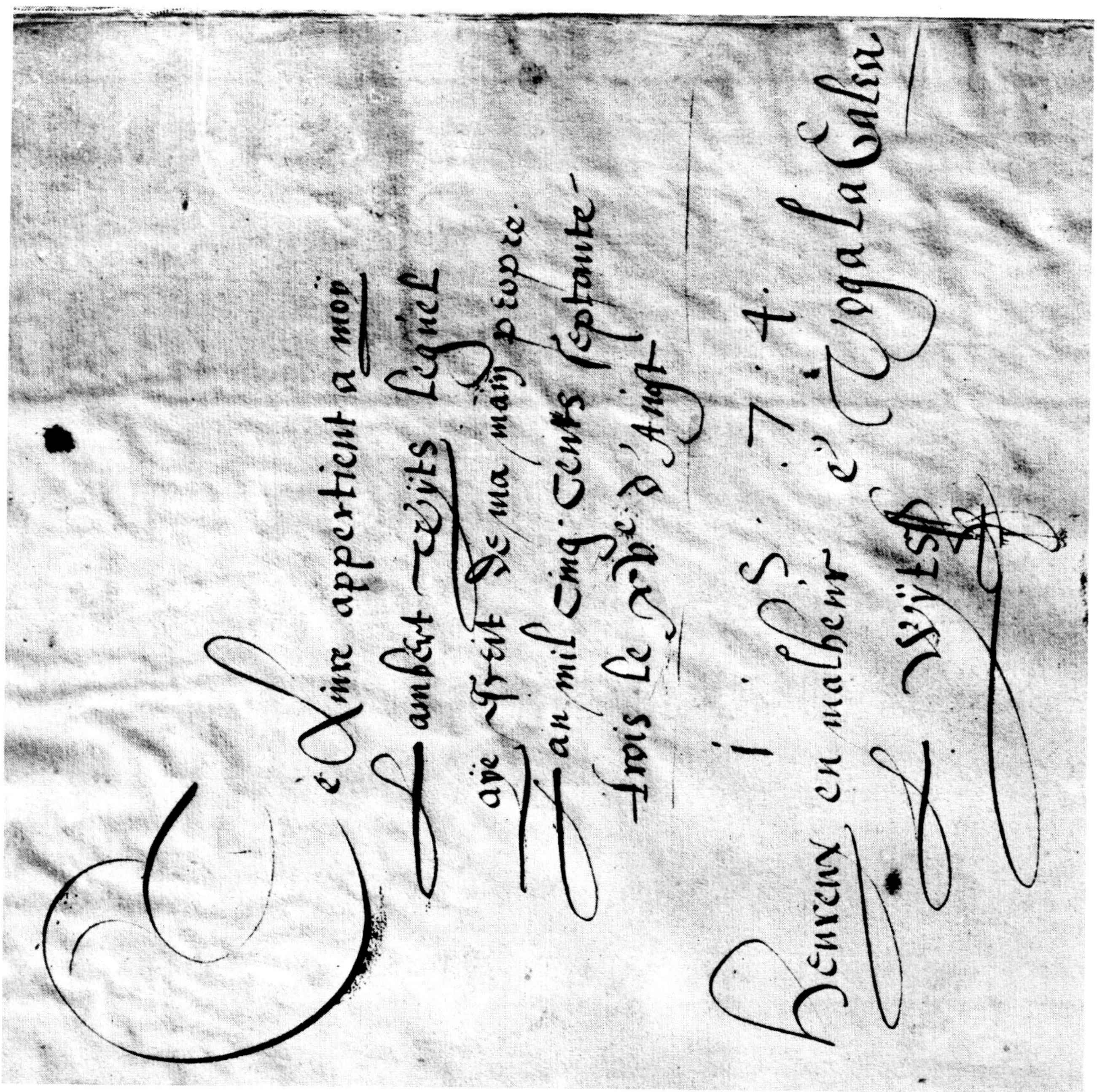

Abb. 333 Cod. 3325*, fol. 1r (Belgien), 1573

arbitrabar, ut me carminum suauitate, uenustateq;
superares, quam ut tu solus excellentem uirtutem
illustris Philippi Fuggeri agnosceres, et in ea celebran-
da operam tuam collocares: adeo enim tua Mu-
sa me plane affecerat. Liniamenta itaq; ducere
uolui, quæ tibi nostris aliquot Epigrammatibus
additis, offero mi optatissime doctissimeq; Caspare,
ut si non displiceant, et si tu me tuo exemplo
erudias, aliquid plenius, et uberius cum de hisce
nuptijs, tum uero de totius Fuggerorum familiæ
excellentia, dignitateq; expromam: quod eo faciam
libentius, quod illustrissimi Marci Fuggeri egregia, præclaraq; erga me beneficia existant. Quod
si hanc qualemcunq; uoluntatem meam tuo generoso Baroni commendaueris, nihil mihi gratius
accidet: sed id non pluribus contendam, a te
præsertim: quid enim non facies? primum te im-
pellet nostra amicitia, quam et humanitas, et ser-
monum tuorum suauitas nuper confirmauit: deinde
studiorum similitudo: deniq; ipsa ratio te potissimum commouebit, ut quoniam tuis carminibus excita-
tus sum, ut hæc effunderem, tuum quasi fœtum
amplectaris. Vale. Augustæ. Ao M.D.LXXIII.

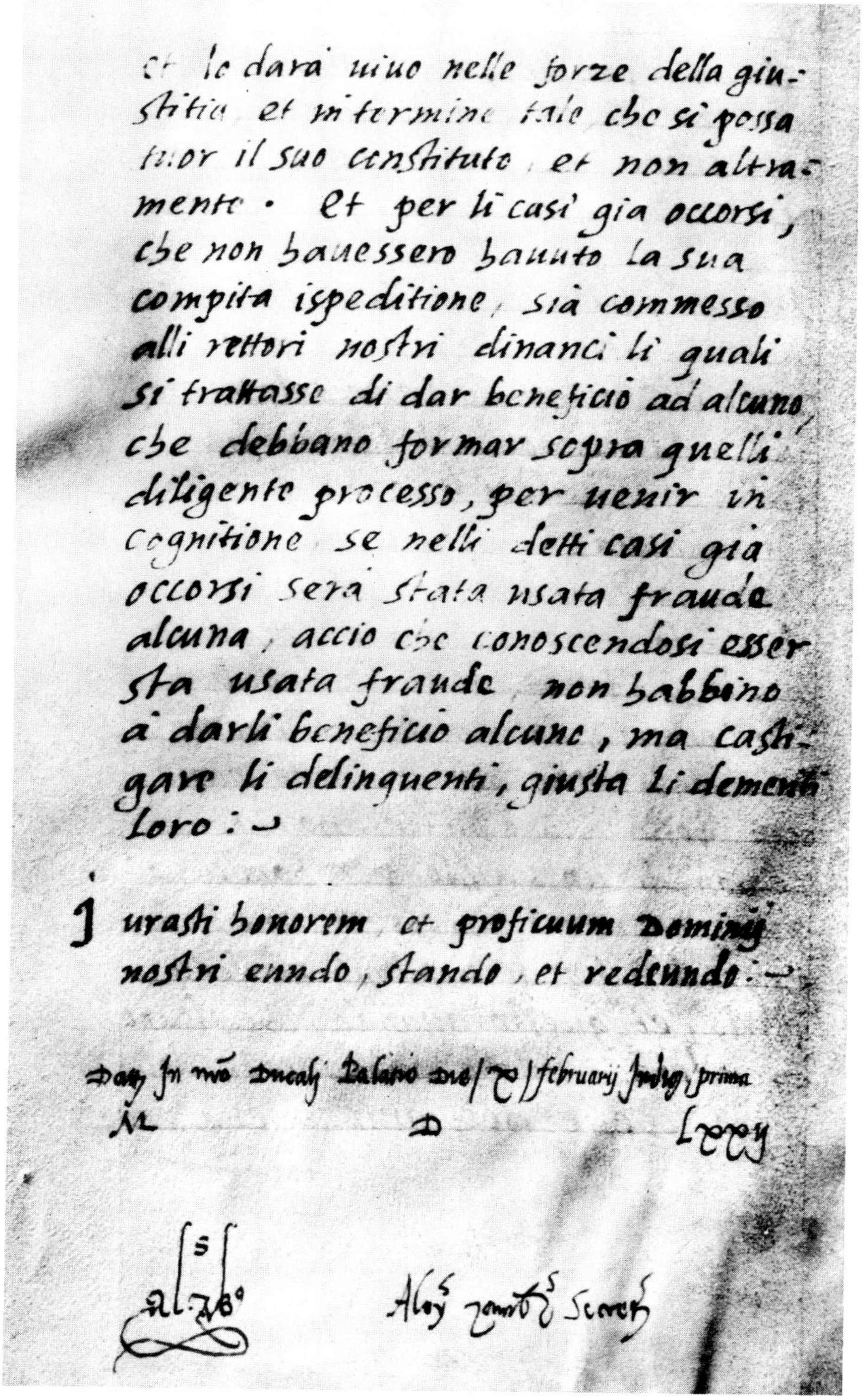
et le darà uiuo nelle forze della giu-
stitia et in termine tale che si possa
tuor il suo constituto, et non altra-
mente. Et per li casi già occorsi,
che non hauessero hauuto la sua
compita ispeditione, sia commesso
alli rettori nostri dinanci li quali
si trattasse di dar beneficio ad alcuno,
che debbano formar sopra quelli
diligente processo, per uenir in
cognitione se nelli detti casi già
occorsi serà stata usata fraude
alcuna, acciò che conoscendosi esser
sta usata fraude, non habbino
à darli beneficio alcuno, ma castigare li delinquenti, giusta li demeriti
loro: —

Jurasti honorem et proficuum Domini
nostri eundo, stando, et redeundo. —

Datum in nostro Ducali Palatio die 13 februarij Indic. prima
M D LXXIII

Abb. 335 Cod. 5890, fol. 123v Venedig, 1573

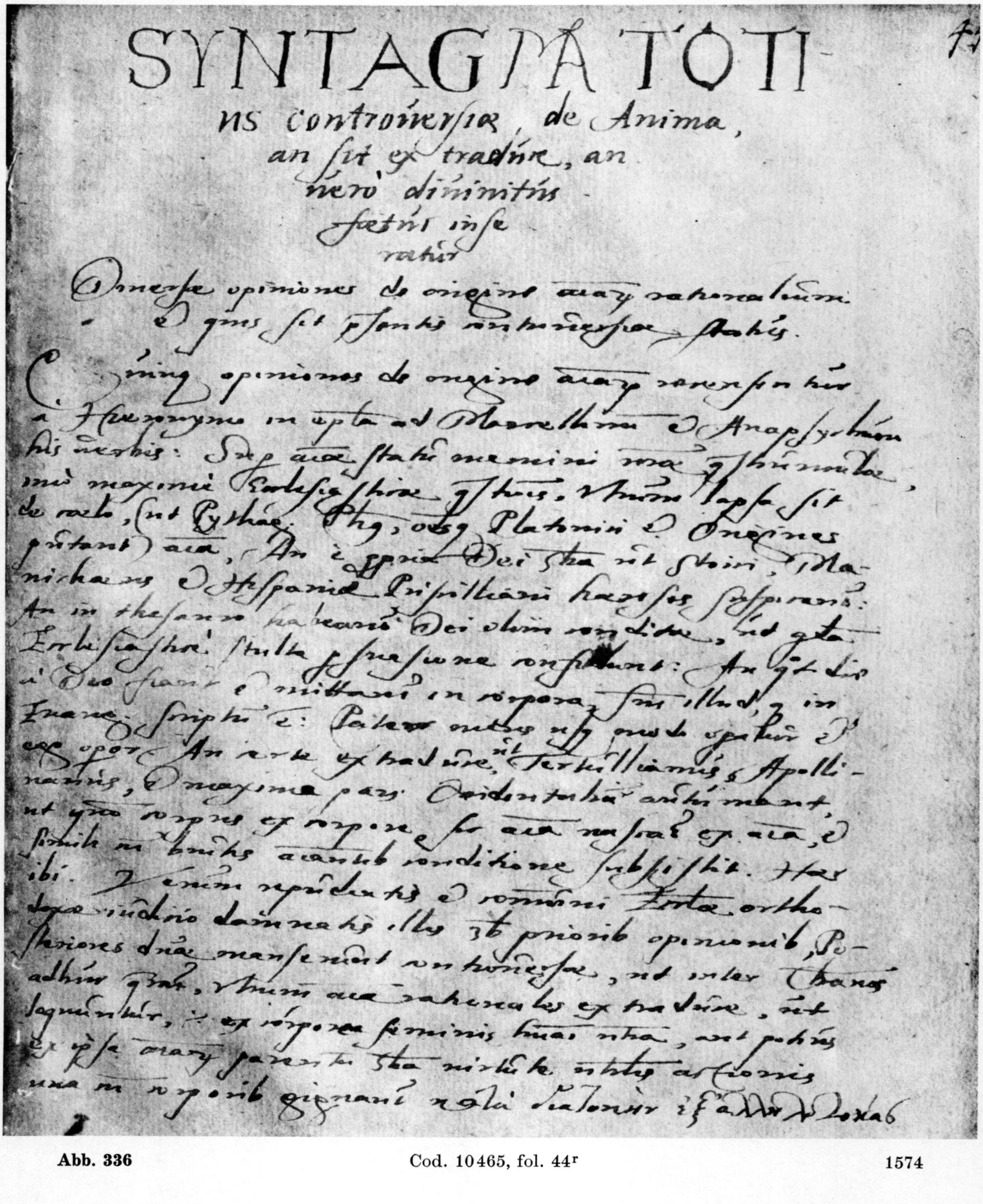

SYNTAGMA TOTIUS controversiae de Anima, an sit ex traduce, an vero divinitus foetui inseratur

Diversae opiniones de origine animae rationalium et quis sit praesentis controversiae status.

Quinque opiniones de origine animae recensentur a Hieronymo in epistola ad Marcellinum et Anapsychiam his verbis: Super animae statu memini vestrae quaestiunculae, imo maximae ecclesiasticae quaestionis, utrum lapsa sit de caelo, (ut Pythag. philos. omnesque Platonici et Origenes putant) anima, an a propria Dei substantia, ut Stoici, Manichaeus et Hispana Priscilliani haeresis suspicantur. An in thesauro habeantur Dei olim conditae, ut quidam Ecclesiastici stulta persuasione confidunt. An quotidie a Deo fiant et mittantur in corpora, secundum illud, quod in Evangelio scriptum est: Pater meus usque modo operatur et ego operor. An certe ex traduce, ut Tertullianus, Apollinaris, et maxima pars Occidentalium autumant, ut quomodo corpus ex corpore, sic anima nascatur ex anima, et simili cum brutis animantibus conditione subsistat. Haec ibi. Verum repudiatis et communi Ecclesiae orthodoxae iudicio damnatis illis tribus prioribus opinionibus, posteriores duae manserunt controversae, ut inter Theologos adhuc quaeratur, utrum animae rationales ex traduce, ut loquuntur, hoc est ex corporea seminis humani natura, aut potius ex ipsa animarum parentum substantia virtute actionis una cum corporibus gignantur ...

Abb. 336 Cod. 10465, fol. 44r 1574

get wie er sich verhalte, vnd seine sachen geschaffen sein, Do
sie nün mengel bei einem befünden, haben sie Ire beuelch
gehabt, einen ieden nach gelegenheit zü straffen, vnnd
bißweilen, einen do ers verdint, aller seiner Ehr entsetz-
et, seine Praeuilegia genomen, an gebürenden ortten
offentlich angeschlagen, vnd also Exemplum statuirt
das sich andere daran stossen müssen, vnd alle Fürst-
en, Herrn, vnd Stedt, so von den Ernholden zür Execu-
tion gemonet, gehorsam sich erzeigen müssen, bei peen
der Acht, Also das solche Adels personen, in güten sitten
sich halten, leben, auch gedachte Ernholdt fürchtenn
müssen, welcher aber laider, ietzt bei vnsern zeitten
abkomen, vnd ein ieder thüt was er will, auch das
schnöde gelt, mer Edelleüt macht, dann güte sitten
vnd tugenten, vnd ein ieder sich anmassen will deß-
en er begert, vnd mit gewalt, vermaint hinaus zü
füren, als der Pauer, wills dem Bürger nachthün,
der Bürger dem Edelman, der Edelman dem Grauen, Der Graue dem Fürsten, vnd also fortan, wo
er nün also fort gehen soll, ist gütt abzünemen, war-
zü er letzlich komen würt, Dis sei also, von den Edel
leüten geschriben.

Nün will ich ietzo von den

Abb. 337 Cod. Ser. n. 3307, fol. Vr 1574

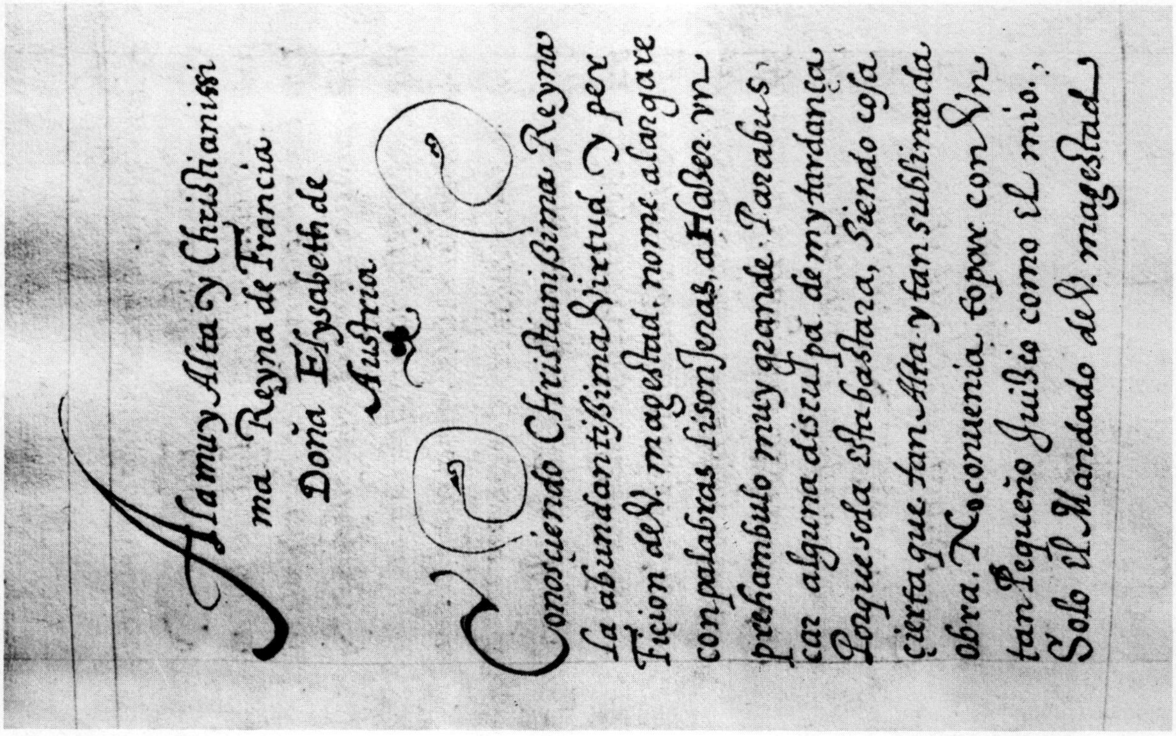

A la muy Alta y Christianissi
ma Reyna de Francia
Doña Elysabeth de
Austria

Conosciendo Christianissima Reyna
la abundantissima virtud y per
ficion de V. magestad, no me alargare
con palabras lisonjeras, a hazer un
preambulo muy grande. Para bus
car alguna disculpa de my tardança
porque sola esta bastara, siendo cosa
çierta que tan Alta y tan sublimada
obra. No convenia topar con un
tan pequeño juizio como el mio.
Solo el mandado de V. magestad

Abb. 339 Cod. 11705, fol. IVr 1574

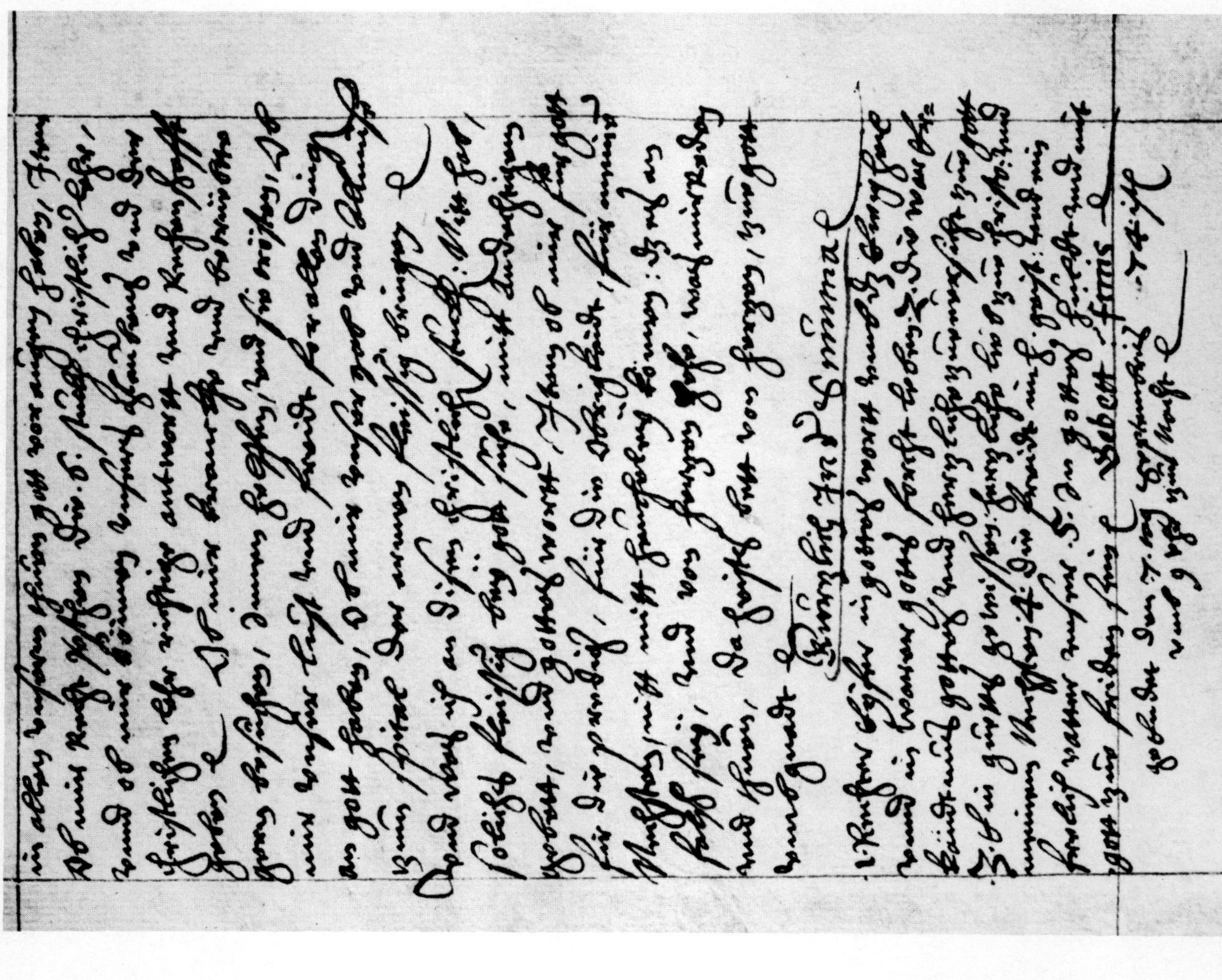

Abb. 338 Cod. 11681, fol. 112r 1574

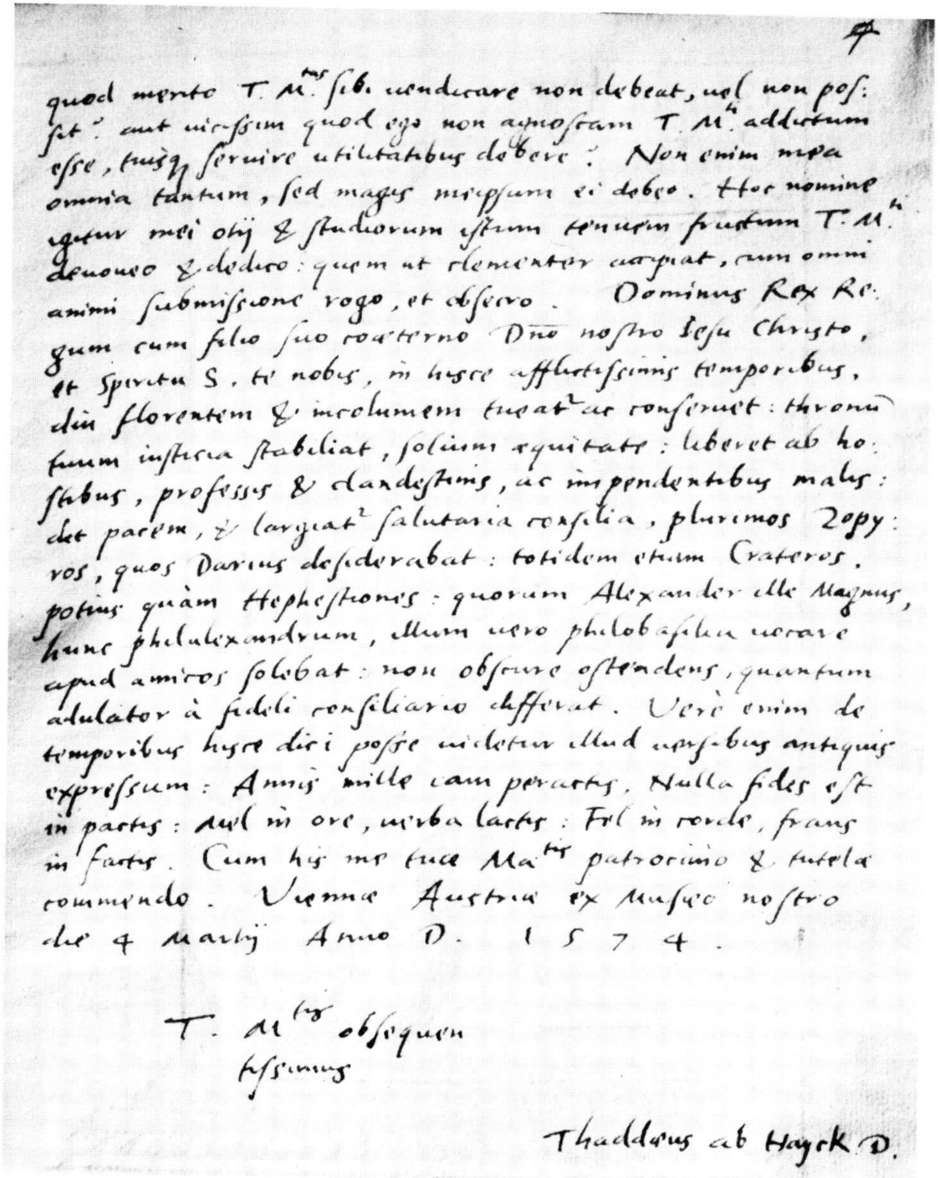

quod merito T. M.tas sibi vendicare non debeat, vel non possit? aut vicissim quod ego non agnoscam T. M.ti addictum
esse, tuisque servire utilitatibus debere? Non enim mea
omnia tantum, sed meipsum ei debeo. Hoc nomine
igitur mei otij & studiorum istum tenuem fructum T. M.ti
devoveo & dedico: quem ut clementer accipiat, cum omni
animi submissione rogo, et obsecro. Dominus Rex Regum cum filio suo coaeterno Dno nostro Jesu Christo,
et Spiritu S. te nobis, in hisce afflictissimis temporibus,
diu florentem & incolumem tueatur ac conservet: thronu(m)
tuum iustitia stabiliat, solium aequitate: liberet ab hostibus, professis & clandestinis, ac impendentibus malis:
det pacem, & largiatur salutaria consilia, plurimos Zopy-
ros, quos Darius desiderabat: totidem etiam Crateros,
potius quam Hephestiones: quorum Alexander ille Magnus,
hunc philalexandrum, illum vero philobasilea vocare
apud amicos solebat: non obscure ostendens, quantum
adulator a fideli consiliario differat. Vere enim de
temporibus hisce dici posse videtur illud versibus antiquis
expressum: Annis mille iam peractis, Nulla fides est
in pactis: Mel in ore, verba lactis: Fel in corde, fraus
in factis. Cum his me tuae Matis patrocinio & tutelae
commendo. Viennae Austriae ex Museo nostro
die 4 Martij Anno D. 1574.

T. Mtis obsequen-
tissimus

Thaddaeus ab Hayck D.

Abb. 340 Cod. 10609, fol. 4r (Wien), 1574

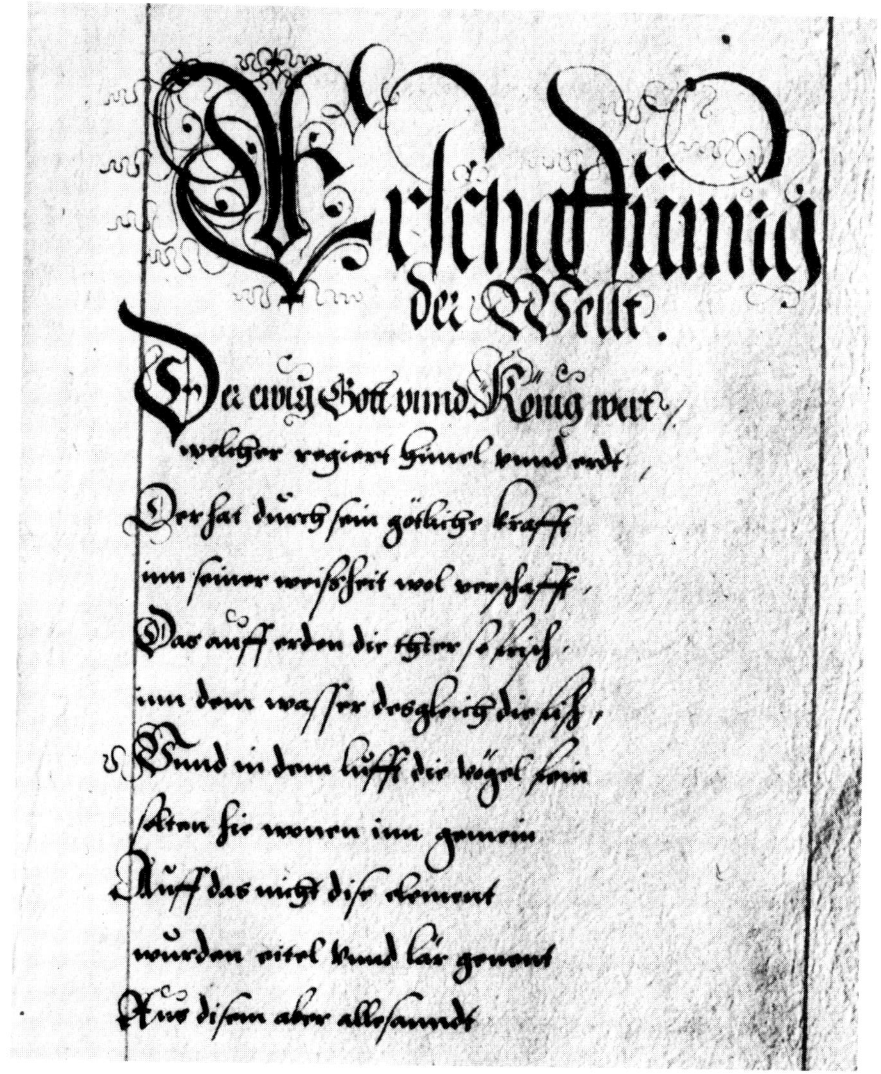

Von Erschaffunng
der Wellt.

Der ewig Gott vnnd König werdt,
welicher regiert Himel vnnd erdt,
Der hat durch sein götliche krafft
inn seiner weißheit wol verschafft,
Das auff erden die thier so kriech.
inn dem wasser desgleich die fisch,
Vnnd in dem lufft die vögel fein
sollten sie wonen inn gemein
Auff das nicht dise element
würden eitel vnnd lär genent
Aus disem aber allsamendt

Abb. 341 Cod. 9912, fol. 2r 1574

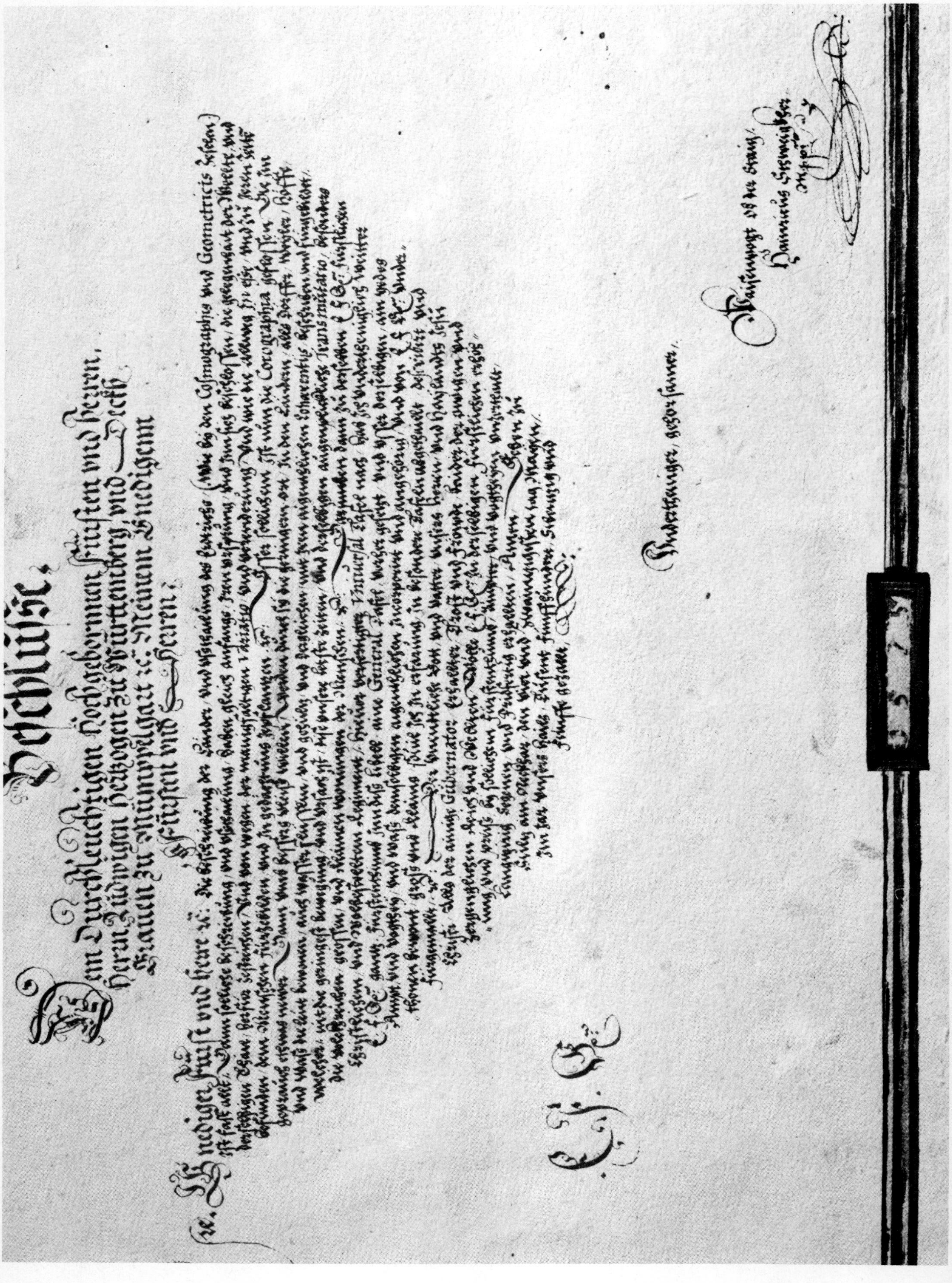

Beschlusse.

Dem Durchleuchtigen Hochgebornen Fürsten und Herren, Herrn Ludwigen Hertzogen zu Württemberg, und Deckh Grauen zu Mümppelgart &c. Meinem Gnedigem Fürsten und Herren:

&c. Gnediger Fürst und Herre &c.: Die beschreibung der Länder und vsstailung des Erdtrichs (wie by den Cosmographis und Geometricis zesehen) ist fast alt …

… Cotographia …

Underthaniger, gehorsamer,

Waisenvogt ob der Staig,
Hainricus Schweickher
M. ppria

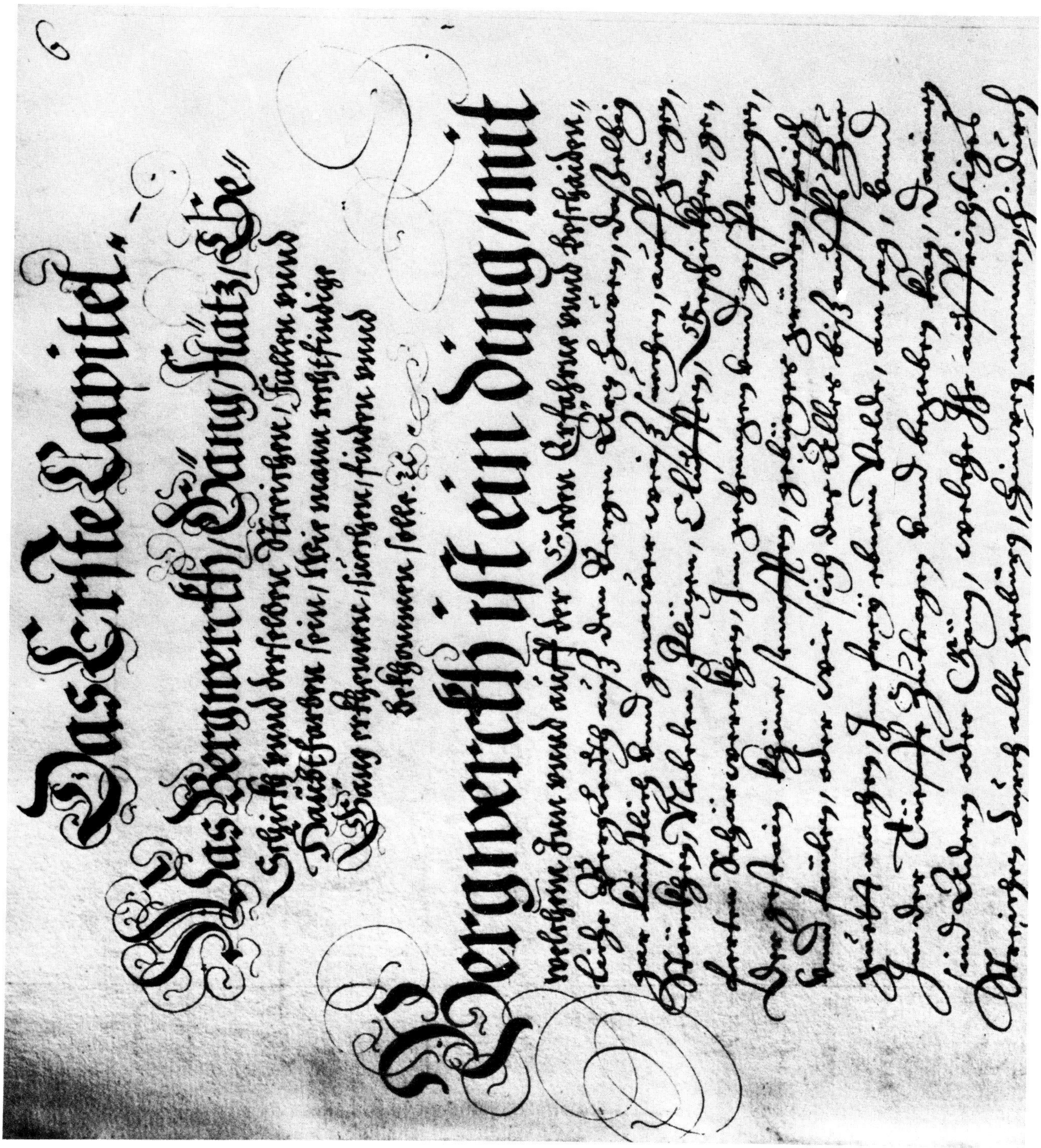

Abb. 343 Cod. 11134, fol. 6^{r} St. Georgenthal, 1575

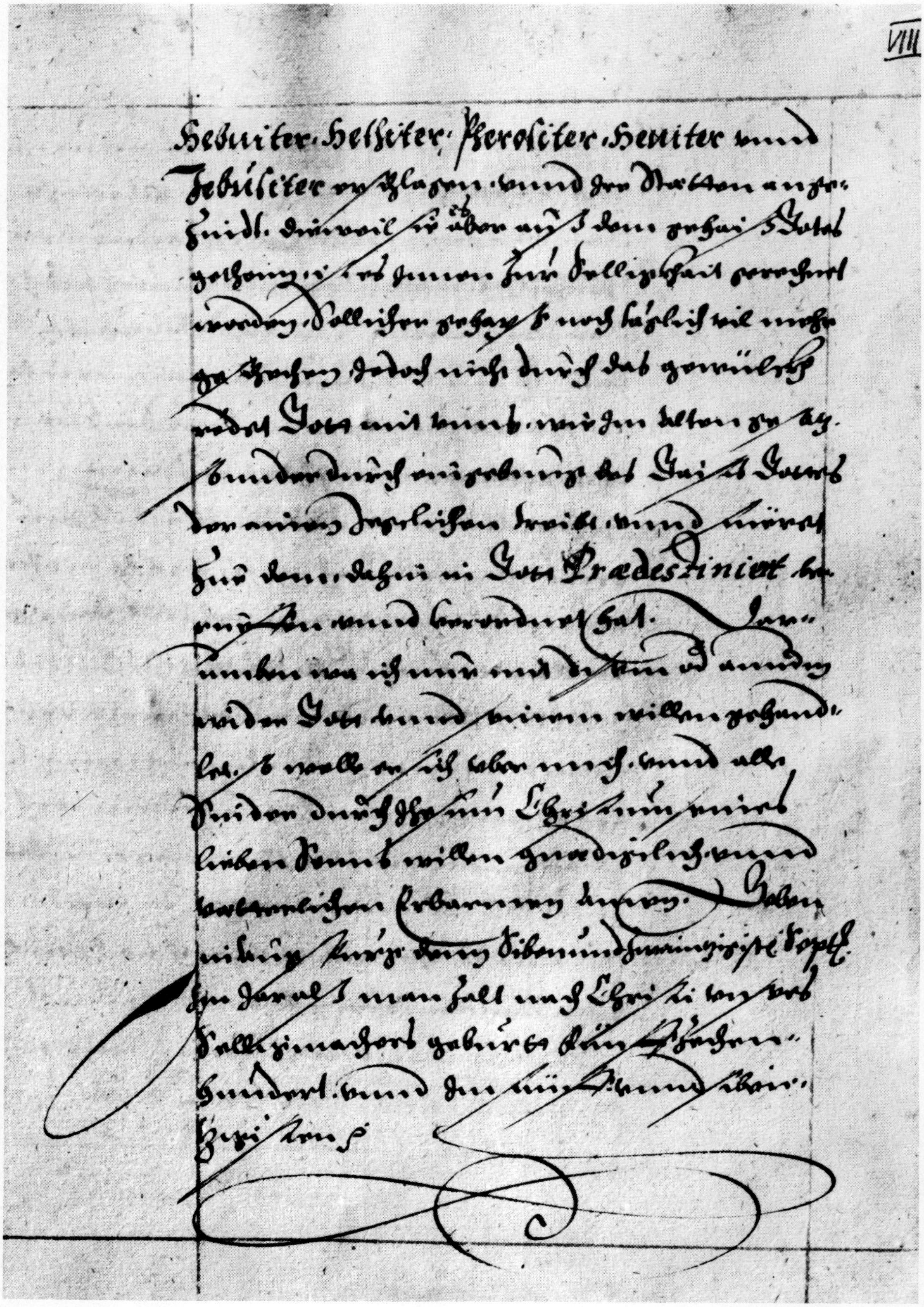

Abb. 344 Cod. 10975, fol. VIII^r Augsburg, 1575

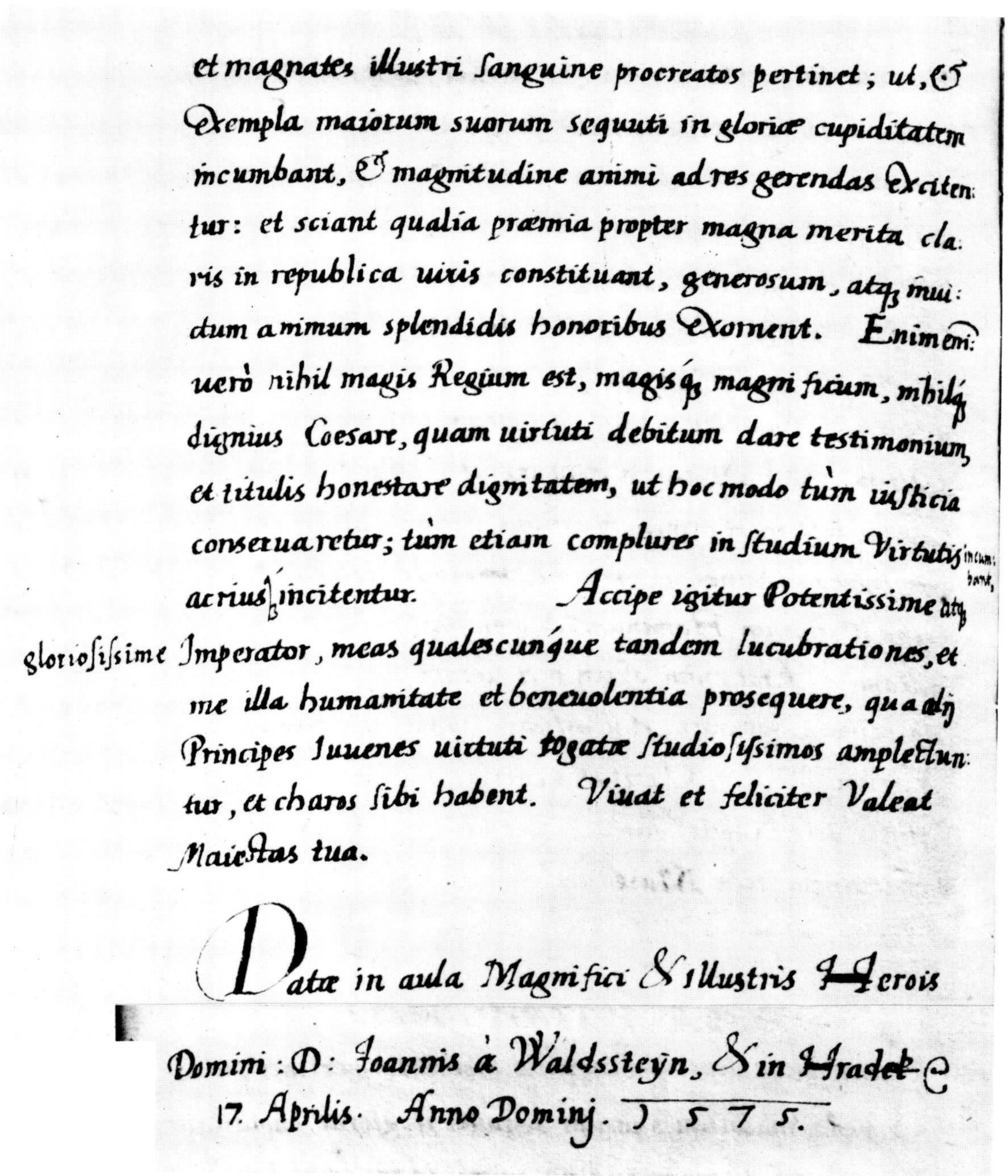
et magnates illustri sanguine procreatos pertinet; ut, et
exempla maiorum suorum sequuti in gloriae cupiditatem
incumbant, et magnitudine animi ad res gerendas exciten:
tur: et sciant qualia praemia propter magna merita cla:
ris in republica uiris constituant, generosum, atq; inui:
dum animum splendidis honoribus exornent. Enim eni:
uerò nihil magis Regium est, magisq; magnificum, nihilq;
dignius Coesare, quam uirtuti debitum dare testimonium,
et titulis honestare dignitatem, ut hoc modo tùm iusticia
conseruaretur; tùm etiam complures in studium Virtutis incum:bant,
acrius[q;] incitentur. Accipe igitur Potentissime atq;
gloriosissime Imperator, meas qualescunque tandem lucubrationes, et
me illa humanitate et beneuolentia prosequere, qua alij
Principes Iuuenes uirtuti togatae studiosissimos amplectun:
tur, et charos sibi habent. Viuat et feliciter Valeat
Maiestas tua.

Datae in aula Magnifici & Illustris Herois
Domini: D: Joannis à Waldssteyn, & in Hradek
17. Aprilis. Anno Dominj. 1575.

Abb. 345 Cod. 8878, fol. 83v—84r Böhmen, 1575

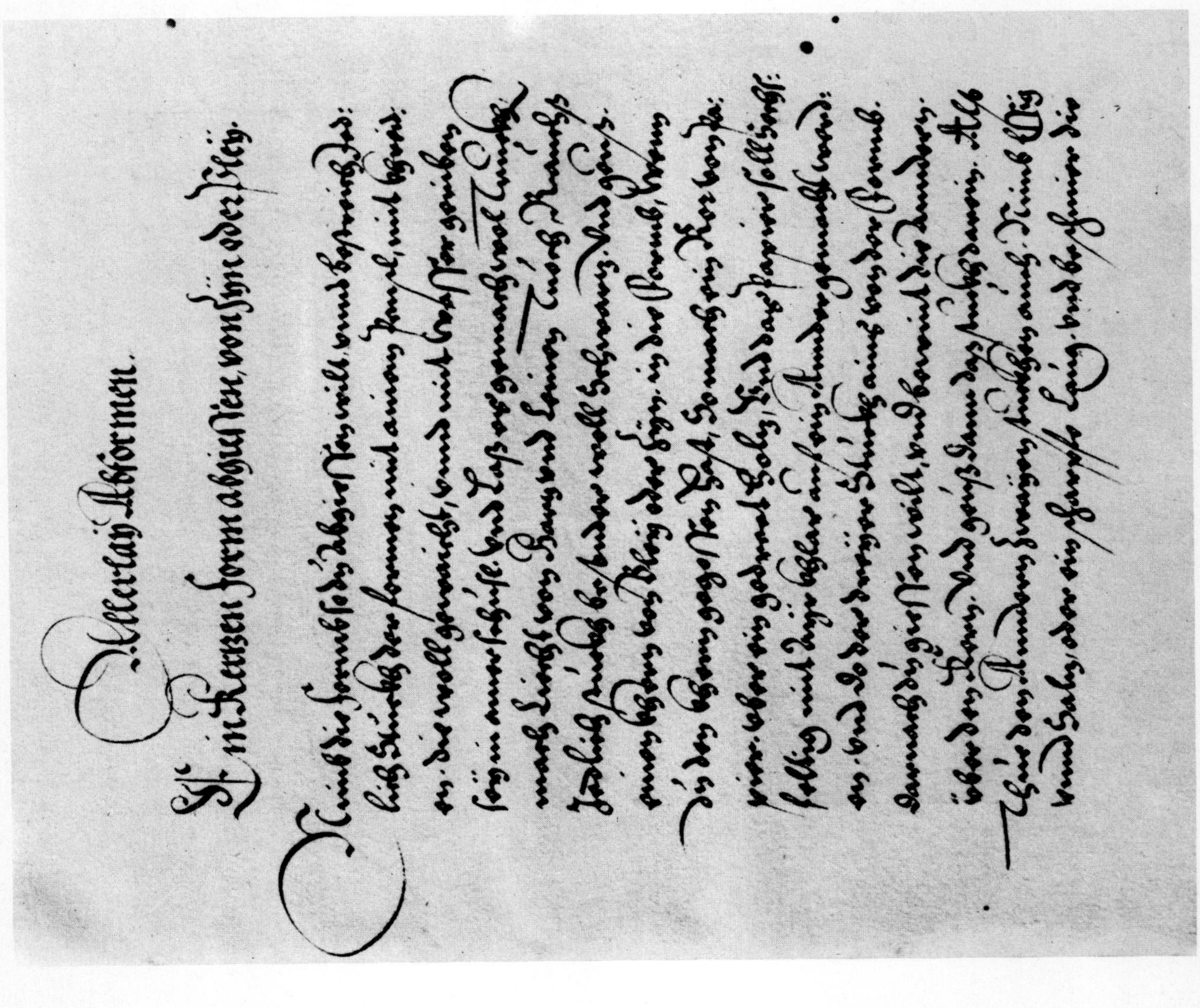
Allerlay Abformen.
Ein Kreisen form abgiessen, von Zin oder Bley.

Abb. 346 Cod. 11024, fol. 1r 1575

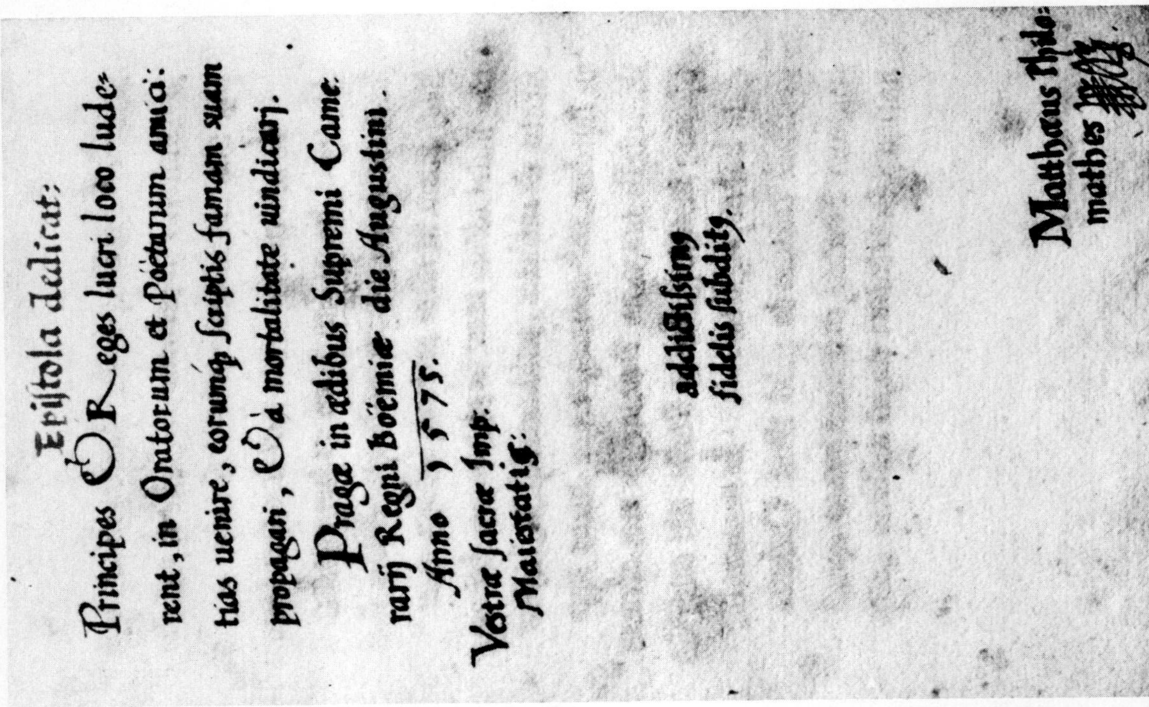
Epistola dedicat:
Principes O Reges lucri loco ducerent, in Omtorum et Poëtarum amicitias uenire, eorumque scriptis famam suam propagari, O a mortalitate uindicari.
Pragæ in ædibus Supremi Camerarij Regni Boëmiæ die Augustini.
Anno 1575.
Vestræ Sacræ Imp: Maiestatis:
addictissimus fidelis subditus.
Matthaeus Thilo-mathes

Abb. 347 Cod. 11718, fol. 4v Prag, 1575

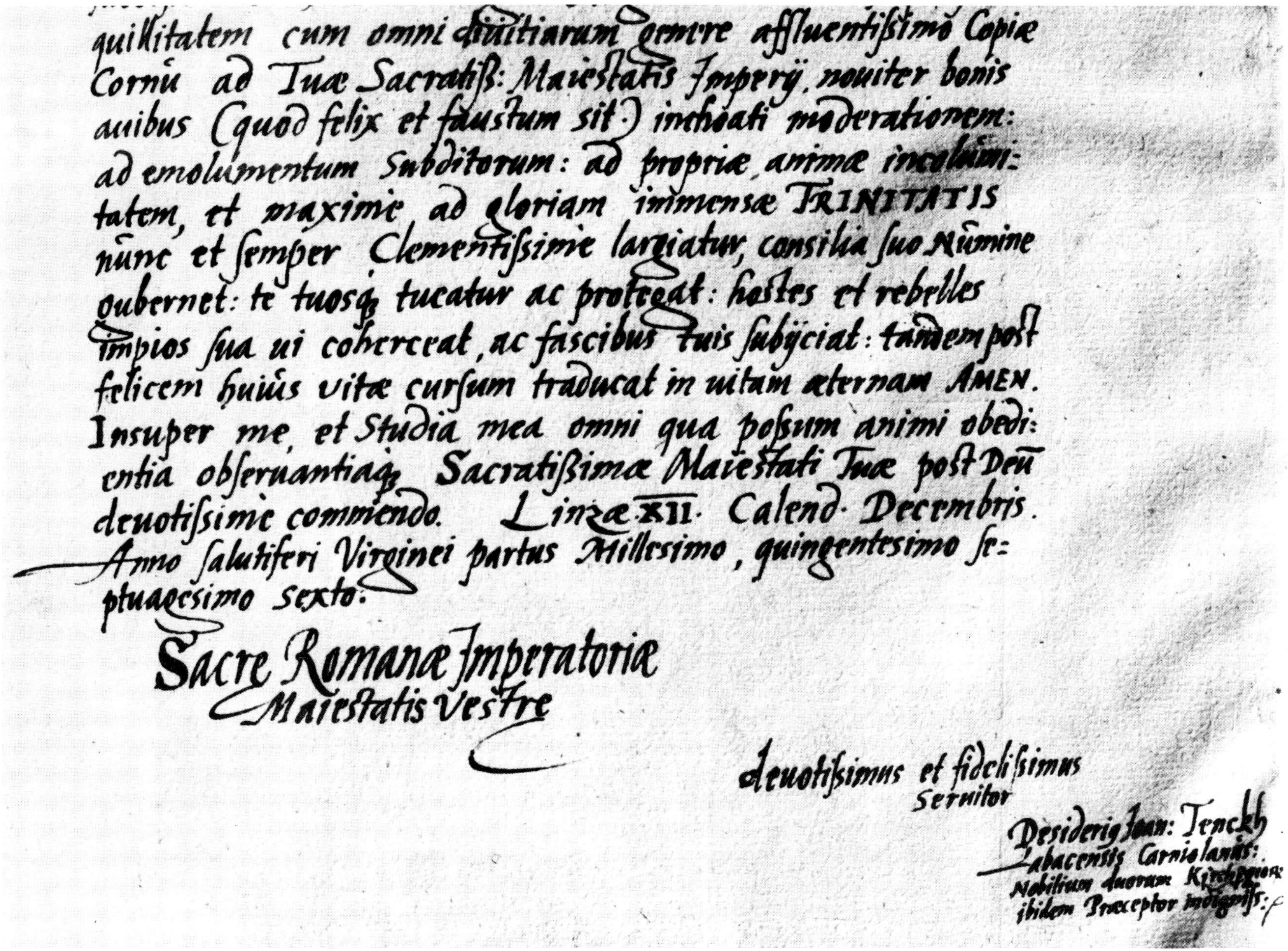

quillitatem cum omni diuitiarum genere affluentissimo Copiæ
Cornu ad Tuæ Sacratiss: Maiestatis Imperij, nouiter bonis
auibus (quod felix et faustum sit.) inchoati moderationem:
ad emolumentum Subditorum: ad propriæ animæ incolumi:
tatem, et maxime ad gloriam immensæ TRINITATIS
nunc et semper Clementissime largiatur, consilia suo Numine
gubernet: te tuosq tueatur ac protegat: hostes et rebelles
impios sua ui coherceat, ac fascibus tuis subijciat: tandem post
felicem huius vitæ cursum traducat in uitam æternam AMEN.
Insuper me, et Studia mea omni qua possum animi obedi:
entia obseruantiaq Sacratissimæ Maiestati Tuæ post Deū
deuotissime commendo. Linzæ XII. Calend. Decembris.
Anno salutiferi Virginei partus Millesimo, quingentesimo se:
ptuagesimo sexto.

Sacre Romanæ Imperatoriæ
Maiestatis Vestre

deuotissimus et fidelissimus
Seruitor

Desiderius Ioan: Tenckh
Labacensis Carniolanus:
Nobilium duorum Kirchhouer
ibidem Preceptor indignissimus: etc.

Abb. 348 Cod. 10046, fol. 2v Linz, 1576

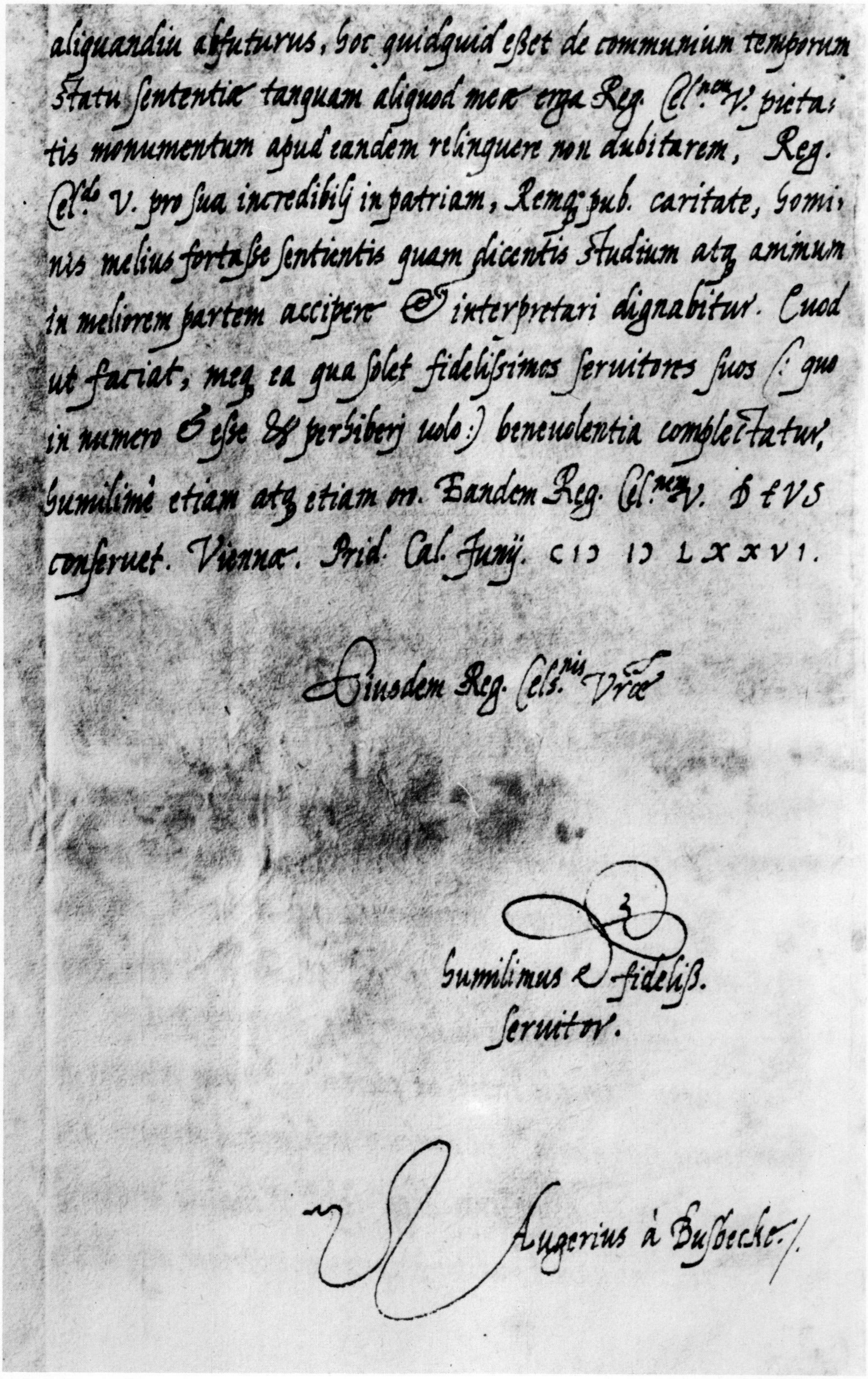

aliquandiu abfuturus, hoc quidquid esset de communium temporum
statu sententiae tanquam aliquod meae erga Reg. Cel.tem V. pietatis monumentum apud eandem relinquere non dubitarem, Reg.
Cel.do V. pro sua incredibili in patriam, Remq; pub. caritate, hominis melius fortasse sentientis quam dicentis studium atq; animum
in meliorem partem accipere et interpretari dignabitur. Quod
ut faciat, meq; ea qua solet fidelissimos servitores suos (: quo
in numero et esse et perhiberi volo :) benevolentia complectatur,
humilimè etiam atq; etiam oro. Eandem Reg. Cel.tem V. DEVS
conservet. Viennae. Prid. Cal. Junij. CIↃ IↃ LXXVI.

Eiusdem Reg. Cels.nis Vrae

humilimus et fideliss.
servitor.

Augerius à Busbecke.

Abb. 349 Cod. 8658, fol. 1v Wien, 1576

nus. Viennae ex Bibliotheca Imperatoria Kalend. Octobris CIƆ IƆ LXXVI.

Sereniss. Celsit. T. obedientiss. Cliens

Hugo Blotius S. C. Ma[tis] Bibliothecarius.

Ad Lectorem

Notae, in marginibus huius catalogi ascriptae sic sunt intelligendae. Littera Alphabeti numeris addita pulpitū seu thecam Bibliothecae Caesareae, ubi volumen repositum est, significat. numerus aut ipse, quotus in ea sit liber, denotat. Reliquae vero notae libros in alienis Bibliothecis exstantes indicat; ut, Her: significat Joannē Henricū HerWertū; Hainz. Joannē Babtistam Haintzeliū. Gass. Doctorē Achillē Priminū Gasserū. Qui tres sunt Augustani. Stotz: ~~Sto~~ Rupertum a Stotzingen. Blot. Hugonē Blotiū.
Et hi quidem omnes suos libros cum libris Caesareis in publicā utilitatem cōmunicare sūt paratissimi. Vale.

Abb. 350 Cod. 8680*, fol. VII^v Wien, 1576

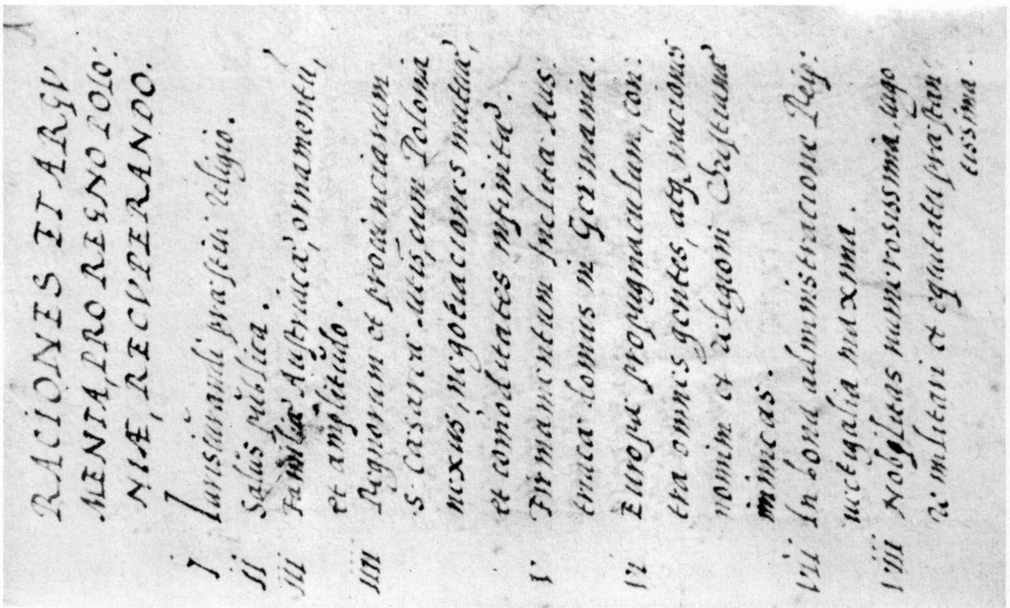

RACIONES ET ARGU
MENTA PRO REGNO POLO
NIAE RECUPERANDO.

I Iurisiurandi praestiti religio.
II Salus publica.
III Familiae Austriacae ornamentum et amplitudo.
IIII Regnorum et provinciarum S. Caesareae Maiestatis et Poloniae nexus, negotiaciones mutuae et commoditates infinitae.
V Firmamentum futurum Austriacae domus in Germania.
VI Europae propugnaculum contra omnes gentes, atque nationes nomini et religioni Christiano inimicas.
VII In bona administracione Regni vectigalia maxima.
VIII Nobilitas numerosissima, atque ad militiam et equitatum praestantissima.

Abb. 352 Cod. 8601, fol. 1r Regensburg, 1576

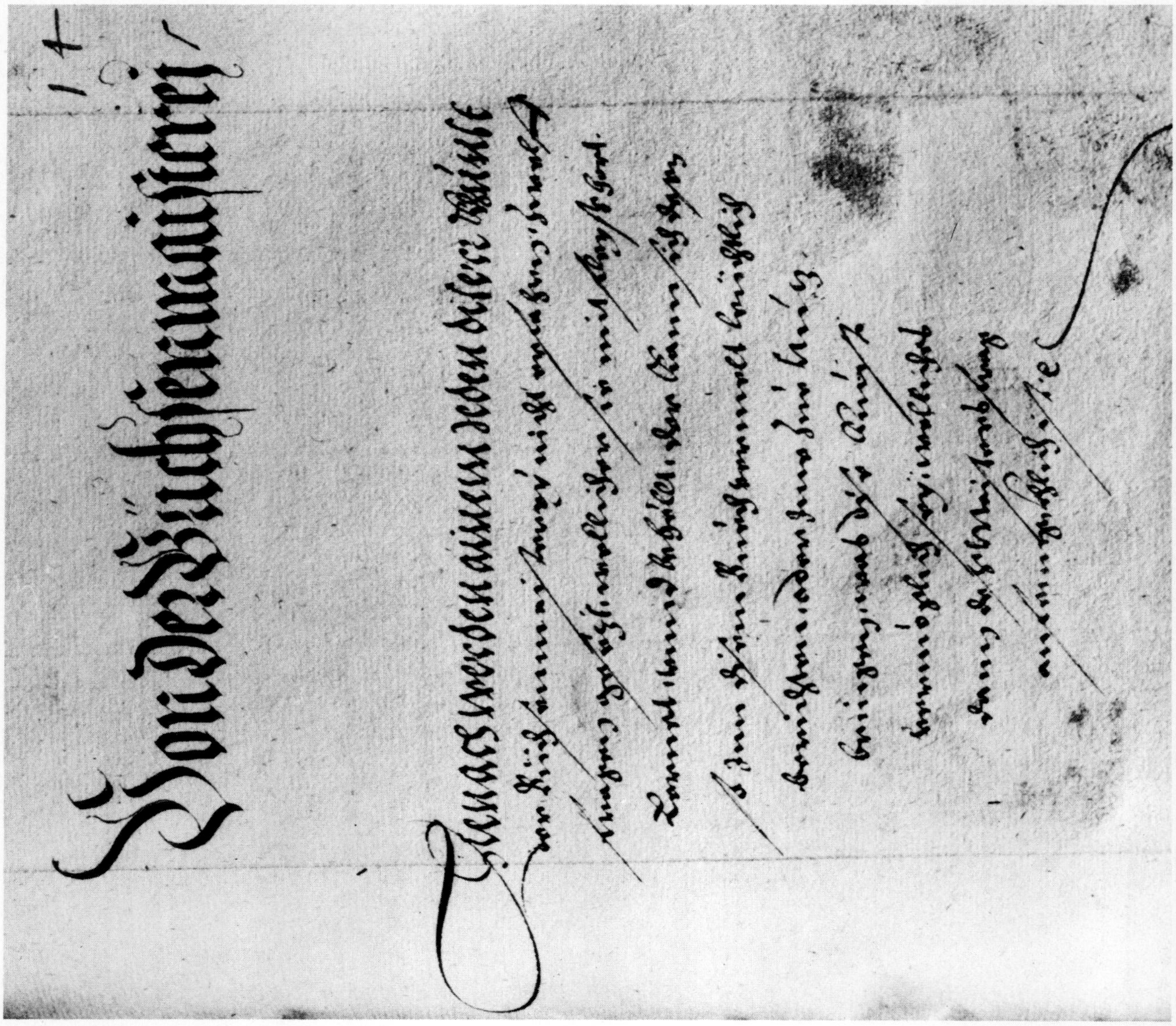

Von der Buchhalterey

Abb. 351 Cod. 10891, fol. 143r 1576

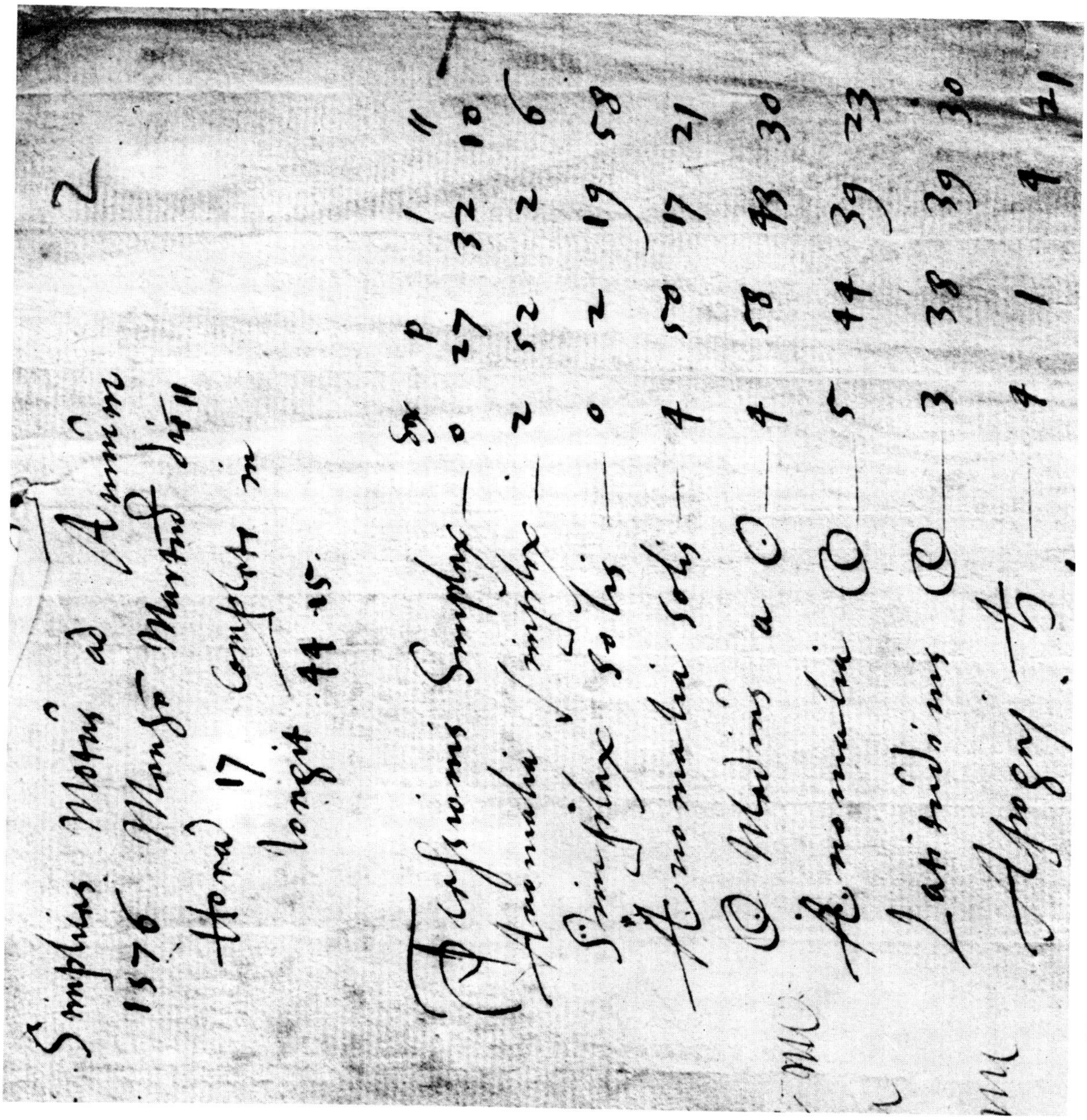

Abb. 353 Cod. 10688³, fol. 2r 1576

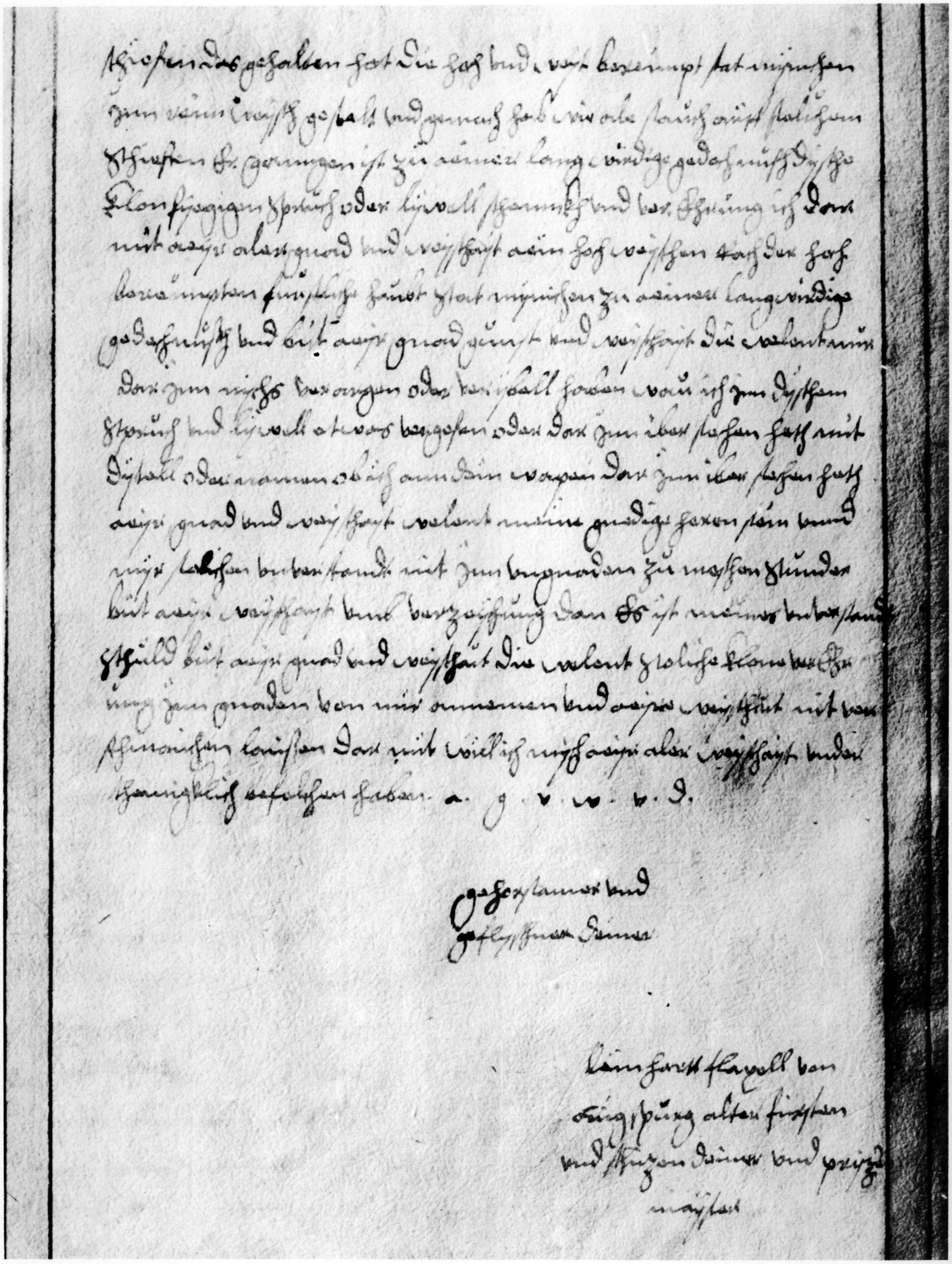

schiessen das gehalten hat die hoch und weit berüempt stat münchen
zum ainn weyßh gestalt und gemacht hab wie ale stuck auf solichem
schiessen ergangen ist zu ainer lang weirige gedechtnuß dyse
klainfyegigen spruch oder lyrvall schanckh und ver schenng ich dan
mit auer alas gnad und weyshait ain hoch weyshen tag der hoch
berüempten fürstlichen haubt stat münchen zu ainer lang weirige
gedechtnuß und bit auer gnad gunst und weyshait die welent ain
dar zum nichs verargen oder verschall haben wan ich zu dysem
spruch und lyrvall etwas vergessen oder dar zu uber sehen hett mit
dysall oder namen oder auch an den wapen dar zu uber sehen hett
auer gnad und weyshait welent meine gnedige herren sein und
mir solchen unverstand nit zum ungnaden zu messen stunder
bit auer weyshait und verzeichung dan es ist meiner unverstand
schuld bit auer gnad und weyshait die welent solche klaine verehr
ung zum gnaden von mir annemen und auer weyshait nit ver
schmachen lassen dan mit will ich mich auer aler weyshait under
theniglich befolhen haben. a. g. v. w. v. d.

gehorsamer und
gefließner deiner

leonhartt flexell von
augspurg alter fürsten
und schutzen diener und pritsch
maister

Abb. 354 Cod. 7979, fol. 1v (München), 1577

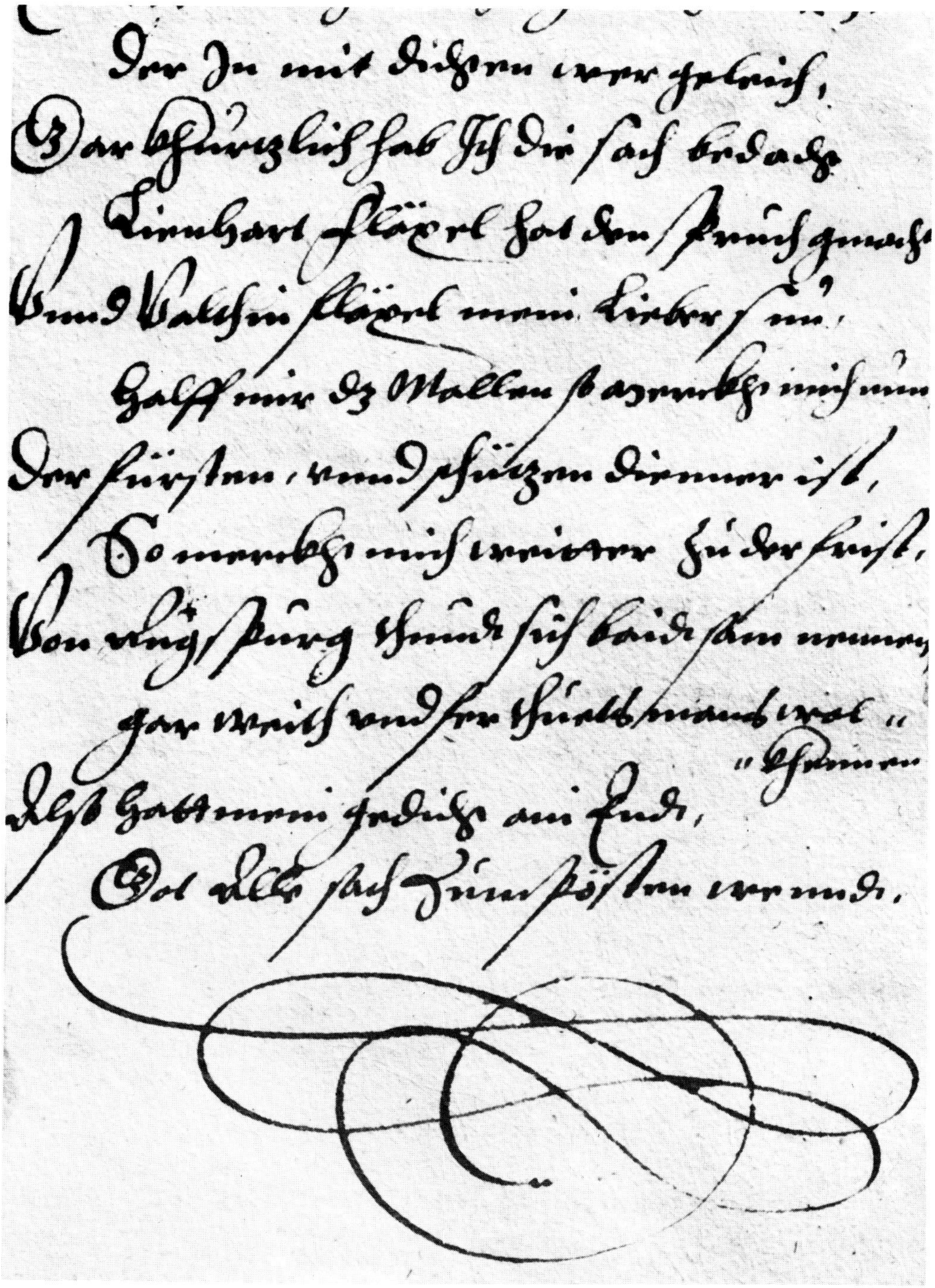

Abb. 355 Cod. 8324, fol. 16v München (?), 1577

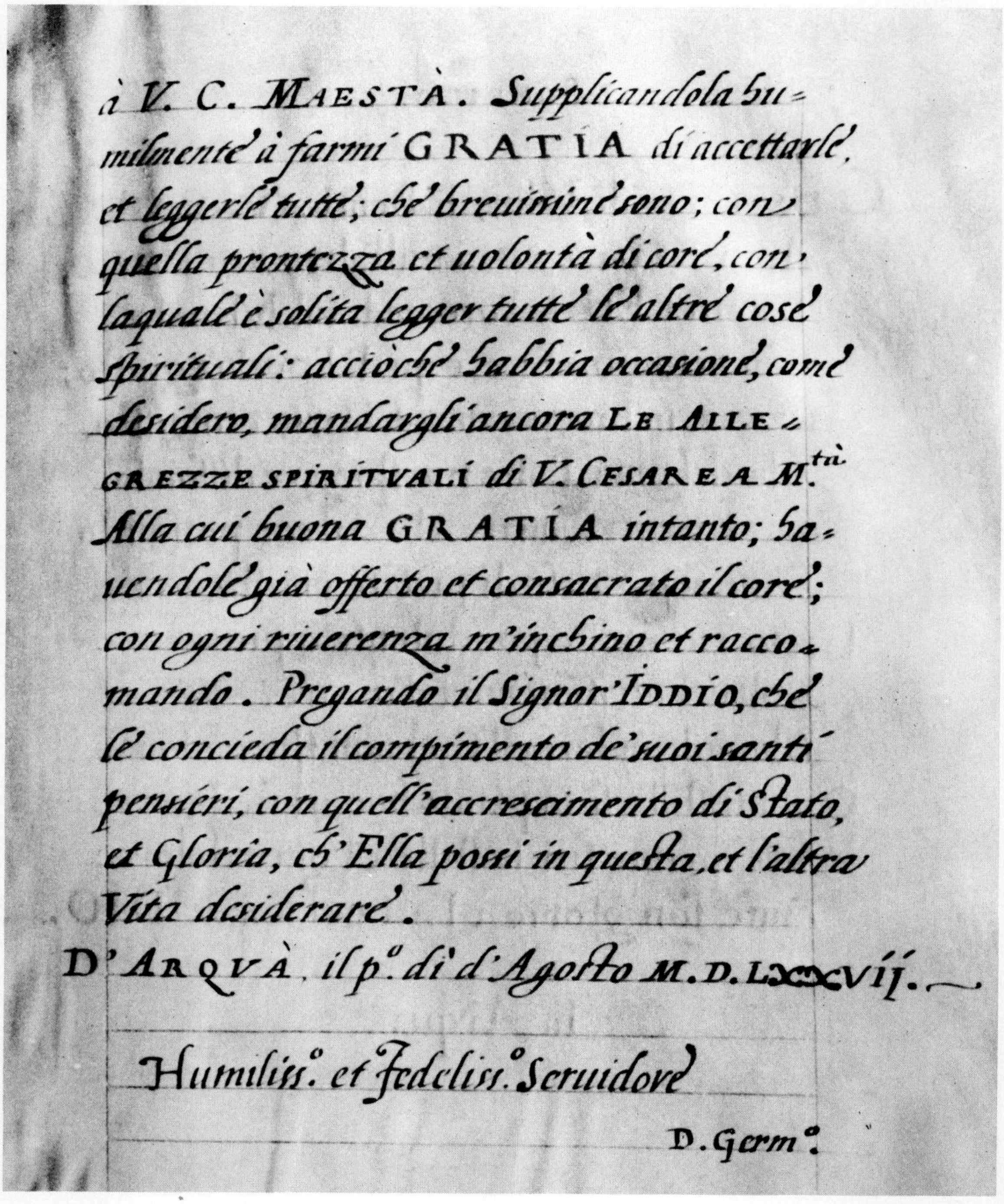

à V. C. MAESTÀ. Supplicandola humilmente à farmi GRATIA di accettarle,
et leggerle tutte; che breuissime sono; con
quella prontezza et uolontà di core, con
laquale è solita legger tutte le altre cose
spirituali: acciòche habbia occasione, come
desidero, mandargli ancora LE ALLE-
GREZZE SPIRITVALI di V. CESAREA M.tà
Alla cui buona GRATIA intanto; ha-
uendole già offerto et consacrato il core;
con ogni riuerenza m'inchino et racco-
mando. Pregando il Signor IDDIO, che
le concieda il compimento de' suoi santi
pensieri, con quell'accrescimento di Stato,
et Gloria, ch'Ella possi in questa, et l'altra
Vita desiderare.

D'ARQVÀ, il p.o di d'Agosto M.D.LXXVII.

Humiliss.o et Fedeliss.o Seruidore

D. Germ.o

Abb. 356 Cod. 9940, fol. 3^{r} Arquà, 1577

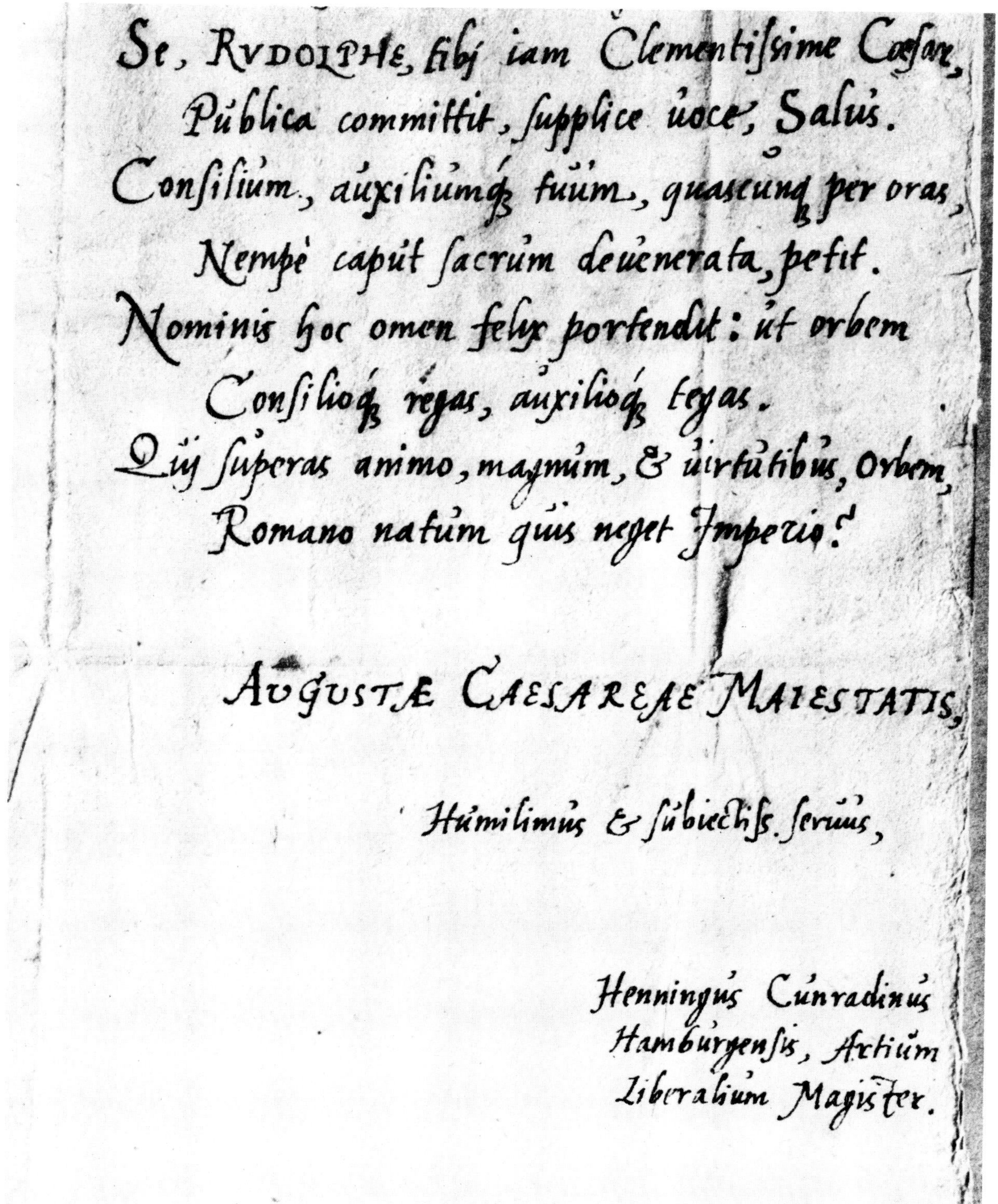

Se, RVDOLPHE, tibj iam Clementissime Caesar,
Publica committit, supplice uoce, Salus.
Consilium, auxiliumq; tuum, quascunq; per oras,
Nempe caput sacrum deuenerata, petit.
Nominis hoc omen felix portendit: ut orbem
Consilioq; regas, auxilioq; tegas.
Quj superas animo, magnum, & uirtutibus, Orbem,
Romano natum quis neget Imperio?

AVGUSTAE CAESAREAE MAIESTATIS,

Humilimus & subiectiss. seruus,

Henningus Cunradinus
Hamburgensis, Artium
Liberalium Magister.

Hamburgi Idib. Xbris
Anno CIↃ. IↃ. LXXVII.

Abb. 357 Cod. 10084, fol. 6r Hamburg, 1577

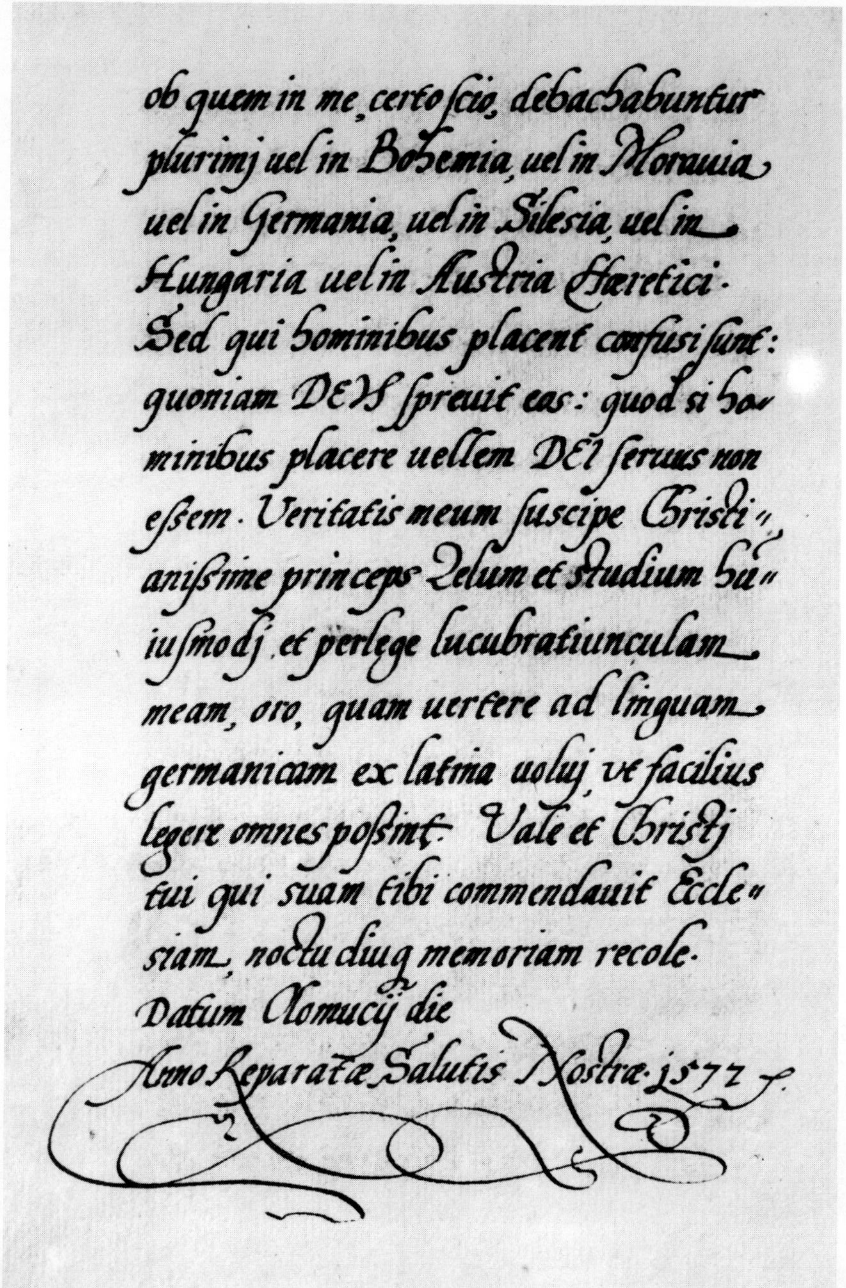
ob quem in me, certo scio, debachabuntur
plurimj uel in Bohemia, uel in Morauia
uel in Germania, uel in Silesia, uel in
Hungaria uel in Austria Haeretici.
Sed qui hominibus placent confusi sunt:
quoniam DEUS spreuit eos: quod si hominibus placere uellem DEI seruus non
essem. Veritatis meum suscipe Christi-
anissime princeps zelum et studium hu-
iusmodj, et perlege lucubratiunculam
meam, oro, quam uertere ad linguam
germanicam ex latina uoluj, ut facilius
legere omnes possint. Vale et Christj
tui qui suam tibi commendauit Ecclesiam, noctu diuq memoriam recole.
Datum Olomucij die
Anno Reparatae Salutis Nostrae. 1577.

Abb. 358 Cod. 11623, fol. 4v Olmütz, 1577

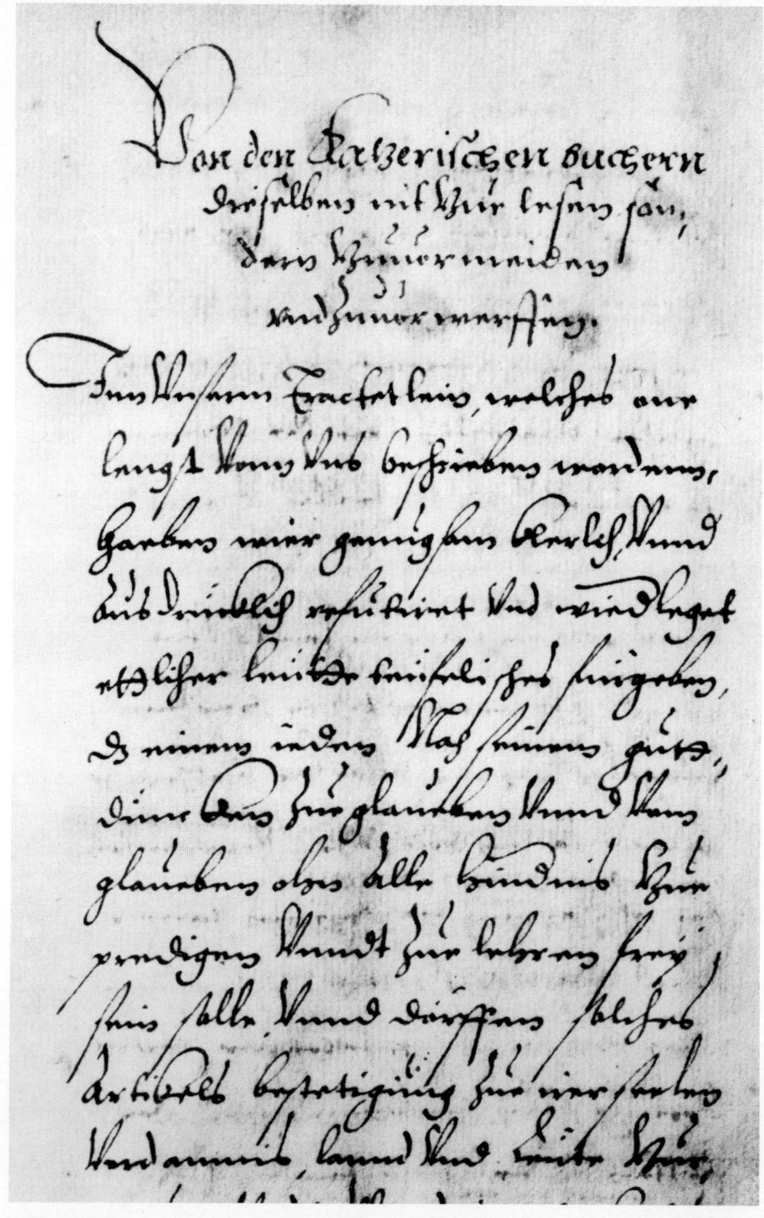
Von den Ketzerischen buchern

Abb. 359 Cod. 11624, fol. 54r Olmütz, 1577

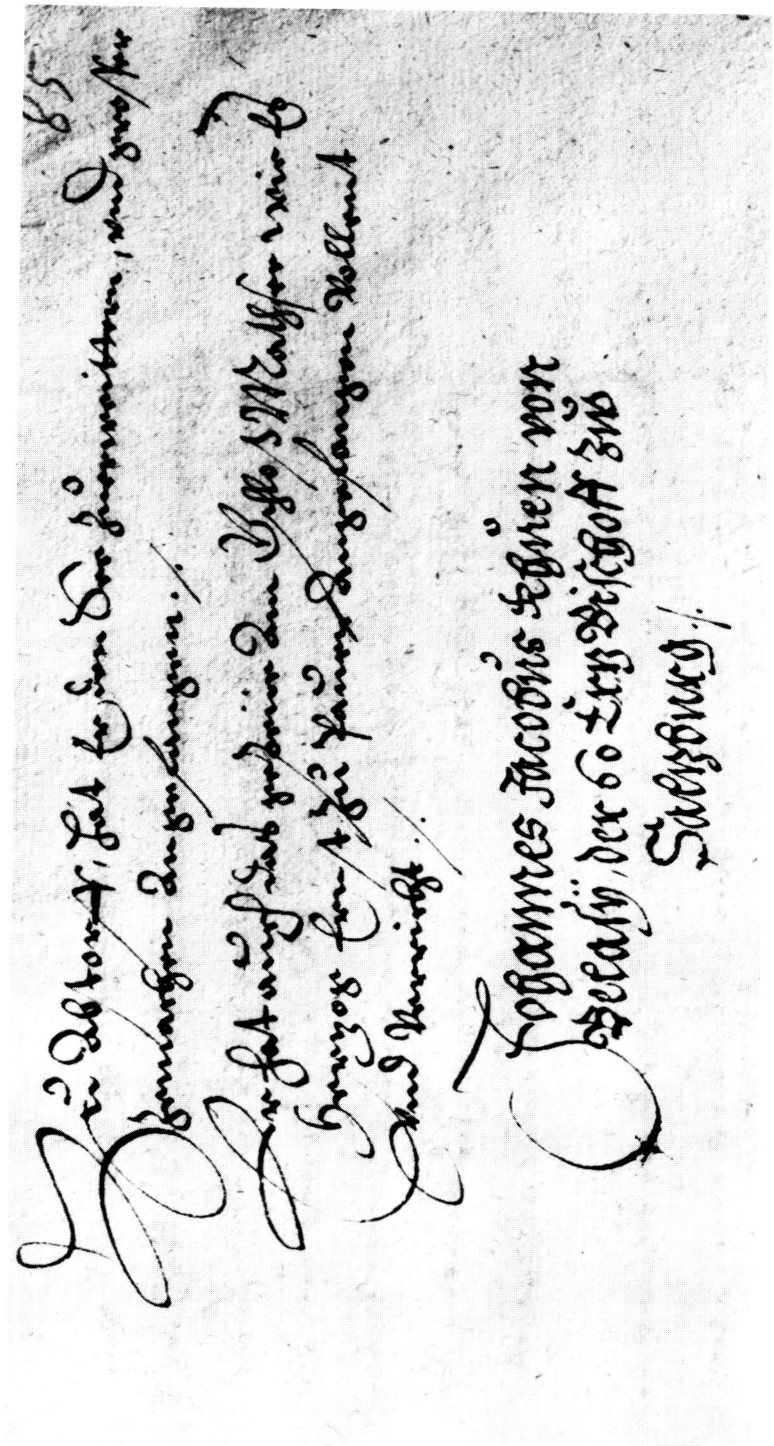

Abb. 360 Cod. 12014, fol. 85r (Salzburg ?), 1577

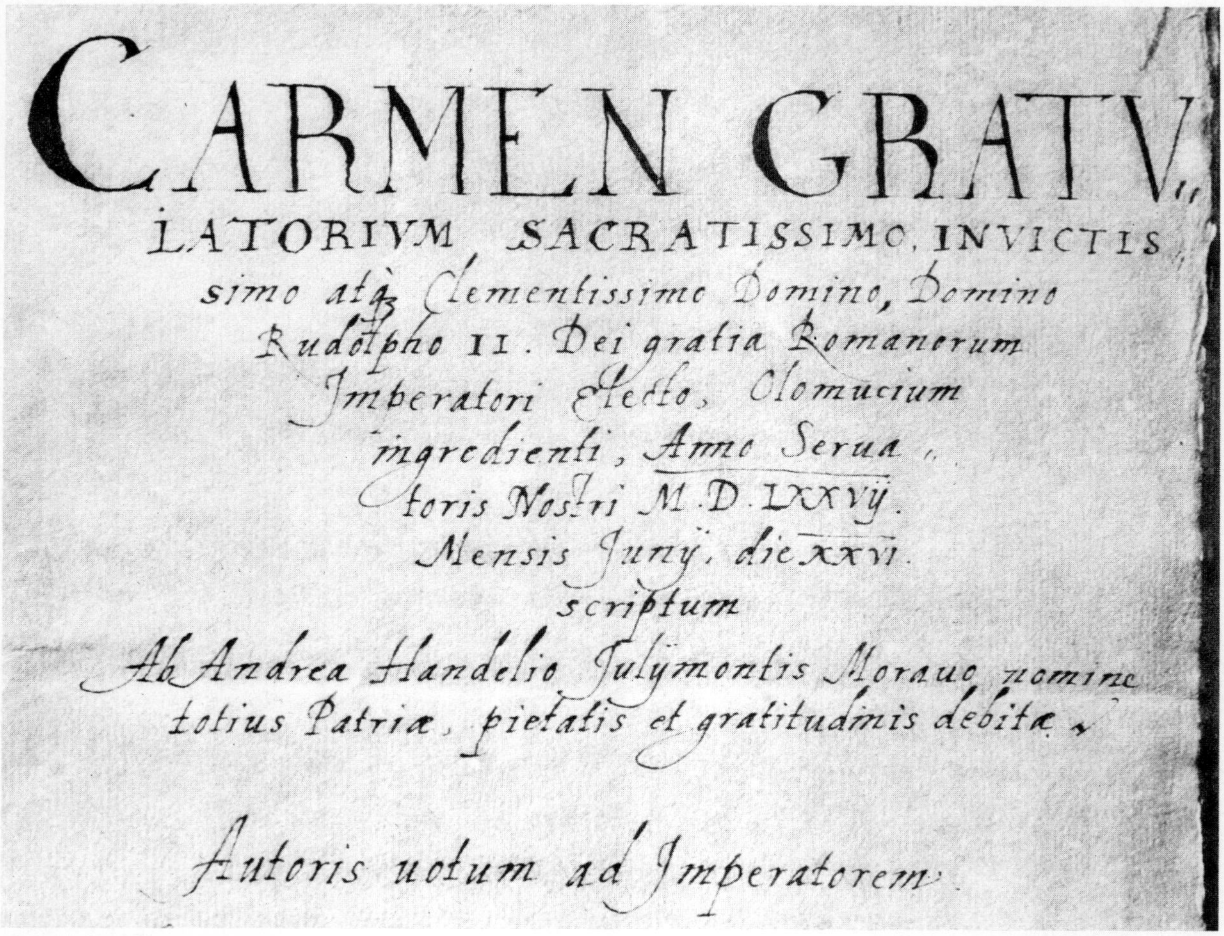
CARMEN GRATV-
LATORIVM SACRATISSIMO, INVICTIS-
simo atq; Clementissimo Domino, Domino
Rudolpho II. Dei gratia Romanorum
Imperatori Electo, Olomucium
ingredienti, Anno Serua-
toris Nostri M.D.LXXVij.
Mensis Junij. die XXVI.
scriptum
Ab Andrea Handelio Julÿmontis Morauo nomine
totius Patriæ, pietatis et gratitudinis debitæ.

Autoris uotum ad Imperatorem.

Abb. 361 Cod. 8803, fol. 119ʳ Olmütz, 1577

IN HONOREM ILLVSTRISSI-
mi principis ac Domini Domini Rū-
dolphi II Romanorum Cæsaris
Hungariæ Bohemiæq; Regis
Archiducis Austriæ etc.
Domini Sui Clementis-
simi
Authore
M: Iacobo Ziegelio Monacensi
Anno Salutis M.D.LXXViij

Abb. 362 Cod. 9922, fol. 1ʳ 1578

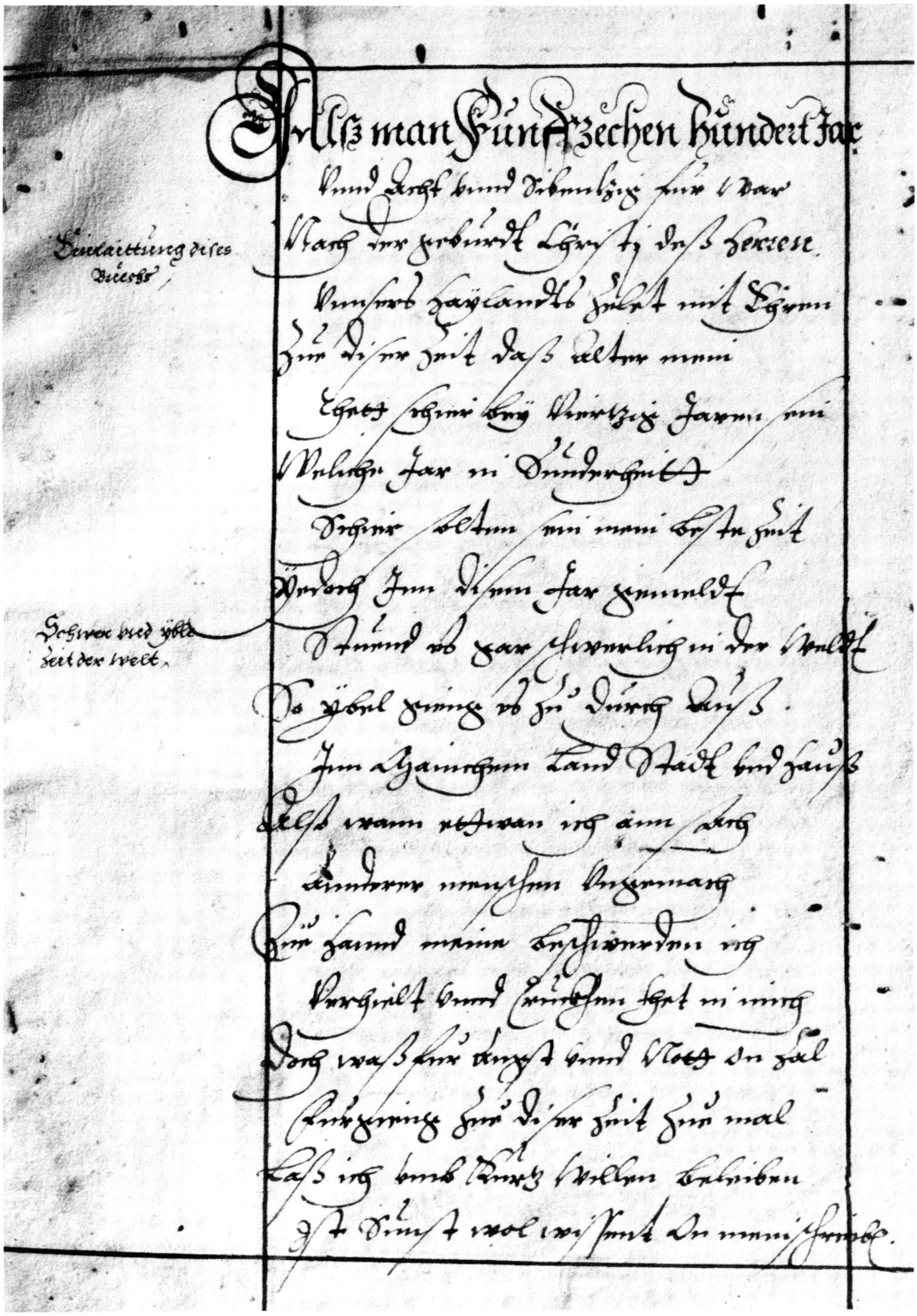
Alſʒ man Fünffzechen hundert Jar

Abb. 363 Cod. 9373*, fol. 2r Augsburg (?), 1578

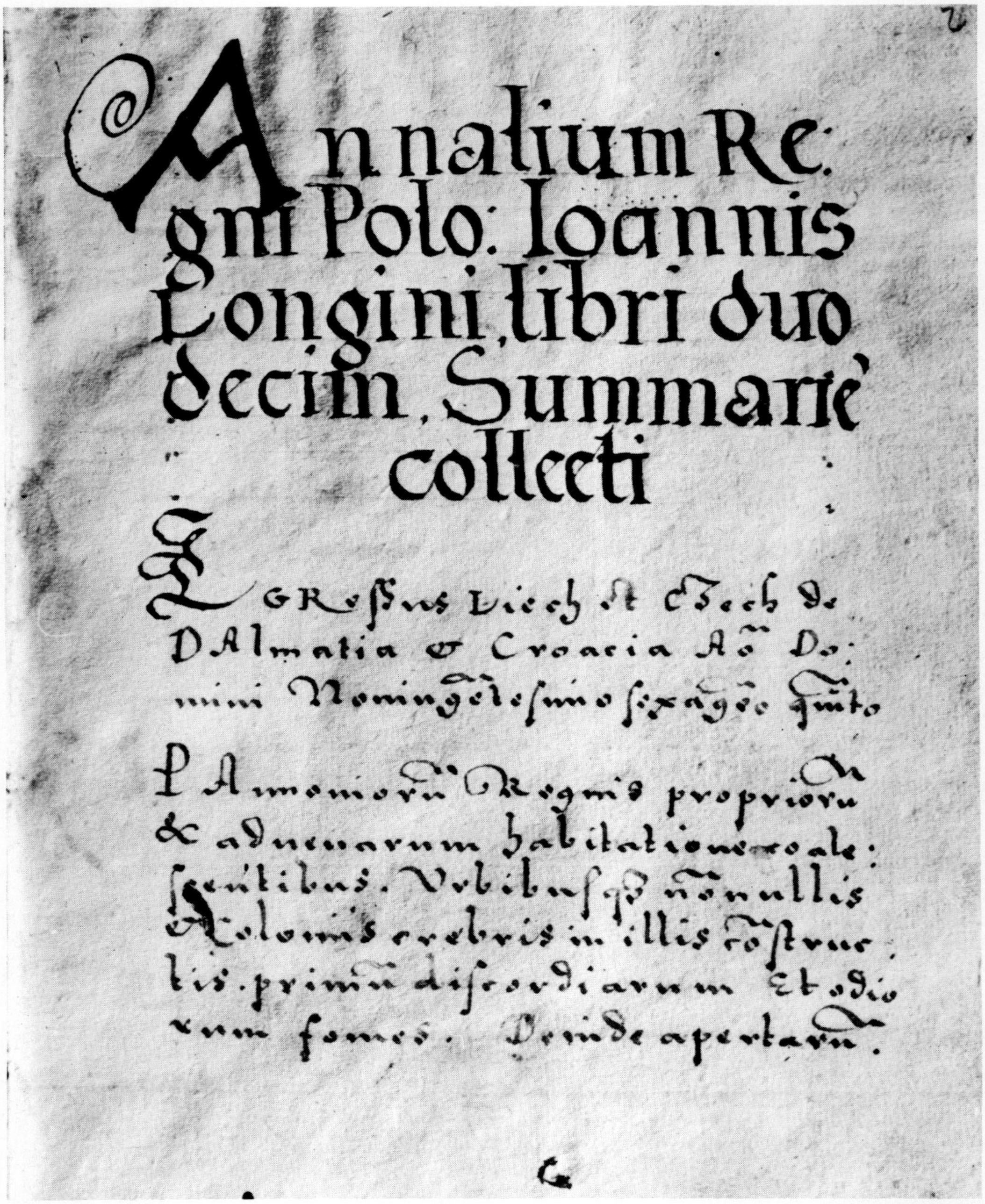
Annalium Re-
gni Polo: Ioannis
Longini, libri duo
decim, Summarie
collecti

Egressus Liech et Czech de
Dalmatia et Croacia Ao Domini Noningētesimo sexagēo qnto

Pannoniorū Regnis propriorū
et advenarum habitationē coale-
scētibus. Vrbibusq3 nonnullis
Colonis crebris in illis cōstruc-
tis. primū discordiarum Et odio
rum fomes. Deinde apertarū.

Abb. 364 Cod. 8557, fol. 2r (Polen), 1578

e del quale io con molto piacere amiro, e spesso
lodo la grandezza dell'animo, e del Valor suo.
Si come à V. S. A. ne potrà fare piena fede il
nobilissimo, virtuosissimo, et ornatissimo d'ogni
valore, che à gentil Cavaliere s'appartenga,
il Sig.r Camillo Albizzi mio Sig.re e Pad.ne: #
Il quale à bocca supplirà, à quanto in questi
pochi versi non hò possuto io esplicare per
piena sodisfattione del mio proposito. Resta,
ch'ella m'accetti nel numero de' suoi servitori,
frà quali io mi son già dedicato; e le bacio
con ogni debita riverenza le Ser.me mani,
pregandole da N. S.re ogni felicità, e grandezza.
Da Fiorenza li V. di Maggio 1578 —
Di V. S. A.

humil.mo ser.re

Giovanni Cervoni
da Colle

(Margin:) # Coppiere di quella santiss.a e realiss.a Donna;

Abb. 365 Cod. 10252, fol. 3v Florenz, 1578

Ein kurtzer Begriff / von den KriegsÄmptern / vnd bestellung des gantzen Kriegs wesens. etc.

Vom Krieg vnd Kriegs herrn etc.

Zwey ding hat Gott der Allmechtig geordnet / die der Menschen leben vnd wesen, vnd all Ihr thuen fürnemblich Regieren vnd zu guetem ende bringen.

Nemblich. Die Vernunfft vnd die Zeit.

Die Vernunfft soll aller ding, darmit sy vmbgehet, natur, art vnd aigenschafft bedencken vnd wissen, vnd sich in allen

Abb. 366 Cod. 10773, fol. 3r Kriegsheim, 1578

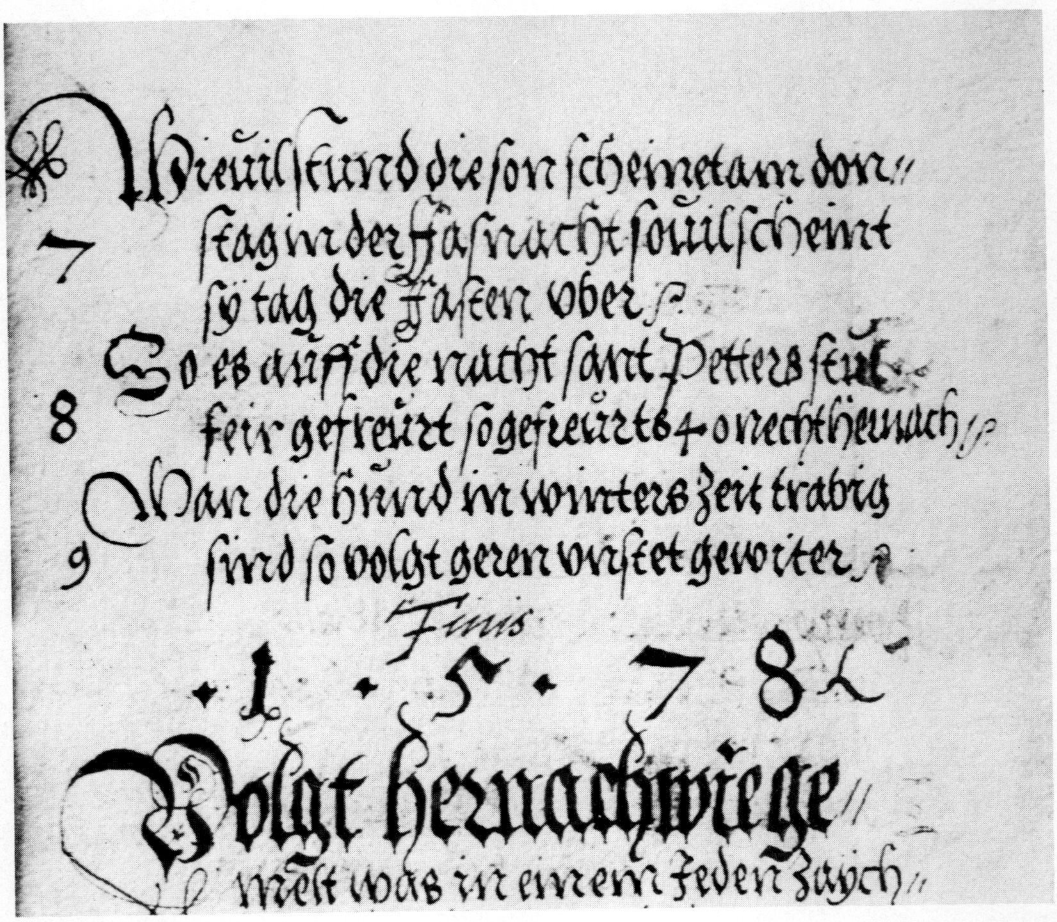
Wie vil stund die son scheinet am donnerstag in der fasnacht so vil scheint

7 sy tag die fasten vber etc.

So es auff die nacht sant Petters stul

8 feir gefreürt so gefreürt es 40 necht hernach etc.

Wan die hirrd in winters zeit trabig

9 sind so volgt geren vnstet gewitter.

Finis

1.5.78

Volgt hernach wie gevelt was in einem jeden zaych

Abb. 367 Cod. 10638, fol. 5v 1578

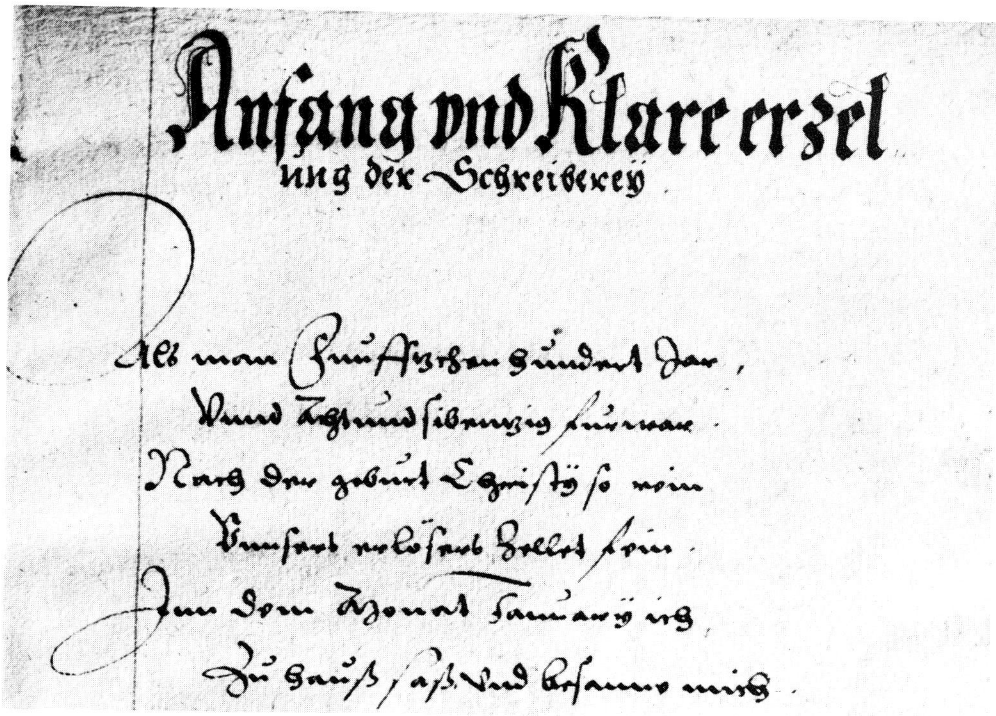
Anfang vnd Klare erzel
ung der Schreiberey

Als man Christ fünfzehen hundert Jar,
Vund achtundsibenzig fürwar.
Nach der geburt Christi so rein
Vnnsers erlösers hellert fein.
Im dem Monat Januarii ich
Zu hauß saß vnd besann mich.

Abb. 368 Cod. 9833, fol. 2r 1578

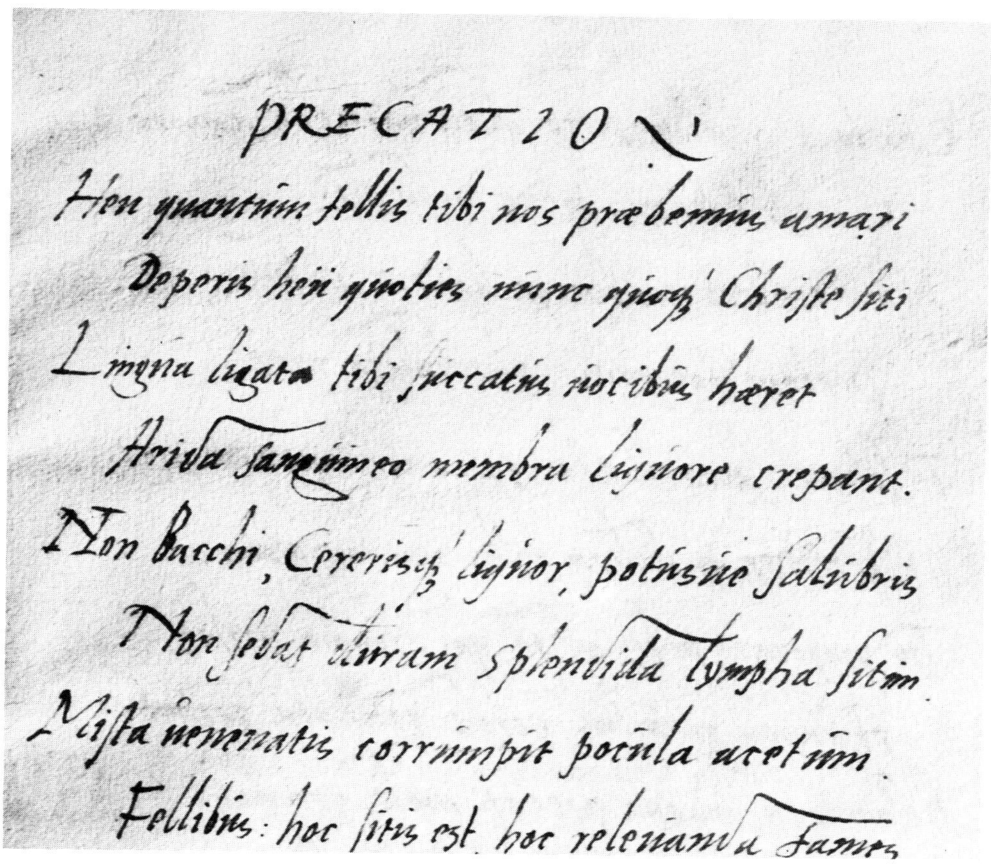
PRECATIO.

Heu quantum fellis tibi nos praebemus amari
Deperis heu quoties nunc quoque Christe siti
Lingua ligata tibi siccatis faucibus haeret
Arida sanguineo membra liquore crepant.
Non Bacchi, Cererisque liquor, potusve salubris
Non sedat diram splendida lympha sitim
Mista venenatis corrumpit pocula acetum
Fellibus: hoc sitis est. hoc relevanda fames

Abb. 369 Cod. 9903, fol. 13r 1578

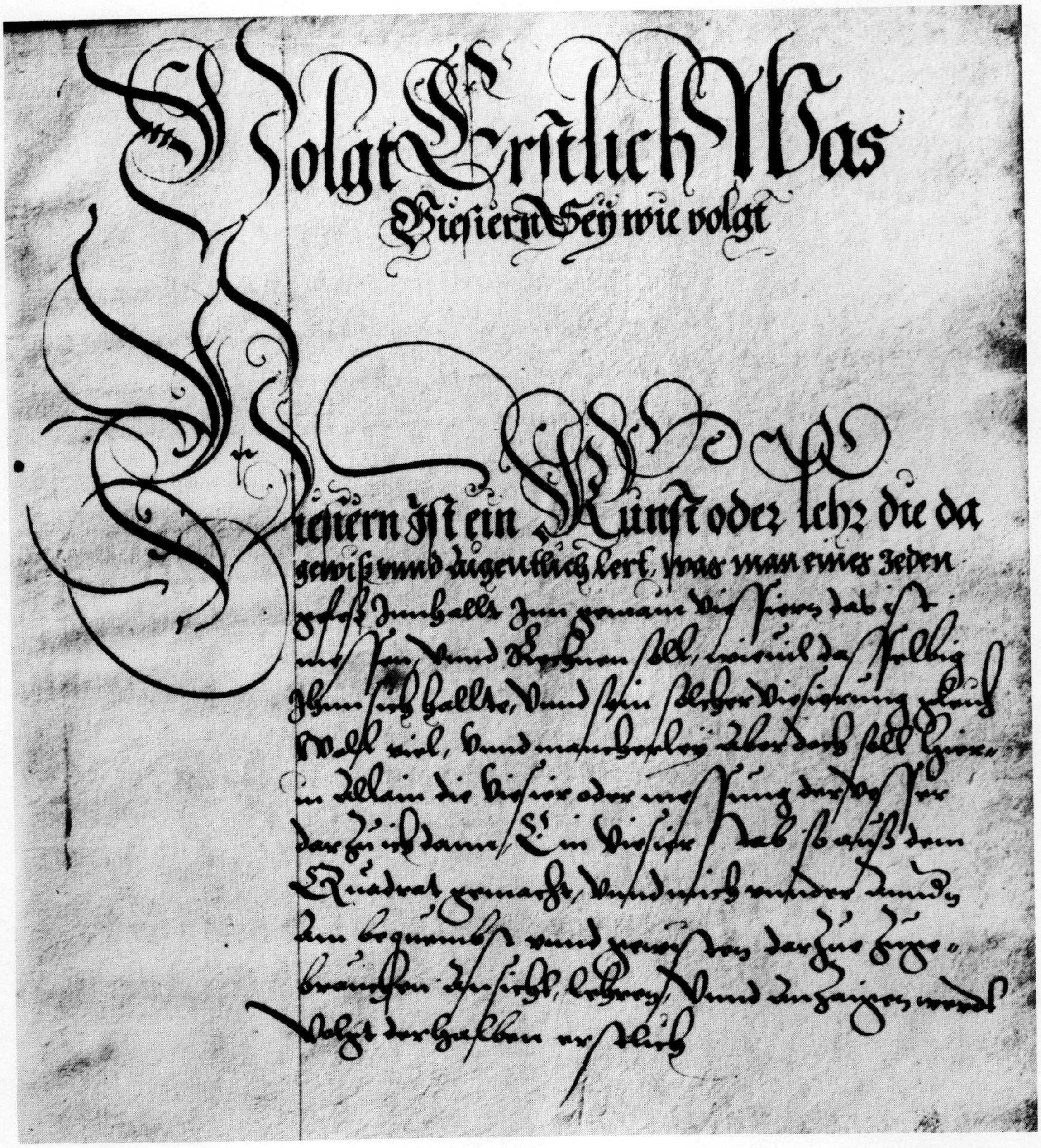

Volgt Erstlich Was Visiern Sey wie volgt

Visiern ist ein Kunst oder lehr die da gewiß vnnd aigentlich lert, was man einer jeden

Abb. 370 Cod. Ser. n. 3781, fol. 5r (Nürnberg ?), 1578

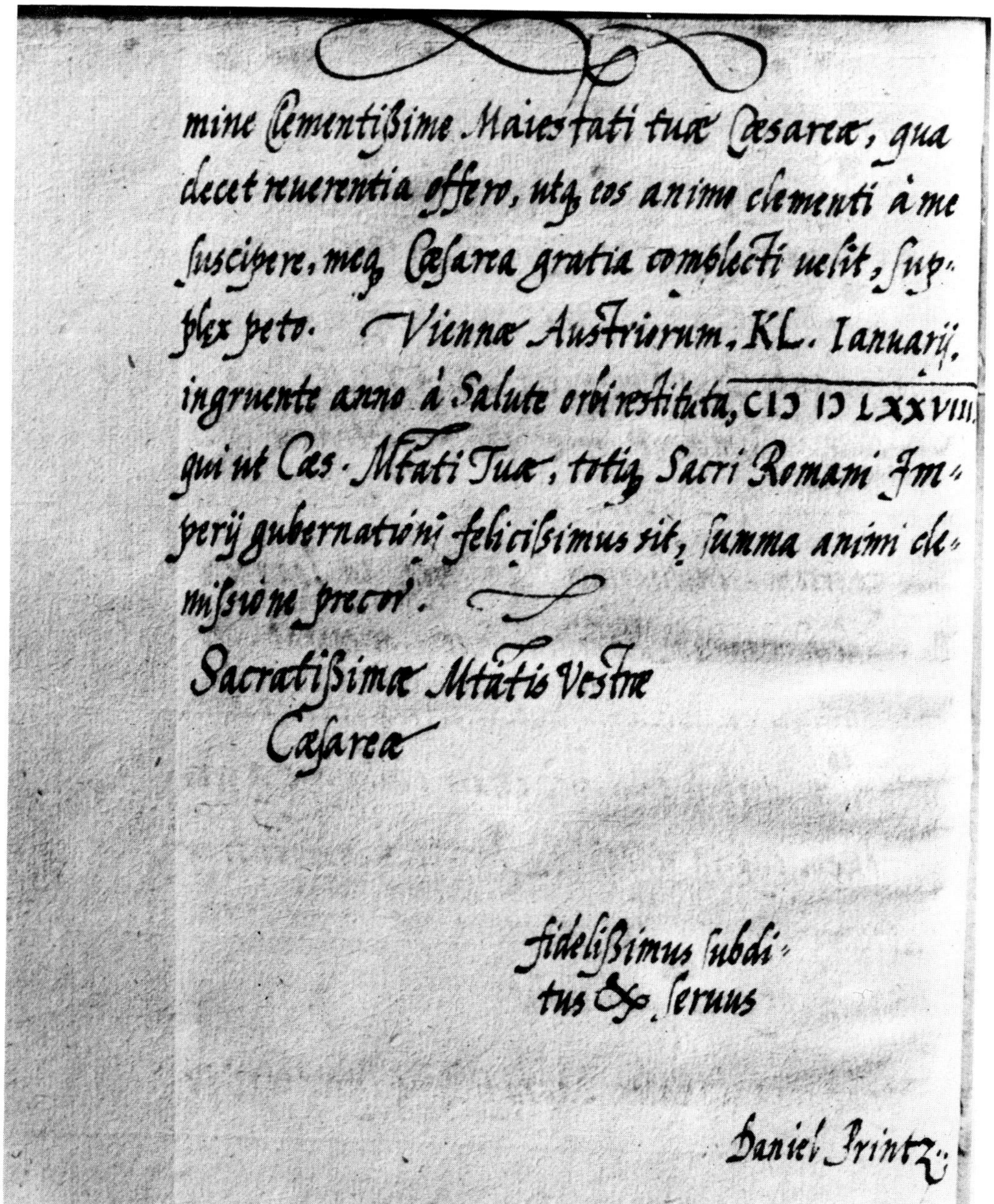

mine Clementißime Maiestati tuæ Cæsareæ, qua
decet reuerentia offero, utque eos animo clementi à me
suscipere, meque Cæsarea gratia complecti uelit, sup-
plex peto. Viennæ Austriorum, KL. Ianuarij,
ingruente anno à Salute orbi restituta, CIↃ IↃ LXXVIII.
qui ut Cæs. Mtati Tuæ, totique Sacri Romani Imperij gubernationi felicißimus sit, summa animi de-
mißione precor.

Sacratißimæ Mtatis Vestræ
Cæsareæ

fidelißimus subdi-
tus & seruus

Daniel Printz.

Abb. 371 Cod. 8874, fol. 5v Wien, 1578

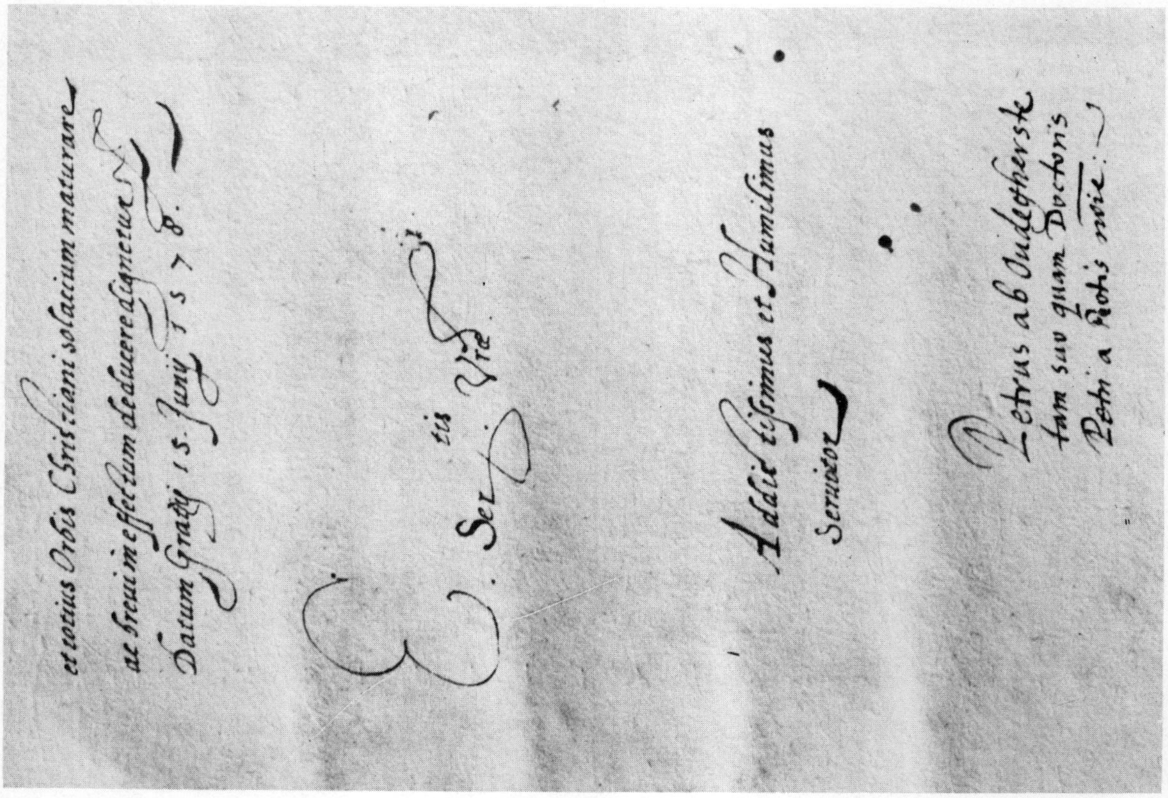
et totius Orbis Christiani solacium maturare
ac breui in effectum deducere dignetur.
Datum Gratij 15. Junij 1578.
E. Ser^tis V^rae
Addictissimus et Humilimus
Seruitor
Petrus ab Oudegherste
tam suo quam Doctoris
Petri a Rotis noie:

Abb. 373 Cod. 10326, fol. 6r Graz, 1578

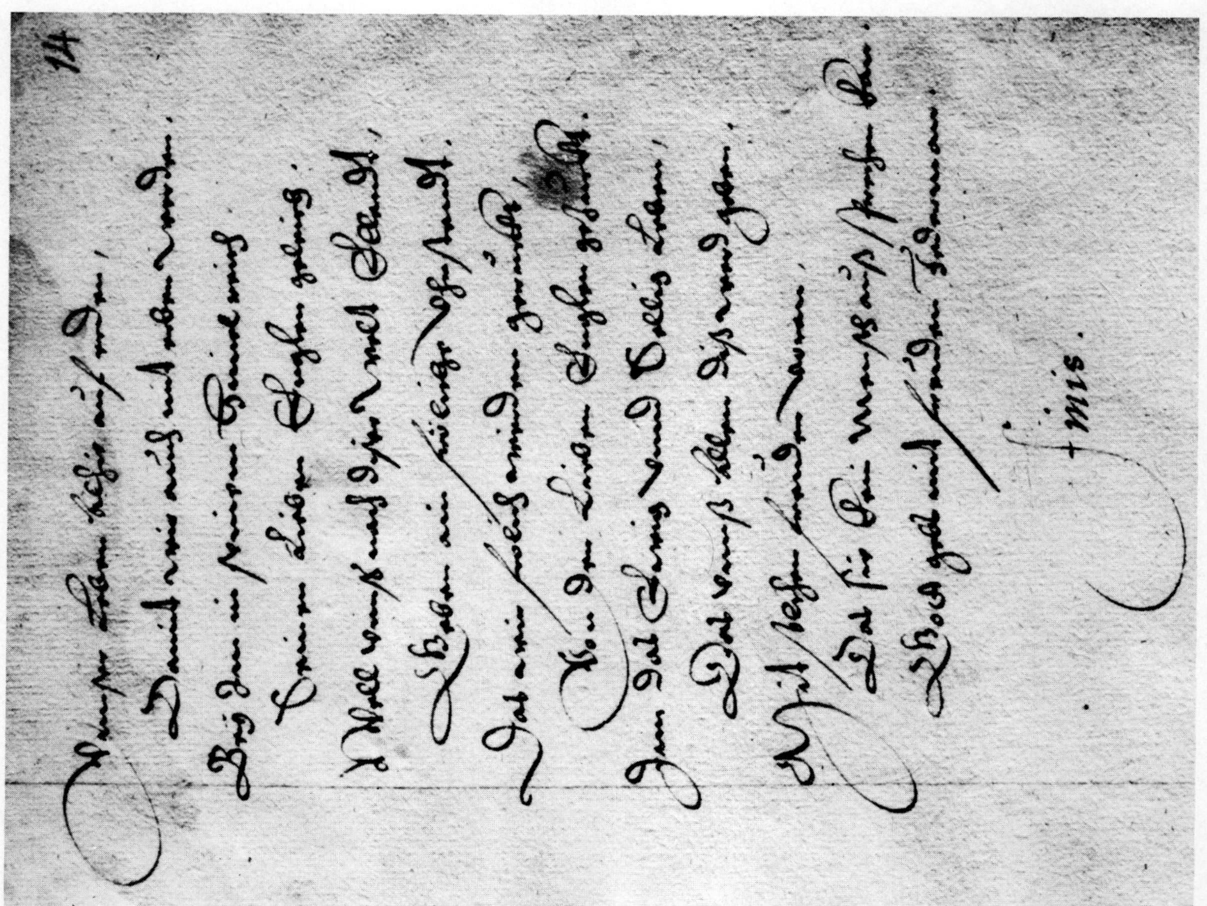

Abb. 372 Cod. 13684, fol. 14r 1578

Abb. 374 Cod. 11773, fol. 25r (verkleinert) Augsburg, 1579

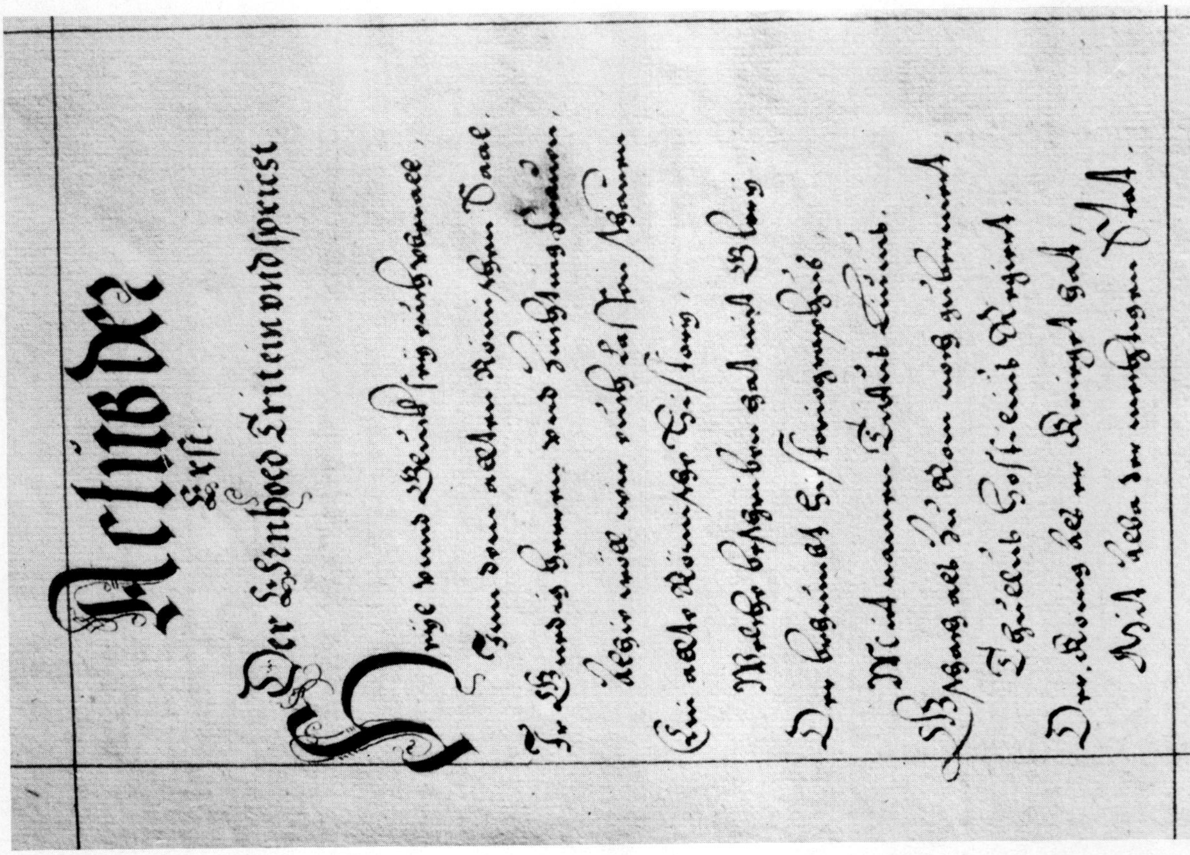

Abb. 376 Cod. 9832, fol. 2r 1579

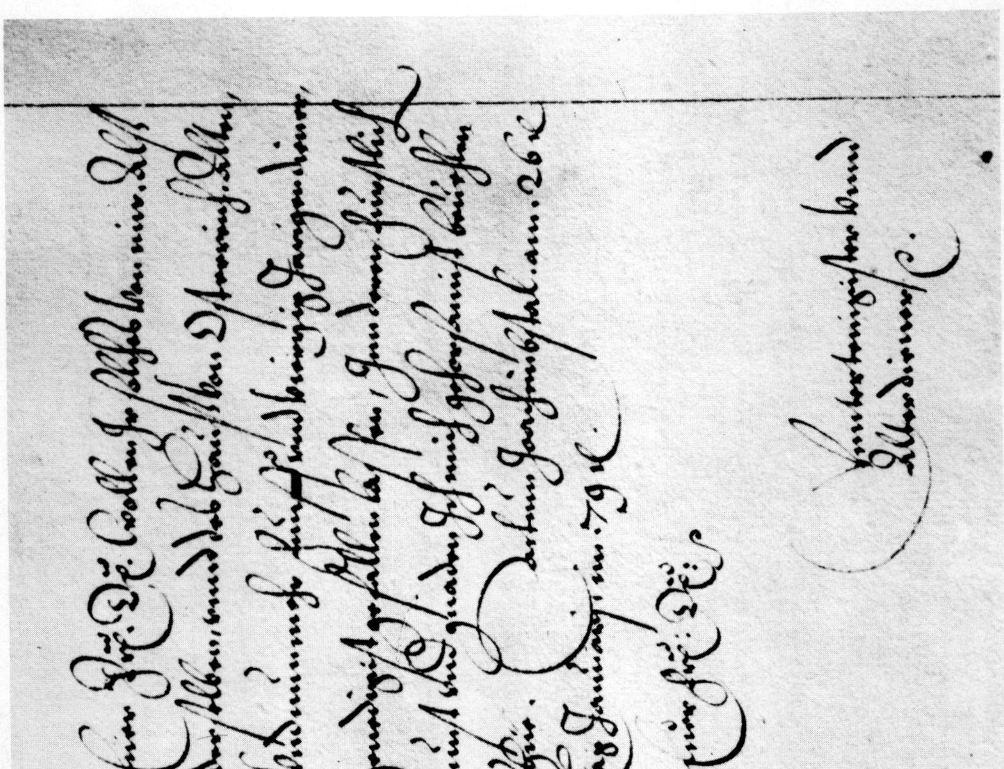

Abb. 375 Cod. 10998, fol. IIr Joachimsthal, 1579

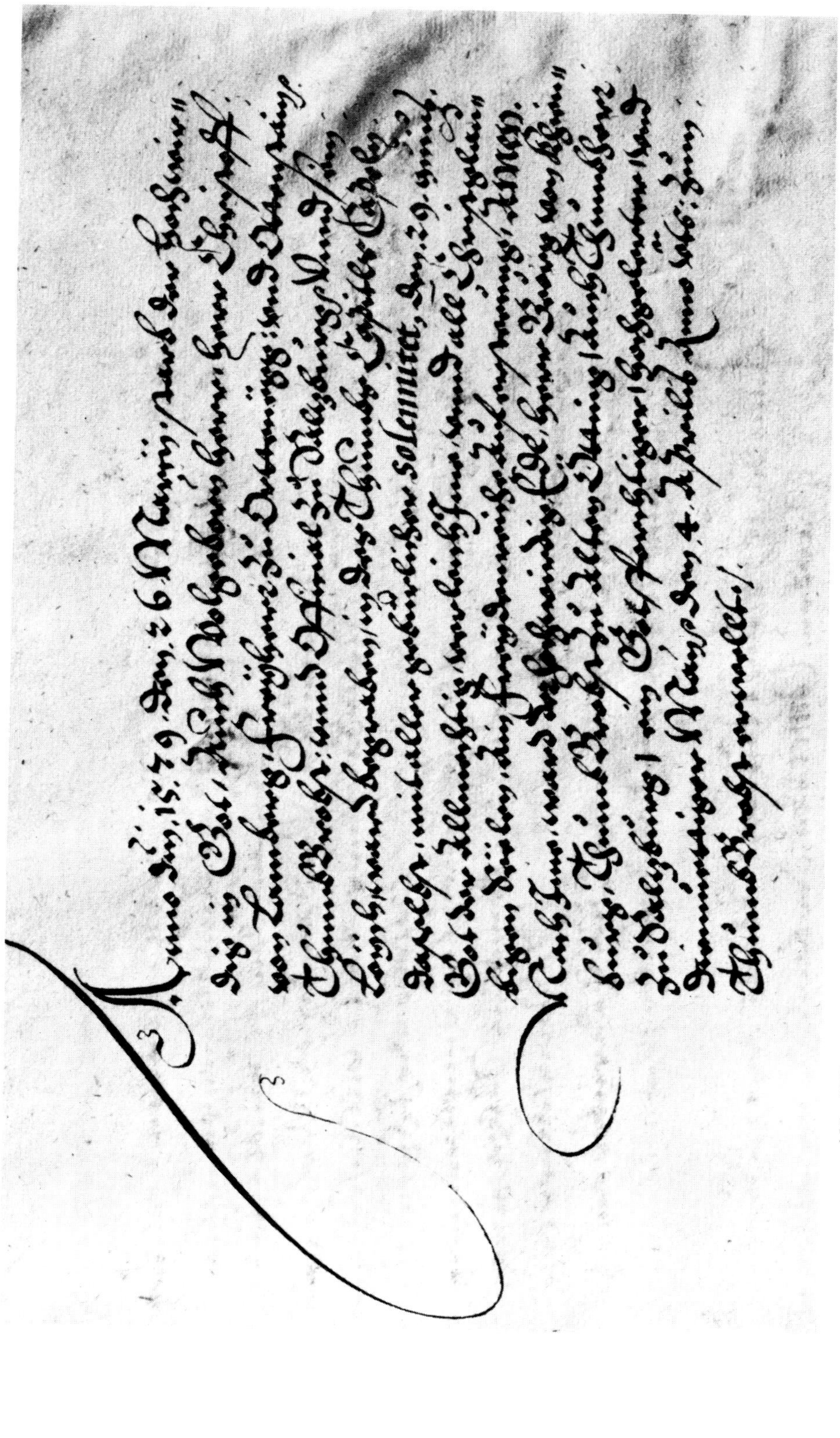

Abb. 377 Cod. 8009, fol. 366v 1579

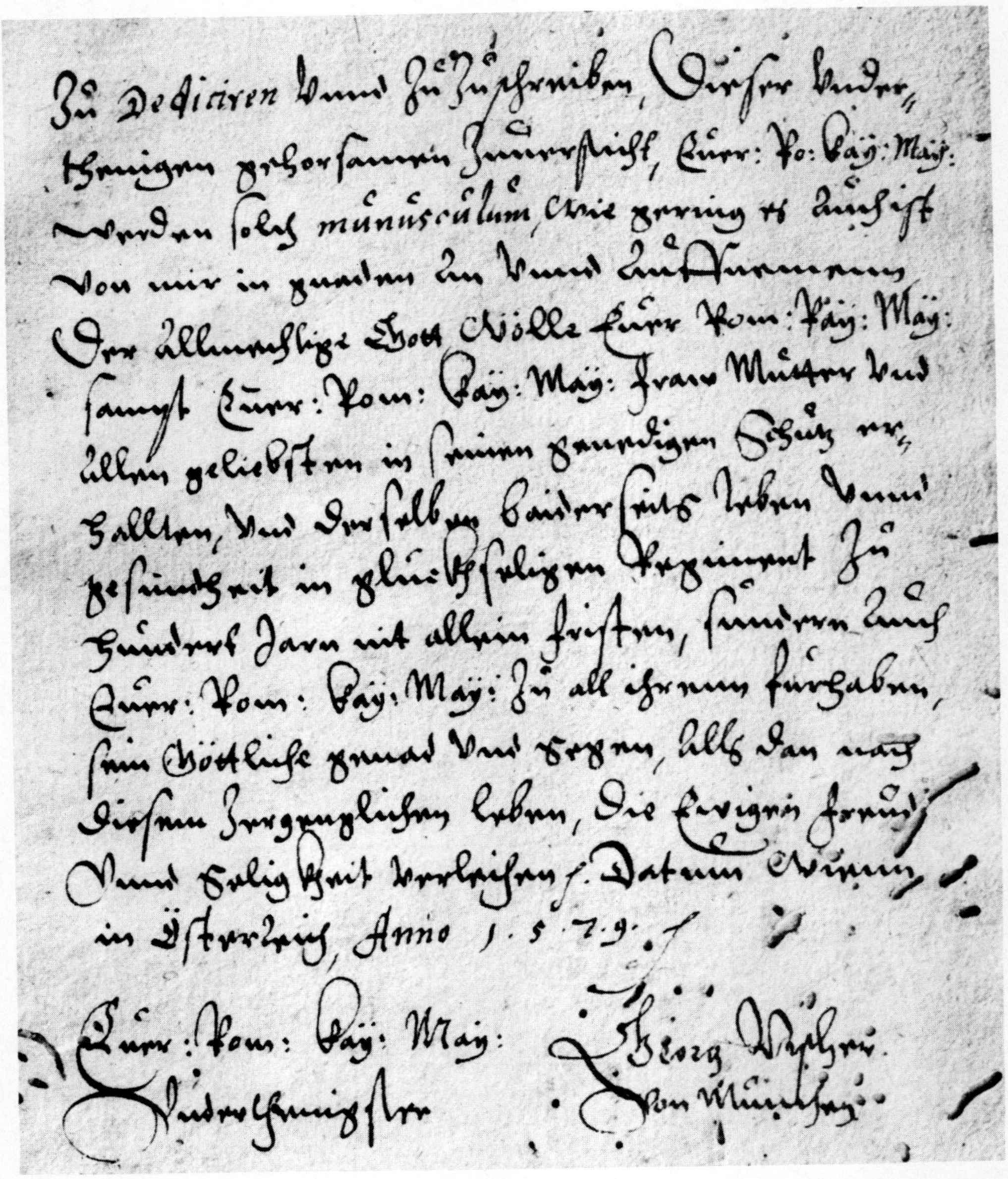

Zu Dedicirn vnnd zu zuschreiben, dieser vnder-
thenigen gehorsamen zuuersicht, Eur: Ro: Kay: May:
werden solch munusculum, wie gering es auch ist
von mir in gnaden an vnnd auffnemen.
Der allmechtige Gott wölle Eur Rom: Kay: May:
sampt Eur: Rom: Kay: May: Frau Muter vnd
allen geliebsten in seinem gnedigen Schutz erhalten, vnd derselben baiderseits leben vnnd
gesundheit in glückhseligem Regiment zu
hundert Jaren nit allein fristen, sondern auch
Eur: Rom: Kay: May: zu all ihrem fürhaben,
sein Göttliche gnad vnd segen, alls dan nach
diesem zergenglichen leben, die Ewige freud
vnnd seligkheit verleihen. Datum Wienn
in Österreich, Anno 1.5.7.9.

Eur: Rom: Kay: May:
Vndertheinigister
Georg Wicher
von Münichen

Abb. 378 Cod. 9829, fol. 2r Wien, 1579

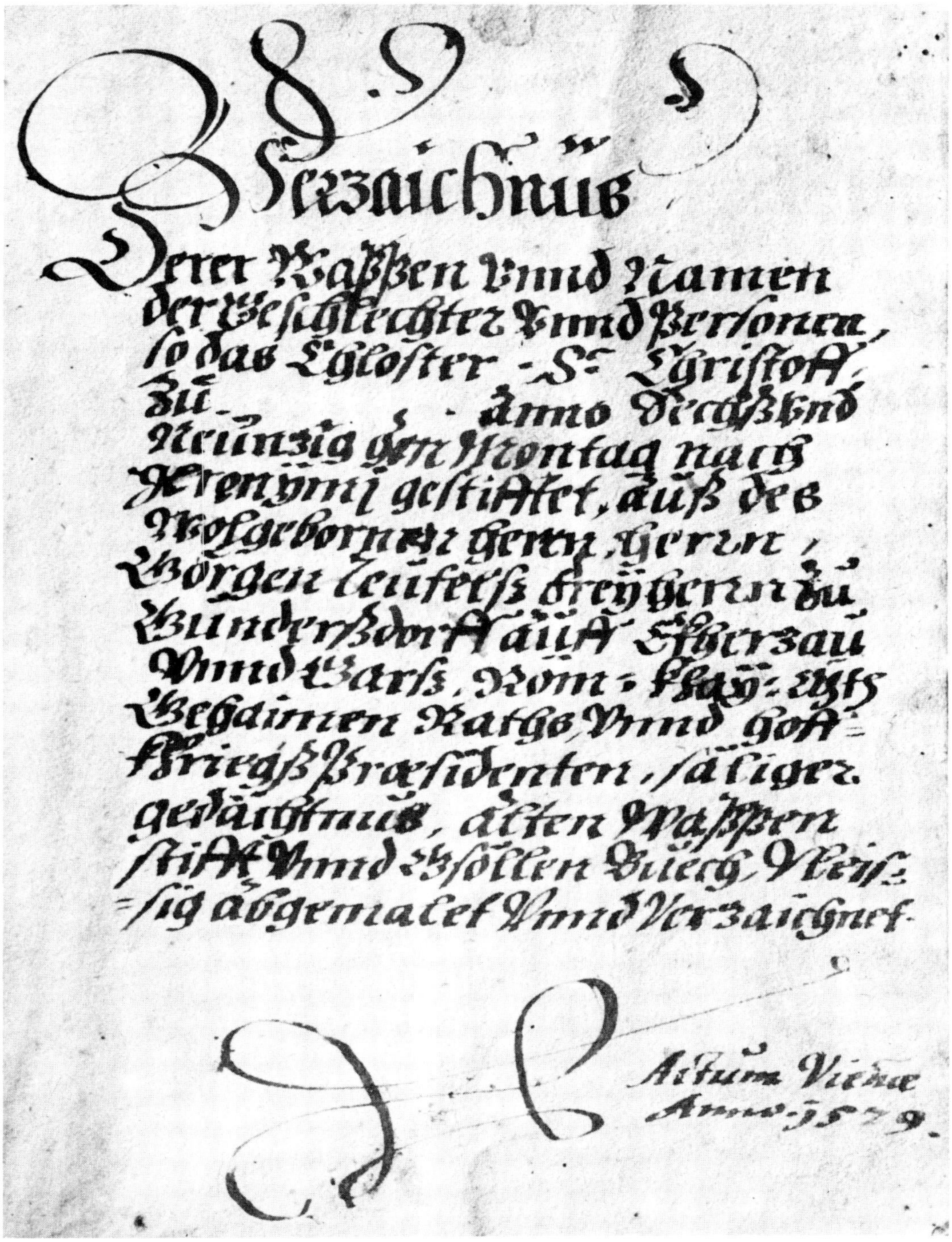

Verzaichnus
Derer Wappen vnnd Namen der Geschlechter vnnd Personen, so das Closter S. Christoff zu . . Anno Sechs vnnd Neunzig den Montag nach [illegible] gestifftet, auß des Wolgebornen Herrn, Herrn Jörgen Teuffels Freyherrn zu Gundersdorff auf Enzersau vnnd Tars, Röm. Kay. Mts. Gehaimen Raths vnnd Hoff Kriegß Praesidenten, säliger gedächtnuß, alten Wappen Stifft vnnd Schöllen Buech vleis=sig abgemalet vnnd verzaichnet.

Actum Viennae Anno 1579.

Abb. 379 Cod. 7357, fol. 187v Wien, 1579

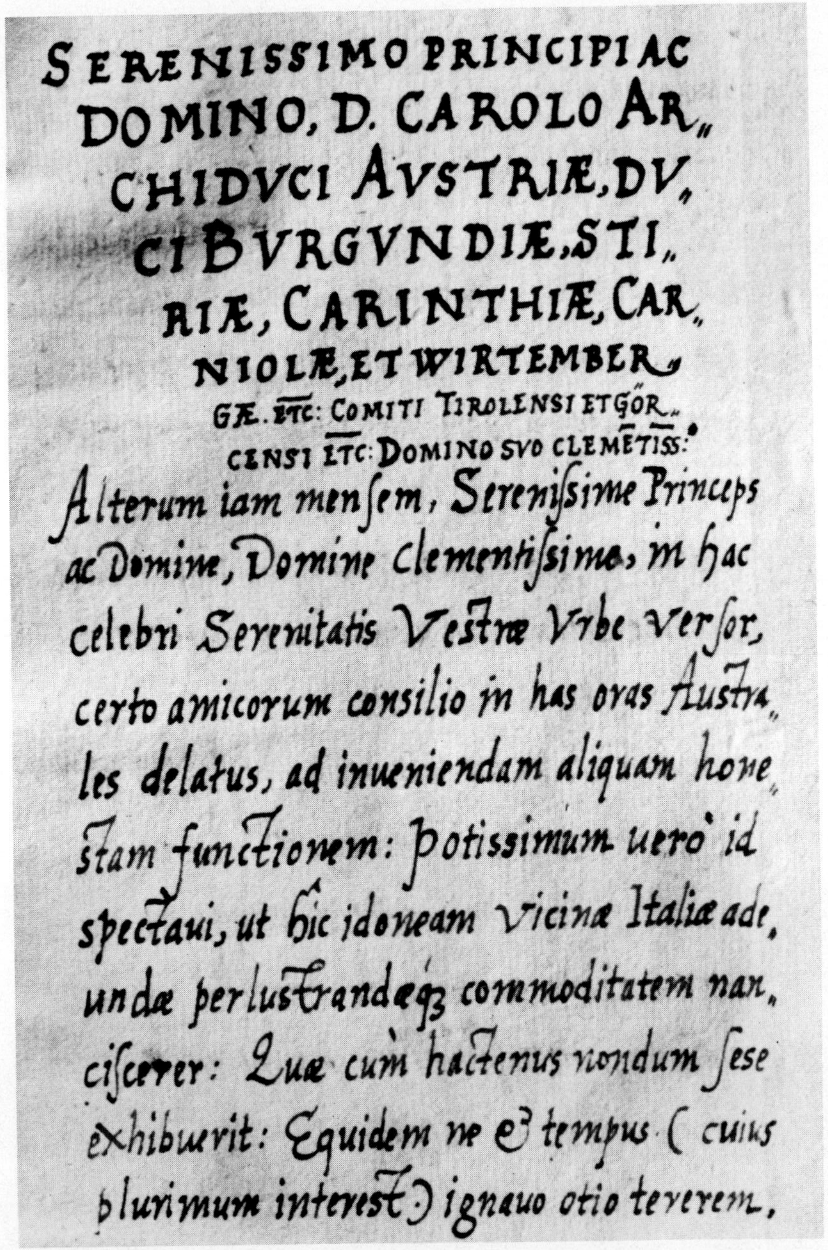

SERENISSIMO PRINCIPI AC
DOMINO, D. CAROLO AR„
CHIDVCI AVSTRIÆ, DV„
CI BVRGVNDIÆ, STI„
RIÆ, CARINTHIÆ, CAR„
NIOLÆ, ET WIRTEMBER„
GÆ. ETC: COMITI TIROLENSI ET GÖR„
CENSI ETC: DOMINO SVO CLEMĒTISS:°

Alterum iam mensem, Serenissime Princeps
ac Domine, Domine clementissime, in hac
celebri Serenitatis Vestræ Vrbe versor,
certo amicorum consilio in has oras Austra„
les delatus, ad inueniendam aliquam hone„
stam functionem: potissimum uerò id
spectaui, ut hic idoneam vicinæ Italiæ ade„
undæ perlustrandæq; commoditatem nan„
ciscerer: Quæ cum hactenus nondum sese
exhibuerit: Equidem ne et tempus (cuius
plurimum interest:) ignauo otio tererem,

Abb. 380 Cod. 6965, fol. 1r Graz, 1579

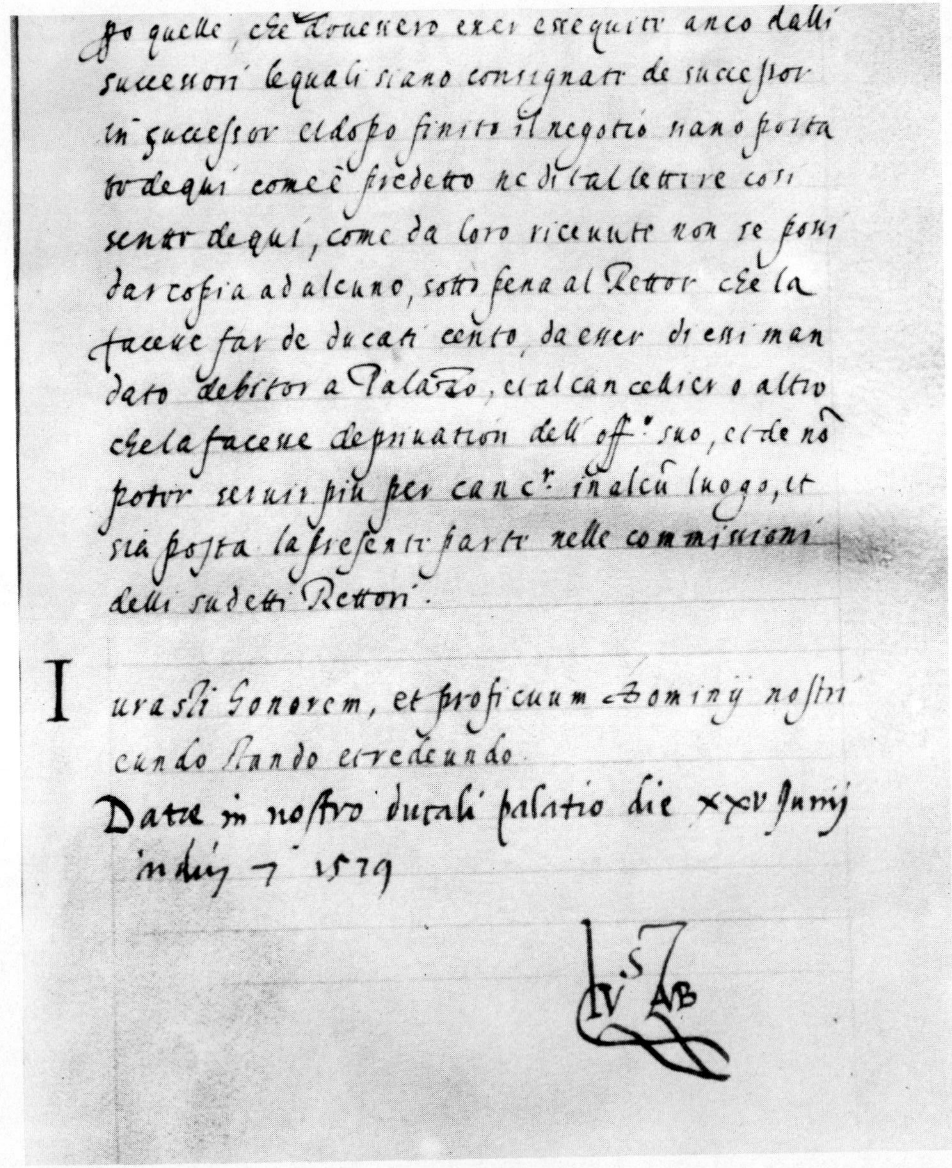

fo quelle, che doueriano esser esequite anco dalli
successori lequali siano consignate de successor
in successor et doppo finito il negotio siano porta
te de qui come è predetto ne di tal lettere cosi
senate de qui, come da loro riceuute non se possi
dar copia ad alcuno, sotto pena al Rettor che la
facesse far de ducati cento, da esser di essi man
dato debitor a Palazzo, et al cancellier o altro
che la facesse de priuation dell'off.° suo, et che no
potesse seruir più per canc.r in alcun luogo, et
sia posta la presente parte nelle commissioni
delli sudetti Rettori.

I urasti honorem, et proficuum Dominij nostri
cundo stando et redeundo.

Datæ in nostro ducali palatio die xxv Junij
indic. 7 1579

Abb. 381 Cod. 5899, fol. 100r Venedig, 1579

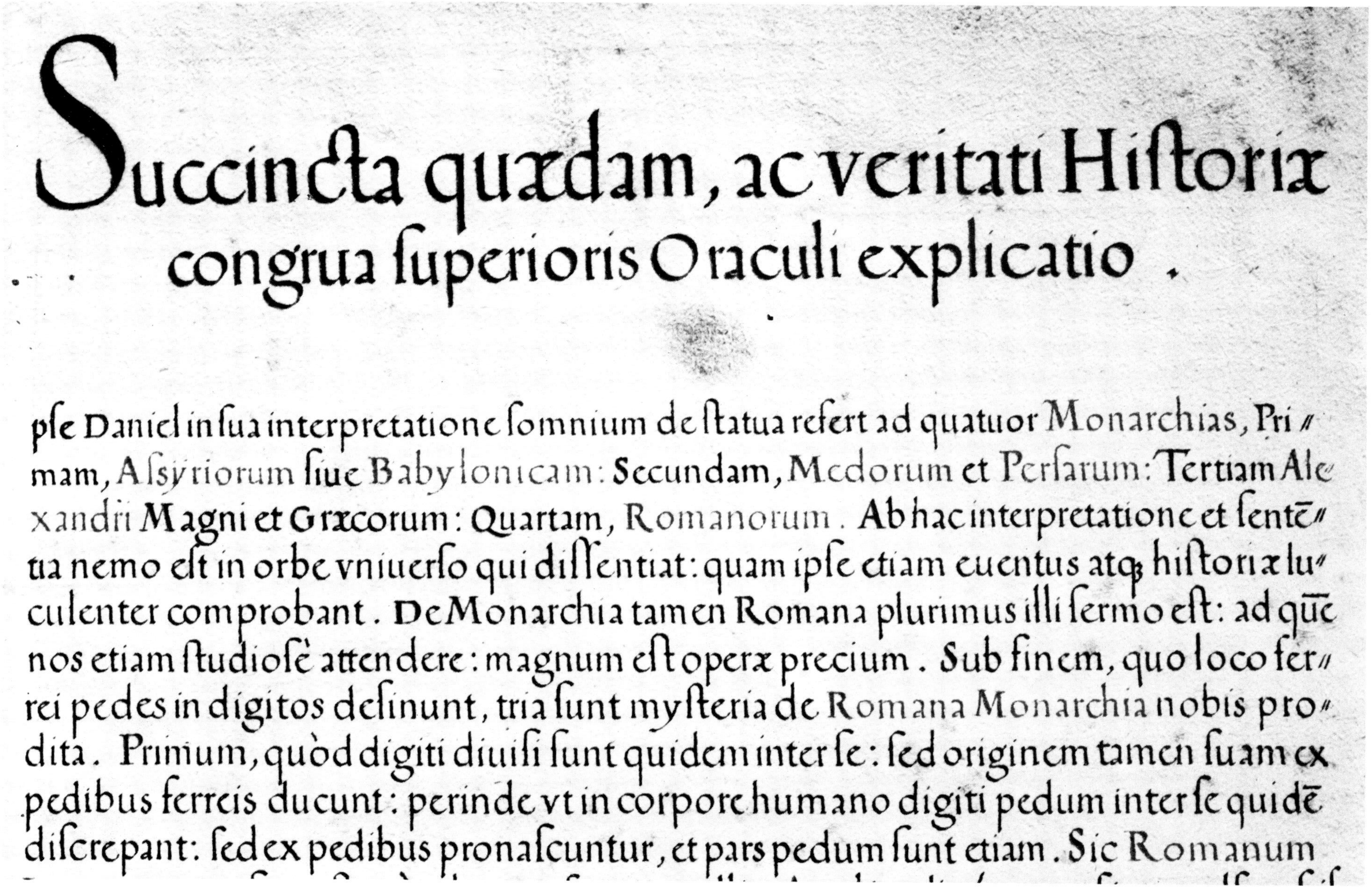

Succincta quædam, ac veritati Historiæ congrua superioris Oraculi explicatio.

pse Daniel in sua interpretatione somnium de statua refert ad quatuor Monarchias, Pri-
mam, Assyriorum siue Babylonicam: Secundam, Medorum et Persarum: Tertiam Ale-
xandri Magni et Græcorum: Quartam, Romanorum. Ab hac interpretatione et sentē-
tia nemo est in orbe vniuerso qui dissentiat: quam ipse etiam euentus atq; historiæ lu-
culenter comprobant. De Monarchia tamen Romana plurimus illi sermo est: ad quē
nos etiam studiosè attendere: magnum est operæ precium. Sub finem, quo loco fer-
rei pedes in digitos desinunt, tria sunt mysteria de Romana Monarchia nobis pro-
dita. Primum, quòd digiti diuisi sunt quidem inter se: sed originem tamen suam ex
pedibus ferreis ducunt: perinde vt in corpore humano digiti pedum inter se quidē
discrepant: sed ex pedibus pronascuntur, et pars pedum sunt etiam. Sic Romanum

Abb. 382 Cod. 15167, fol. 5v Augsburg, 1580

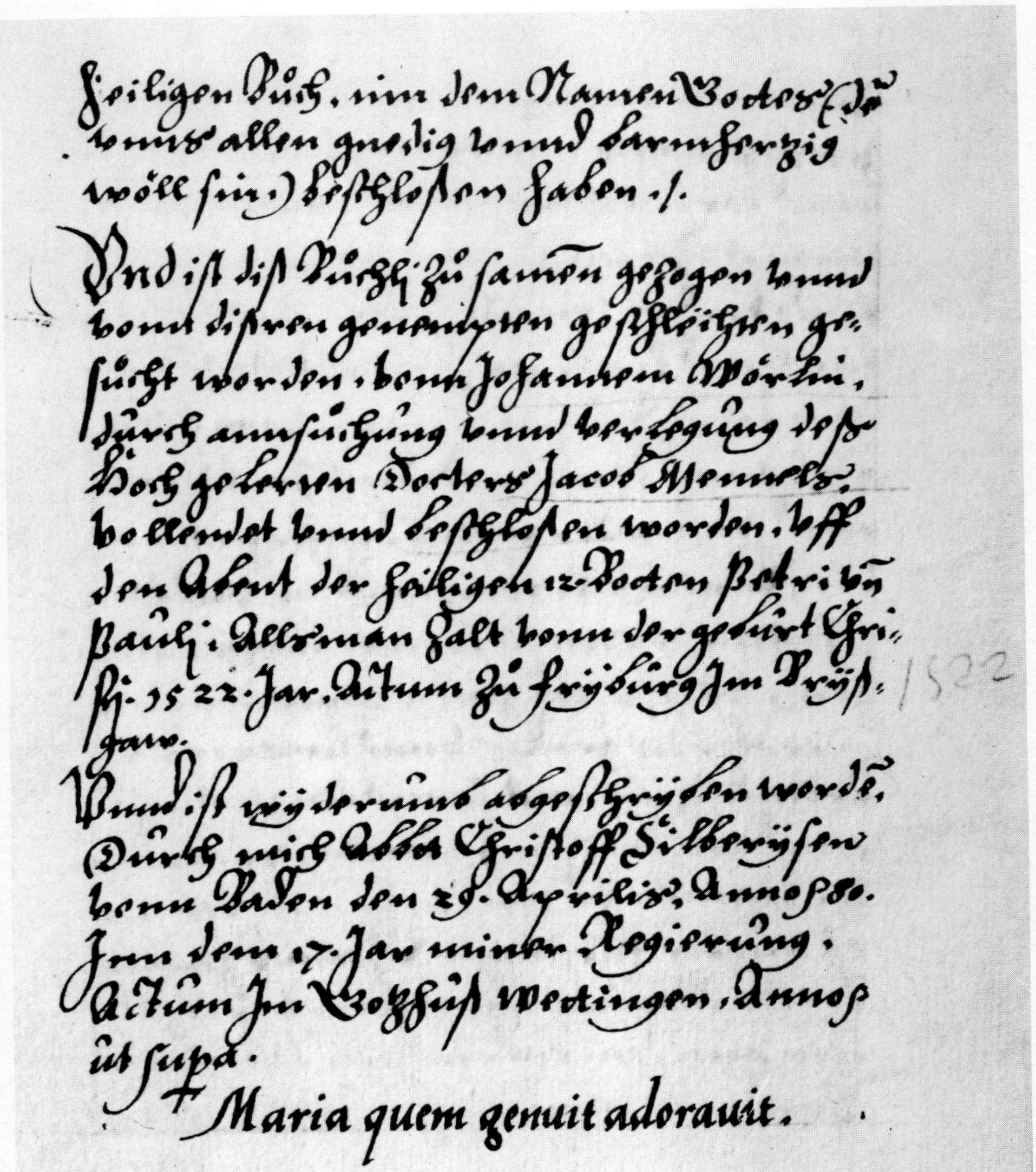
heiligen Büch. im dem Namen Gotes der
vnns allen gnedig vnnd barmhertzig
wölle sin.) beschlossen haben ./.
Vnd ist diß Büch zu samen gezogen vnnd
vonn disen genampten geschlechten ge-
sücht worden. vonn Johannen Wörlin.
durch anmüchung vnnd verlegung deß
Hochgelerten Doctors Jacob Mennels.
vollendet vnnd beschlossen worden. vff
den Abent der häiligen 12 Botten Petri vñ
Pauli. Alls man zalt vonn der geburt Christi 1522. Jar. Actum zu Fryburg Im Brysß-
gaw. 1522
Vnnd ist widerumb abgeschryben wordē.
Durch mich Abbt Christoff Silberysen
vonn Baden den 29. Aprilis, Anno 80.
Inn dem 17. Jar miner Regierung.
Actum Im Gotzhus Wettingen. Anno
ut supra.
+ Maria quem genuit adorauit.

Abb. 383 Cod. 7369, fol. 52v Wettingen, 1580

Oratio De S. Hieronymo, Academiae Dilingana Patrono, atque Protectore:

Quod florentissimae, huius Academiae laudabilis consuetudo, quod D. Hieronymi Patroni nostri praestantissima materia, quod nostrum erga ipsum studium officiumque deposcit hodierna luce illum laudandi, atque exornandi oportunitatem mihi se oblatam, vehementer equidem laetor. Et quamvis sciam excellentissimas illius doctrinae et sanctitatis laudationes, tum a viris doctissimis, tum a modestissimis adolescentib. hoc in loco frequenter habitas fuisse, ita ut nullam dicendi

Abb. 384 Cod. 9838, fol. 5r (Dillingen ?), 1580

Als man zalt nach Christi unnsers lieben Herrn unnd Seligmachers Geburt 1579 Jar denn 25 tag des Monats July haben die Herrn von Nürnberg ...

Abb. 385 Cod. 8697, fol. 2r Nürnberg (?), 1580

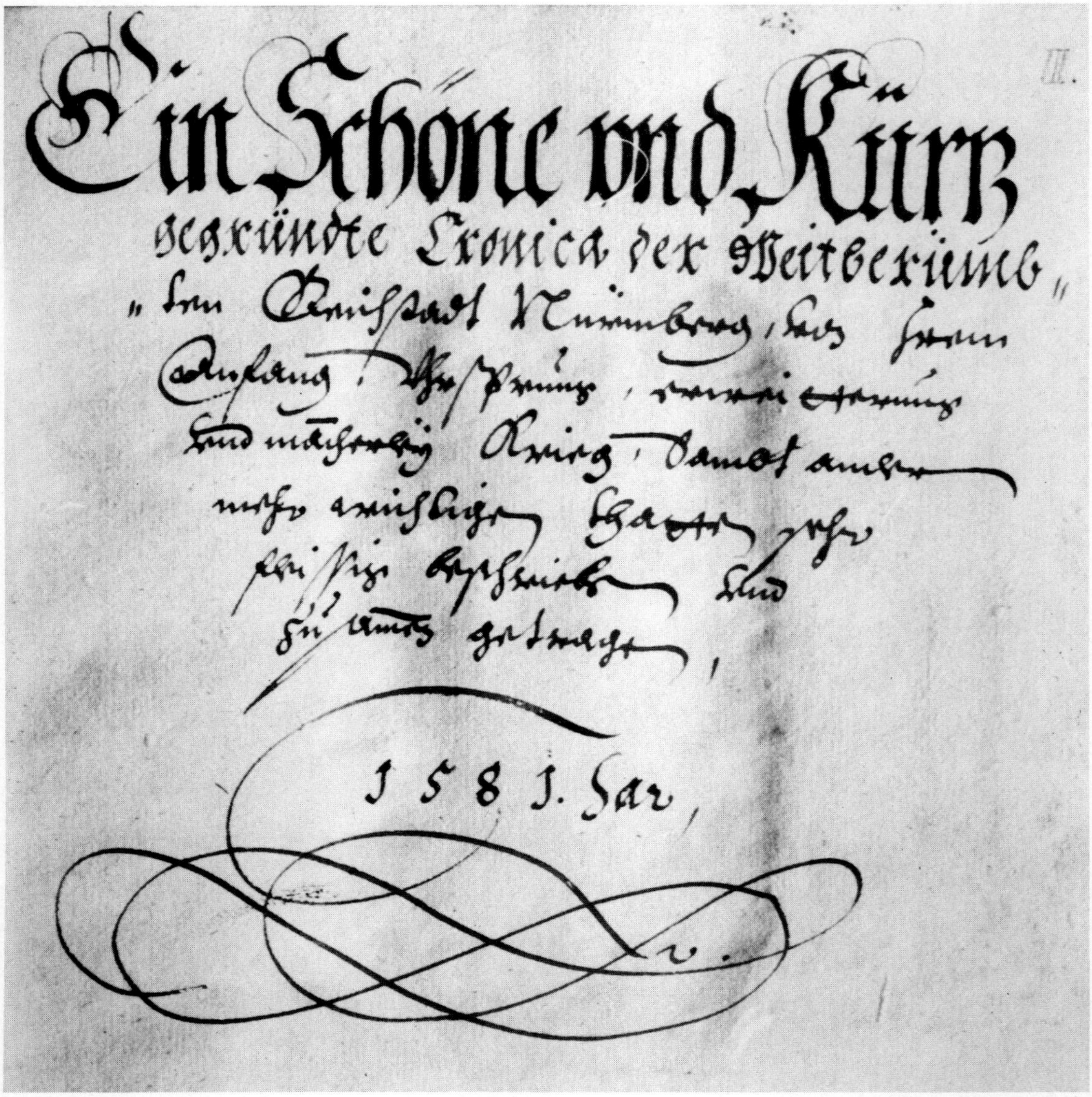

Abb. 386 Cod. 7795, fol. III^r (Nürnberg ?), 1581

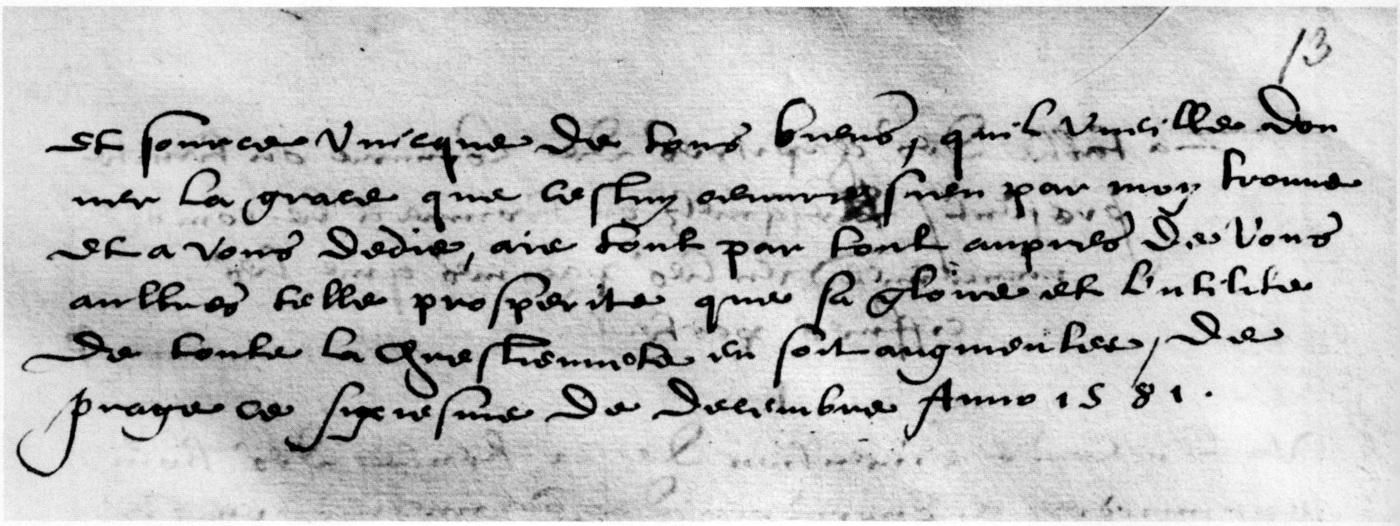

Abb. 387 Cod. 7200, fol. 13^r Prag, 1581

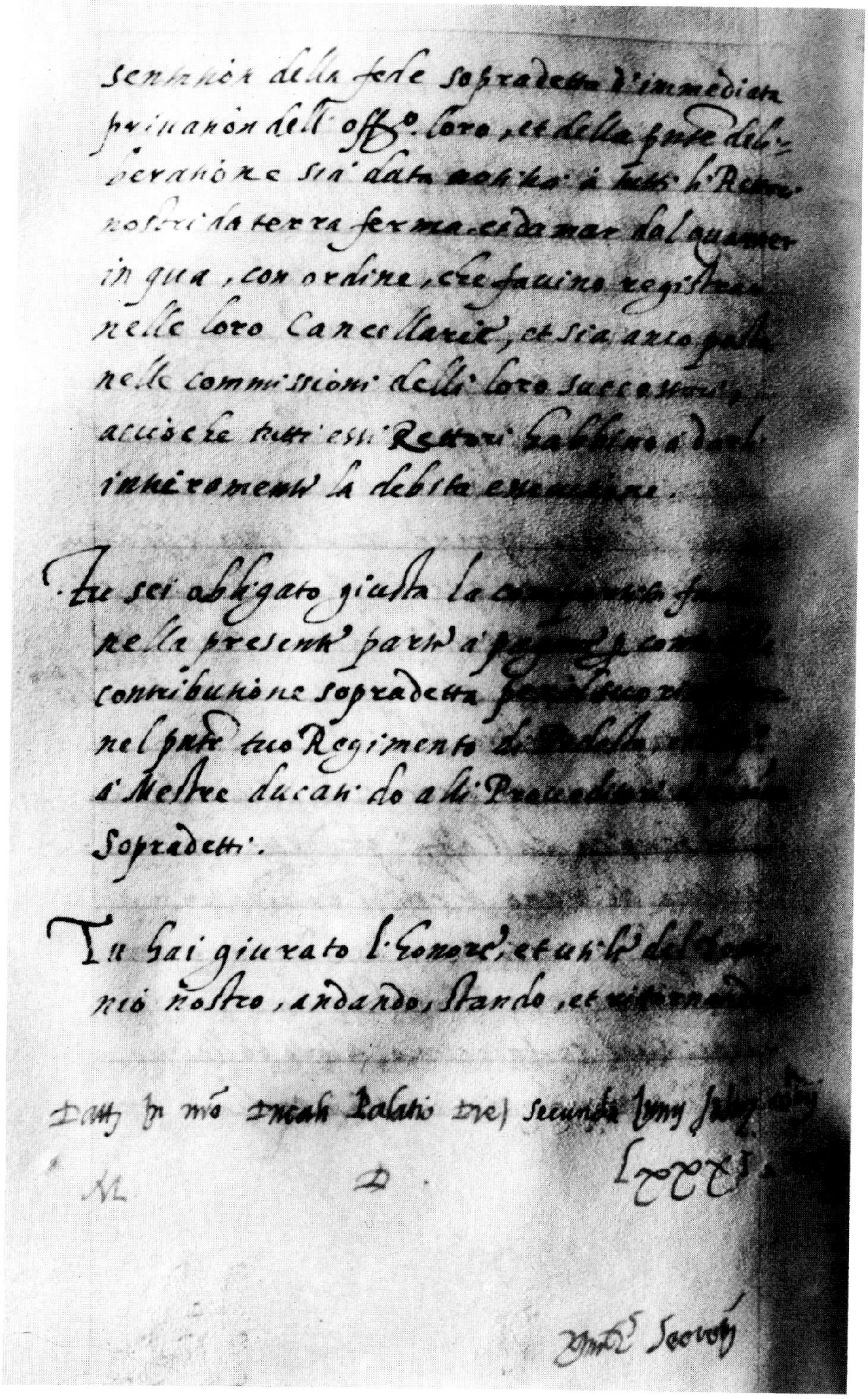
sententia della sede sopradetta d'immediata
privatione dell' off.o loro, et della parte deli-
beratione sia data notitia à tutti li Rettori
nostri da terra ferma et da mar dal quarner
in qua, con ordine, che facino registrar
nelle loro Cancellarie, et sia anco posta
nelle commissioni delli loro successori,
acciò che tutti essi Rettori habbino a dar
intieramente la debita essecutione.

Tu sei obligato giusta la [illegible]
nella presente parte à pagar [illegible]
contributione sopradetta [illegible]
nel pnte tuo Regimento di [illegible]
à Mestre ducati do alli Proveditori [illegible]
Sopradetti.

Tu hai giurato l'Honore, et util del Dominio nostro, andando, stando, et ritornando.

Datum in nro Ducali Palatio die secunda Junij [illegible]

Abb. 388 Cod. 5912, fol. 162v Venedig, 1581

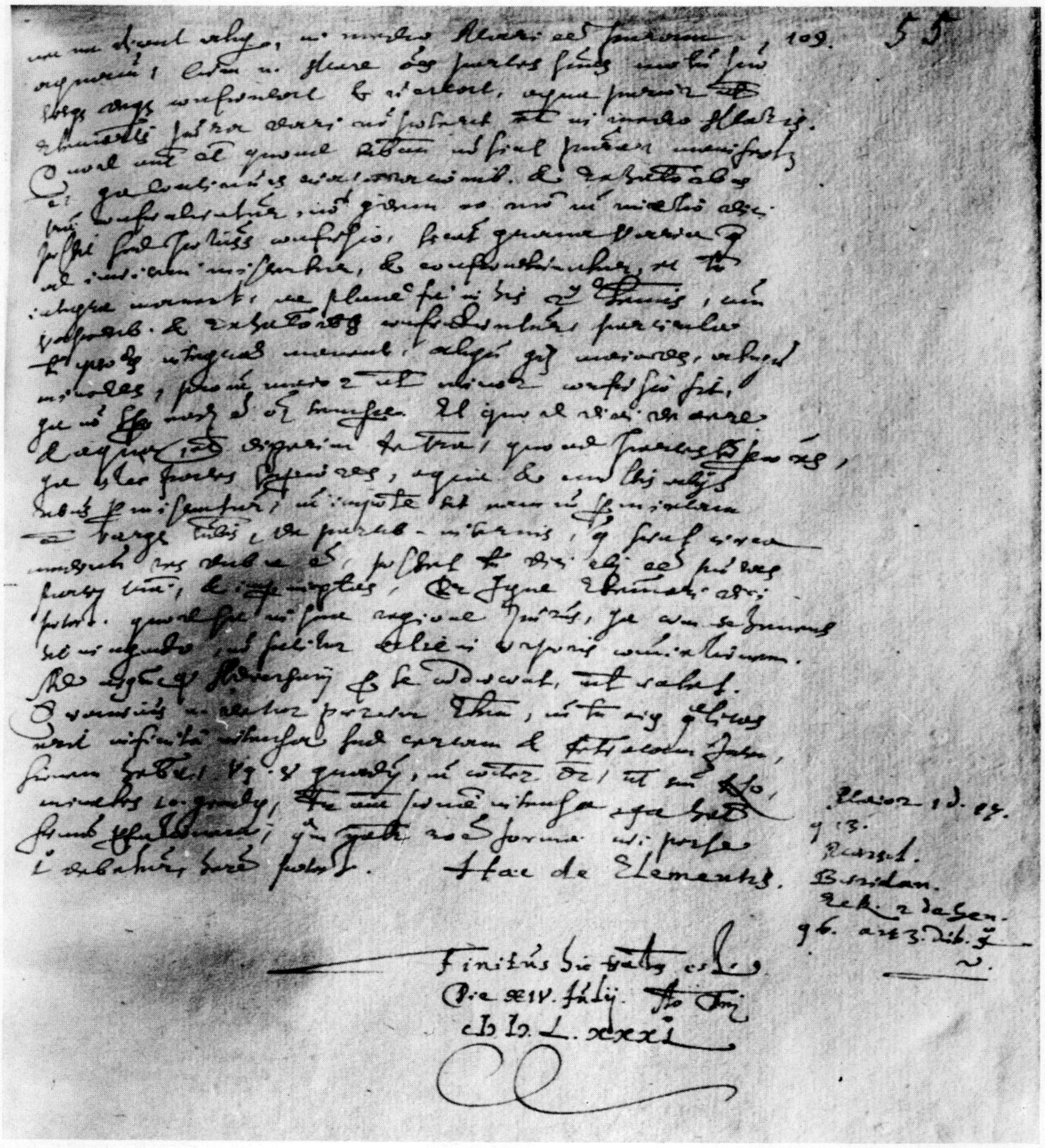

Abb. 389 Cod. 10516, fol. 55r Ingolstadt, 1581

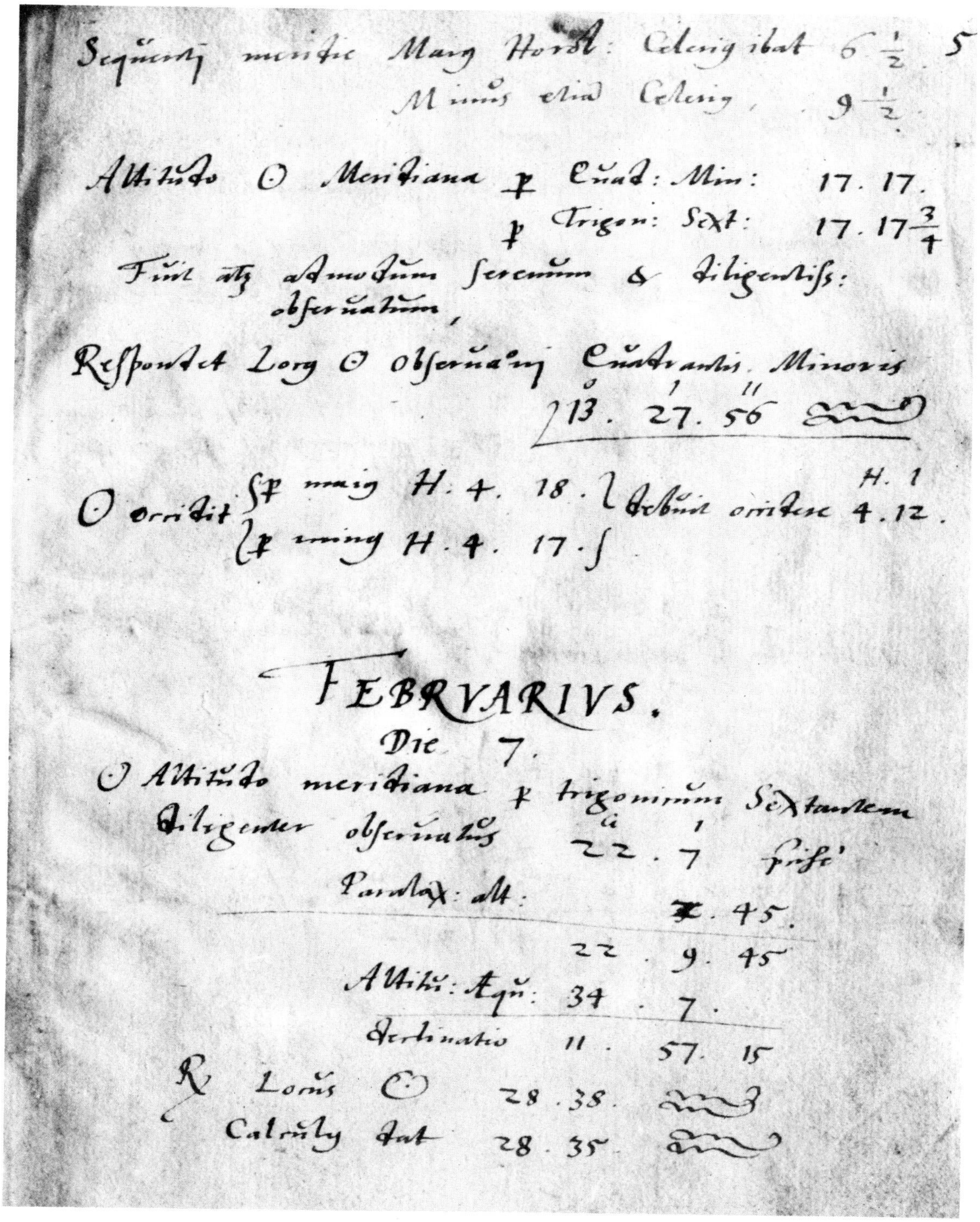
Sequenti meridie Marg. Horol: Celerig ibat 6 1/2. 5
Minus etiam Celerig. 9 1/2.

Altitudo ☉ Meridiana per Quad: Min: 17. 17.
per Trigon: Sext: 17. 17 3/4

Fuit atque admodum serenum & diligentiss: observatum,

Respondet Loco ☉ observationi Quadrantis Minoris
13. 27. 56 ♒

☉ oritur per maior H: 4. 18. / per minor H. 4. 17. — debuit oriri H. 4. 12.

FEBRVARIVS.
Die 7.
☉ Altitudo meridiana per trigonicum Sextantem diligenter observata 22. 7 fere
Parallax: alt: 2. 45.
22. 9. 45
Altitu: Aequ: 34. 7.
Declinatio 11. 57. 15
℞ Locus ☉ 28. 38. ♒
Calculus dat 28. 35. ♒

Abb. 390 Cod. 10657, pag. 5 1582

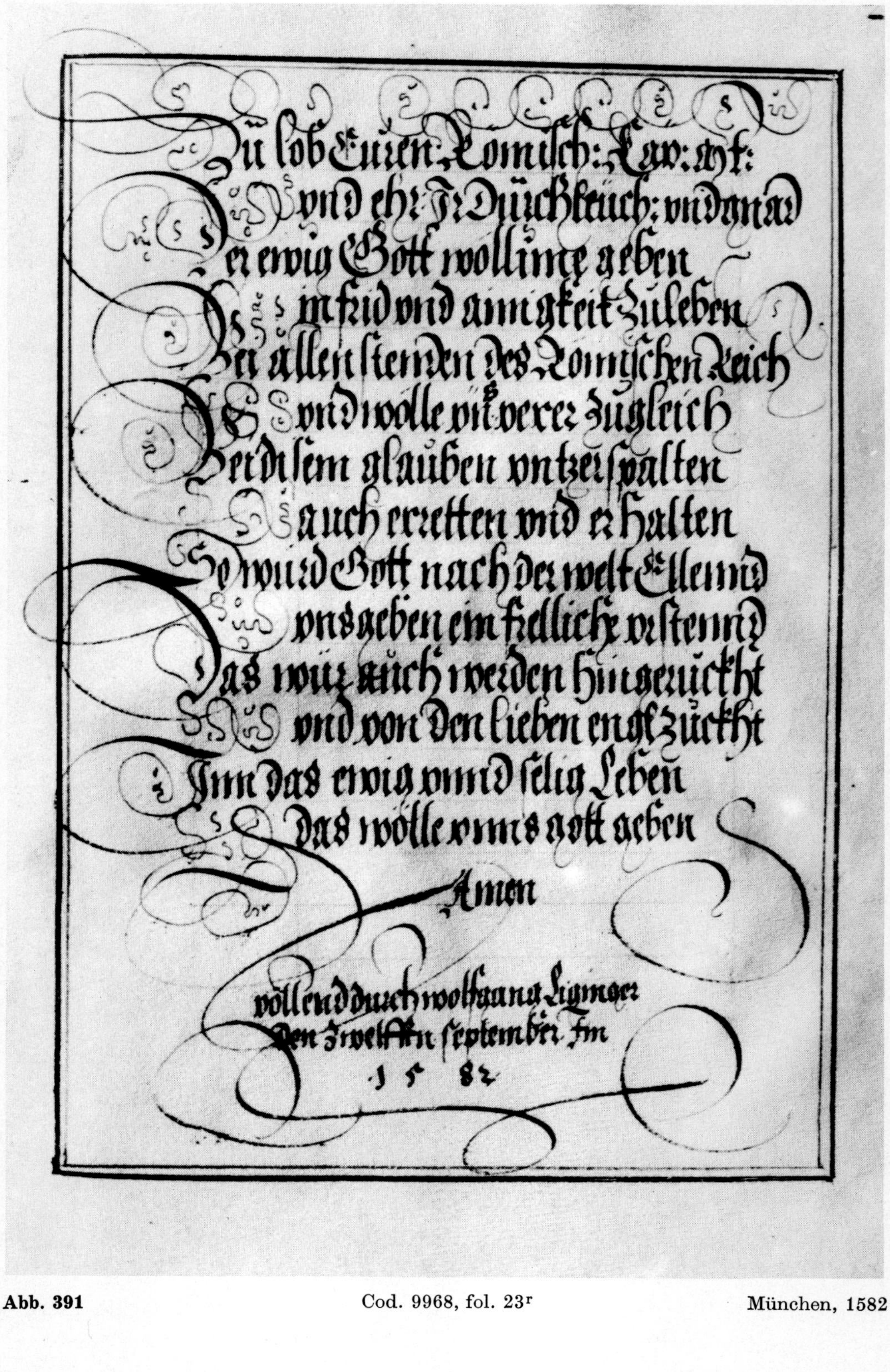

Zu lob Euren: Römisch: Kay: Myt:
und ehr: Ir: Durchleuch: und gnad
Der ewig Gott wolle uns geben
Das wir in frid und ainigkeit zuleben
Bei allen stenden des Römischen Reich
Des und wolle uns verer zugleich
Bei disem glauben unzerspalten
auch erretten und erhalten
So wirdt Gott nach der welt Ellend
uns geben ein frelliche urstend
Das wir auch werden hingerückht
und von den lieben engl zückht
Inn das ewig und selig Leben
Das wölle uns gott geben
Amen

vollendt durch wolfgang Ligmger
den zwelften september Im
1582

Abb. 391 Cod. 9968, fol. 23r München, 1582

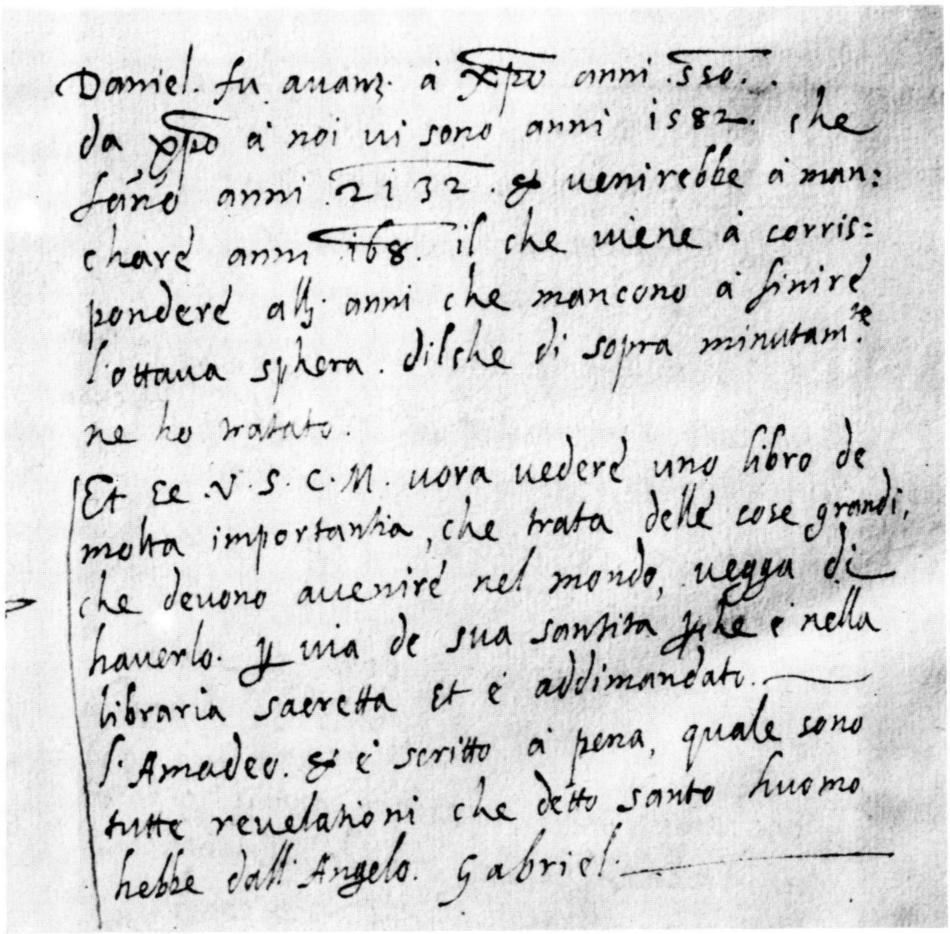

Daniel. fu auanti à Xpo anni .550.
da Xpo à noi ui sono anni 1582. che
sono anni .2132. et uenirebbe à man:
chare anni .168. il che uiene à corris:
pondere alli anni che mancono à finire
l'ottaua sphera. dilche di sopra minutam.te
ne ho tratato.
Et se V.S.C.M. uora uedere uno libro de
molta importantia, che trata delle cose grandi,
che deuono auenire nel mondo, uegga di
hauerlo. per uia de sua santità che è nella
libraria secretta et è addimandato.
S. Amadeo. et è scritto à pena, quale sono
tutte reuelationi che detto santo huomo
hebbe dall'Angelo Gabriel

Abb. 392 Cod. 10581, fol. 36v 1582

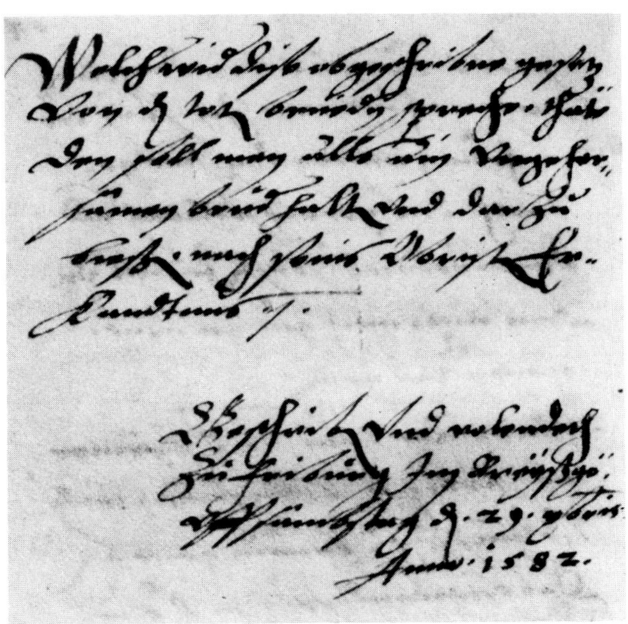

Abb. 393 Cod. 8943, fol. 64v Freiburg im Breisgau, 1582

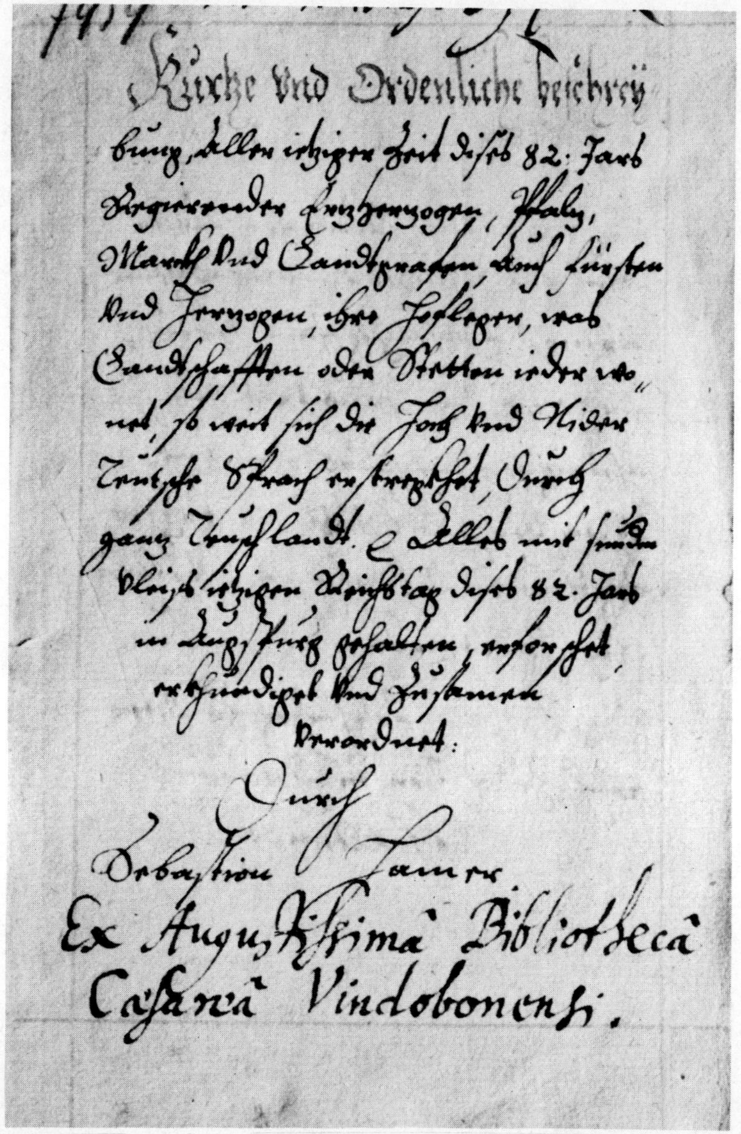

Abb. 394 Cod. 7459, fol. 1r (Augsburg ?), 1582

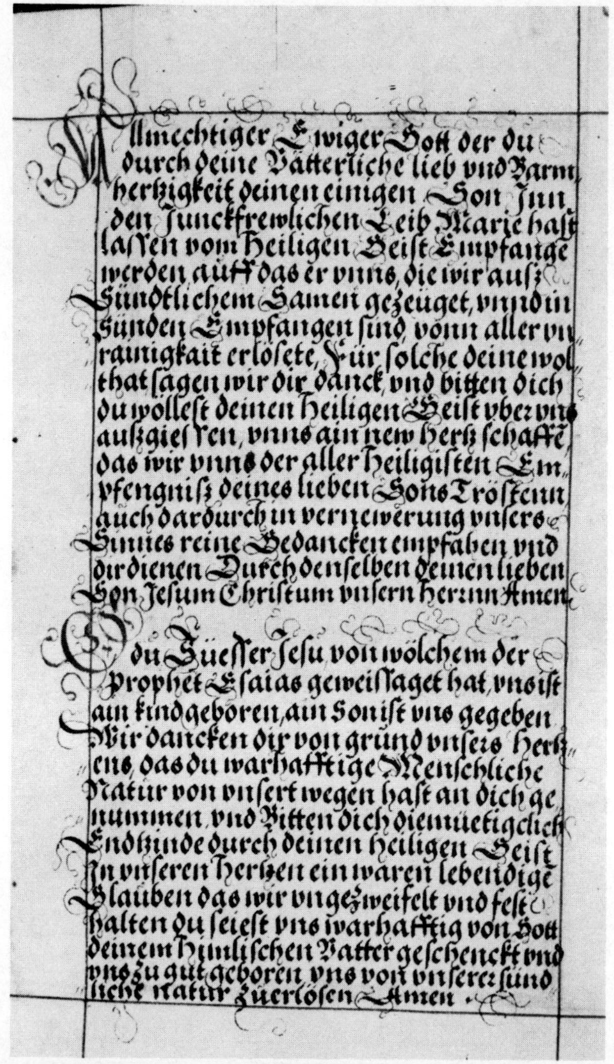

Allmechtiger Ewiger Gott der du
durch deine Vätterliche lieb vnd Barm
hertzigkeit deinen einigen Son Inn
den Junckfrewlichen Leib Marie hast
lassen vom Heiligen Geist Empfange
werden auff das er vnns, die wir auss
Sündtlichem Samen gezeuget, vnnd in
Sünden Empfangen sind, vonn aller vn
rainigkait erlösete, Für solche deine wol
that sagen wir dir danck, vnd bitten dich
du wollest deinen Heiligen Geist vber vns
ausgiessen, vnns ain new hertz schaffe,
das wir vnns der aller heiligisten Em
pfengniss deines lieben Sons Trösten,
auch dardurch in verneiwerung vnsers
Sinnes reine Gedancken empfahen vnd
dir dienen Durch denselben deinen lieben
Son Jesum Christum vnsern herrnn Amen.

O du süesser Jesu von wölchem der
Prophet Esaias geweissaget hat, vns ist
ain kind geboren, ain Son ist vns gegeben
Wir dancken dir von grund vnsers hertz
ens, das du warhafftige Menschliche
Natur von vnsert wegen hast an dich ge
nummen, vnd bitten dich diemüetigclich
Endtzünde durch deinen heiligen Geist
In vnseren hertzen ein waren lebendige
Glauben das wir vngezweifelt vnd feste
halten du seiest vns warhafftig von Gott
deinem himlischen Vatter geschenckt vnd
vns zu gut geboren vns von vnserer sünd
liche natur zuerlösen Amen.

Abb. 395 Cod. Ser. n. 13 250, fol. 11r (Augsburg ?), 1583

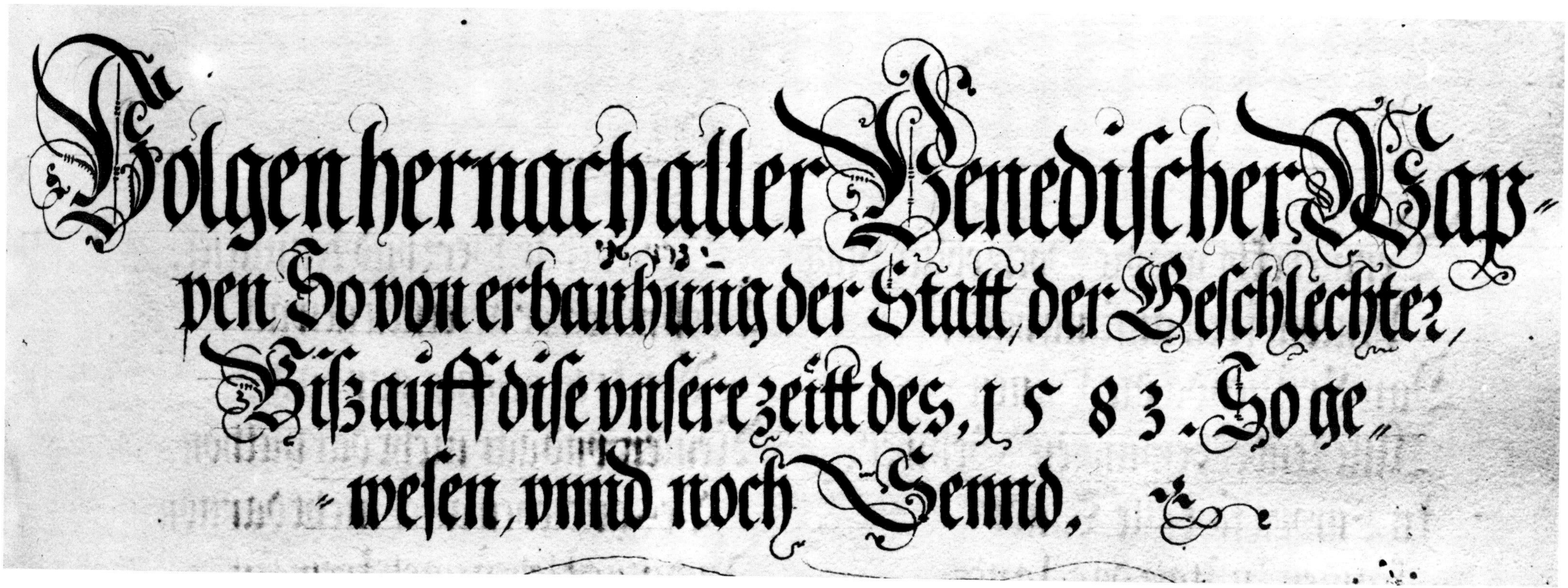
Volgen hernach aller Venedischer Wap-
pen So von erbauhung der Statt, der Geschlechter,
Biß auff dise vnsere zeitt des, 1 5 8 3. So ge-
wesen, vnnd noch Sennd,

Abb. 396 Cod. 9227, fol. 94r 1583

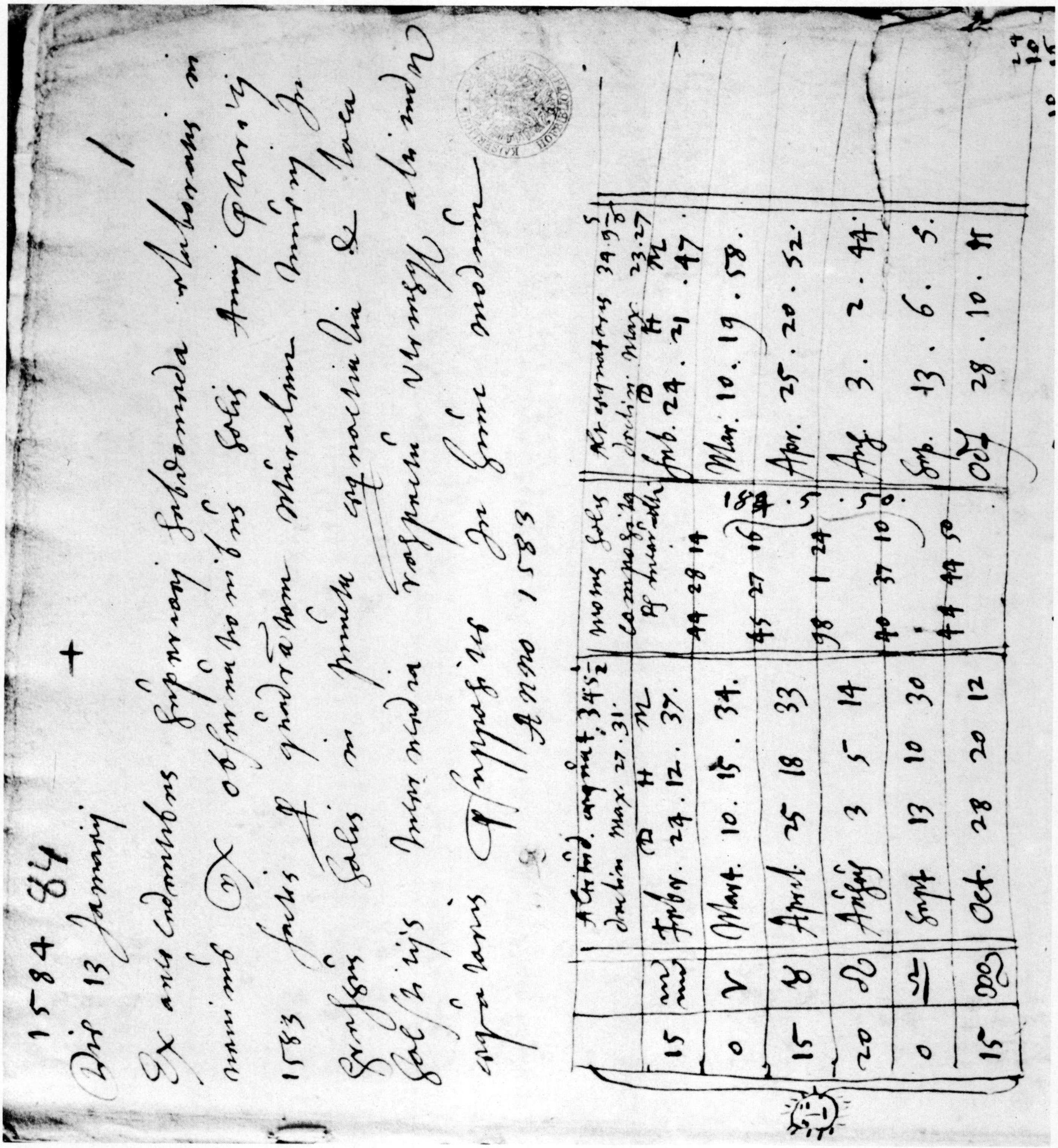

Abb. 397 Cod. 10686[84], fol. 1r 1584

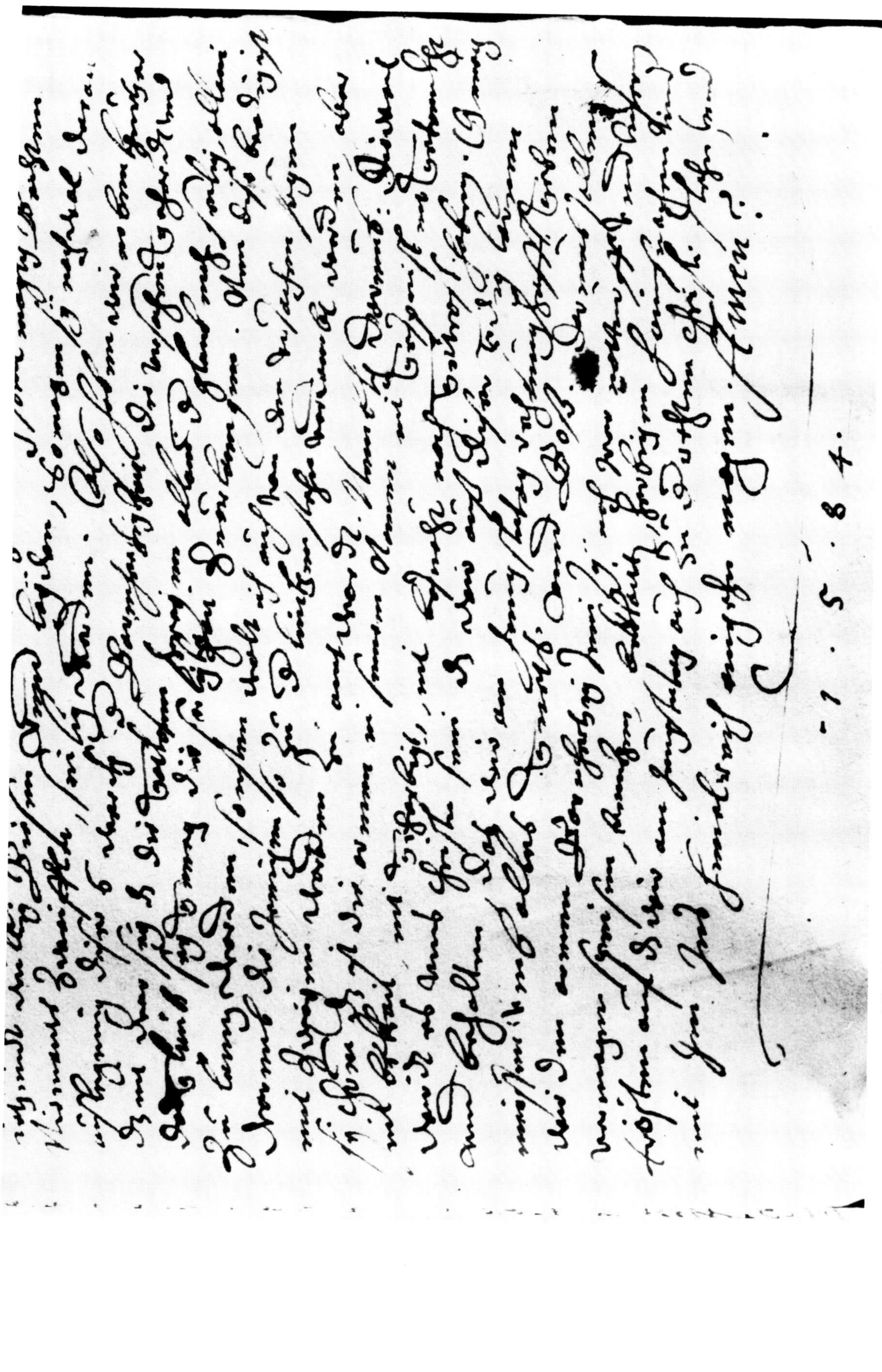

Abb. 398 Cod. 11870, fol. 290r 1584

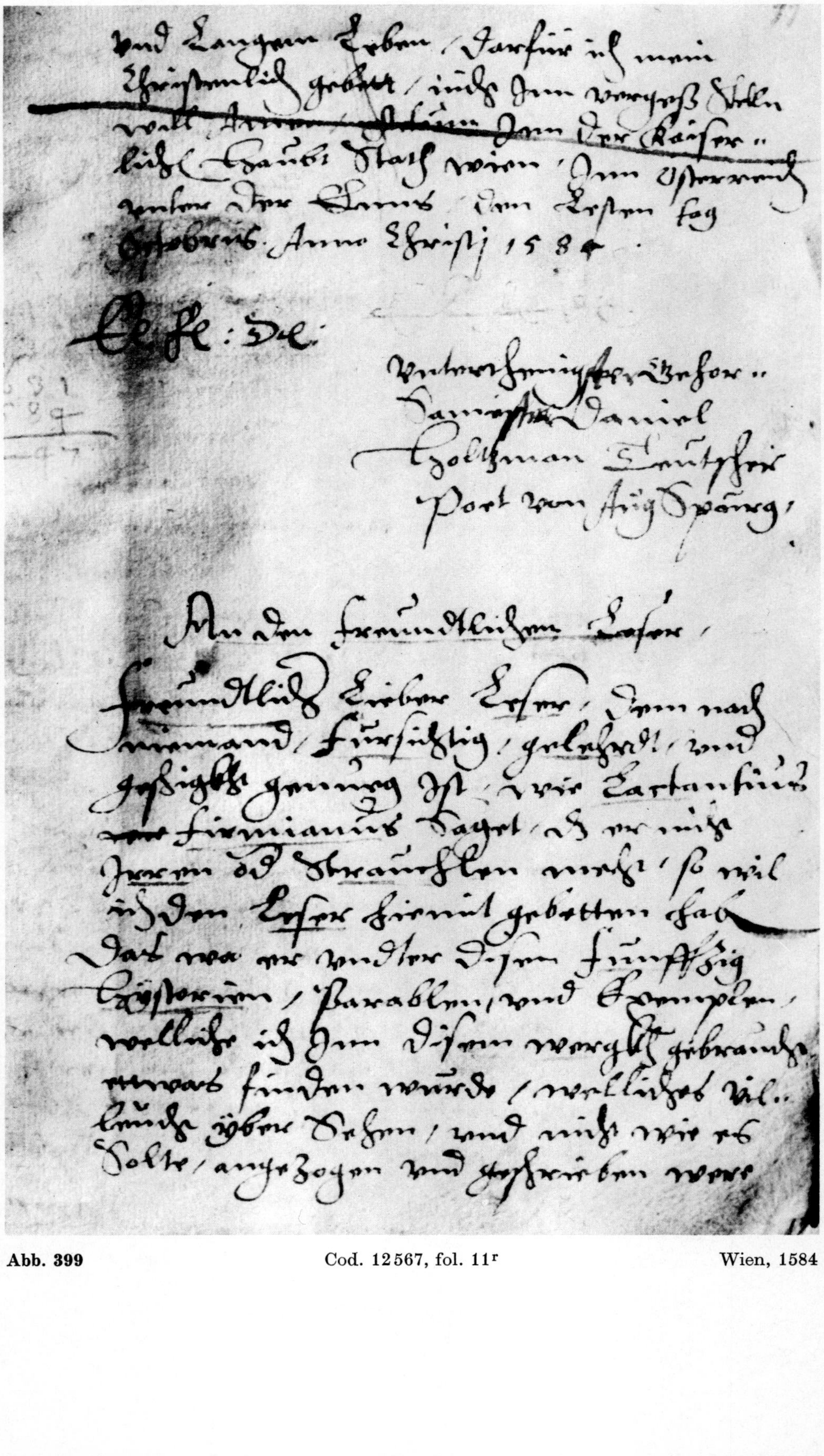
vnd Langem Leben, darfür ich mein
Christenlich gebett, auch dem [illegible]
[illegible] der Kaiser..
lich Haubt Statt wien, dem Osterreich
vnter der Enns, den Ersten tag
Octobris Anno Christi 1584.

E. K. E.: D. E.

Vntertheniger Rector..
[illegible] Daniel
Holtzman Teutscher
Poet von Augspurg.

An den freundlichen Leser.

Freundlicher Lieber Leser, dem nach
niemand, Fürsichtig, gelehrt, vnd
geschickt genug ist, wie Lactantius
Firmianus sagt, [illegible]
[illegible] strauchlen mecht, so wil
ich den Leser hiemit gebetten haben
das wa er vnder disen fünfftzig
Historien, Parablen, vnd Exemplen,
welliche ich [illegible] disem werck gebrauch-
[illegible] finden wurde, welliches vil-
leicht [illegible], vnd nicht wie es
solte, angezogen vnd geschriben were

Abb. 399 Cod. 12567, fol. 11r Wien, 1584

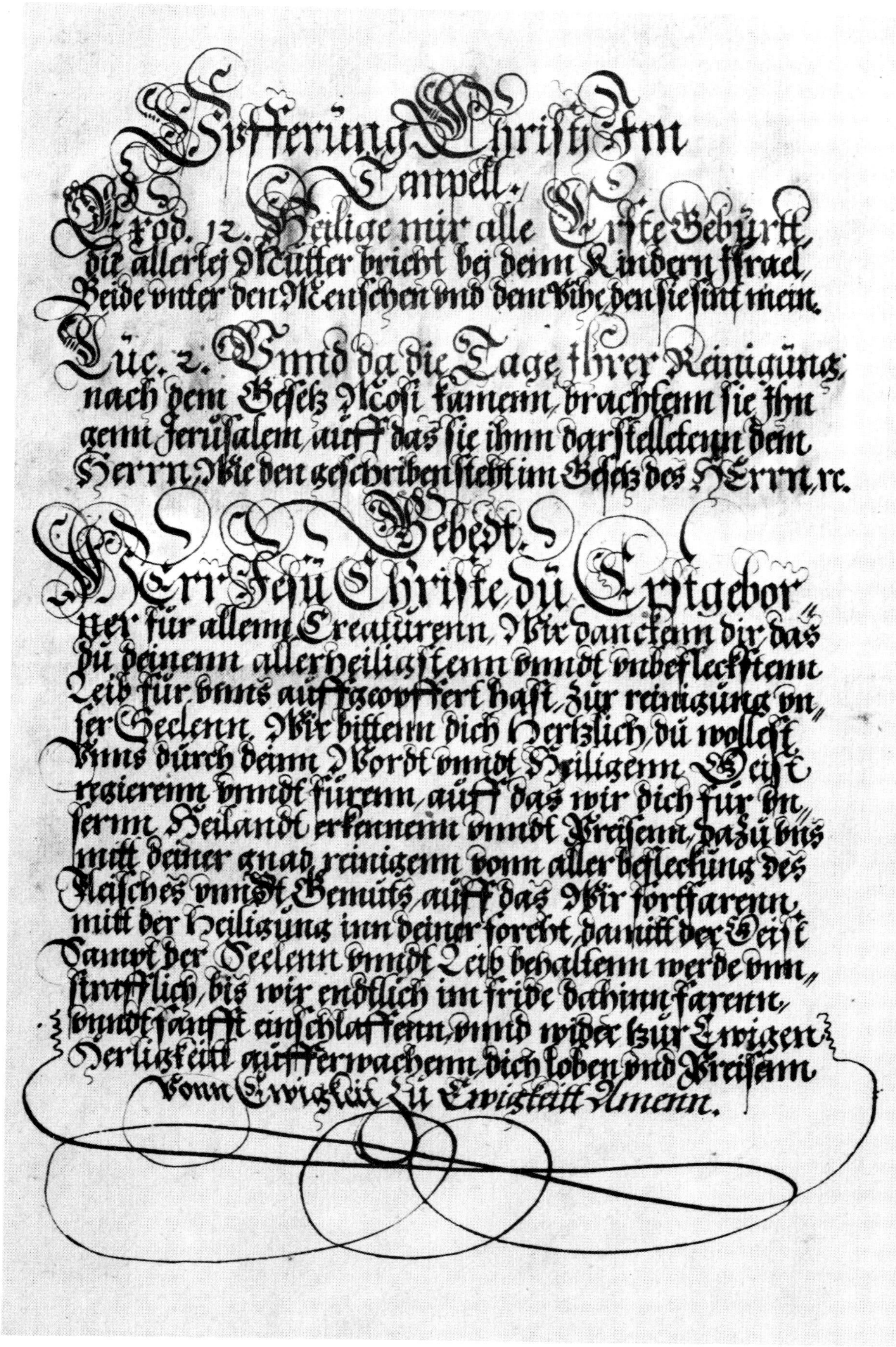
Opfferung Christi Im Tempell.

Exod. 12. Heilige mir alle Erste Geburtt, die allerlej Mutter bricht bej deim Kindern Israel, Beide vnter den Menschen vnd dem Vihe, den sie sint mein.

Luc. 2: Vnnd da die Tage jhrer Reinigung: nach dem Gesetz Mosi kamenn, brachtenn sie jhn genn Jerusalem, auff das sie ihnn darstellettenn dem Herrn, Wie den geschriben steht im Gesetz des Herrn, rc.

Gebedt.

Herr Jesu Christe du Erstgeborner für allenn Creaturenn, Wir danckenn dir das du deinenn allerheiligstenn vnnd vnbefleckstenn Leib für vnns auffgeopffert hast, zur reinigung vnser Seelenn. Wir bittenn dich Hertzlich, du wollest vnns durch deinn Wordt vnnd Heiligenn Geist regierenn vnnd fürenn, auff das wir dich für vnserm Heilandt erkennenn vnnd Preisenn, dazu vns mitt deiner gnad reinigenn vonn aller befleckung des Fleisches vnnd Gemüts, auff das Wir fortfarenn mitt der Heiligung inn deiner forcht, damitt der Geist sampt der Seelenn vnnd Leib behaltenn werde vnnstrafflich, bis wir endlich im fride dahinn farenn, vnnd sanfft einschlaffenn, vnnd wider zur Ewigen Herligkeitt aufferwachenn dich loben vnd Preisenn vonn Ewigkeit zu Ewigkeitt Amenn.

Abb. 400 Cod. 11780, fol. 10v 1584

Wie man ein Zeughauss
sambt denn Werch stettenn und
Plätzenn. Gärttenn. Büsshaus
Zimmer Hauss. Schlossereyen
Kisstlerey, Schmidtenn, Wag=
nerey, unnd Gewelber, Die weit
unnd Lennge, Auch die Praitten
unnd Höchenn, erbauenn unnd
machenn Sollte.

Item ein Zeughauss, darinnen das ge=
schütz unnd Munition ist, darinnen
auch statt unnd verordent ist. So soll
das hauss lanng sein zway hundert
werch Schuech, unnd fünfftzig werch
Schuech praitt, unnd zwischen dem ge=
maur unnd den gemächen, Viertzigk
werch Schuech hoch. Unnd das hauss
solt unnderschaiden sein mit einer

Abb. 401 Cod. 10953, fol. 2r 1585

Librum ICONIBUS elegantibus S: Vencesslai, Principis Bohemiæ et præcipui gentis Bohemicæ Patroni, et Martyris CHRISTI, refertum et repletum, ac V: I: C: præparatum, et consecratum: dedico, atq; reuerenter summa submissionis obsequiosæ humilitate, offero. Quos Icones V. I. C: sciat reuera, ex pictura illa uetusta quæ in Capella eidem Martyri dicata, in Æde sacra S: Viti Arcis Pragensis in parietibus conspicitur, me desumpsisse, et industria qua potui, in eadem specie forma, uestitura, et incessu simili (prout illinc sunt) me ad uiuum deliniasse, natiuisq; coloribus illuminâsse. Eo autem facto, mea obsequiosa et humillima seruitia V: I. C: sicut antea; ita et nunc, eodem affectu, defero. Hac quidem intentione, ut et gratus benefactorum reperiar, et Illustrissimæ Celsitud: V: fauorem, et clementiam refricem, et perpetuo conseruem, in sinu amoris uolo repositamq; habeam.

In eam spem ducor, Vestram I: C: hanc meam opellam, quam pingendis ICONIBUS huius libelli exposui probaturam, gratiose et clementer susceptur̄am: Vitámq; S: Viri (cuius fama et Sanctitas ubiq; diuulgata est) beneuolè lecturam, Iconesq; uultu sereno intuituram: Meq; obsequiosum Clyentem clementia et gratia solita, semper prosecuturam.

Ter maximus DEUS, V: I: C: longæuam Vitam, prosperam ualetudinē, felicem rerum successum, et tranquillam possessionem, cum Illustrissima Ducissa, Consorte: Atq; inclyta Domo Austriaca, concedere dignetur.

Datum Pragæ in Metropol: Bohemiæ, 10. Iunij. Anno D: 1585.

Illustrissimæ Celsit: Vestræ;

humiliter obsequiosus,
et fidelis Clyens:

Matthias Hutsky à Krzivoklath.
Artis Pictoriæ Professor. Pragæ.

Abb. 402 Cod. Ser. n. 2633, fol. 3v Prag, 1585

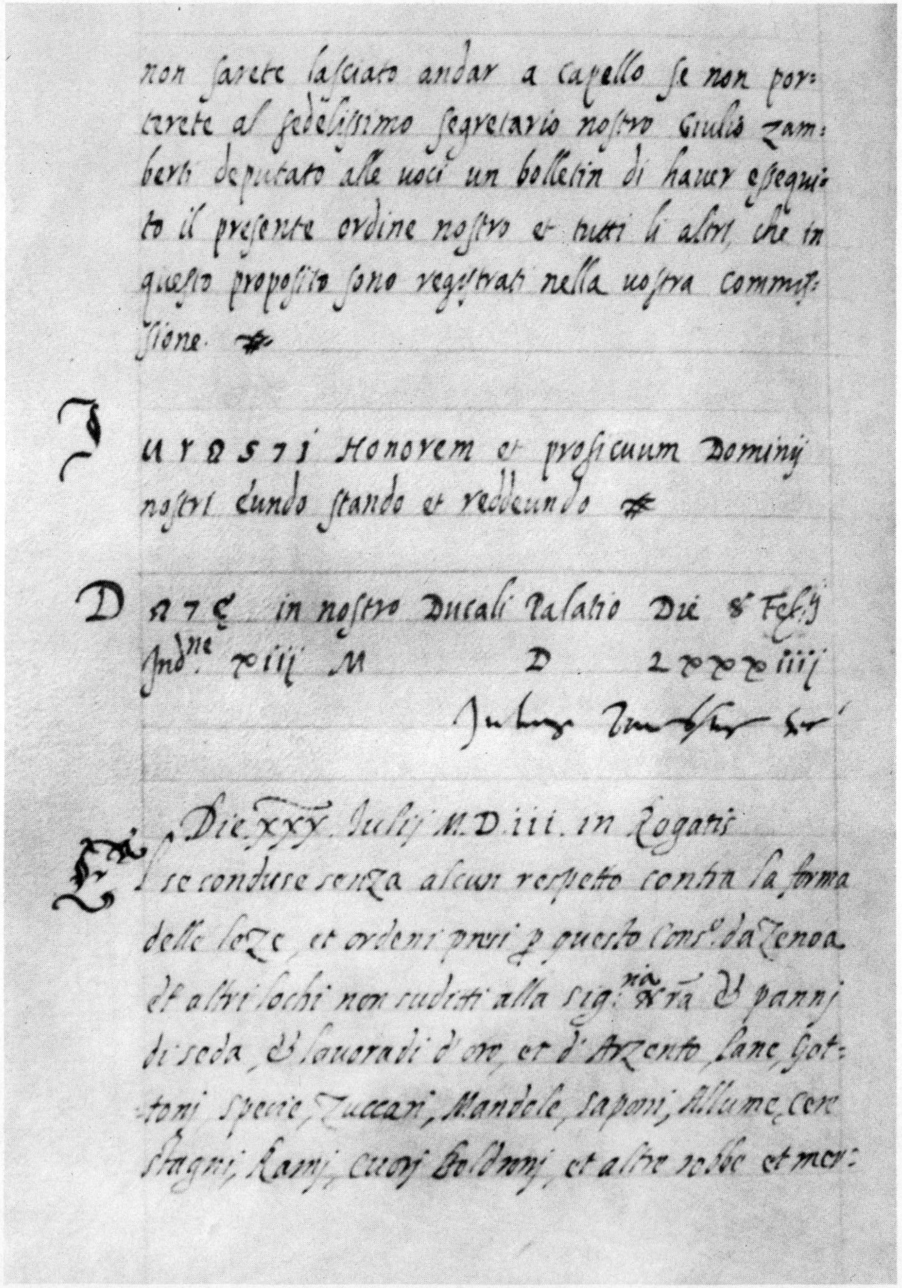

non sarete lasciato andar a capello se non portarete al fedelissimo segretario nostro Giulio Zamberti deputato alle voci un bolletin di haver eseguito il presente ordine nostro et tutti li altri, che in questo proposito sono registrati nella nostra commissione.

Iurasti Honorem et proficuum Domini nostri eundo stando et redeundo

Data in nostro Ducali Palatio Die 8 Febij Ind.ne xiij M D LXXXIIII

Die XXV. Iulij M.D.iii. in Rogatis

El se conduse senza alcun respetto contra la forma delle leze, et ordeni pvi p questo Cons.o da Zenoa et altri lochi non suditti alla Sig.ria nra di panni di seda, et lavoradi d'oro, et d'Arzento, lane, Gottoni, Specie, Zuccari, Mandole, Saponi, Allume, Cenere, Stagni, Rami, Cuori Boldroni, et altre robbe et mer:

Abb. 403 Cod. 5905, fol. 175ᵛ Venedig, 1585

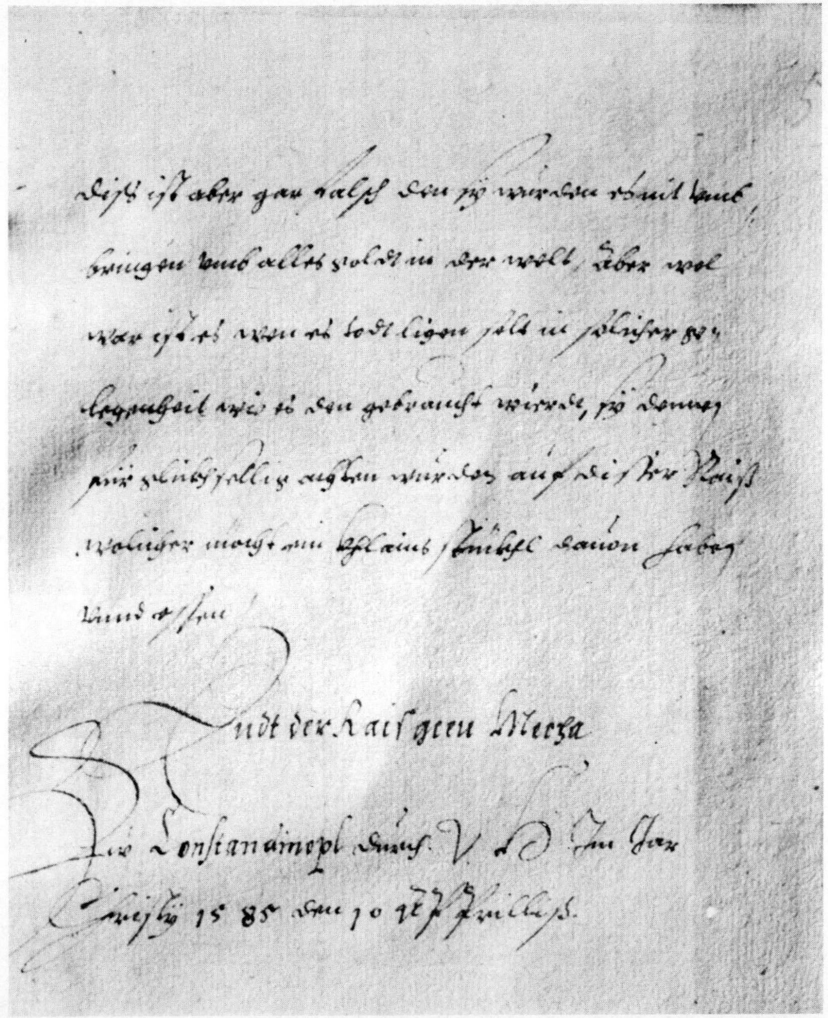

Abb. 404 Cod. 8573, fol. 55ʳ Konstantinopel, 1585

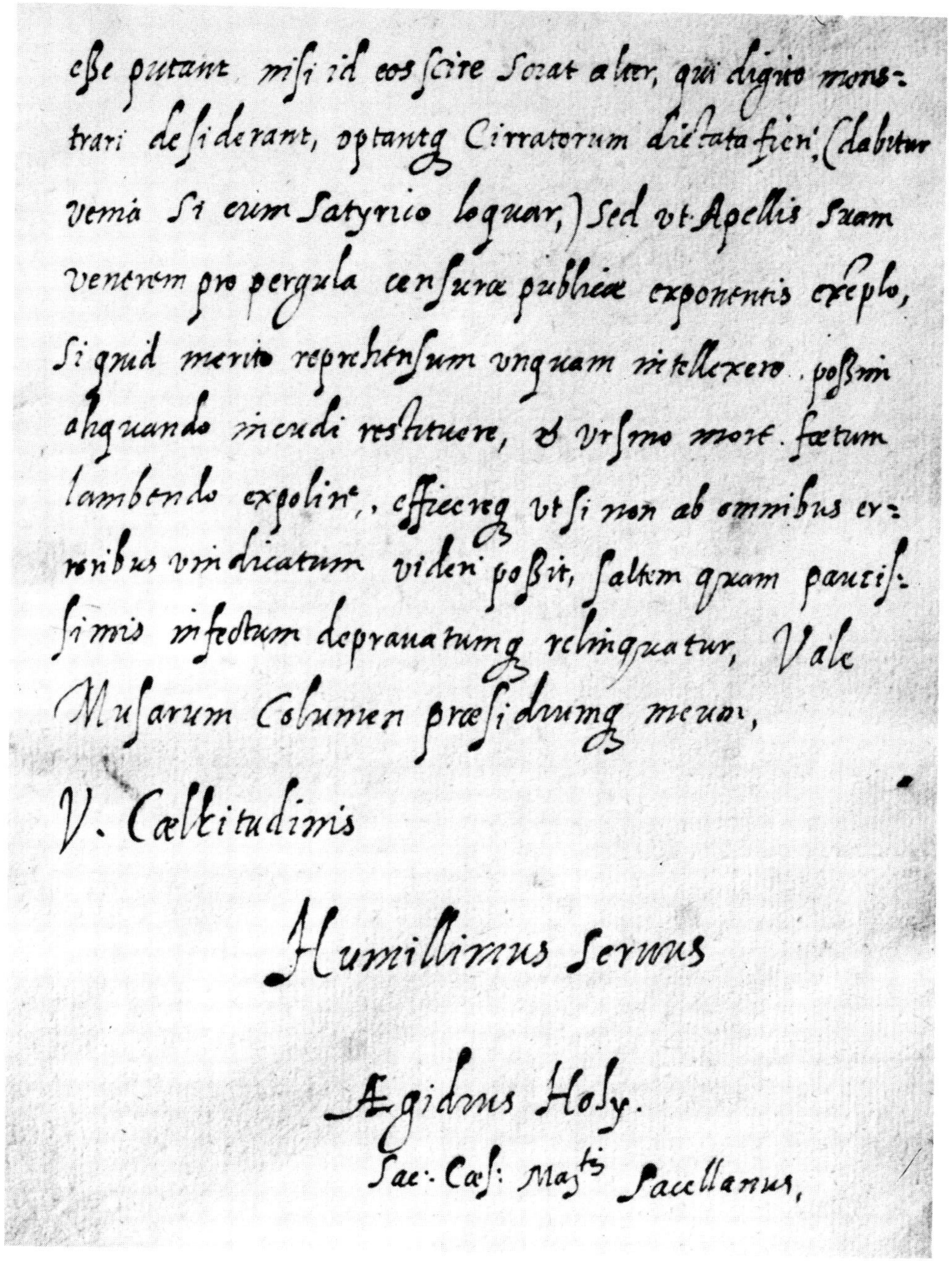

esse putant nisi id eos scire Sciat alter, qui digito mons-
trari desiderant, optantque Cirratorum dictata fieri; (dabitur
venia si cum Satyrico loquar,) Sed vt Apellis suam
venerem pro pergula censuræ publicæ exponentis exemplo,
si quid merito reprehensum vnquam intellexero, possim
aliquando mendi restituere, & vrsino more foetum
lambendo expolire, effecerque vt si non ab omnibus er-
roribus vindicatum videri possit, saltem quam paucis-
simis infectum depravatumque relinquatur, Vale
Musarum Columen præsidiumque meum,

V. Celsitudinis

Humillimus Servus

Ægidius Holy.
Sac. Cæs. Mat^{tis} Sacellanus,

Abb. 405 Cod. 9868, fol. 4ʳ 1585

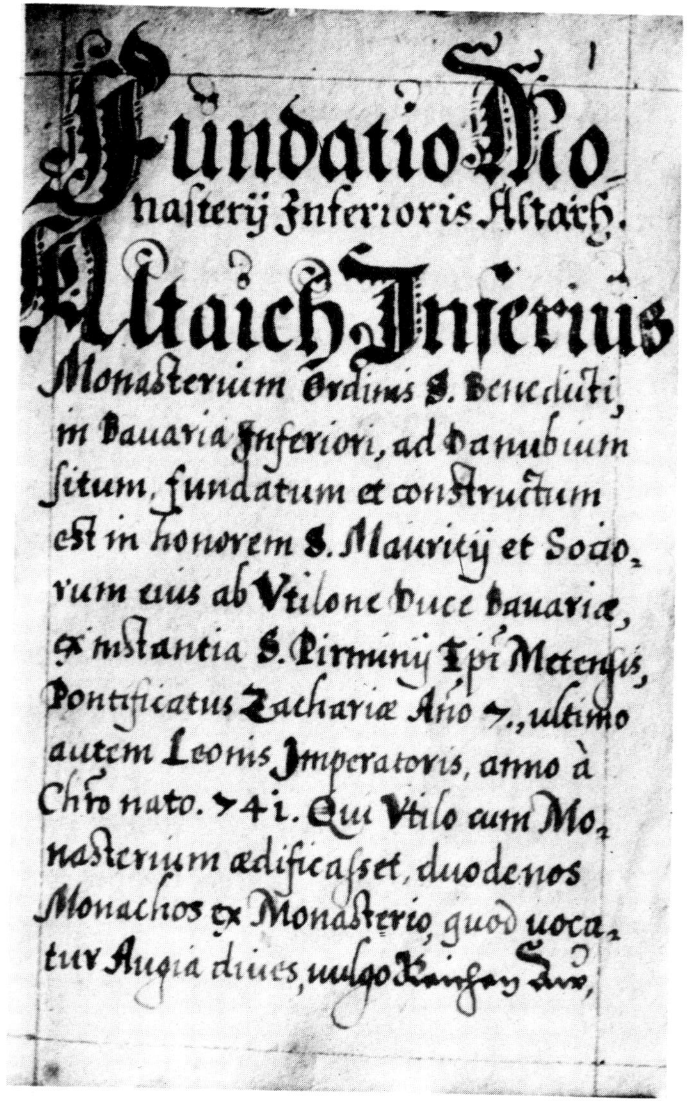

Fundatio Mo-
nasterij Inferioris Altaich.
Altaich Inferius
Monasterium Ordinis S. Benedicti,
in Bauaria Inferiori, ad Danubium
situm, fundatum et constructum
est in honorem S. Mauritij et Socio-
rum eius ab Vtilone Duce Bauariæ,
ex instantia S. Pirminij Epi Metensis,
Pontificatus Zachariæ Anno 7., ultimo
autem Leonis Imperatoris, anno à
Chro nato. 741. Qui Vtilo cum Monasterium ædificasset, duodenos
Monachos ex Monasterio, quod uoca-
tur Augia diues, vulgo Reichenaw,

Abb. 406 Cod. 11090, fol. 1ʳ 1585

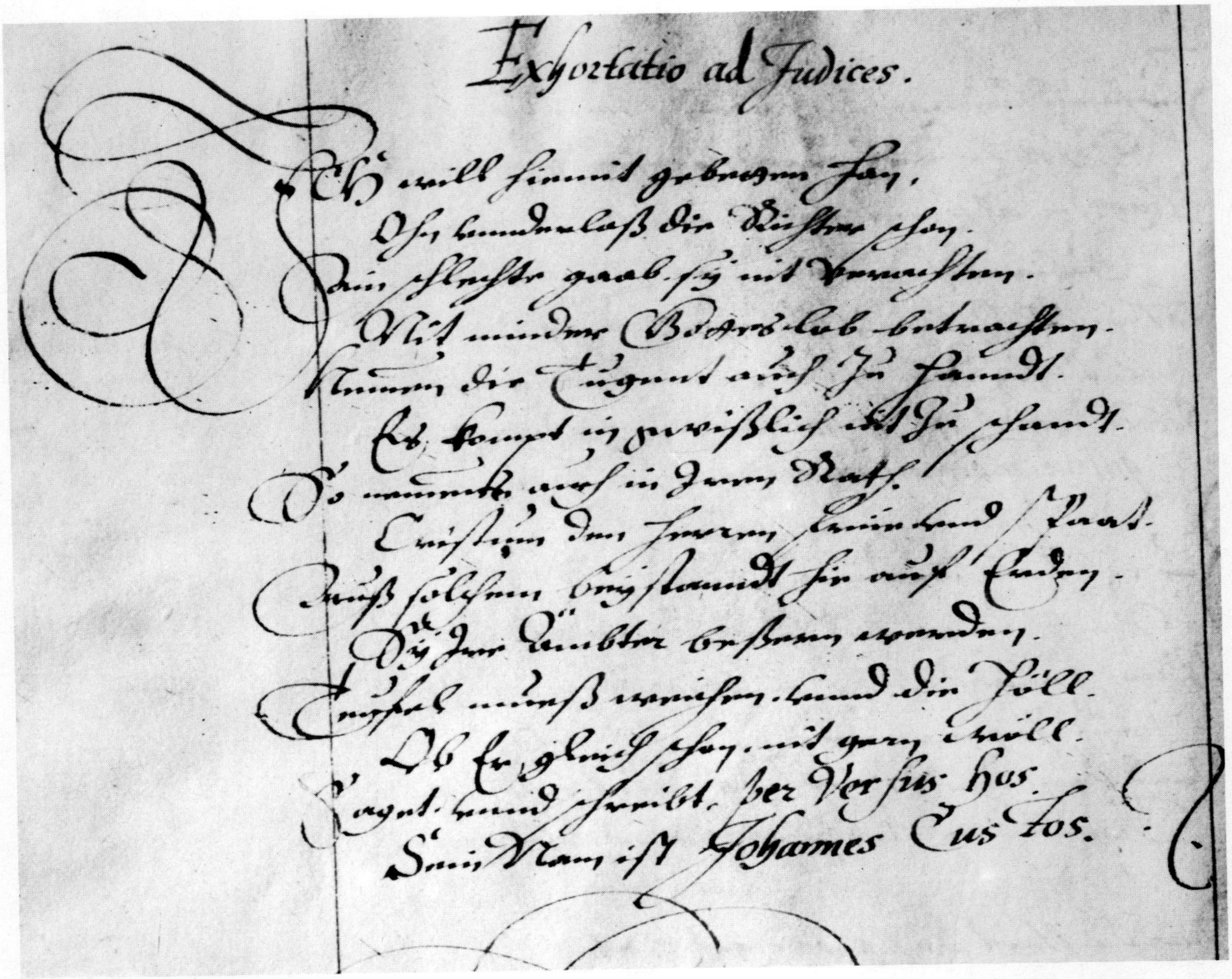
Exhortatio ad Judices.

[illegible]

Sagt vnnd schreibt per versus hos.
Sein Nam ist Johannes Custos.

Abb. 407 Cod. 12653, fol. 35v 1585

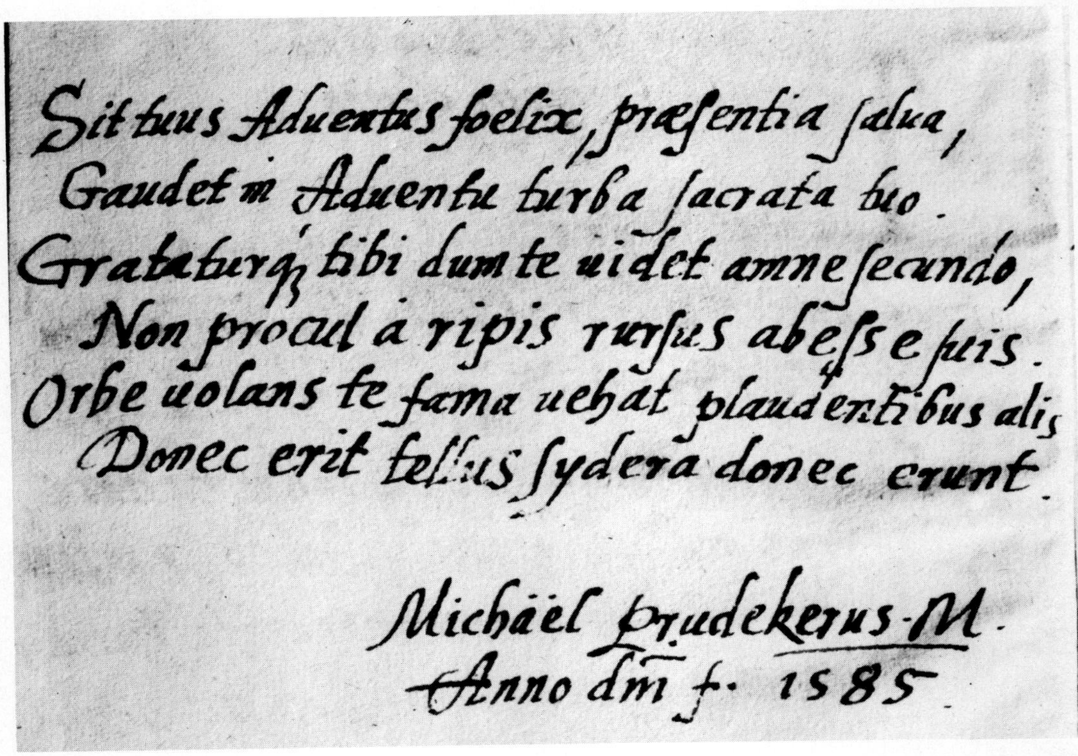
Sit tuus Aduentus foelix, præsentia salua,
Gaudet in Aduentu turba sacrata tuo.
Grataturq; tibi dum te uidet amne secundo,
Non procul à ripis rursus abesse pijs.
Orbe uolans te fama uehat plaudentibus alis
Donec erit tellus sydera donec erunt.

Michaël Prudekerus M.
Anno dni f. 1585.

Abb. 408 Cod. 9886, fol. 1v 1585

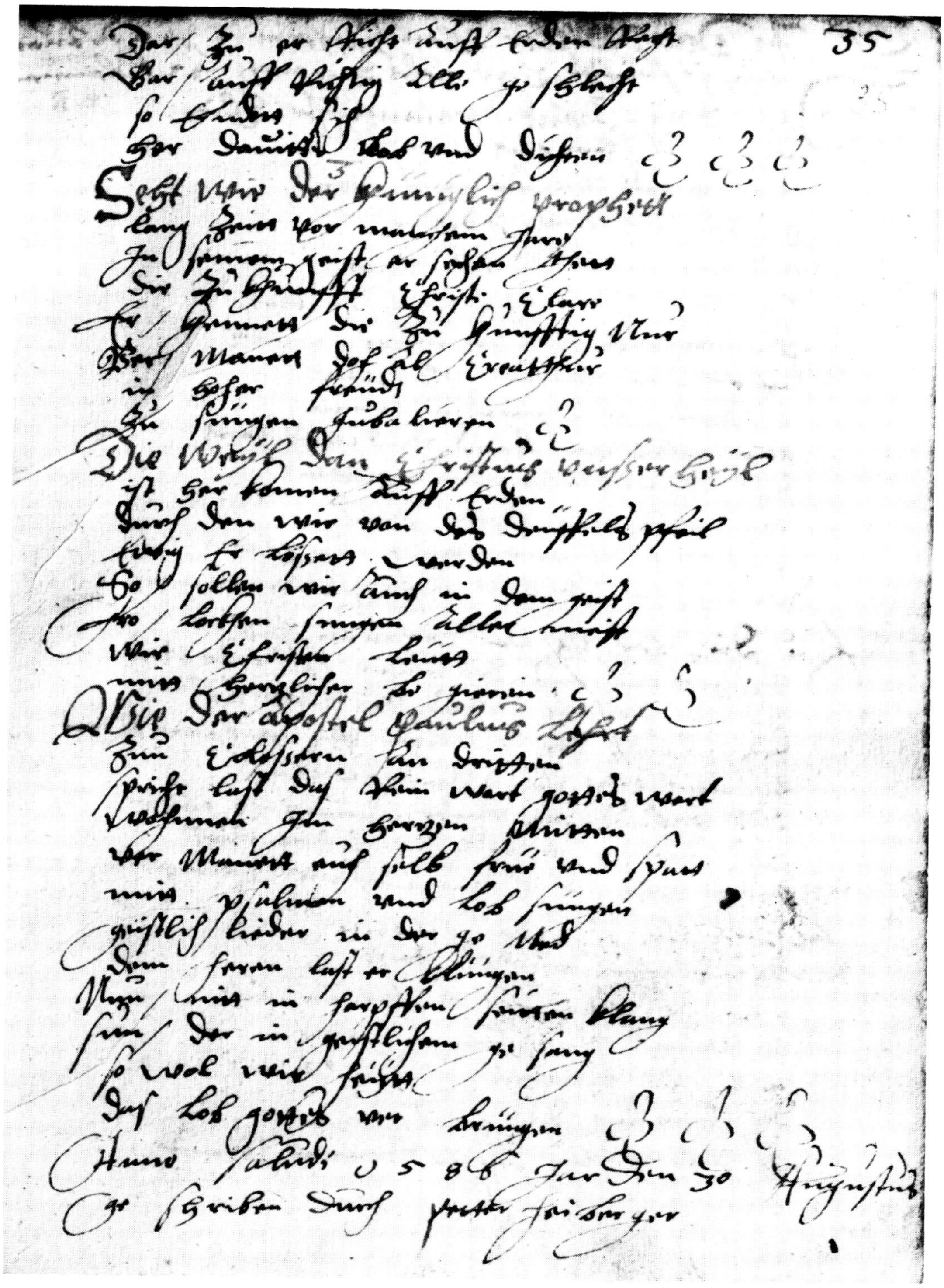

Abb. 409 Cod. Ser. n. 12635, fol. 35r Steyr, 1586

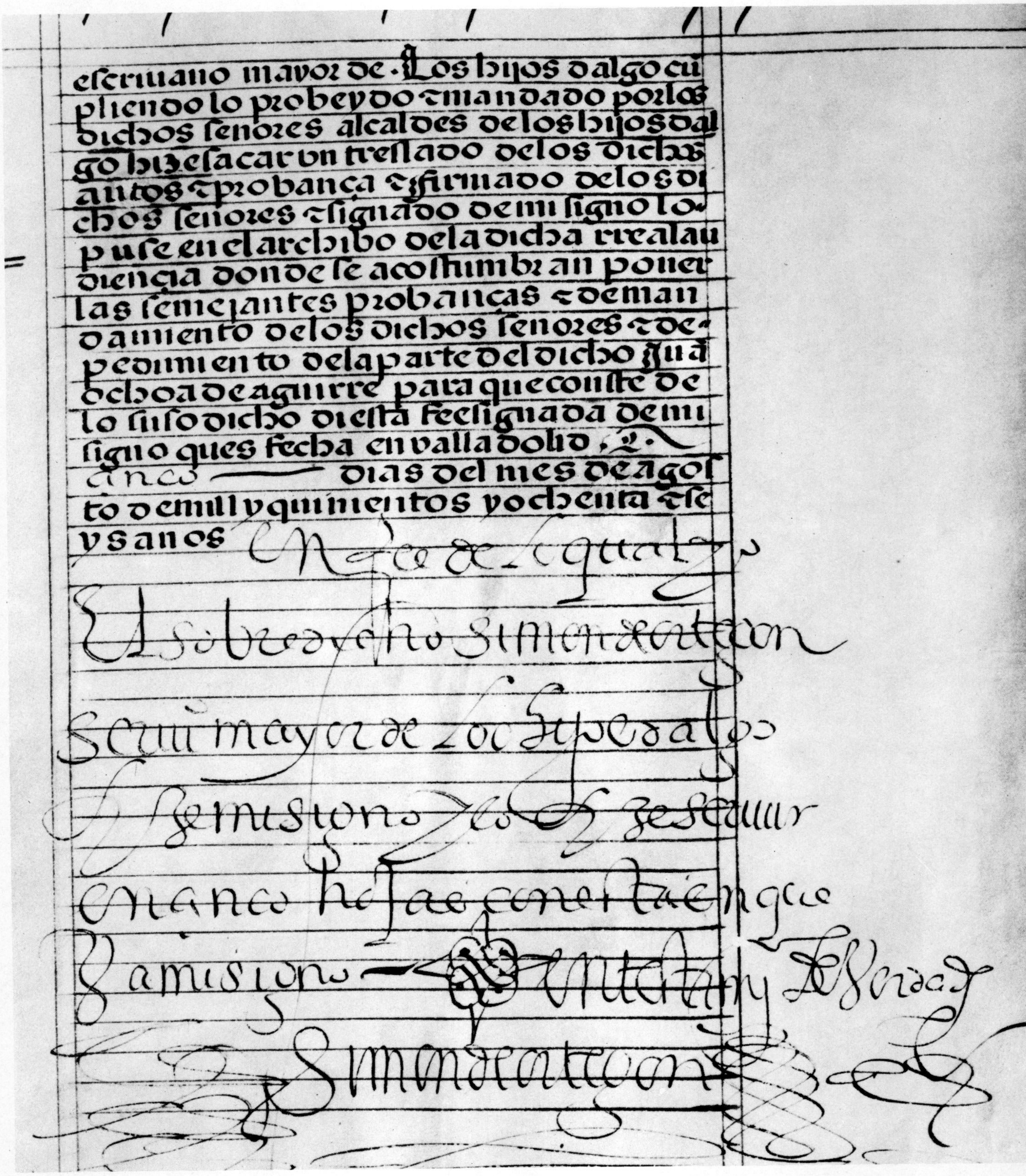
escriuano mayor de los hijos dalgo cu
pliendo lo probeydo e mandado por los
dichos señores alcaldes de los hijos dal
go hize sacar un treslado de los dichos
autos e probança e firmado de los di
chos señores e signado de mi signo lo
puse en el archibo de la dicha rreal au
diencia donde se acostumbran poner
las semejantes probanças e de man
damiento de los dichos señores e de
pedimiento de la parte del dicho Juan
ochoa de aguirre para que conste de
lo suso dicho di esta fee signada de mi
signo ques fecha en valladolid a
cinco dias del mes de agos
to de mill y quinientos y ochenta e se
ys anos

Simon de Alarcon

Abb. 410 Cod. Ser. n. 13741, fol. 6r Valladolid, 1586

Abb. 411 Cod. 15506, fol. 1v 1586

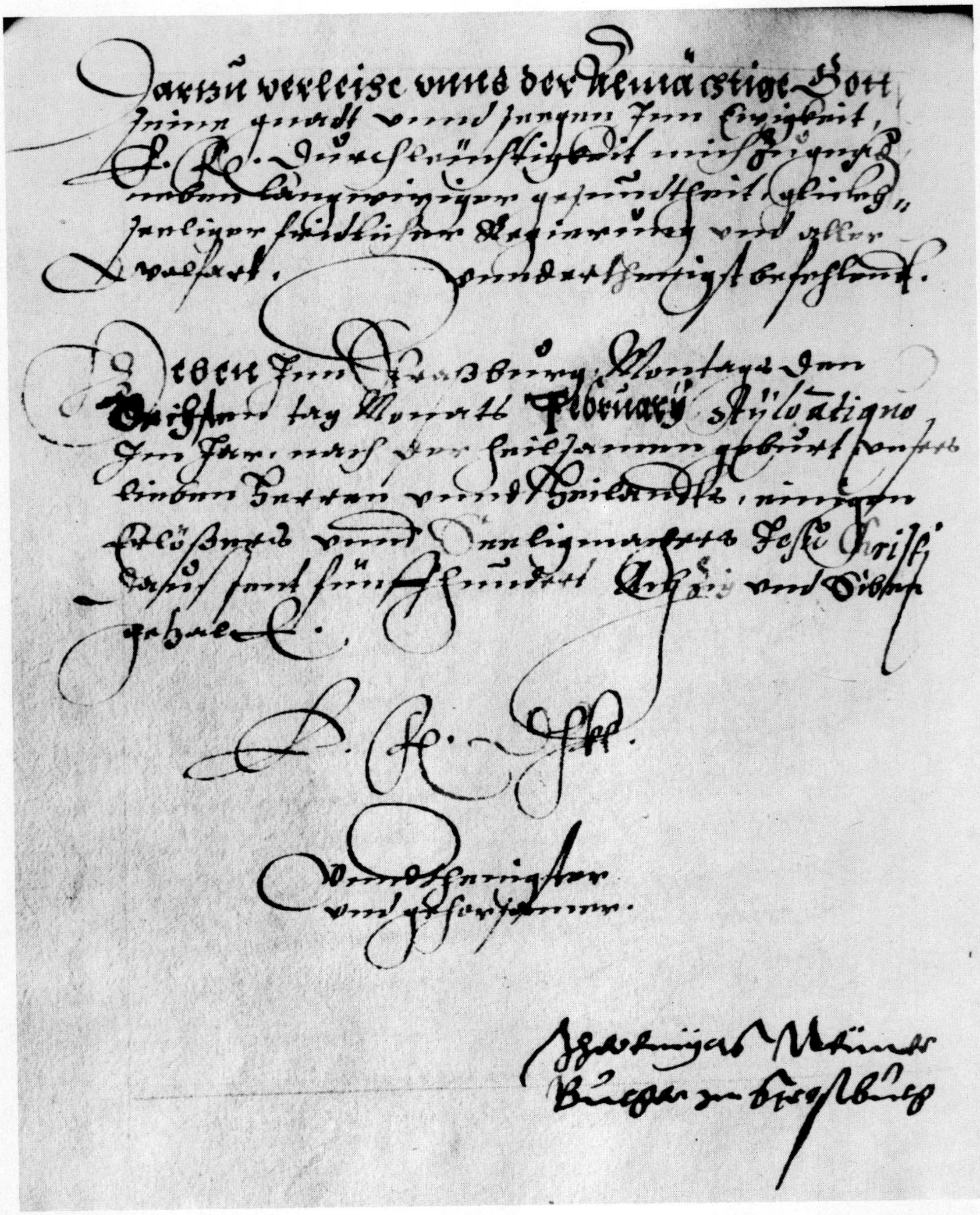
Darzu verleihe vnns der Allmächtige Gott
seinen gnadt vnnd segen, [illegible]
E. K. [illegible]
neben langwirigen gesundtheit, glückh-
seliger fridlicher Regierung vnd aller
Wolfart. Vnndertheinigst befehlendt.
Datum zu Straßburg Montags den
Sechsten tag Monats Februarij Stylo [illegible]
Jm Jar, nach der heilsamen geburt vnsers
lieben Herrn vnnd Heilandts, [illegible]
Erlösers vnnd Seligmachers Jesu Christi
Tausent fünffhundert Achtzig vnd Siben
[illegible]

E. K. Mt.

Vnnderthenigster
vnd gehorsamer

[illegible]
Burger zu Straßburg

Abb. 412 Cod. 10778, fol. 19v Straßburg, 1587

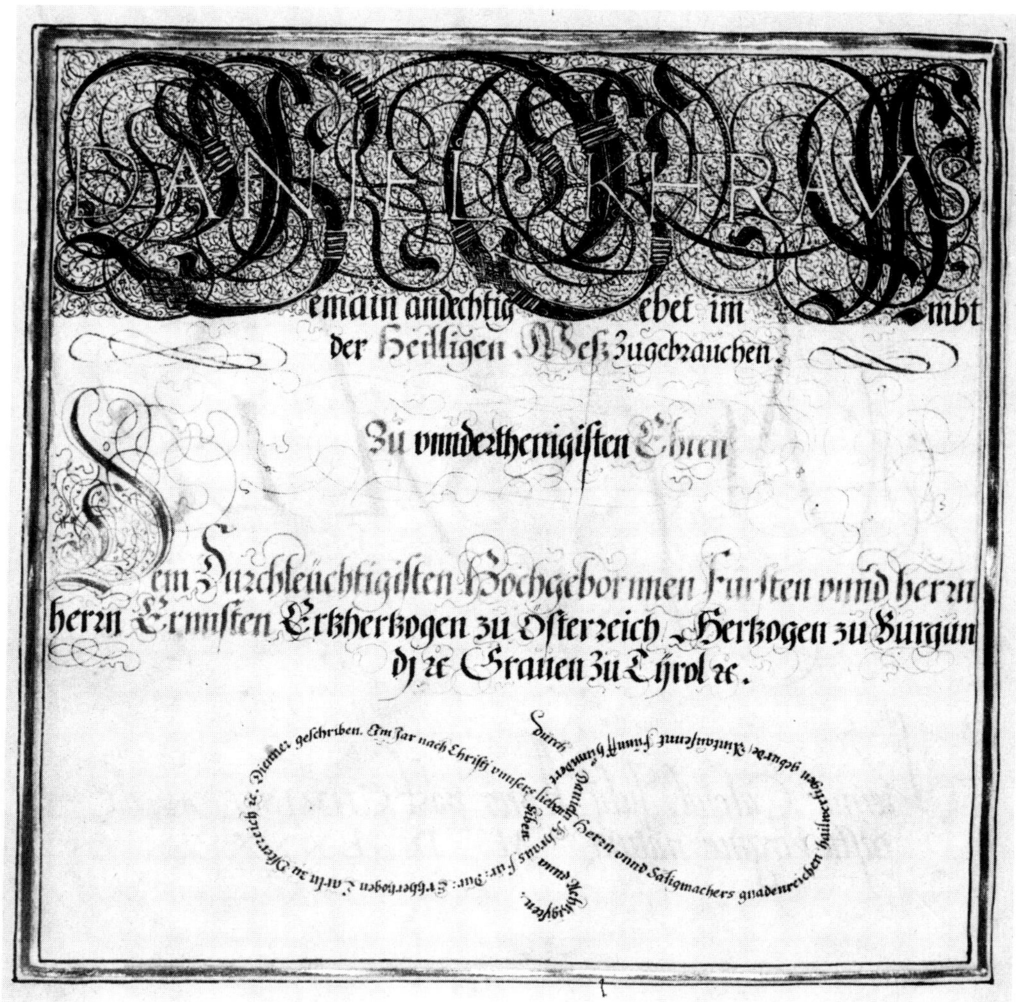

Abb. 413　　Cod. 13040, fol. 2v　　Wien, 1587

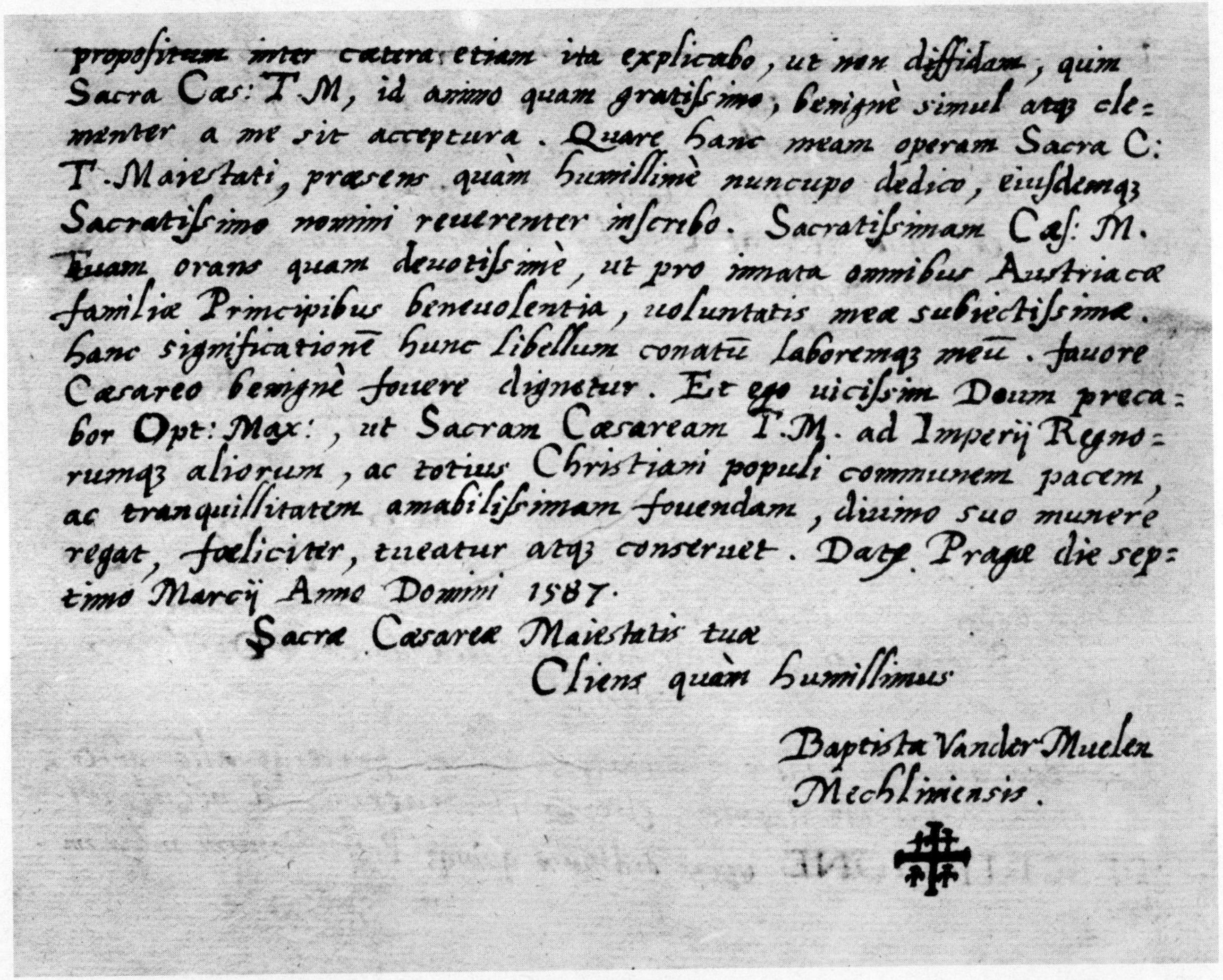
propositum inter caetera etiam ita explicabo, ut non diffidam, quin
Sacra Caes: T.M, id animo quam gratissimo, benignè simul atq; cle=
menter a me sit acceptura. Quare hanc meam operam Sacrae C:
T. Maiestati, praesens quàm humillimè nuncupo dedico, eiusdemq;
Sacratissimo nomini reuerenter inscribo. Sacratissimam Caes: M.
Tuam orans quam deuotissimè, ut pro innata omnibus Austriacae
familiae Principibus beneuolentia, uoluntatis meae subiectissimae.
hanc significationē hunc libellum conatū laboremq; meū. fauore
Caesareo benignè fouere dignetur. Et ego uicissim Deum preca=
bor Opt: Max:, ut Sacram Caesaream T.M. ad Imperij Regno=
rumq; aliorum, ac totius Christiani populi communem pacem,
ac tranquillitatem amabilissimam fouendam, diuino suo munere
regat, foeliciter, tueatur atq; conseruet. Datę Pragae die sep=
timo Marcij Anno Domini 1587.

Sacrae Caesareae Maiestatis tuae
Cliens quàm humillimus

Baptista Vander Muelen
Mechliniensis.

Abb. 414 Cod. 7798, fol. 3v Prag, 1587

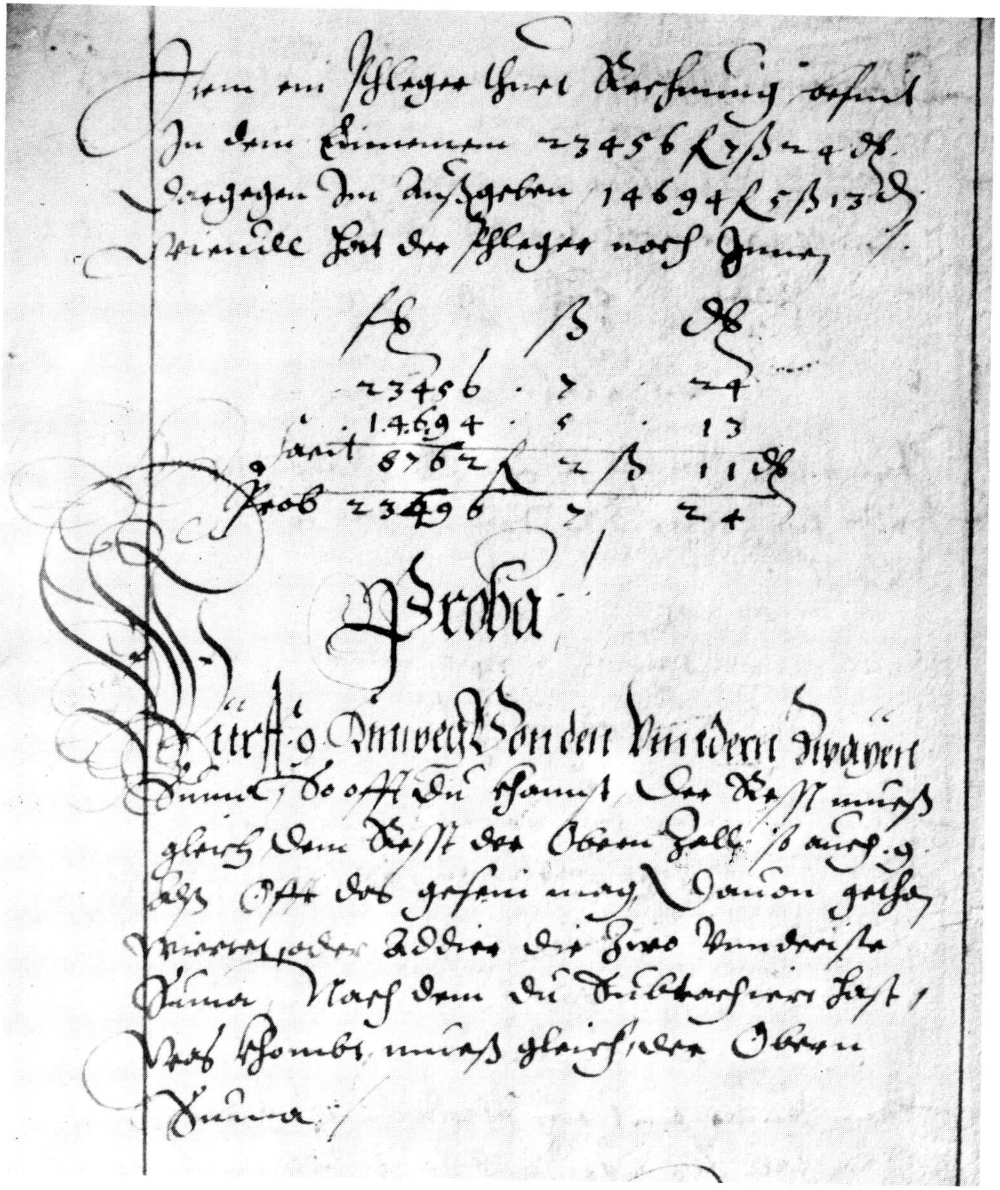

Abb. 415 Cod. 10529, fol. 12v 1588

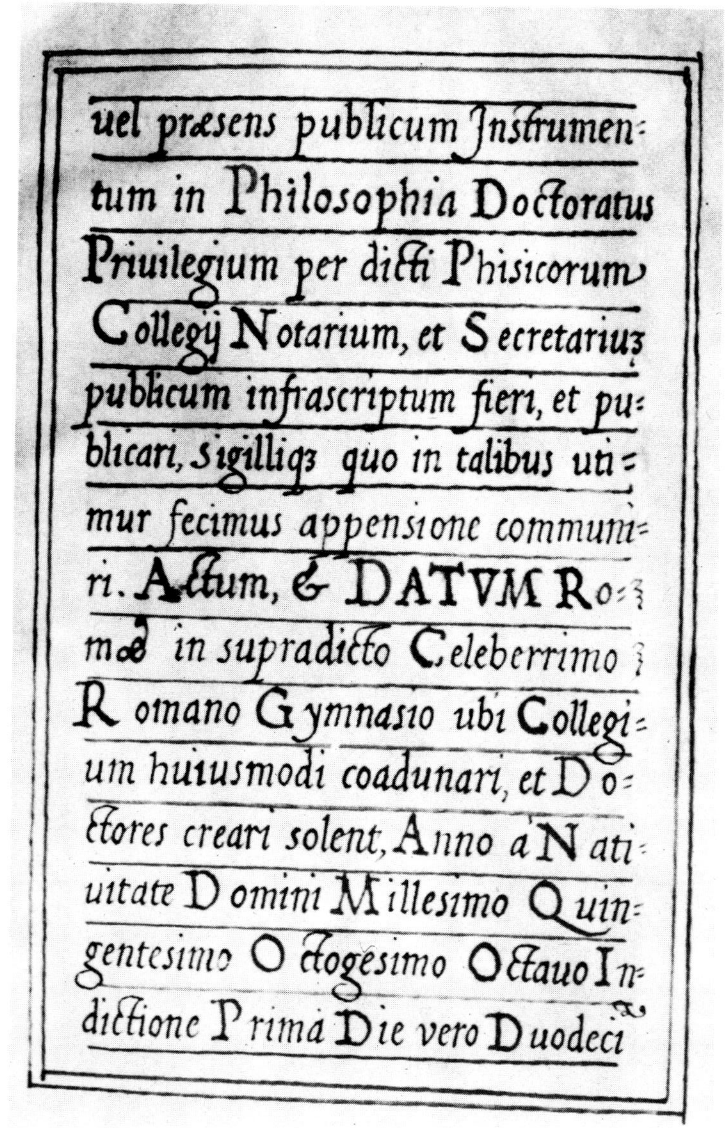

uel præsens publicum Instrumen-
tum in Philosophia Doctoratus
Priuilegium per dicti Phisicorum
Collegij Notarium, et Secretarium
publicum infrascriptum fieri, et pu-
blicari, sigilliq3 quo in talibus utimur fecimus appensione communi-
ri. Actum, & DATVM Ro-
mæ in supradicto Celeberrimo
Romano Gymnasio ubi Collegium huiusmodi coadunari, et Do-
ctores creari solent, Anno a Natiuitate Domini Millesimo Quingentesimo Octogesimo Octauo Indictione Prima Die vero Duodeci

Abb. 416 Cod. 13910, fol. 9r Rom, 1588

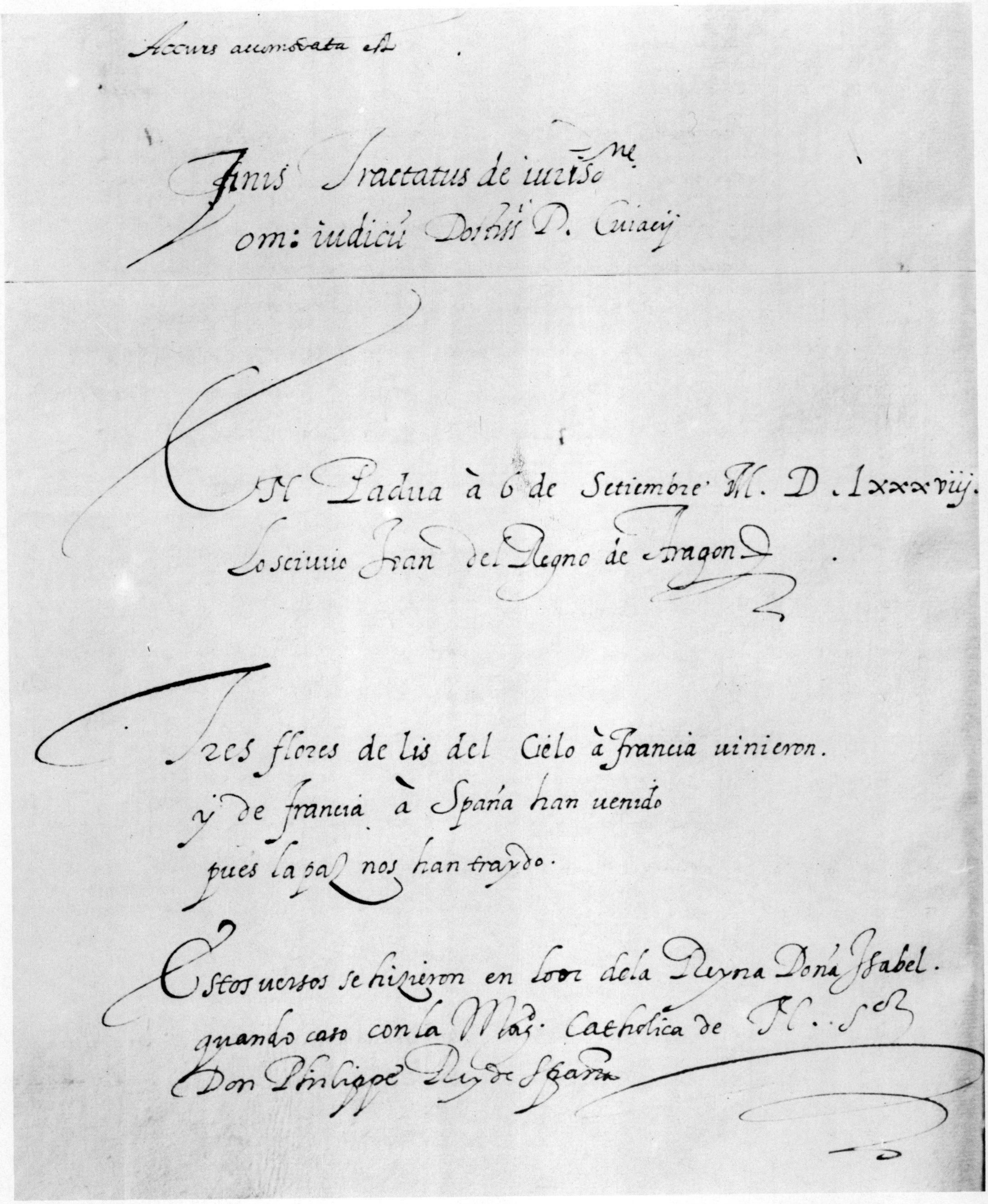

Accurs accommodata est

Finis Tractatus de iurisd.ne om: iudicii Doctiss.i D. Cuiacij

EN Padua à 6 de Setiembre M. D lxxxviij.
Lo scriuio Iuan del Regno de Aragon.

Tres flores de lis del Cielo à Francia uinieron.
y de francia à Spaña han uenido
pues la paz nos han traydo.

Estos uersos se hizieron en loor dela Reyna Doña Isabel.
quando caso con la Mag. Catholica de R.. S.
Don Philippe Rey de Spaña

Abb. 417 Cod. 9769, fol. 29v Padua, 1588

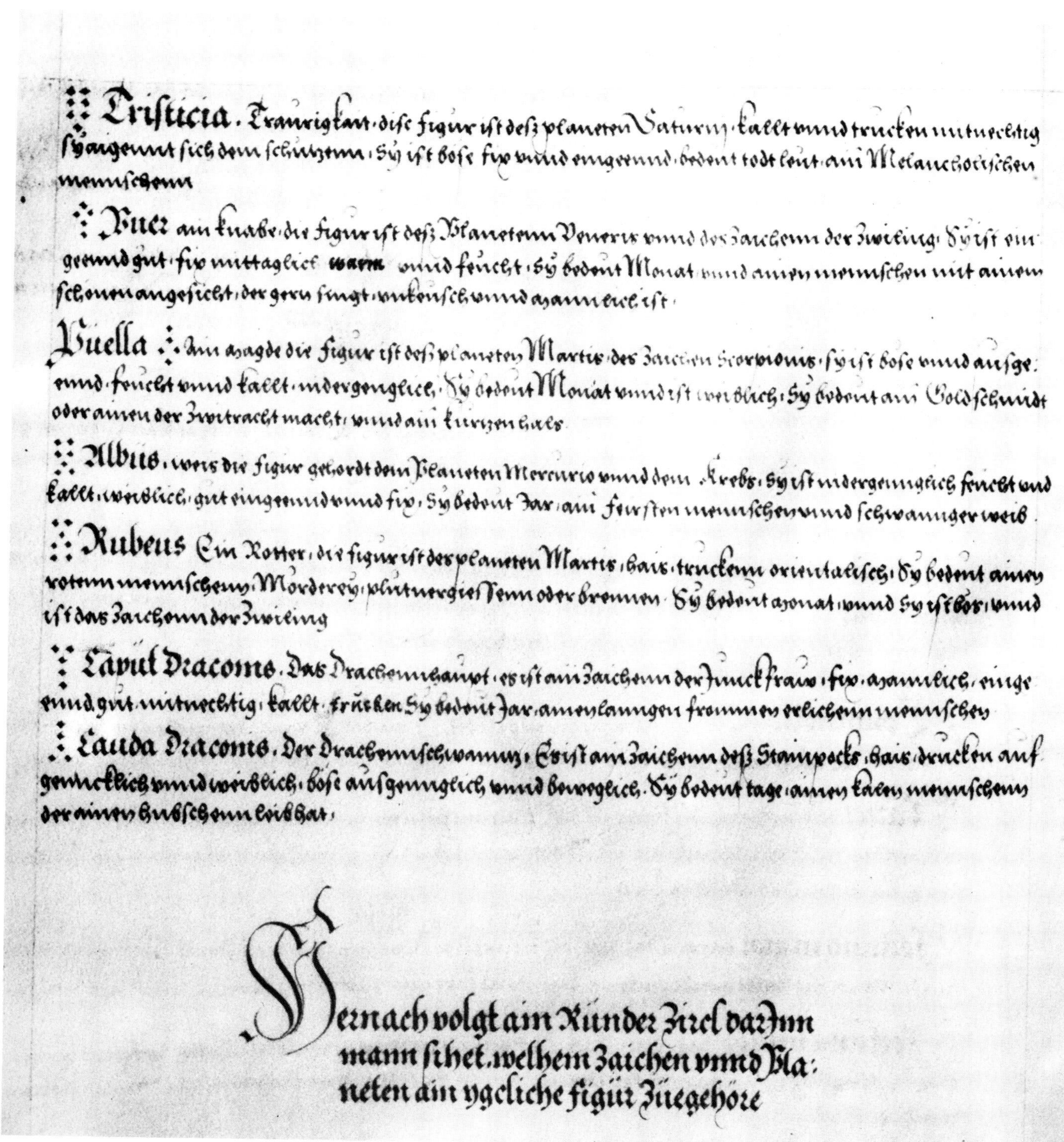

Tristicia. Traurigkait. dise figur ist desz planeten Saturni. kalt unnd trucken mitnechtig sy aigennt sich dem schutzen. Sy ist bose fix unnd eingeend. bedeut todt leut. ain Melancholischen menschenn

Puer ain knabe. die figur ist desz Planetenn Veneris unnd des Zaichenn der Zwiling. Sy ist ein geend gut. fix mittaglich warm unnd feucht. Sy bedeut Monat unnd ainen menschen mit ainem schonen angesicht. der gern singt. unkeusch unnd mannlich ist.

Puella ain Magde die figur ist desz planeten Martis. der Zaichen Scorpionis. Sy ist bose unnd ausge. unnd. feucht unnd kalt. nidergenglich. Sy bedeut Monat unnd ist weiblich. Sy bedeut ain Goldschmidt oder ainen der Zwitracht macht. unnd ain kurzen hals

Albus. weis die figur gehordt dem Planeten Mercurio unnd dem Krebs. Sy ist nidergenglich. feucht und kalt. weiblich. gut eingeend unnd fix. Sy bedeut Jar. ain feirsten menschen unnd schwanger weib

Rubeus Ein Rotter. die figur ist der planeten Martis. hais. truckenn orientalisch. Sy bedeut ainen rotenn menschenn. Morderey. plutvergiessenn oder brennen. Sy bedeut Monat. unnd Sy ist bos. unnd ist das Zaichenn der Zwiling

Caput Draconis. Das Drachennhaupt. es ist ain Zaichenn der Junckfraw. fix. mannlich. einge unnd gut. mitnechtig. kalt. trucken Sy bedeut Jar. ainen langen frommen erlichenn menschen

Cauda Draconis. Der Drachenschwanz. Er ist ain Zaichenn desz Stainpocks. hais. trucken auf genncklich unnd weiblich. bose ausgennglich unnd bewoglich. Sy bedeut tage. ainen kalen menschenn der ainen hubschenn leib hat.

Hernach volgt ain Runder Zirel darinn mann sihet. welhem Zaichen unnd Planeten ain ygliche figur zuegehore

Abb. 418 Cod. 11414, fol. 19v 1589 (1591 ?)

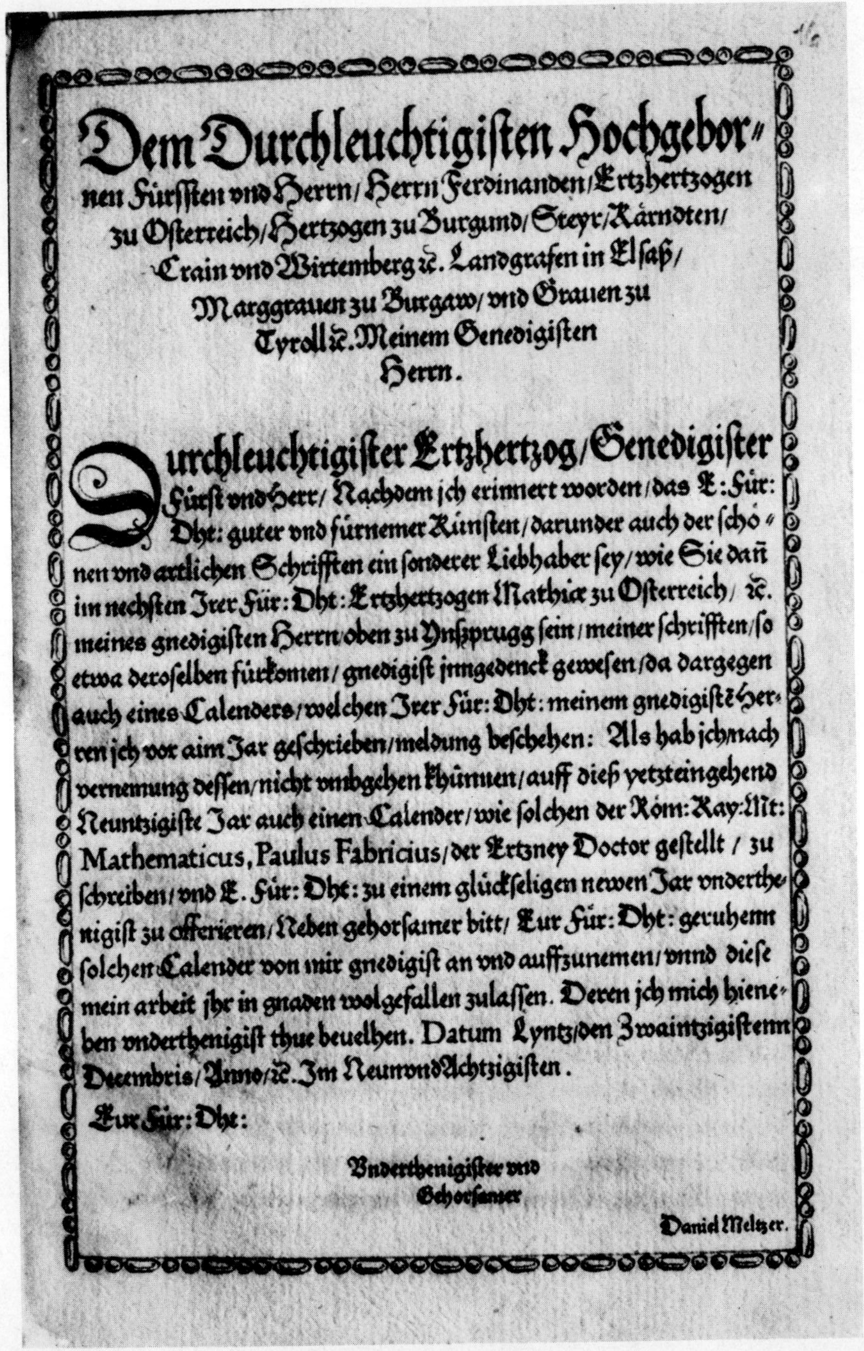

Dem Durchleuchtigisten Hochgebor-
nen Fürssten vnd Herrn/ Herrn Ferdinanden/ Ertzhertzogen
zu Osterreich/ Hertzogen zu Burgund/ Steyr/ Kärndten/
Crain vnd Wirtemberg ꝛc. Landgrafen in Elsaß/
Marggrauen zu Burgaw/ vnd Grauen zu
Tyroll ꝛc. Meinem Genedigisten
Herrn.

Durchleuchtigister Ertzhertzog/ Genedigister
Fürst vnd Herr/ Nachdem jch erinnert worden/ das E: Für:
Dht: guter vnd fürnemer Künsten/ darunder auch der schö-
nen vnd artlichen Schrifften ein sonderer Liebhaber sey/ wie Sie dañ
im nechsten Irer Für: Dht: Ertzhertzogen Mathiæ zu Osterreich/ ꝛc.
meines gnedigisten Herrn oben zu Ynsprugg sein/ meiner schrifften/ so
etwa derselben fürkomen/ gnedigist jnngedenck gewesen/ da dargegen
auch eines Calenders/ welchen Irer Für: Dht: meinem gnedigistẽ Herren jch vor aim Jar geschrieben/ meldung beschehen: Als hab jch mach
vernemung dessen/ nicht vmbgehen khünnen/ auff dieß yetzteingehend
Neuntzigiste Jar auch einen Calender/ wie solchen der Röm: Kay: Mt:
Mathematicus, Paulus Fabricius/ der Ertzney Doctor gestellt/ zu
schreiben/ vnd E. Für: Dht: zu einem glückseligen newen Jar vnderthenigist zu offerieren/ Neben gehorsamer bitt/ Eur Für: Dht: geruhenn
solchen Calender von mir gnedigist an vnd auffzunemen/ vnnd diese
mein arbeit jhr in gnaden wolgefallen zulassen. Deren jch mich hiene-
ben vnderthenigist thue beuelhen. Datum Lyntz/ den Zwaintzigistenn
Decembris/ Anno/ ꝛc. Im NeunvndAchtzigisten.

Eur Für: Dht:

Vnderthenigister vnd
Gehorsamer

Daniel Meltzer.

Abb. 419 Cod. Ser. n. 2635, fol. 16r Linz, 1589

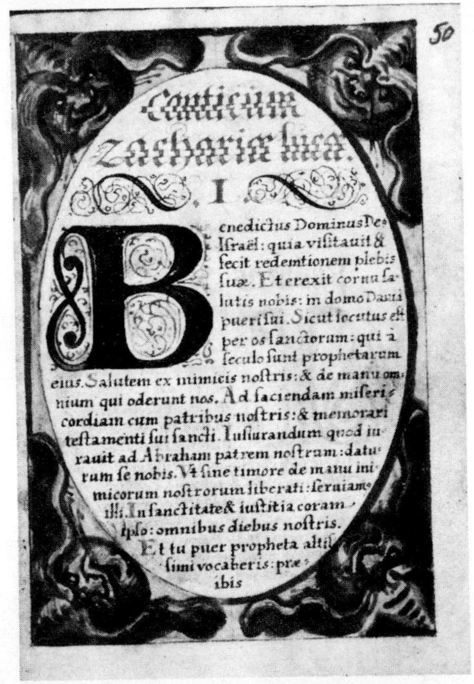

50

Canticum
Zachariæ luca.
I

Benedictus Dominus Deus
Israël: quia visitauit &
fecit redemtionem plebis
suæ. Et erexit cornu sa-
lutis nobis: in domo Dauid
pueri sui. Sicut locutus est
per os sanctorum: qui a
seculo sunt prophetarum
eius. Salutem ex inimicis nostris: & de manu omnium qui oderunt nos. Ad faciendam miseri-
cordiam cum patribus nostris: & memorari
testamenti sui sancti. Iusiurandum quod iu-
rauit ad Abraham patrem nostrum: datu-
rum se nobis. Vt sine timore de manu ini-
micorum nostrorum liberati: seruiamus
illi. In sanctitate & iustitia coram
ipso: omnibus diebus nostris.
Et tu puer propheta altis-
simi vocaberis: præ-
ibis

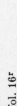

Abb. 420 Cod. Ser. n. 13254, fol. 50r 1589

REquiē- æternā donaeis Domi: ne: & lux per- petua luceat eis.
Psalm. Te decet hym- nus Deus in Siō, & tibi reddetur votū in Hie- rusalē: exaudi oratio- nem meā, ad te omnis caro veniet. Requiem.
M. N. R.
Pro defunctis Episcopis seu Sacerdotibus.
Oratio.
DEVS, qui inter a- postolicos sacerdo- tes, famulos tuos ponti- ficali, seu sacerdotali fe- cisti dignitate vigere: præsta, quæsum⁹: vt eorū quoq; perpetuo aggre- gentur consortio. Per.
Pro defunctis fratrib⁹, pro- pinquis, et benefactoribus.
Oratio.
GEORGIVS HOEFNAGLIVS ANTVERPIEN:
LIBRI HVIVS EXORNAT: HIEROGLYPHICVS INVENTOR ET FACTOR GENIO MAGISTRO
PRĪCIPIO SINE PRINCIPIO FAVĒTE, OPVS INCEPTV̄ AN: XXCII. FINE SINE FINE IVVANT: FELIC: ABSOLVIT.
AN: XC.
EX NOSTRIS ALIQVID SPIRET VOCALE SEPVLCHRIS
PRÆSTITA PERPETVO QVOD BENEFACTA CANAT

Abb. 421 Cod. 1784, fol. 637v (Innsbruck ?), 1590

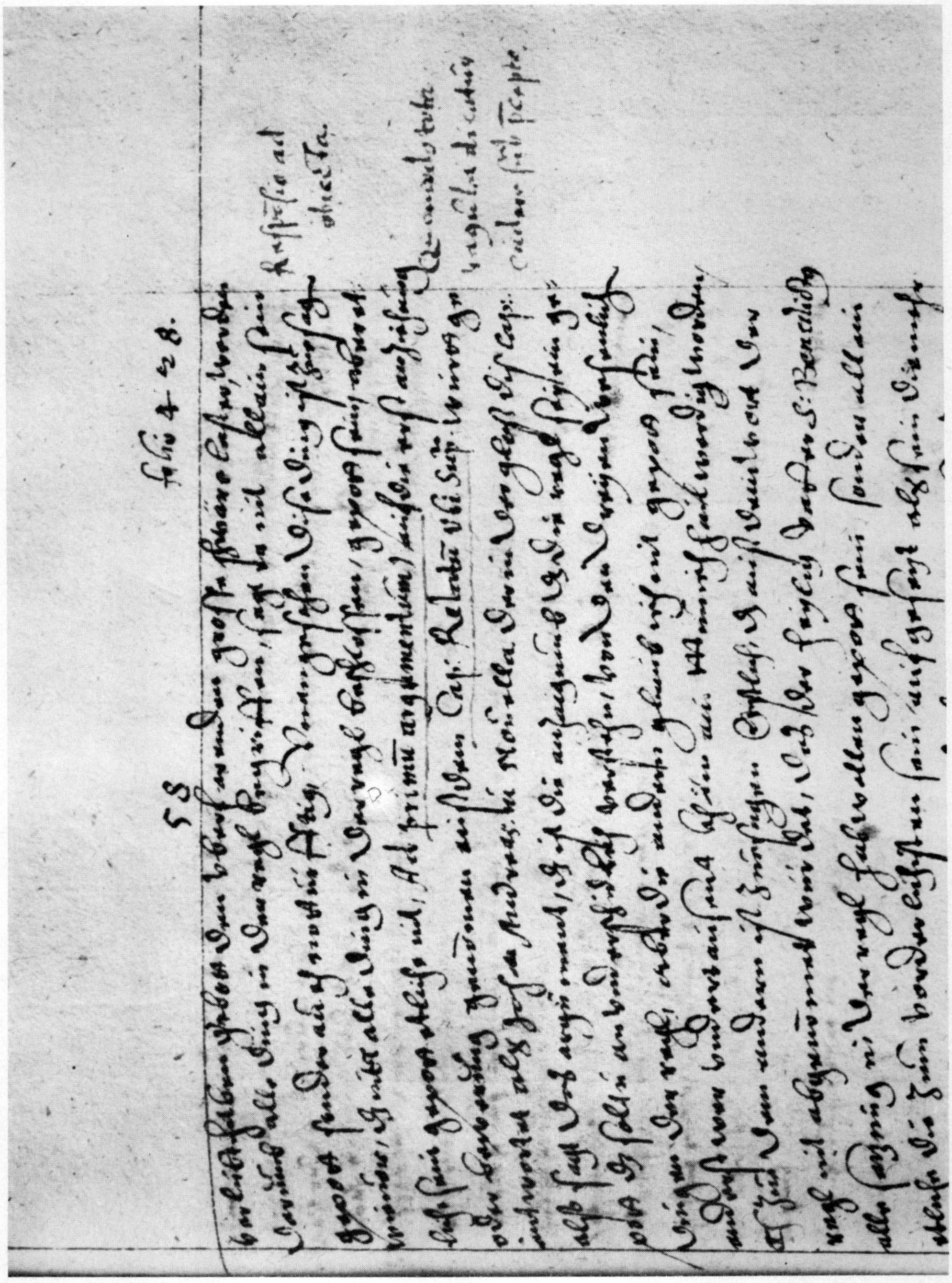

Abb. 422 Cod. 11 849, fol. 428r Niederaltaich, 1590

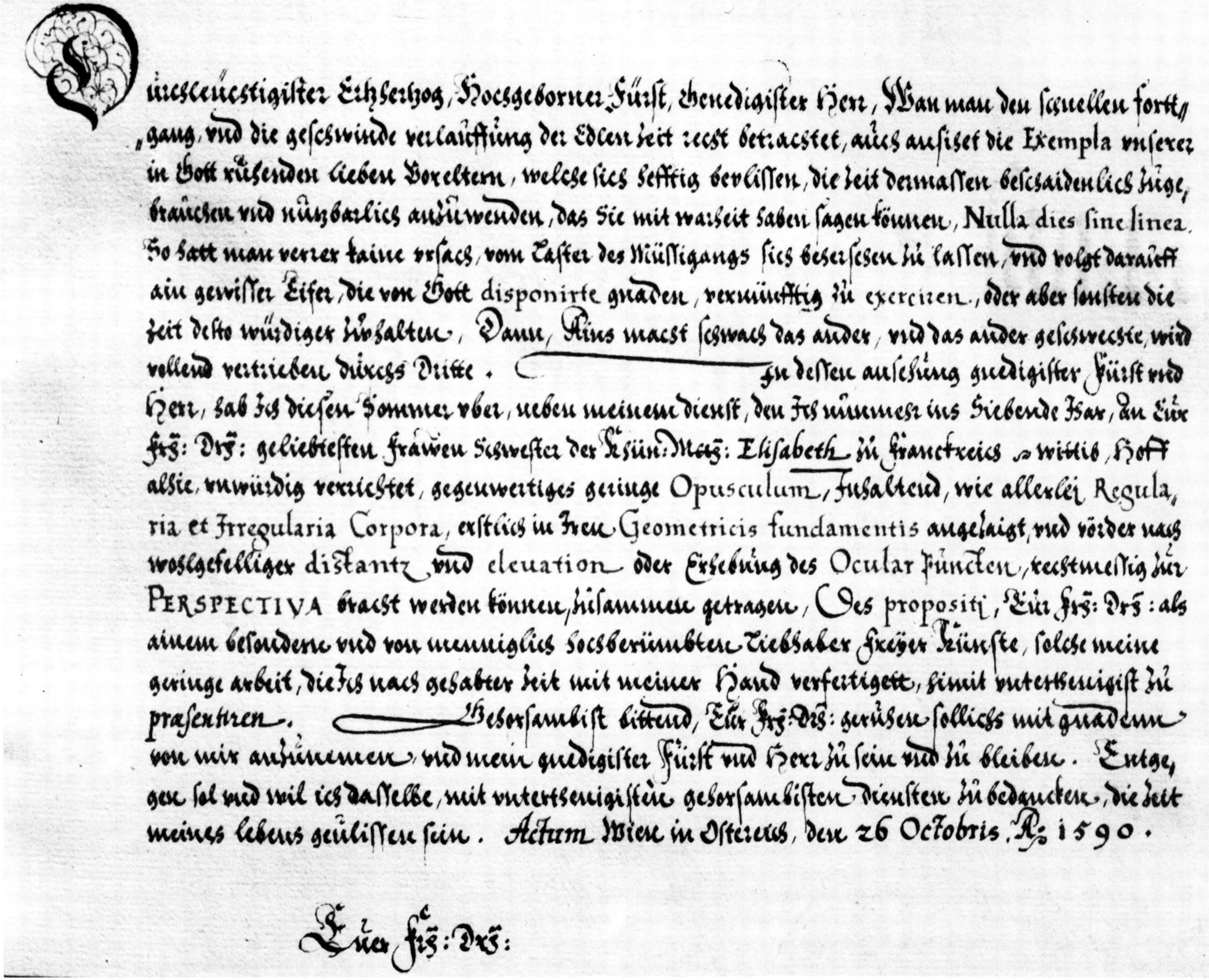

Durchleuchtigister Ertzhertzog, Hochgeborner Fürst, Genedigister Herr, Wan man den schnellen fortt-
gang, vnd die geschwinde verlauffung der Edlen zeit recht betrachtet, auch ansihet die Exempla vnserer
in Gott ruhenden lieben Voreltern, welche sich hefftig beflissen, die zeit dermassen beschaidenlich zuge-
brauchen vnd nutzbarlich anzuwenden, das Sie mit warheit haben sagen können, Nulla dies sine linea.
So hatt man verrer kaine vrsach, vom Laster des Müssigangs sich besitzen zu lassen, vnd volgt darauff
ain gewisser Eifer, die von Gott disponirte gnaden, vernünfftig zu exerciren, oder aber sonsten die
zeit desto würdiger zuhalten. Dann, Ains macht schwach das ander, vnd das ander geschwechte, wird
vollend vertrieben durchs Dritte. In dessen ansehung gnedigister Fürst vnd
Herr, hab Ich diesen Sommer vber, neben meinem dienst, den Ich nunmehr ins Siebende Jar, der Eur
Frl: Drl: geliebtesten frawen Schwester der Kün: Maij: Elisabeth zu Franckreich etc. wittib, Hoff
alhie, vnwürdig verrichtet, gegenwertiges geringe Opusculum, Inhaltend, wie allerlei Regula-
ria et Irregularia Corpora, erstlich in Iren Geometricis fundamentis angelaigt, vnd vorder nach
wolgefelliger distantz vnd eleuation oder Erhebung des Ocular Puncten, rechtmessig zur
PERSPECTIVA bracht werden können, zusammen getragen, Des propositi, Eur Frl: Drl: als
ainem besondere vnd von menniglich hochberümbten Liebhaber Freyer Künste, solche meine
geringe arbeit, die Ich nach gehabter zeit mit meiner Hand verfertigett, hiemit vnterthenigist zu
praesentiren. Gehorsamblich bittend, Eur Frl: Drl: geruhen sollichs mit gnaden
von mir anzunemen, vnd mein gnedigister Fürst vnd Herr zu sein vnd zu bleiben. Entge-
gen sol vnd wil ich dasselbe, mit vnterthenigisten gehorsamblisten diensten zu bedancken, die zeit
meines lebens geflissen sein. Actum Wien in Osterreich, den 26 Octobris, Ao 1590.

Eur Frl: Drl:

Abb. 423 Cod. 10822, fol. 2r Wien, 1590

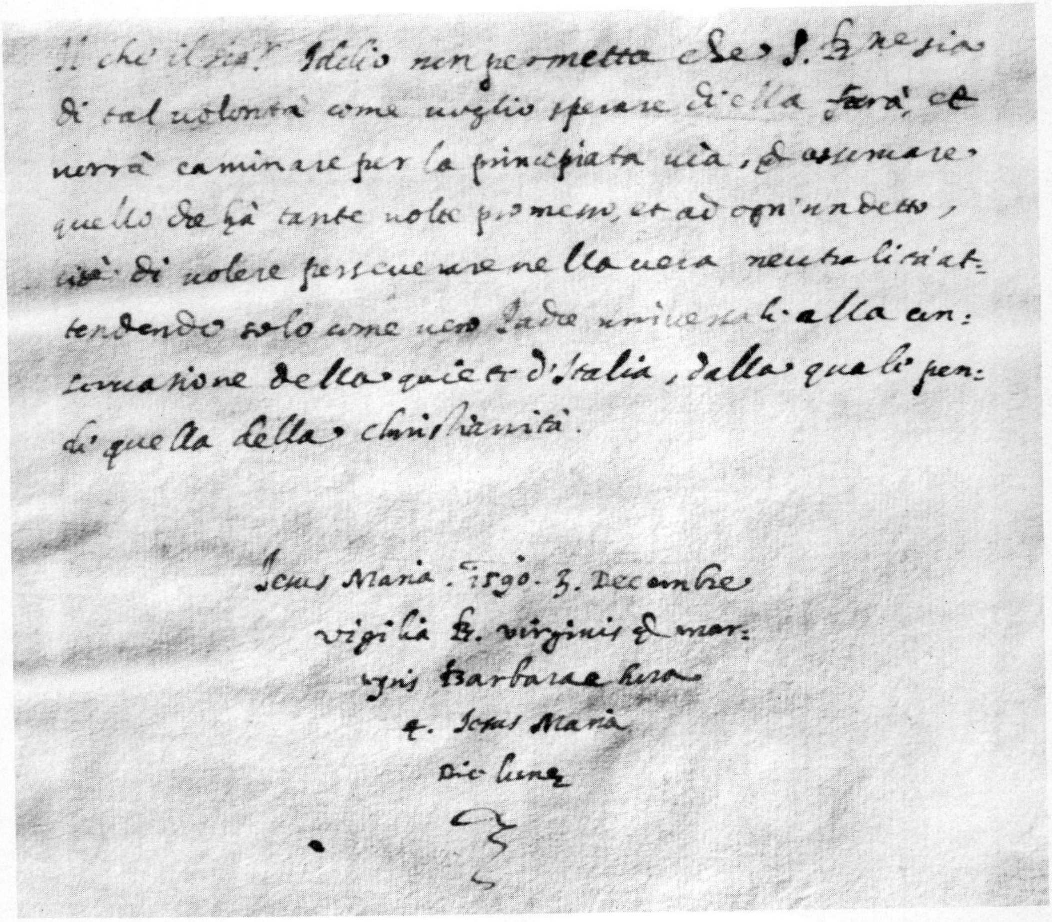
Il che il sig.r Iddio non permetta che S. S.tà ne sia
di tal uolontà come uoglio sperare di'ella sarà, et
uerrà caminare per la principiata uia, et assumare
quello che hà tante uolte promesso, et ad ogn'uno detto,
cioè di uolere perseuerare nella uera neutralità at=
tendendo solo come uero Padre uniuersale alla con=
seruatione della quiete d'Italia, dalla quale pen=
de quella della christianità.

Jesus Maria. 1590. 3. Decembre
vigilia B. virginis et mar=
tyris Barbarae hora
4. Jesus Maria
die lune

Abb. 424 Cod. 5974, fol. 26r (Venedig ?), 1590

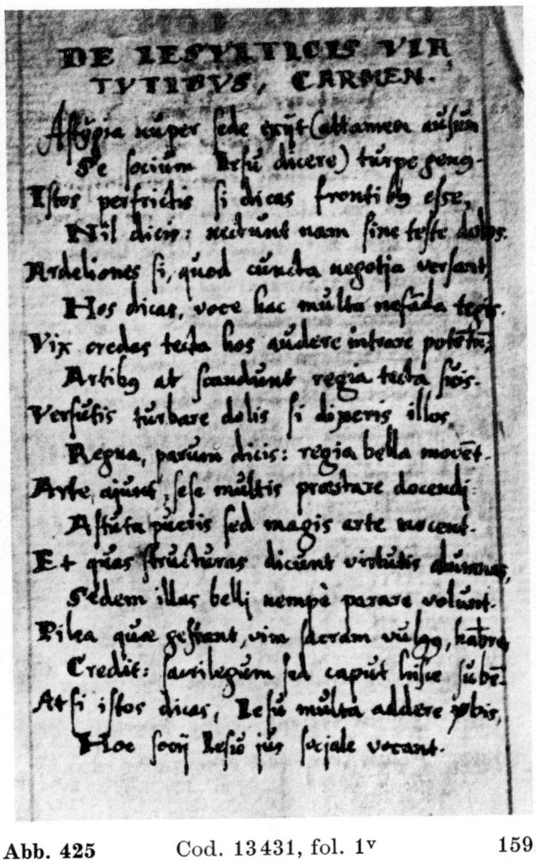
DE IESVITICIS VIR
TVTIBVS, CARMEN.

Assyria nuper sede egyt (attamen ausim
Se socium Jesu dicere) turpe genus.
Istos perfrictis si dicas frontibus esse,
Nil dicis: nedunt nam sine teste dolos.
Ardeliones si, quod cuncta negotia versant,
Hos dicas, voce hac multa nefanda tegis.
Vix credas tecta hos audere intrare potentum;
Artibus at scandunt regia tecta suis.
Versutis turbare dolis si dixeris illos,
Regna, parum dicis: regia bella movent.
Arte, aiunt, sese multis praestare docendi:
Astuta pectis sed magis arte nocent.
Et quas structuras dicunt virtutis divinas,
Sedem illas belli nempe parare volunt.
Pilea quae gestant, vim sacram vulgus habere
Credit: sacrilegium sed caput huius subest.
At si istos dicas, Jesu multa addere probris,
Hoc socii Jesu jus sociale vocant.

Abb. 425 Cod. 13431, fol. 1v 1591

Atq; ita expedivimus rationes, quas Secundo Libro tuo de Recentioribus Ætheris (Aëris potius) Phaenomenis, & Apologiâ tuâ contra me scriptâ recensuisti: quibus persuasus es & persuadere omnibus conaris Cometas esse Aetherea corpora: cum nequaquam aëri [illegible] sint. Quod vero nihil in ijs veri sit, sed ab omni scientiâ & arte prorsus alienae, hac nostrâ recognitione neminem harum rerum intelligentem latere potest. Ubi singula sic refutavi, ut interim ea adderem, quae rectior veritatis indagatio postularet. Tuum est tuis Ratiocinijs non amplius falli velle. Sunt alia plurima, de quibus disserendum esset. Verum illa aut hujus loci non sunt, aut Paradoxo tuo eversô, ex se corruent. Nam enim illae hypotheses tuae consistent, si thesis tua vera non sit. Nec huc pertinet remotionis Cometarum demonstratio. Quod in Elementari Regione sint, Physiologia evicit, non levissimis conjecturationibus, ut loqueris, sed Epistemonicis στοχάσμοις. Nam ὅτι est demonstratur ex apparentibus apparentium, cum ijs, quae naturâ priora sunt, connexio nec forte, nec temere contingens est, nec immutabili necessitate continetur. Sed ut plurimum ita se habet, & rarissime aliter. Nam natura est eorum, quae ut plurimum fiunt, & sunt. Unde ejusmodi rationes conjecturae appellari possunt, sed artificiosissimae & scientiâ plenae, ut diagnosis & prognosis Medica ostendunt. Quare, quod Cometae in Elementari regione sint, necessariâ etiam ratione constet. Cui potius assentiendum est, ut Veritatem tuae Uraniae teneri queas, quam certe tanto studio & industriâ colis, ut hac ex parte cum omni Antiquitate comparari posses, ac ea praestare, quae in perpetuam tui commendationem cedent. Videndum igitur tibi iterum atq; iterum, ne ibi Nomen tuum prophanes, ubi consecrare tanto & tam laudabili opere studes. Haec veritatis & amicitiae causâ contra [illegible] tuas carptim exarare libuit.

Absoluta, quo die ☉ Anno 1591 ad 2½ fere digitos obscurabatur: & paucis post dieb. rescripta.

Abb. 426 Cod. 10686[20], fol. 6[v]

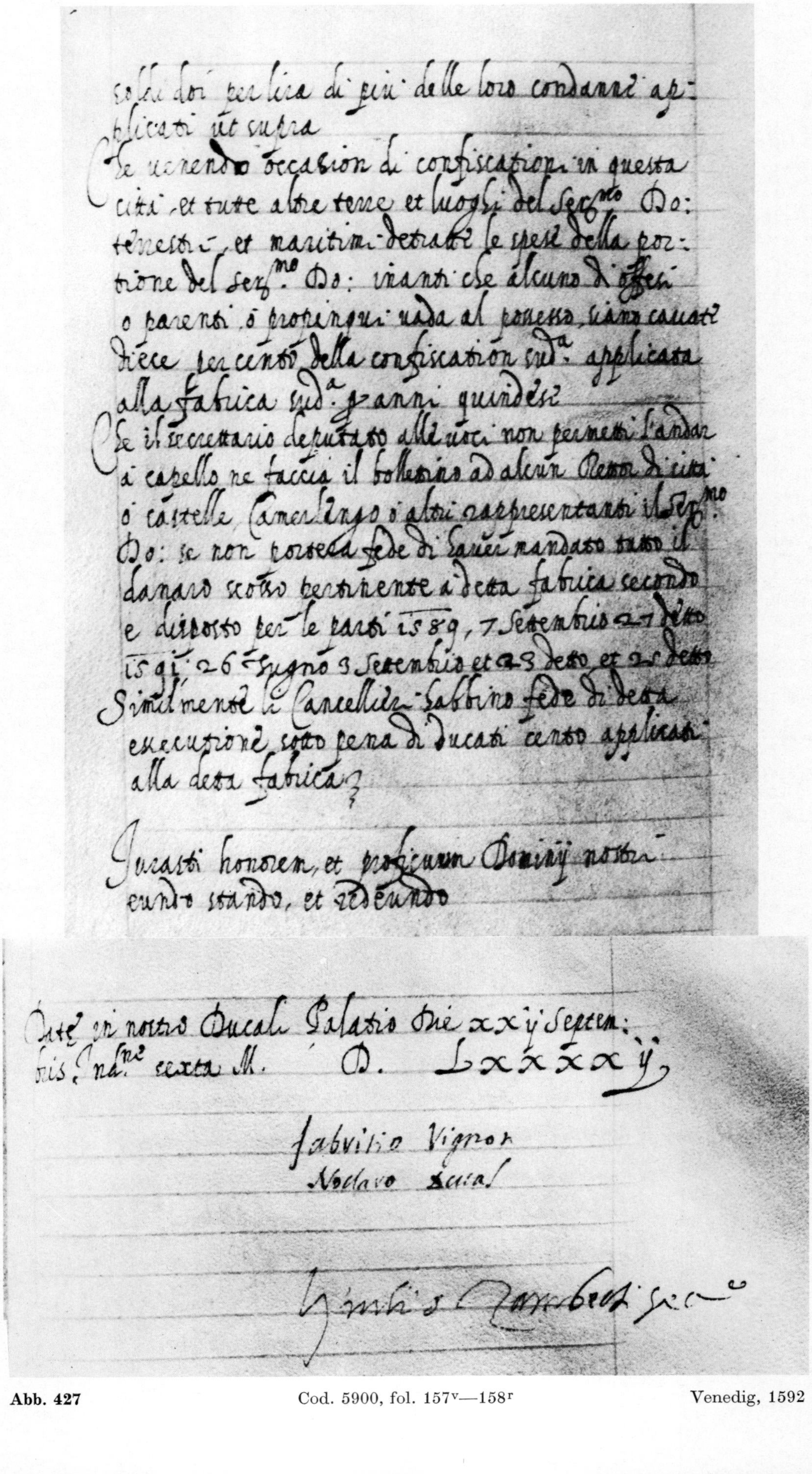
soldi doi per lira di piu delle loro condanne ap-
plicati ut supra
Che venendo occasion di confiscation in questa
città, et tutte altre terre et luoghi del Ser.mo Do:
terrestri, et maritimi detratte le spese della por-
tione del Ser.mo Do: inanti che alcuno di offesi
o parenti, o propinqui vada al possesso, siano cavati
diece per cento della confiscation sud.a applicata
alla fabrica sud.a per anni quindesi
Che il secretario deputato alle voci non permetti l'andar
à capello ne faccia il bolletino ad alcun Rettor di città
o castelle, Camerlengo o altri rappresentanti il Ser.mo
Do: se non porterà fede di haver mandato tutto il
danaro scosso pertinente à detta fabrica secondo
e disposto per le parti 1589, 7 settembrio 27 detto
1591 26 zugno 3 settembrio et 28 detto, et 25 detto
Similmente li Cancellieri habbino fede di detta
executione sotto pena di ducati cento applicati
alla detta fabrica;

Iurarti honorem, et proficuum Dominij nostri
eundo stando, et redeundo

Datę in nostro Ducali Palatio Die xxij Septembris, Ind.ne sexta M. D. LXXXXij

Fabritio Vignon
Nodaro Ducal

Giulio Zambelli secr.o

Abb. 427 Cod. 5900, fol. 157^{v}—158^{r} Venedig, 1592

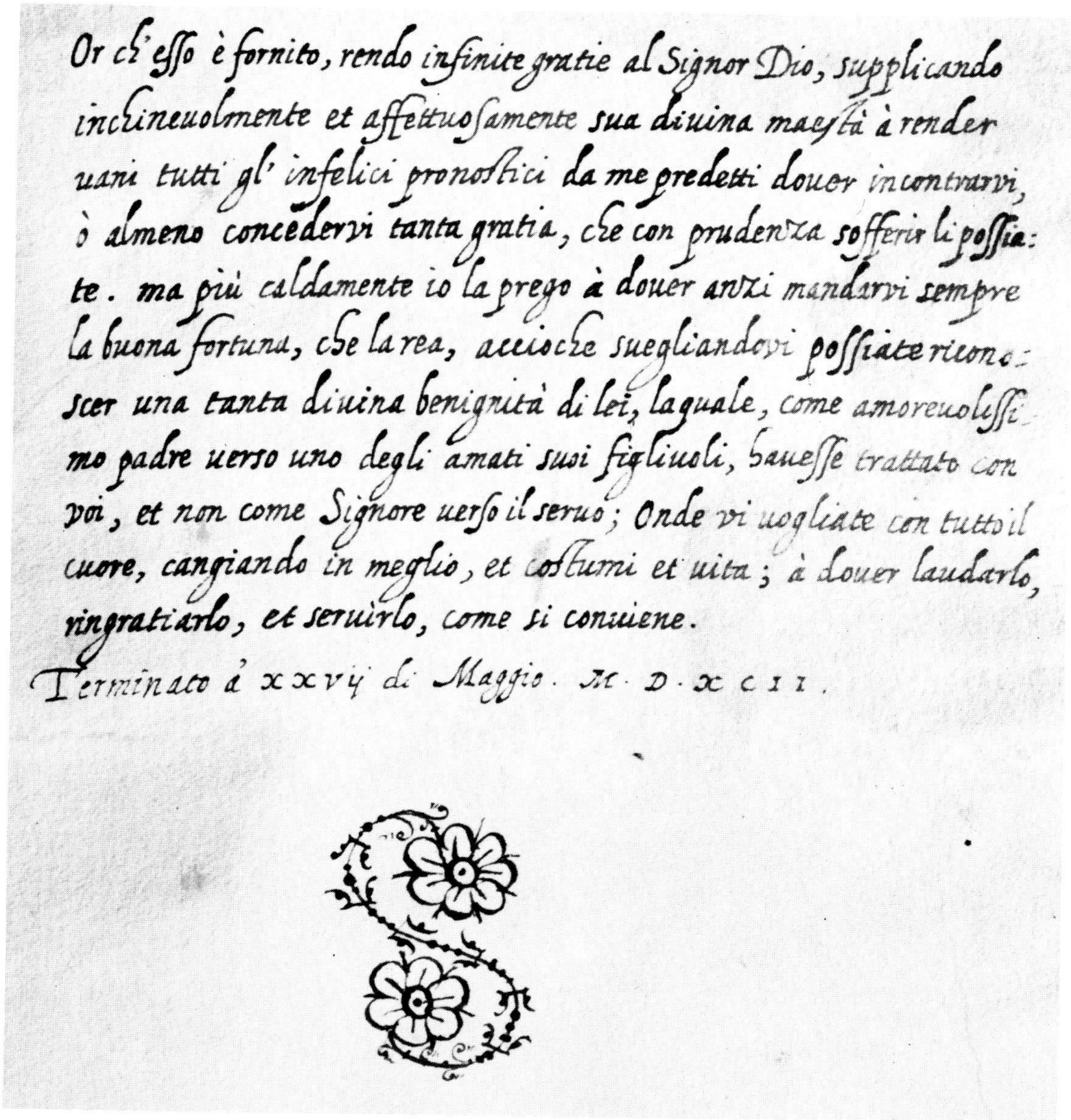

Or ch'esso è fornito, rendo infinite gratie al Signor Dio, supplicando
inchineuolmente et affettuosamente sua diuina maestà à render
uani tutti gl' infelici pronostici da me predetti douer incontrarvi,
ò almeno concederui tanta gratia, che con prudenza sofferir li possia:
te. ma più caldamente io la prego à douer anzi mandarvi sempre
la buona fortuna, che la rea, acciochè suegliandovi possiate ricono:
scer una tanta diuina benignità di lei, laquale, come amoreuolissi:
mo padre uerso uno degli amati suoi figliuoli, hauesse trattato con
voi, et non come Signore uerso il seruo; Onde vi uogliate con tutto il
cuore, cangiando in meglio, et costumi et uita; à douer laudarlo,
ringratiarlo, et seruirlo, come si conuiene.

Terminato à xxvij di Maggio. M. D. XCII.

Abb. 428 Cod. 6384, fol. 25r Padua, 1592

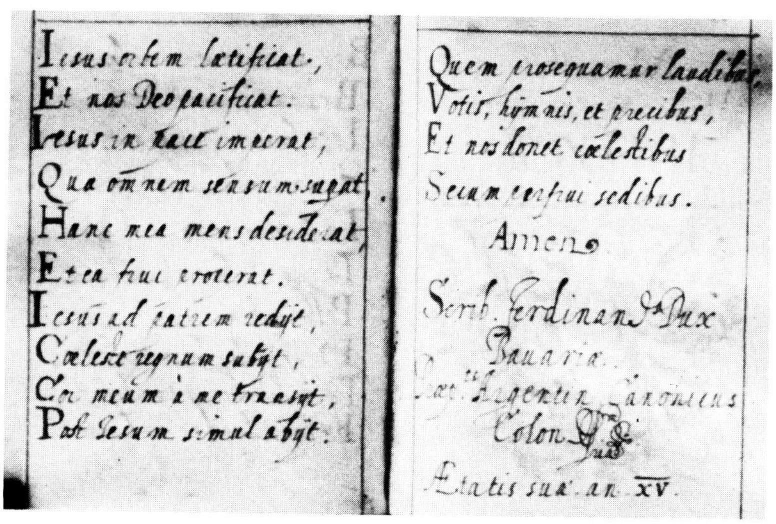

Iesus orbem lætificat,
Et nos Deo pacificat.
Iesus in pace imperat,
Qua omnem sensum superat.
Hanc mea mens desiderat,
Et ea frui properat.
Iesus ad patrem rediit,
Cœleste regnum subiit,
Cor meum à me traxit,
Post Iesum simul abiit.

Quem prosequamur laudibus,
Votis, hymnis, et precibus,
Et nos donet cœlestibus
Secum perfrui sedibus.
Amen.

Scrib. Ferdinandus Dux
Bauariæ.
Eccl.ae Argentin. Canonicus
Colon.
Ætatis suæ an. XV.

Abb. 429 Cod. 12874, fol. 10v—11r München, 1592

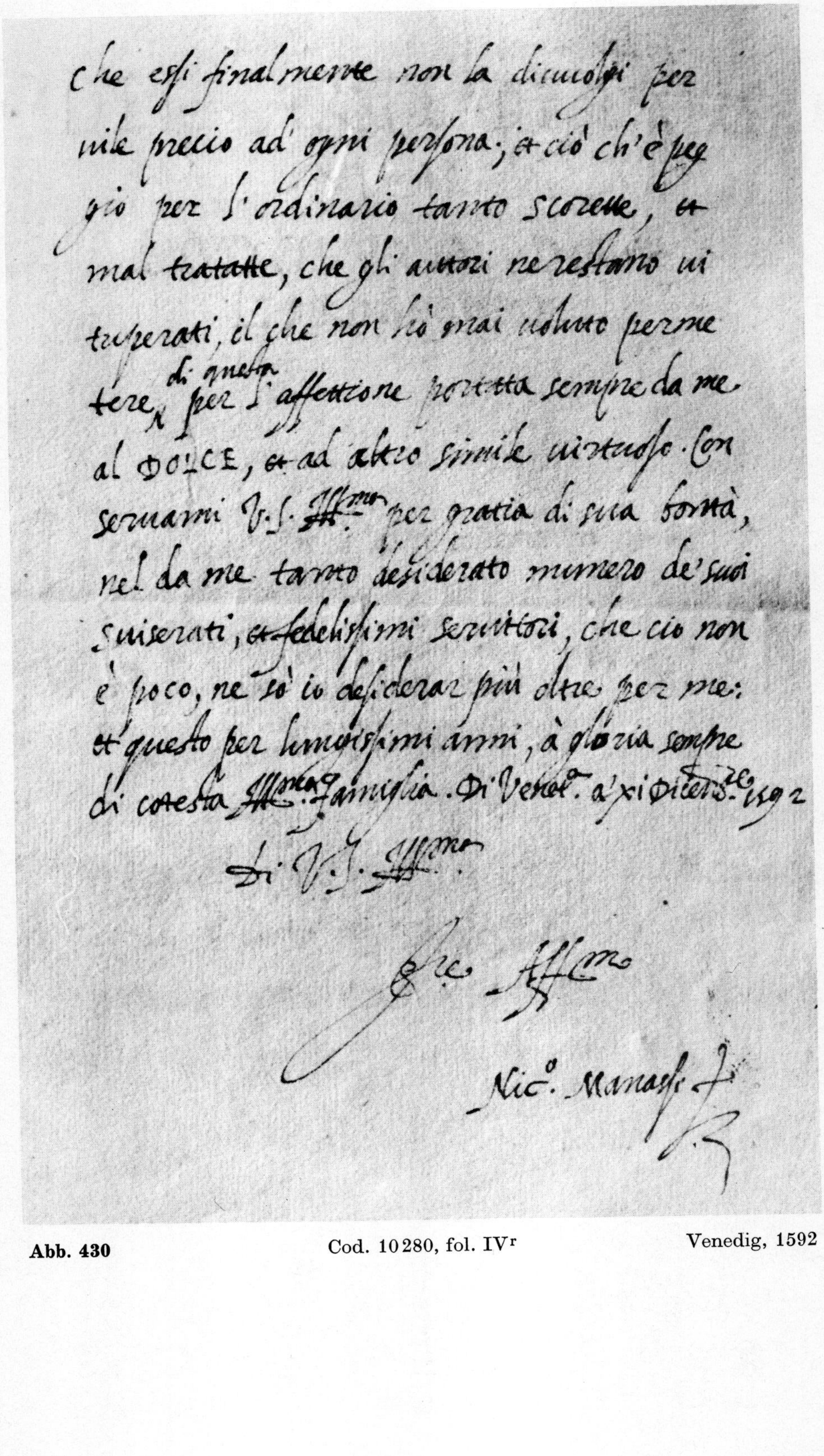
che essi finalmente non la diuolgai per
vile precio ad ogni persona, et ciò ch'è peg
gio per l'ordinario tanto scorette, et
mal trattatte, che gli auttori ne restano ui
tuperati, il che non hò mai voluto permet
tere, per l'affettione di questa portata sempre da me
al DOLCE, et ad altro simile virtuoso. Con
servarmi V. S. Ill.ma per gratia di sua bontà,
nel da me tanto desiderato numero de' suoi
suiserati, et fedelissimi servitori, che ciò non
è poco, ne sò io desiderar più oltre per me:
et questo per lunghissimi anni, à gloria sempre
di cotesta Ill.ma famiglia. Di Venet.a a' xi Dicemb.re 1592
Di V. S. Ill.ma
Ser.re Aff.mo
Nic.o Manassi

Abb. 430 Cod. 10280, fol. IVr Venedig, 1592

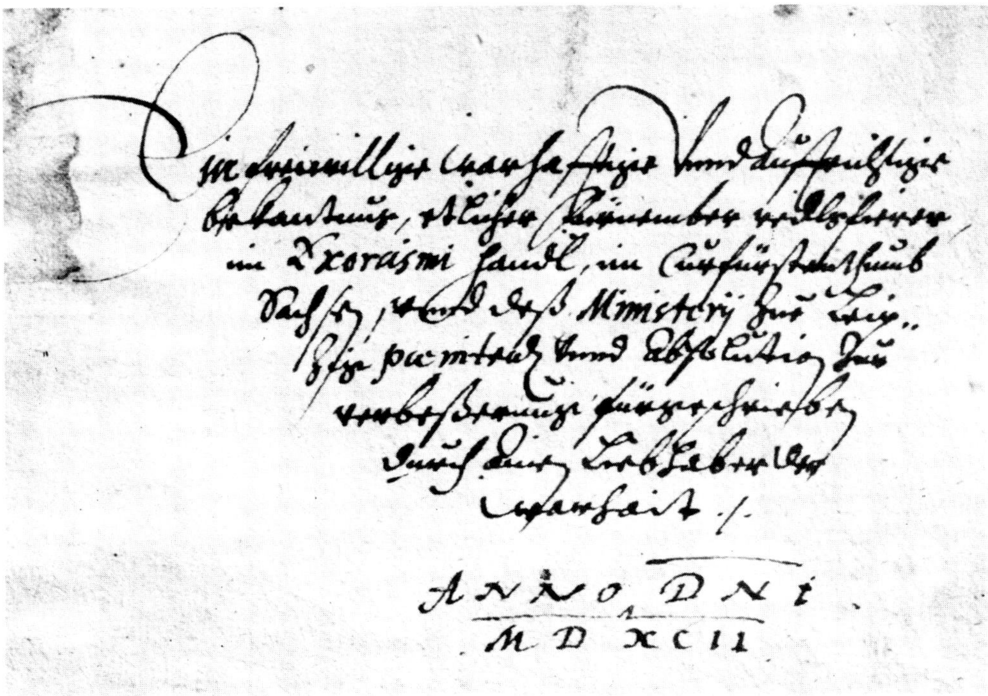

Abb. 431 Cod. 8866, fol. 1r 1592

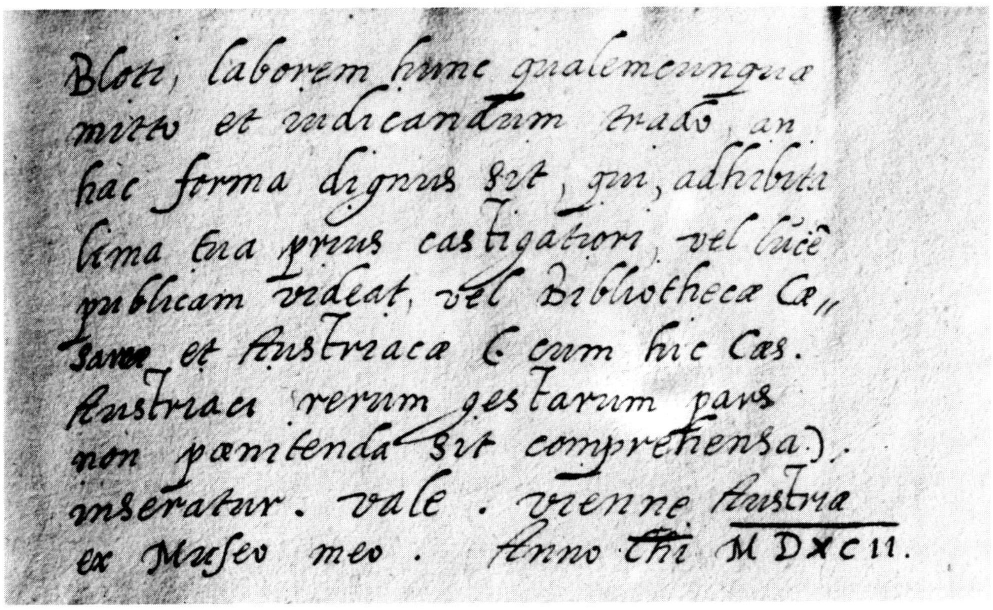

Abb. 432 Cod. 8003, fol. 3r Wien, 1592

des & pietas, qua & credis omnia, quæ tibi vel à natura vel à studio ac disciplina obti-
gerunt, te debere in diuinum honorem & Reipub. Christianæ vtilitatem impendere.
Et hominibus tuæ curæ subditis, si qui à Christi ouili aberrant reducendis, quantum in
te est sedulò adlaboras, & sacras Ædes extruis, & doctos ac pios homines foues, &
pauperes liberalitate ac munificentia iuuas. Quæ omnia considerantes mortaliũ optimi quiq;, mirum in modum recreantur, et animis erecti, expectant, quorsum tuis Virtutibus et naturæ dotibus euadas: Atq; adeò conceptis animo pijs in te votis & omnib.
Orere, inquiunt, & progredere Ostriacum sidus, phosphore pulcherrime. Macte animo, macte ista virtute Ser.me Princeps: Hæc via te ad superos ducit; his vestigijs maiores
tui, tot reges & Monarchæ, & laudem adepti sunt immortalem, & inter mortales ad sũ-
mos honores peruenerunt, & exuta mortalitate, in Dei consortium recepti sunt. I quo
te vocat illorum iam è cœlo de te spectantium fauor, quo tua virtus, quo nostra de te incredibilis expectatio: I bone; I pede fausto. Quod reliquum est, rogo te Serenissime
Princeps, vt meum quodcunq; erga te studium, pro tua humanitate, in meliorem partẽ
accipias, meq; tibi seruum esse credas animo deuotissimum. Deus autem Opt. Max. q.
te tot suis dotibus exornauit, dignetur, tum eas ipsas tibi firmas ac perpetuas facere,
tum earum quoq; accedente incremento, semper te incolumem, & omni laude florentẽ
conseruare. Viennæ Kalendis Ianuarijs, Anno à natiuitate Domini M. D. XCII.

T. Ser.tis

Obseruantissimus
cliens

Fr. Valentinus Fricius,
D. Francisci instituti.

Abb. 433 Cod. 11665, fol. 4v Wien, 1592

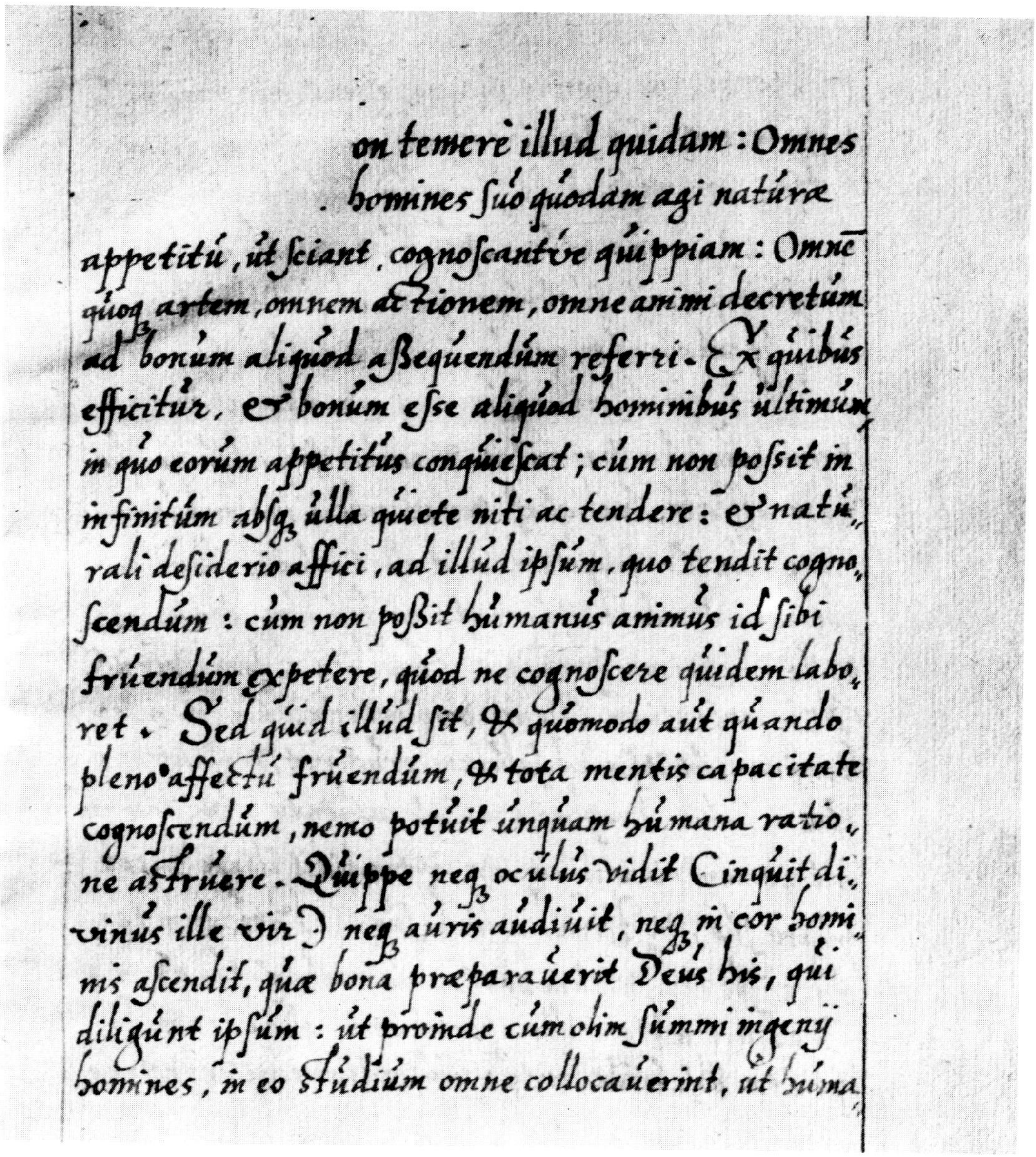

on temerè illud quidam: Omnes
homines suo quodam agi naturæ
appetitu, ut sciant, cognoscantve quippiam: Omnē
quoque artem, omnem actionem, omne animi decretum
ad bonum aliquod aßequendum referri. Ex quibus
efficitur, & bonum esse aliquod hominibus ultimum
in quo eorum appetitus conquiescat; cum non possit in
infinitum absque ulla quiete niti ac tendere: & naturali desiderio affici, ad illud ipsum, quo tendit cognoscendum: cum non poßit humanus animus id sibi
fruendum expetere, quod ne cognoscere quidem labo-
ret. Sed quid illud sit, & quomodo aut quando
pleno affectu fruendum, & tota mentis capacitate
cognoscendum, nemo potuit unquam humana ratione astruere. Quippe neque oculus vidit (inquit di-
vinus ille vir) neque auris audiuit, neque in cor hominis ascendit, quæ bona præparauerit Deus his, qui
diligunt ipsum: ut proinde cum olim summi ingenij
homines, in eo studium omne collocauerint, ut huma-

Abb. 434 Cod. 11665, fol. 5r Wien, 1592

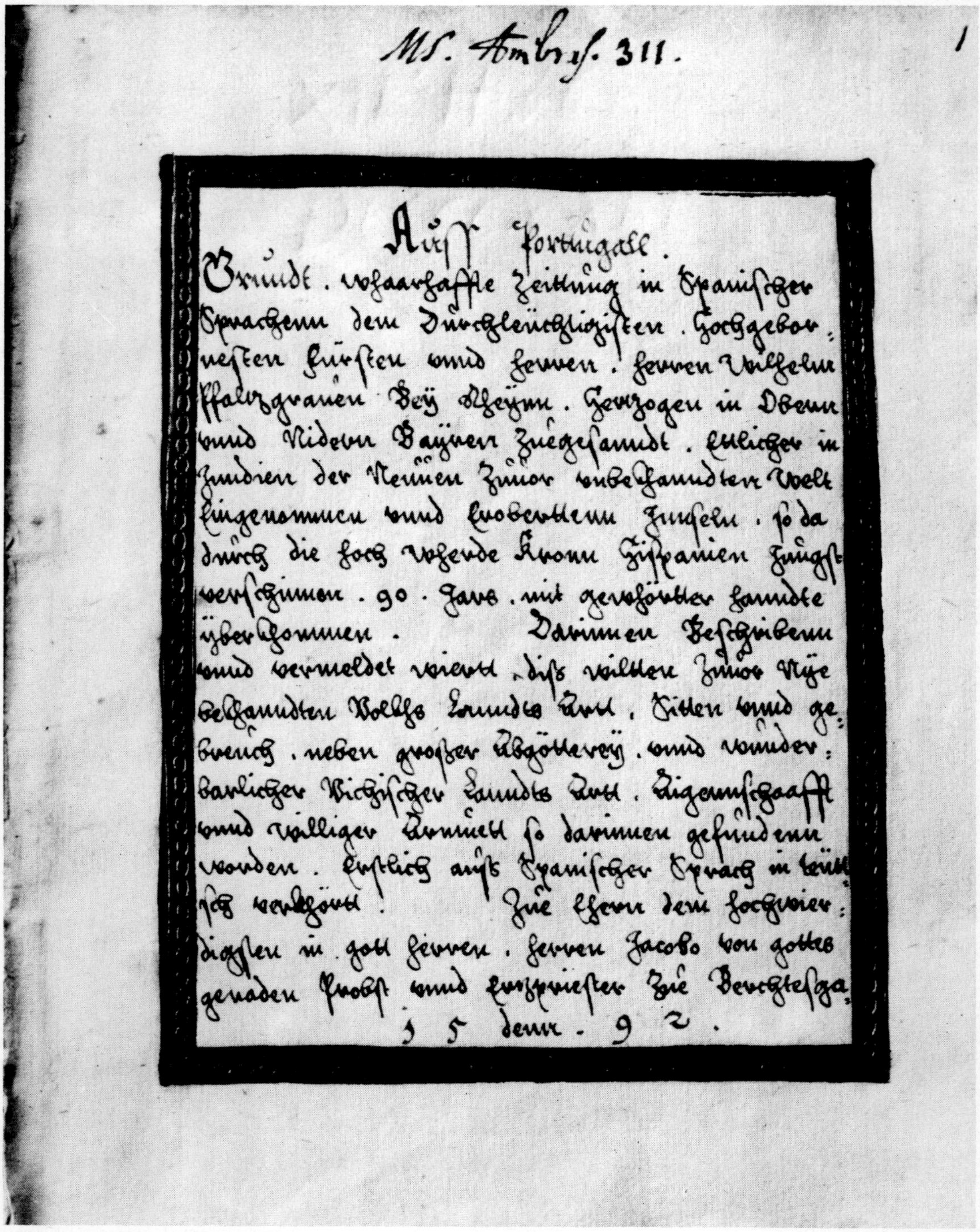

Abb. 435 Cod. 8916, fol. 1r (Bayern ?), 1592

che oltre il renderla dignissima d'Impero, et di quel Gouerno di
populi, et delli Genti che da Idio gl'è stato cocesso, tirano mi-
rauigliosamente gl'animi più liberali (non che il mio) à
seruirla, et honorarla, solo il sapere che l'A.V. Ser.ma posan-
do, et ritirandosi tal hora da gl'alti affari suoi per honesta
ricreatione di tal Gioco senta gusto, come quello che vera-
mente è trattenimento da Prencipi Rari quale à punto ella
può dirsi; m'è parso ragione potentissima, ond'io mi sia com-
piaciuto di offerirle il mio pouero dono di effetto, ma ricchis-
simo di affetto, che pur hora le sacro, come testimonio perpetuo della deuotissima, et sincera mia seruitù. Supplico dunq.
ad accettare la deuotione dell'animo mio, che se ne porta in
fronte scolpito questo piccolo parto pdotto dal mio sterile
ingegno, che intanto inchinandomi humilissimamente bascio
le sue Ser.me Mani, pregandole dal Sig.re Idio felicità, et
vita lunga. di Vienna li 11 di Ottobre 1593.

D.V.A Ser.ma

Humiliss.mo et deuotiss.o Seruit.re
Oratio Gianutio

Abb. 436 Cod. 10533, fol. 1v Wien, 1593

nolui. Porrò animo mecum euoluenti, cuinam potissimum hosce meos exiguos labores offerrem et dedicarem, deligere cœpi. Post longas et varias autem consultatio-
nes, neminem magis Idoneum inueni, quam illustrissimam uestram Celsitud: quam
præter alias heroicas et Principe dignissimas virtutes, quibus Celsitudo uestra
superlatiue ornata est, etiam singulari fauore, studio mirifico, ac beneuolentia pa-
terna, antiquitatum Studiosos, et liberalibus artib. adductos, earumque sectato-
res, iuxta Musicam laudatissimam, clementer prosequi, liberaliter fouere, magnis
beneficijs cumulare, ac amplis honoribus ornare, à plurimis fide dignis percepi.
Insuper etiam à Senatu Inclyto Reipub: nostræ Rotenburgi ad Tubarim, hæc
sub nomine illustris:æ uestræ Celsitud. emittere seriò sum persuasus & admonitus.
Illam itaque maiorem in modum, animique subiectione debita rogo et obtestor, ut
hasce qualescunque ingenij mei primitias, pro innata Vestræ Celsitud. erga
Antiquitatum Studiosos clementia et humanitate, clementer suscipere,
æqui bonique consulere uelint, neque dignitatem illarum (quæ quidem exigua et penè
nulla est.) sed potius humillimam et promptissimam dantis uoluntatem specta-
re dignentur. Sic, quæ sub nomine et auspicio illustris:æ Vestræ Celsitud. tractare cœpimus, fauore illæ prosequemur. Vt autem dicendi finem faciam,
hisce illustriss:am uestram Celsitud. DeI Optimi Maximi, et filij eius Domini
nostri IESV CHRISTI curæ et tutelæ subnixè commendo, ipsum inde-
sinanter orans, ut eam ad salutem subditorumque emolumentum seruet incolumem. Datum Rotenburgi ad Tubarim V. die Octob: nostri Styli Vete-
ris. Anno Epochæ M. D. XCIIII.

Illustriss:mæ Vestræ Cel-
situdinis

Obseruantissimus

Nicolaus Sueuus Rotenburgius
Nota. et in futurum Cancel-
lariæ constitutus.

Abb. 438 Cod. 15078, fol. 98^v Klosterneuburg, 1594

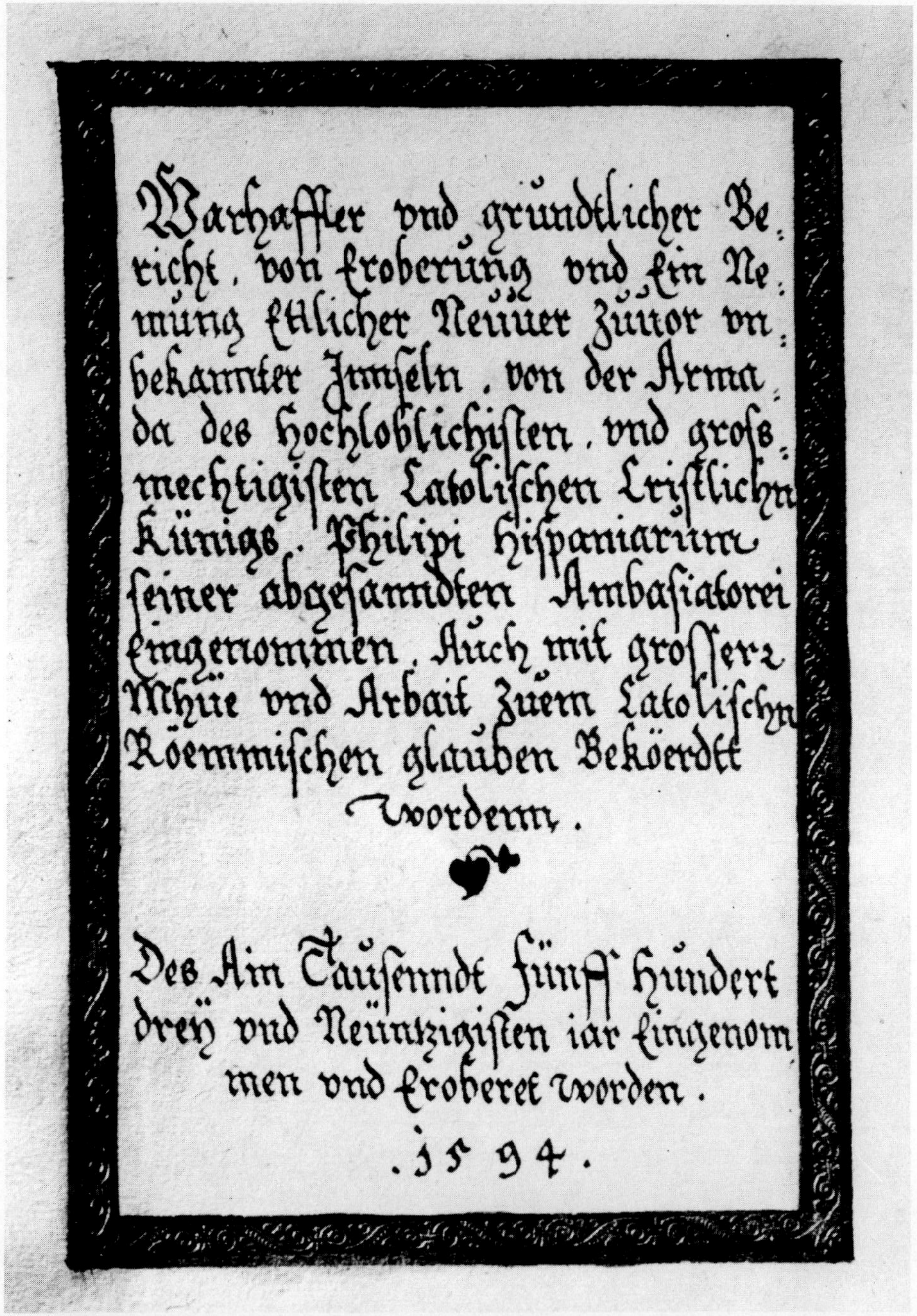
Warhaffter vnd gründtlicher Be-
richt, von Eroberung vnd Ein Ne-
mung etlicher Neüuer Züuor vn-
bekannter Jnnseln, von der Arma-
da des hochloblichisten, vnd groß-
mechtigisten Catolischen Cristlichen
Künigs, Philipi hispaniarum
seiner abgesanndten Ambasiatoren
Eingenommen, Auch mit grosserer
Mhüe vnd Arbait züem Catolischen
Röemmischen glauben Beköerdtt
worderm.

Des Ain Taüsenndt Fünff hündert
dreÿ vnd Neünzigisten iar Eingenommen vnd Eroberet worden.
.1594.

Abb. 439 Cod. 5759, fol. III[r] 1594

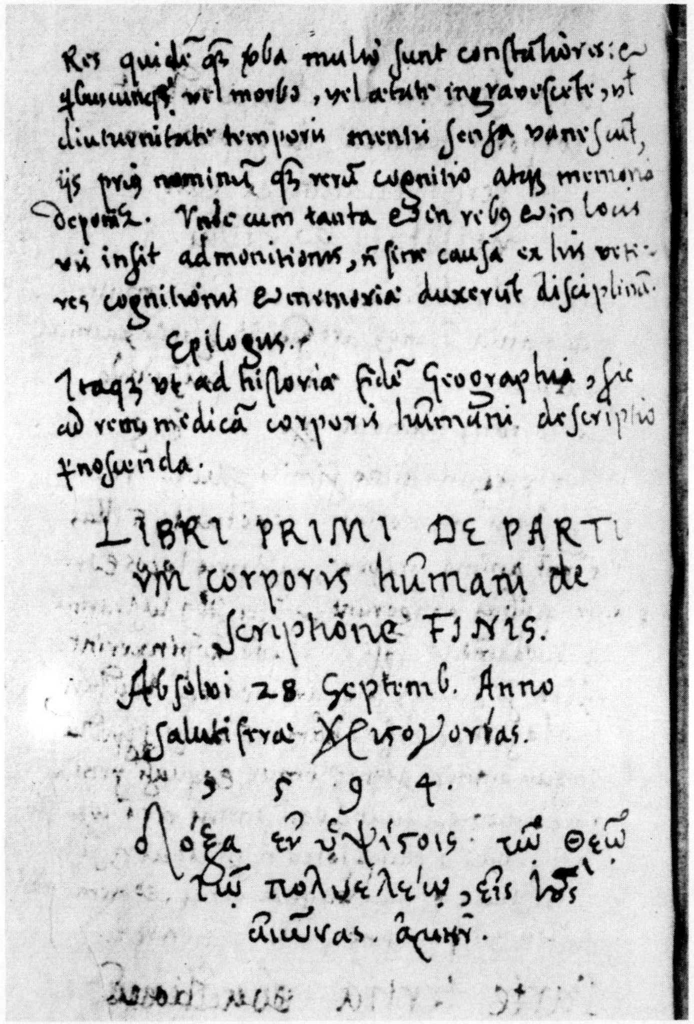
Epilogus.
LIBRI PRIMI DE PARTI-
um corporis humani de-
scriptione FINIS.
Absolui 28 Septemb. Anno
salutiferae
1 5 9 4.

Abb. 440 Cod. 11038, fol. 87[v] Montpellier, 1594

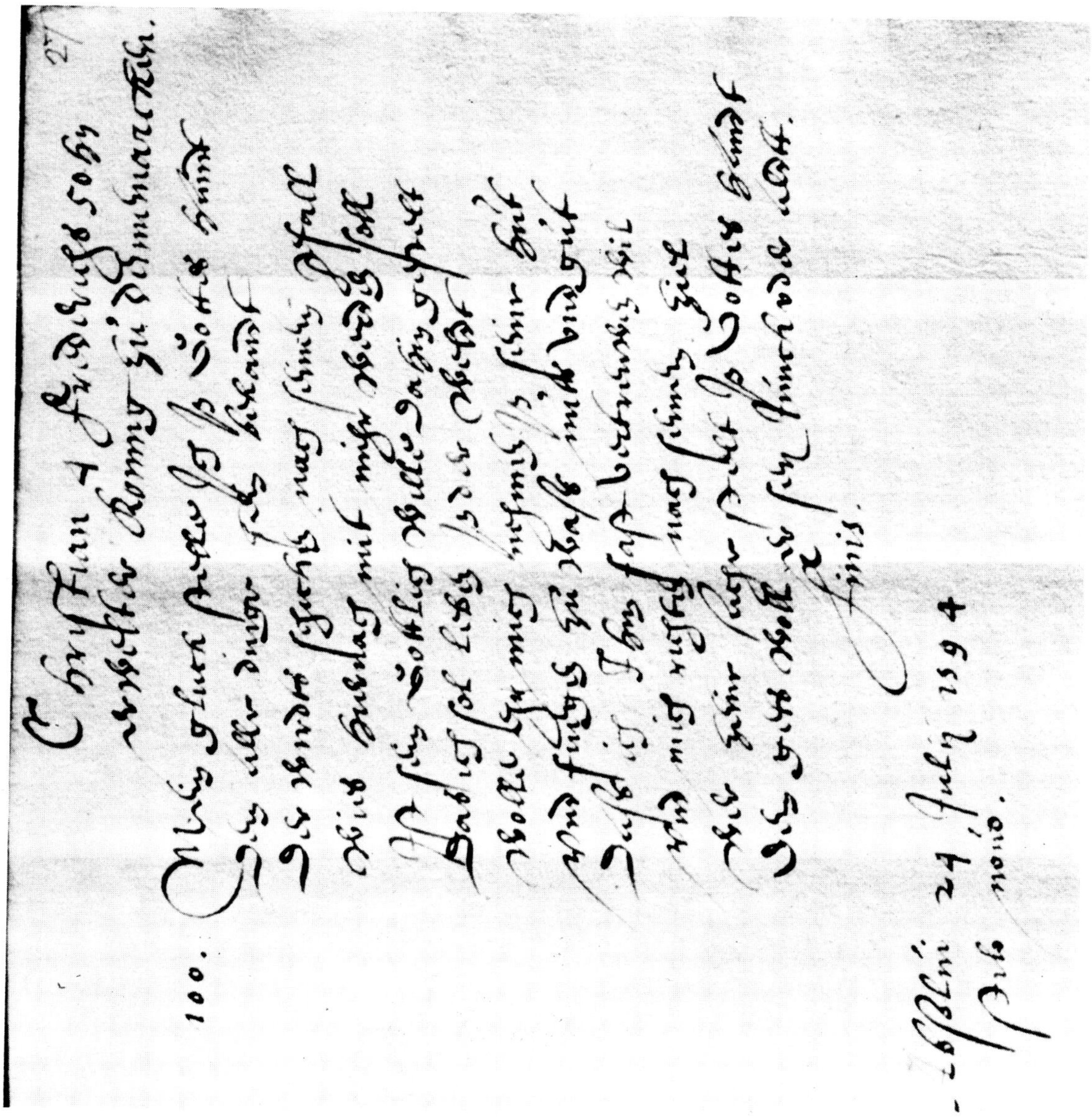

Abb. 441 Cod. 13033, fol. 27r 1594

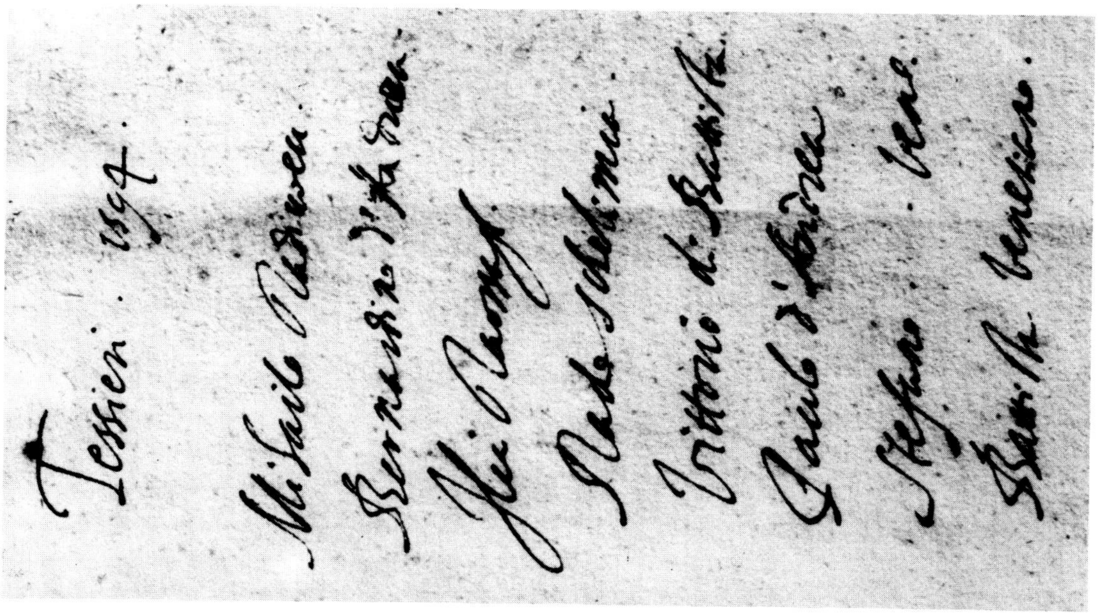

Abb. 442 Cod. Ser. n. 4512, fol. 38r (Ragusa), 1594

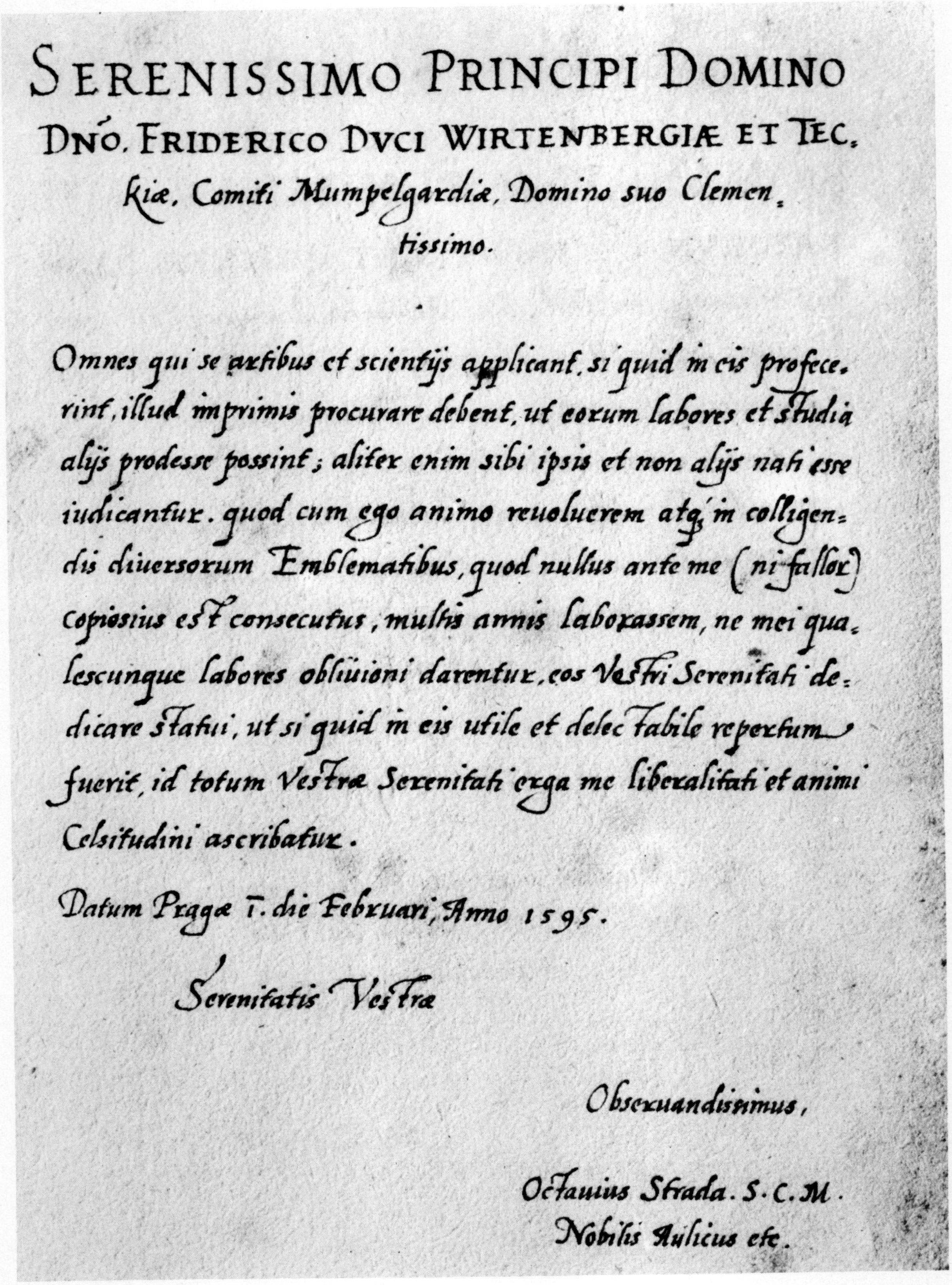

SERENISSIMO PRINCIPI DOMINO
DNO. FRIDERICO DVCI WIRTENBERGIÆ ET TEC.
kiæ, Comiti Mumpelgardiæ, Domino suo Clemen=
tissimo.

Omnes qui se artibus et scientijs applicant, si quid in eis profece=
rint, illud imprimis procurare debent, ut eorum labores et studia
alijs prodesse possint; aliter enim sibi ipsis et non alijs nati esse
iudicantur. quod cum ego animo reuoluerem atq; in colligen=
dis diuersorum Emblematibus, quod nullus ante me (ni fallor)
copiosius est consecutus, multis annis laborassem, ne mei qua=
lescunque labores obliuioni darentur, eos Vestri Serenitati de=
dicare statui, ut si quid in eis utile et delectabile repertum
fuerit, id totum Vestræ Serenitati erga me liberalitati et animi
Celsitudini ascribatur.

Datum Pragæ 1. die Februari, Anno 1595.

Serenitatis Vestræ

Obseruandissimus,

Octauius Strada. S.C.M.
Nobilis Aulicus etc.

Abb. 443 Cod. 9421, fol. 1v Prag, 1595

All'Ill.mo et Ecc.mo sig. Giacomo Foscarini
K.r, et Proc.r Cardine della Republica
Venetia
Padrone mio colendiss.o

L'animo mio non era, Ecc.mo Signore di scriver più cosa alcuna in materia dell'Arsenale, perche in vero non ho causa di farlo, essendo stato in diverse maniere malamente da lui trattato: Ma come christiano, che si scorda delle passate ingiurie ho voluto mutarmi d'opinione per non mancare dell'obligo mio verso la divina Maestà, da cui aspettarei il condegno castigo, non havendo adoperato il talento, che dalla sua pietà ho riceuuto. Per il che mi è parso scrivere, et dedicare questi miei pensieri con quella riverenza, et humiltà, che è tenuto il servo al suo S.re all'honoratissimo, et immortal nome di V.S. Ill.ma supplicandola per la nobilissima clemenza, che regna in lei, si degni farmi grã di legger la presente, tenendola custodita sotto quella secretezza, che desidero per il timore, e sospetto, ch'io debbo havere della mia salute per causa delli passati infortunij et persecutioni, Rimanendo sicuro, che doppo apparirà anco sopra l'orizonte più chiara, et candida luce conti-

Abb. 444 Cod. 6379, fol. 2r (Venedig), 1595 (?)

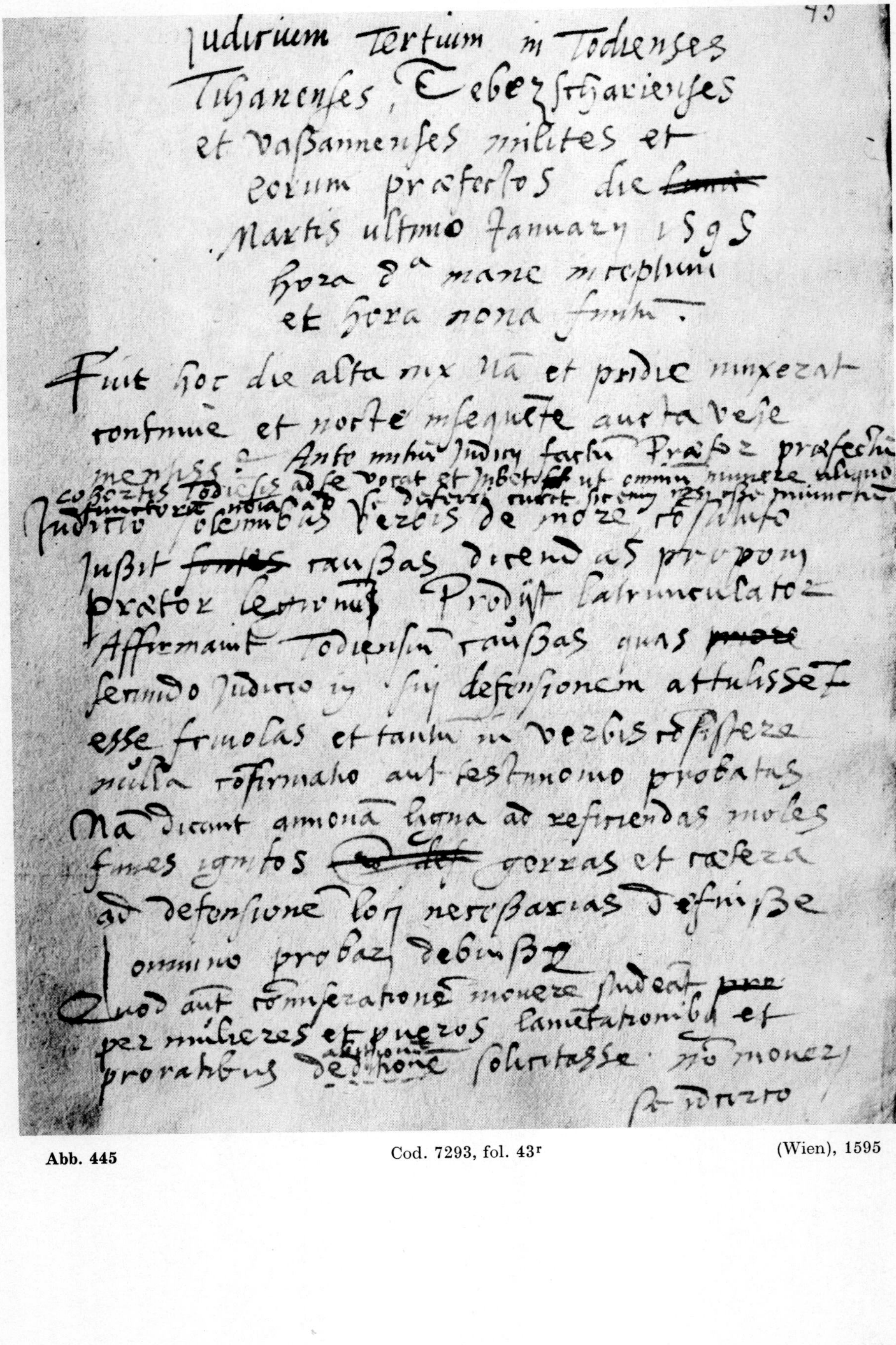
Iudicium tertium in Todienses
Tihanenses, Teberzcharienses
et Vassannenses milites et
eorum praefectos die
Martis ultimo January 1595
hora 8a mane incepimus
et hora nona finitum.

Abb. 445 Cod. 7293, fol. 43r (Wien), 1595

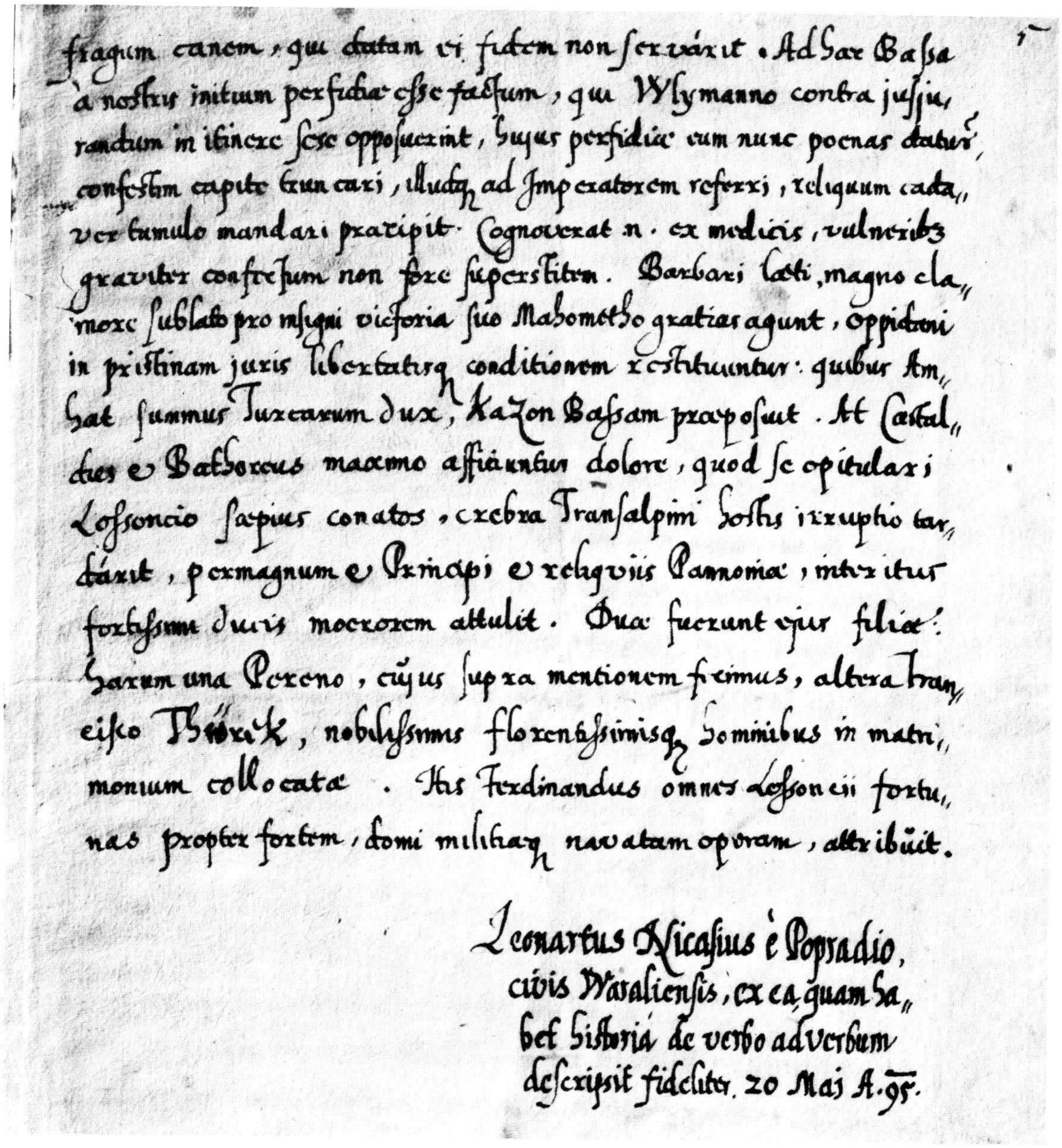

fragum canem, qui datam ei fidem non servarit. Ad Sar Bassa
à nostris initium perfidiae esse factum, qui Wlymanno contra jussiu,
randum in itinere sese opposuerint, hujus perfidiae cum nunc poenas daturi,
confestim capite truncari, illudque ad Imperatorem referri, reliquum cada,
ver tumulo mandari praecipit. Cognoverat n. ex medicis, vulneribus
graviter confectum non fore superstitem. Barbari laeti, magno cla,
more sublato pro insigni victoria suo Mahometho gratias agunt, oppidani
in pristinam juris libertatisque conditionem restituuntur: quibus Am,
hat summus Turcarum dux, Kazon Bassam praeposuit. At Castel,
dies et Barboreus maximo afficiuntur dolore, quod se opitulari
Losonczio saepius conatos, crebra Transalpini hostis irruptio tar,
darit, permagnum et Principi et reliquiis Pannoniae, interitus
fortissimi ducis moerorem attulit. Duae fuerunt ejus filiae:
harum una Pereno, cujus supra mentionem fecimus, altera Fran,
cisco Thörök, nobilissimis florentissimisque dominibus in matri,
monium collocatae. His Ferdinandus omnes Losonczii fortu,
nas propter fortem, domi militiaeque navatam operam, attribuit.

Leonartus Nicasius è Popradio,
civis Waraliensis, ex ea, quam ha,
bet historia de verbo ad verbum
descripsit fideliter. 20 Mai A. 95.

Abb. 446 Cod. 7444, fol. 5r (Ungarn), 1595

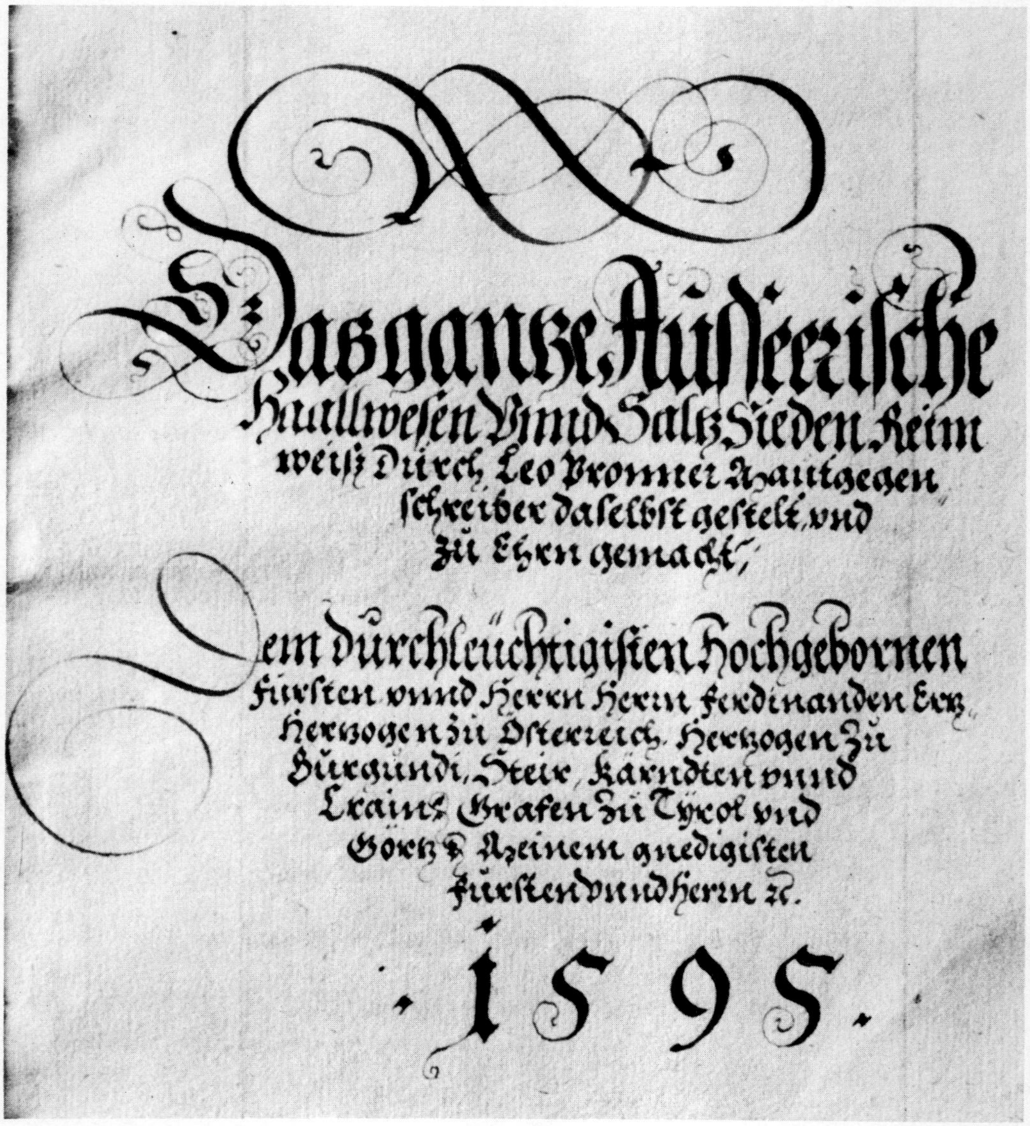

Das ganze Aüsseerische
Hüttlwesen vnnd Saltz Sieden Reim
weiß Dürch Leo Prommer Hauitgegen
schreiber daselbst gestelt, vnd
zü Ehrn gemacht;

Dem dürchleüchtigisten Hochgebornen
Fürsten vnnd Herrn Herrn Ferdinanden Ertz
Herzogen zü Österreich, Herzogen zü
Bürgündi, Steir, Kärndten vnnd
Crain, Grafen zü Tyrol vnd
Görtz &c. Meinem gnedigisten
Fürsten vnnd Herrn &c.

·1595·

Abb. 447 Cod. 7386, fol. IIr Aussee, 1595

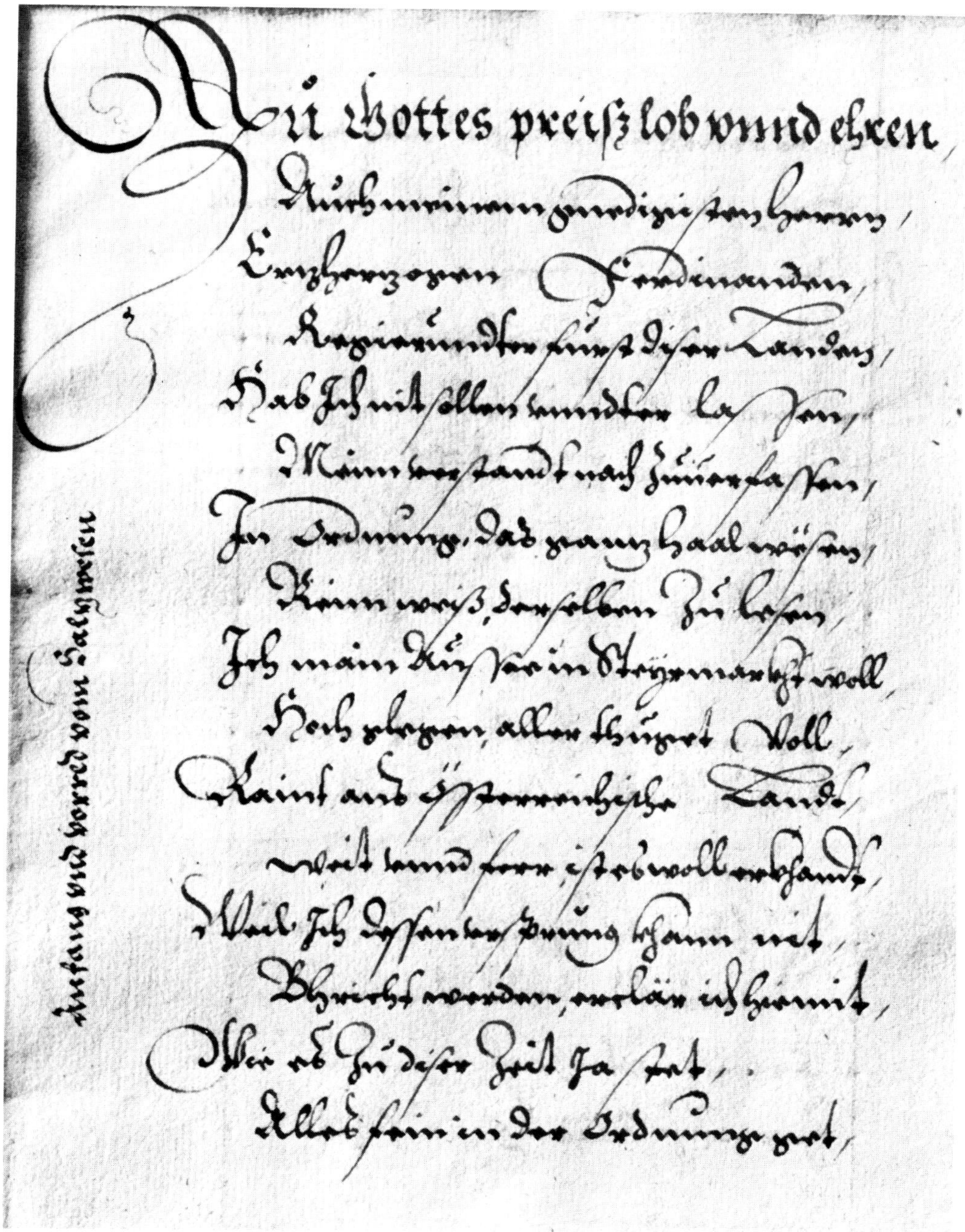

Zu Gottes preiß lob vnnd ehren,
Auch meinem gnedigisten herren,
Erzherzogen Ferdinanden,
Regierunder fürst diser Landen,
Hab Ich nit sollen vnnderlassen,
Mein verstandt nach zuuerfassen,
Jn Ordnung, das ganz haalwösen,
Kain waiß, derselben zu lesen,
Ich main Aussee in Steyrmarkht woll
Auch gelegen, allen khundt woll
Raint ans Össterreichische Lande,
weit vnnd ferr ist es woll erkhandt,
Weil Ich dessen vrsprung khann nit
Bricht worden, erklär ich hiemit,
Wie es zu diser Zeit ja stet,
Alles fain in der Ordnung get,

Anfang vnd vorred vom Salzwesen

Abb. 448 Cod. 7386, fol. 1r Aussee, 1595

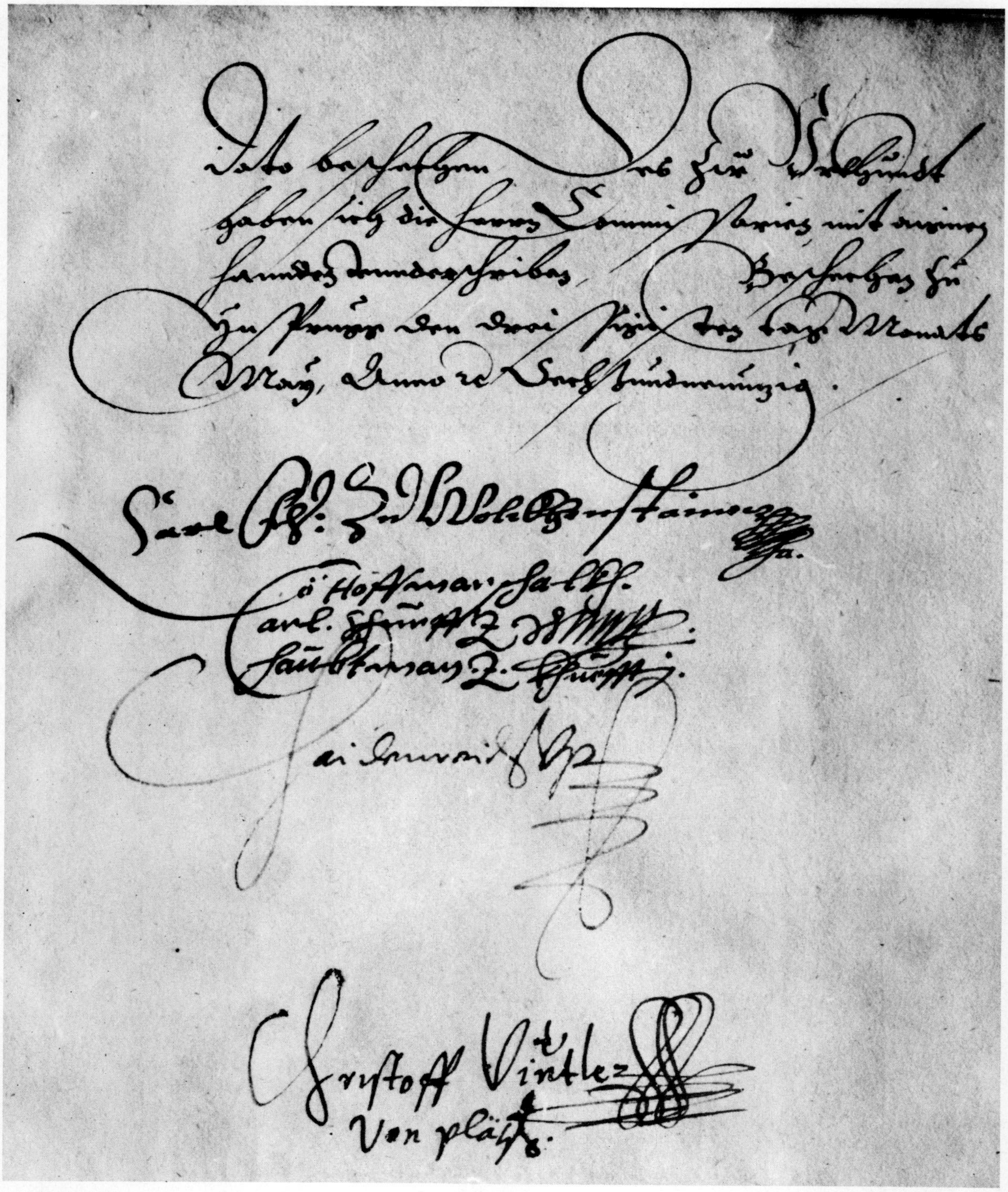

Abb. 449 Cod. 8228, fol. 688r Innsbruck, 1596

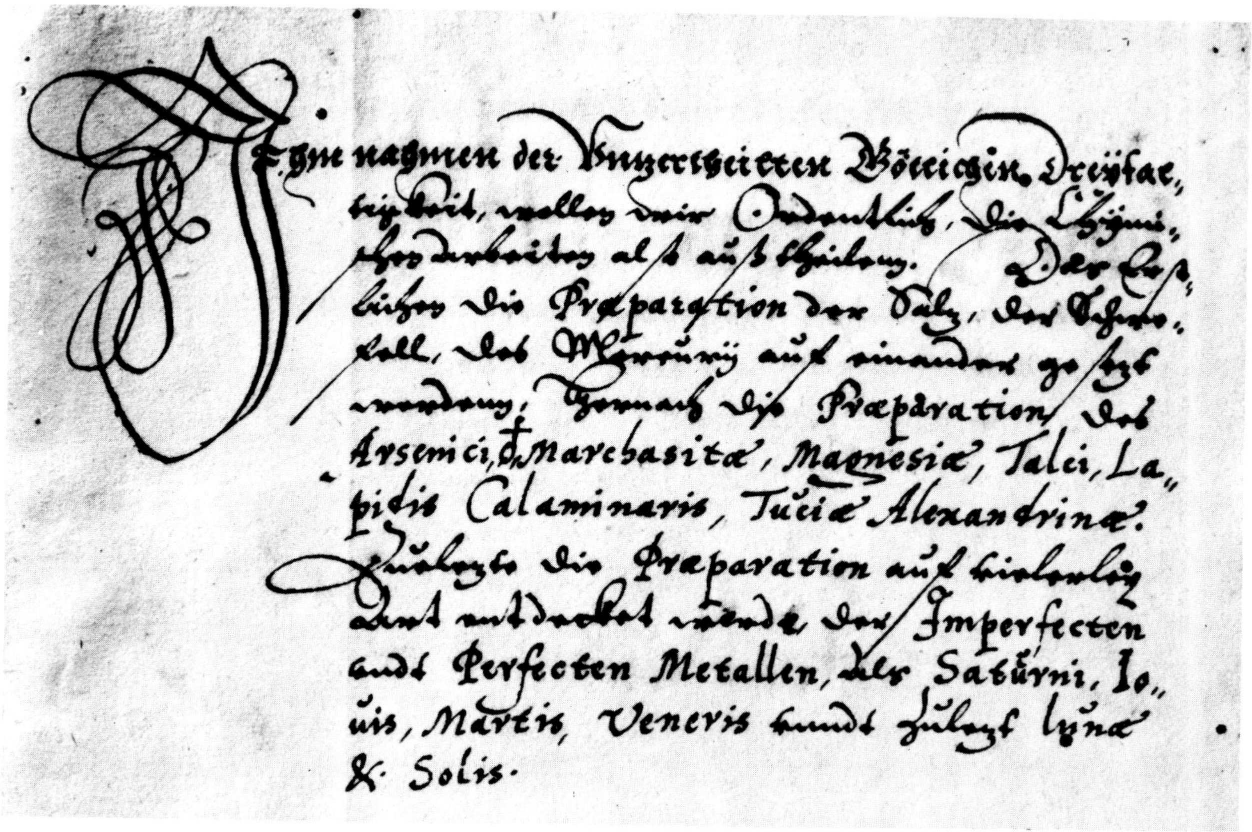
Im nahmen der Vnzertheilten Göttlichen Dreifaltigkeit, wollen wir Ordentlich, die Chymischen arbeiten also außtheilen. Das Erst, lichen die Praeparation der Saltz, des Schwefell, des Mercurij auf einander gesetzt werden, Hernach die Praeparation des Arsenici, Marcbasitae, Magnesiae, Talci, Lapidis Calaminaris, Tutiae Alexandrinae. Zuletzt die Praeparation auf vielerley Arth entdecket werde der Imperfecten undt Perfecten Metallen, der Saturni, Iovis, Martis, Veneris undt zuletzt Lunae & Solis.

Abb. 450 Cod. 11450, fol. 2r Breslau, 1596

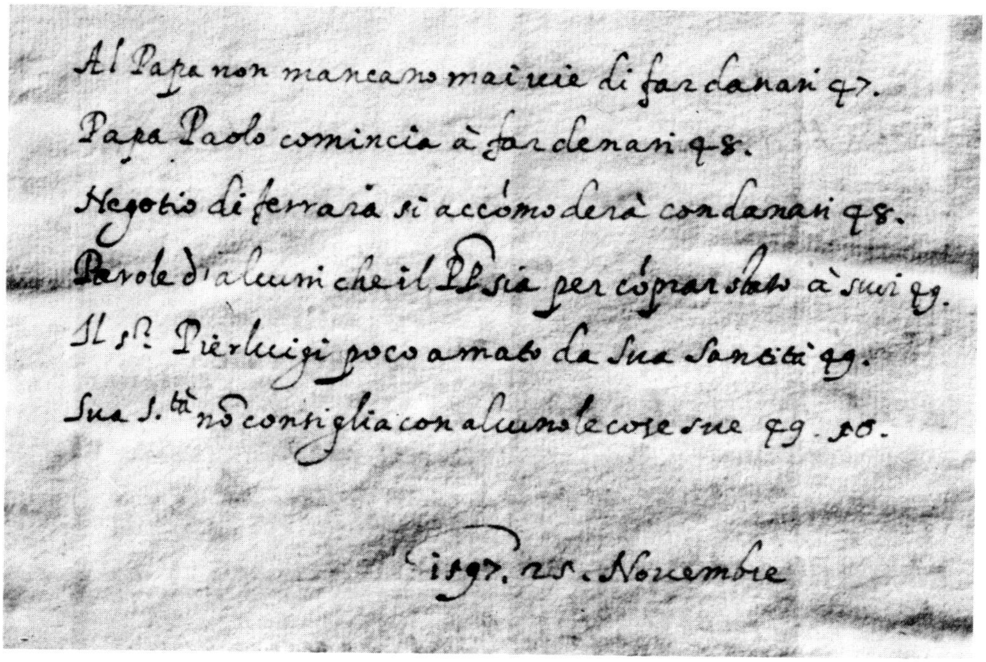
Al Papa non mancano mai vie di far danari 47.
Papa Paolo comincia à far denari 48.
Negotio di ferrara si accomoderà con danari 48.
Parole d'alcuni che il P.P. sia per cōprar stato à suoi 49.
Il S.r Pierluigi poco amato da Sua Santità 49.
Sua S.tà nō consiglia con alcuno le cose sue 49. 50.

1597. 25. Novembre

Abb. 451 Cod. 5974, fol. 29v (Venedig ?), 1597

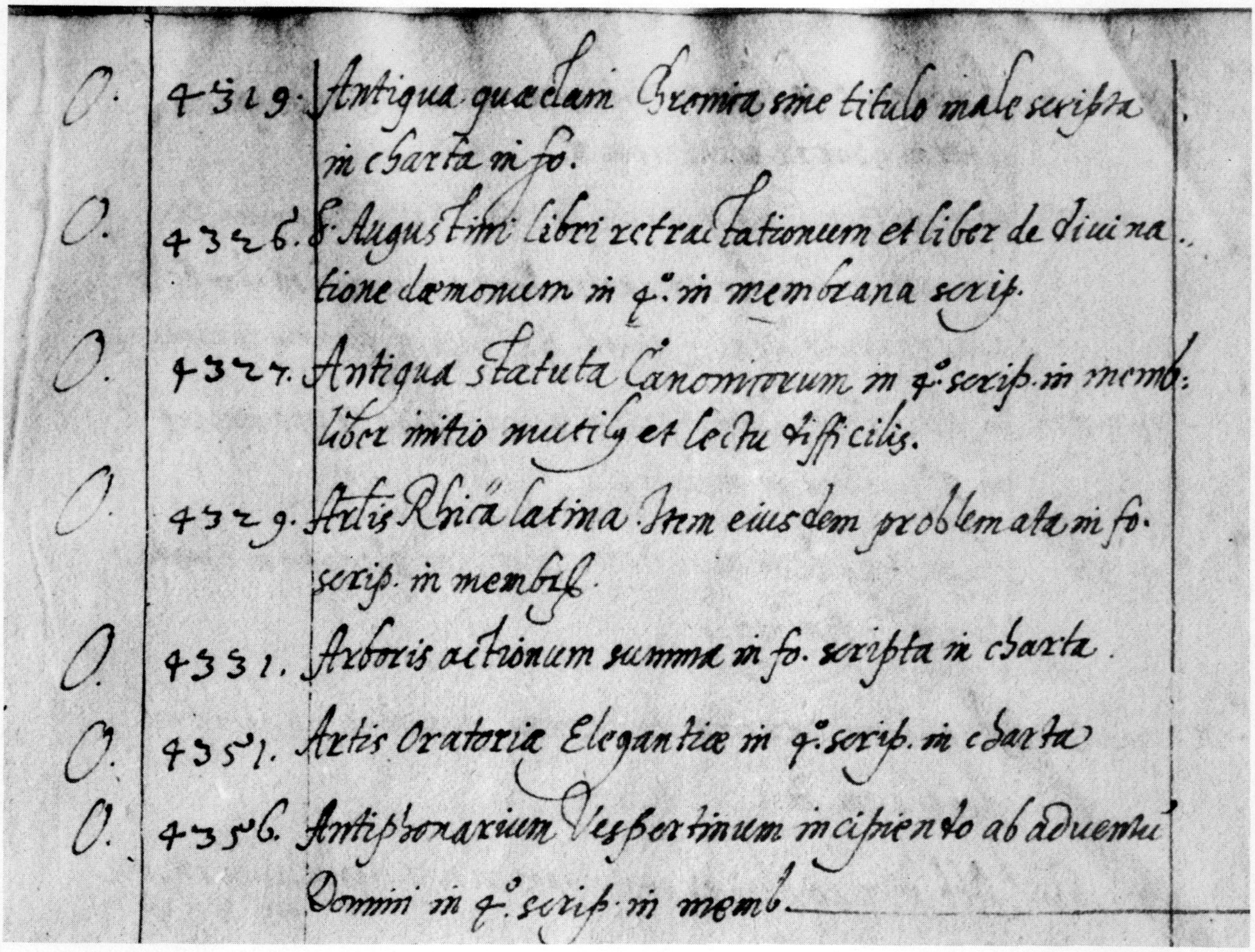
O. 4319. Antiqua quaedam Cronica sine titulo male scripta in charta in fo.
O. 4326. S. Augustini libri retractationum et liber de diuinatione daemonum in 4°. in membrana scrip.
O. 4327. Antiqua statuta Canonicorum in 4°. scrip. in memb: liber initio mutilus et lectu difficilis.
O. 4329. Artis Rhetoricae latina. Item eiusdem problemata in fo. scrip. in membris.
O. 4331. Arboris actionum summa in fo. scripta in charta.
O. 4351. Artis Oratoriae Elegantiae in 4°. scrip. in charta
O. 4356. Antiphonarium Vespertinum incipiendo ab aduentu Domini in 4°. scrip. in memb.

Abb. 452 Cod. Ser. n. 4451, fol. 4r (Wien), 1597

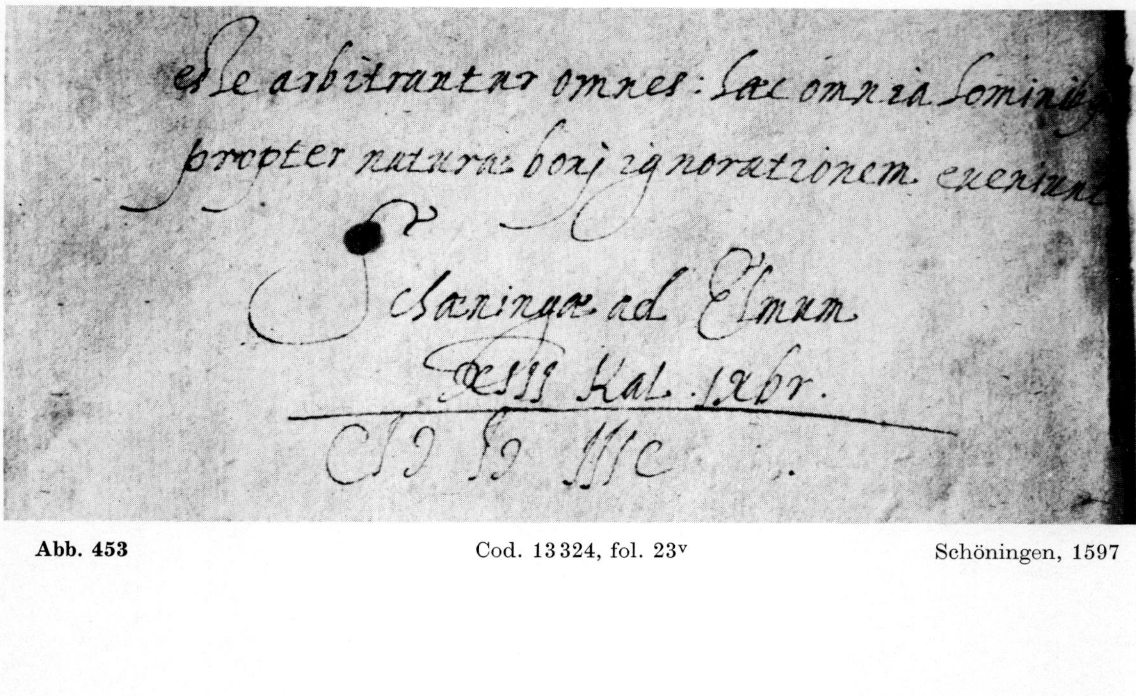
esse arbitrantur omnes: haec omnia homines
propter naturae boni ignorationem exercent.

Schoningae ad Elmum
XIIII Kal. 9br.
CIƆ IƆ IIIC

Abb. 453 Cod. 13324, fol. 23v Schöningen, 1597

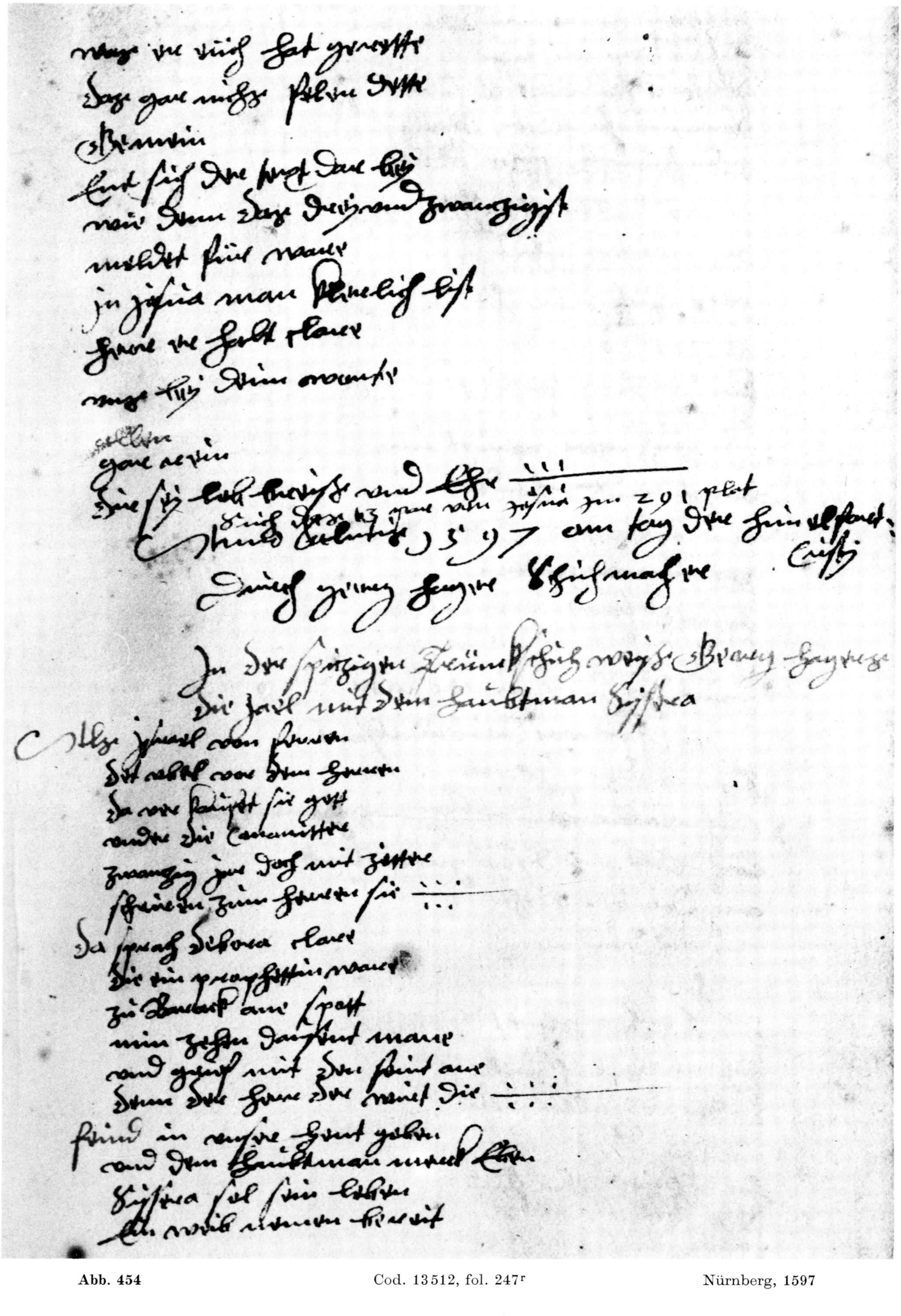

Abb. 454 Cod. 13512, fol. 247r Nürnberg, 1597

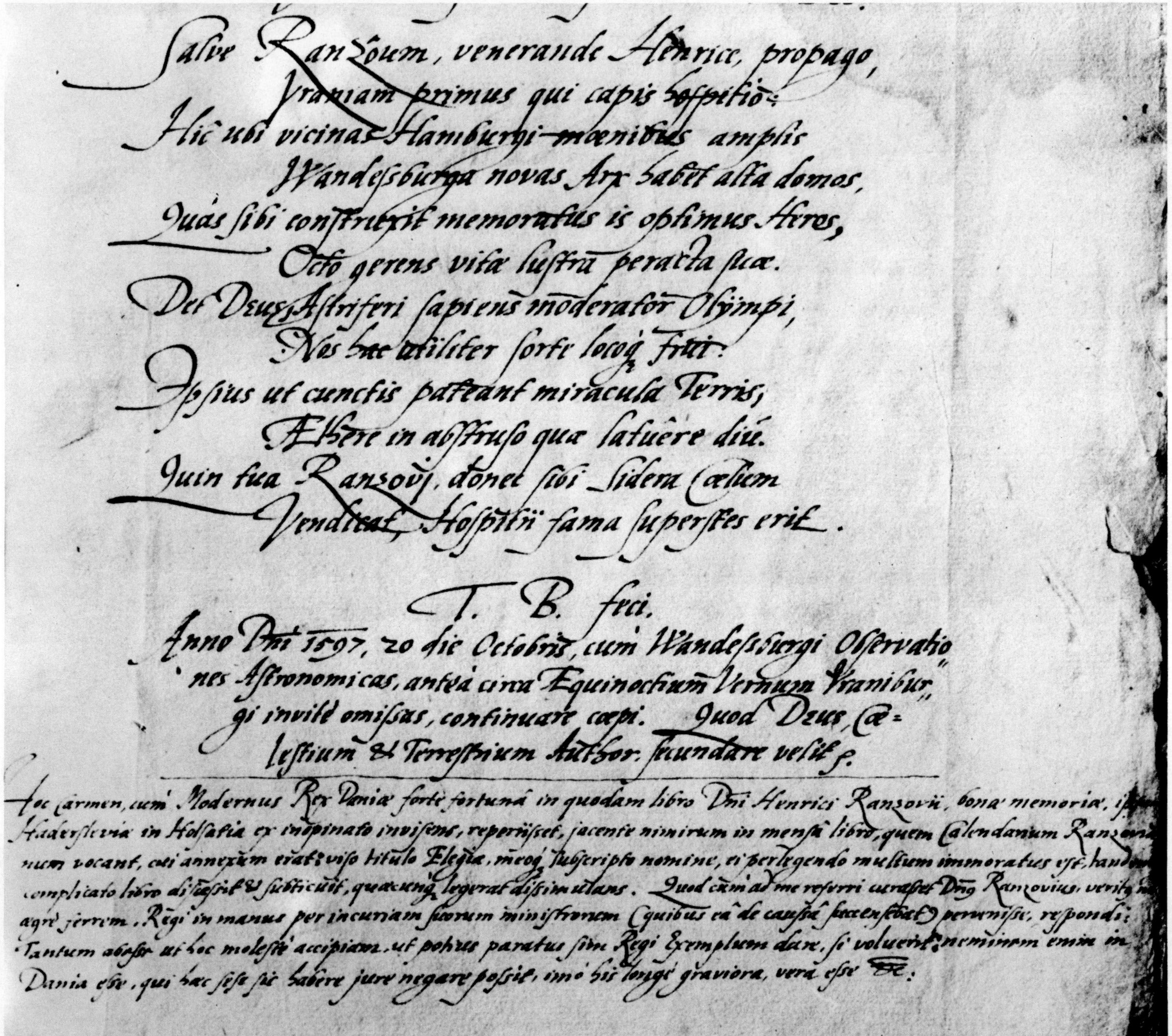

Salve Ranzovum, venerande Henrice, propago,
Uraniam primus qui capis hospitio:
Hic ubi vicinas Hamburgi moenibus amplis
Wandesburga novas Arx habet alta domos,
Quas sibi construxit memoratus is optimus Heros,
Octo gerens vitae lustra peracta suae.
Det Deus, Astriferi sapiens moderator Olympi,
Nos hac utiliter sorte locoque frui:
Ipsius ut cunctis pateant miracula Terris,
Æthere in abstruso quae latuere diu.
Quin tua Ranzovi, donec sibi sidera Coelum
Vendicat, Hospitii fama superstes erit.

T. B. feci.

Anno Dni 1597. 20 die Octobris, cum Wandesburgi Observationes Astronomicas, antea circa Æquinoctium Vernum Uraniburgi invite omissas, continuare coepi. Quod Deus, Coelestium et Terrestrium Autor, secundare velit.

Hoc carmen, cum Modernus Rex Daniae forte fortuna in quodam libro Dni Henrici Ranzovii, bonae memoriae, ipse Hadersleviae in Holsatia ex inopinato invisens, reperisset, jacente nimirum in mensa libro, quem Calendarium Ranzovianum vocant, cui annexum erat; viso titulo Elegiae, meoque subscripto nomine, et perlegendo multum immoratus esse, haud complicato libro discessit et subticuit, quaecunque legerat dissimulans. Quod cum ad me referri curasset Dns Ranzovius, veritus ne aegre ferrem, Regi in manus per incuriam suorum ministrorum (quibus ea de causa succensebat) pervenisse, respondi: Tantum abesse ut hoc moleste accipiam, ut potius paratus sim Regi Exemplum dare, si voluerit: neminem enim in Dania esse, qui haec sese sic habere jure negare possit, imo his longe graviora, vera esse etc.

Abb. 455 Cod. 10686^{49}, fol. 2^{r} Wandsbek, 1597

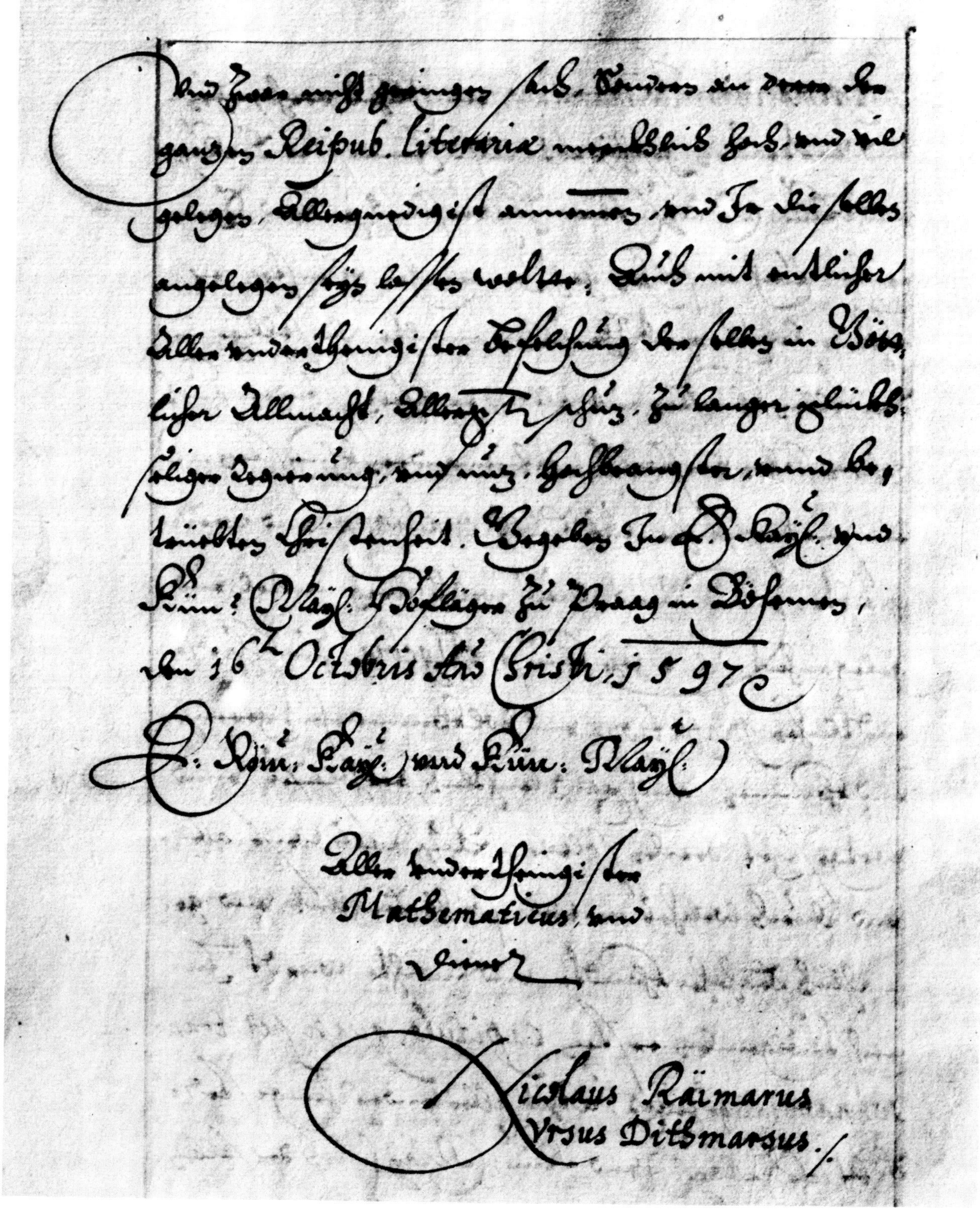
und Ihrer nicht geringer sind, sondern an denen der ganzen Reipub. literariae mercklich hoch und viel gelegen, Allergnedigist annemen, und Ir dieselben angelegen sein lassen wolten. Auch mit entlicher Aller underthenigister bevelhung derselben in Göttlicher Allmacht, Allergnedigisten schütz, zu langer glückseligen Regierung, auch ... hochverlangsten, und begierlichsten Christenheit. Begeben In der Röm. Kay. Mt. und Kün. Mayt. Hofflägern zu Prag in Böhmen, den 16 Octobris Anno Christi 1597.

E. Röm. Kayl. und Kün. Mayt.

Aller underthenigister Mathematicus, und diener

Nicolaus Raimarus Ursus Dithmarsus.

Abb. 456 Cod. 10943, fol. 5v Prag, 1597

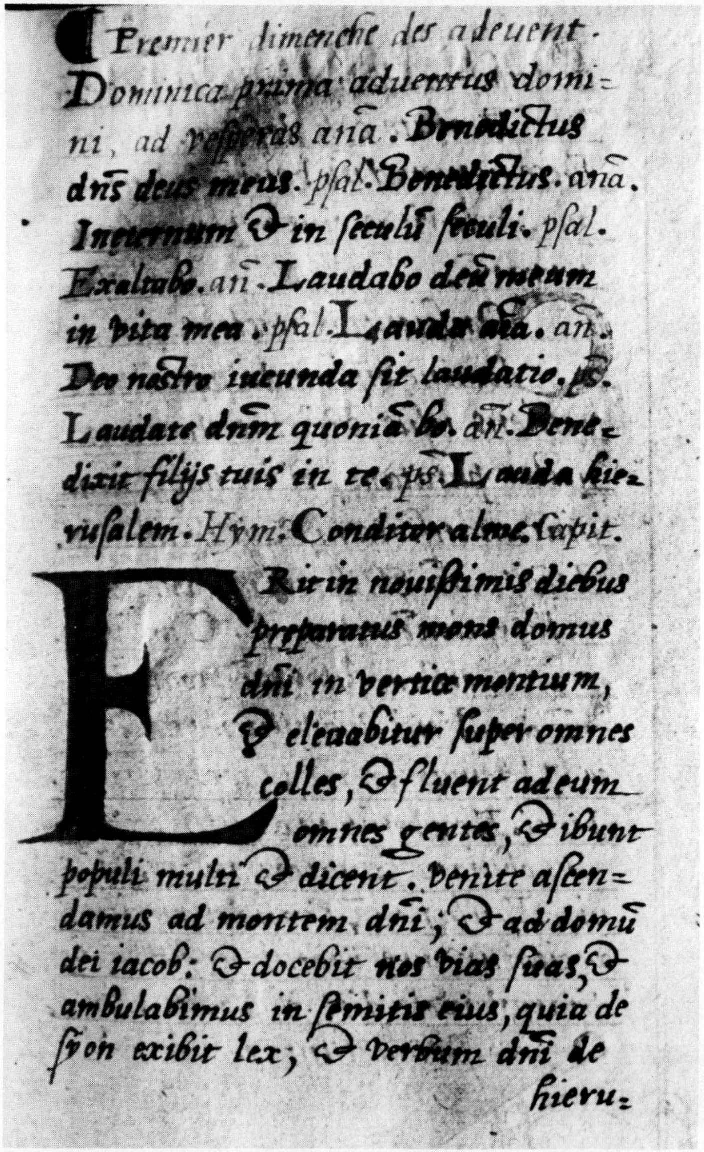

Premier dimenche des adeuent.
Dominica prima aduentus domi=
ni, ad vesperas ana. Benedictus
dns deus meus. psal. Benedictus. ana.
In eternum et in seculu seculi. psal.
Exaltabo. an. Laudabo deu meum
in vita mea. psal. Lauda ana. an.
Deo nostro iucunda sit laudatio, ps.
Laudate dnm quonia bo. an. Bene=
dixit filijs tuis in te. ps. Lauda hie=
rusalem. Hym. Conditor alme. Capit.
Erit in nouissimis diebus
preparatus mons domus
dni in vertice montium,
et eleuabitur super omnes
colles, et fluent ad eum
omnes gentes, et ibunt
populi multi et dicent. venite ascen=
damus ad montem dni; et ad domu
dei iacob: et docebit nos vias suas, et
ambulabimus in semitis eius, quia de
syon exibit lex; et verbum dni de
hieru=

Abb. 457 Cod. Ser. n. 12872, fol. 18r (Mons ?), 1597

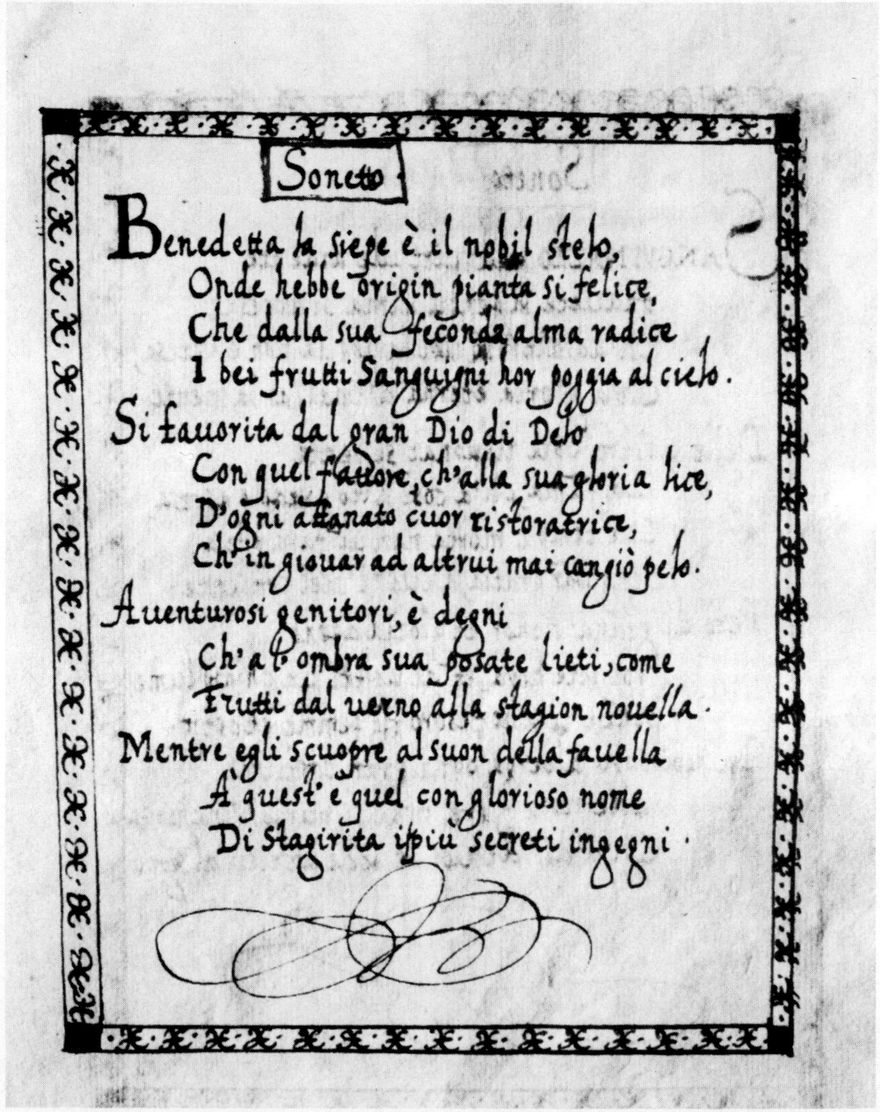

Sonetto

Benedetta la siepe è il nobil stelo,
Onde hebbe origin pianta si felice,
Che dalla sua feconda alma radice
I bei frutti Sanguigni hor poggia al cielo.
Si fauorita dal gran Dio di Delo
Con quel fattore, ch'alla sua gloria lice,
D'ogni affanato cuor ristoratrice,
Ch'in giouar ad altrui mai cangiò pelo.
Auenturosi genitori, è degni
Ch'a l'ombra sua posate lieti, come
Frutti dal uerno alla stagion nouella.
Mentre egli scuopre al suon della fauella
A quest' e quel con glorioso nome
Di Stagirita i più secreti ingegni.

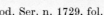

Abb. 458 Cod. Ser. n. 1729, fol. 32r (Padua), 1598

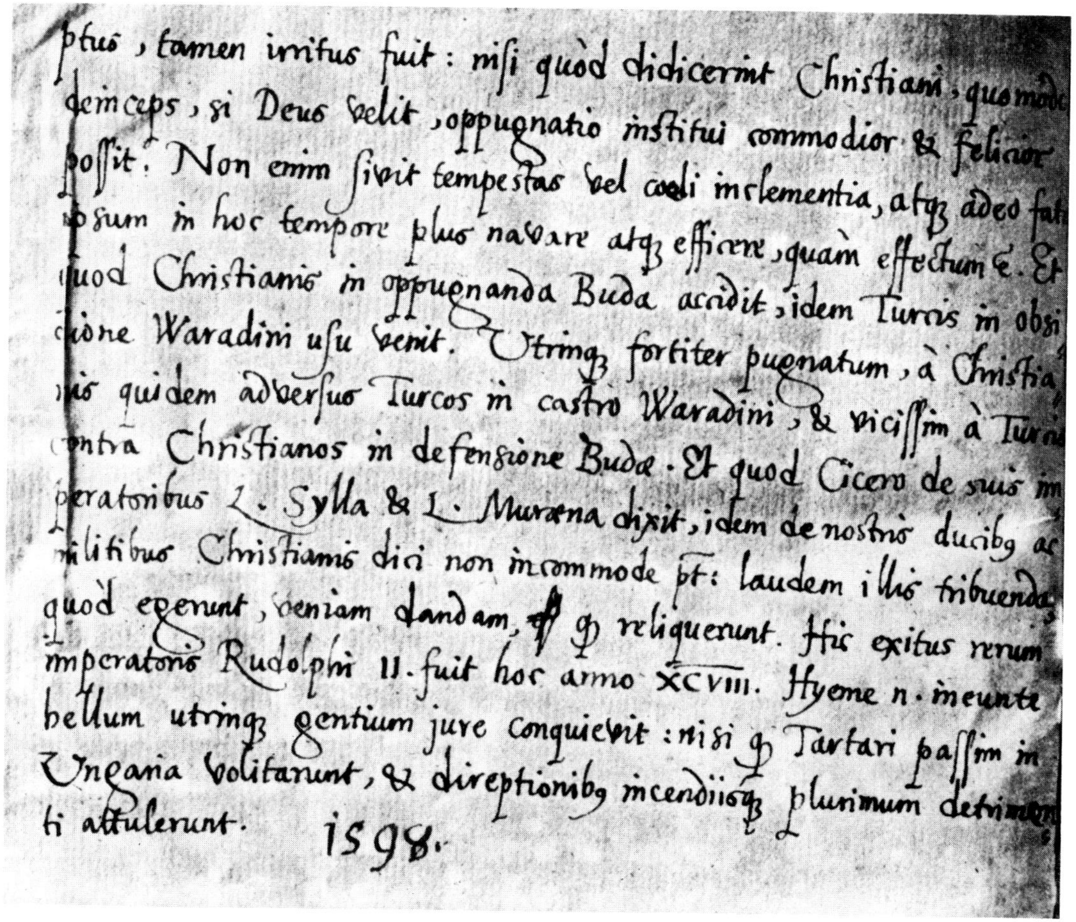
ptus, tamen irritus fuit: nisi quod didicerint Christiani, quomodo deinceps, si Deus velit, oppugnatio instituti commodior & felicior possit. Non enim sivit tempestas vel coeli inclementia, atque adeo fatum in hoc tempore plus navare atque efficere, quam effectum est. Et quod Christianis in oppugnanda Buda accidit, idem Turcis in obsidione Waradini usu venit. Utrinque fortiter pugnatum, a Christianis quidem adversus Turcos in castro Waradini, & vicissim a Turcis contra Christianos in defensione Budae. Et quod Cicero de suis imperatoribus L. Sylla & L. Muraena dixit, idem de nostris ducibus ac militibus Christianis dici non incommode potest: laudem illis tribuendam quod egerunt, veniam dandam, quod reliquerunt. His exitus rerum imperatoris Rudolphi II. fuit hoc anno XCVIII. Hyeme n. ineunte bellum utrinque gentium iure conquievit: nisi quod Tartari passim in Ungaria volitarunt, & direptionibus incendiisque plurimum detrimenti attulerunt. 1598.

Abb. 459 Cod. 7352, pag. 286 (Ungarn), 1598

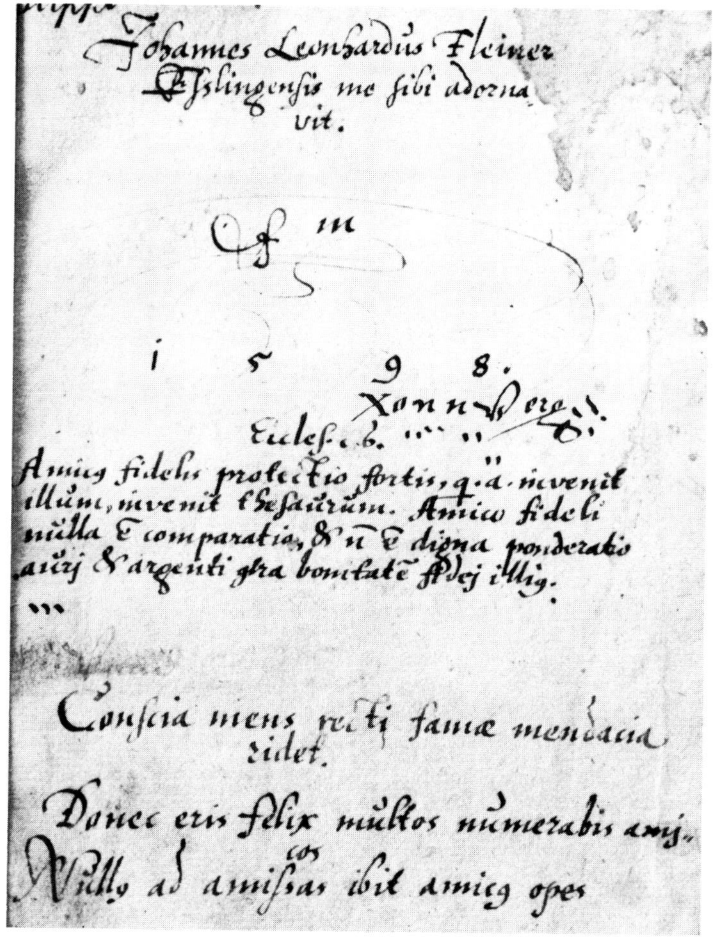
Johannes Leonhardus Fleiner Esslingensis me sibi adornavit.

1 5 9 8.

Amicus fidelis protectio fortis, qui autem invenit illum, invenit thesaurum. Amico fideli nulla est comparatio, & non est digna ponderatio auri & argenti contra bonitatem fidei illius.

Conscia mens recti famae mendacia ridet.

Donec eris felix multos numerabis amicos
Nullus ad amissas ibit amicus opes

Abb. 460 Cod. Ser. n. 4048, fol. 1r 1598

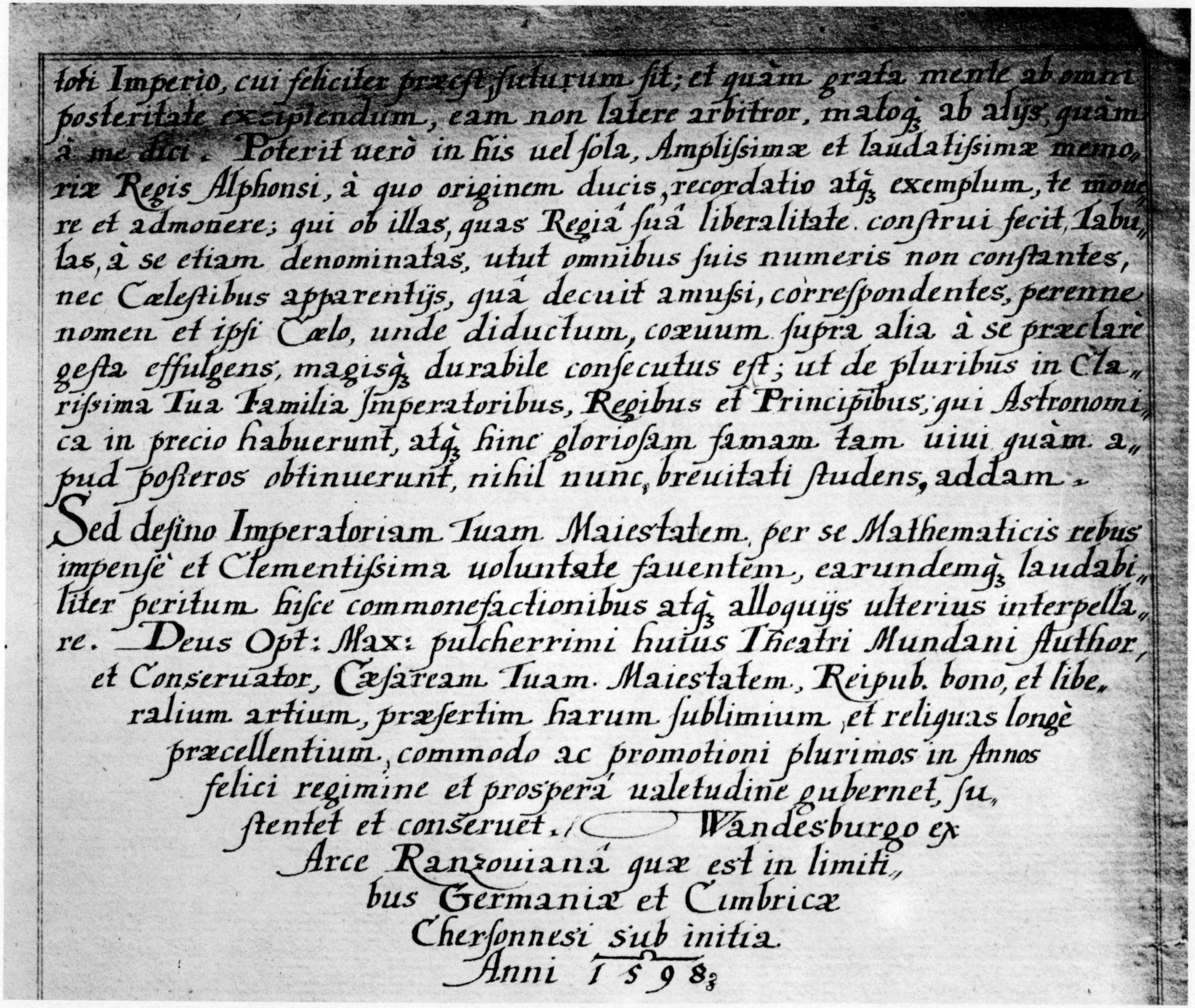
toti Imperio, cui feliciter præest, futurum sit; et quàm grata mente ab omni
posteritate excipiendum, eam non latere arbitror, maloq; ab alijs, quàm
à me dici. Poterit uerò in his uel sola, Amplissimæ et laudatissimæ memo-
riæ Regis Alphonsi, à quo originem ducis, recordatio atq; exemplum, te moue-
re et admonere; qui ob illas, quas Regiâ suâ liberalitate construi fecit, Tabu-
las, à se etiam denominatas, utut omnibus suis numeris non constantes,
nec Cælestibus apparentijs, quâ decuit amussi, correspondentes, perenne
nomen et ipsi Cælo, unde diductum, coæuum supra alia à se præclarè
gesta effulgens, magisq; durabile consecutus est; ut de pluribus in Cla-
rissima Tua Familia Imperatoribus, Regibus et Principibus, qui Astronomi-
ca in precio habuerunt, atq; hinc gloriosam famam tam uiui quàm a-
pud posteros obtinuerunt, nihil nunc, breuitati studens, addam.
Sed desino Imperatoriam Tuam Maiestatem, per se Mathematicis rebus
impensè et Clementissima uoluntate fauentem, earundemq; laudabiliter peritum hisce commonefactionibus atq; alloquijs ulterius interpella-
re. Deus Opt: Max: pulcherrimi huius Theatri Mundani Author,
et Conseruator, Cæsaream Tuam Maiestatem, Reipub. bono, et liberalium artium, præsertim harum sublimium, et reliquas longè
præcellentium, commodo ac promotioni plurimos in Annos
felici regimine et prosperâ ualetudine gubernet, su-
stentet et conseruet. Wandesburgo ex
Arce Ranzouianâ quæ est in limiti-
bus Germaniæ et Cimbricæ
Chersonnesi sub initia
Anni 1598.

Abb. 461 Cod. 10686³, fol. 2v Wandsbek, 1598

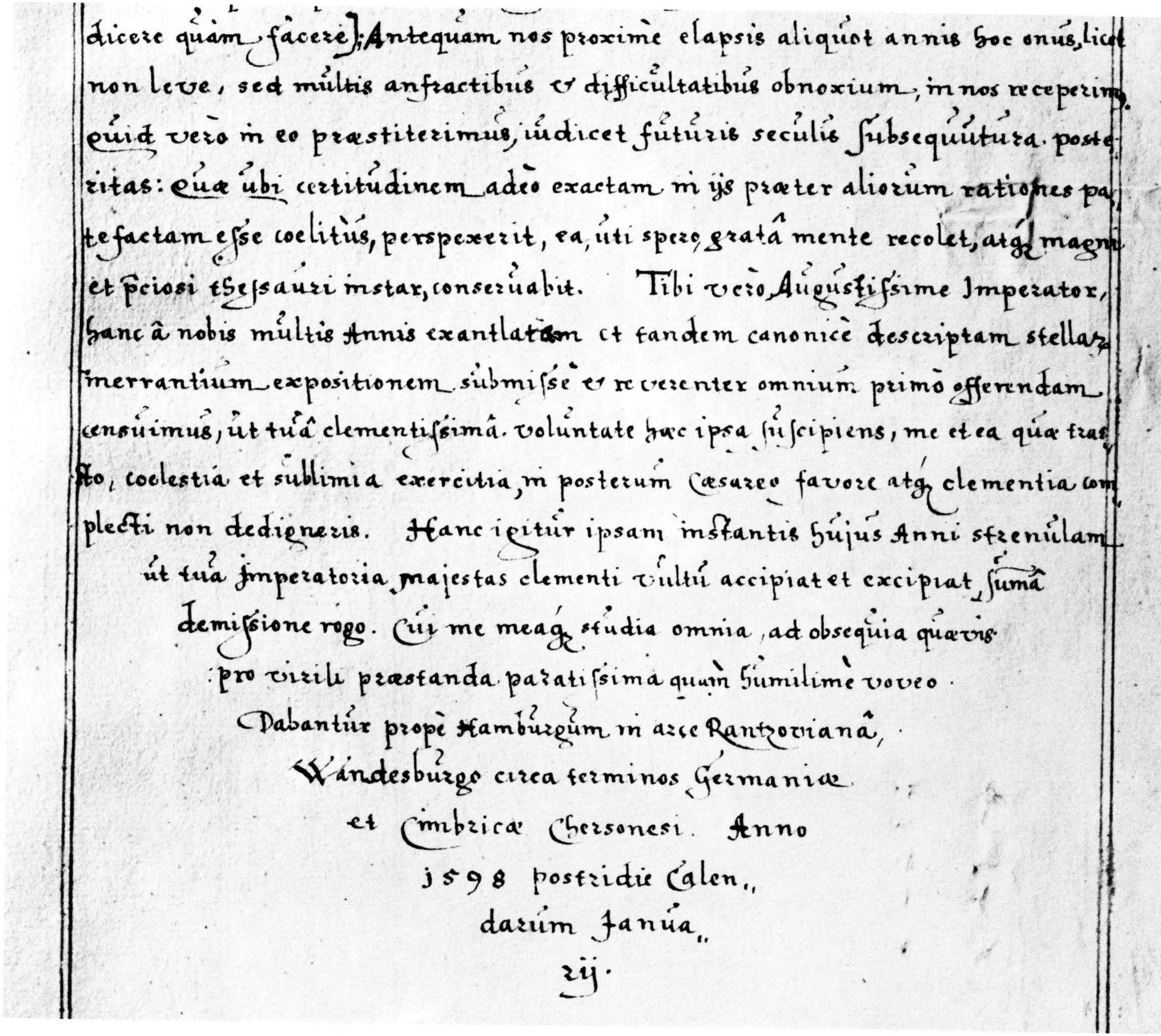

dicere quam facere]; Antequam nos proxime elapsis aliquot annis hoc onus, licet
non leve, sed multis anfractibus et difficultatibus obnoxium, in nos receperimus.
Quid vero in eo praestiterimus, iudicet futuris seculis subsequutura posteritas: quae ubi certitudinem adeo exactam in iis praeter aliorum rationes patefactam esse coelitus, perspexerit, ea, uti spero, grata mente recolet, atque magni
et pciosi thessauri instar, conseruabit. Tibi vero, Augustissime Imperator,
hanc a nobis multis Annis exantlatam et tandem canonice descriptam stellarum
inerrantium expositionem submisse et reverenter omnium primo offerendam
censuimus, ut tua clementissima voluntate haec ipsa suscipiens, me et ea quae tras
cto, coelestia et sublimia exercitia, in posterum Caesareo favore atque clementia complecti non dedigneris. Hanc igitur ipsam instantis hujus Anni strenulam
ut tua Imperatoria majestas clementi vultu accipiat et excipiat, summa
demissione rogo. Cui me meaque studia omnia, ad obsequia quaevis
pro virili praestanda paratissima quam humillime voveo.
Dabantur prope Hamburgum in arce Rantzoviana,
Wandesburgo circa terminos Germaniae
et Cimbricae Chersonesi. Anno
1598 postridie Calen.
darum Janua.
rij.

Abb. 462 Cod. 10707, fol. 5r Wandsbek, 1598

asserit: Quod non saltem ab ipso, sed et alijs diu multumq licet, deplora-
tum sit: tamen nec ipse Regiomontanus, nec quisquam alius haec in-
telligens, quod scitur, manum, uti decuit, operi adhibere voluit: (Exce-
pto solo Illustrissimo & laudatissimae memoriae Guilhelmo Hassiae
Landgravio: Est enim facilius semper dicere, quam facere) Antequam nos elapsis aliquot annis hoc onus, licet non leve, sed multis anfractibus & difficultatibus obnoxium in nos receperimus.
Quid vero in eo praestiterimus, iudicet futuris seculis subsecutura
posteritas, quae ubi certitudinem adeo exactam in ijs praeter
aliorum rationes patefactam esse coelitus, perspexerit, ea,
uti spero, grata mente recolet, atq magni et preciosi thesauri
instar conservabit.
Tibi vero Augustissime Imperator, hanc a nobis multis annis
exantlatam & tandem Canonice descriptam Stellarum inerrantium expositionem, submisse & reverenter omnium primo
offerendam censuimus, ut tua clementissima voluntate haec ipsa
suscipiens, me et ea, quae tracto, Coelestia ac sublimia exercitia
in posterum Caesareo favore atq Clementia complecti non dedigneris. Hanc igitur ipsam instantis huius Anni strenulam, ut tua Imperatoria Maiestas Clementi vultu accipiat, summa demissione rogo: cui me meaq studia omnia,
ad obsequia quaevis pro virili praestanda paratissima
quam humillime voveo. Dabantur prope
Hamburgum in Arce Ranzoviana
Wandesburgo circa terminos
Germaniae & Cimbricae
Chersonensi Anno
1598. postridie
Calendarum
Janu-
arij.

Abb. 463 Cod. 10705, fol. 5r Wandsbek, 1598

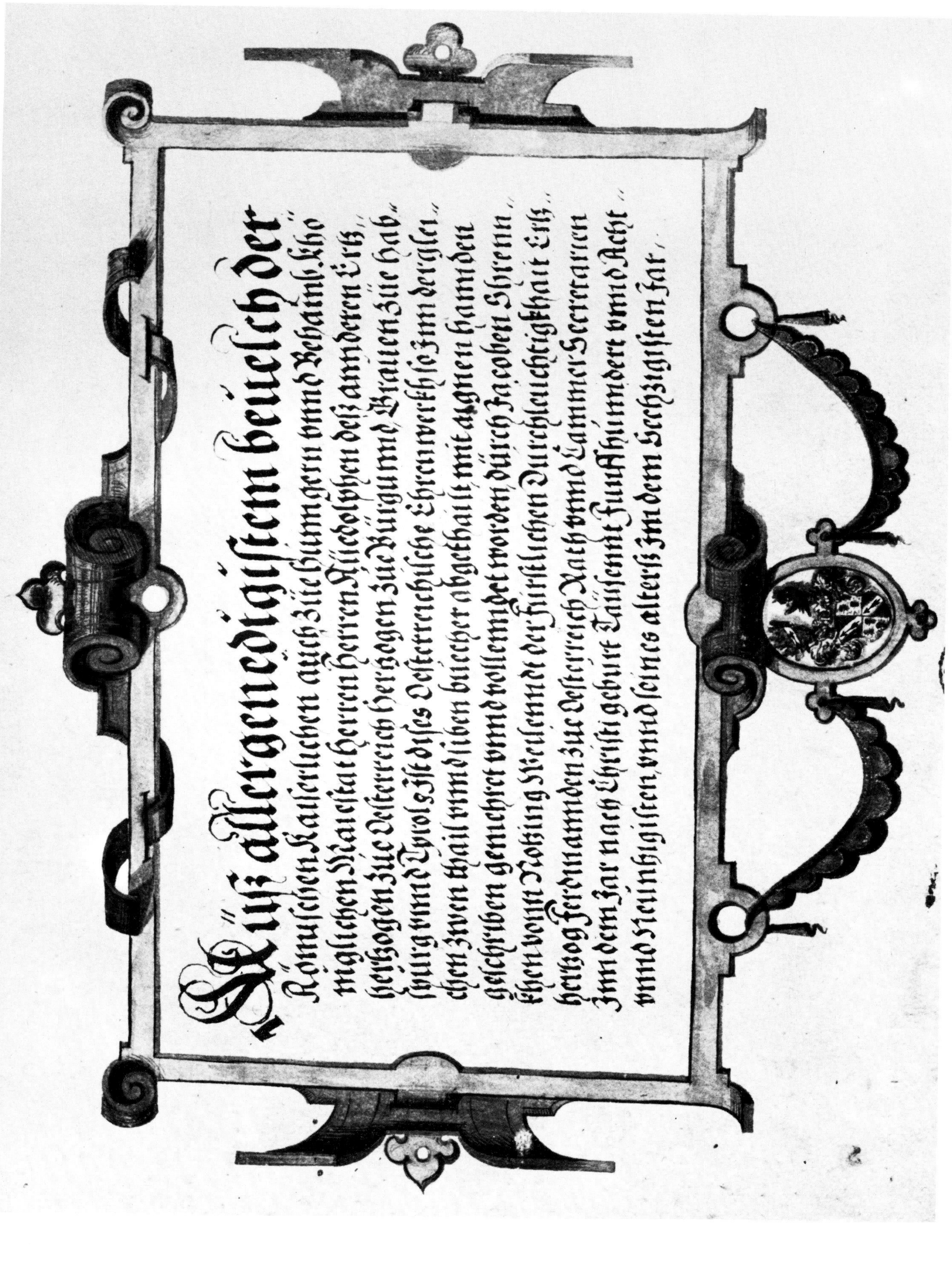

Aus allergenedigistem beuelch der
Römischen Kaiserlichen auch zu Hungern vnnd Behaimb Kho-
niglichen Maiestat herren herren Rueedolphen des annderen Ertz-
herzogen zue Oesterreich Herzogen zue Burgundt, Grauen zue Hab-
spurg vnnd Tyrols Ist dises Oesterreichische Ehrenwerkh so Im dergle-
chen zwen thail vnnd siben buecher abgethailt mit aignen handen
geschriben gemehret vnnd vollendet worden durch Jacoben Schrenn-
khen vonn Notzing Weilennd der Fürstlichen Durchleuchtigkhait Ertz-
herzog Ferdinannden zue Oesterreich Rath vnnd Cammer Secretarien
Im dem Jar nach Christi geburt Tausennt Funffhundert vnnd Acht
vnnd Neunzigisten, vnnd seines alters Im dem Sechzigisten Jar.

Abb. 464 Cod. 8613, fol. 326v Innsbruck, 1598

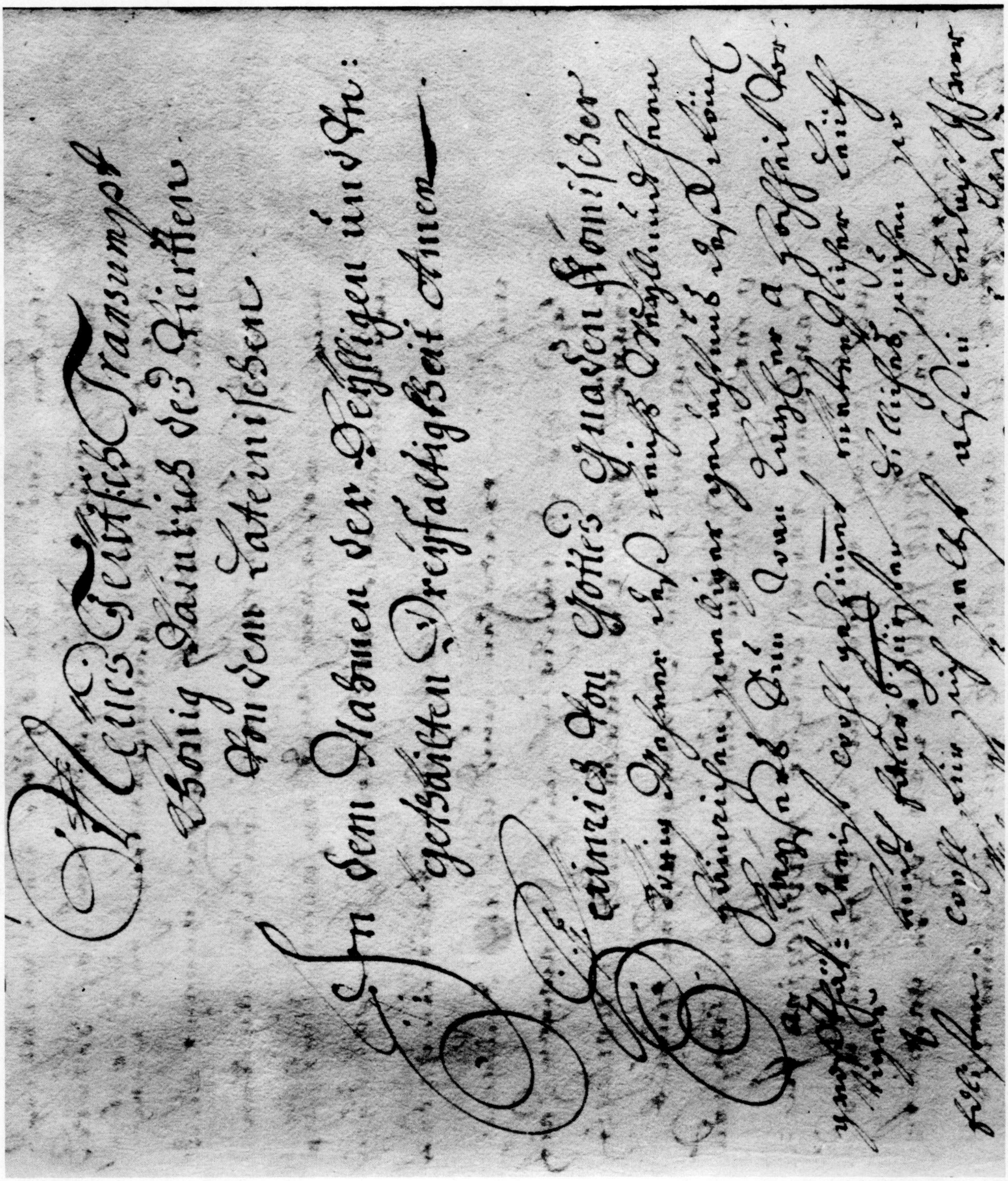
Eines Gewisses Transumpt
König Ladislaus des Vierten
von dem Lateinischen

In dem Nahmen der Heilligen und Un:
getheilten Dreyfaltigkeit Amen

Abb. 465 Cod. Ser. n. 2949, fol. 10r (Österreich), 1599

Abb. 466 Cod. Ser. n. 2768, fol. 9r (Österreich), 1599

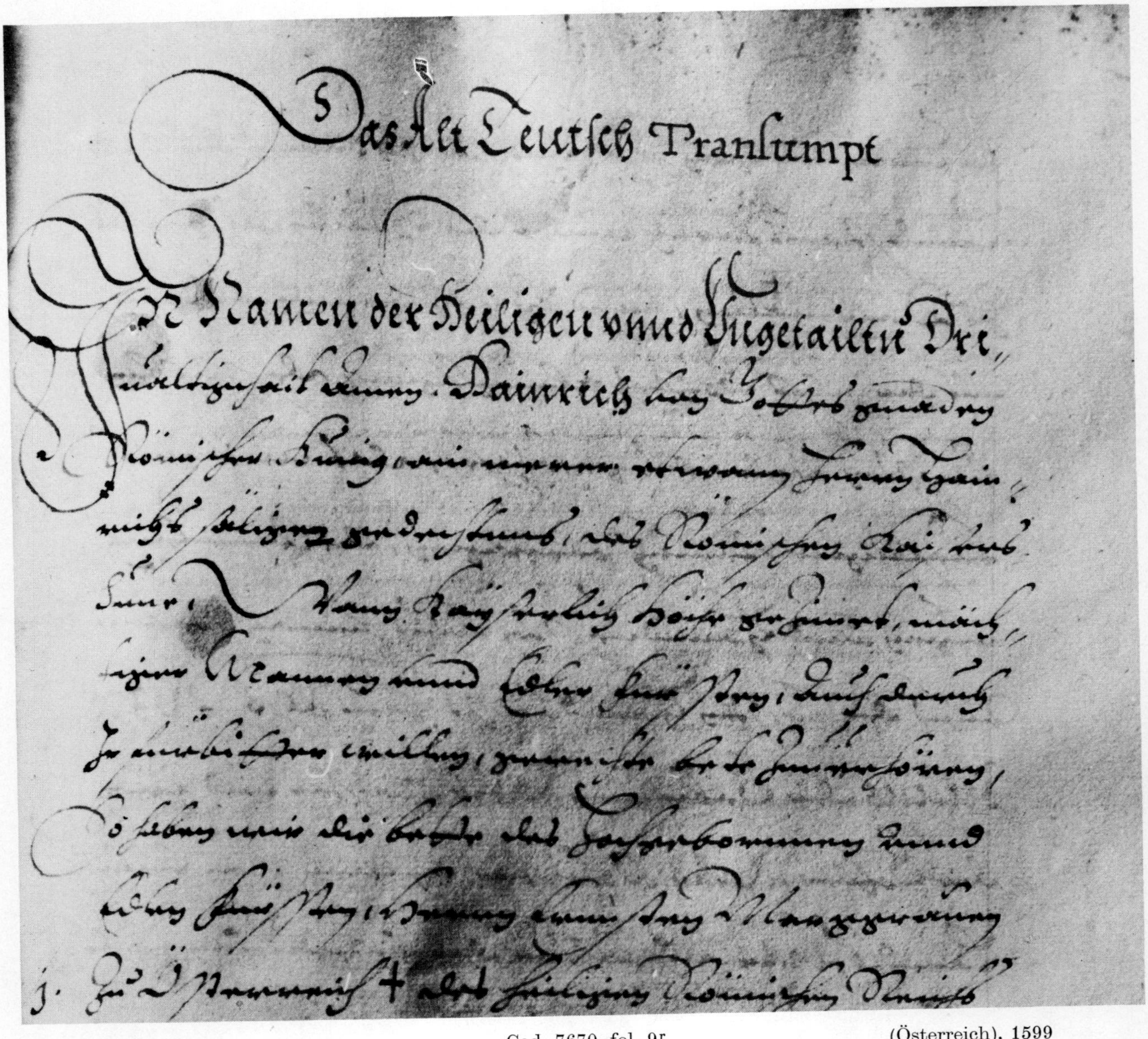
Das Alt Teutsch Transumpt

In Namen der Heiligen vnnd Vngetailten Dri

Abb. 467 Cod. 7670, fol. 9r (Österreich), 1599

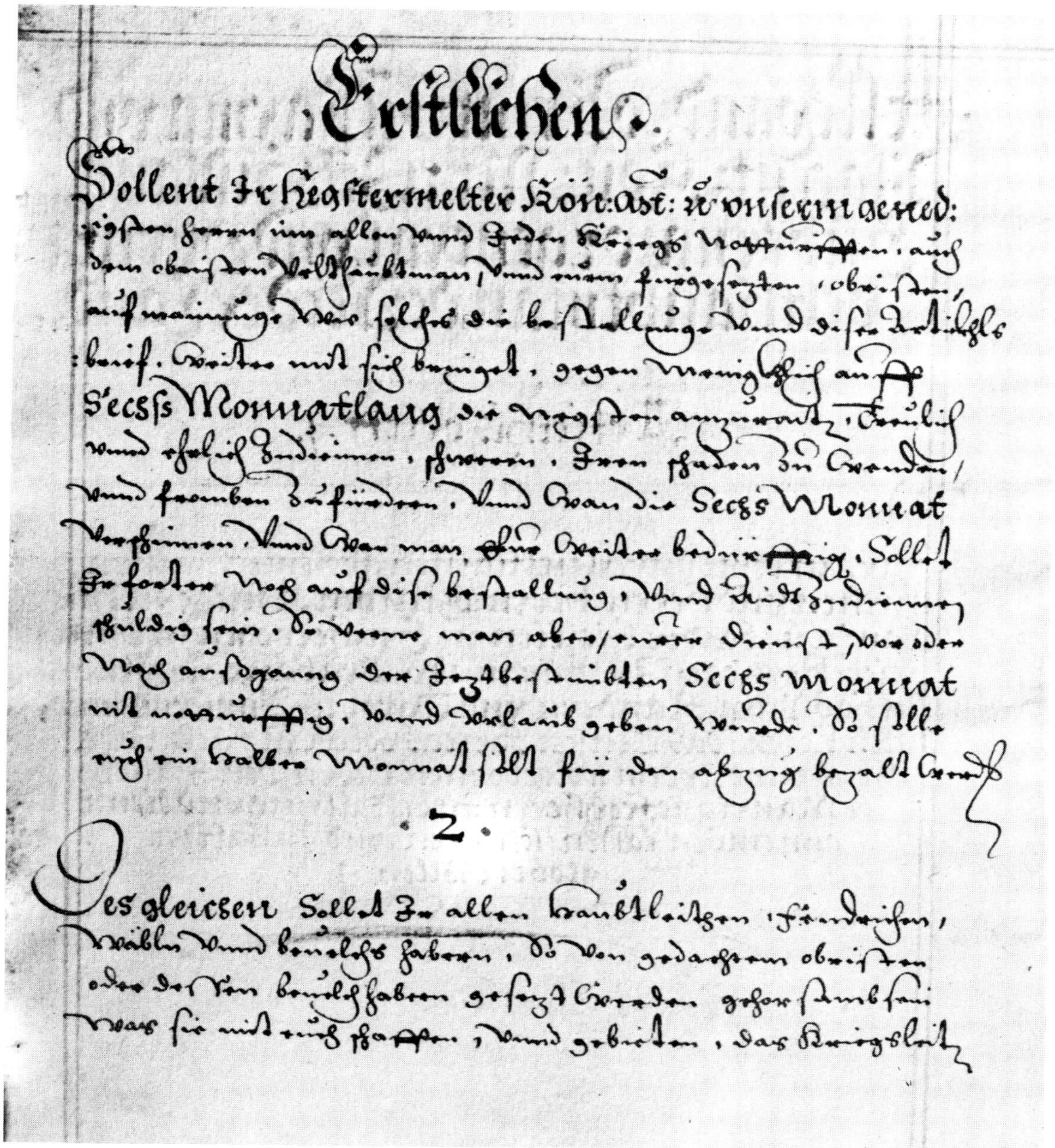

Erstlichen.

Sollent Ir hegstermelter Kön: Mt: zu unserm gened: (igisten) herrn in allen und jeden Kriegs Notturfften, auch dem obristen Veldhaubtman, und ainem fürgesetzten obristen, auf mainunge wie solches die bestallunge und dise Artiglsbrief, weiter mit sich bringt, gegen menigelich auf Secgs Monnatlang die negsten anzuraiten, treulich und ehrlich zu dienen, schwören, Iren schaden zu wenden, und frumben zu fürdern. Und wan die Secgs Monnat verschinen, Und wan man Eur weiter bedürfftig, Sollet Ir fürter noch auf dise bestallung, und Artigl zu dienen schuldig sein. So wenn man aber euer dienst, vor oder nach ausgang der jetzbestimbten Secgs Monnat nit notturfftig, und urlaub geben würde, So solle euch ein halber Monnat soldt für den abzug bezalt werden.

2.

Desgleichen Sollet Ir allen haubtleitten, Fändrichen, Wäbln und bevelchshabern, so von gedachtem obristen oder der von bevelchshabern gesetzt werden, gehorsamb sein, was sie mit euch schaffen, und gebieten, das Kriegsleit

Abb. 468 — Cod. 8905, fol. 7v — Graz, 1599

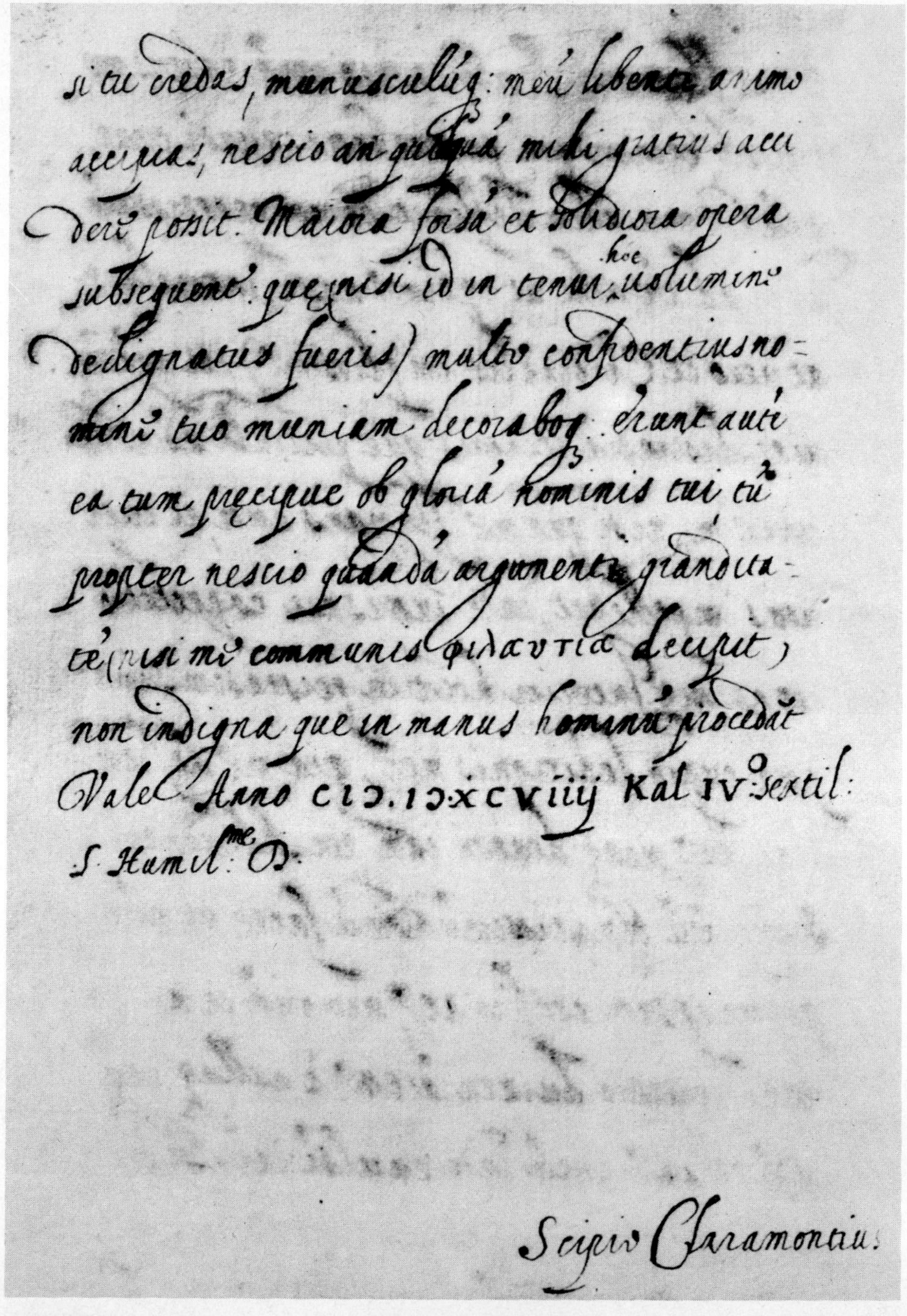
si tu credas, munusculumque meum libenti animo
accipias; nescio an quicquam mihi gratius accidere possit. Maiora forsan et solidiora opera
subsequentur: quae (nisi id in tenui hoc volumine
dedignatus fueris) multo confidentius nomini tuo muniam decoraboque. Erunt autem
ea tum praecipue ob gloriam hominis cui tu
propter nescio quandam argumenti grandita-
tem (nisi me communis φιλαυτία decipit)
non indigna quae in manus hominum procedant.
Vale. Anno CIƆ.IƆXCVIIII Kal IV. sextil:
S. Humil.me D.
Scipio Claramontius

Abb. 469 Cod. 10552, fol. Vv 1599

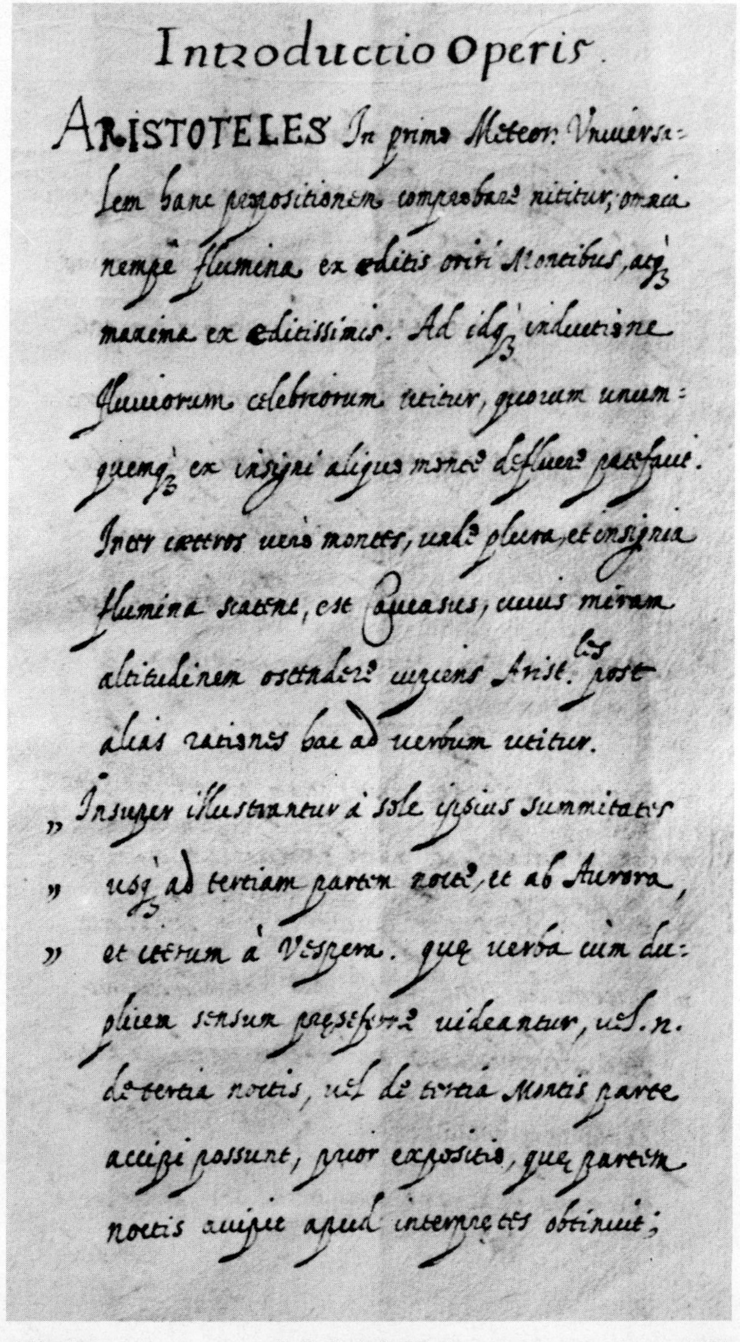
Introductio Operis.
ARISTOTELES In primo Meteor. Vniversa-
lem hanc propositionem comprobare nititur; omnia
nempe flumina ex editis oriri montibus, atque
maxime ex editissimis. Ad idque inductione
fluviorum celebriorum utitur, quorum unum-
quemque ex insigni aliquo monte defluere patefacit.
Inter caeteros vero montes, unde plura, et insignia
flumina scatent, est Caucasus, cuius miram
altitudinem ostendere cupiens Aristoteles post
alias rationes hac ad verbum utitur.
„ Insuper illustrantur a sole ipsius summitates
„ usque ad tertiam partem noctis, et ab Aurora,
„ et iterum a Vespere. quae verba cum du-
plicem sensum praeseferre videantur, vel s. n.
de tertia noctis, vel de tertia montis parte
accipi possunt, prior expositio, quae partem
noctis accipit apud interpretes obtinuit;

Abb. 470 Cod. 10552, fol. 1r 1599

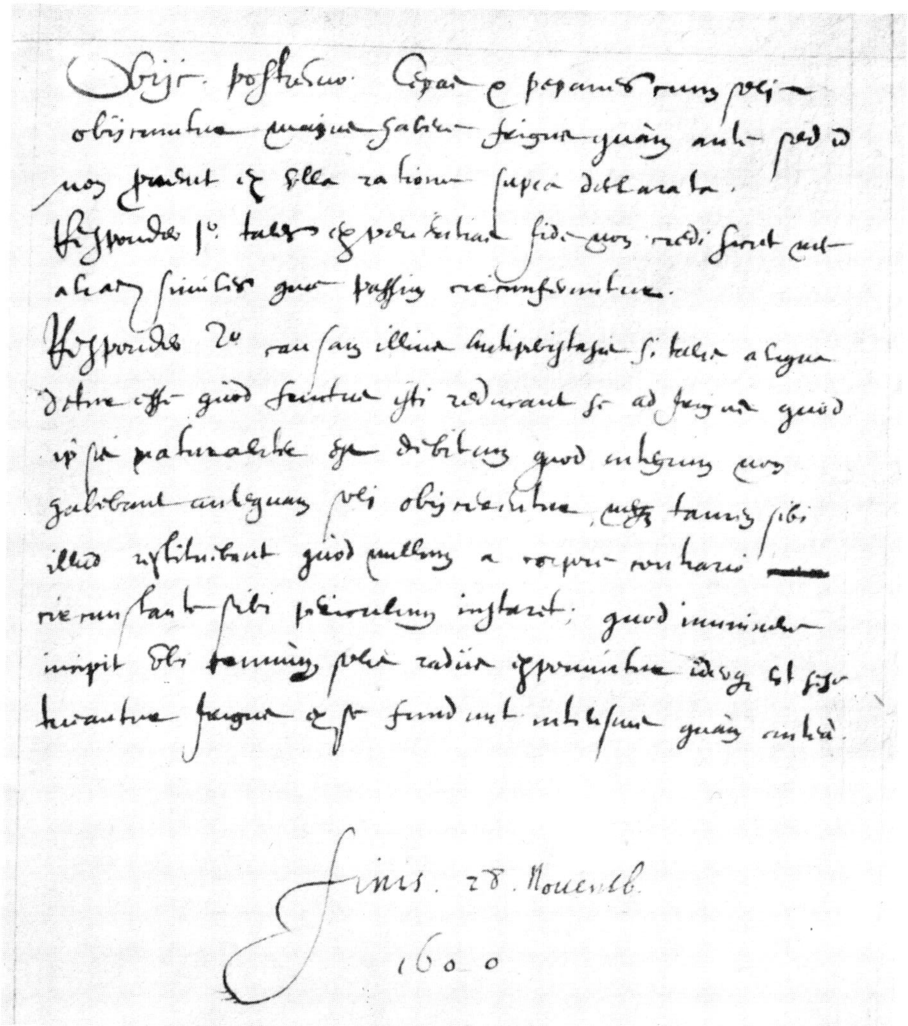
Finis. 28. Novemb.
1600

Abb. 471 Cod. 10511, fol. 445r 1600

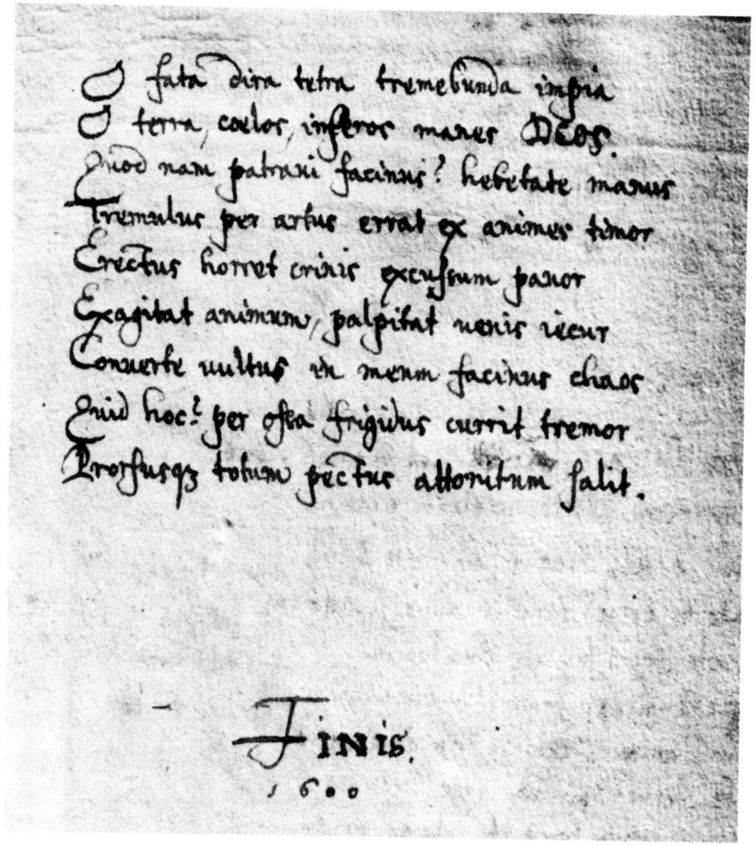
O fata dira tetra tremebunda impia
O terra, coelos, inferos manes DEOS.
Quod nam patravi facinus? hebetate manus
Tremulus per artus errat ex animo timor
Erectus horret crinis excussum pavor
Exagitat animum, palpitat venis iecur
Converte vultus in meum facinus chaos
Quid hoc? per ossa frigidus currit tremor
Profususque totum pectus attonitum salit.

Finis.
1600

Abb. 472 Cod. 13280, fol. 64v (Graz ?), 1600

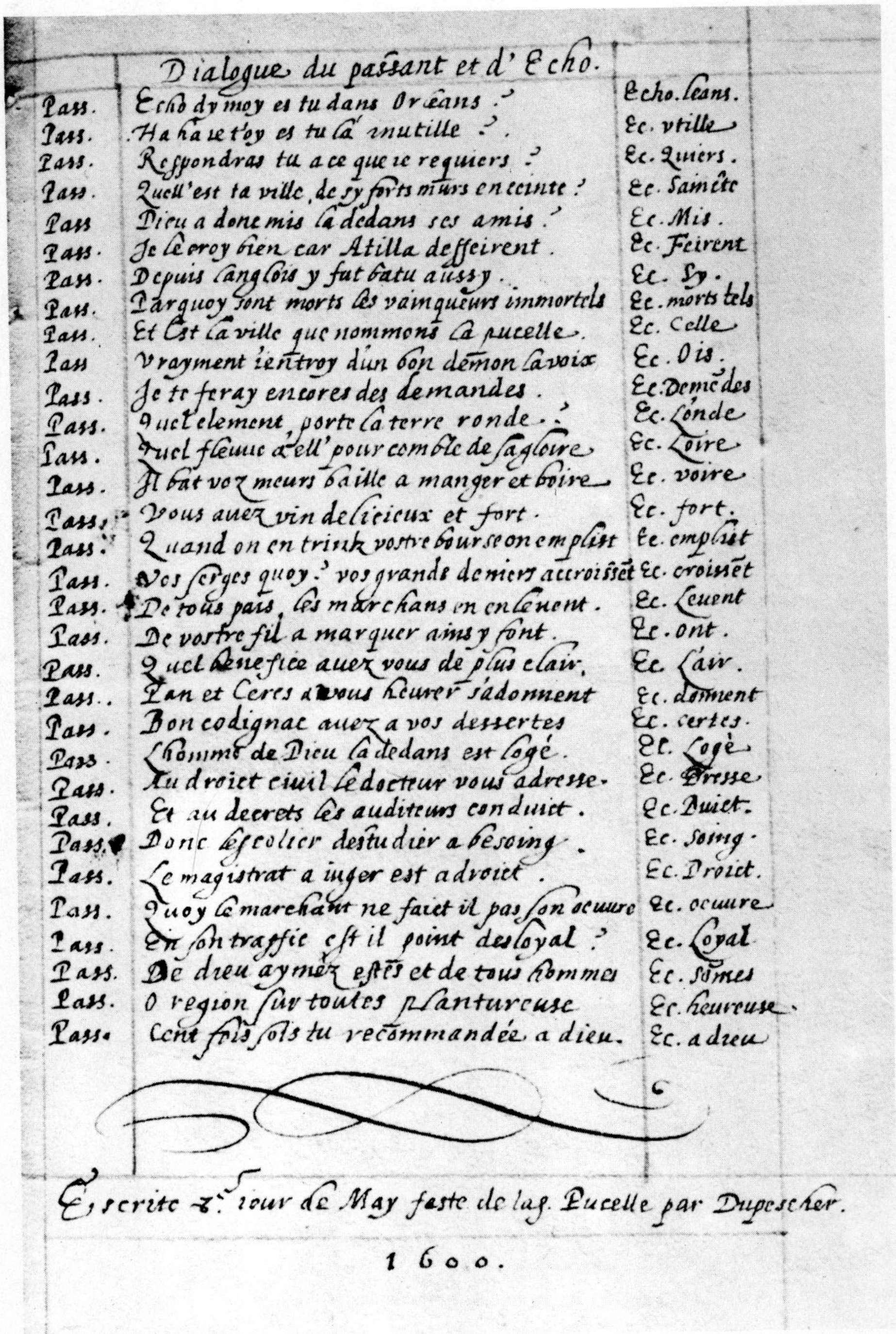

Dialogue du passant et d' Echo.

Pass.	Echo dy moy es tu dans Orleans ?	Echo. leans.
Pass.	Ha ha ie t'oy es tu la inutille ? .	Ec. vtille
Pass.	Respondras tu a ce que ie requiers ?	Ec. Quiers.
Pass.	Quell'est ta ville, de sy forts murs enceinte ?	Ec. Saincte
Pass	Dieu a donc mis la dedans ses amis ?	Ec. Mis.
Pass.	Je le croy bien car Atilla desffeirent .	Ec. Feirent
Pass.	Depuis l'anglois y fut batu aussy .	Ec. Sy.
Pass.	Parquoy sont morts les vainqueurs immortels	Ec. morts tels
Pass.	Et Cest la ville que nommons la pucelle .	Ec. Celle
Pass	Vrayment i'entroy d'un bon demon la voix	Ec. Ois.
Pass.	Je te feray encores des demandes .	Ec. Demãdes
Pass.	Quel element, porte la terre ronde ?	Ec. Londe
Pass.	Quel fleuue a ell' pour comble de sa gloire	Ec. Loire
Pass.	Il bat voz meurs baille a manger et boire	Ec. voire
Pass.	Vous auez vin delicieux et fort .	Ec. fort.
Pass.	Quand on en trink vostre bourse on emplist	Ec. emplist
Pass.	Vos serges quoy ? vos grands deniers accroissẽt	Ec. croissẽt
Pass.	De tous pais, les marchans en enleuent .	Ec. Leuent
Pass.	De vostre fil a marquer ains y sont .	Ec. ont .
Pass.	Quel benefice auez vous de plus clair,	Ec. L'air .
Pass.	Pan et Ceres a vous heurer s'adonnent	Ec. donnent
Pass.	Bon codignac auez a vos dessertes	Ec. certes .
Pass	L'homme de Dieu la dedans est logé .	Ec. Logé
Pass.	Au droict ciuil le docteur vous adresse .	Ec. Dresse
Pass.	Et au decrets les auditeurs conduict .	Ec. Duict.
Pass.	Donc l'escolier destudier a besoing .	Ec. Soing .
Pass.	Le magistrat a iuger est adroict .	Ec. Droict.
Pass.	Quoy le marchant ne faict il pas son oeuure	Ec. oeuure
Pass.	En son traffic est il point desloyal ?	Ec. Loyal
Pass.	De dieu aymez estes et de tous hommes	Ec. hõmes
Pass.	O region sur toutes planturcuse	Ec. heureuse
Pass.	Cent fois sois tu recommandée a dieu .	Ec. a dieu

Escrite 8. iour de May feste de la S. Pucelle par Dupescher.

1600.

Abb. 473 Cod. 13168, fol. 24r Orleans (?), 1600

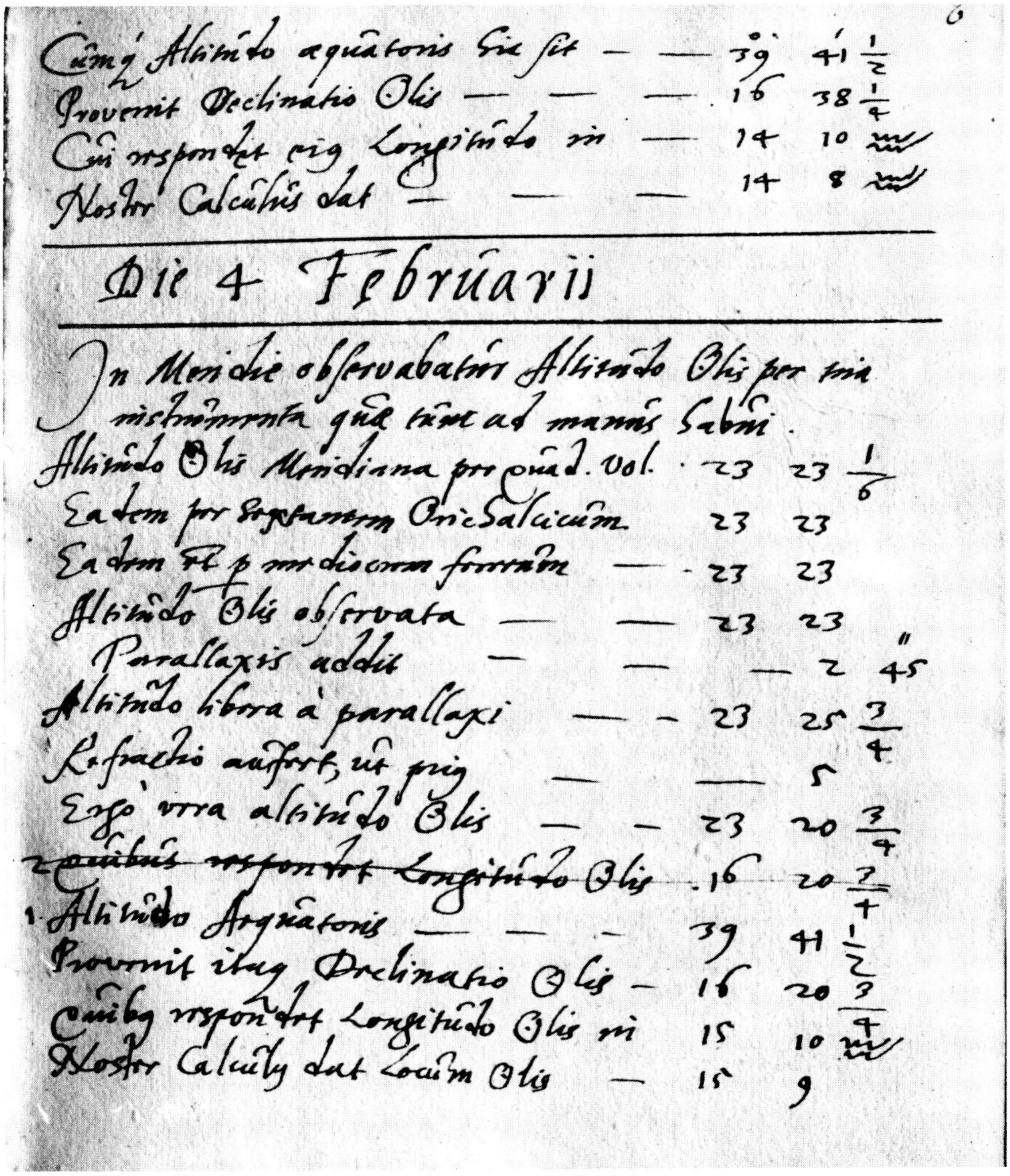
6

Cumq; Altitudo aequatoris hic sit — —	39°	41' 1/2
Provenit Declinatio ☉lis — — —	16	38 1/4
Cui respondet eius Longitudo in —	14	10 ♒
Noster Calculus dat — — —	14	8 ♒

Die 4 Februarii

In Meridie observabatur Altitudo ☉lis per tria instrumenta quae tunc ad manus habui.

Altitudo ☉lis Meridiana per Quad. Vol.	23	23 1/6	
Eadem per Sextantem Orichalcicum	23	23	
Eadem et per mediocrem ferreum —	23	23	
Altitudo ☉lis observata — —	23	23	
Parallaxis addit — — —		2	45''
Altitudo libera à parallaxi — —	23	25 3/4	
Refractio aufert, ut prius — —		5	
Ergo vera altitudo ☉lis — —	23	20 3/4	
2 ~~Quibus respondet Longitudo ☉lis~~	~~16~~	~~20 3/4~~	
1. Altitudo Aequatoris — — —	39	41 1/2	
Provenit itaq; Declinatio ☉lis —	16	20 3/4	
Quibus respondet Longitudo ☉lis in	15	10 ♒	
Noster Calculus dat Locum ☉lis —	15	9	

Abb. 474 Cod. 10674, fol. 6r 1600

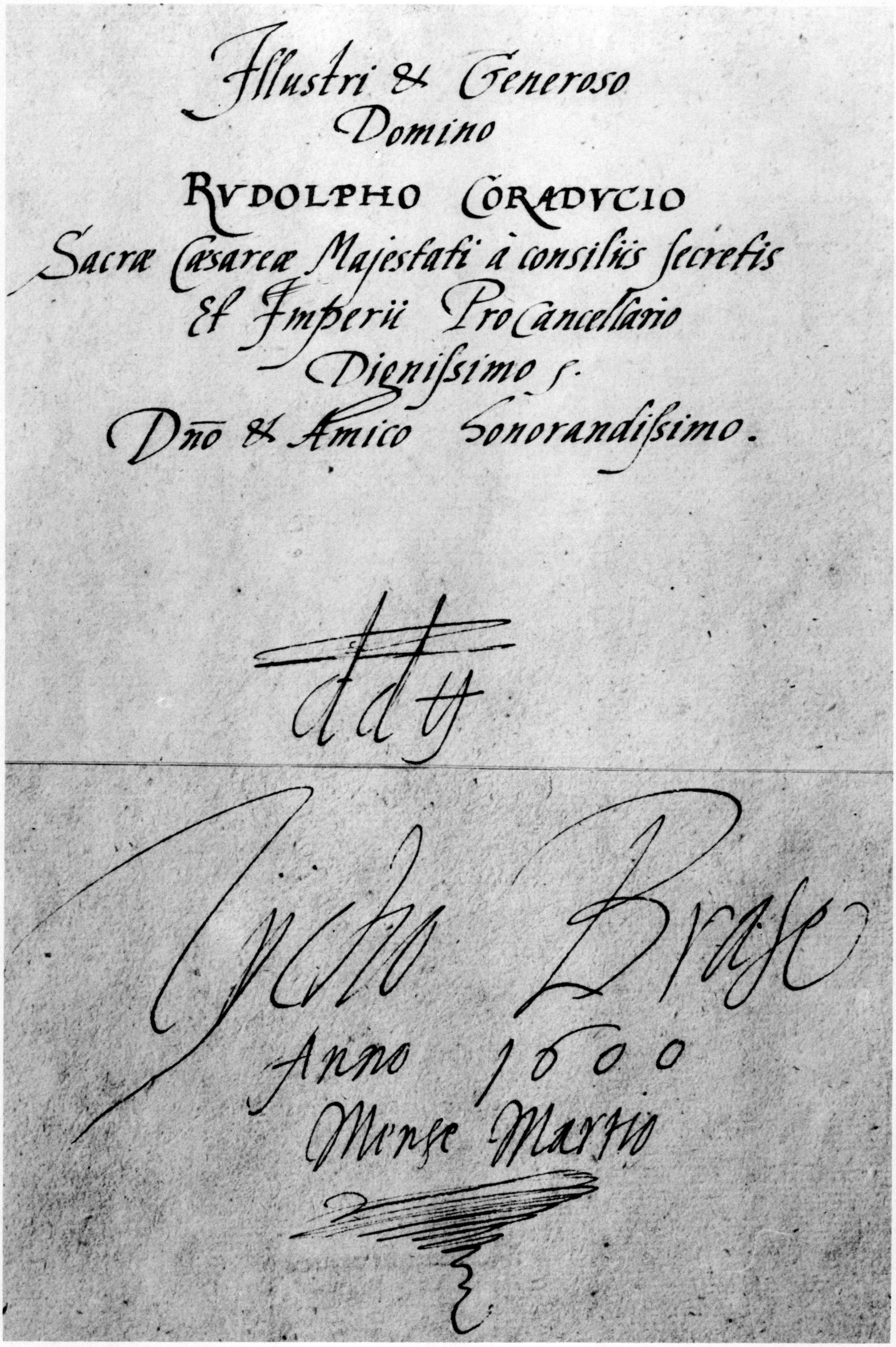
Illustri & Generoso
Domino
RUDOLPHO CORADUCIO
Sacræ Cæsareæ Majestati à consiliis secretis
Et Imperii ProCancellario
Dignissimo &c.
Dno & Amico honorandissimo.

Tycho Brahe
Anno 1600
Mense Martio

Abb. 475 Cod. 10707, fol. IIv 1600

NACHTRÄGE

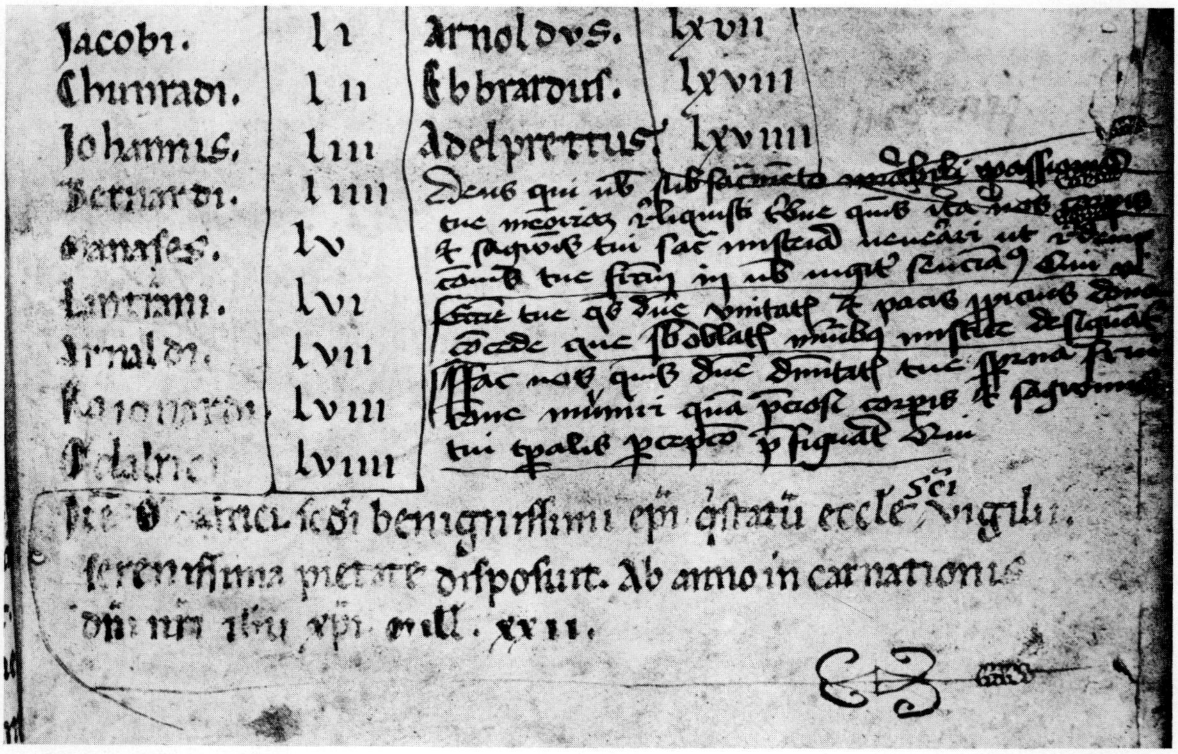

Abb. 476 Cod. Ser. n. 206, fol. 4r (Trient), vor 1177

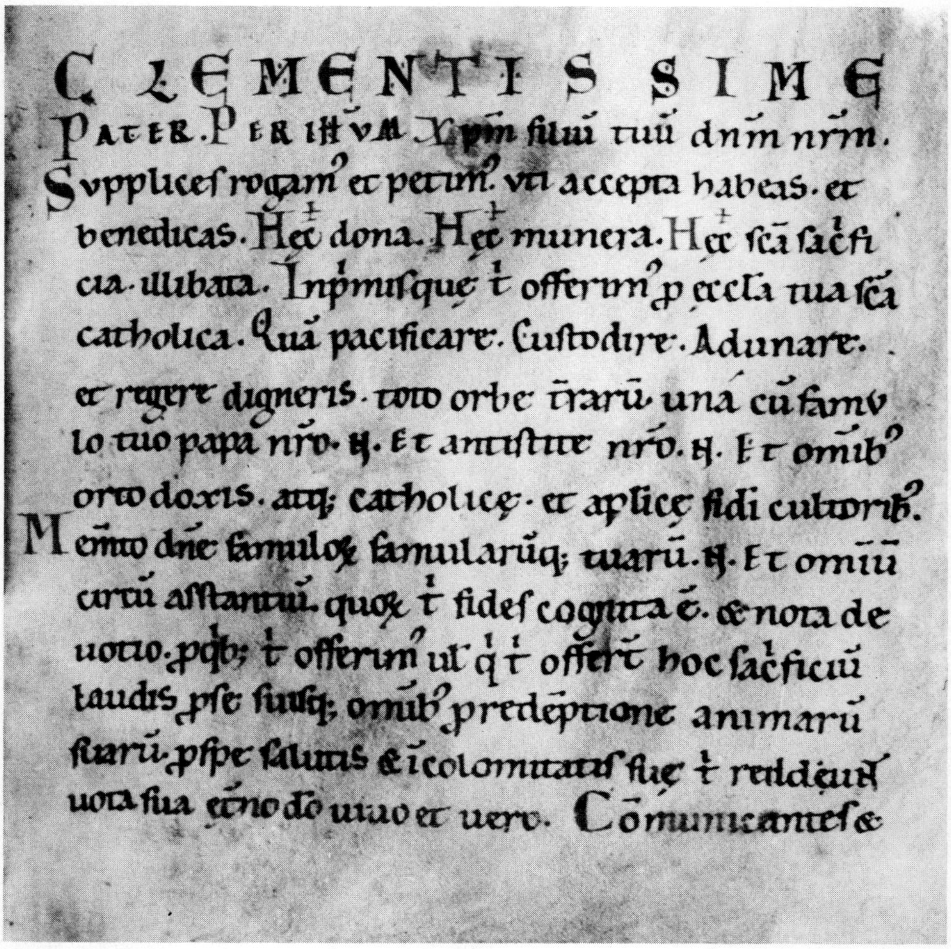

Abb. 477 Cod. Ser. n. 206, fol. 20r (Trient), vor 1177

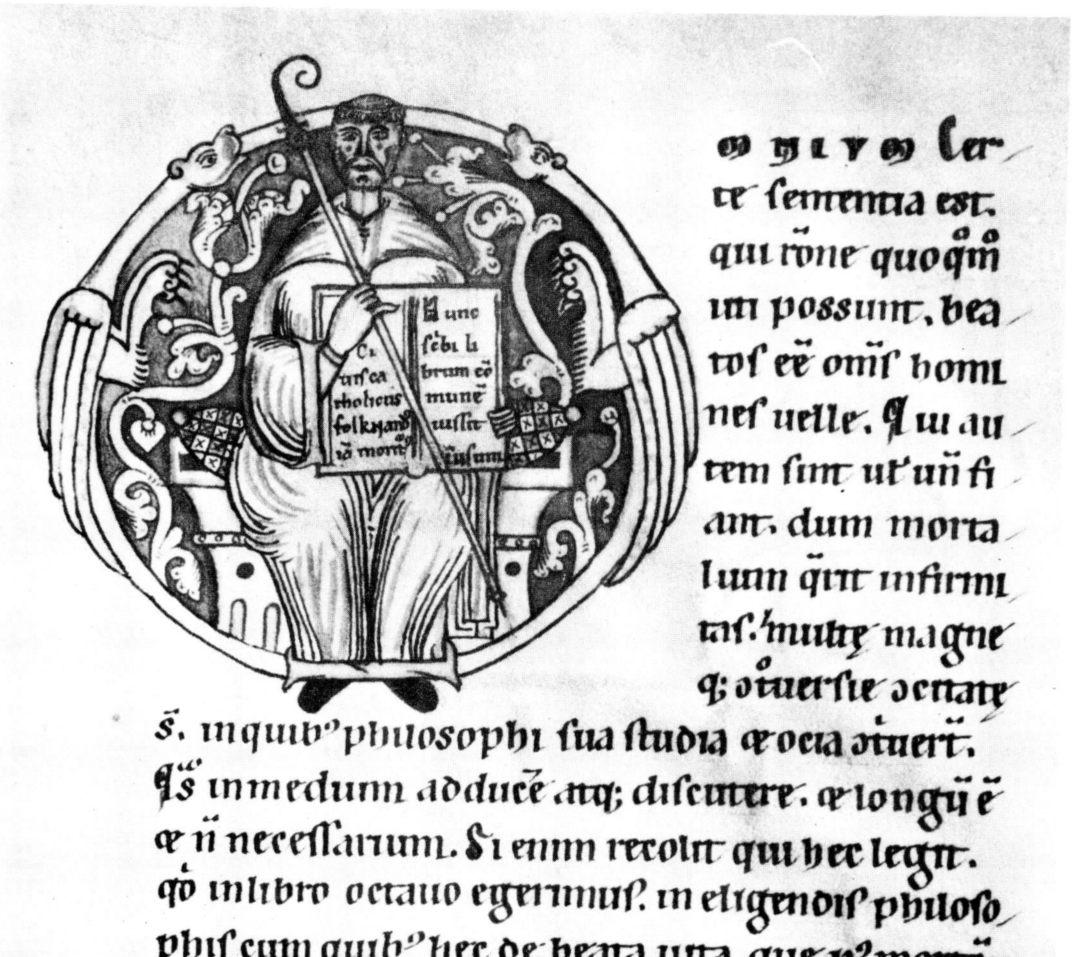

OMNIUM cer-
te sententia est.
qui rone quoquo m
uti possunt. bea
tos ee omis homi
nes uelle. Qui au
tem sint uel unde fi
ant. dum morta
lium qrit infirmi
tas. multe magne
q; controuersie concitate
s. inquib philosophi sua studia et ocia contriuert.
qs inmedium adduce atq; discutere. et longu e
et n necessarium. Si enim recolit qui hec legit.
qd inlibro octauo egerimus. in eligendis philoso
phis cum quib hec de beata uita que p morte
futura e. questio tractaret. utru ad eam uni uero
do. qui et effector e deorum. an plurimis dis re
ligione sacrisq; seruiendo. puenire possimus. n
et hic eadem repeti expectat. presertim cum pos
sit relegendo si forte oblitus e. amminiculari
memorie. Elegim enim platonicos omniu phi
losophorum merito nobilissimos. propterea qa sape
potuerunt. licet immortalem ac ronalem uel in
tellectualem hominis aiam. n participato lu
mine illius di aquo et ipa et mundus factus est.
beatam ee n posse. Ita illud qd omis homines
appetunt. i. uitam beata quecq isti asseruntur
negant. qui n illi uni optimo qd e in commuta
bilis ds. puritate casti amoris adheserit ...

Abb. 478 Cod. 650, fol. 62v (Sittich-Zatičina), um 1180

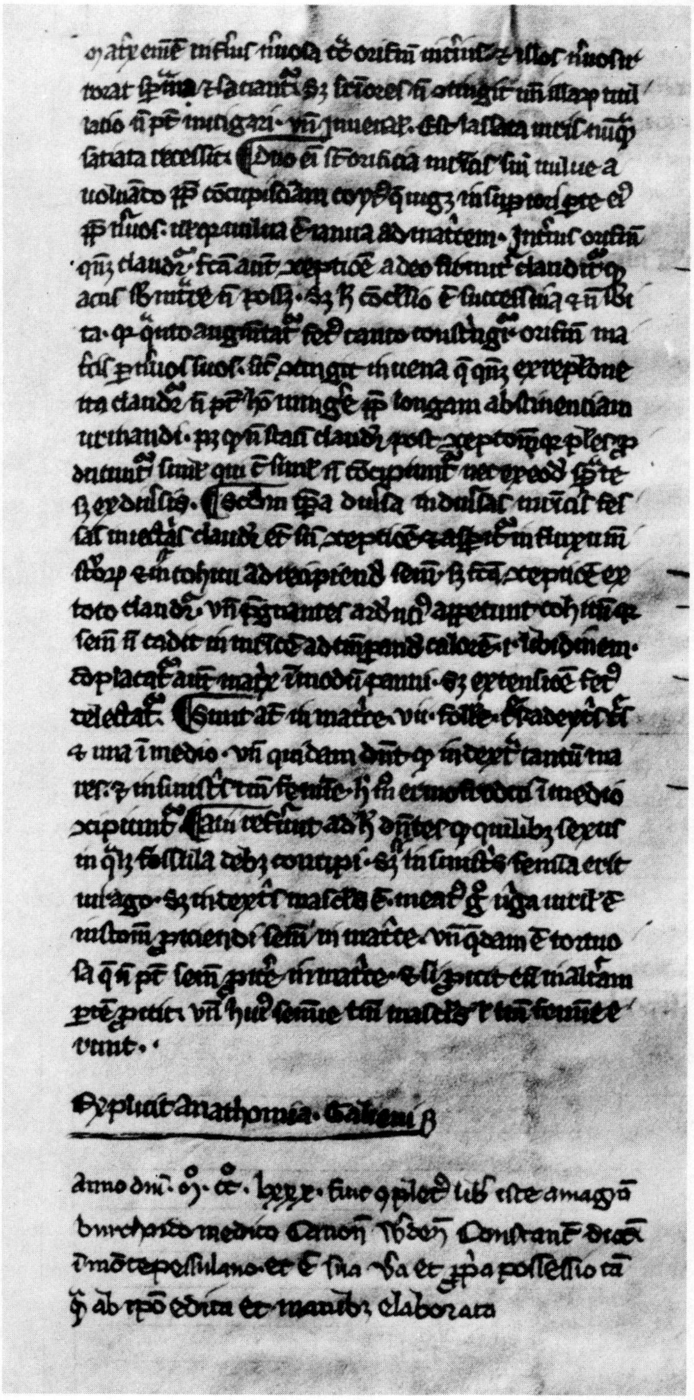

Abb. 479 Cod. 2325, fol. 105r Montpellier, 1280

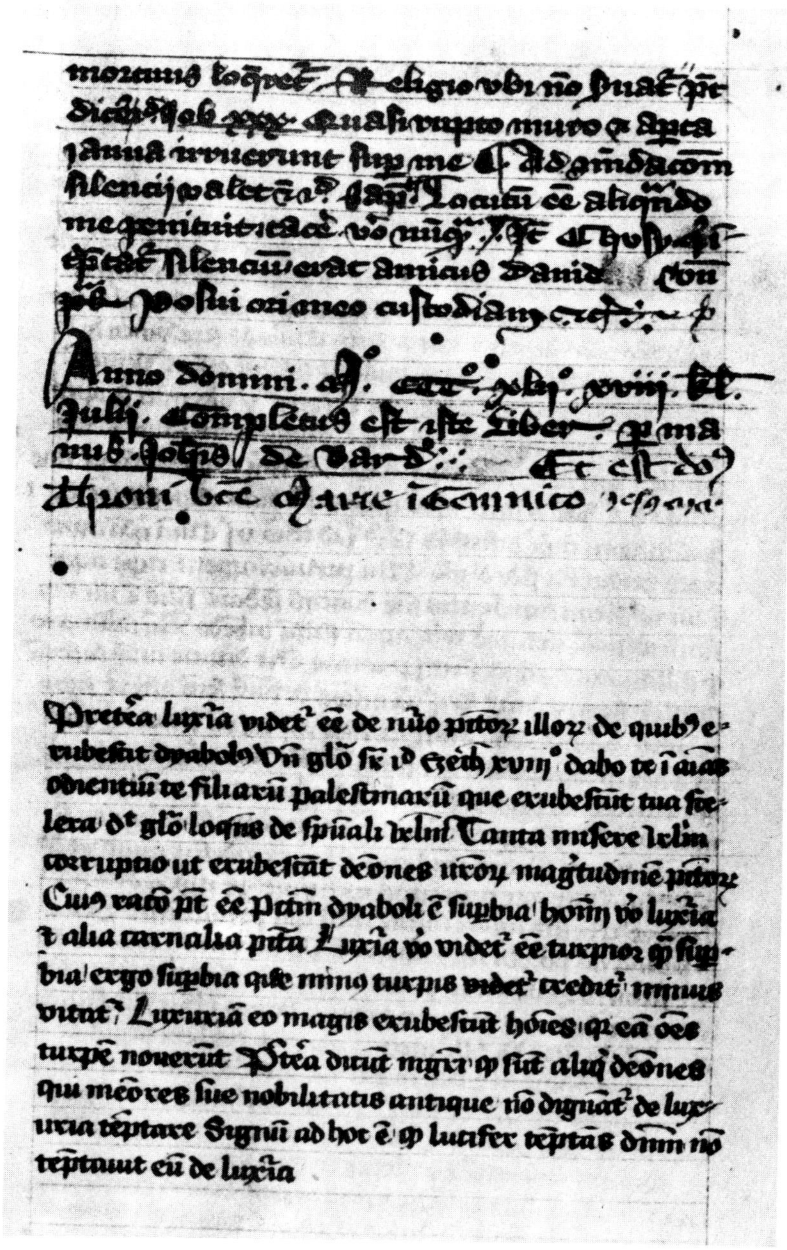

Abb. 480 Cod. 1425, fol. 95^r (Gaming ?), 1342

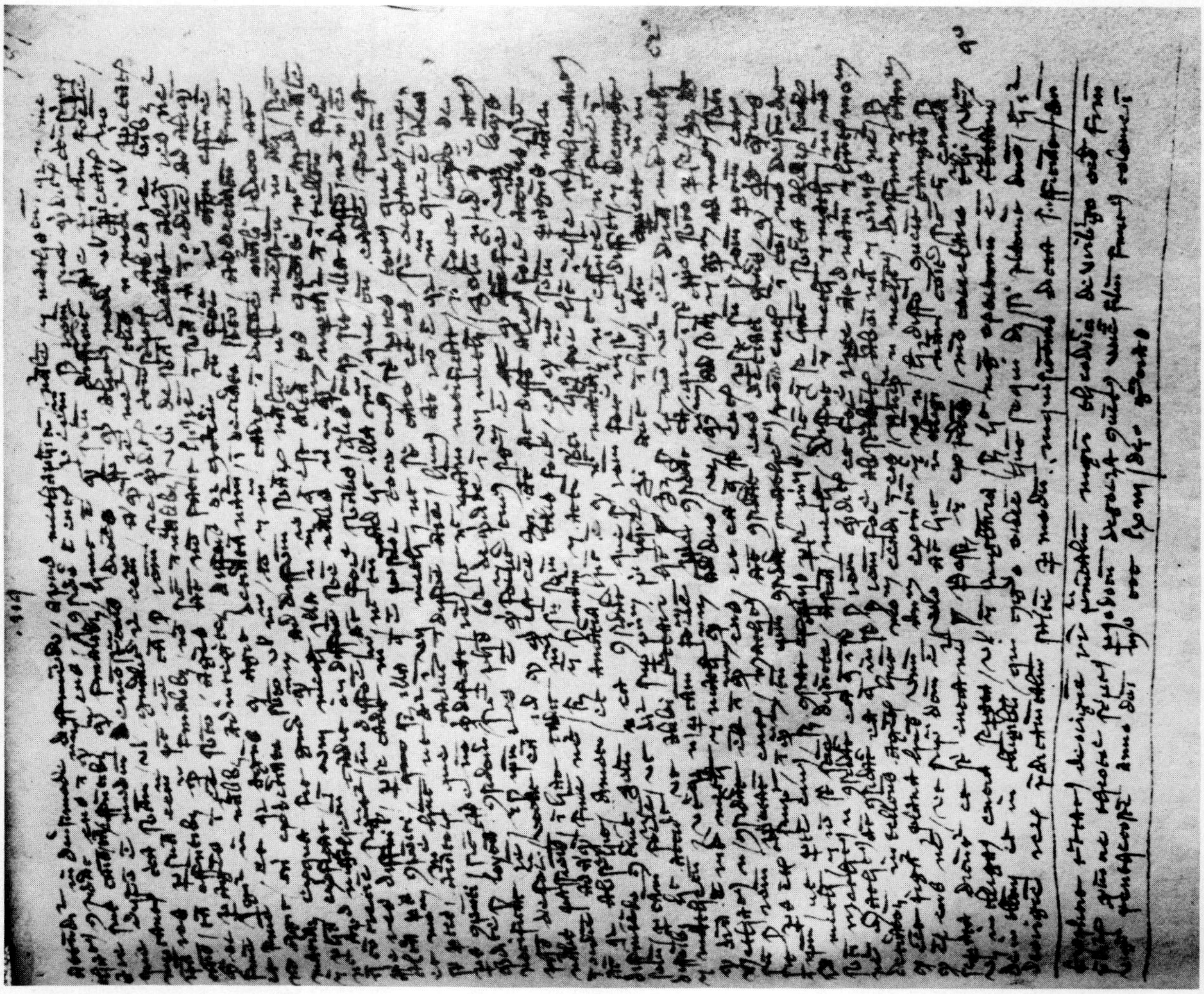

Abb. 482 Cod. 273, fol. 181r Köln, 1363

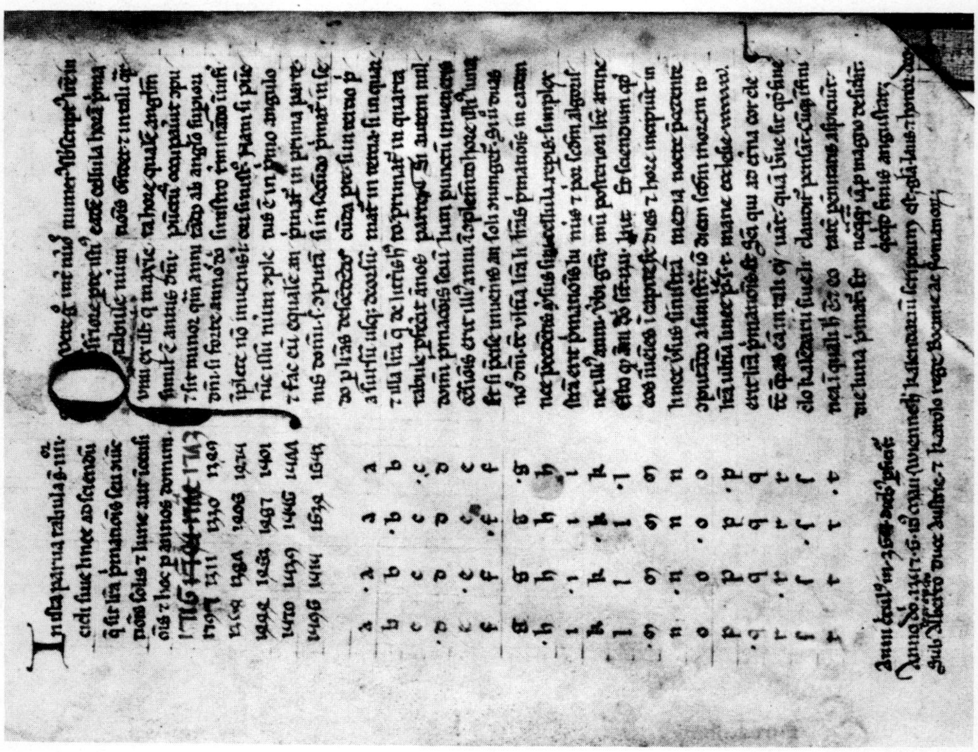

Abb. 481 Cod. 1728, fol. 1v Wien, 1352

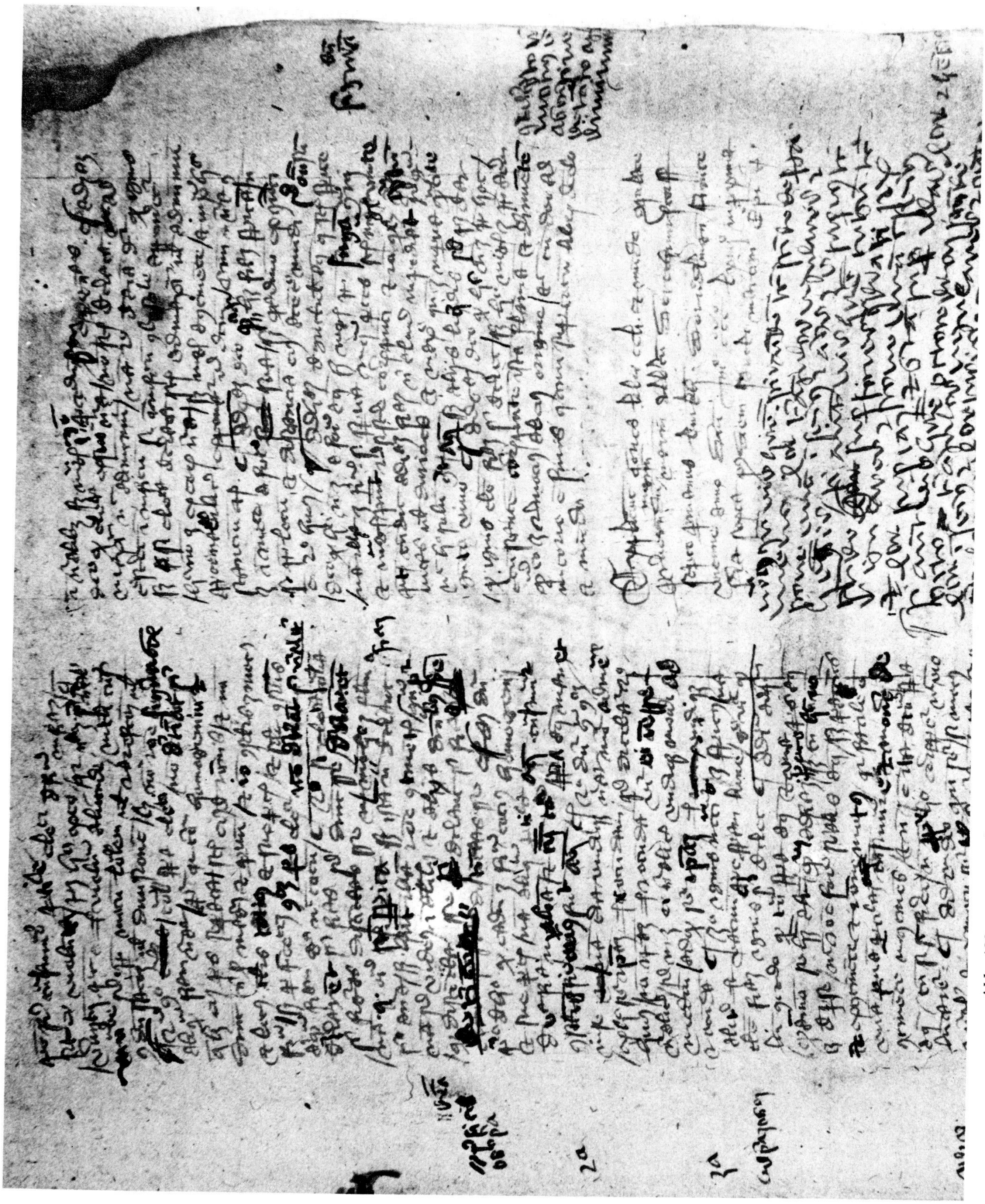

Abb. 483 Cod. 5446, fol. 62r Wien, 1364

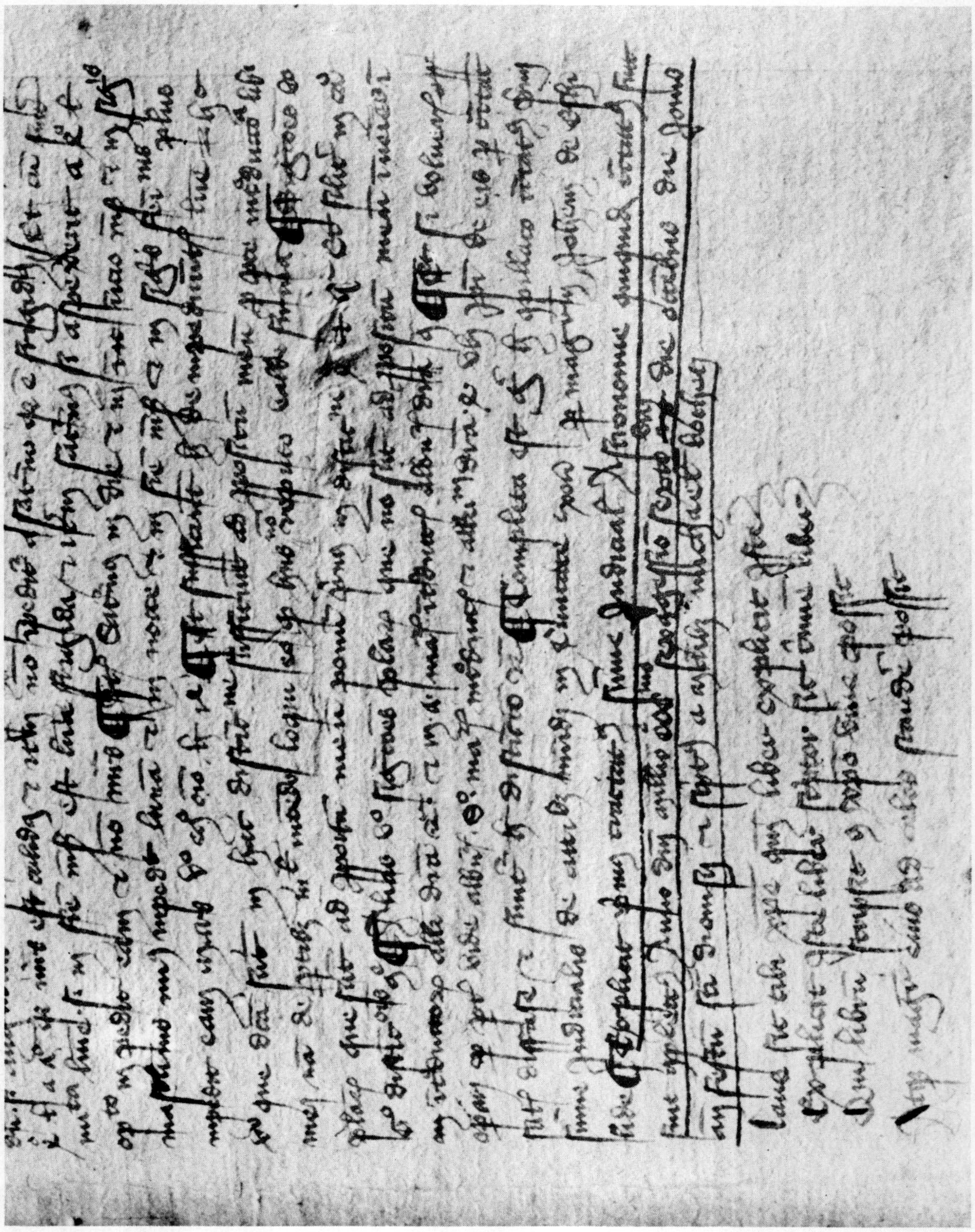

Abb. 484 Cod. 5387, fol. 110r 1366

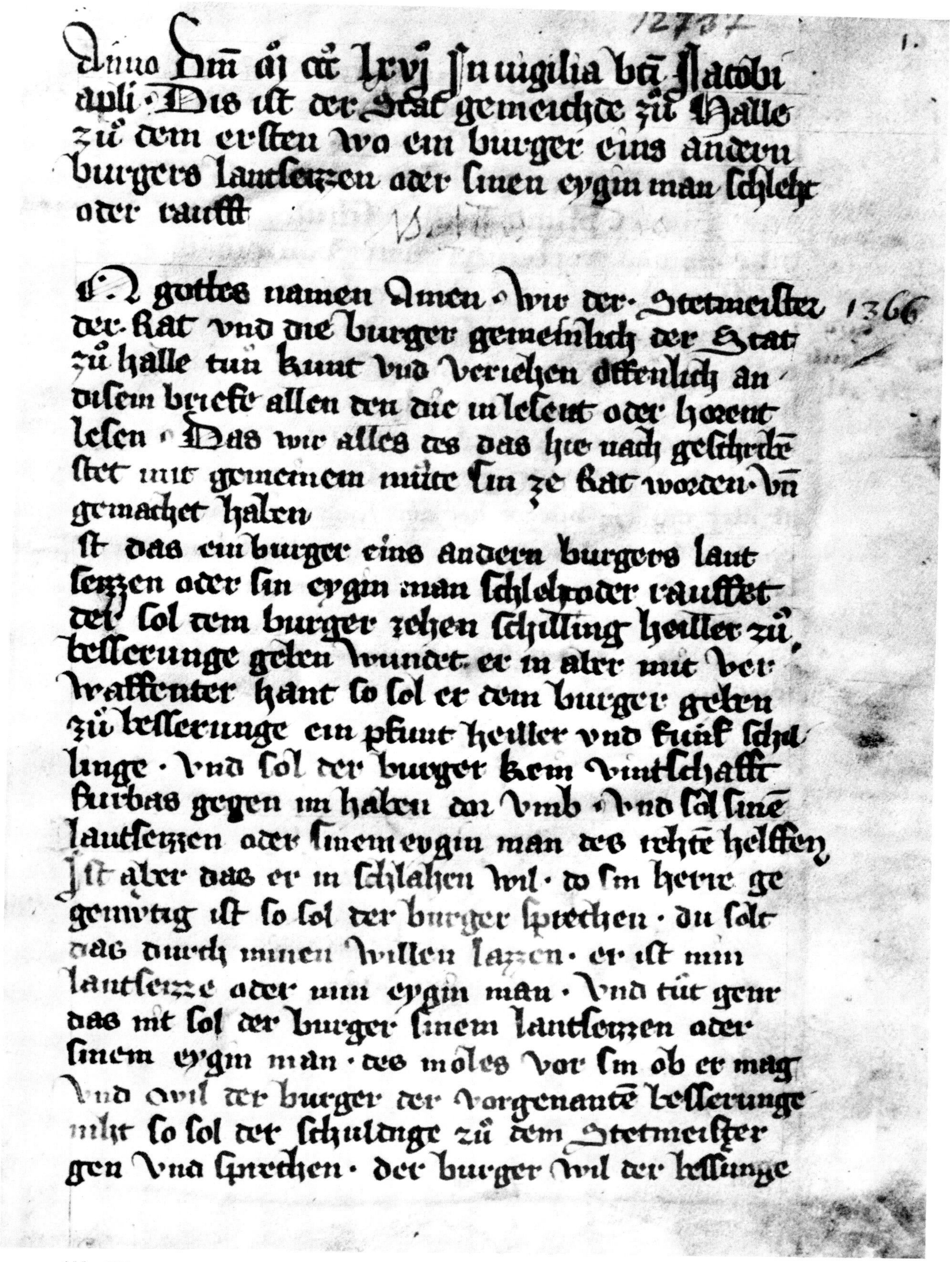

12737 1.

Anno dni m° ccc° lxvj In vigilia btī Jacobi
apli · Dis ist der Stat gemeichte zu Halle
zu dem ersten wo ein burger eins andern
burgers lantsezzen oder sinen eygin man schlehet
oder raufft

In gottes namen Amen · wir der Stetmeister 1366
der Rat vnd die burger gemeinlich der Stat
zu halle tun kunt vnd veriehen offenlich an
disem briefe allen den die in lesent oder hoerent
lesen · Das wir alles des das hie nach geschriben
stet mit gemeinem mute sin ze Rat worden · vn
gemachet haben
Ist das ein burger eins andern burgers laut
sezzen oder sin eygin man schlehet oder raufftet
der sol dem burger zehen schilling heller zu
besserunge geben wundet er in aber mit be-
waffenter hant so sol er dem burger geben
zu besserunge ein pfunt heller vnd funf schil-
linge · vnd sol der burger kein vintschafft
furbas gegen im haben dar vmb · vnd sol sine
lantsezzen oder sinem eygin man des rehtē helffen
Ist aber das er in schlahen wil · do sin herre ge-
genwurtig ist so sol der burger sprechen · du solt
das durch minen willen lazzen · er ist min
lantsezze oder min eygin man · vnd tut gener
das mit sol der burger sinem lantsezzen oder
sinem eygin man · des moles vor sin ob er mag
vnd wil der burger der vorgenantē besserunge
niht so sol der schuldige zu dem Stetmeister
gen vnd sprechen · der burger wil der bessunge

Abb. 485 Cod. 12737, fol. 1r Halle, 1366

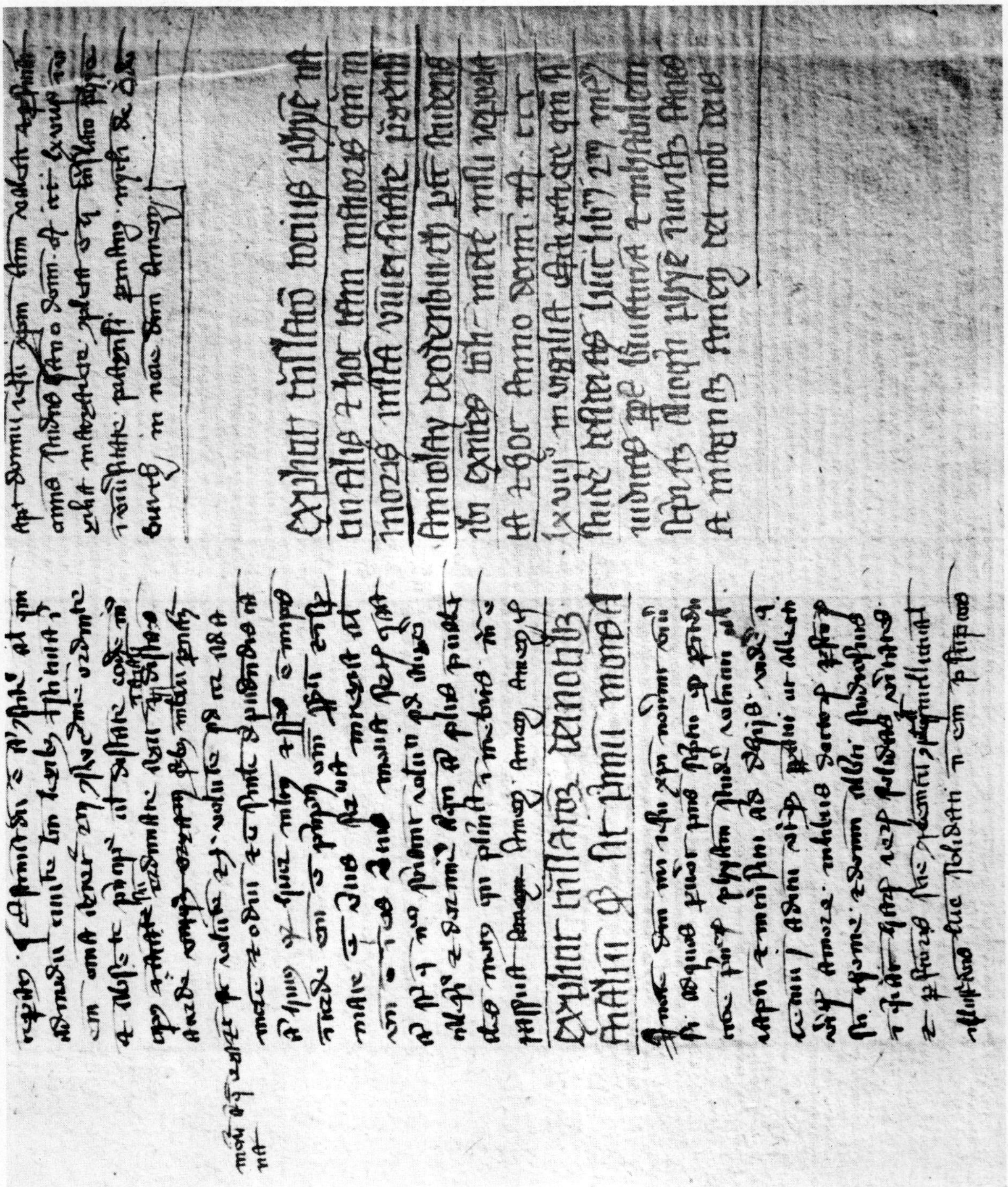

Abb. 486 Cod. 5465, fol. 92v Prag, 1368

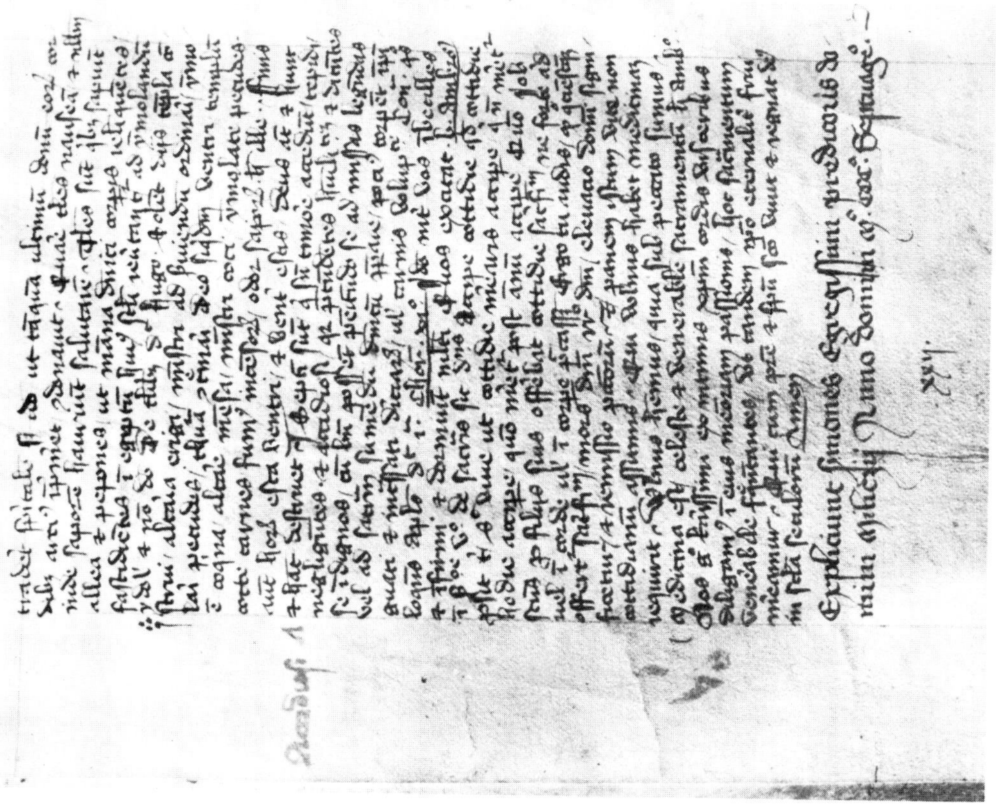

Abb. 488 Cod. 1684, fol. 220v 1370

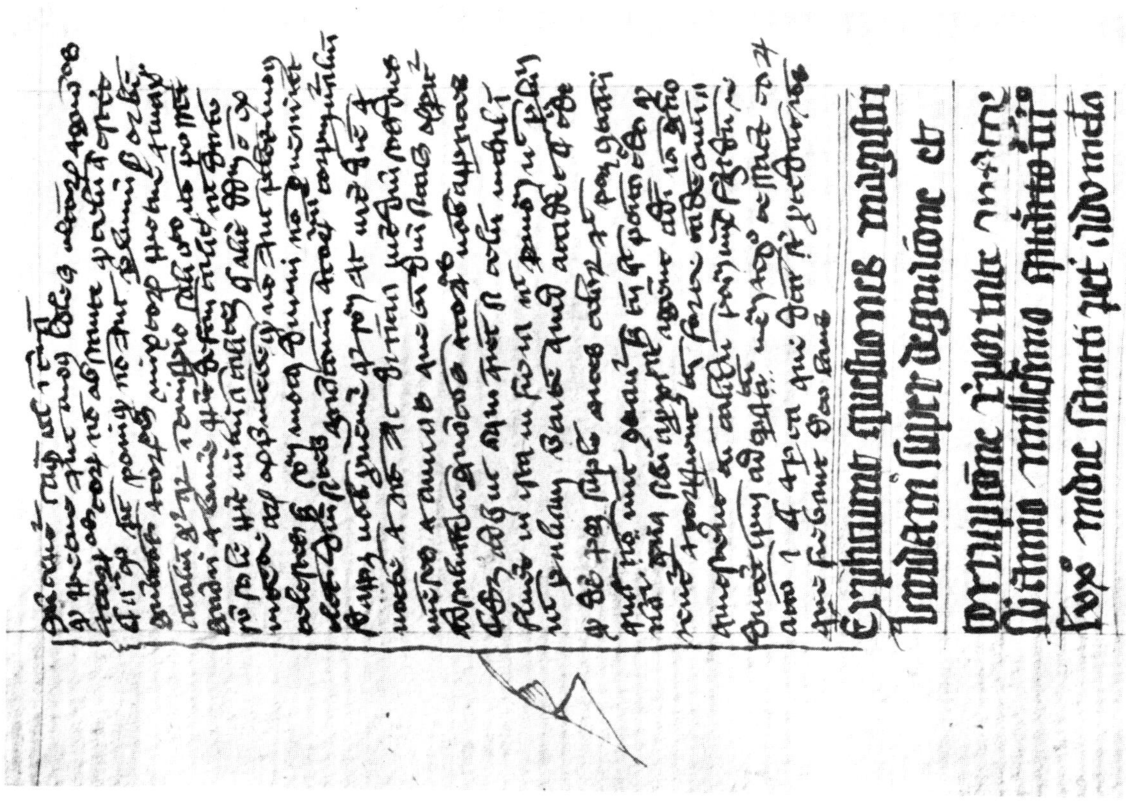

Abb. 487 Cod. 5453, fol. 48v (Prag), 1370

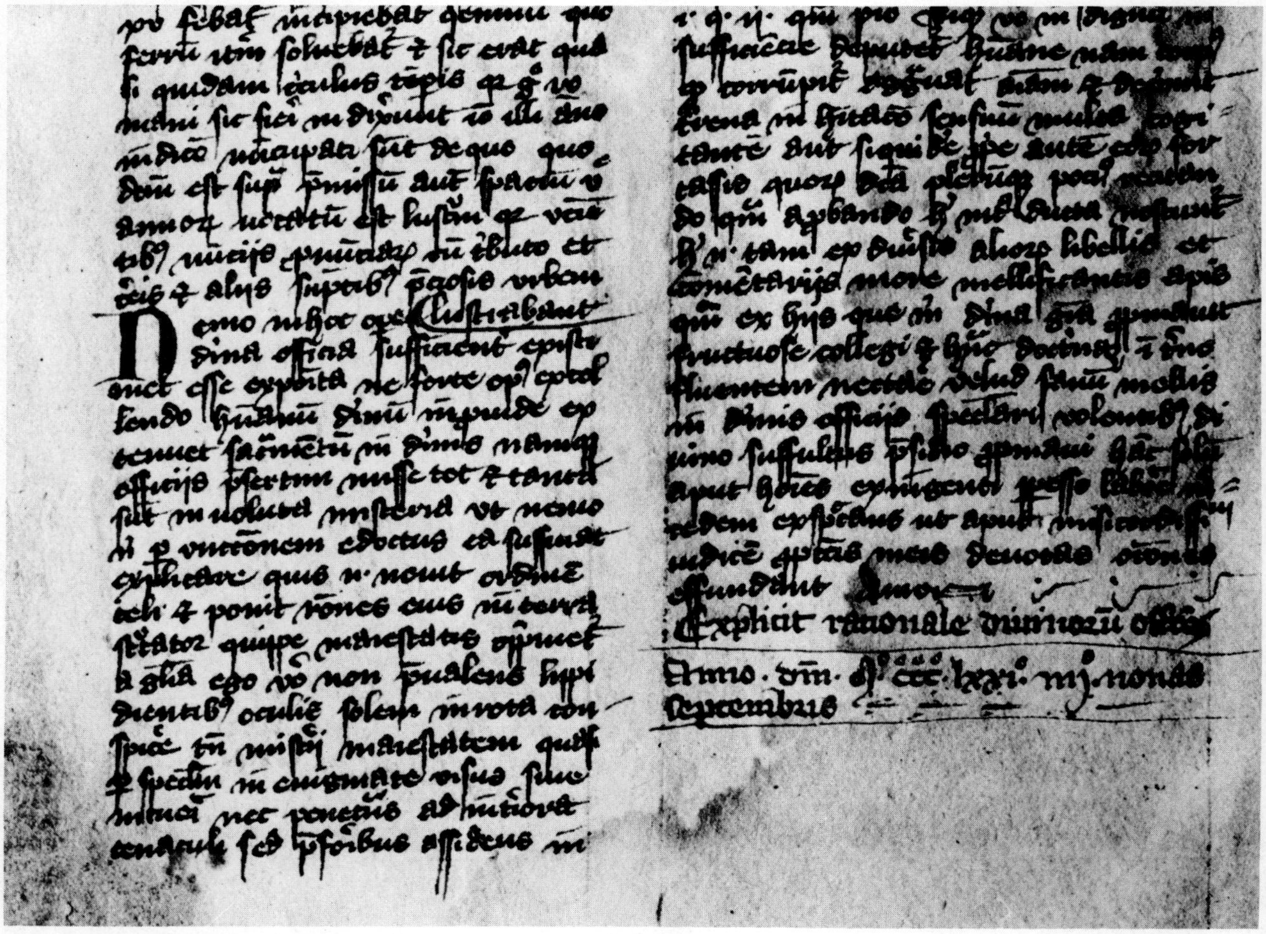

Abb. 489 Cod. 4642, fol. 251v **1371**

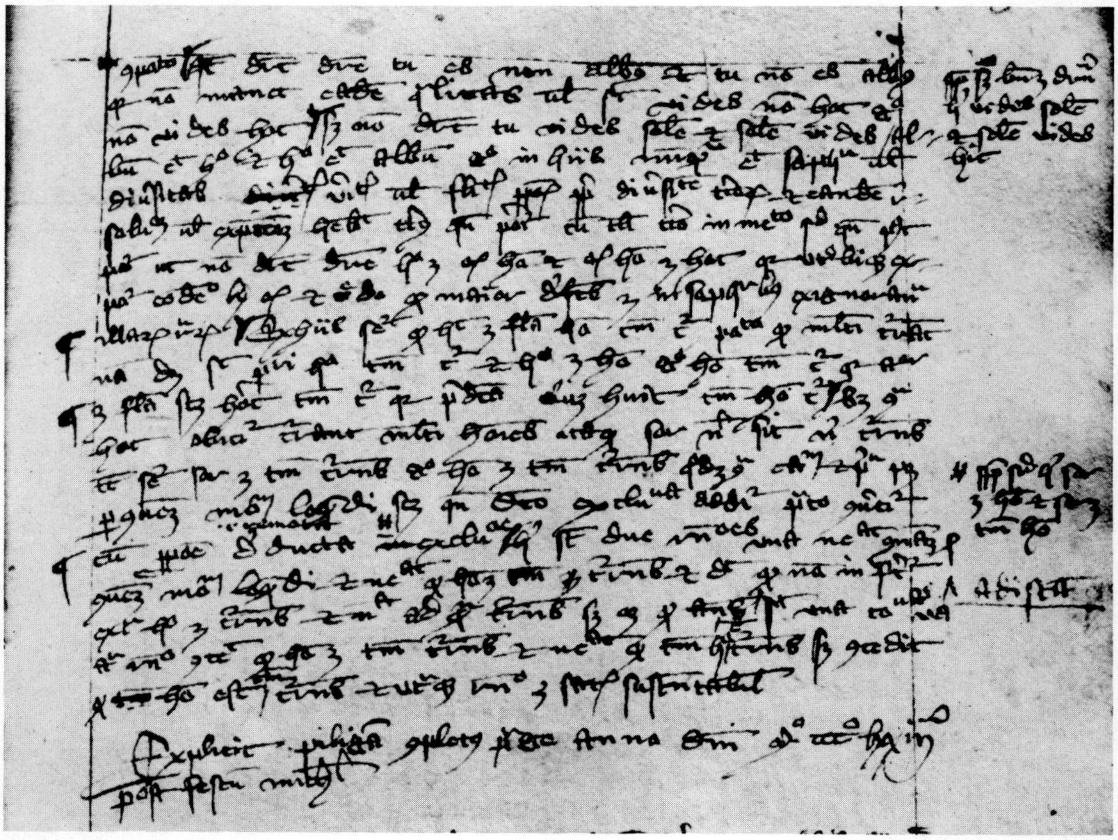

Abb. 490 Cod. 4698, fol. 108v **Prag, 1373**

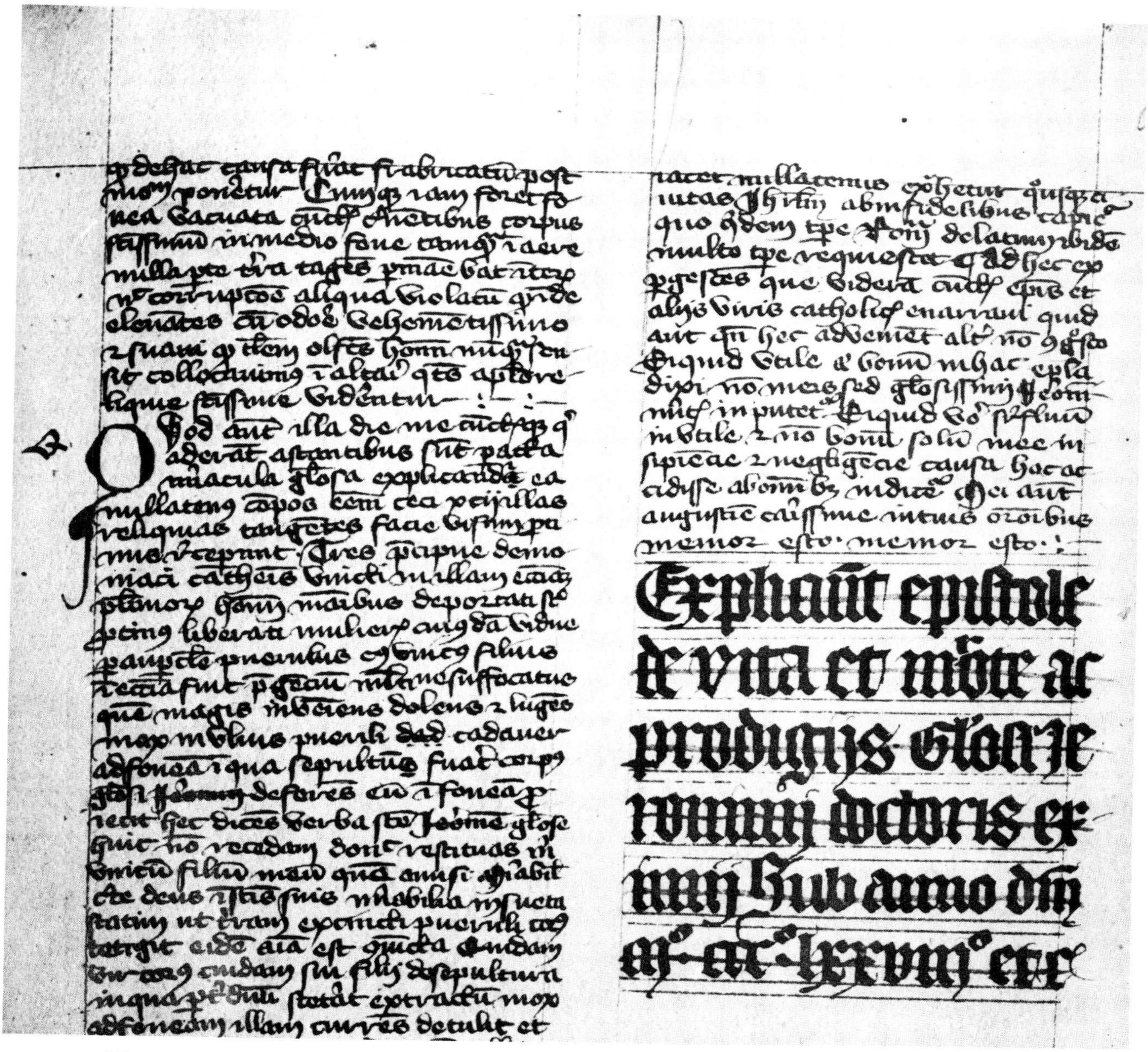

Explicit epistole
de vita et morte ac
prodigijs gloriosi Je
ronimi doctoris ex
imij sub anno domini
Mº CCCº LXXVIIIº etc.

Abb. 491 Cod. 4248, fol. 60r 1378

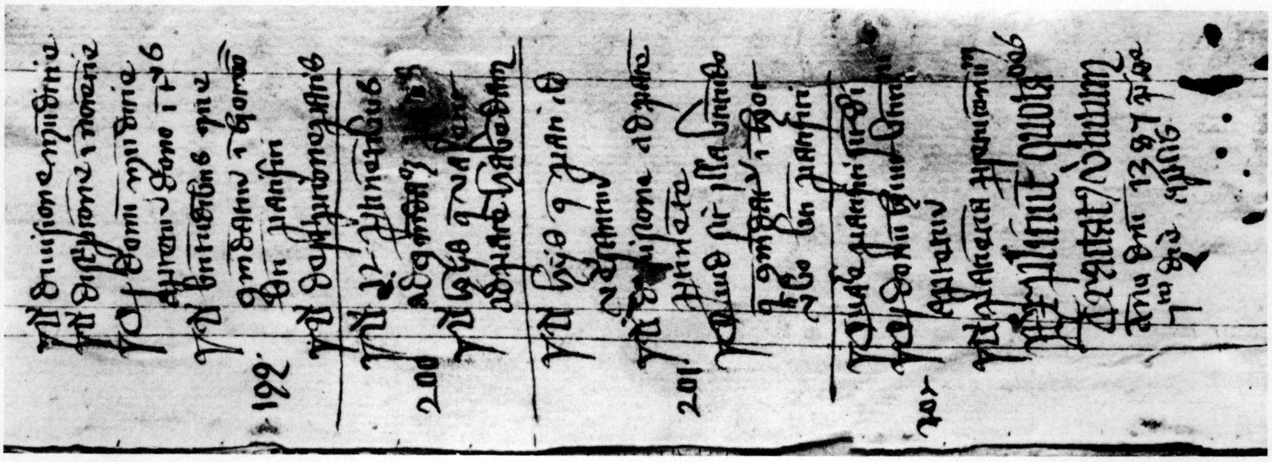

Abb. 493 Cod. 1719, fol. 207r Prag, 1385

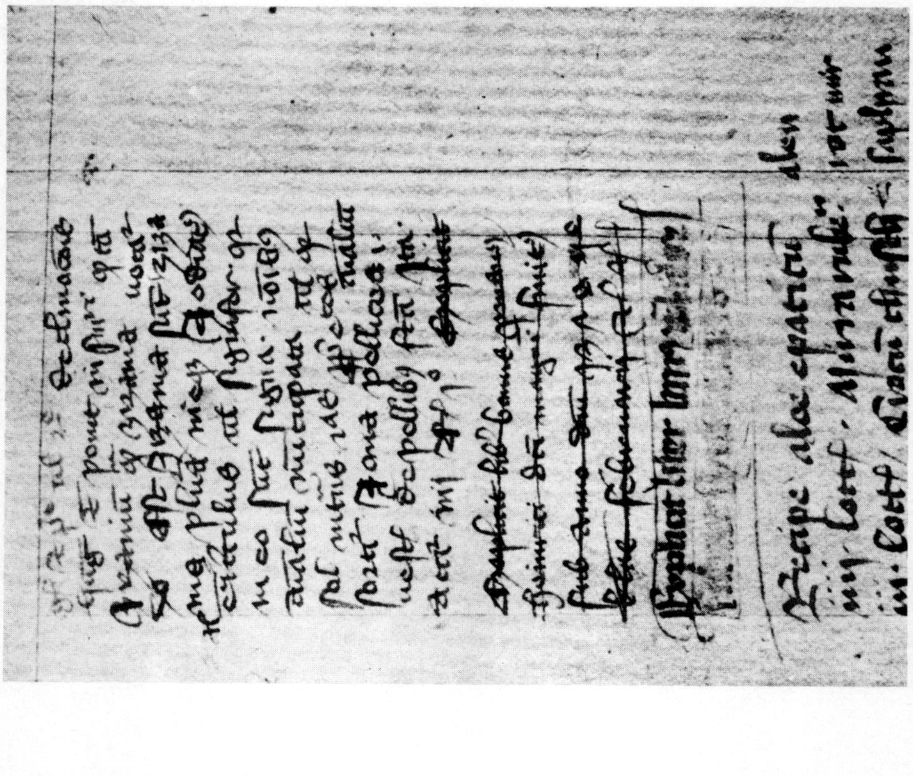

Abb. 492 Cod. 5198, fol. 125v 1378

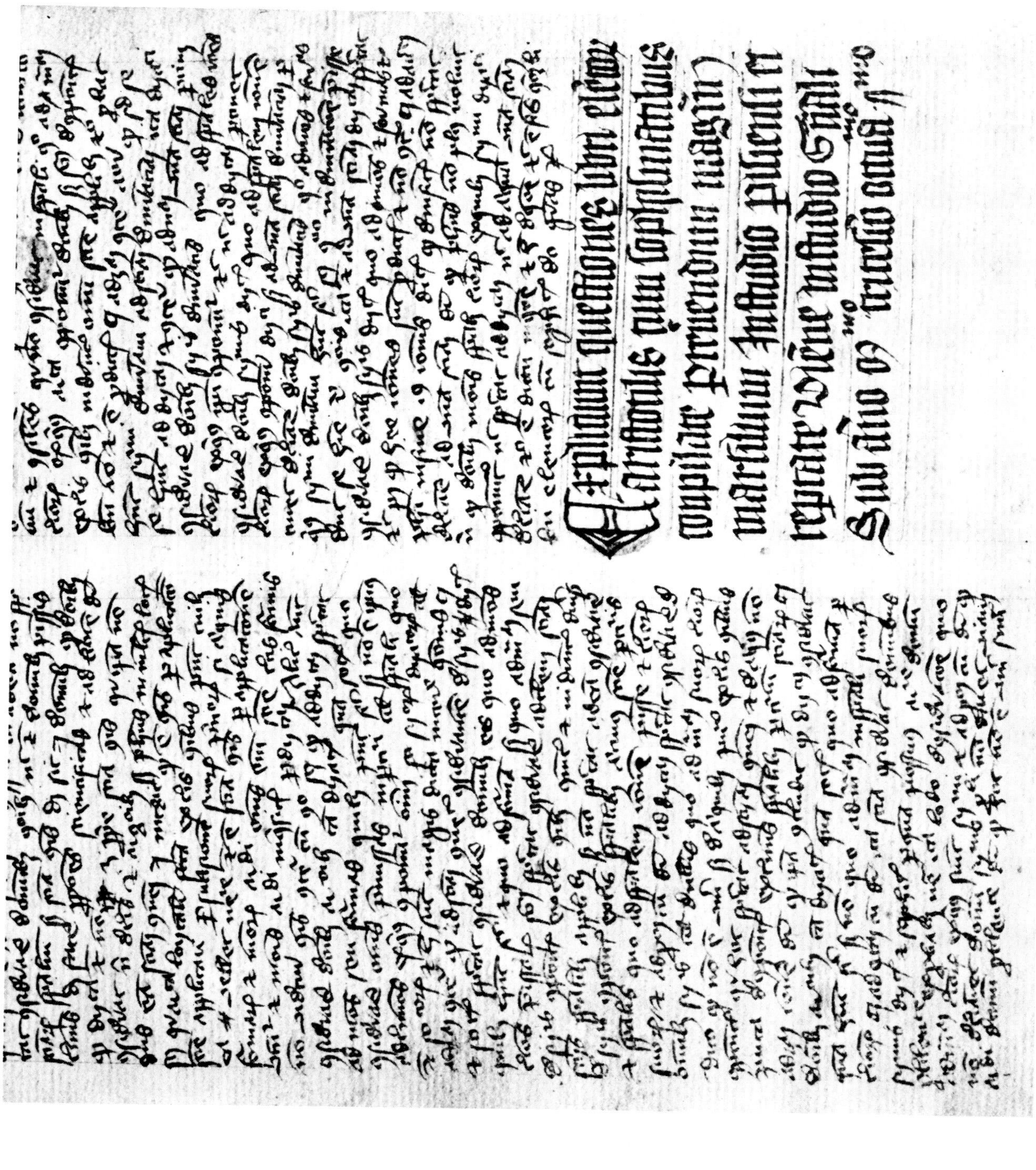

Abb. 494

Cod. 5467, fol. 163v

Wien, 1387

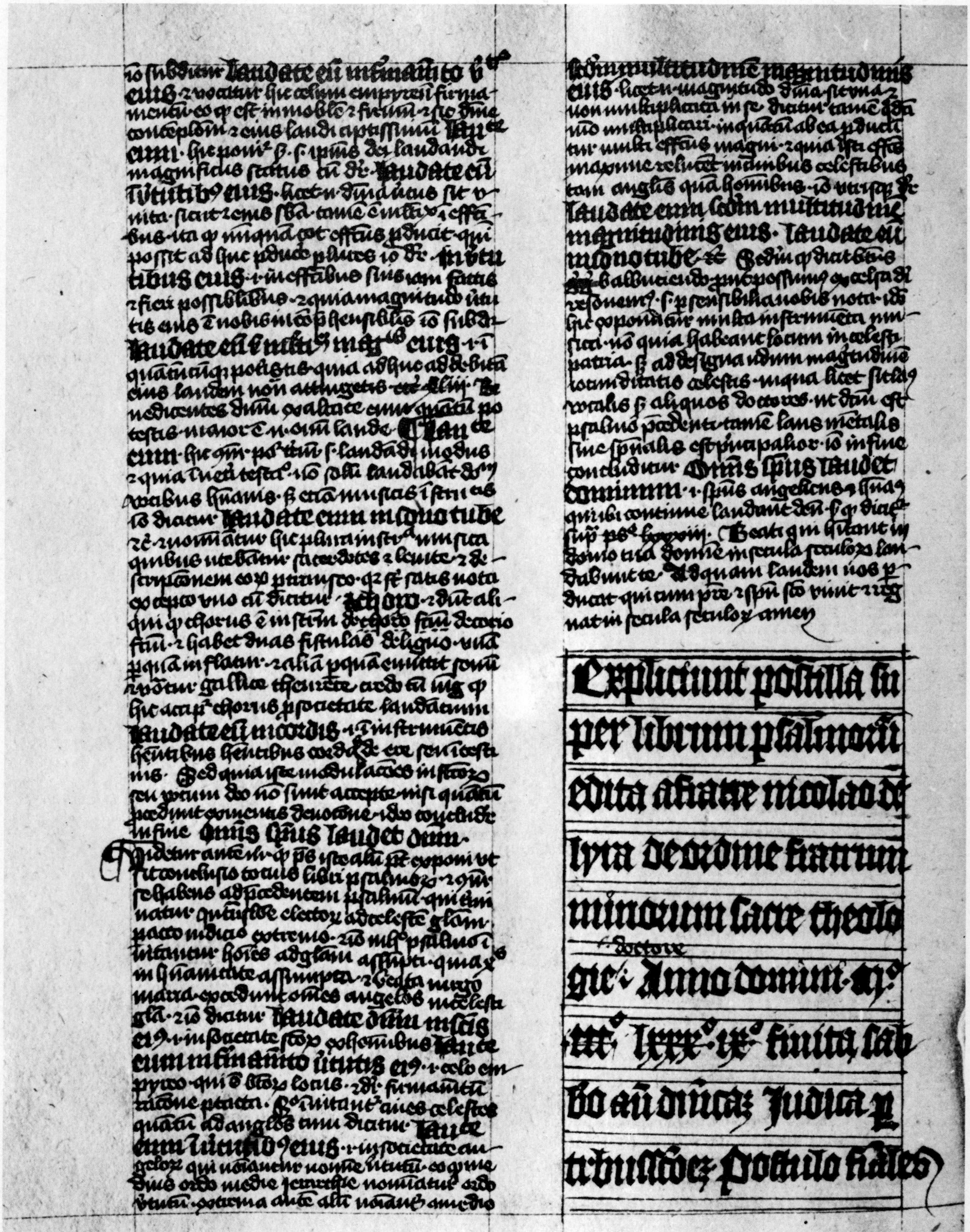
Explic[i]unt postilla super librum psalmorum edita a fratre nicolao de lyra de ordine fratrum minorum sacre theologie doctore. Anno domini M° ccc° lxxx° ix° finita sabbato ante dominicam Judica

Abb. 495 Cod. 4192, fol. 182ᵛ 1389

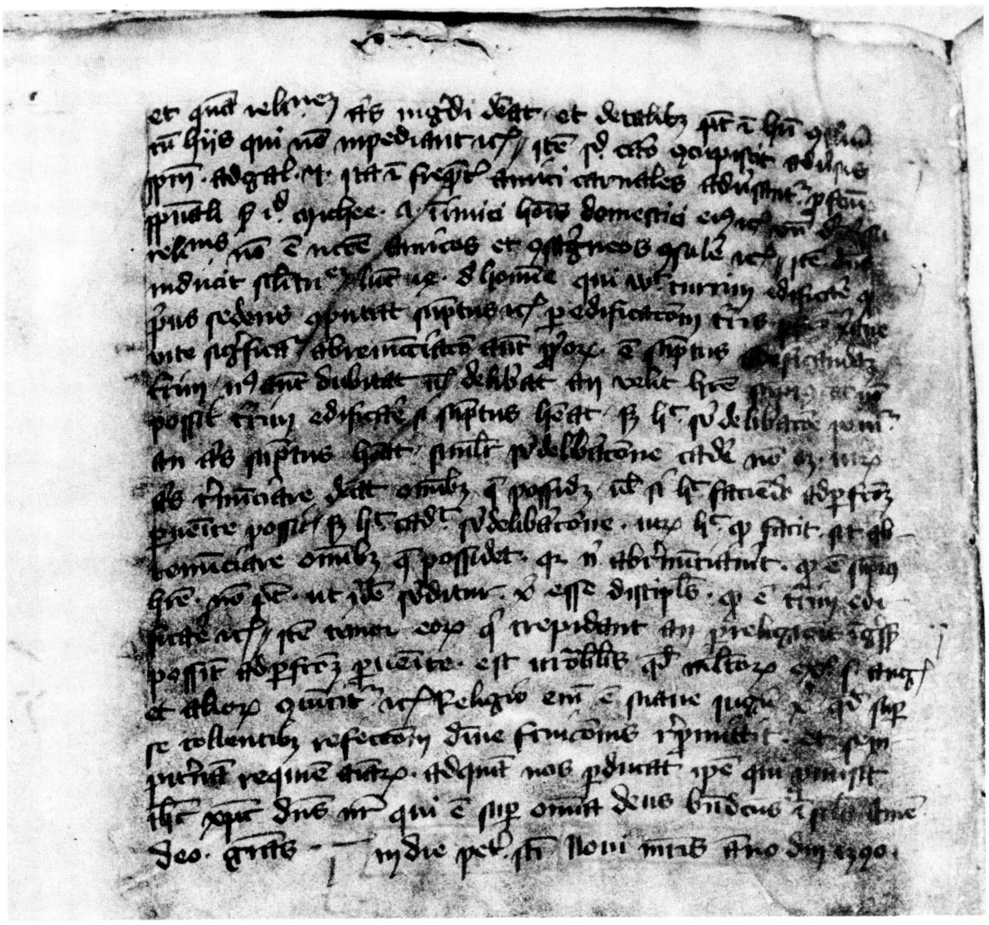

Abb. 496 Cod. 4708, fol. 110v 1390

Abb. 497 Cod. 2352, fol. 34r (Prag), 1392

pabilis singulis quam pro seipso
Si ergo cor hominis de tanto suo bono vix capiet suum gaudium quomodo capax
erit tot et tantorum gaudiorum
Et utique quantum quisque diligit
aliquem tantum de bono eius
gaudet sic in illa perfecta felicitate unusquisque amabit sine comparacione deum quam se
et omnes alios secum ita
gaudebit plus absque esti-
macione de felicitate dei
quam de sua et omnium aliorum
secum Sed si deum sic diligent
toto corde tota mente to-
ta anima ut tamen totum cor
tota mens tota anima non
sufficiat dignitati dilectionis
profecto sic gaudebunt toto
corde tota mente tota anima
ut totum cor tota mens
tota anima non sufficiat ple-
nitudini gaudii Modo
ergo domine dixi aut cogita-
vi quantum gaudebunt illi
beati tui utique tantum gaudebunt quantum amabunt
tantum amabunt quantum
cognoscent Quantum cognoscent te domine tunc et quantum
amabunt te Certe nec ocu-
lus vidit nec auris au-
divit nec in cor hominis
ascendit in hac vita quantum
te congnoscent et amabunt
in eterna vita Oro deus
ut cognoscam te amem
te ut gaudeam de te et
si non possum ad plenum in
hac vita vel proficiam in

dies saltem usque dum veni-
at illud plenum Proficiat hic
in me noticia tui et ibi fi-
at plena crescat hic amor
tuus et ibi sit plenus ut
hic gaudium meum sit in spe
magnum et ibi sit in re plenum Domine per filium tuum iu-
bes immo consulis petere
et promittis accipere ut gaudium meum plenum sit Deus
deus verax peto accipi-
am ut gaudium meum ple-
num sit Peto domine quod per ad-
mirabilem consiliarium
nostrum consulis accipiam quod
promittis per veritatem tuam
ut gaudium meum plenum
sit Meditetur interim mens
mea Loquatur inde lingua
mea Amet illud cor meum
Sermocinetur os meum Esu-
riat illud anima mea siciat
caro mea desideret tota
substancia mea donec in-
trem in gaudium domini mei
qui est trinus et unus deus
benedictus in secula seculorum amen Laus tibi sit
Christe quoniam liber explicit iste

Explicit liber Brevilo-
quij bone venture per
manus [illegible] Qui di-
viditur in vii partes Anno
domini mº cccº lxxxxvº me
Jam scriptor cessa nam
manus est tibi fessa [illegible]

Abb. 498 Cod. 1578, fol. 68r

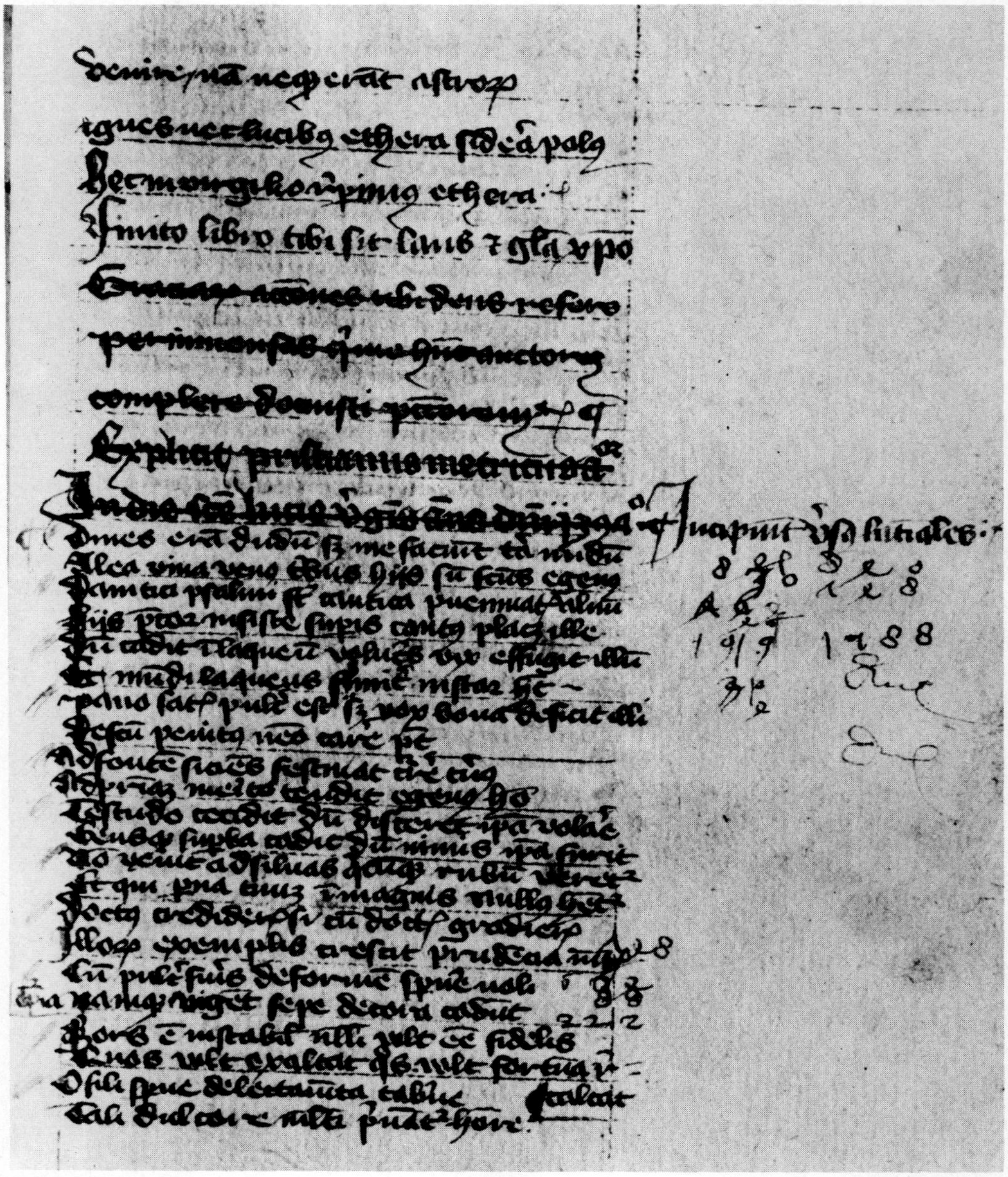

Abb. 499 Cod. 3562, fol. 116^r 1397

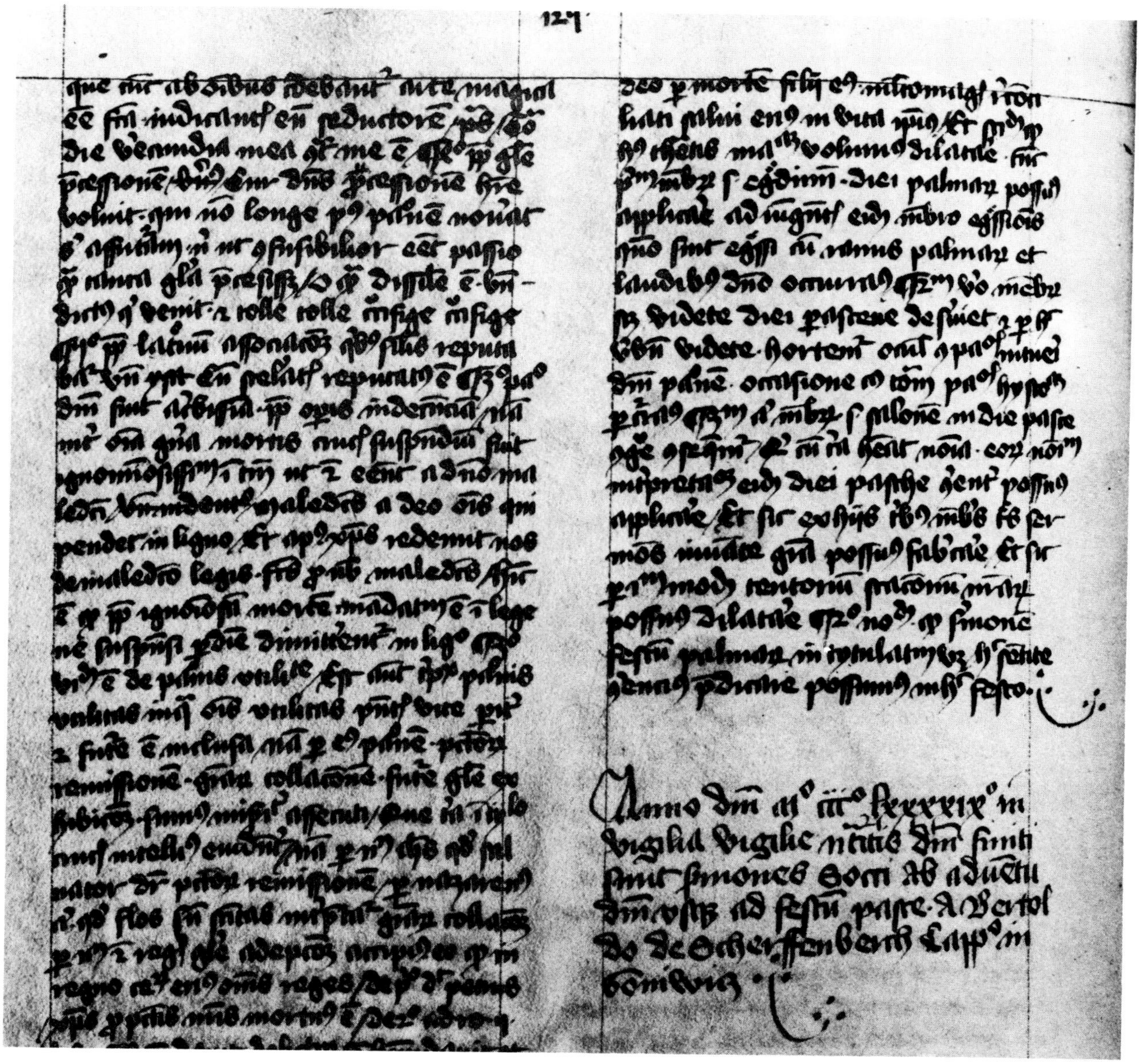

Abb. 500 Cod. 4191, fol. 190ᵛ Gonobitz (bei Cilli), 1399

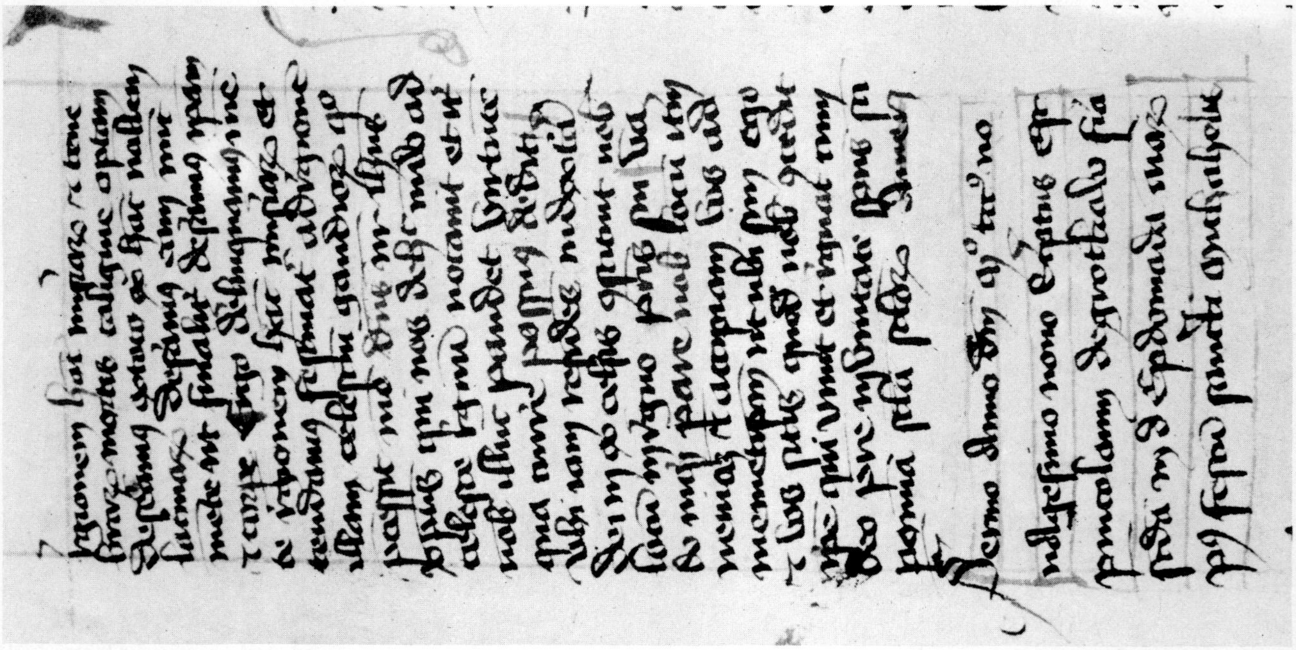

Abb. 502 Cod. 4873, fol. 16r 1399

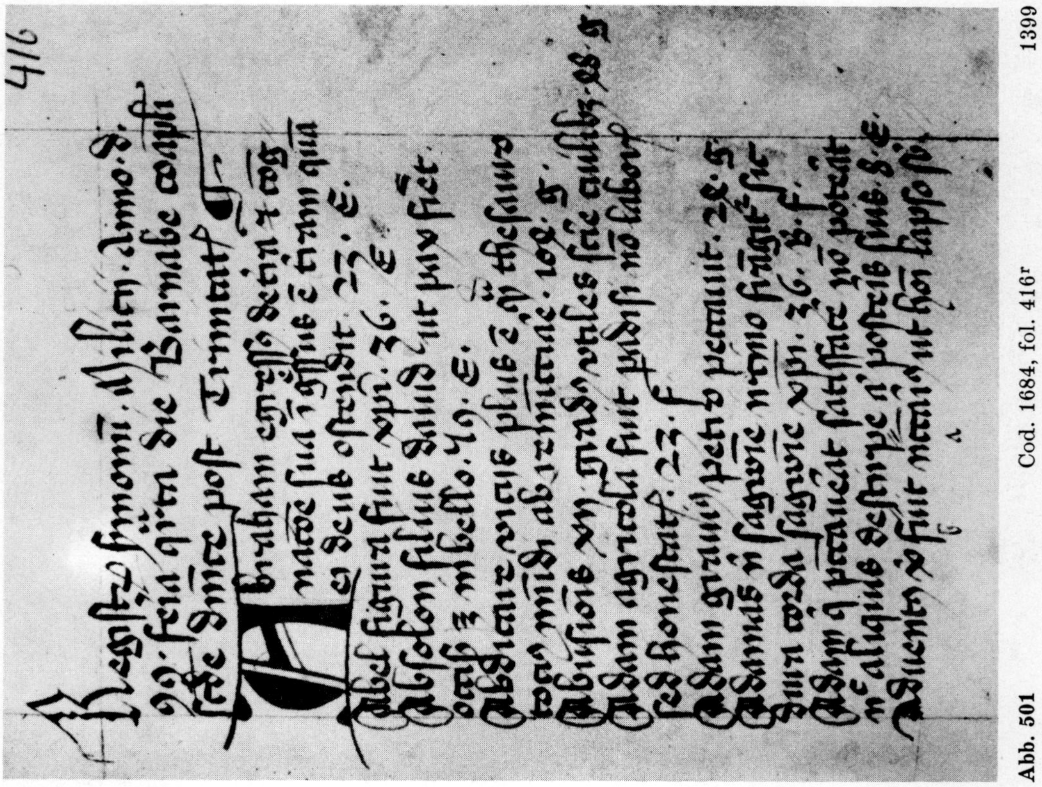

Abb. 501 Cod. 1684, fol. 416r 1399

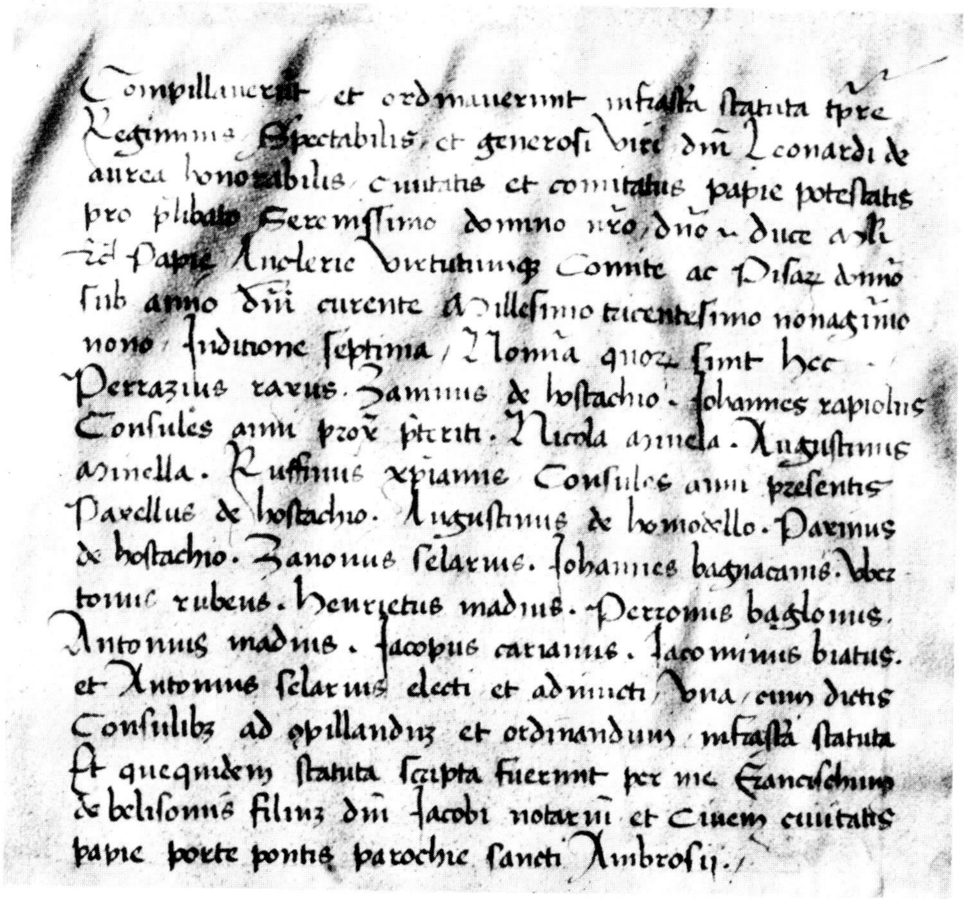

Compillauerunt et ordinauerunt infrascripta statuta tempore
Regiminis Spectabilis et generosi viri domini Leonardi de
aurea honorabilis ciuitatis et comitatus papie potestatis
pro illustri Serenissimo domino nostro domino duce Mli
et Papie Anglerie virtutumque Comite ac Pisarum domino
sub anno domini currente Millesimo tricentesimo nonagesimo
nono Indictione septima, Nomina quorum sunt hec
Perrazius rarus. Zaninus de hostachio. Johannes rapiolus
Consules anni proxime preteriti. Nicola asinella. Augustinus
asinella. Ruffinus xpianne Consules anni presentis
Pavellus de hostachio. Augustinus de homodello. Darinus
de hostachio. Zanonus selarius. Johannes bagnacauis. Uber
tonus rubeus. Henrigetus madius. Perronus baglonius.
Antonius madius. Jacopus carianus. Jacominus biatus.
et Antonius selarius electi et adiuncti una cum dictis
Consulibus ad compillandum et ordinandum infrascripta statuta
Et quequidem statuta scripta fuerunt per me Franceschinum
de belisonus filium domini Jacobi notarium et ciuem ciuitatis
papie porte pontis parochie sancti Ambrosij.

Abb. 503 Cod. Ser. n. 3923, fol. 1v Pavia, 1399

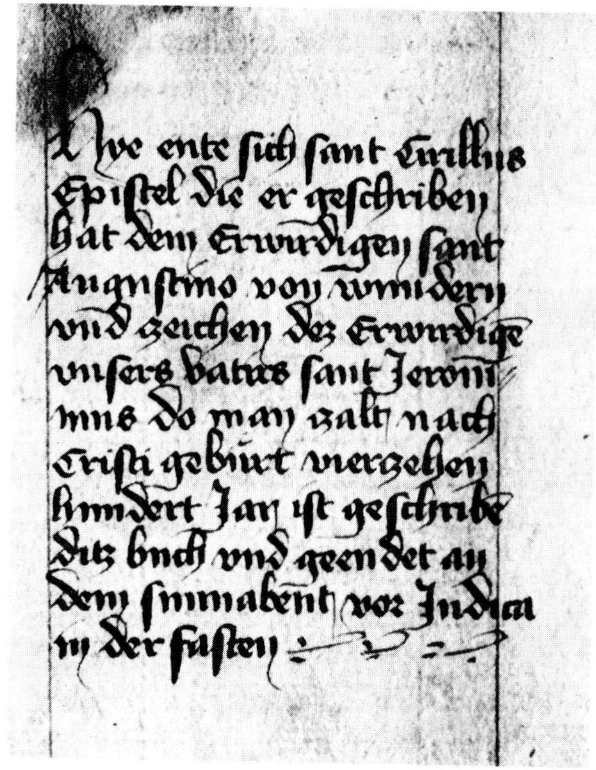

Hye ente sich sant Cirillus
Epistel die er geschriben
hat dem Erwirdigen sant
Augustino von wunderen
und zeichen des Erwirdige
unsers vaters sant Jeroni
mus Do man zalt nach
Cristi gebürt vierzehen
hundert Jar ist geschribe
ditz buch und geendet an
dem sunnabent vor Judica
in der fasten

Abb. 504 Cod. 2875, fol. 105v (Böhmen), 1400

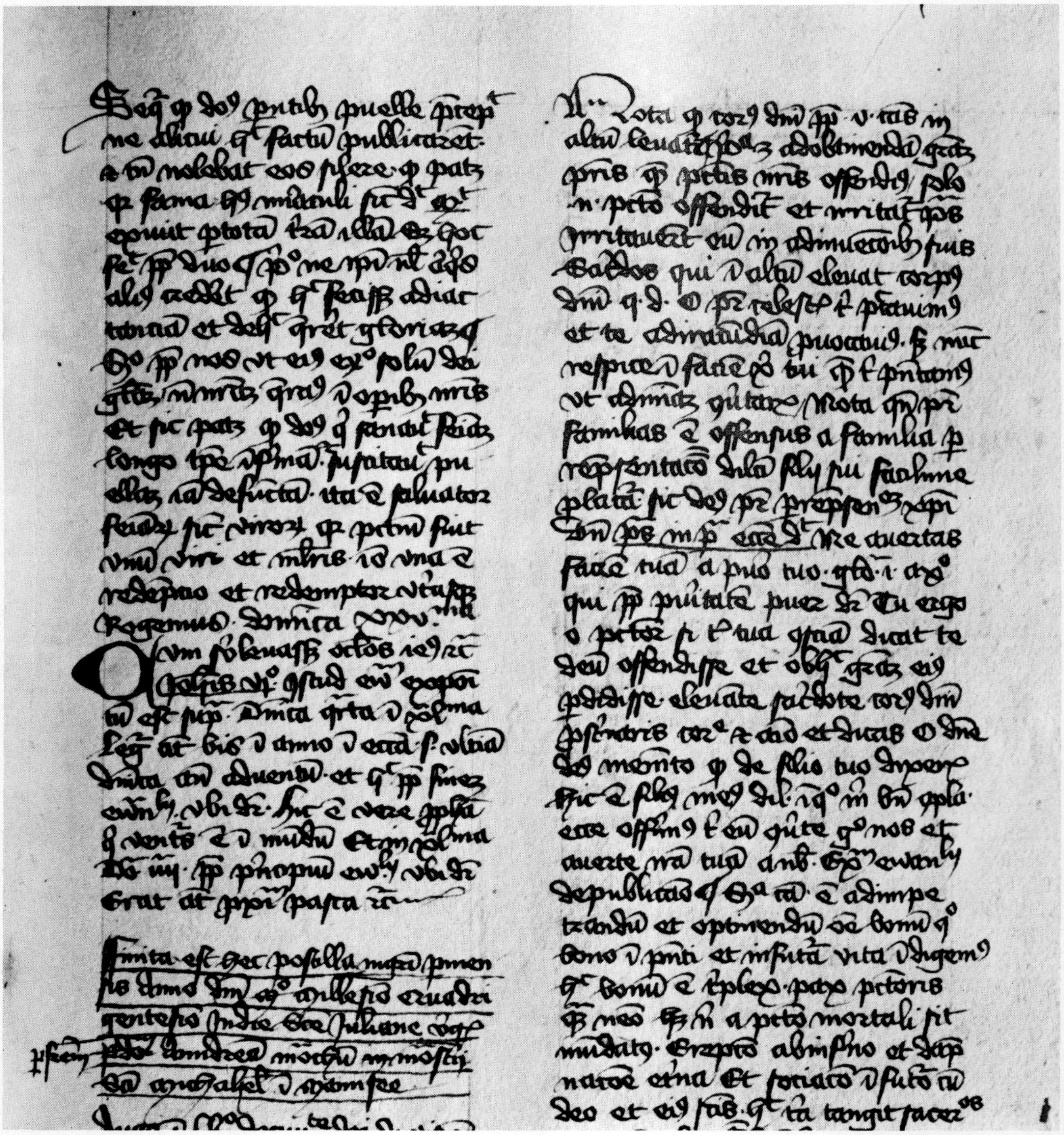

Abb. 505 Cod. 3731, fol. 104r Mondsee, 1400

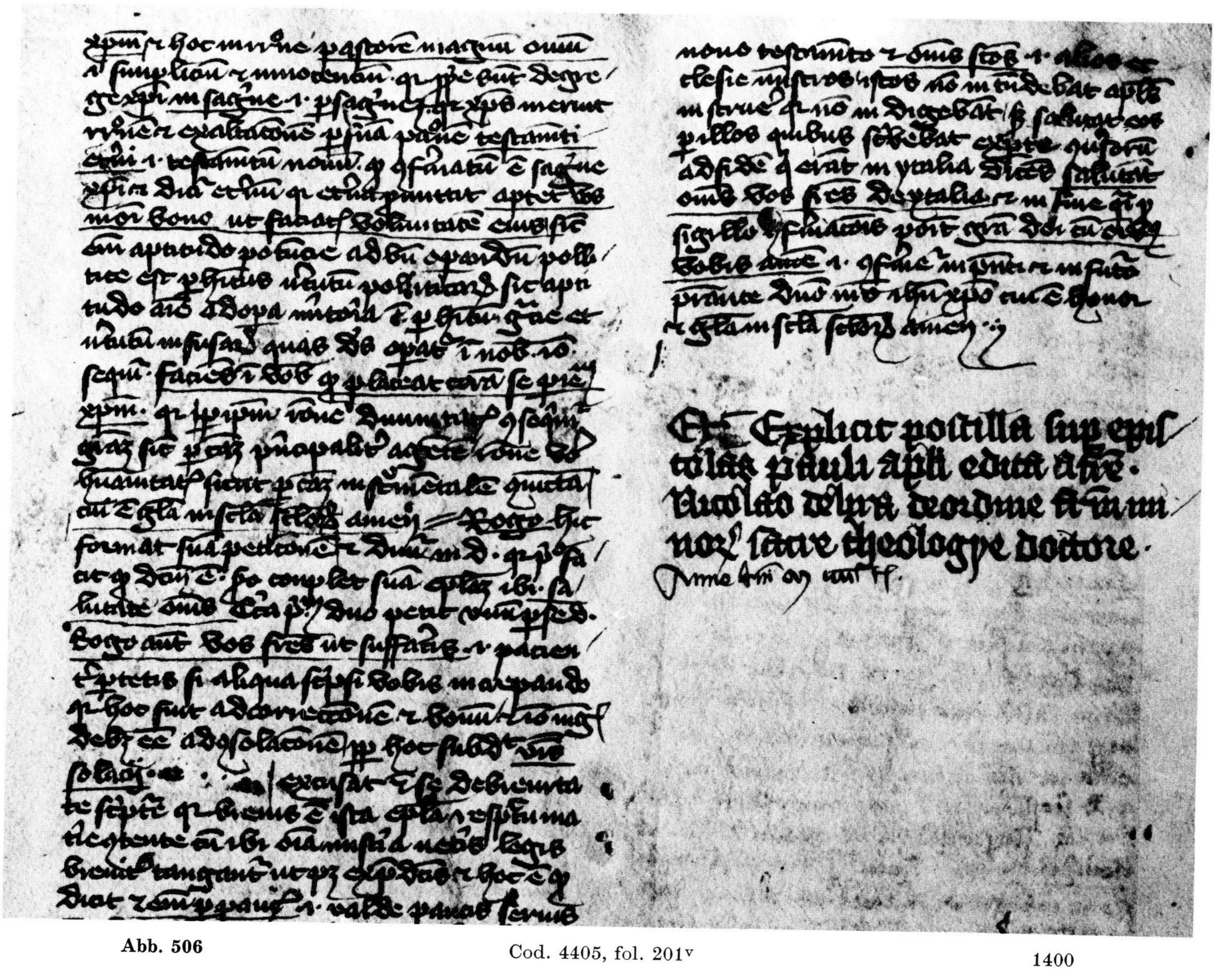

Explicit postilla sup(er) epistolas pauli ap(osto)li edita a fr(atr)e Nicolao de lyra de ordine fr(atru)m minor(um) sacre theologie doctore.

Abb. 506 Cod. 4405, fol. 201v 1400

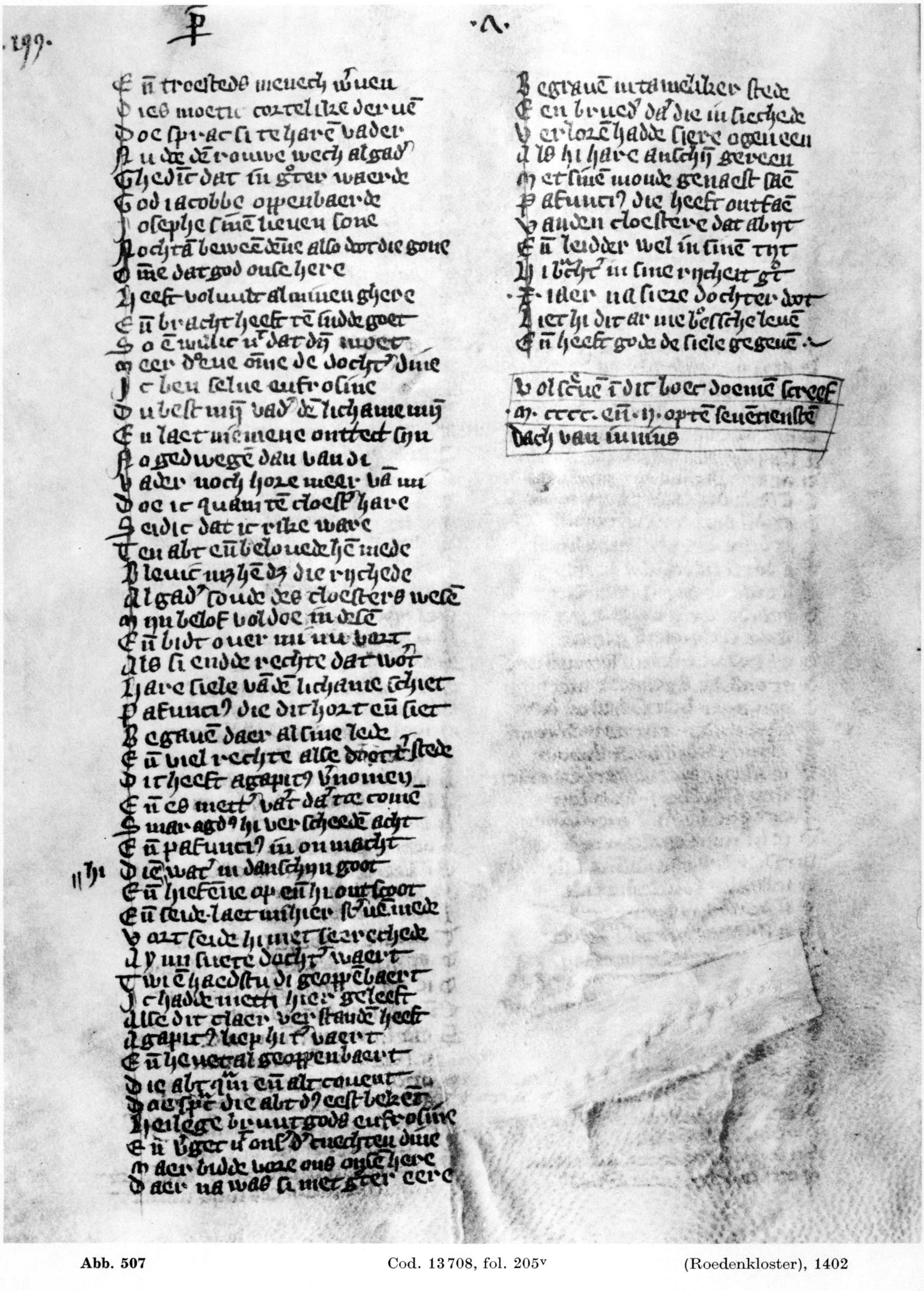

Abb. 507 Cod. 13708, fol. 205v (Roedenkloster), 1402

Abb. 508 Cod. 3811, fol. 111r 1403

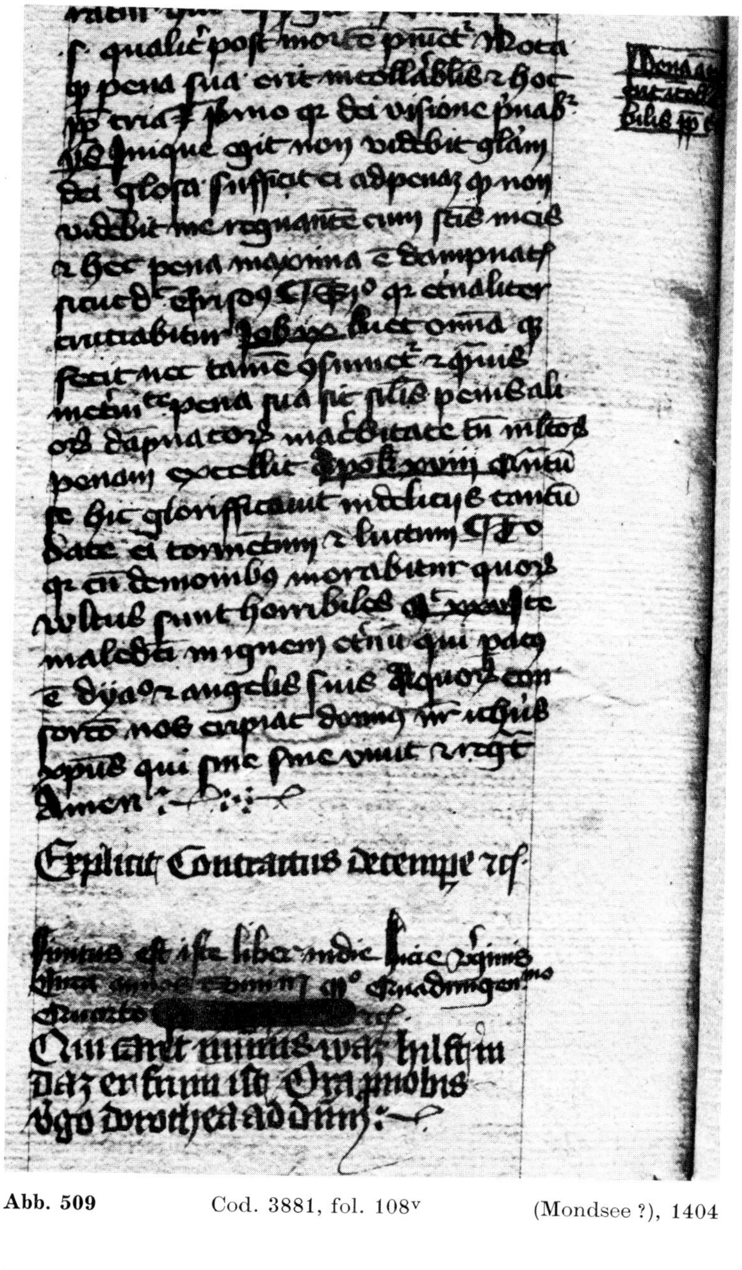

Abb. 509 Cod. 3881, fol. 108v (Mondsee ?), 1404

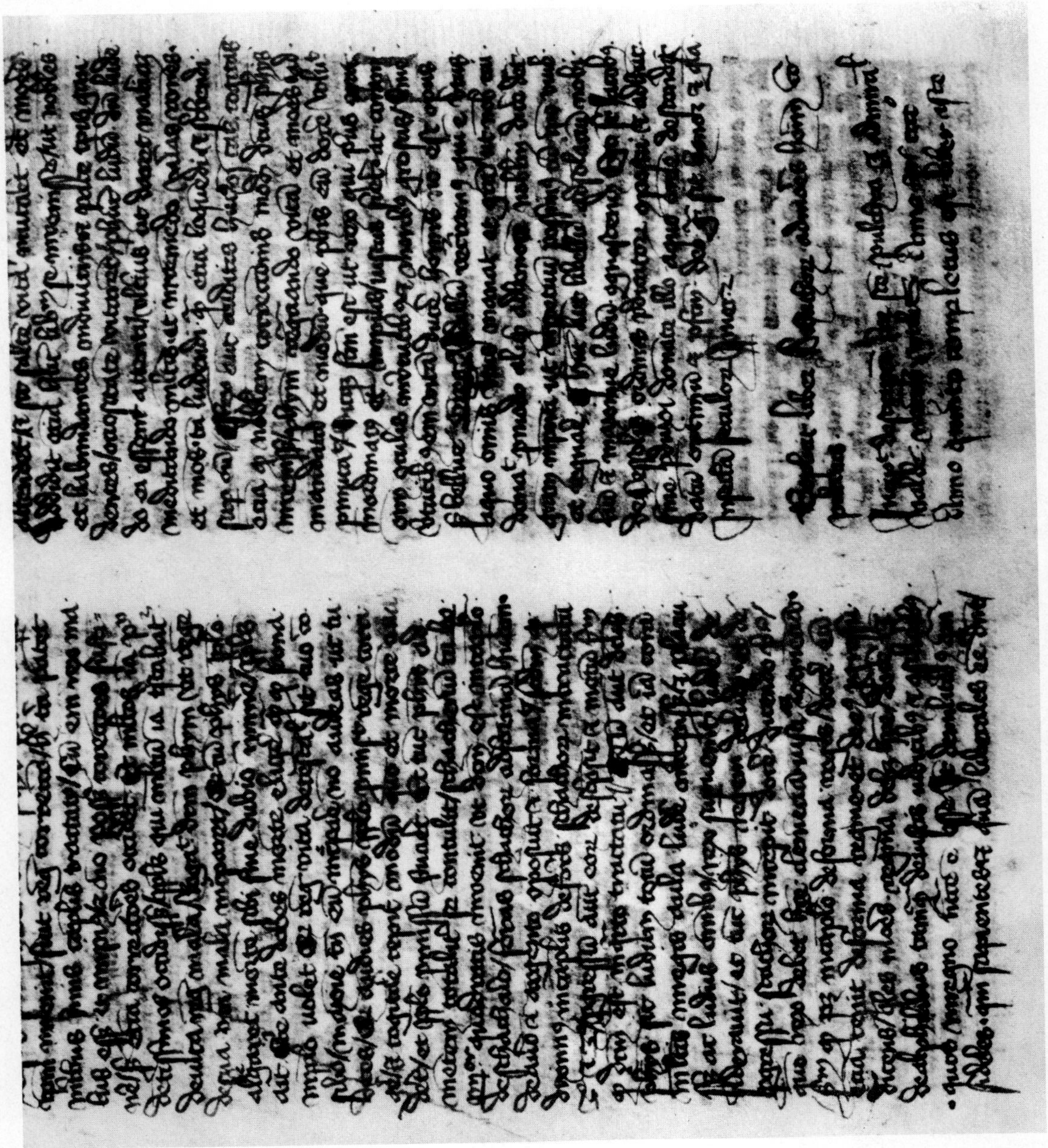

Abb. 510 Cod. 8457, fol. 26v 1405

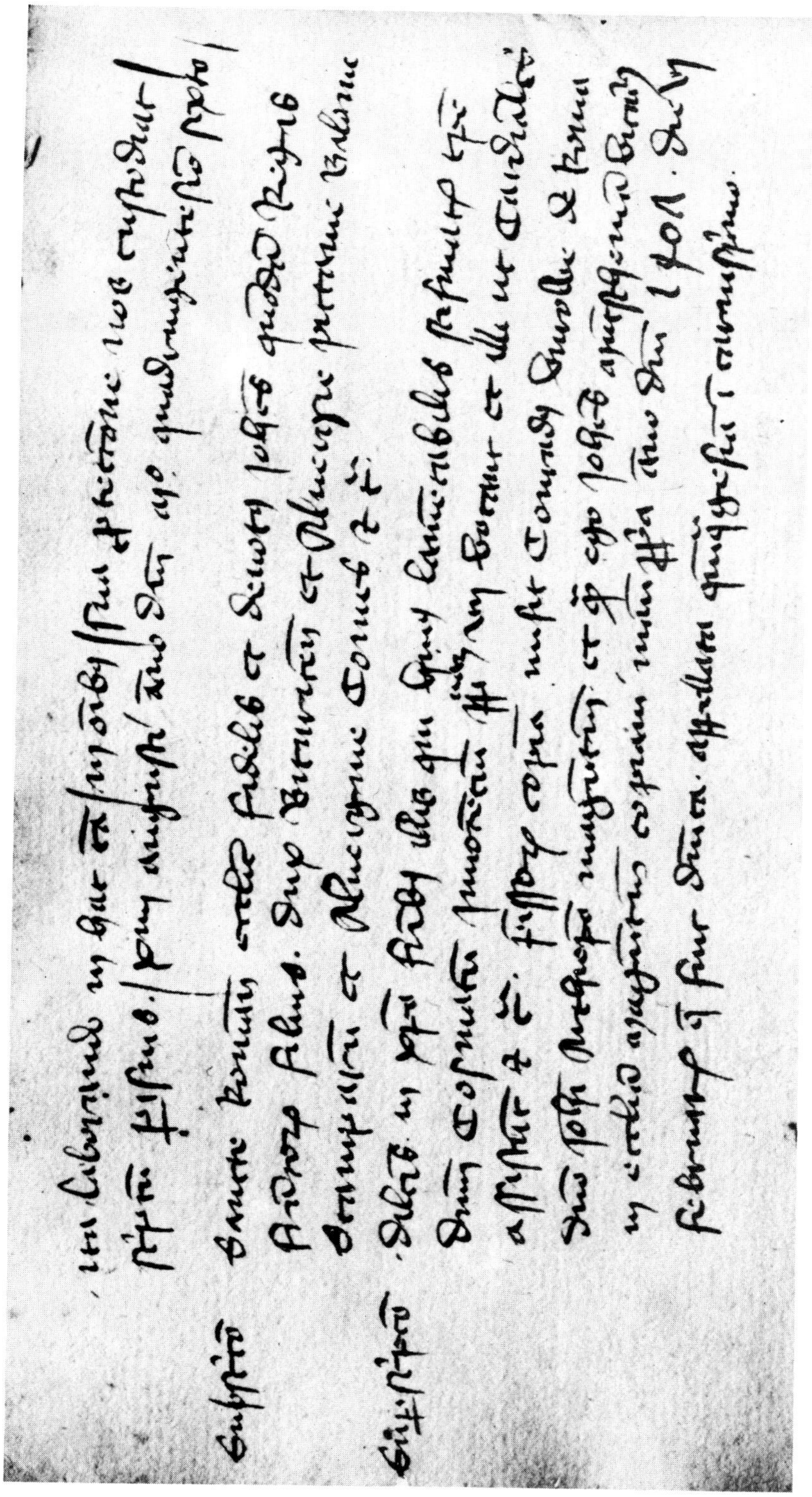

Abb. 511

Cod. 4217, fol. 228v

1407

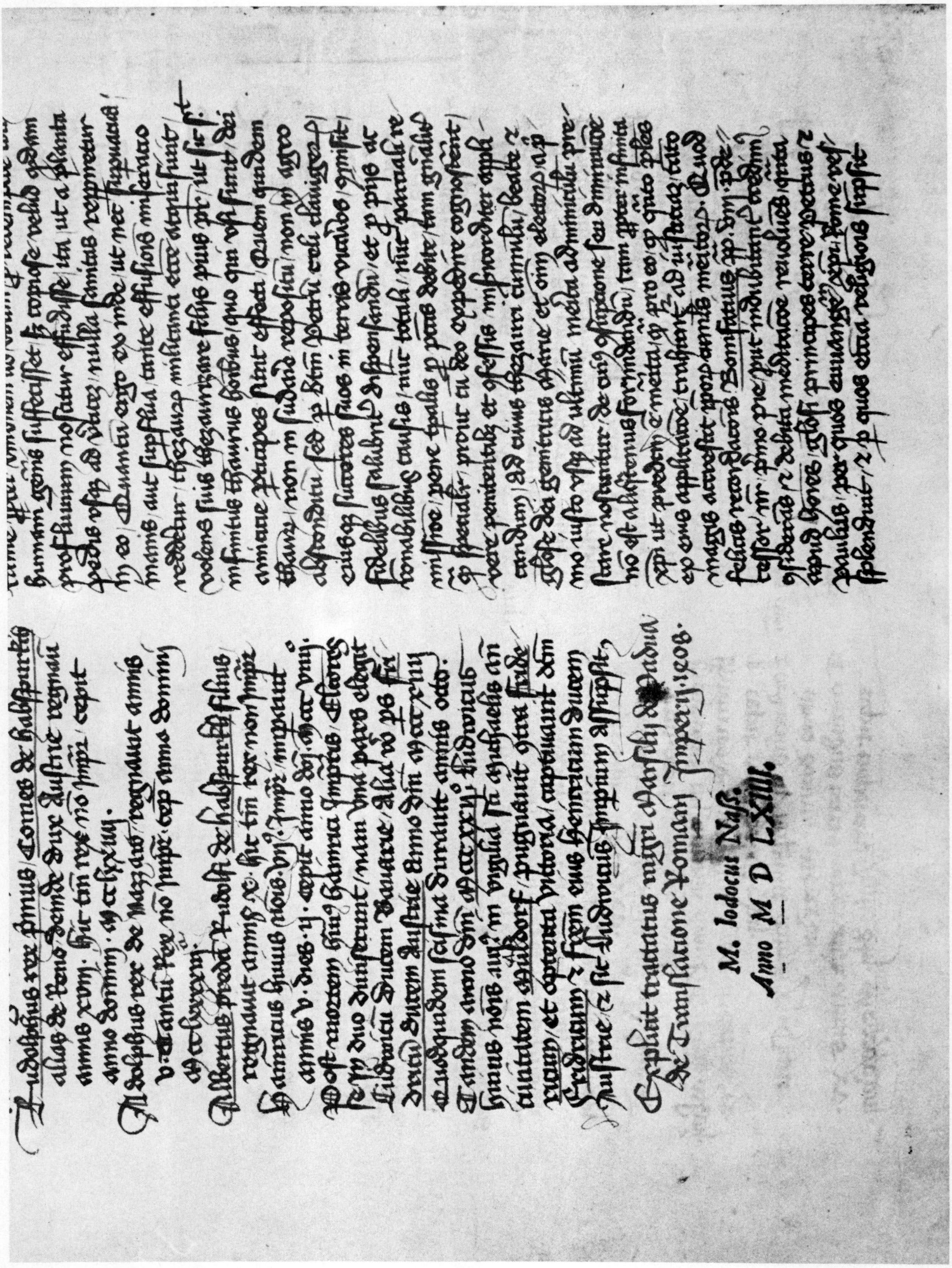
Explicit tractatus magistri Marsilij de padua de translacione Romani Imperij 1408.
M. Iodocus Nas.
Anno M D LXIIII.

Abb. 511a Cod. 384, fol. 37v 1408

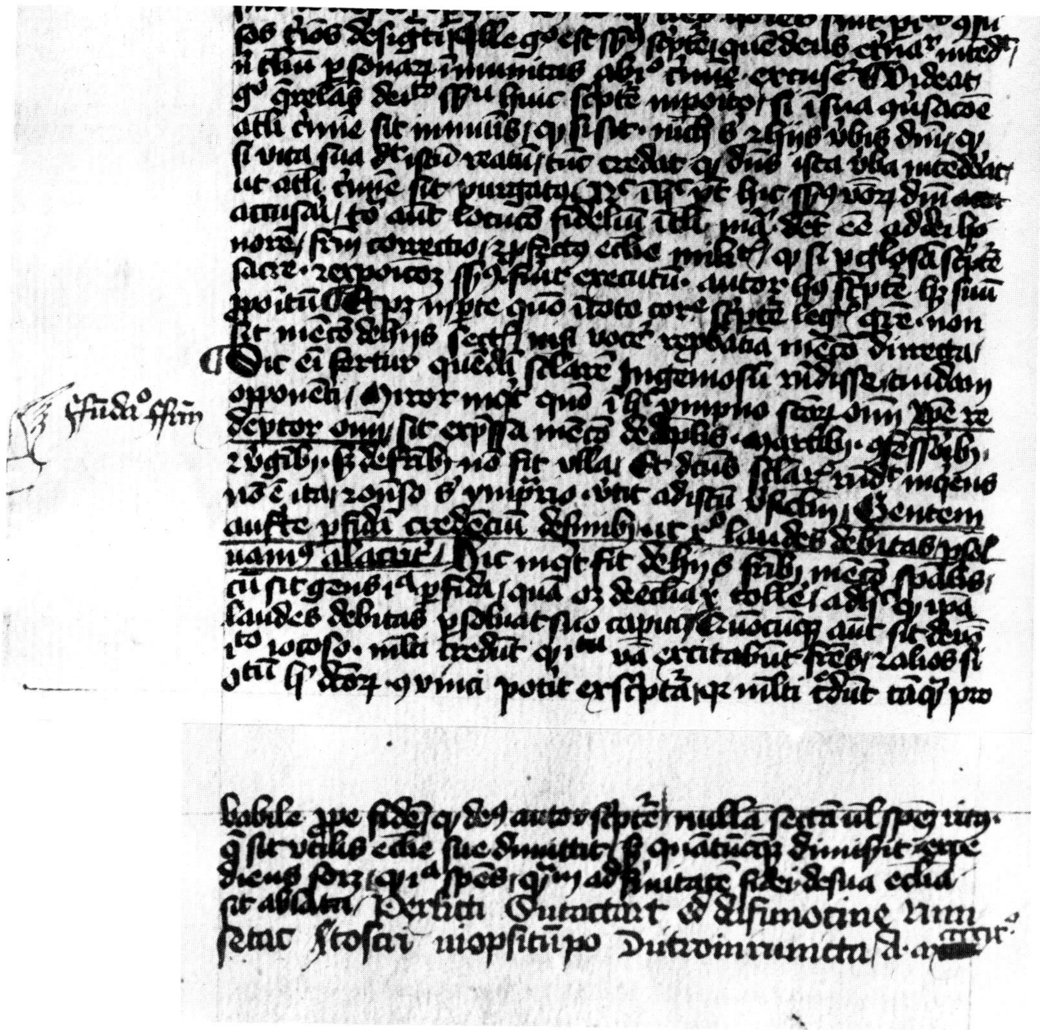

Abb. 512 Cod. 4527, fol. 33v—34r (Böhmen), 1409

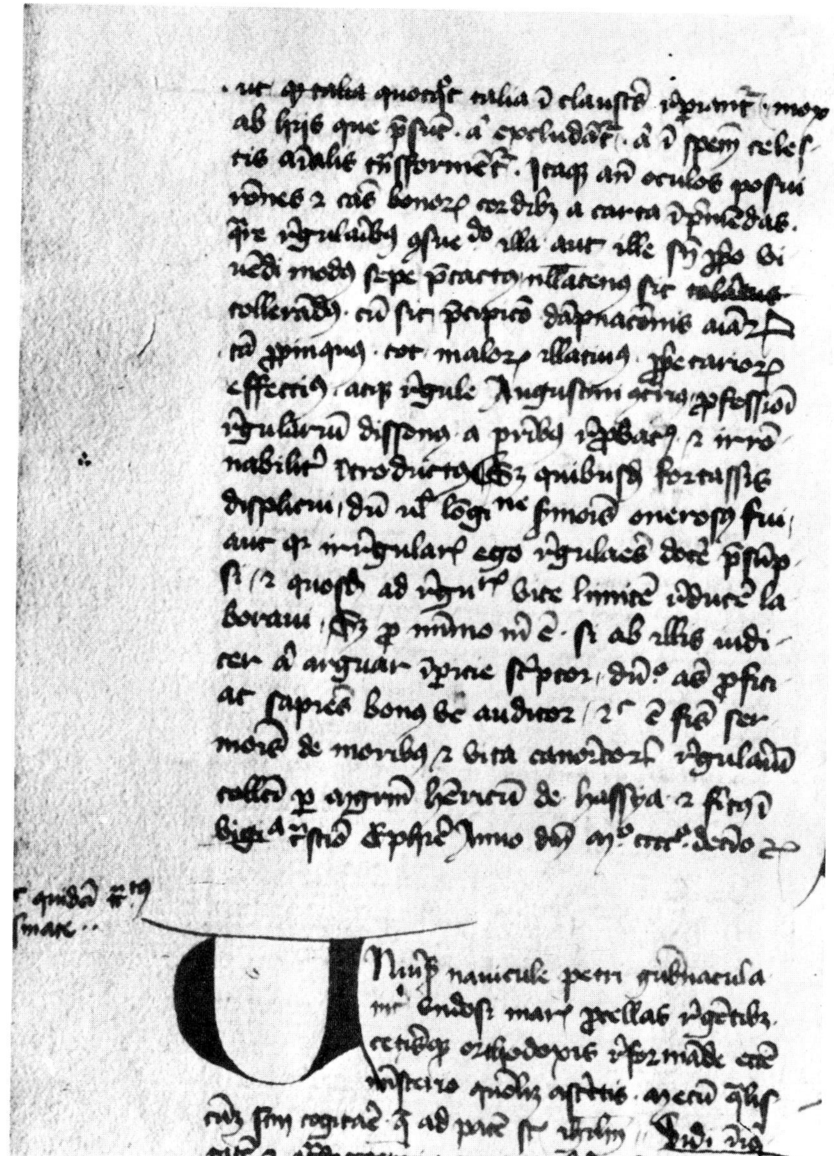

Abb. 513 Cod. 4242, fol. 57v 1410

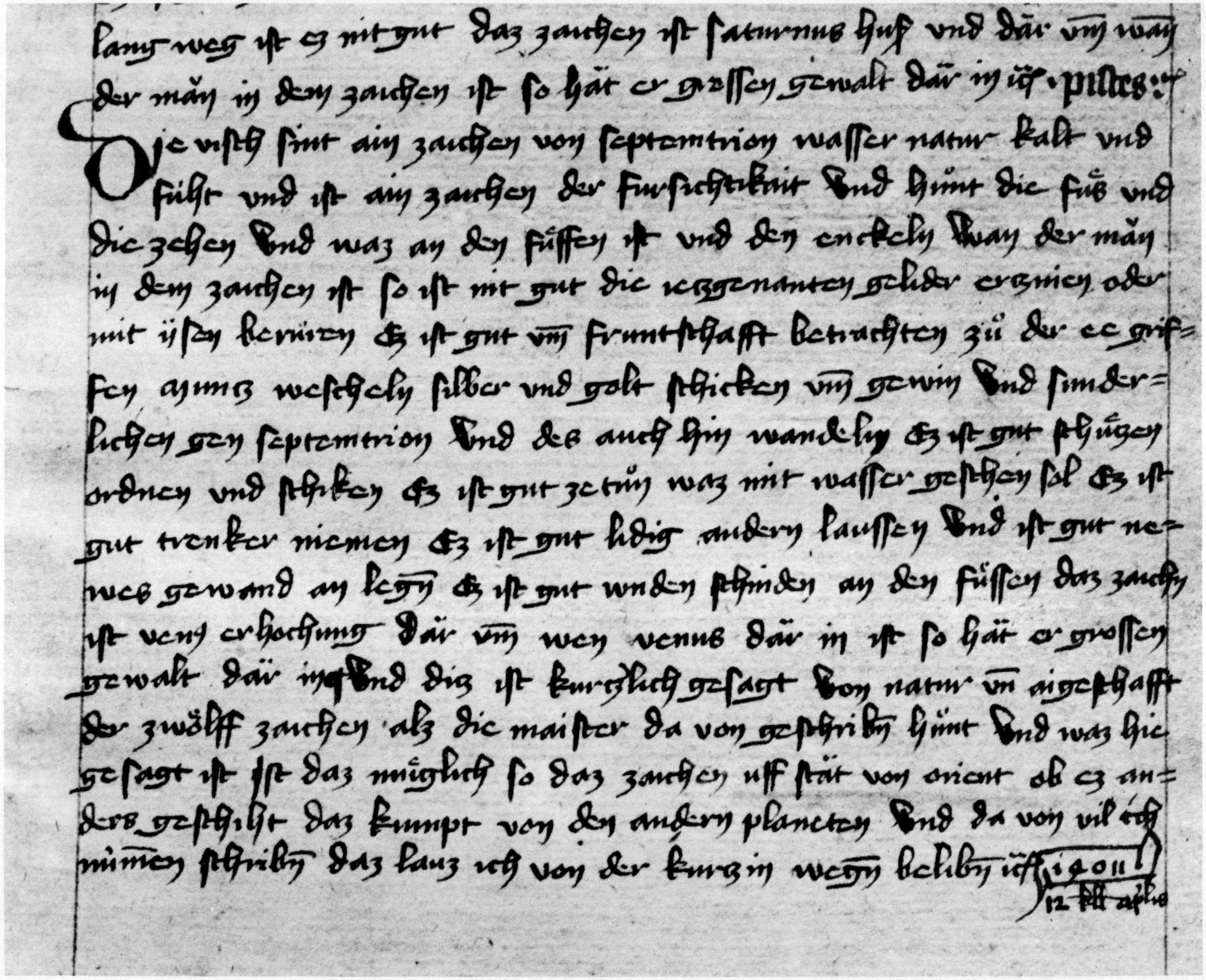

lang weg ist ez nit gut daz zaichen ist saturnus hus vnd dar vm wan
der man in dem zaichen ist so hat er grossen gewalt dar in ist · pisces ·
Die visch sint ain zaichen von septemtrion wasser natur kalt vnd
fücht vnd ist ain zaichen der fursichtikait Vnd hant die füß vnd
die zehen Vnd waz an den füssen ist vnd den enckeln Wan der man
in dem zaichen ist so ist nit gut die vorgenanten glider erznien oder
mit ysen berüren Ez ist gut vm fruntschafft betrachten zü der ee grif=
fen arznie weschen silber vnd golt schicken vm gewin Vnd sunder=
lichen gen septemtrion Vnd des auch hin wandlen Ez ist gut schiffen
ordnen vnd schiken Ez ist gut ze tün waz mit wasser geschehen sol Ez ist
gut trenker niemen Ez ist gut ledig andern lassen Vnd ist gut ne=
wes gewand an legen Ez ist gut wnden schinden an den füssen daz zaichen
ist venus erhöhung dar vm wen venus dar in ist so hat er grossen
gewalt dar in Vnd diz ist kurtzlich gesagt Von natur vn aigenschafft
der zwölff zaichen alz die maister da von geschriben hant Vnd waz hie
gesagt ist ist daz müglich so daz zaichen uff stat von orient ob ez an=
ders geschiht daz kumpt von den andern planeten Vnd da von vil ich
nümen schriben daz lauz ich von der kurtz in wegen beliben ich 1411
12 kl aprilis

Abb. 514 Cod. 12673, fol. 25r 1411

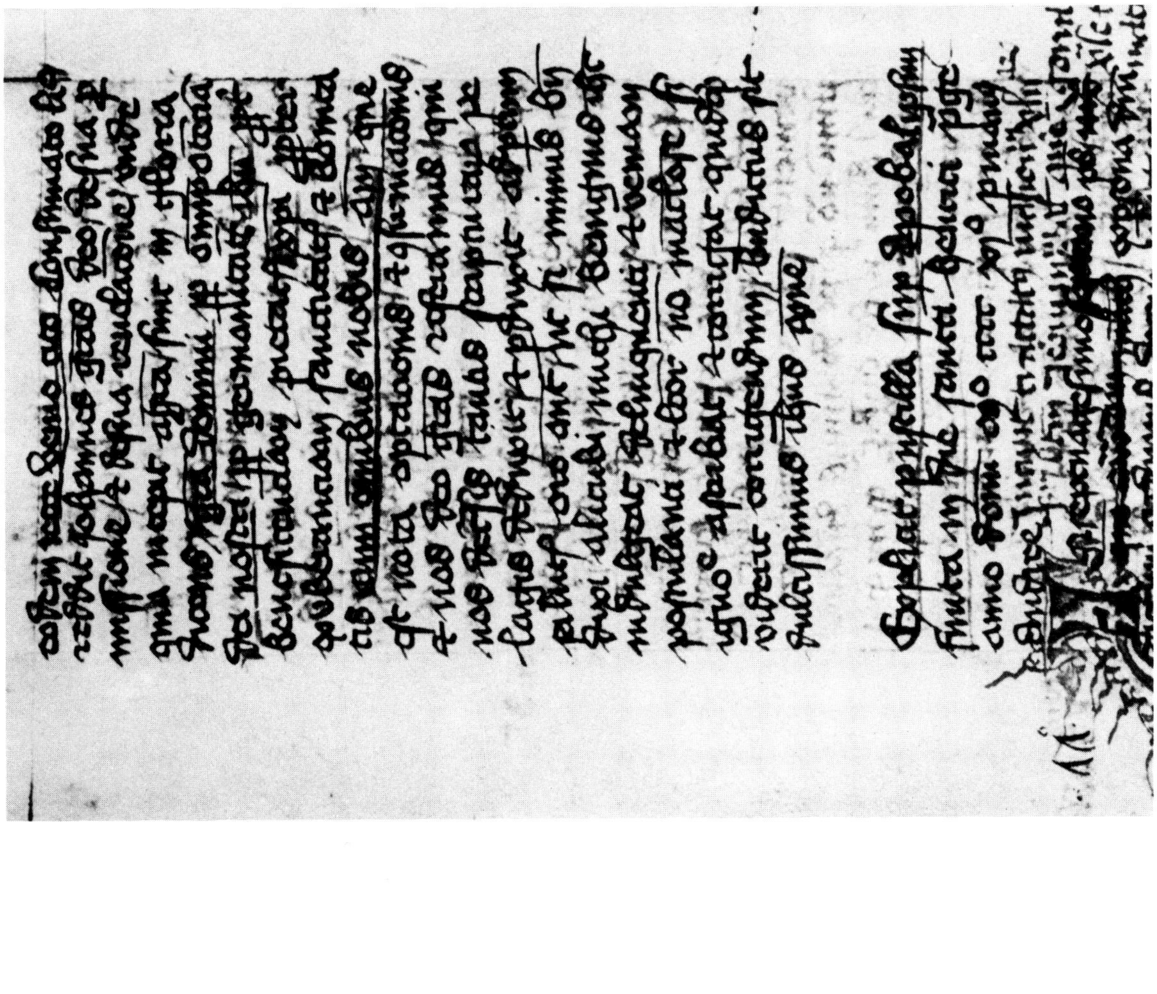

Abb. 515 Cod. 4208, fol. 140v Prag, 1411

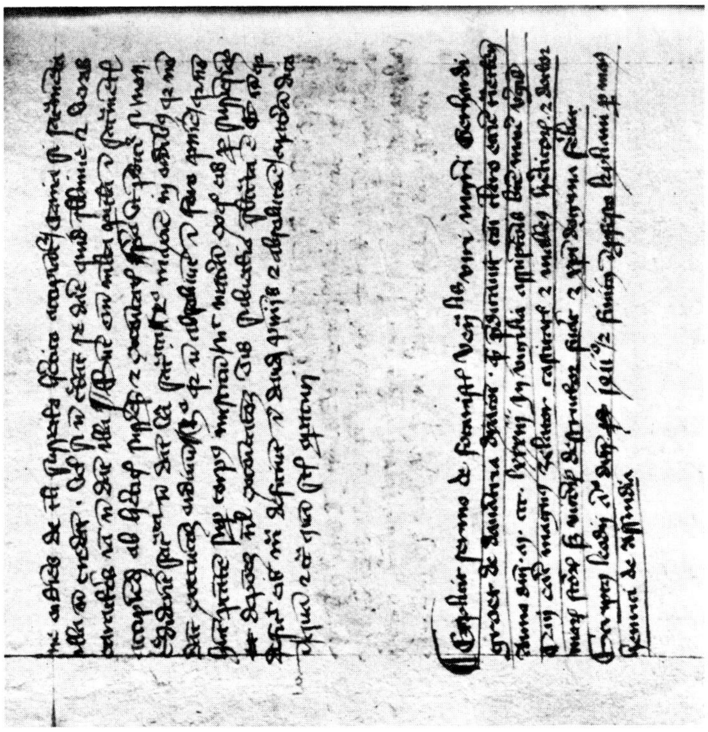

Abb. 516 Cod. 4547, fol. 48v Lüttich, 1411

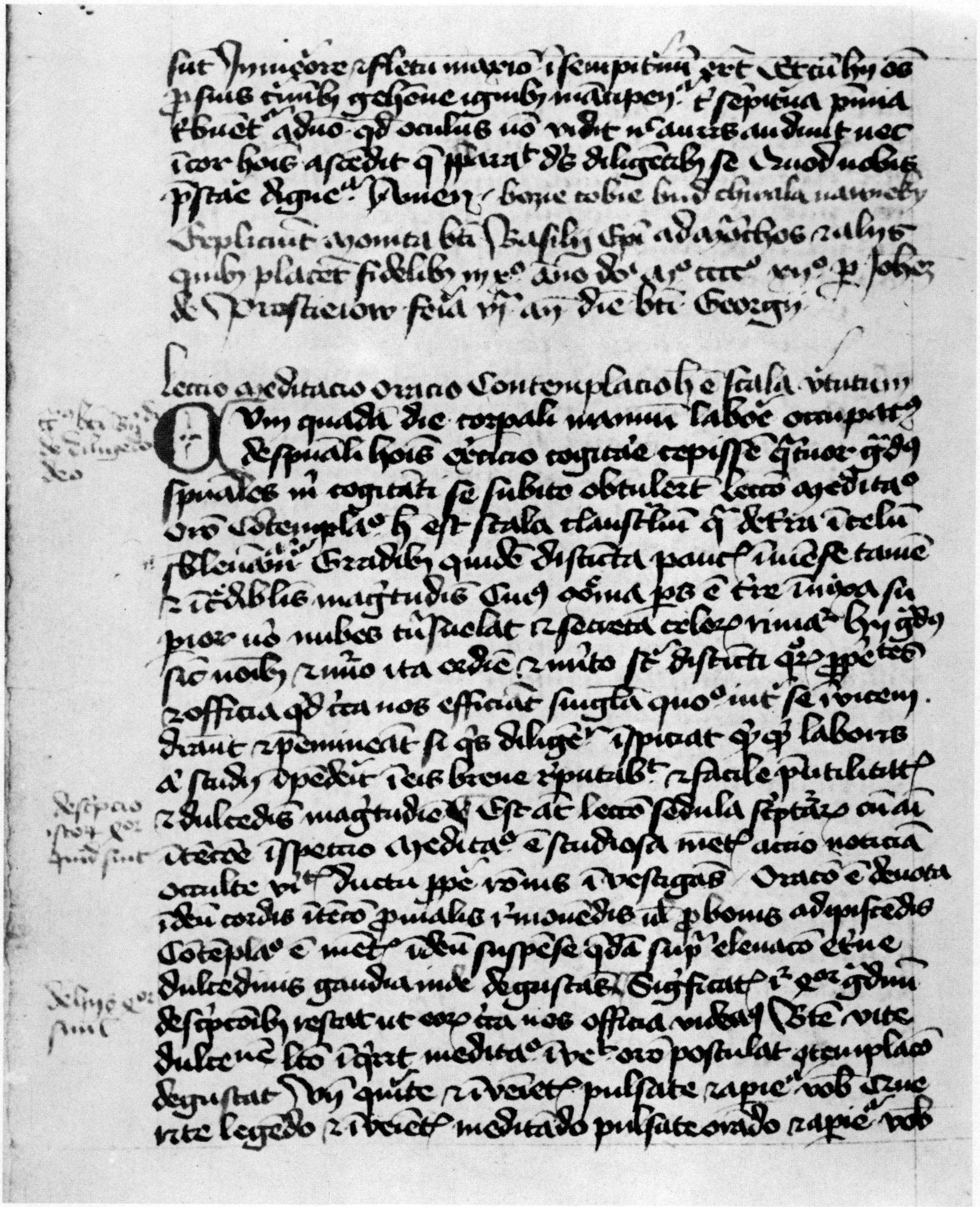
Explicit Homelia beati Basilii episcopi ad adolescentes ...
quibus placet fidelibus M°CCCC° anno domini XII° per Johannem
de Prasticiow feria VI ante diem beati Georgii

Lectio meditacio oracio contemplacio hec est scala virtutum

Abb. 517 Cod. 4308, fol. 174v (siehe IV/1, 219) 1412

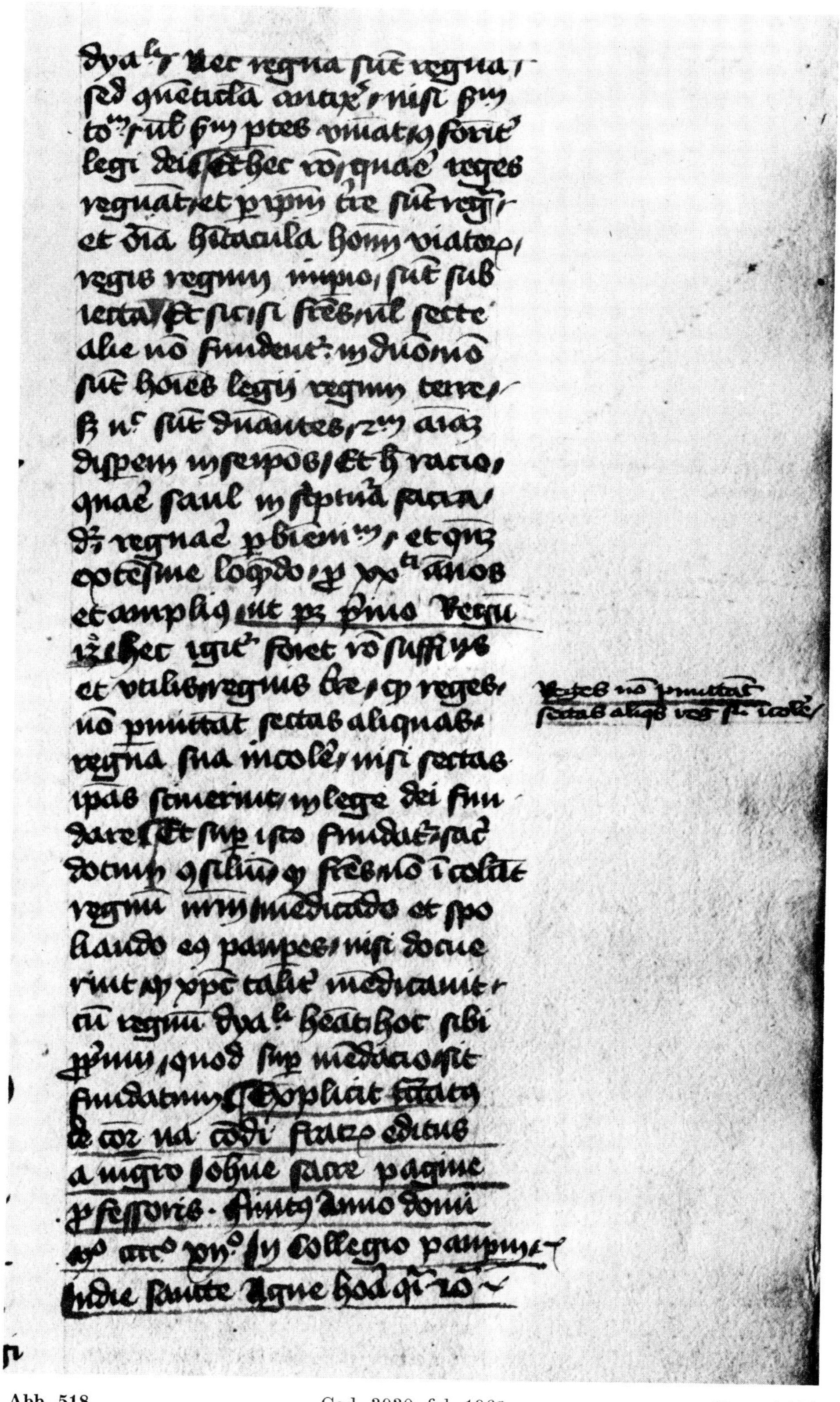

Abb. 518 Cod. 3930, fol. 196r Prag, 1412

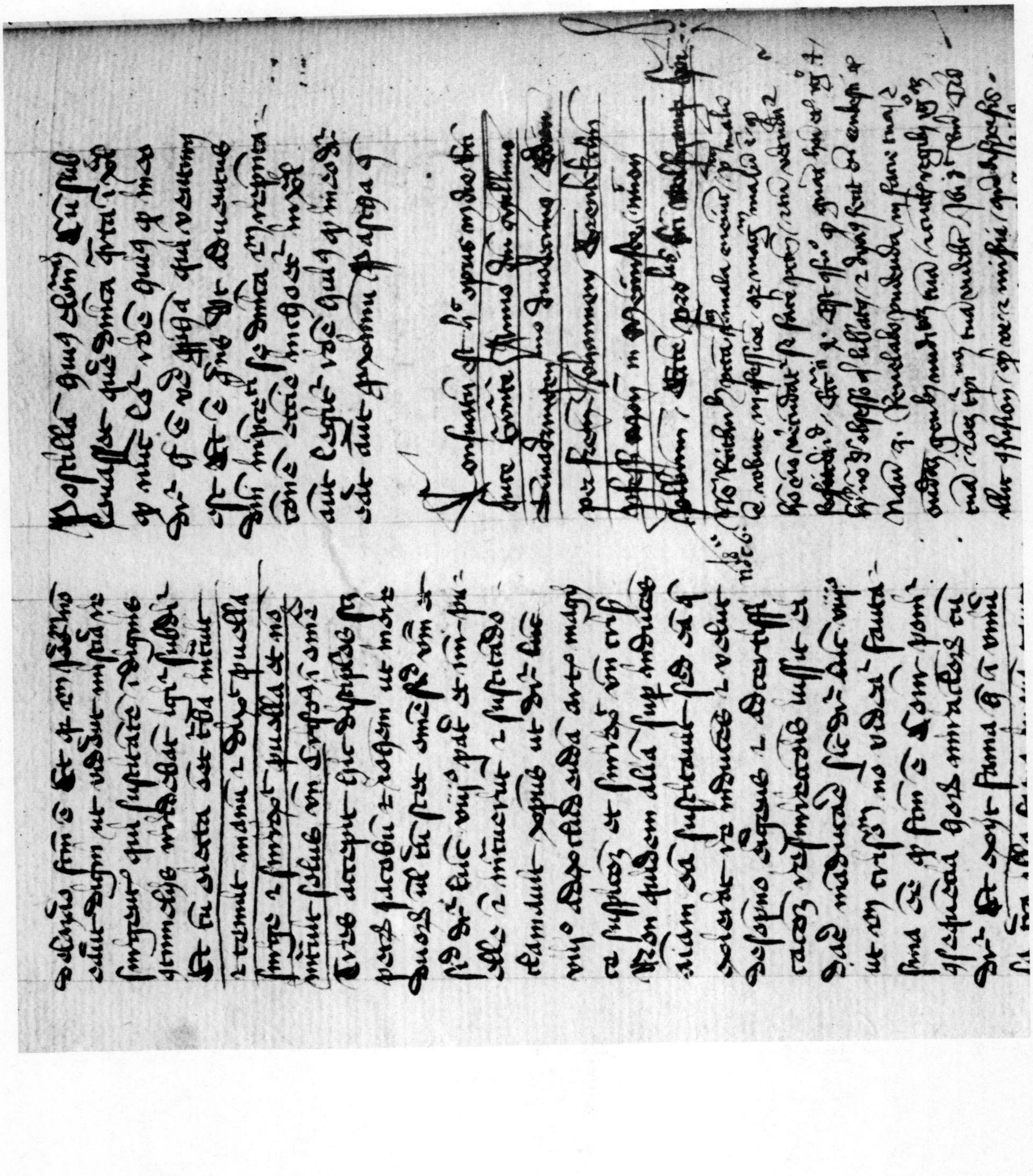

Abb. 519

Cod. 3767, fol. 155v

St. Wolfgang (?), 1412

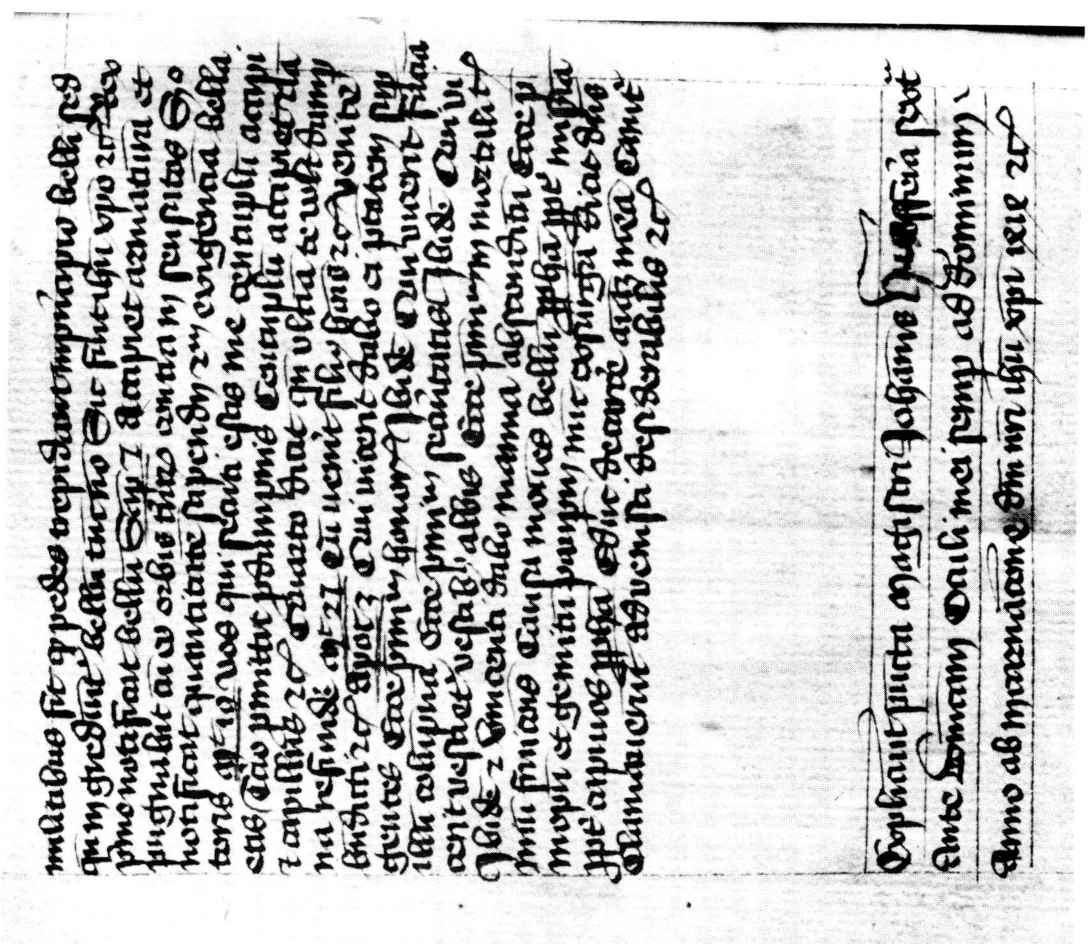

Abb. 520 Cod. 4310, fol. 127r (Böhmen), 1414

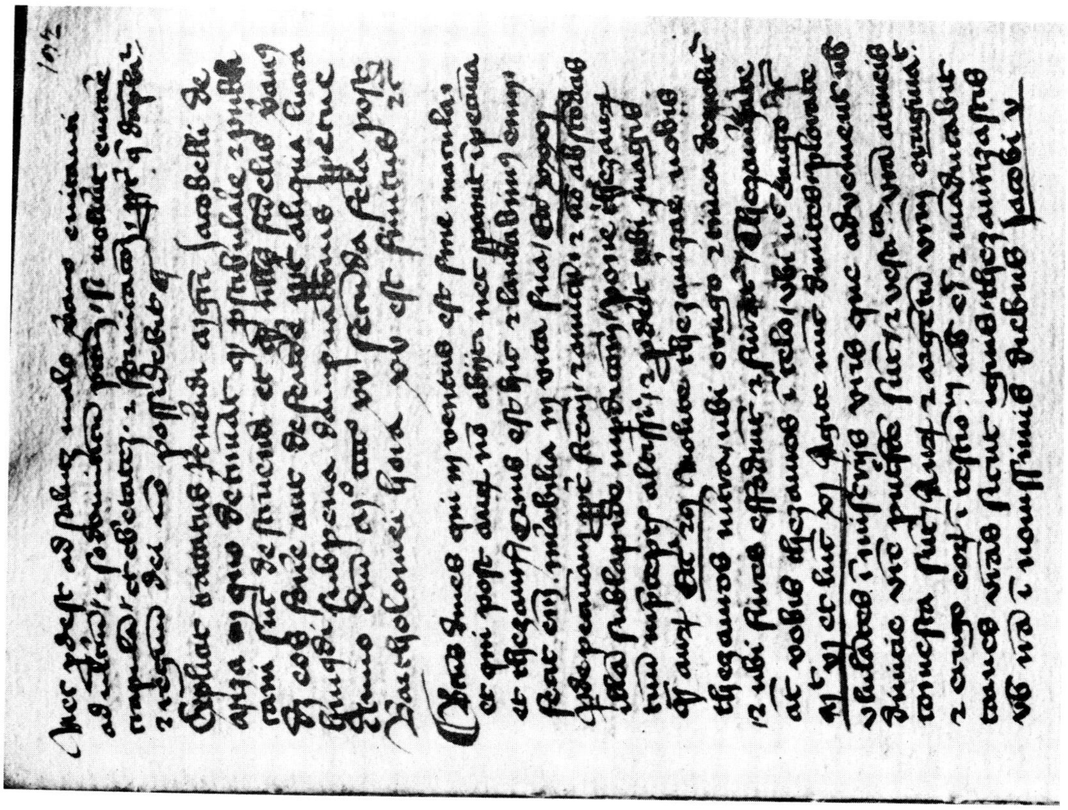

Abb. 521 Cod. 4555, fol. 132r (Böhmen), 1415

Abb. 522 Cod. 1908, fol. 2r Marienborn (bei Arnheim), 1415

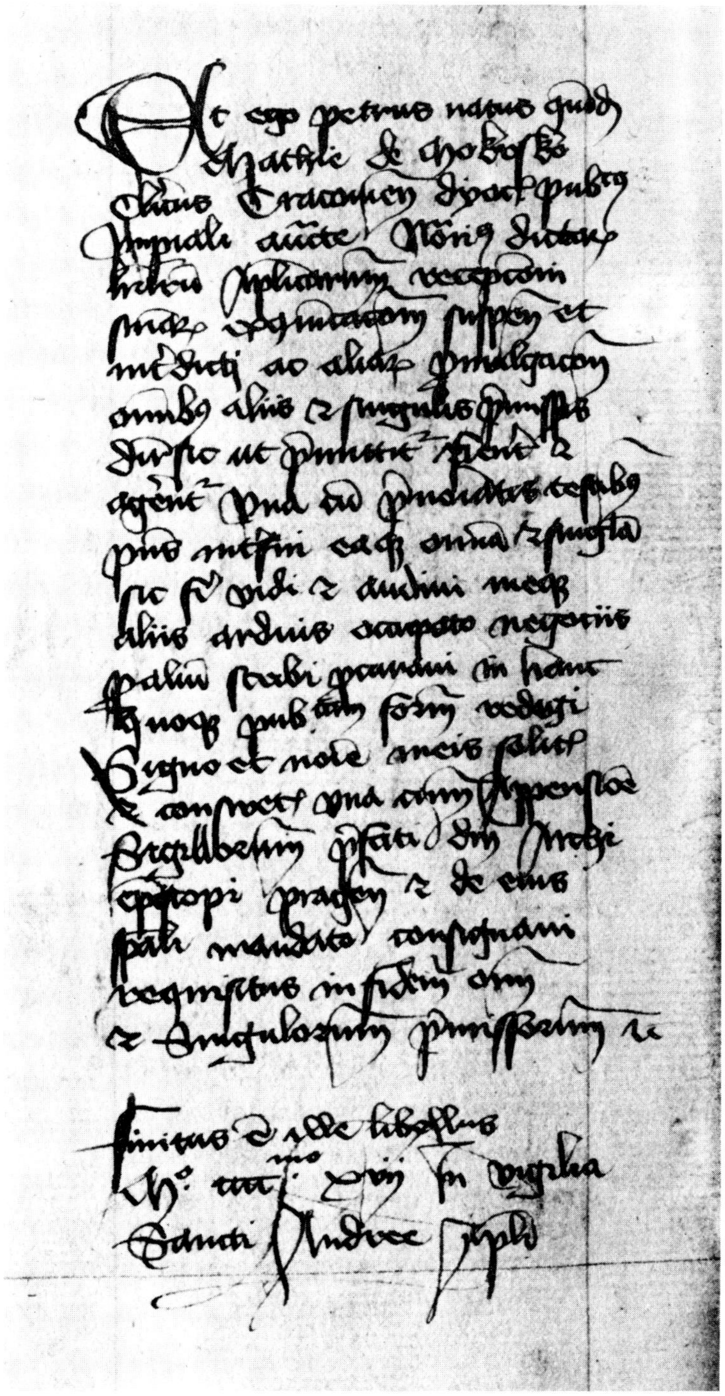

Abb. 523 Cod. 3149, fol. 258ᵛ 1417

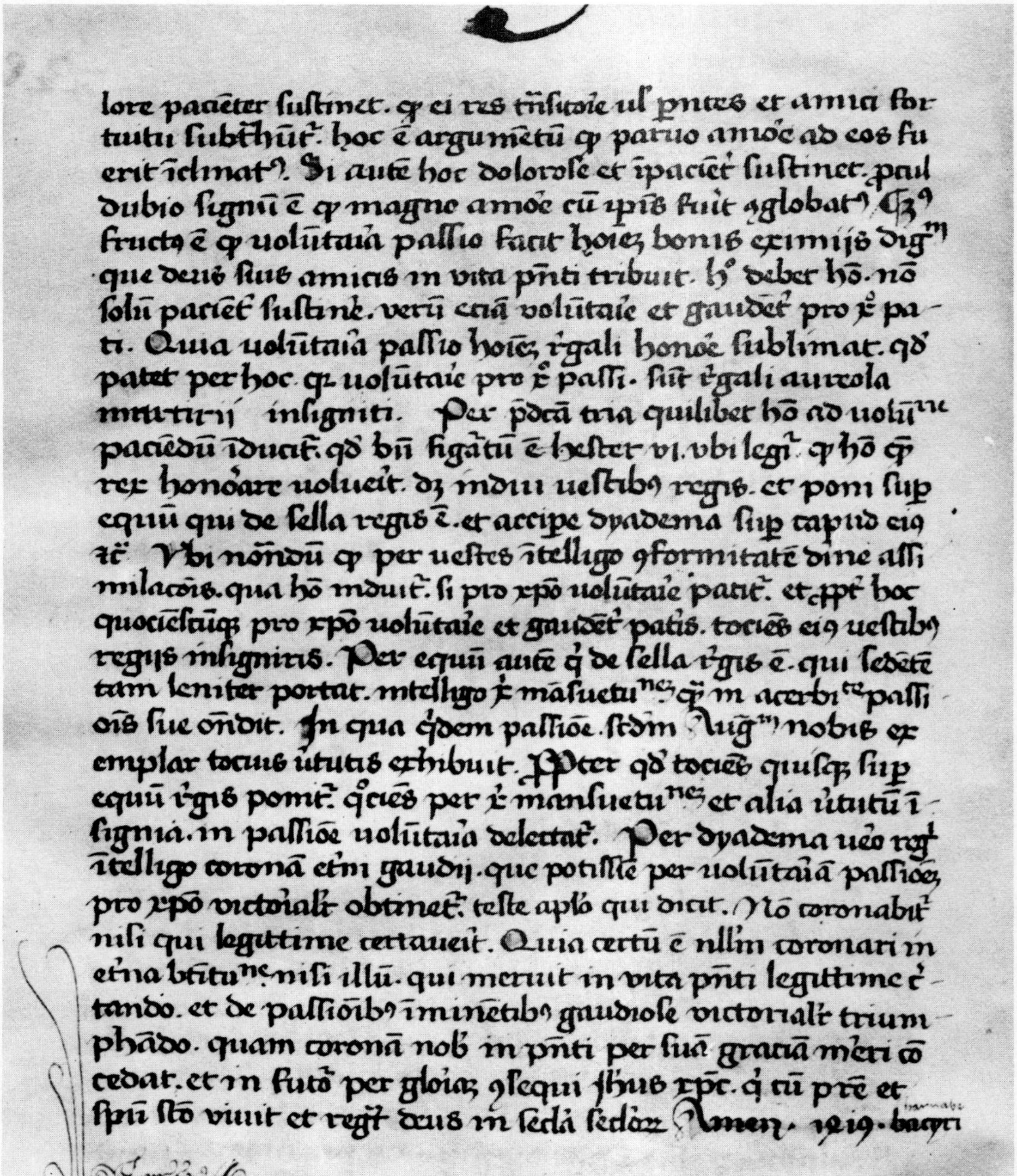
lore paciente sustinet. quod ei res tristicie vel parentes et amici for-
tuiti subtrahuntur. hoc est argumentum quod parvo amore ad eos fuerit inclinatus. Si autem hoc dolorose et impaciente sustinet. procul
dubio signum est quod magno amore cum ipsis fuit conglobatus. Tercius
fructus est quod voluntaria passio facit hominem bonis eximiis dignum
que deus suis amicis in vita presenti tribuit. Hinc debet homo non
solum paciente sustinere. verum eciam voluntarie et gaudenter pro christo pa-
ti. Quia voluntaria passio hominem regali honore sublimat. quod
patet per hoc quod voluntarie pro christo passi. sunt regali aureola
martirii insigniti. Per predicta tria quilibet homo ad voluntarie
paciendum inducitur. quod bene figuratum est hester vi. ubi legitur quod homo quem
rex honorare voluerit. debet indui vestibus regis. et poni super
equum qui de sella regis est. et accipe dyadema super capud eius
etc. Ubi notandum quod per vestes intelligo conformitatem divine assi-
milacionis. qua homo induitur. si pro christo voluntarie patitur. et propter hoc
quociescumque pro christo voluntarie et gaudenter pateris. tociens eius vestibus
regiis insigniris. Per equum autem qui de sella regis est. qui sedentem
tam leniter portat. intelligo christi mansuetudinem quam in acerbitate passi-
onis sue ostendit. In qua quidem passione secundum Augustinum nobis exemplar tocius virtutis exhibuit. Propter quod tociens quisque super
equum regis ponitur. quociens per christi mansuetudinem et alia virtutum insignia. in passione voluntaria delectatur. Per dyadema vero regis
intelligo coronam eterni gaudii. que potissime per voluntariam passionem
pro christo victorialiter obtinetur. teste apostolo qui dicit. Non coronabitur
nisi qui legittime certaverit. Quia certum est nullum coronari in
eterna beatitudine. nisi illum. qui meruit in vita presenti legittime cer-
tando. et de passionibus imminentibus gaudiose victorialiter trium-
phando. quam coronam nobis in presenti per suam graciam mereri concedat. et in futuro per gloriam consequi dominus Ihesus christus. qui cum patre et
spiritu sancto vivit et regnat deus in secula seculorum Amen. 1419. barnabe

Abb. 524 Cod. 1264, fol. 23v 1419

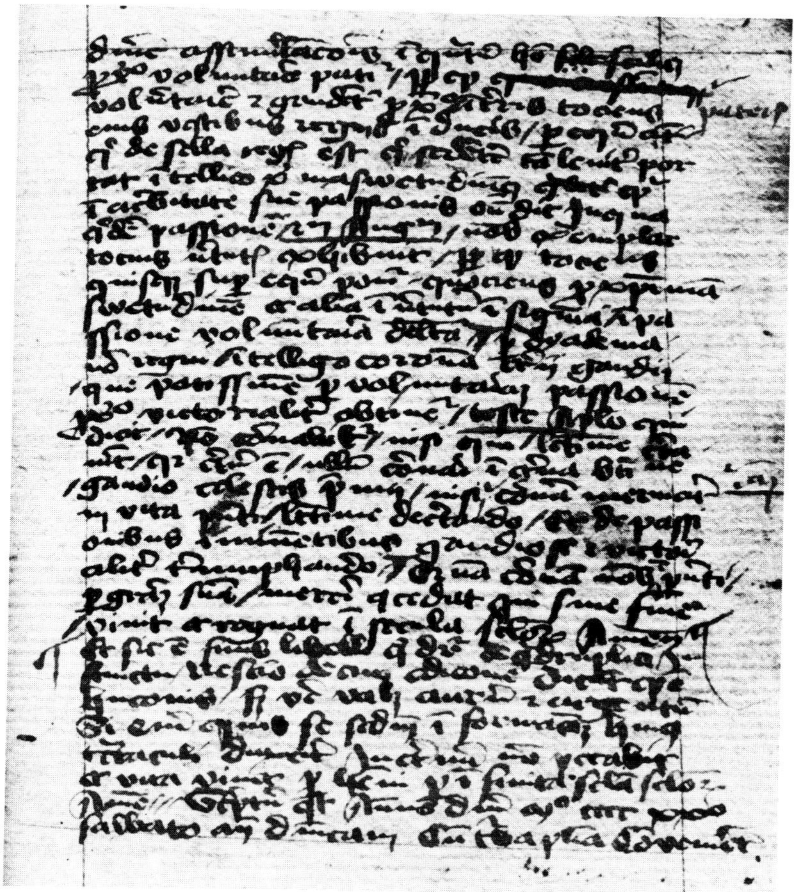

Abb. 525 Cod. 4550, fol. 187r (Böhmen), 1420

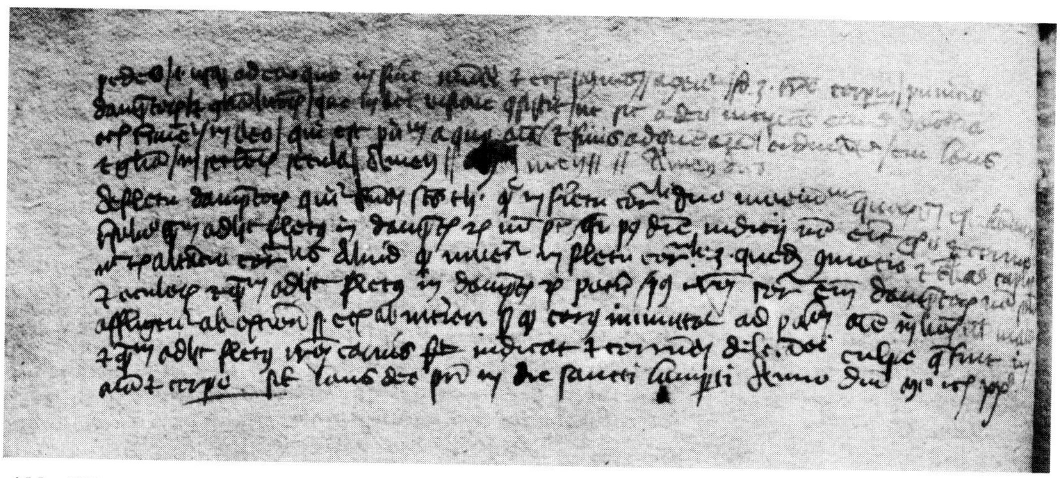

Abb. 526 Cod. 4020, fol. 35v 1420

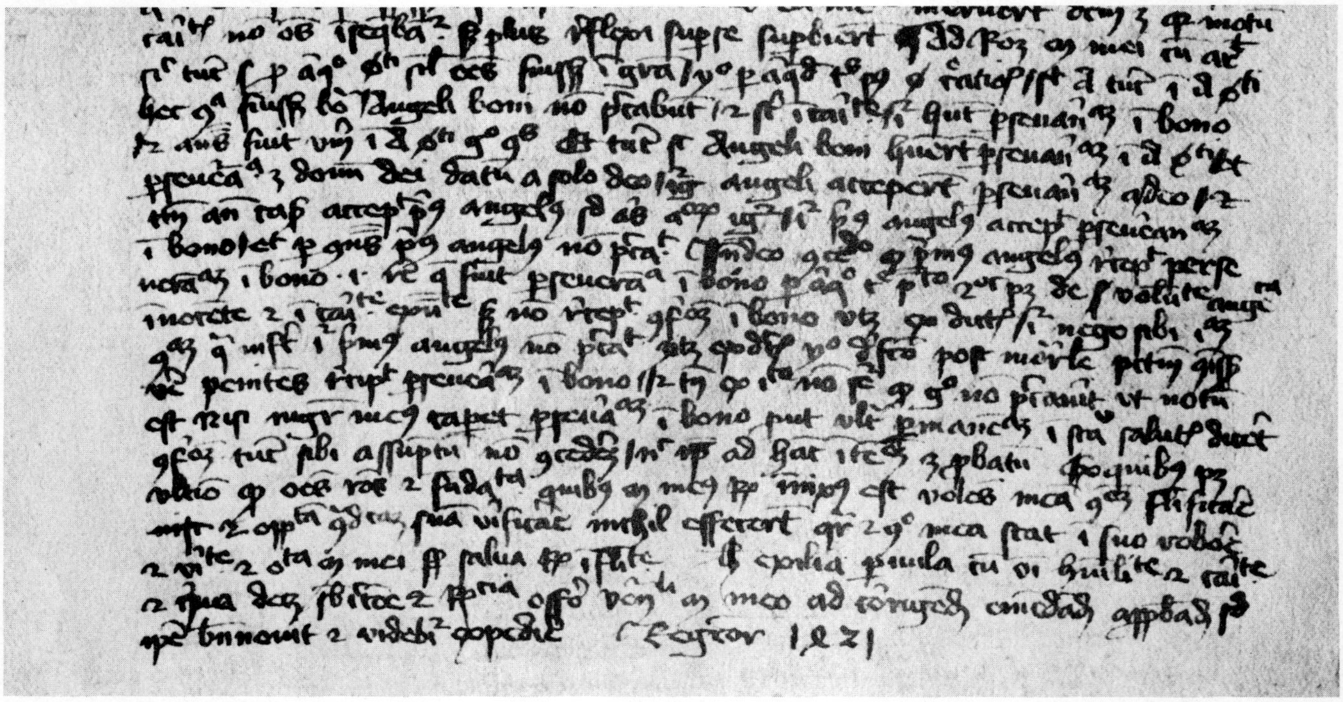

Abb. 527 Cod. 4369, fol. 6v (Wien), 1421

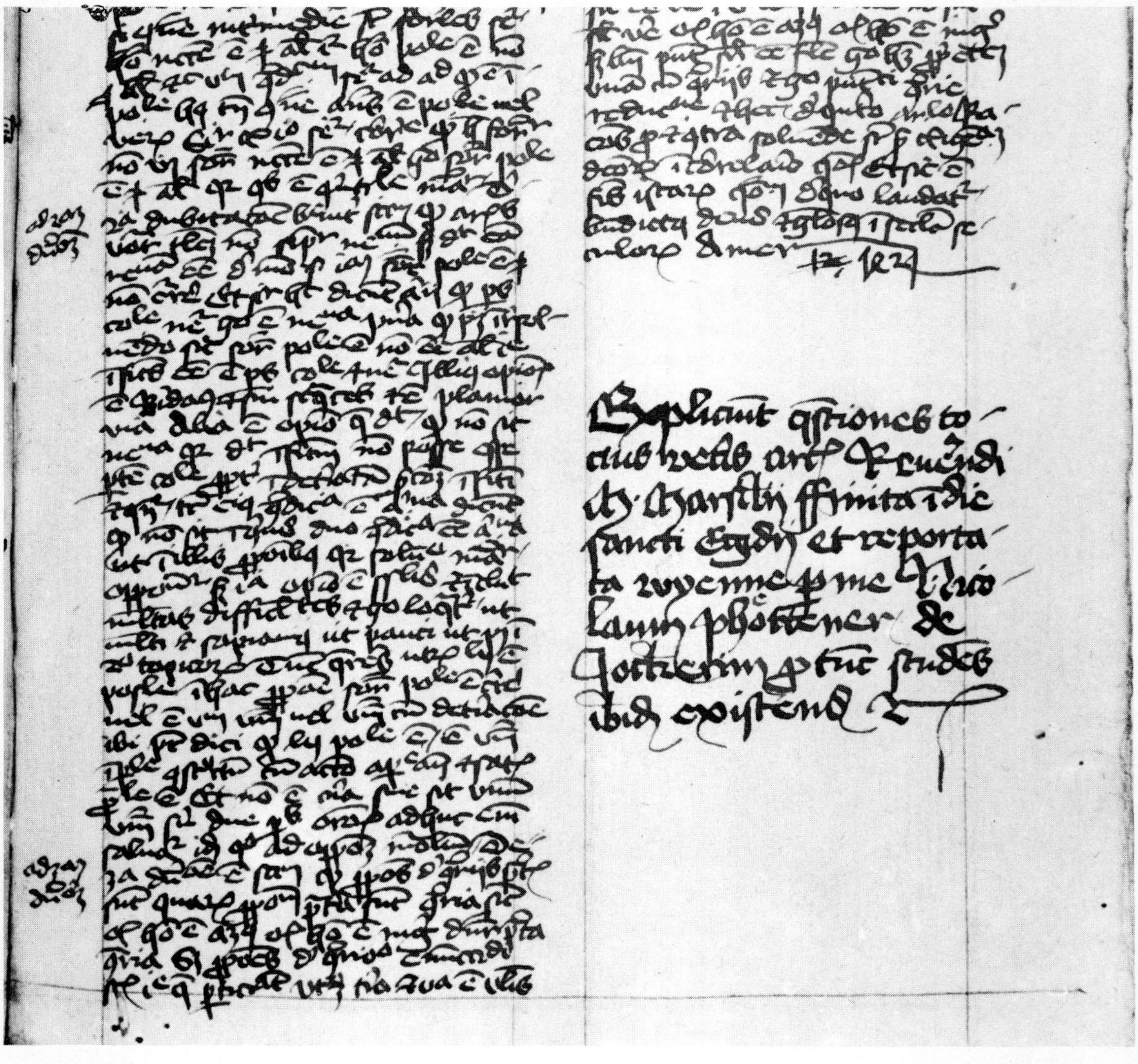

Abb. 527a Cod. 4998, fol. 139r Wien, 1421

Abb. 528 Cod. 5067, fol. 280ʳ (Wien), 1422

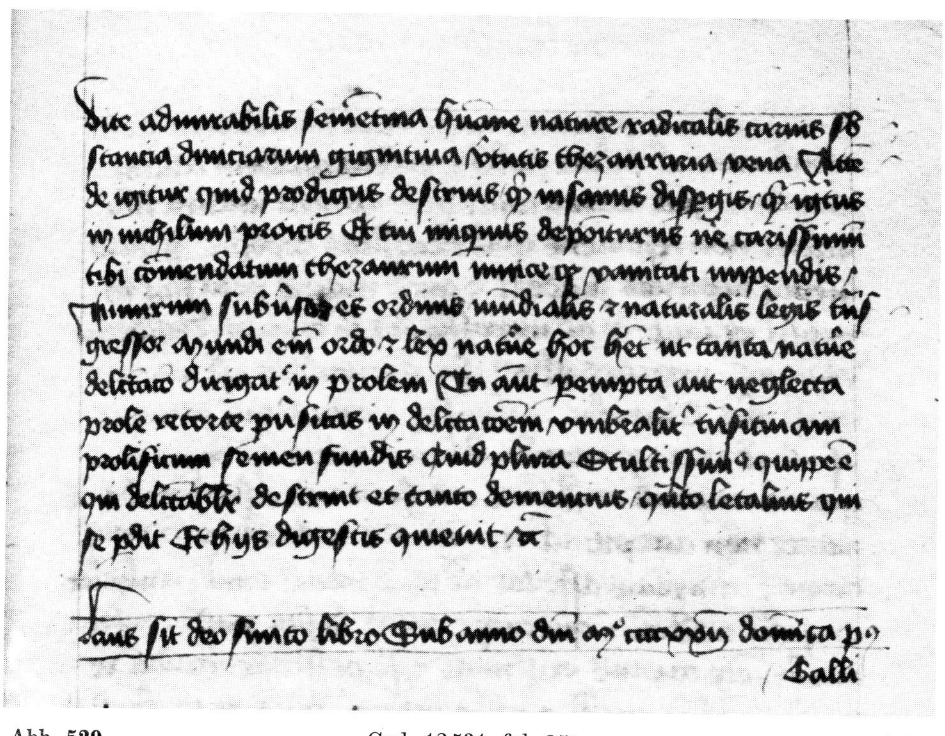

Abb. 529 Cod. 12531, fol. 85ʳ 1422

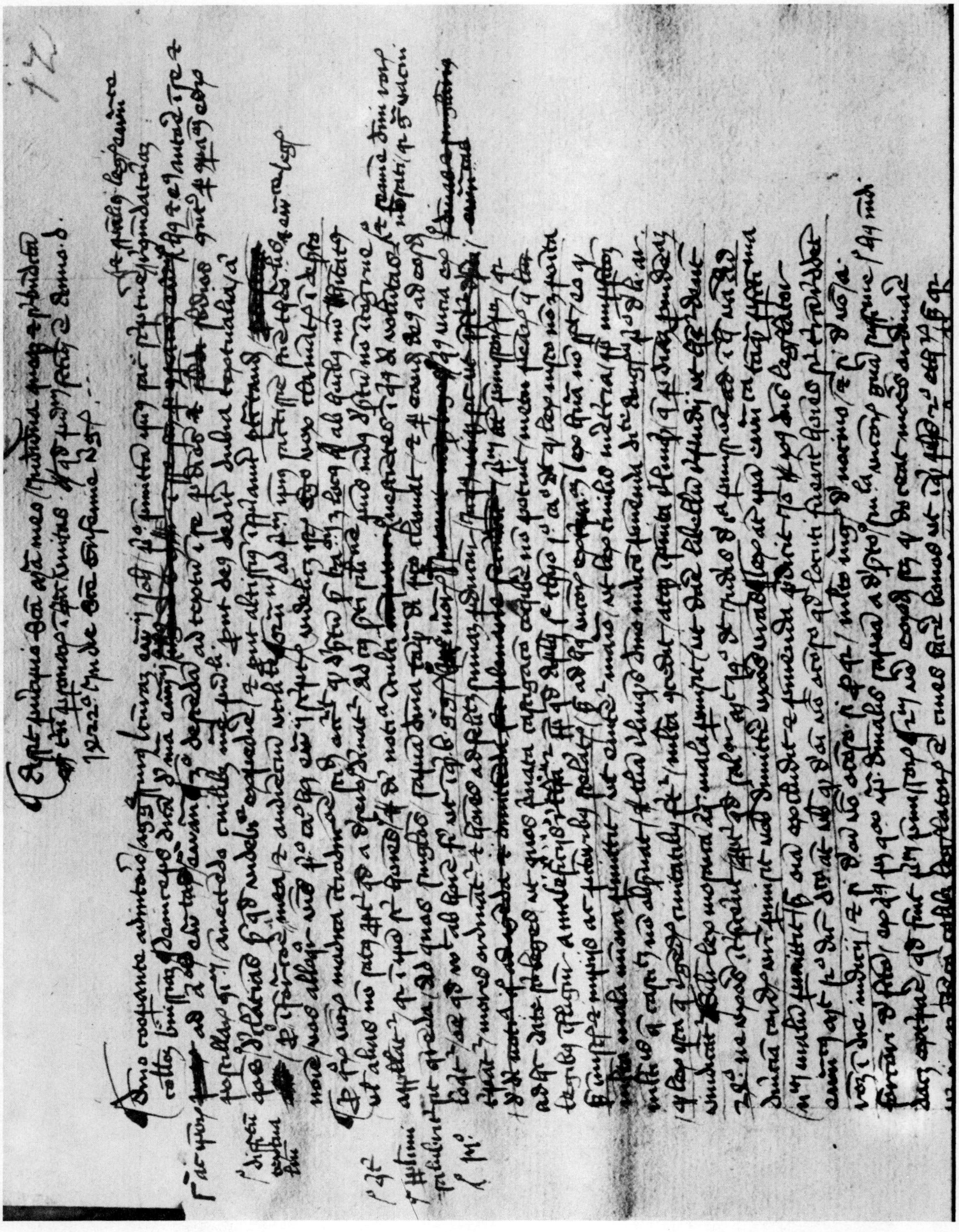

Abb. 530 Cod. 4356, fol. 12r (Wien), 1422

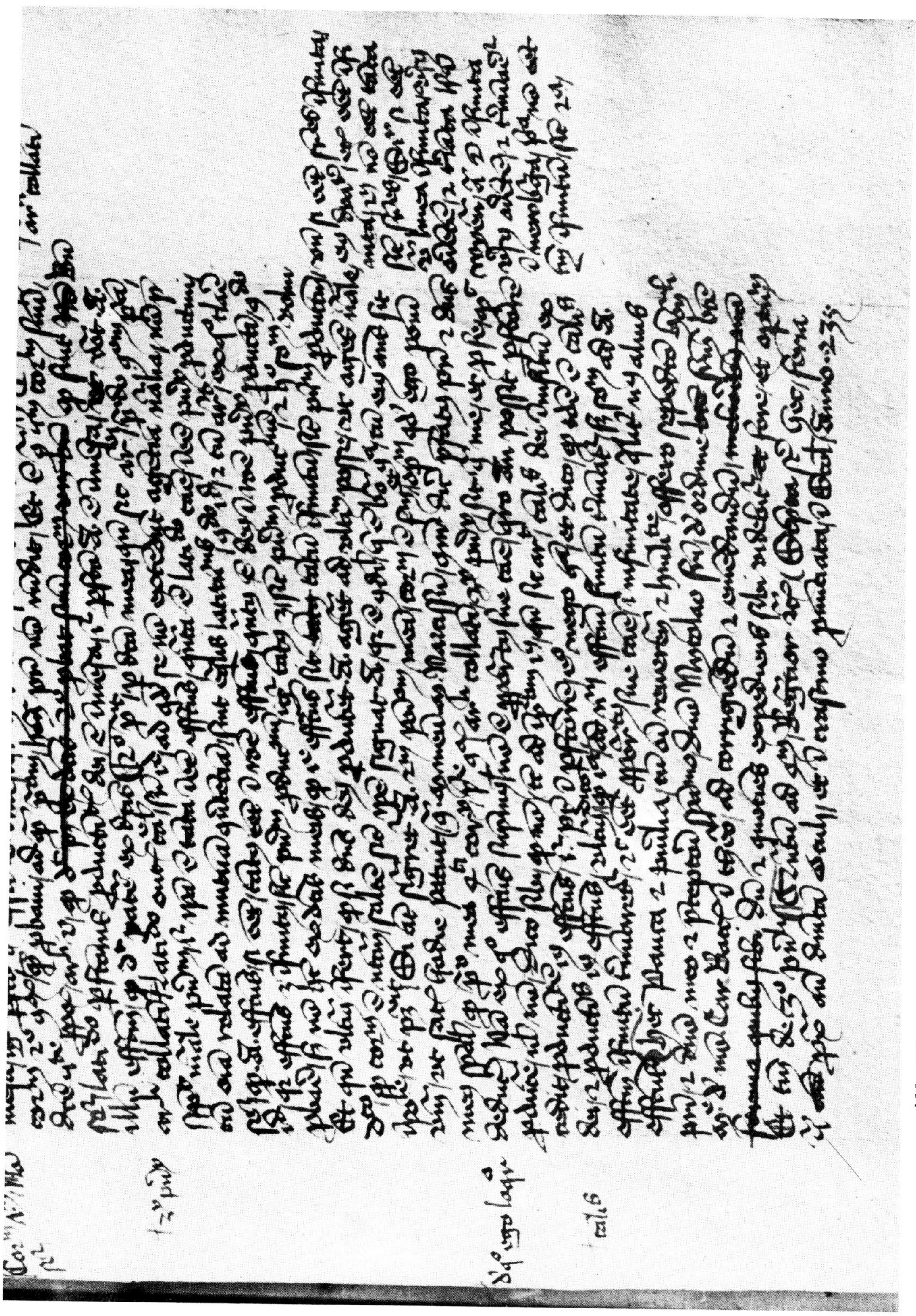

Abb. 531 Cod. 5067, fol. 297r (Wien), 1423

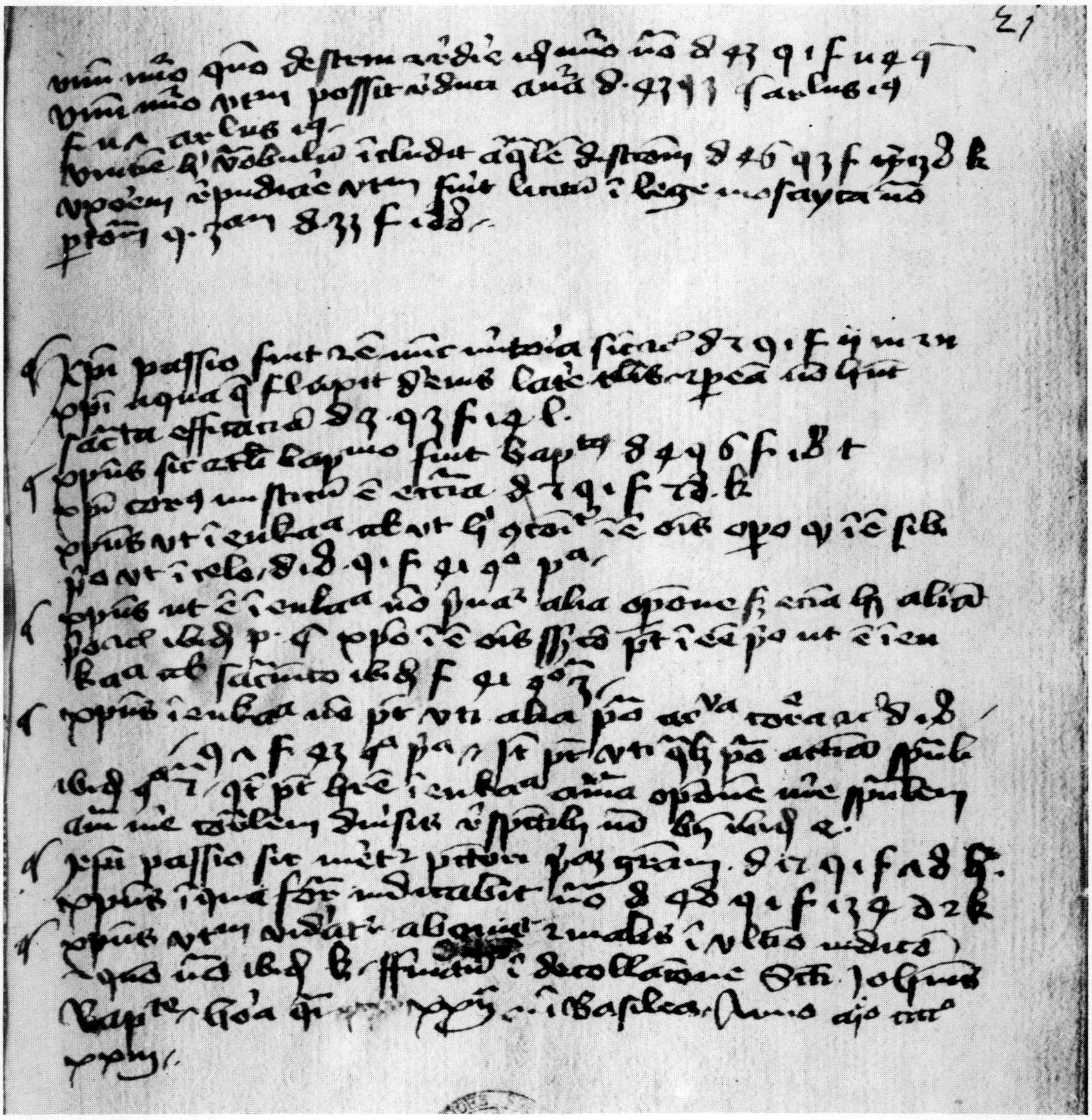

Abb. 532 Cod. 4522, fol. 21r Basel, 1423

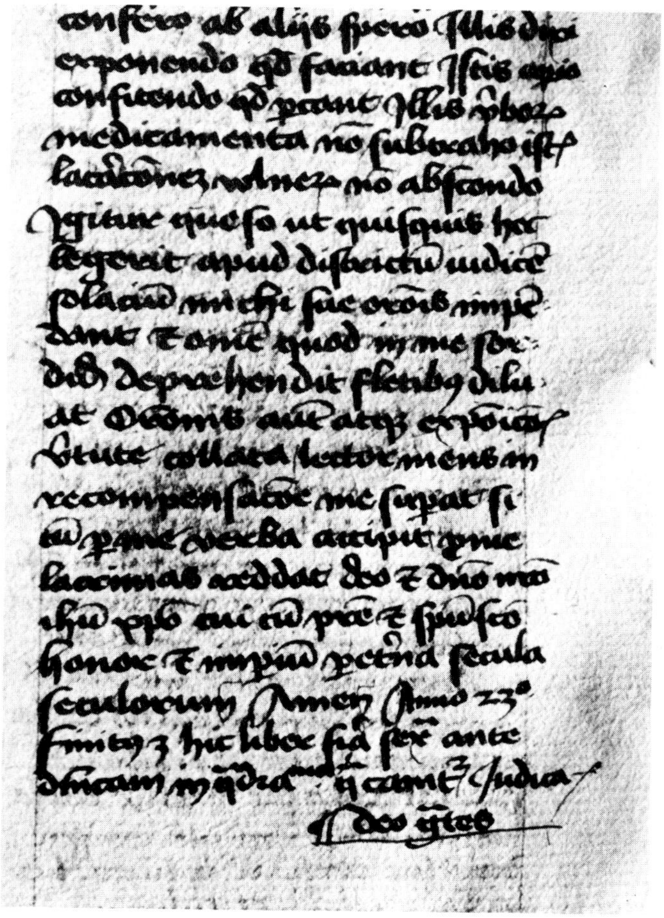

Abb. 533 Cod. 4181, fol. 284ᵛ 1423

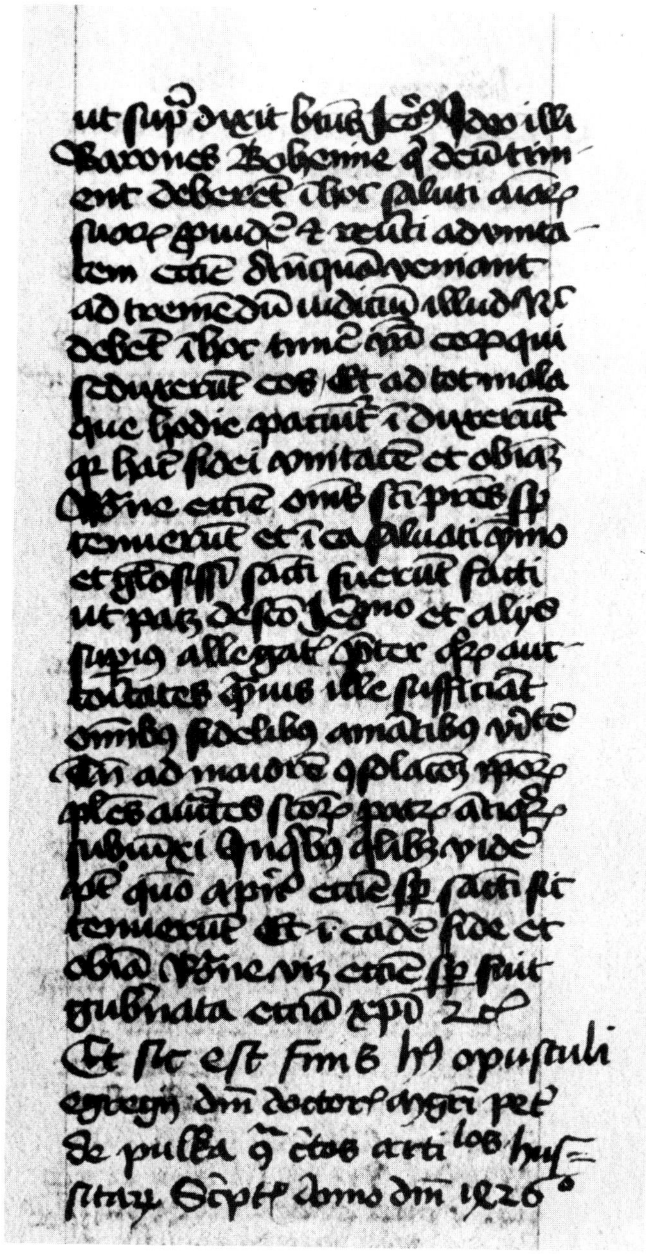

Abb. 534 Cod. 4135, fol. 47ʳ (Wien ?), 1426

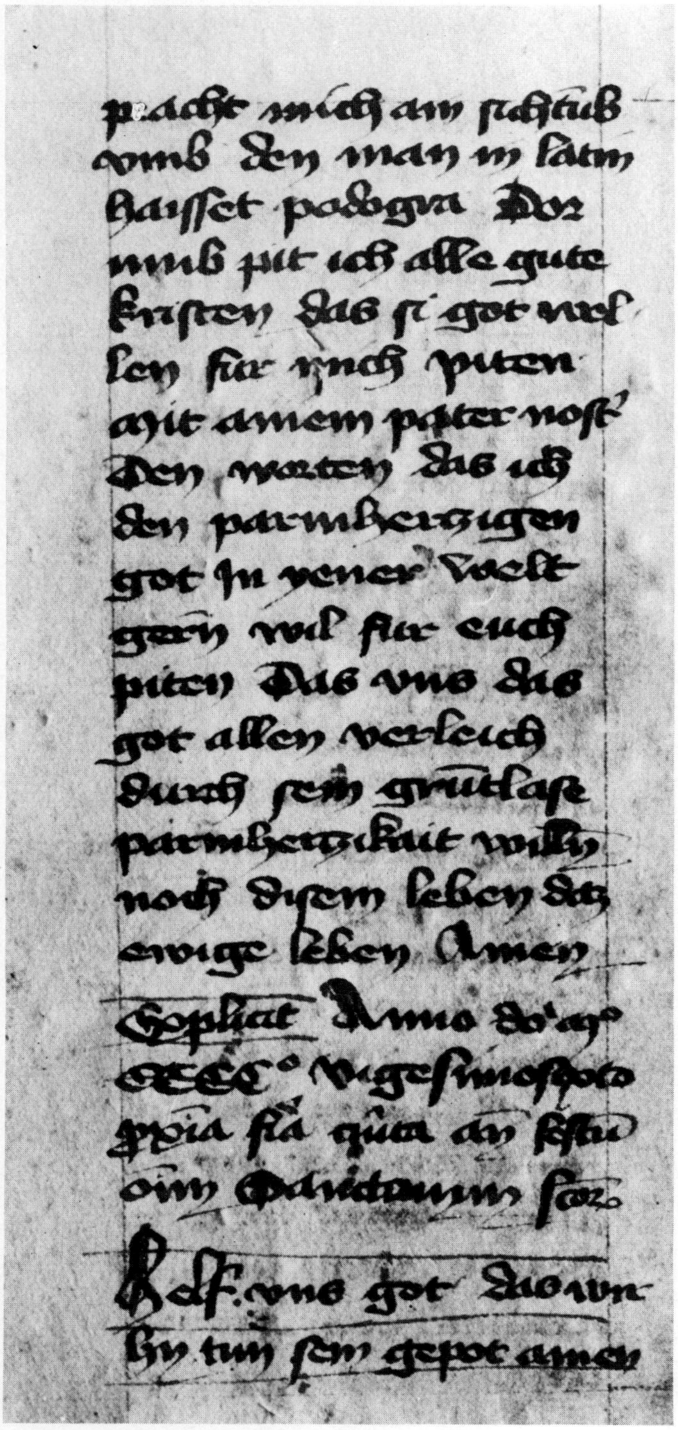

Abb. 535 Cod. 12475, fol. 139ᵛ 1426

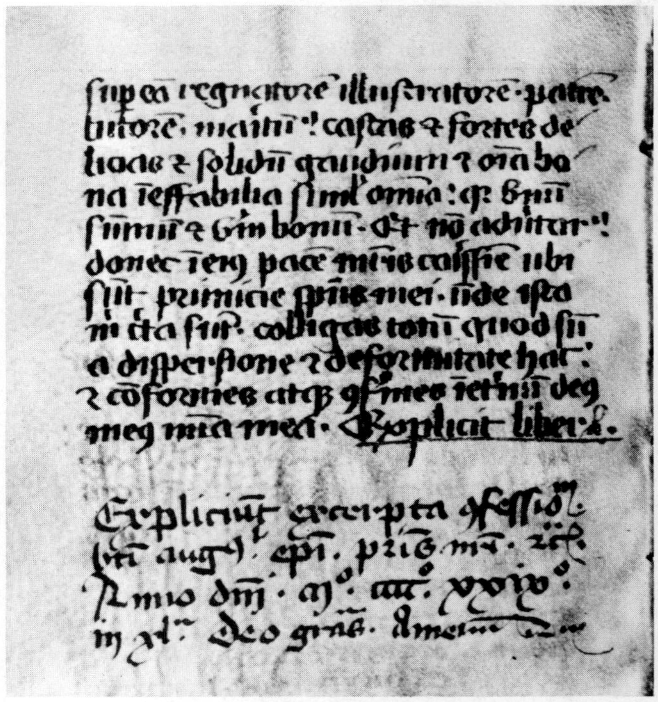

Abb. 536 Cod. 893, fol. 133ᵛ (Köln ?), 1429

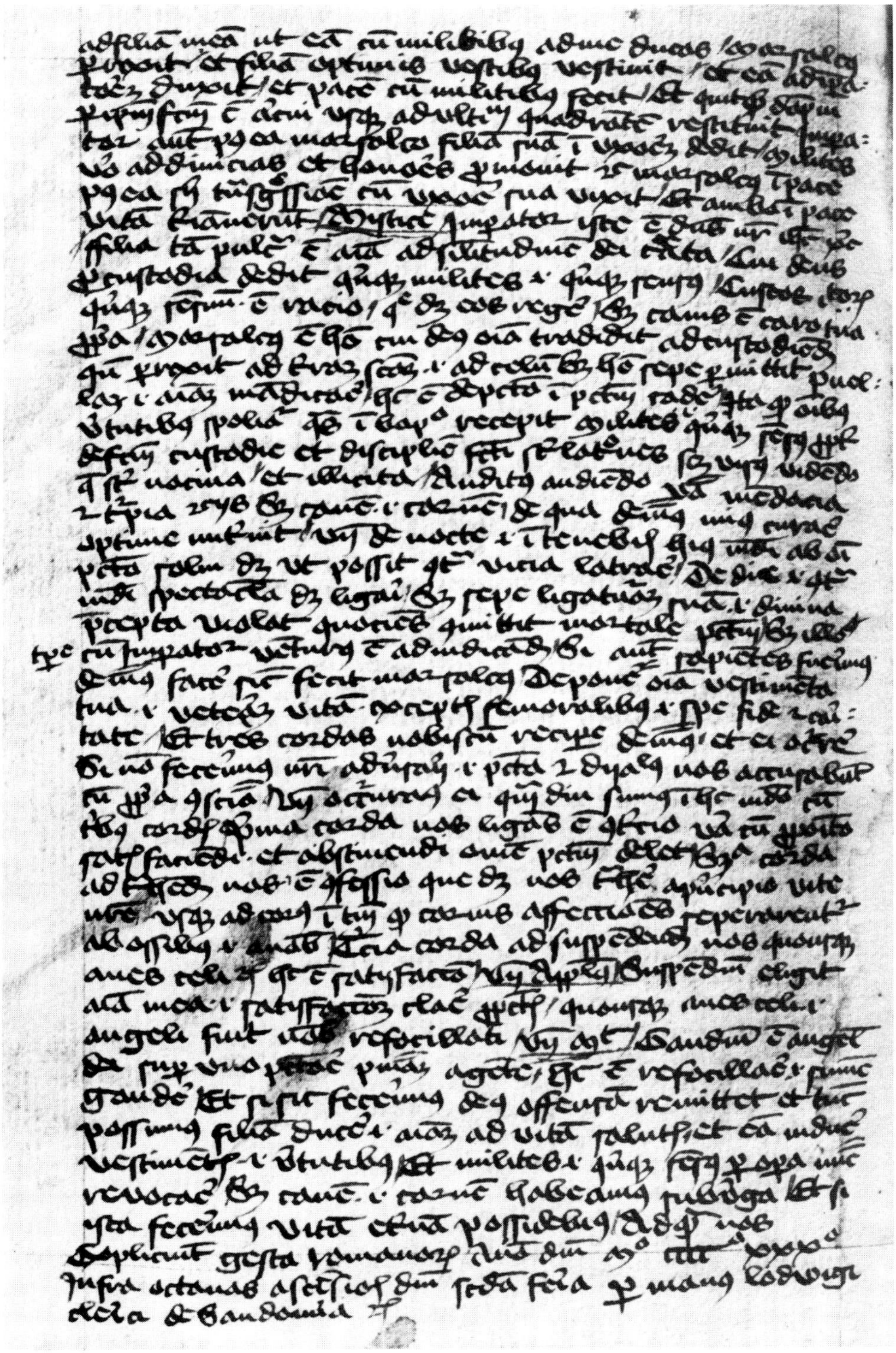
Explicit gesta romanorum anno domini m° cccc° xxx° infra octavas assensionis domini scripta per manus Lodwici clerici de Sandomiria

Abb. 537 Cod. Ser. n. 14490, fol. 88ᵛ (Polen ?), 1430

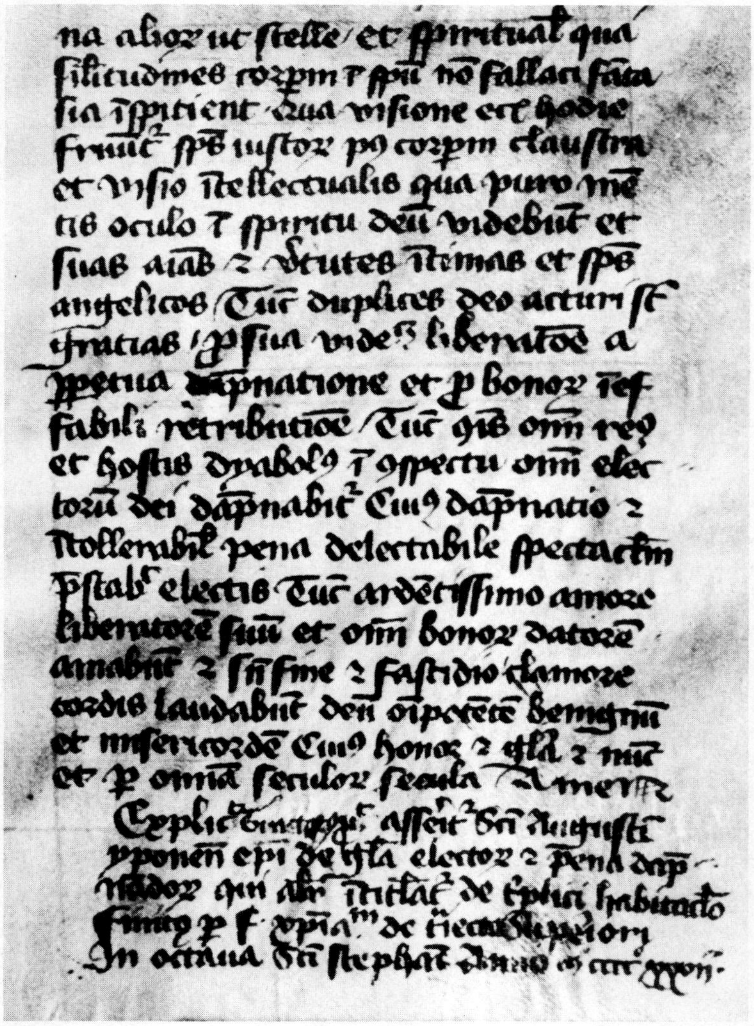

Abb. 538 Cod. Ser. n. 12889, fol. 42r (Belgien), 1432

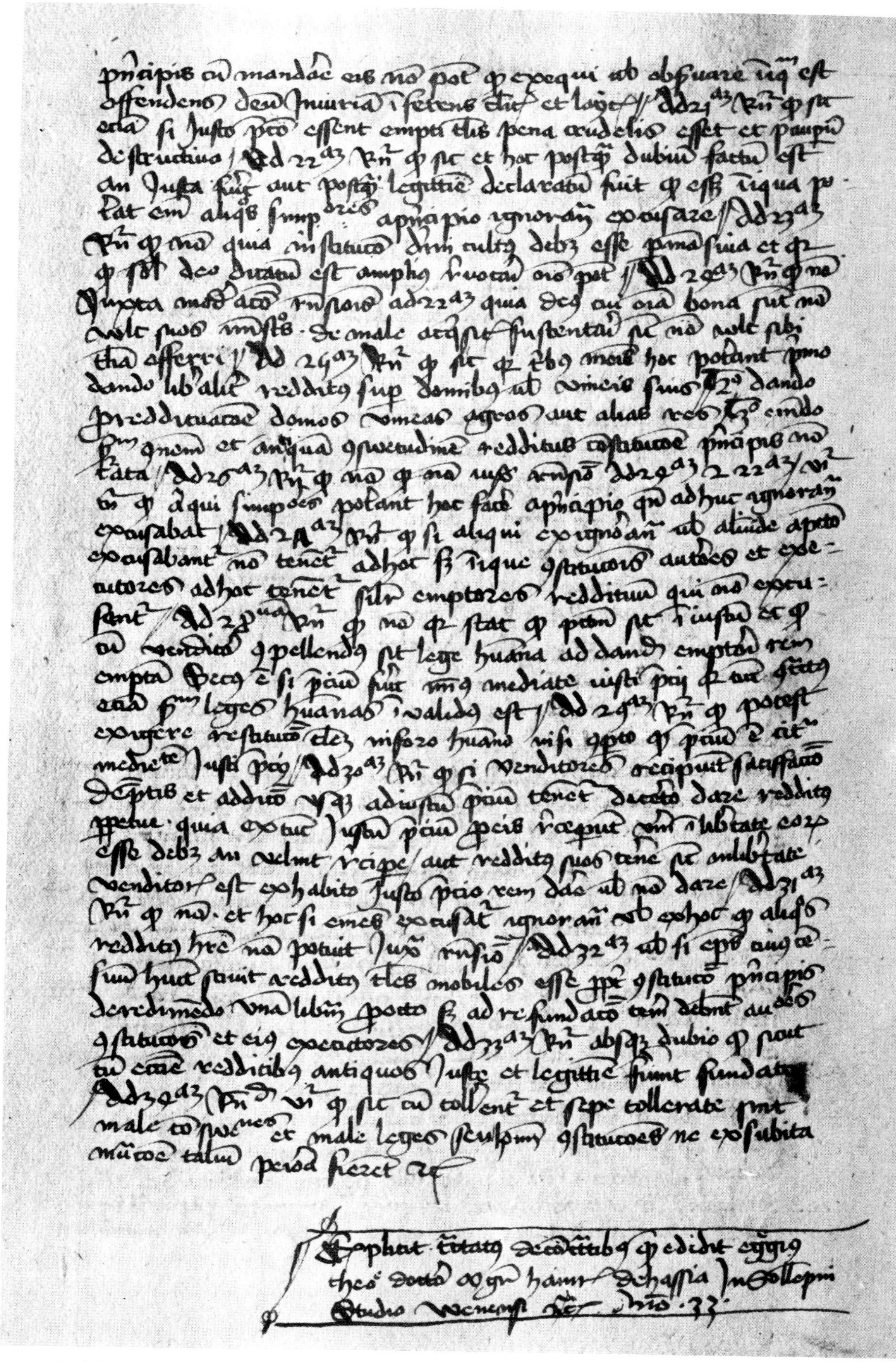

Abb. 539   Cod. 4239, fol. 124v   1433

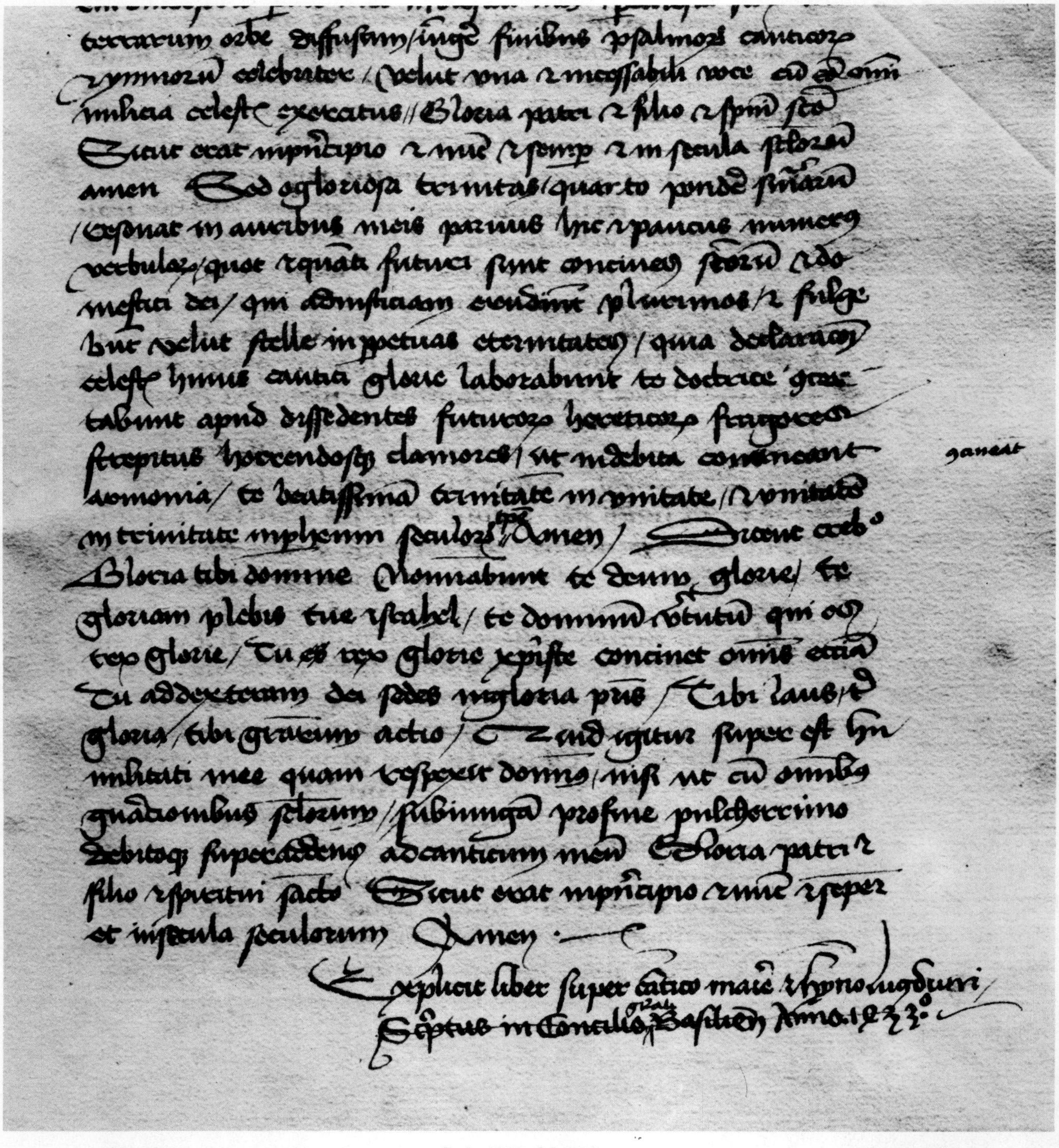
terrarum orbe diffusum / iuge finibus psalmorum canticorum
hymnorum celebratur / velut una et ineffabili voce cum omni
militia celestis exercitus // Gloria patri et filio et spiritui sancto
Sicut erat in principio et nunc et semper et in secula seculorum
amen Sed o gloriosa trinitas / quarto pondere sonitum
resonat in auribus meis paruus hic et paucus numerus
verbulorum / quos et quanti futuri sunt concinentes secretum ordo
mysterii dei / qui ad iustitiam erudiunt plurimos / et fulge
bunt velut stelle in perpetuas eternitates / qui ad declaracionem
celestis hymni cantica glorie laborabunt et doctrine gra
tabunt apud dissidentes futurorum hereticorum strepentes
strepitus horrendosque clamores / ut indebita concinant ganeat
armonia / de beatissima trinitate in unitate / et unitate
in trinitate in plenum seculorum Amen / Dicent ergo
Gloria tibi domine / Nominabunt te deum glorie / te
gloriam plebis tue et stabilem / te dominum virtutum qui es
rex glorie / Tu es rex glorie christe concinet omnis etiam
Tu ad dexteram dei sedes in gloria patris / Tibi laus et
gloria / tibi graciarum actio / Quid igitur super est hu
militati mee quam respexit dominus / nisi ut cum omnibus
generationibus seculorum / subiungam prosine pulcherrimo
debitoque superaddens ad canticum meum Gloria patri et
filio et spiritui sancto Sicut erat in principio et nunc et semper
et in secula seculorum Amen.
Explicit liber super cantico marie Thyonis ugdurri
Scriptus in Concilio generali Basiliensi Anno 1433

Abb. 540 Cod. 4210, fol. 204r Basel, 1433

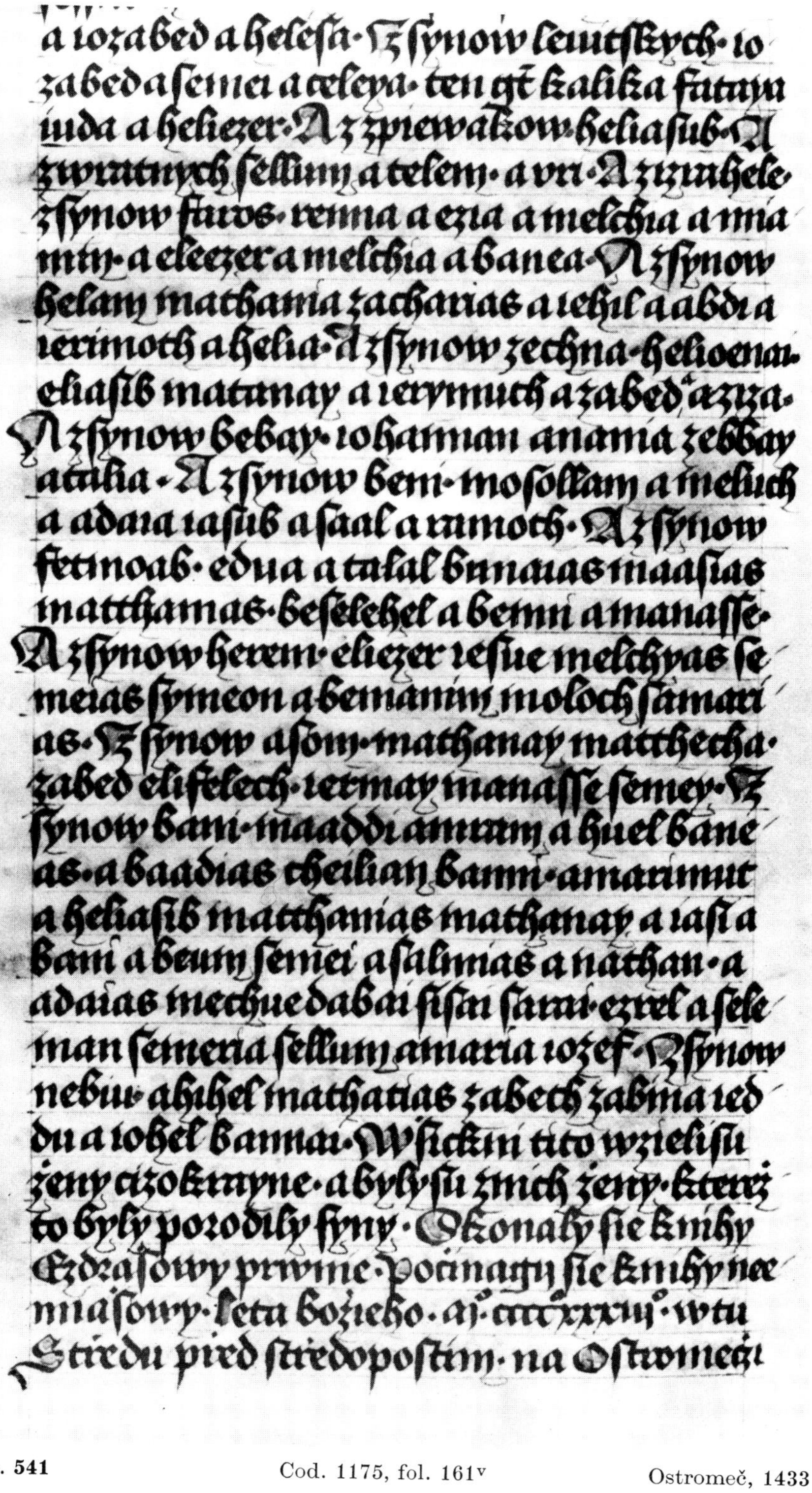
a iozabed a helesa · Z synow leuitskych · io
zabed a semei a celeya · ten gt kalika fataya
iuda a heliezer · A z zpiewakow · heliasib · A
z wratnych sellum a telem · a vri · A z izrahele
z synow faros · remia a ezia a melchia a mia
miy · a eleezer a melchia a banea · A z synow
helam mathania zacharias a iehil a abdi a
ierimoth a helia · A z synow zechna · helioenai ·
eliasib matanay a ierymuth a zabed a aziza ·
A z synow bebay · iohanan anania zebbay
atalia · A z synow beni · mosollam a meluch
a adaia iasub a saal a ramoth · A z synow
fetmoab · edna a talal banaias maasias
matthanias · beselehel a beniu a manasse ·
A z synow herem · eliezer iesue melchyas se
meias symeon a beniamin moloch samari
as · Z synow asom · mathanay matthetha ·
zabed elifelech · iermay manasse semey · Z
synow bani · maaddi amram a huel bane
as · a baadias cheilian banni · amarimut
a heliasib matthanias mathanay a iasi a
bani a benny semei a salmias a nathan · a
adaias mechnedabai sisai sarai · ezrel a sele
man semeria sellum amaria iozef · Z synow
nebiu · ahihel mathatias zabeth zabina ied
du a iohel banmai · Wsickni tito wzielisu
ženy cizokrayne · a bylysu z nich ženy · kterež
to byly porodily syny · Dokonaly sie knihy
Ezdrasowy prwnie · Počinagi sie knihy nee
miasowy · Leta božieho · aⁿ · mcccxxxiij · wtu
Striedu pred striedopostim · na Ostromeči

Abb. 541 Cod. 1175, fol. 161v Ostromeč, 1433

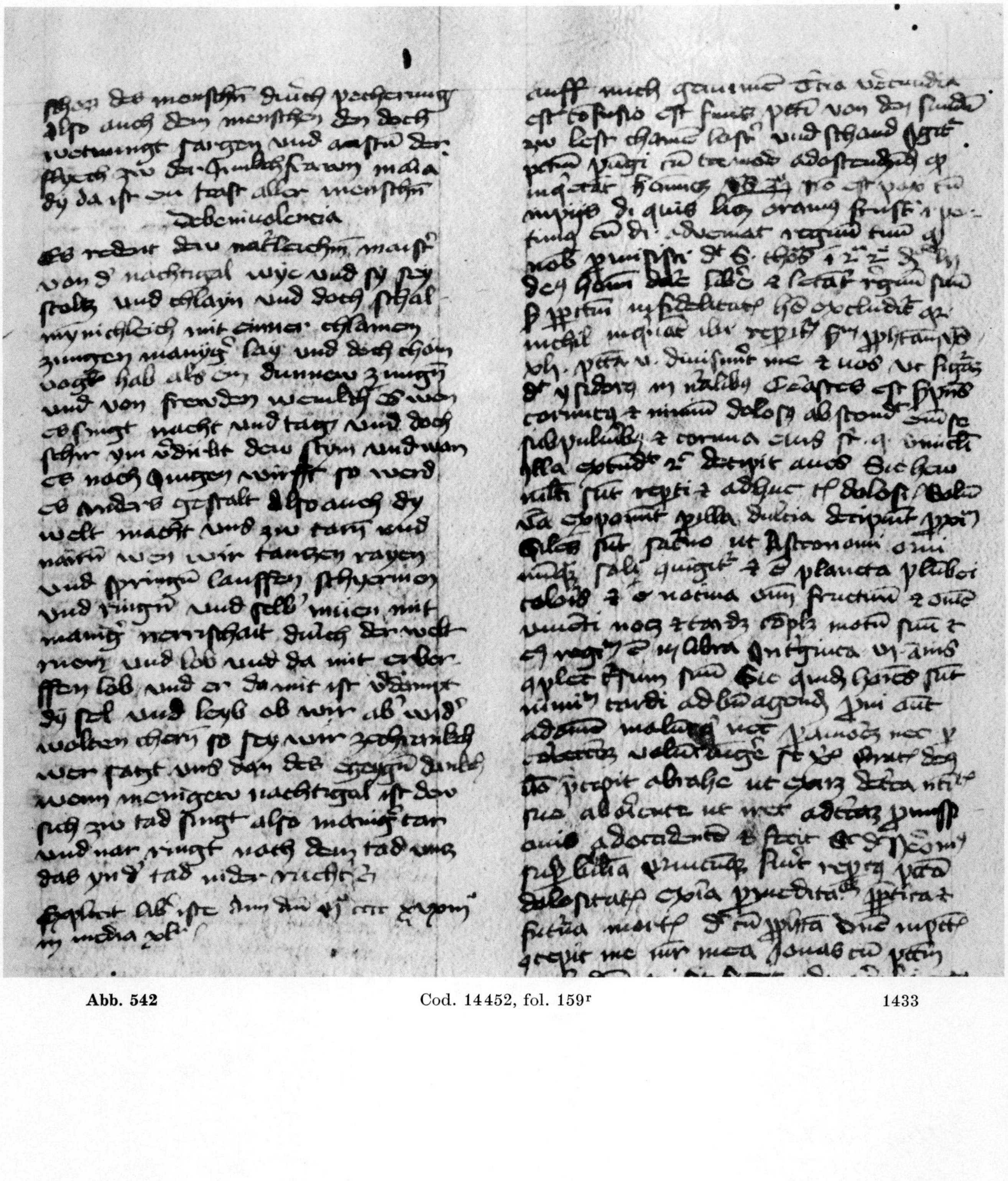

Abb. 542 Cod. 14452, fol. 159r 1433

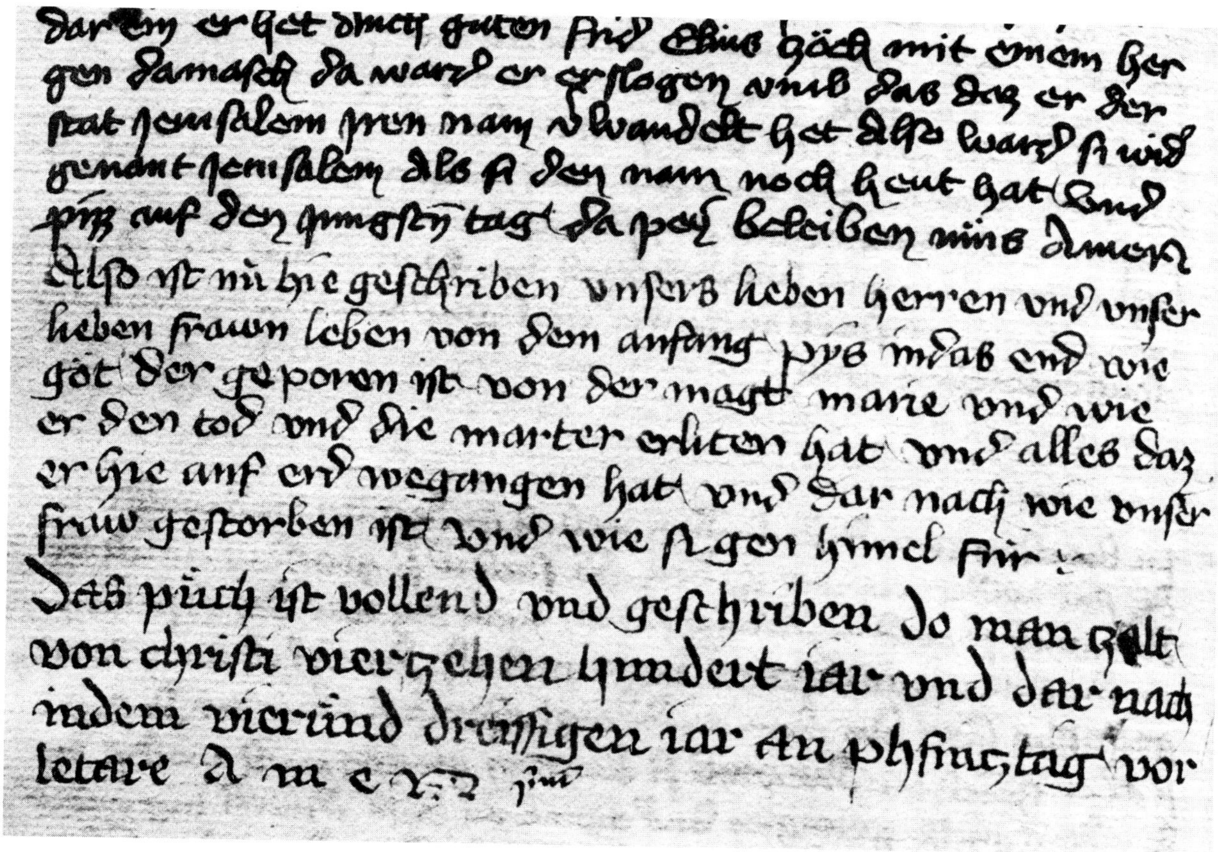
dar ein er get durch guten frid Elius göck mit einem her
gen damasch da ward er erslagen umb das daz er der
stat Jerusalem iren nam verwandelt het also ward si wider
genant Jerusalem als si den nam noch heut hat und
pizz auf den jungsten tag da pey beleiben müs Amen
Also ist nu hie geschriben unsers lieben herren und unser
lieben frawn leben von dem anfang pys in das end wie
got der geporen ist von der magt marie und wie
er den tod und die marter erliten hat und alles daz
er hie auf erd wegangen hat und dar nach wie unser
fraw gestorben ist und wie si gen himel für
Das püch ist vollend und geschriben do man zalt
von christi vierzehen hundert iar und dar nach
in dem vierund dreissigen iar an phfintztag vor
letare A m e n

Abb. 543　　Cod. 2862, fol. 86v　　1434

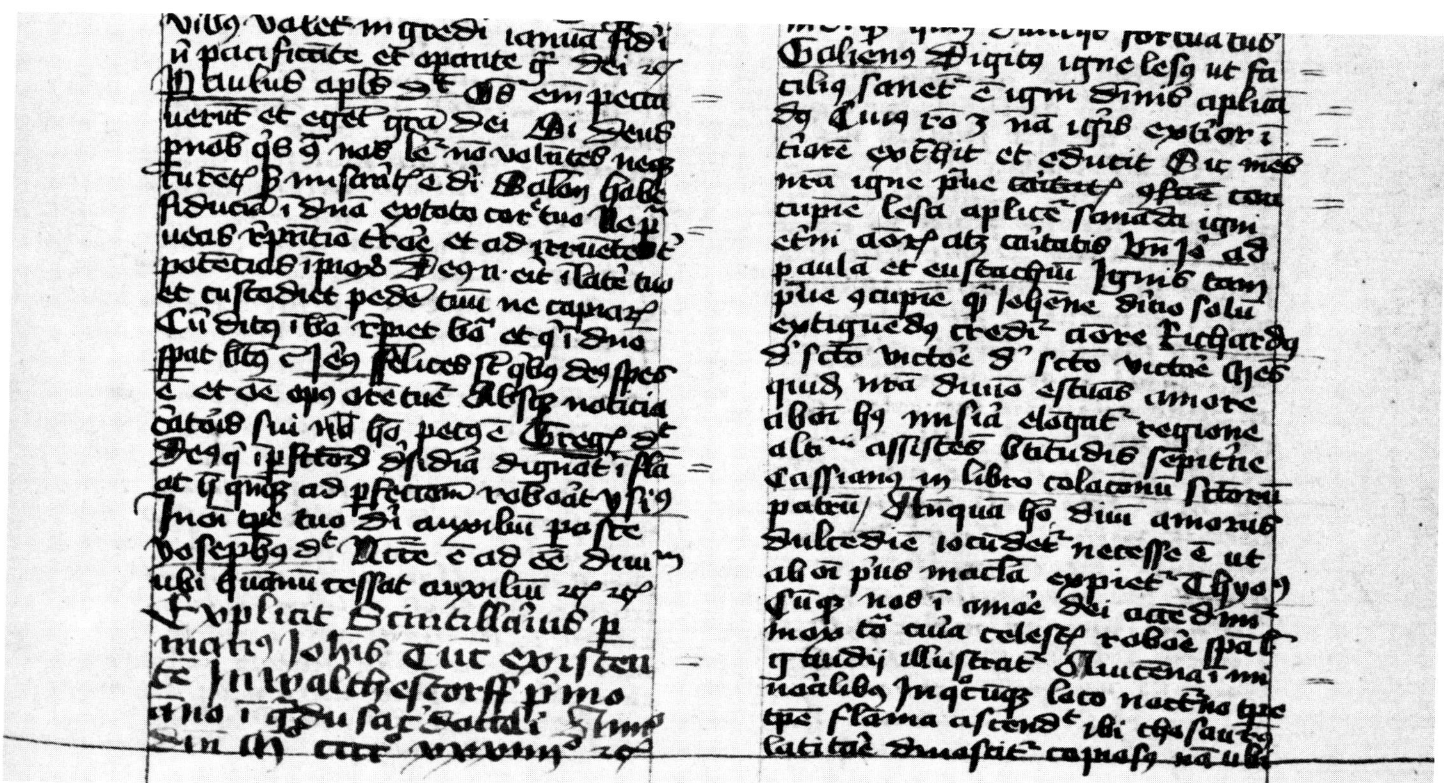

Abb. 543a　　Cod. 14892, fol. 379r　　Waltersdorf (bei Leibnitz), 1434

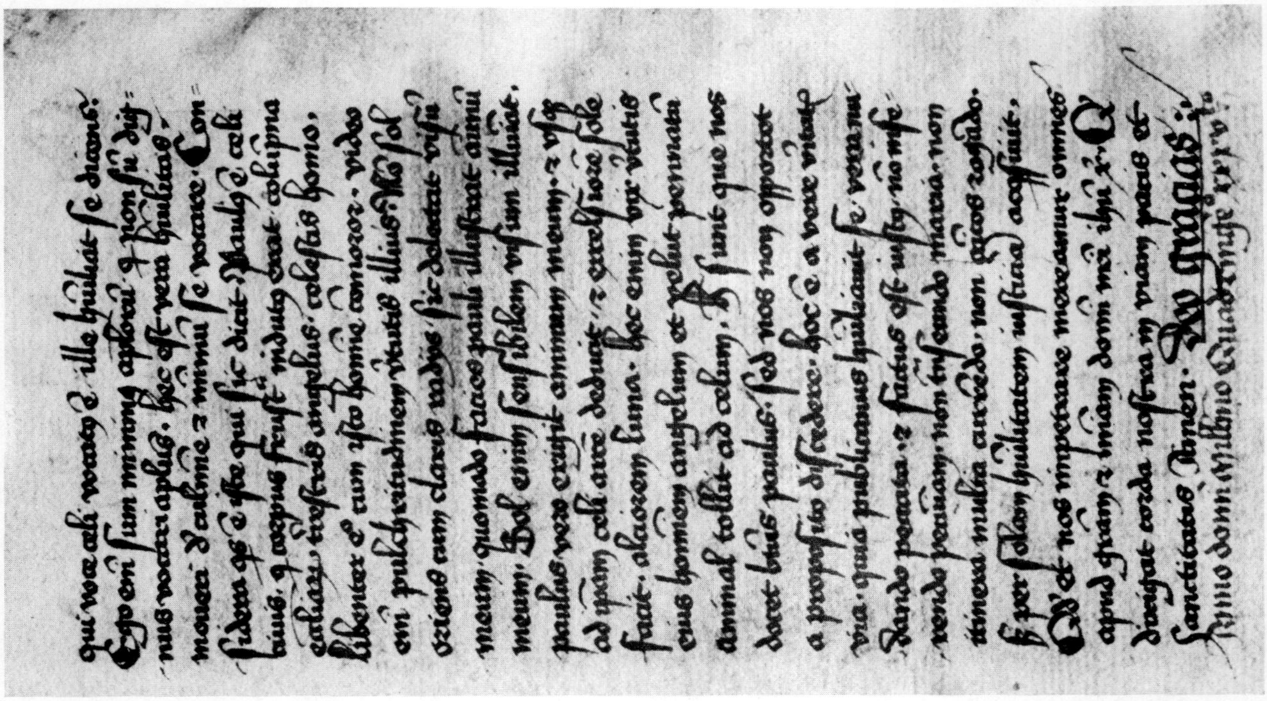

Abb. 545 Cod. 4147, fol. 108v 1435

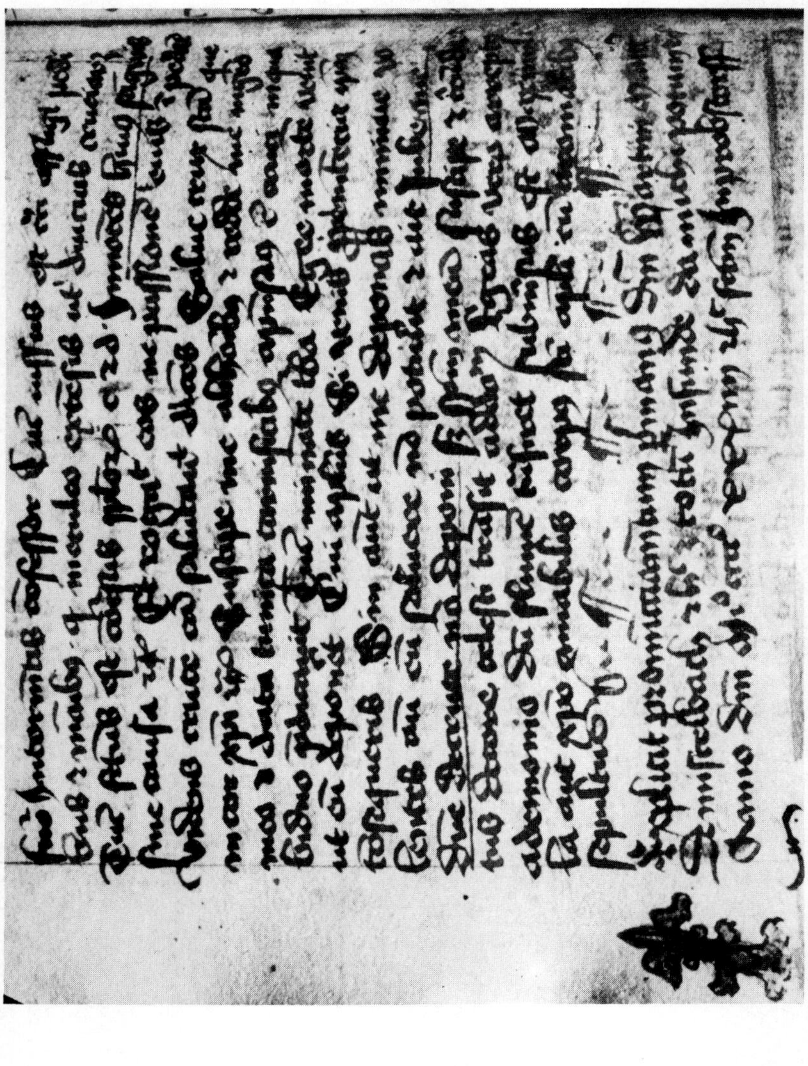

Abb. 544 Cod. 4695, fol. 90v Probstdorf (Niederösterreich), 1434

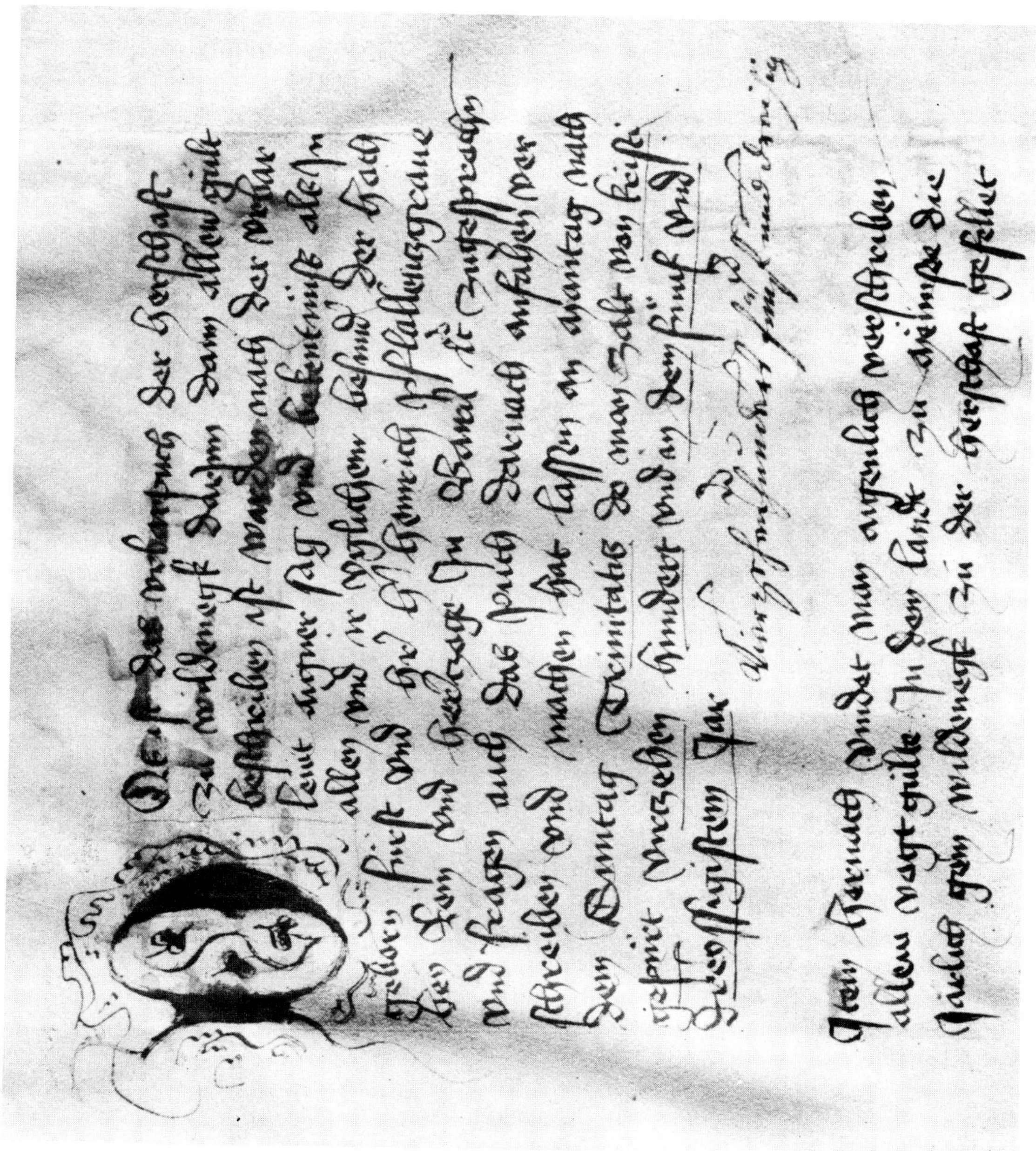

Abb. 546 Cod. 2781*, fol. 1r 1435

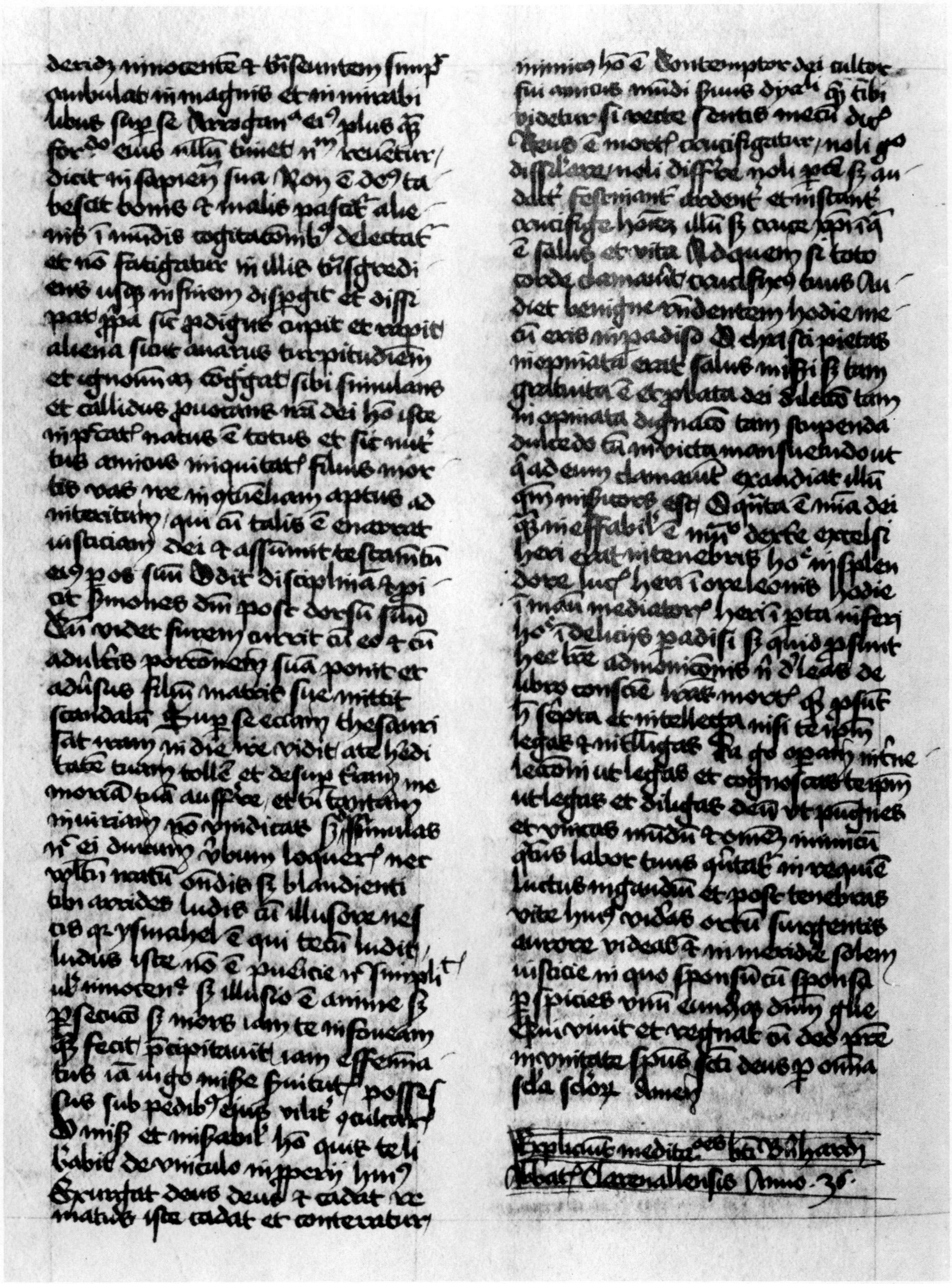
deride innocentem et viscentem simpliciter
ambulat in magnis et in mirabi
libus super se Deceptum ei plus quam
fortitudo eius nullum timet nec reveretur /
dicit in sapiencia sua Non est deus ta
berit bonis et malis pascat alie
nis in mundis cogitacionibus delectat
et non fatigatur in illis transgredi
ens usque in finem dispergit et dissi
pat ipsa sic prodigus carpit et rapit
aliena sicut avarus turpitudinem
et ignominiam congregat sibi simulans
et callidus provocans iram dei homo iste
in peccatis natus est totus et sic mu
tus amicus iniquitatis filius mor
tis vas ire in contumeliam aptus ad
interitum / qui cum talis est enervat
iusticiam dei et assumit testamentum
eius per os suum Odit disciplinam proi
cit sermones dei post dorsum suum
Cum videt furem currit cum eo et cum
adulteris porcionem suam ponit et
adversus filium matris sue mittit
scandalum Super se etiam thesauri
sat iram in die ire vidit a te hedi
tate tuam tolle et desuper etiam me
moriam tuam auferre et tu tantam
iniuriam non vindicas dissimulas
nec ei durum verbum loqueris nec
vultum iratum ondis sed blandienti
tibi arridens ludis cum illusore nes
cis quia Ysmahel est qui tecum ludit /
ludus iste non est pudicicie nec simplici
tatis innocencie sed illusio est anime sed
persecucio sed mors iam te insolescam
quam fecit / precipitavit iam effemina
tus in iugo misere finitur / posses
sus sub pedibus eius vilis [illegible]
O miser et miserabilis homo quis te li
berabit de vinculo inferni huius
Exurgat deus deus et cadat ve
natus iste cadat et conteratur /
inimicus homo est Contemptor dei cultor
sui amicus mundi servus dyaboli Quid tibi
videtur si vere sentis mecum dices
Res est mortis conquisitatur / noli ergo
desperare / noli diffidere noli [illegible] sed au
daciter festinanter accedens et instanter
conquirere horam illam sed curre propria
est salus et vita Qui loquerem sed toto
corde clamavit confitens tuus Au
diet benigne videntem hodie me
cum eris in paradiso O domini Iesu pietas
inopinata erat salus inferi sed tam
gratuita est et [illegible] dei dilectio tam
inopinata dignacio tam stupenda
dulcedo tam invicta mansuetudo ut
quod ad eum clamavit exaudiat illum
qui iniquitatis est / O quanta est misericordia dei
quam ineffabilis est [illegible] dextere excelsi
heri erat in tenebris hodie in splen
dore lucis heri in operacionibus hodie
in manu mediatoris heri in porta inferi
hodie in deliciis paradisi Sed quid prosunt
hec tibi admonicionis nisi diligas de
libro consciencie tue mortis quam posuit
scripta et intellecta nisi te ipsum
legas et intelligas Tu ergo operam interne
leccioni ut legas et cognoscas te ipsum
ut legas et diligas deum et pugnes
et vincas mundum et omnes inimicos
quibus labor tuus convertatur in requiem
luctus in gaudium et post tenebras
vite huius videas ortum surgentis
aurore videas et in meridie solem
iusticie in quo sponsum cum sponsa
perspicies unum eundemque dominum glorie
Christum qui vivit et regnat cum deo patre
in unitate spiritus sancti deus per omnia
secula seculorum Amen

Explicit meditaciones beati Bernhardi
Abbatis Clarevallensis Anno 36

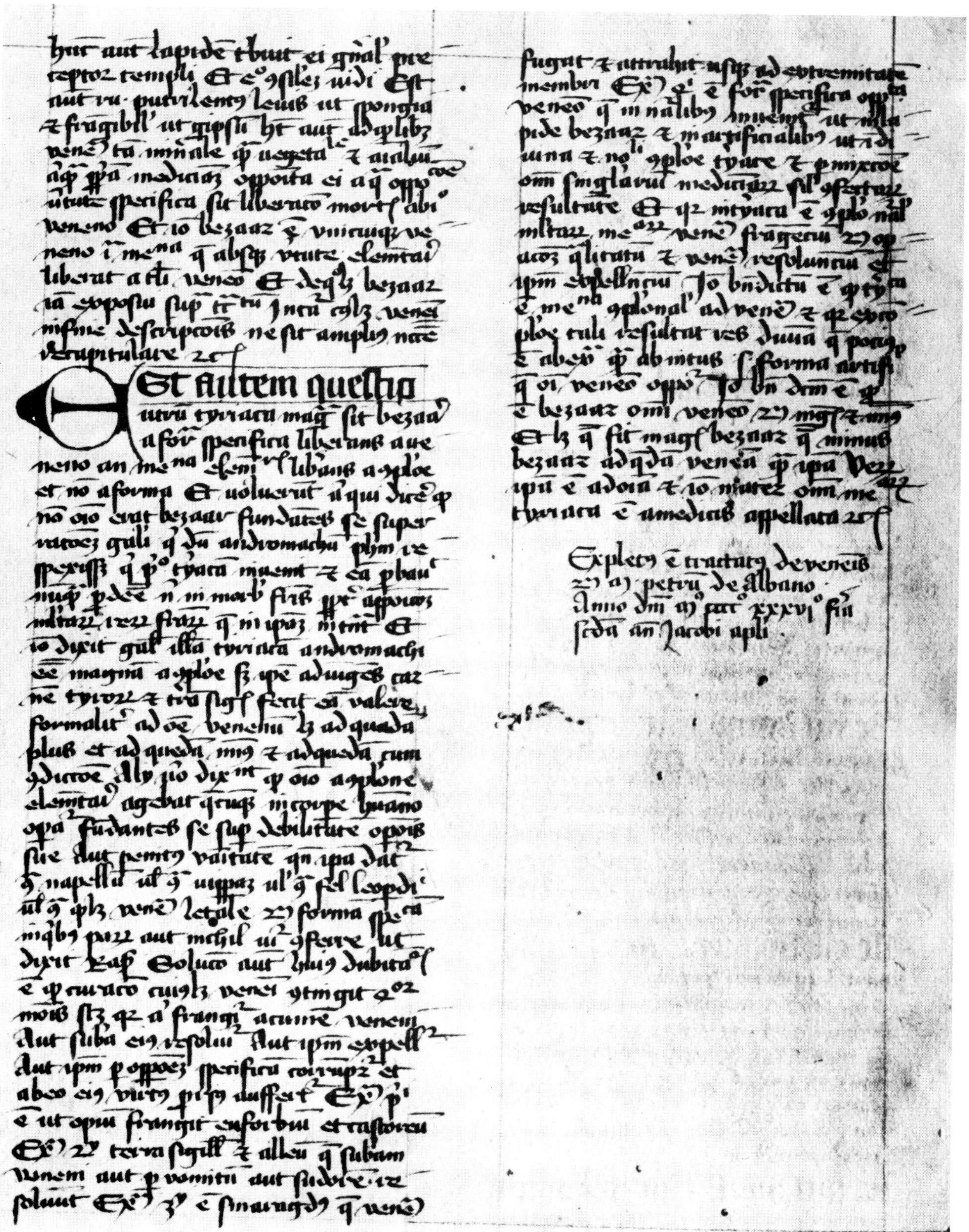

Abb. 548 Cod. 2358, fol. 157v 1436

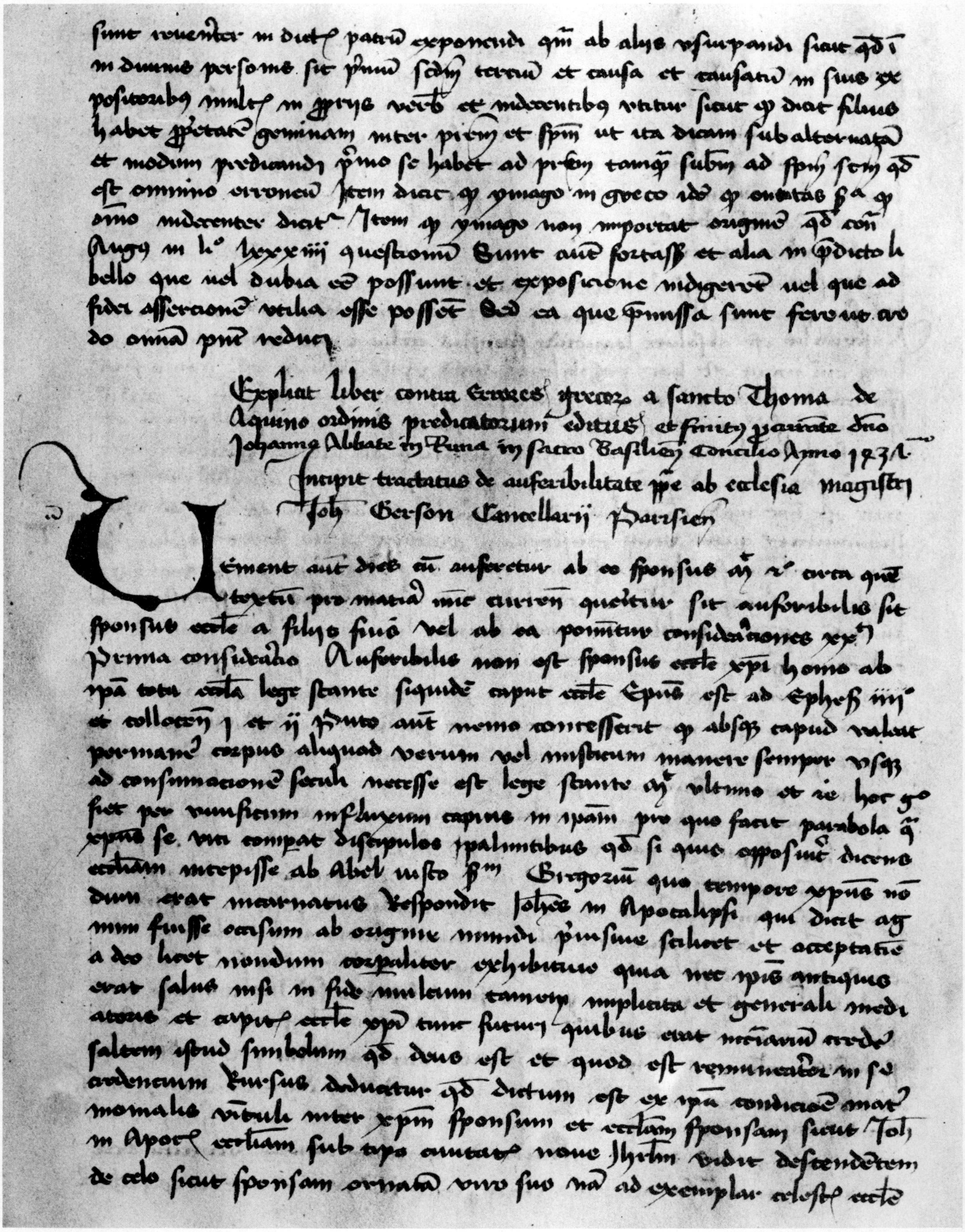

sunt invenitur in dictis patrum exponendi quam ab aliis usurpandi sicut quod in divinis personis sit primum secundum tertium et causa et causatum in suis expositoribus multis in grecis verbis et indecentibus utitur sicut quod dicit filius habet proprietatem geminam inter patrem et spiritum ut ita dicam subalternatam et modum predicandi primo se habet ad patrem tamquam subiectum ad spiritum sanctum quod est omnino erroneum Item dicit quod ymago in greco idem quod entitas ... quod omnino indecenter dicitur Item quod ymago non importat originem quod contra Augustinum in libro lxxxiii questionum Sunt autem fortassis et alia in predicto libello que vel dubia esse possunt et exposicione indigerent vel que ad fidei assercionem utilia esse possent Sed ea que premissa sunt fere ut ... do omnia premittere reduci

Explicit liber contra errores grecorum a sancto Thoma de Aquino ordinis predicatorum editus et finitus parante domino Johanne Abbate in Runa in sacro Basiliensi Concilio Anno 1437.

Incipit tractatus de auferibilitate pape ab ecclesia magistri Joh. Gerson Cancellarii Parisiensis

Venient autem dies cum auferetur ab eis sponsus Mathei ix° circa quem textum pro materia mere circumquaeritur sit auferibilis sit sponsus ecclesie a filiis suis vel ab ea ponuntur consideraciones xx
Prima consideracio Auferibilis non est sponsus ecclesie Christus homo ab ipsa tota ecclesia lege stante siquidem caput ecclesie Christus est ad Ephesios iiii et Colossenses i et ii Puto autem nemo concesserit quod absque capite valeat permanere corpus aliquod verum vel misticum manere semper usque ad consummacionem seculi necesse est lege stante Mathei ultimo et ... hoc ... fiet per vivificum influxum capitis in ipsam pro quo facit parabola qua Christus se viti comparat discipulos palmitibus quod si quis opposuerit dicens ecclesiam incepisse ab Abel iusto secundum Gregorium quo tempore Christus nondum erat incarnatus respondit Johannes in Apocalipsi qui dicit agnum fuisse occisum ab origine mundi per ... (?) habere et acceptatum a deo licet nondum corporaliter exhibitum quia nec ipsis antiquis erat salus nisi in fide mediatoris tamquam implicata et generali mediatoris et capitis ecclesie Christi tunc futuri quibus erat necessarium credere saltem istud simbolum quod deus est et quod est remunerator inquirentium (?) Rursus adducatur quod dictum est ex ipsa condicione matrimonialis vinculi inter Christum sponsum et ecclesiam sponsam sicut Joh. in Apoc. ecclesiam sub typo civitatis nove Jherusalem vidit descendentem de celo sicut sponsam ornatam viro suo una (?) ad exemplar celestis ecclesie

Abb. 549 Cod. 4148, fol. 168^r Basel, 1437

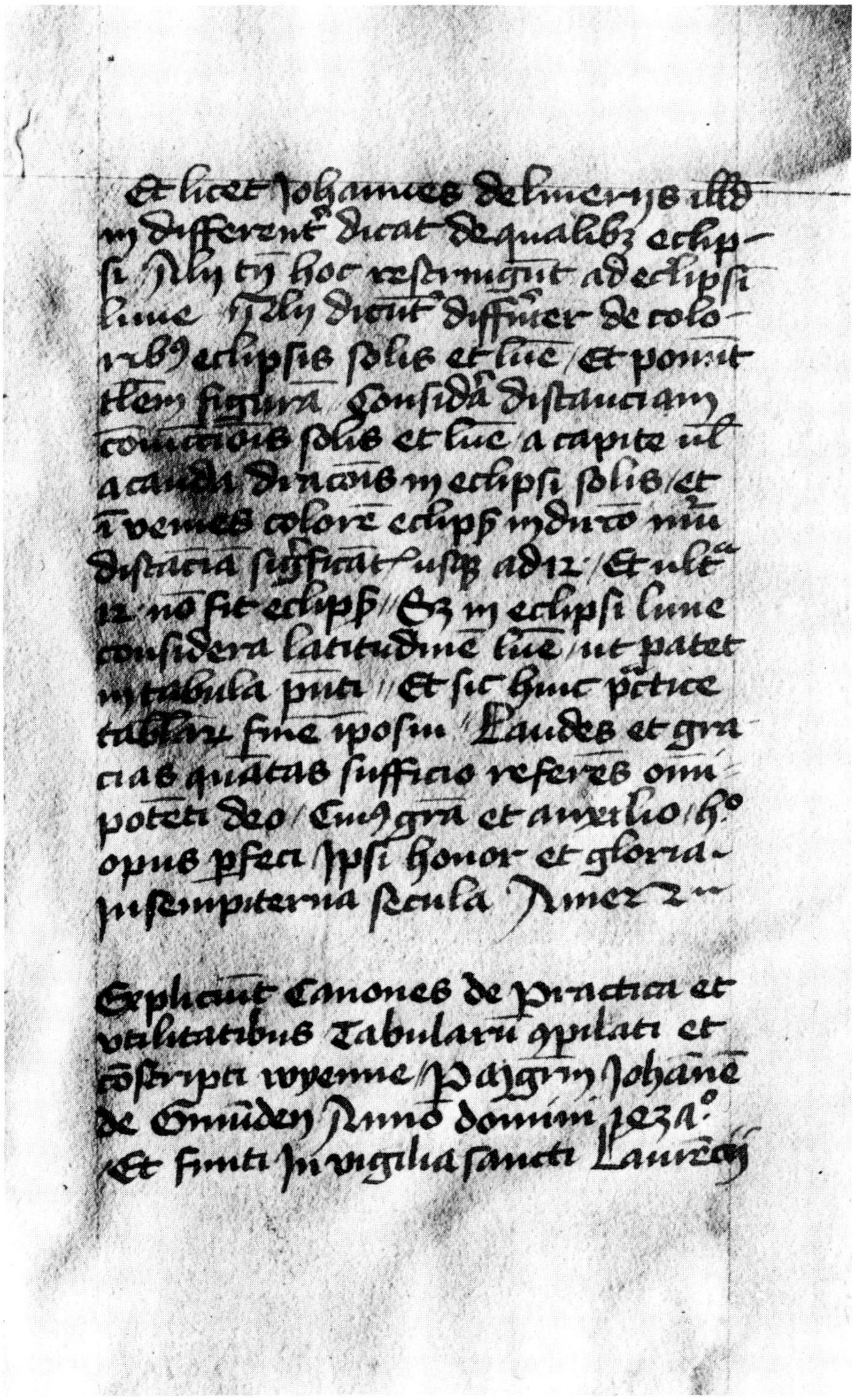
Et licet Johannes de Lineriis illud
in differentiis dicat de qualibus eclipsi solis tamen hoc restringit ad eclipsi
lune solis dicunt differenter de coloribus eclipsis solis et lune Et pone illam figuram considera distanciam
coniunctionis solis et lune a capite vel
a cauda draconis in eclipsi solis et
invenies colorem eclipsis inducto numero
distancia sufficiat usque ad 12 Et ultra
12 non fit eclipsis Sed in eclipsi lune
considera latitudinem lune ut patet
in tabula ... Et sic hunc practice
tabularum finem imposui Laudes et gracias quantas sufficio referens omni-
potenti deo Cuius gratia et auxilio hoc
opus perfeci Ipsi honor et gloria
per sempiterna secula Amen

Expliciunt Canones de practica et
utilitatibus Tabularum compilati et
conscripti wyenne Per magistrum Johannem
de Gmunden Anno domini 1437°
Et finiti in vigilia sancti Laurencii

Abb. 550 Cod. 5268, fol. 78^r Wien, 1437

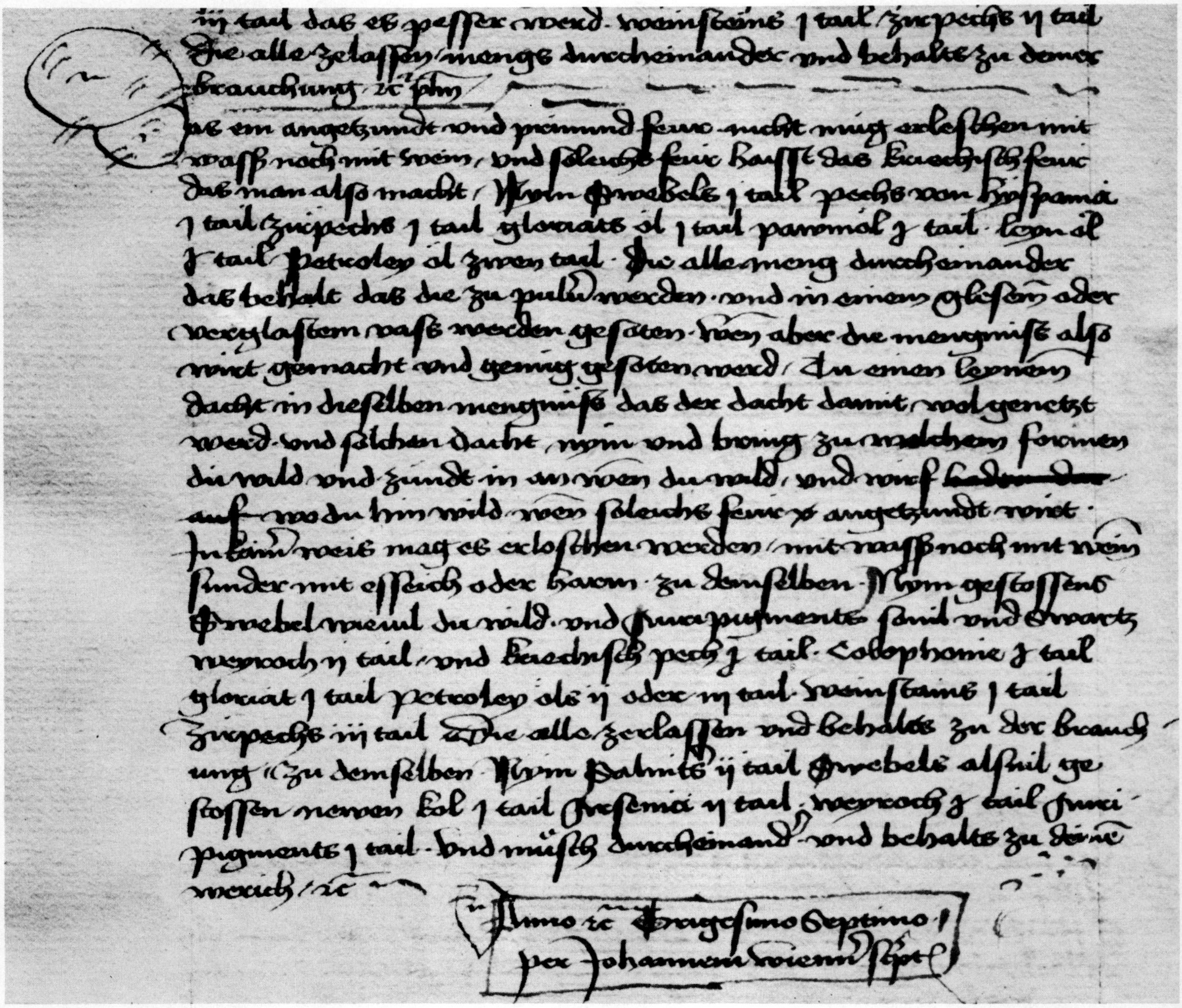

iij tail das es pesser werd. weinsteins j tail zinpechs ij tail
die alle zelassen menge durcheinander und behalts zu deiner
brauchung etc. [illegible]
Das ein angezundt und prinnend fewr nicht mug erleschen mit
wasser noch mit wein, und solichs fewr haysst das kriechisch fewr
das man also macht. Nym swebels j tail pechs von hyspania
j tail zinpechs j tail glorats öl j tail paromöl j tail lyn öl
j tail petroley öl zwen tail. die alle meng durcheinander
das behalt das die zu pulver werden. und in einem glesein oder
verglastem vass werden gesoten. Wen aber die mengnüss also
wirt gemacht und genug gesoten werd. Tu einen lynein
dacht in dieselben mengnüss das der dacht damit wol genetzt
werd. und solchen dacht, nym und bring zu welchen formen
du wild und zundt in an wen du wild, und wurf
auf was du hin wild. wen solichs fewr angezundt wirt.
in kainerweis mag es erloschen werden mit wasser noch mit wein
sunder mit essich oder harm. zu demselben. Nym gestossens
swebel [illegible] du wild. und auripigments [illegible] und swartz
weyrach ij tail, und kriechisch pech j tail. Colophonie j tail
glorat j tail petroley öls ij oder iij tail. weinstains j tail
zinpechs iij tail. die alle zerlassen und behalts zu der brauch
ung. Zu demselben. Nym salniters ij tail swebels als vil ge
stossen weiden kol j tail Arsenici ij tail. weyrach j tail auri
pigments j tail. und müsch durcheinander und behalts zu deinen
werich etc.

Anno etc. tricesimo septimo
per Johannem [illegible]

Abb. 551 Cod. 3062, fol. 25v 1437

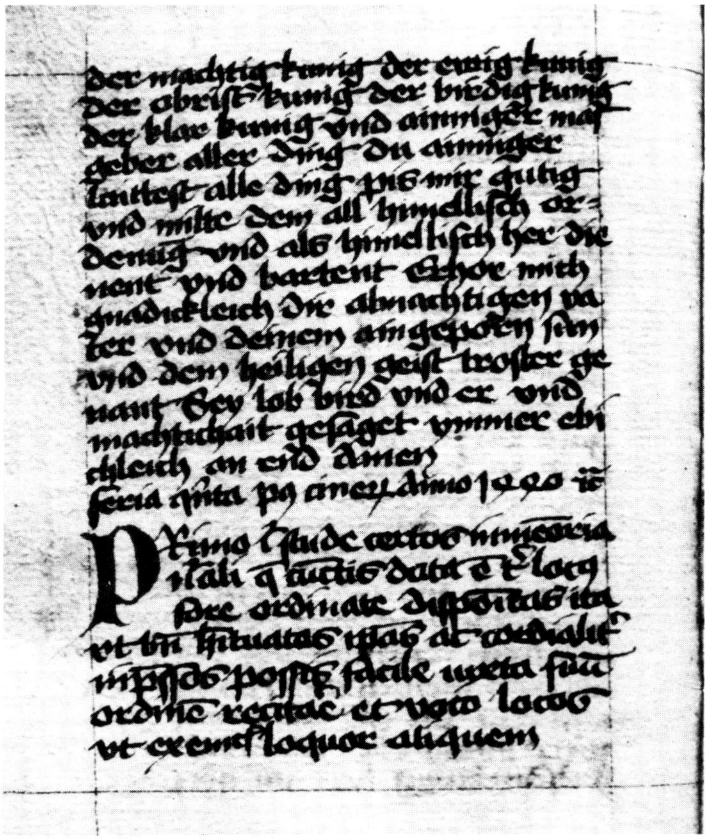

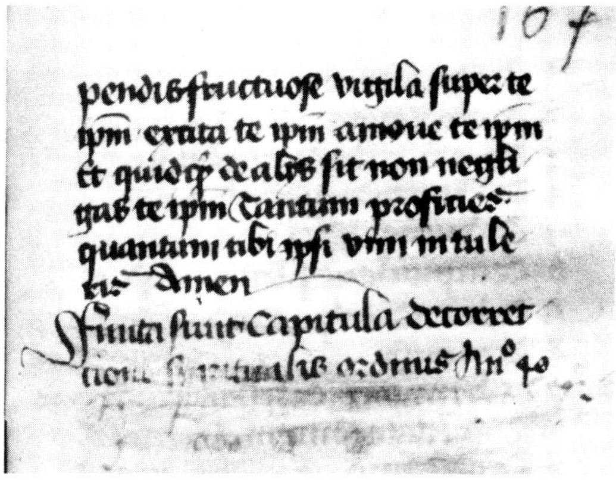

Abb. 553 Cod. 2248, fol. 167r (Mondsee), 1440

Abb. 552 Cod. 3011, fol. 53v 1440

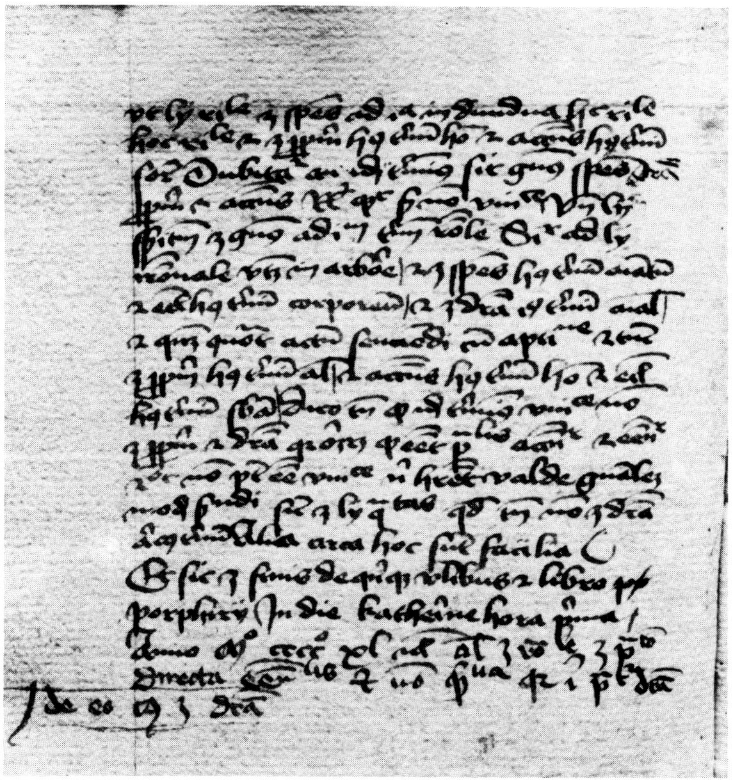

Abb. 554 Cod. 4778, fol. 68v 1440

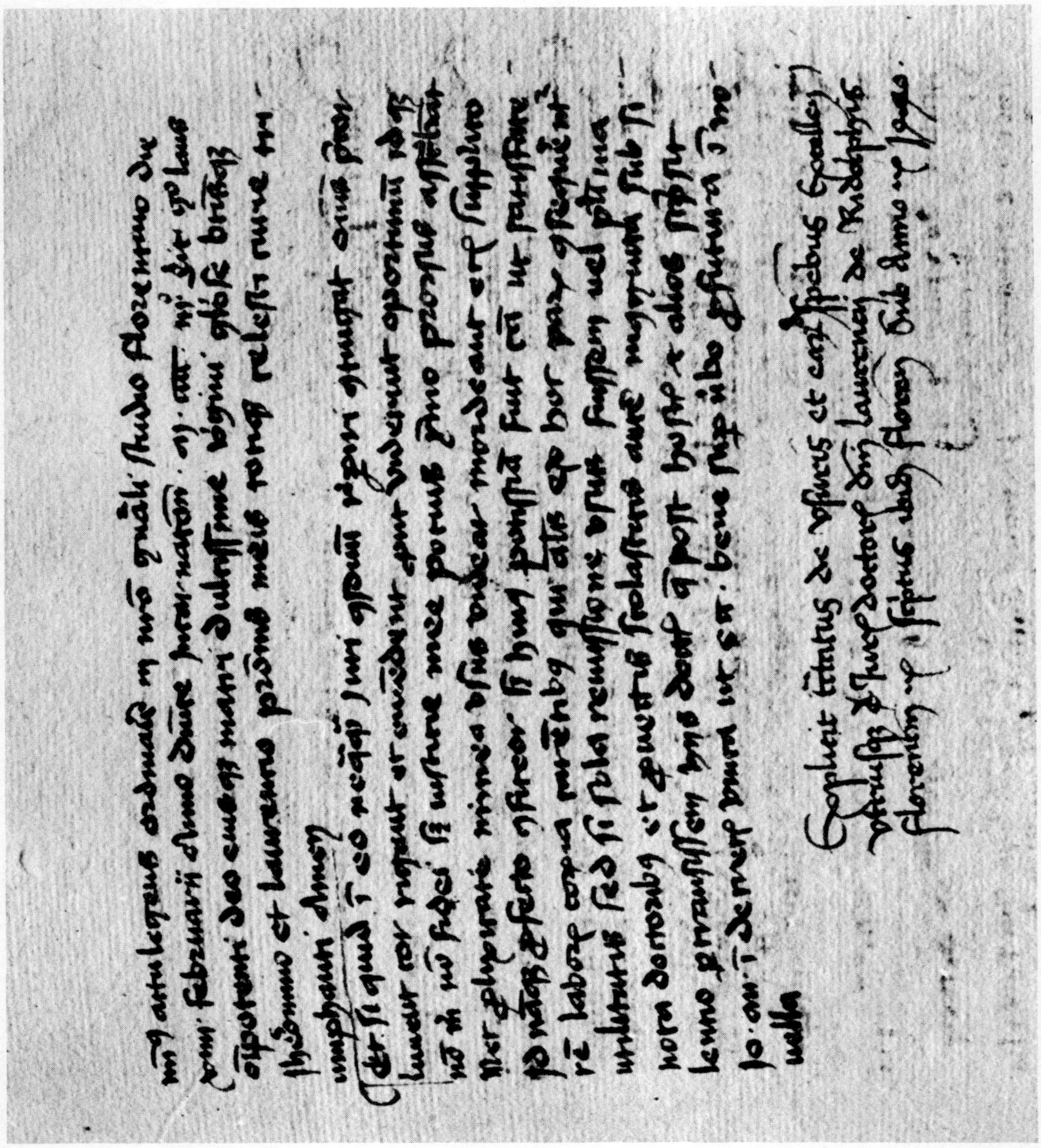

Abb. 555 Cod. 4139, fol. 166r Florenz, 1440

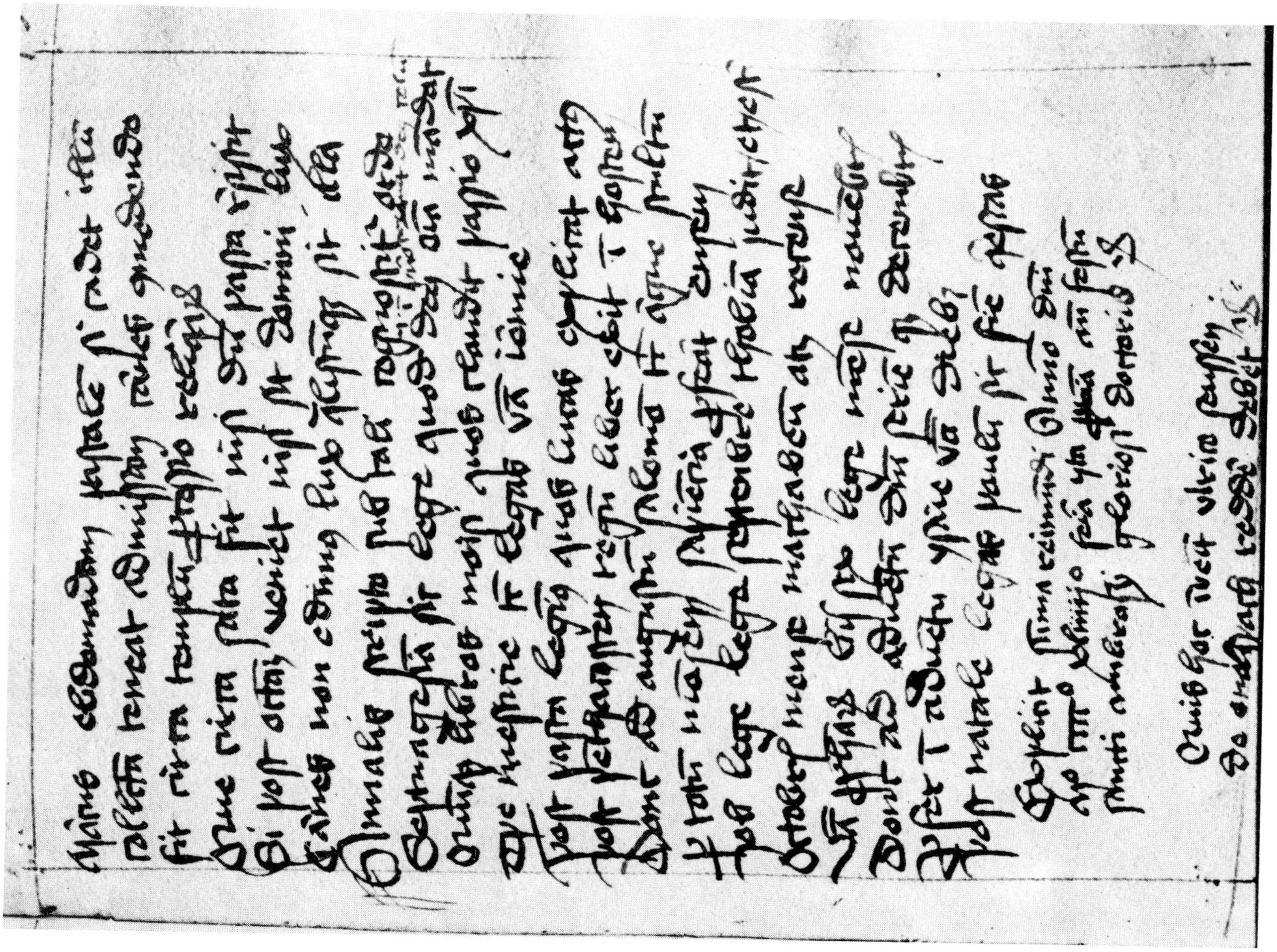

Abb. 557 Cod. 3829, fol. 136r 1445

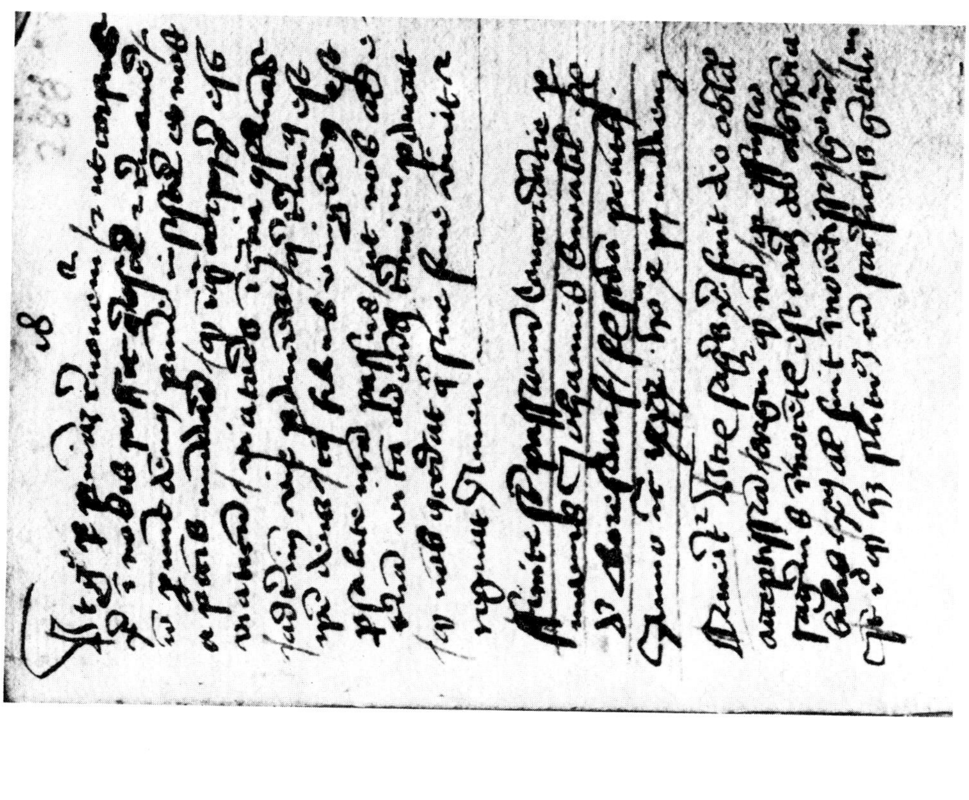

Abb. 556 Cod. 4561, fol. 288r 1444

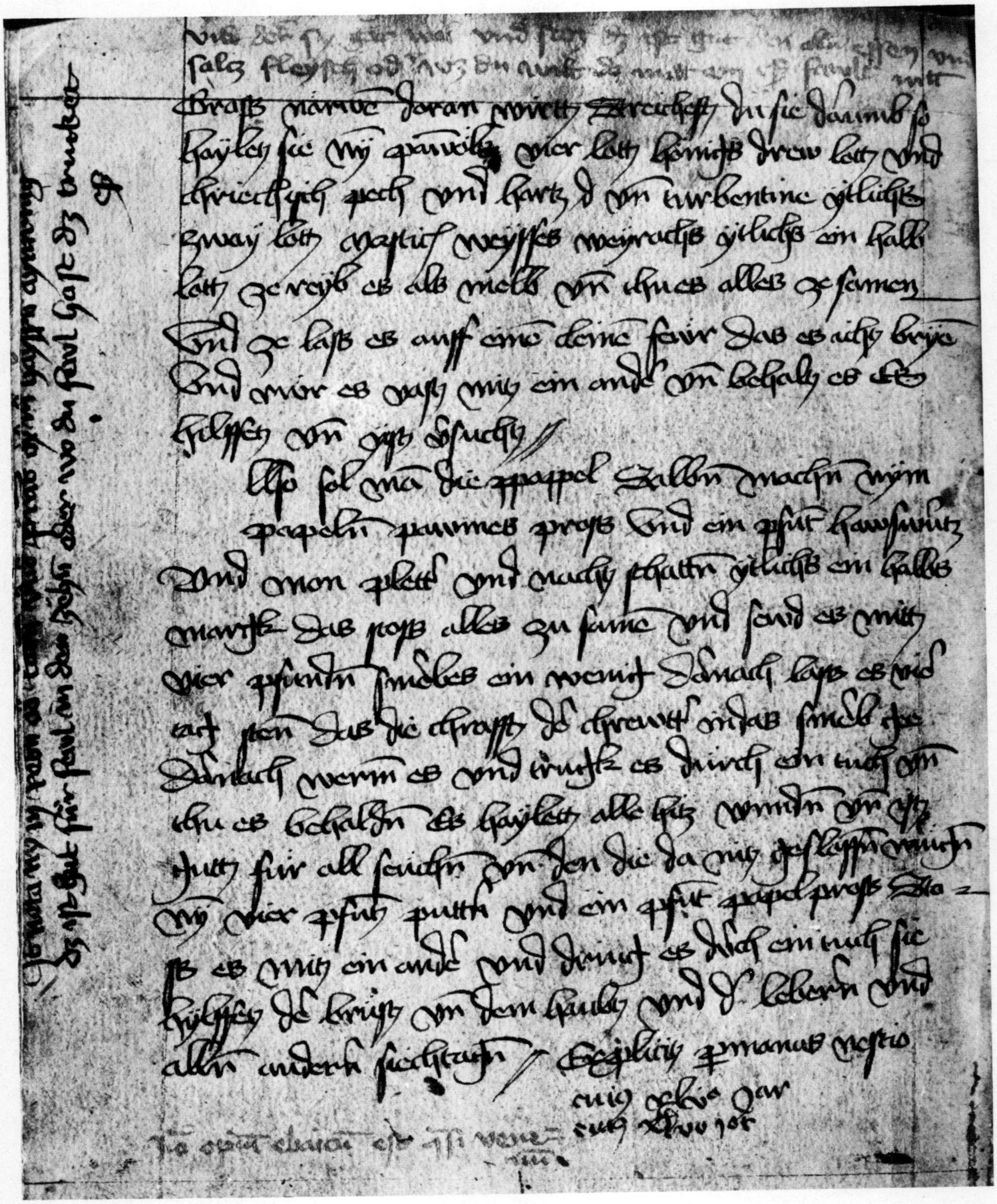

Abb. 558 Cod. 5206, fol. 158^{v} 1445

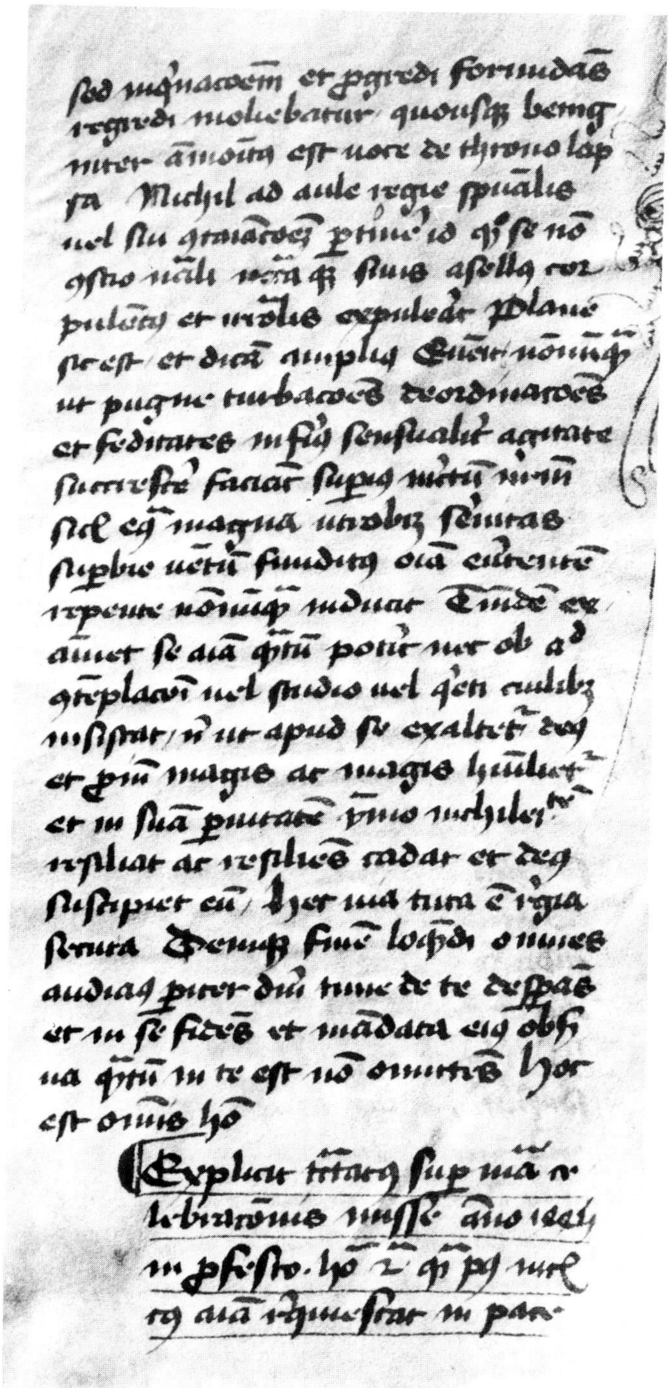

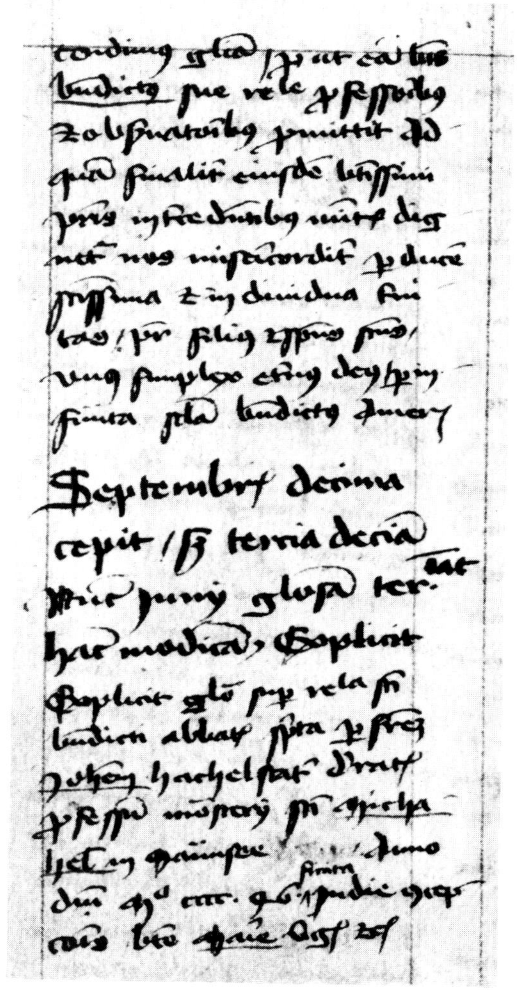

Abb. 560 Cod. 3813, fol. 481v Mondsee, 1446

Abb. 559 Cod. Ser. n. 12788, fol. 153v 1445

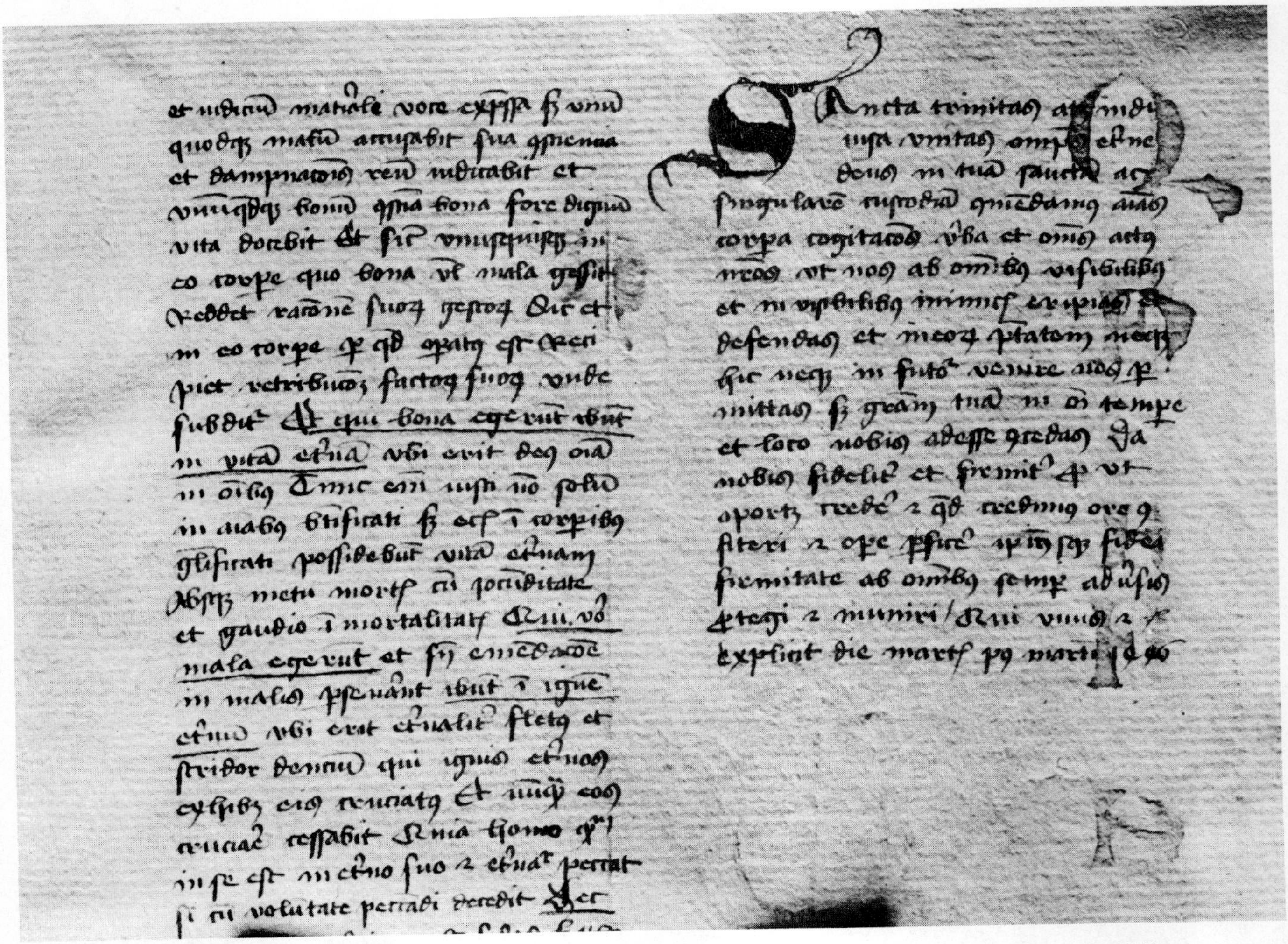

Abb. 561 Cod. 4216, fol. 356r (Straßburg ?), 1446

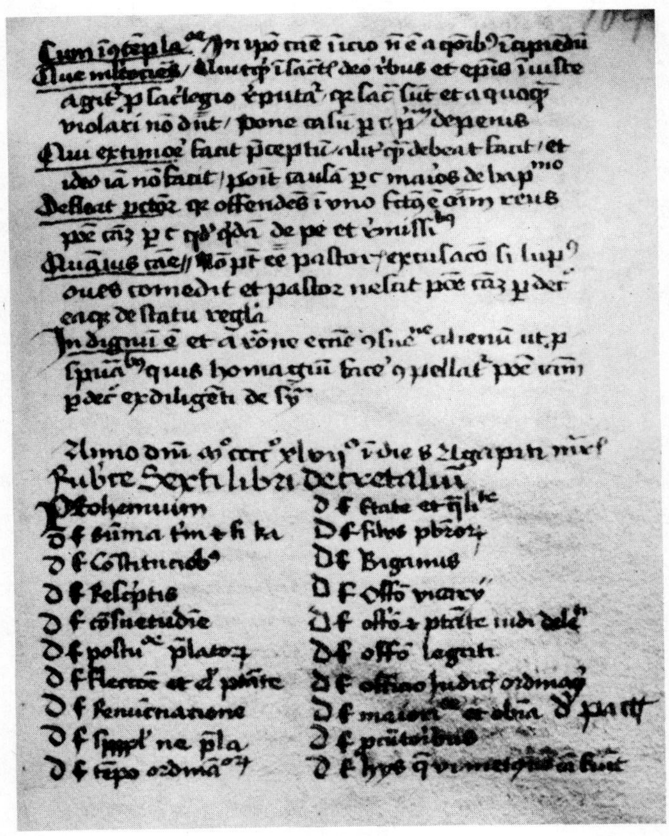

Abb. 562 Cod. 2244, fol. 104r (Göttweig ?), 1447

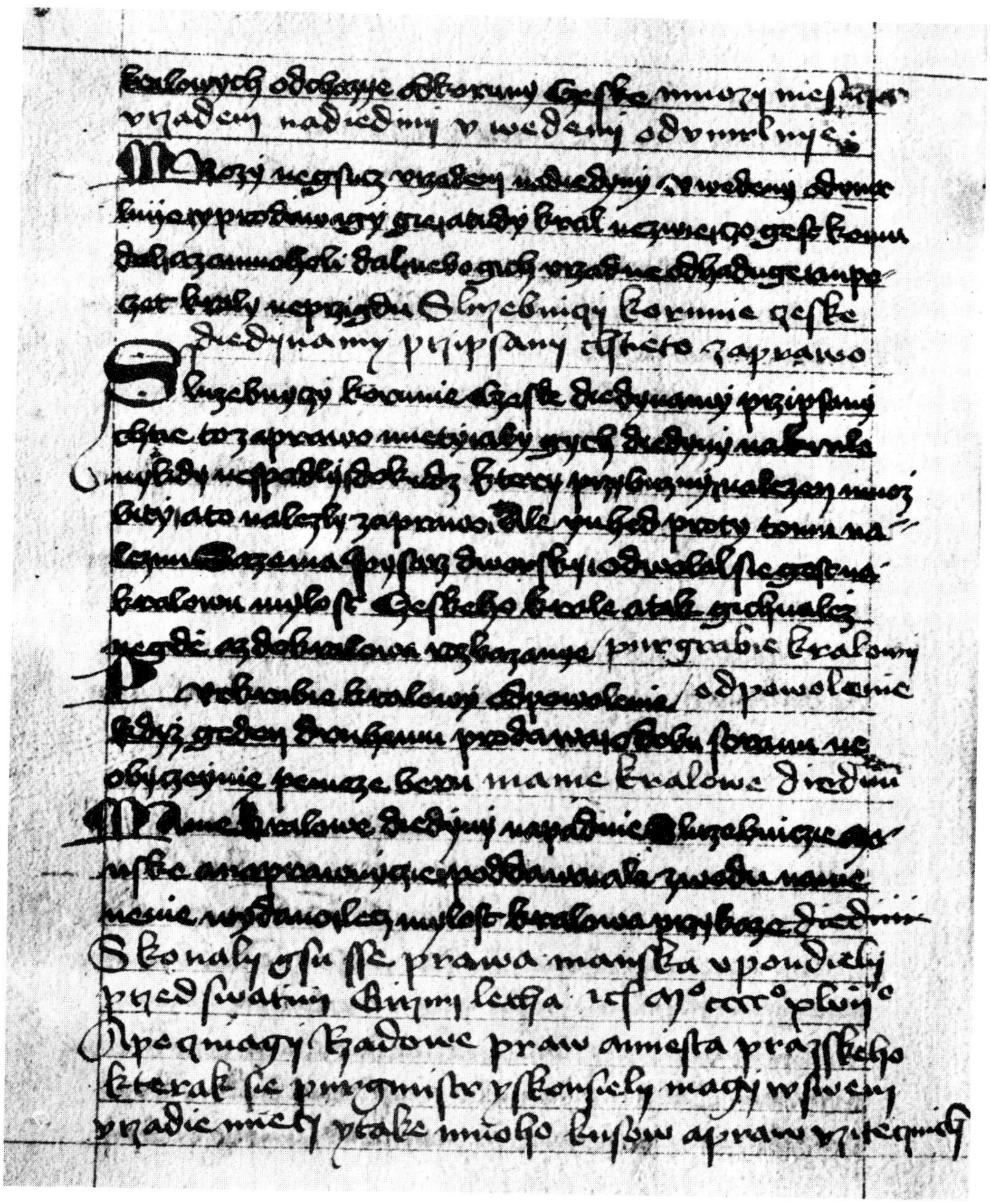

Abb. 563 Cod. 3454, fol. 140v (Böhmen), 1447

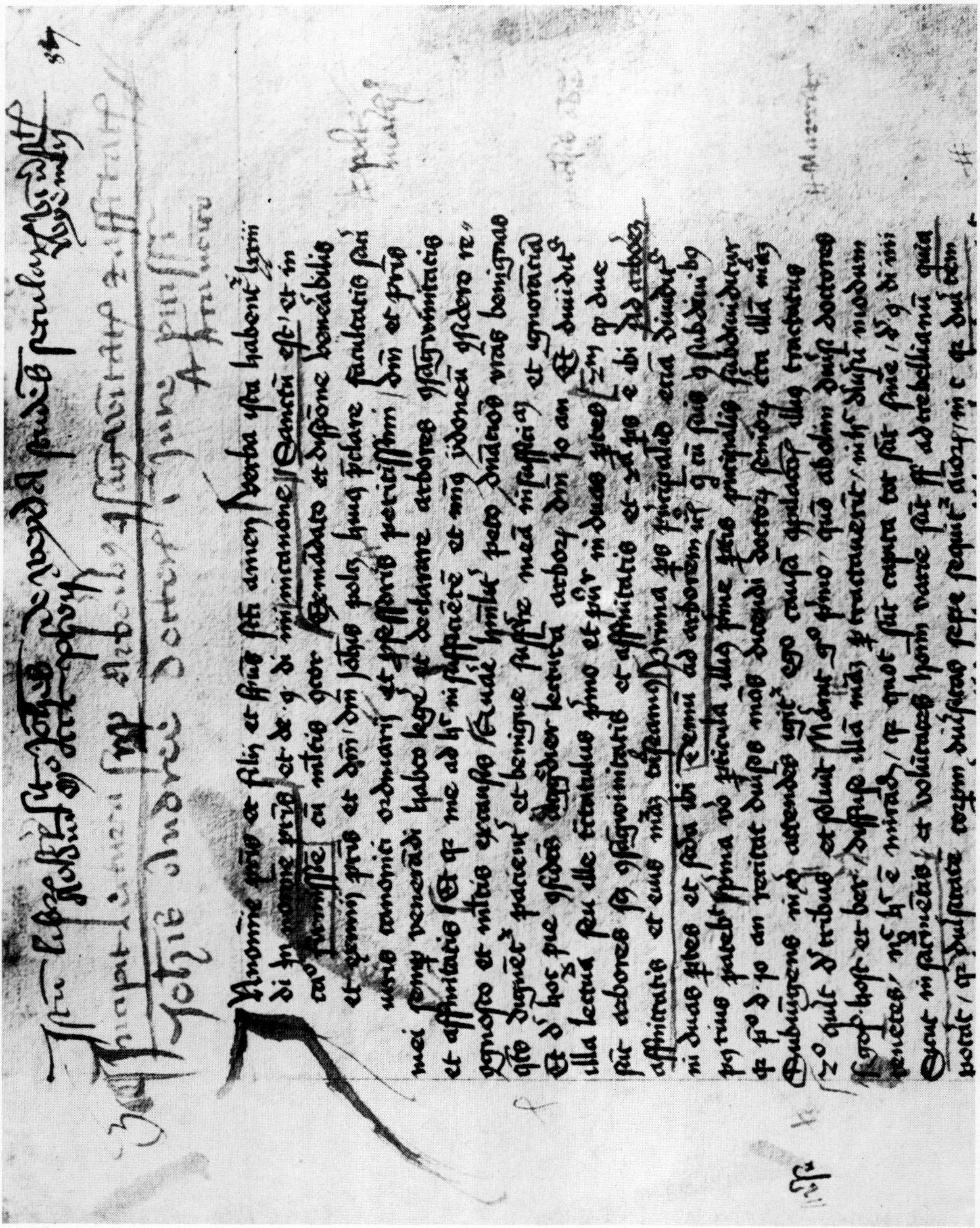

Abb. 564 Cod. 4201, fol. 87r Wien, 1447

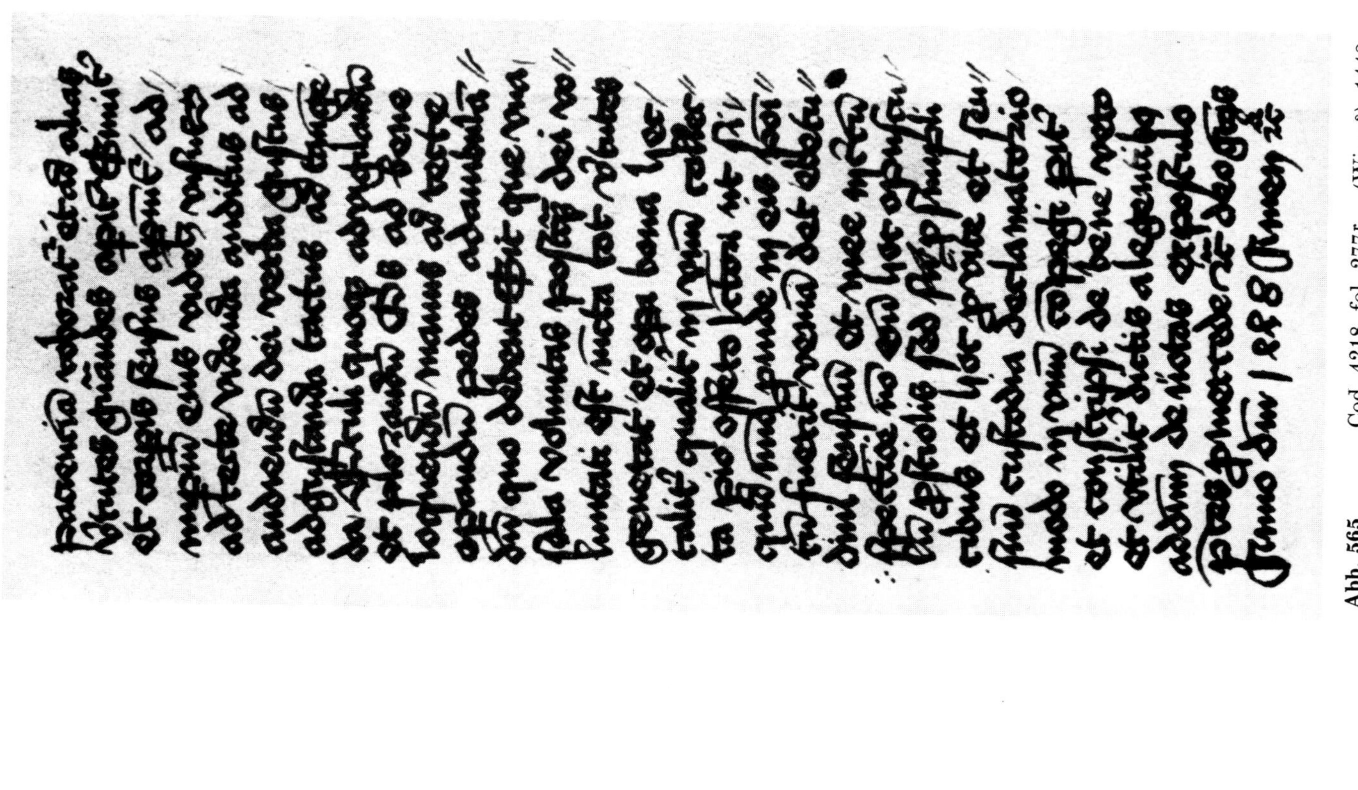

Abb. 565 Cod. 4218, fol. 277r (Wien ?), 1448

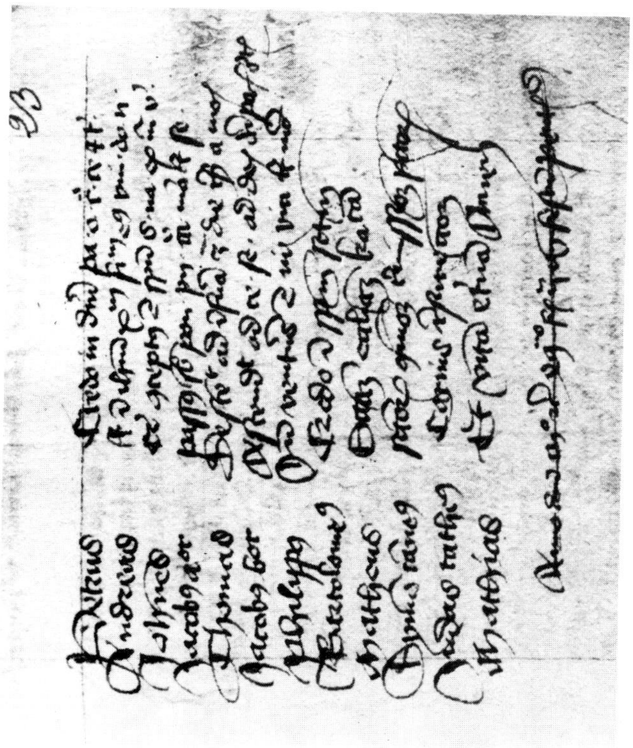

Abb. 566 Cod. 4072, fol. 23r (Mondsee), 1449

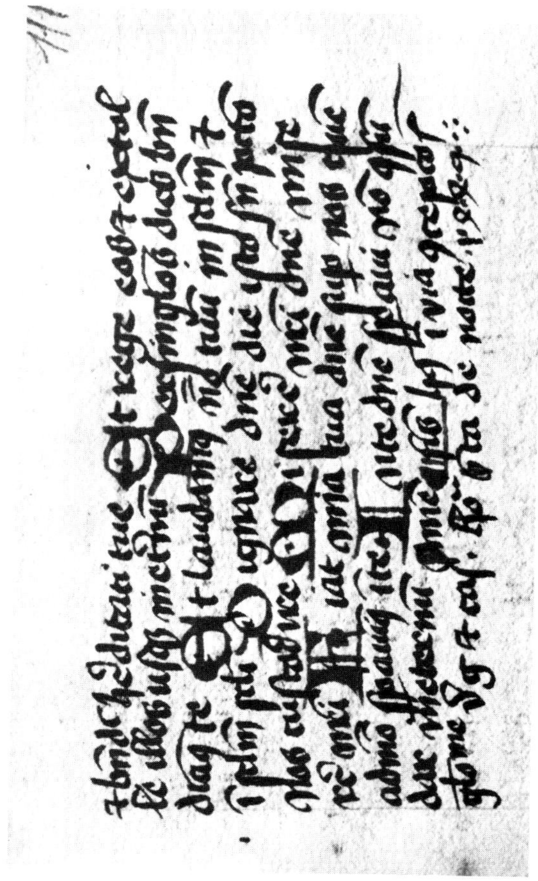

Abb. 567 Cod. 4005, fol. 111r (Mondsee ?), 1449

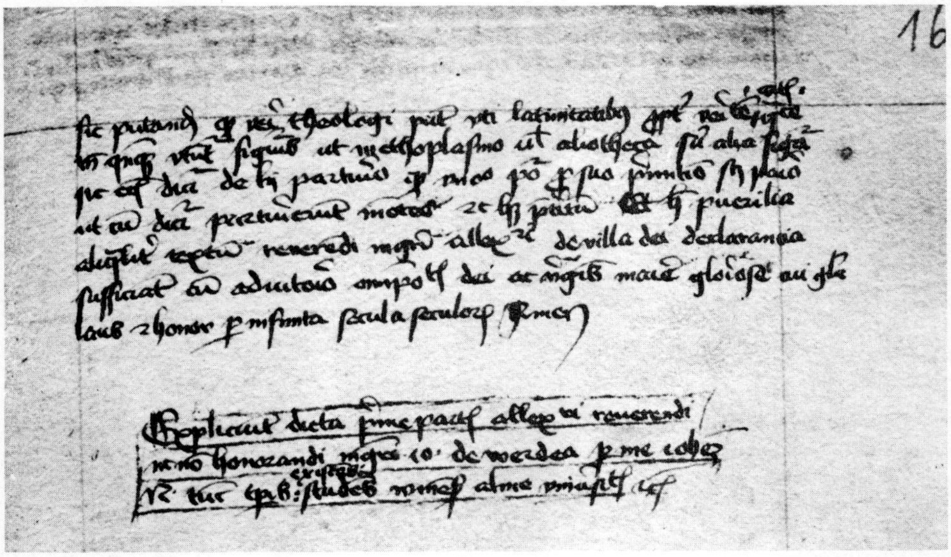

Abb. 568 Cod. 5150, fol. 164r Wien, 1449

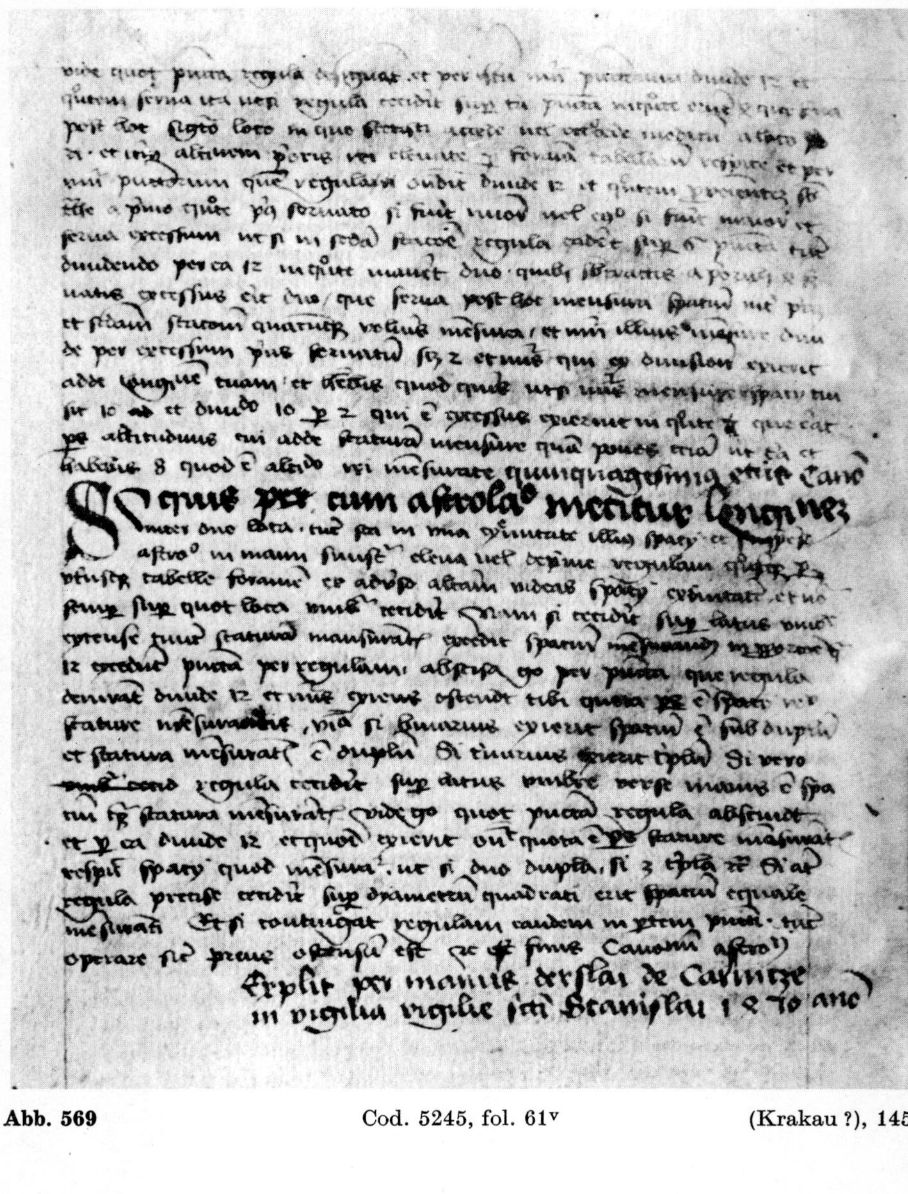

Abb. 569 Cod. 5245, fol. 61v (Krakau ?), 1450

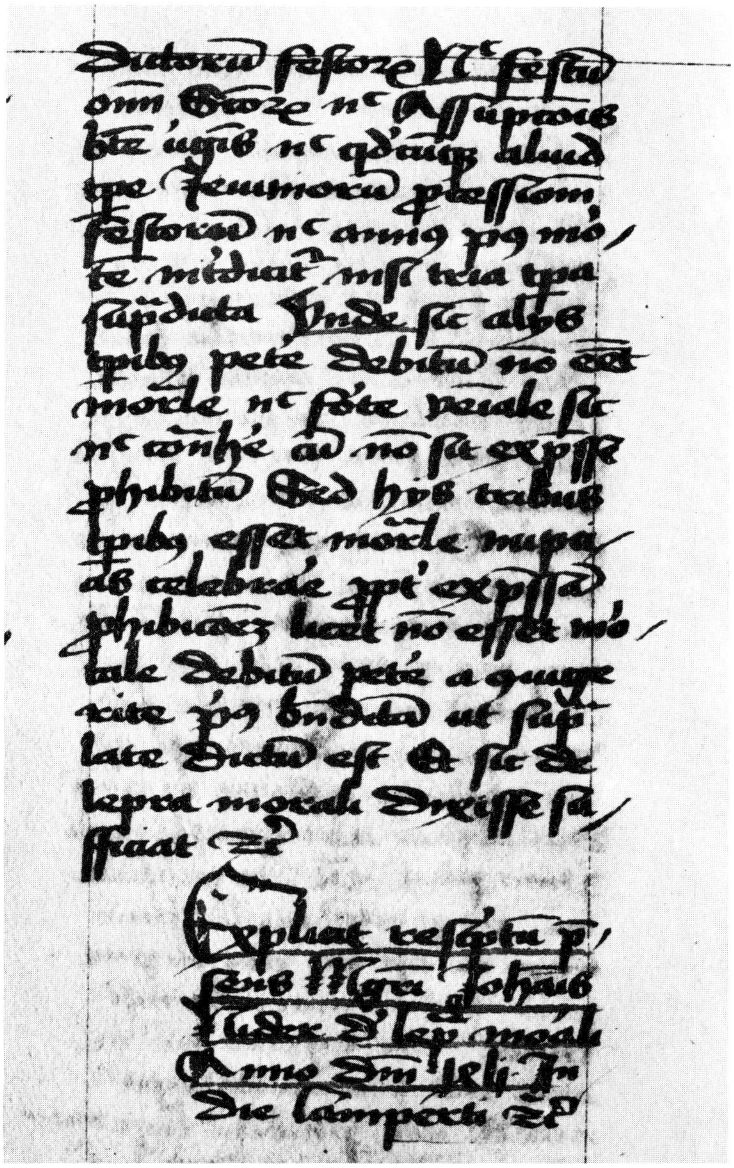
Explicit reportata per sensus Magistri Johannis Nider de lepra morali Anno domini 1451 In die Lamperti etc.

Abb. 570 Cod. 3861, fol. 316v 1451

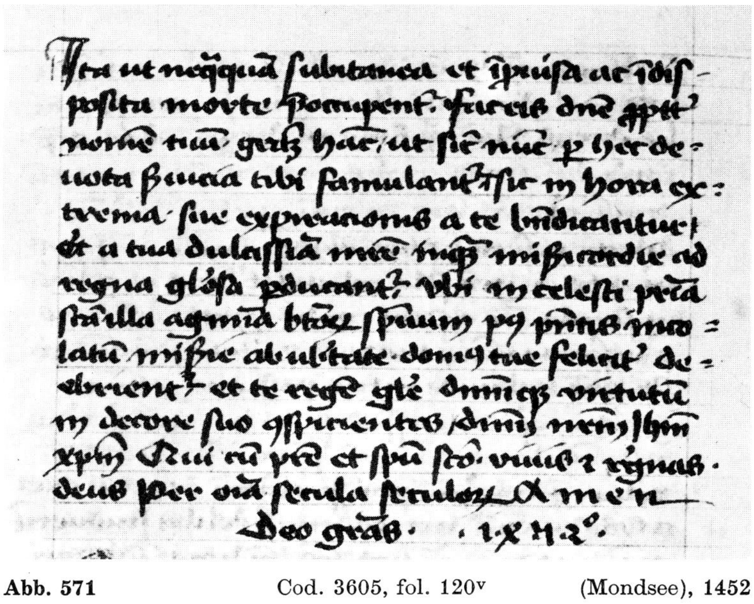
Ita ut nequaquam substancia et ipsius ac dis-
posita morte corrumpent. concedas domine ...
nomine tuo gratis hac, ut sic nunc per hec de-
vota servicia tibi famulantur sic in hora ex-
trema sive expiracionis a te benedicantur
et a tua dulcissima matre misericordie ad
regna gloriosa perducantur. Ubi in celesti pre-
sencia agmina beatorum spirituum per prius mo-
lata misericordie ab ubertate domus tue feliciter de-
lectentur et te regem glorie dominum virtutum
in decore suo conspiciant dominum nostrum Ihesum
Christum Qui cum patre et spiritu sancto vivis et regnas
deus Per omnia secula seculorum Amen
Deo gracias . 1 4 5 2 .

Abb. 571 Cod. 3605, fol. 120v (Mondsee), 1452

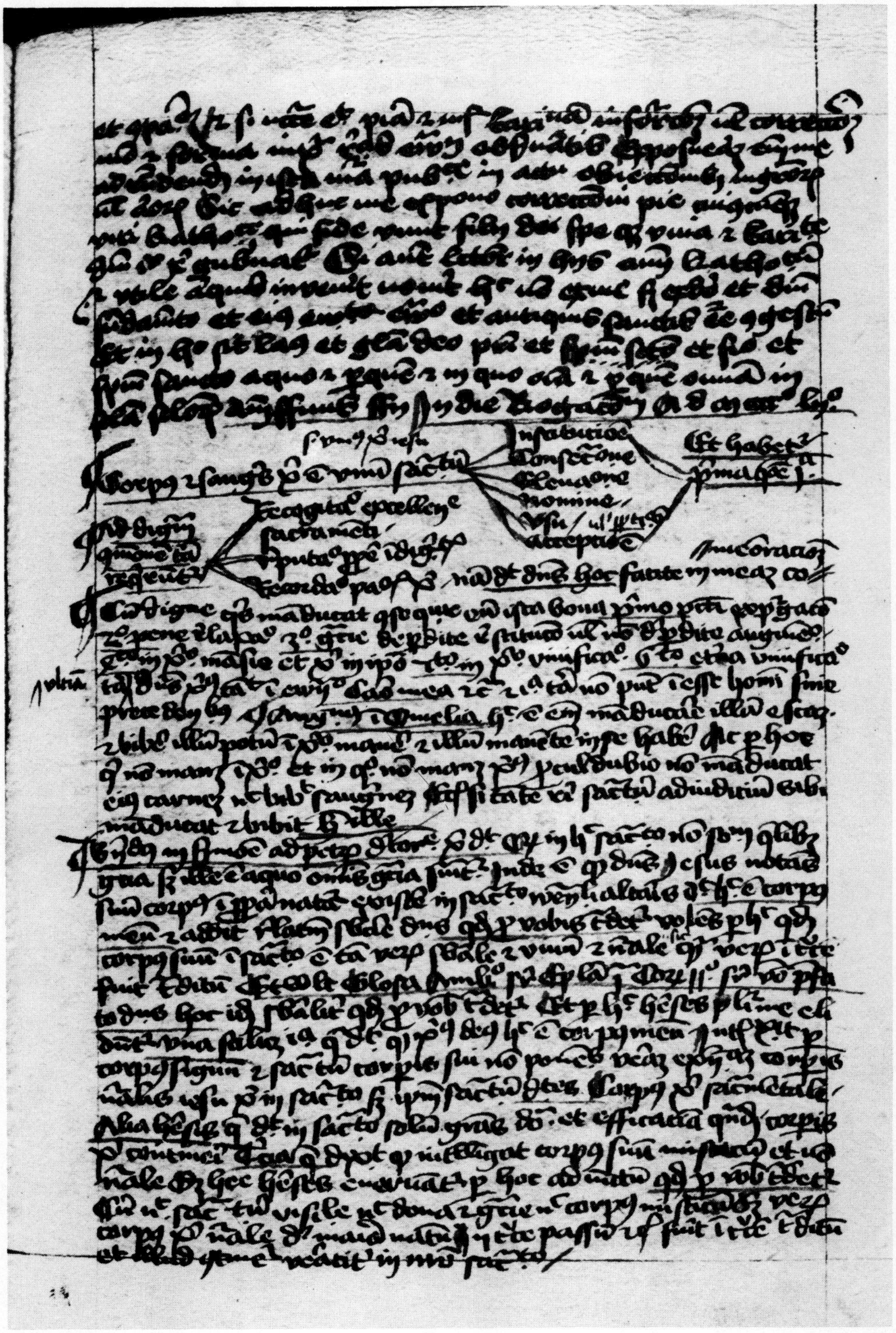

Abb. 572 Cod. 4936, fol. 181ʳ 1452

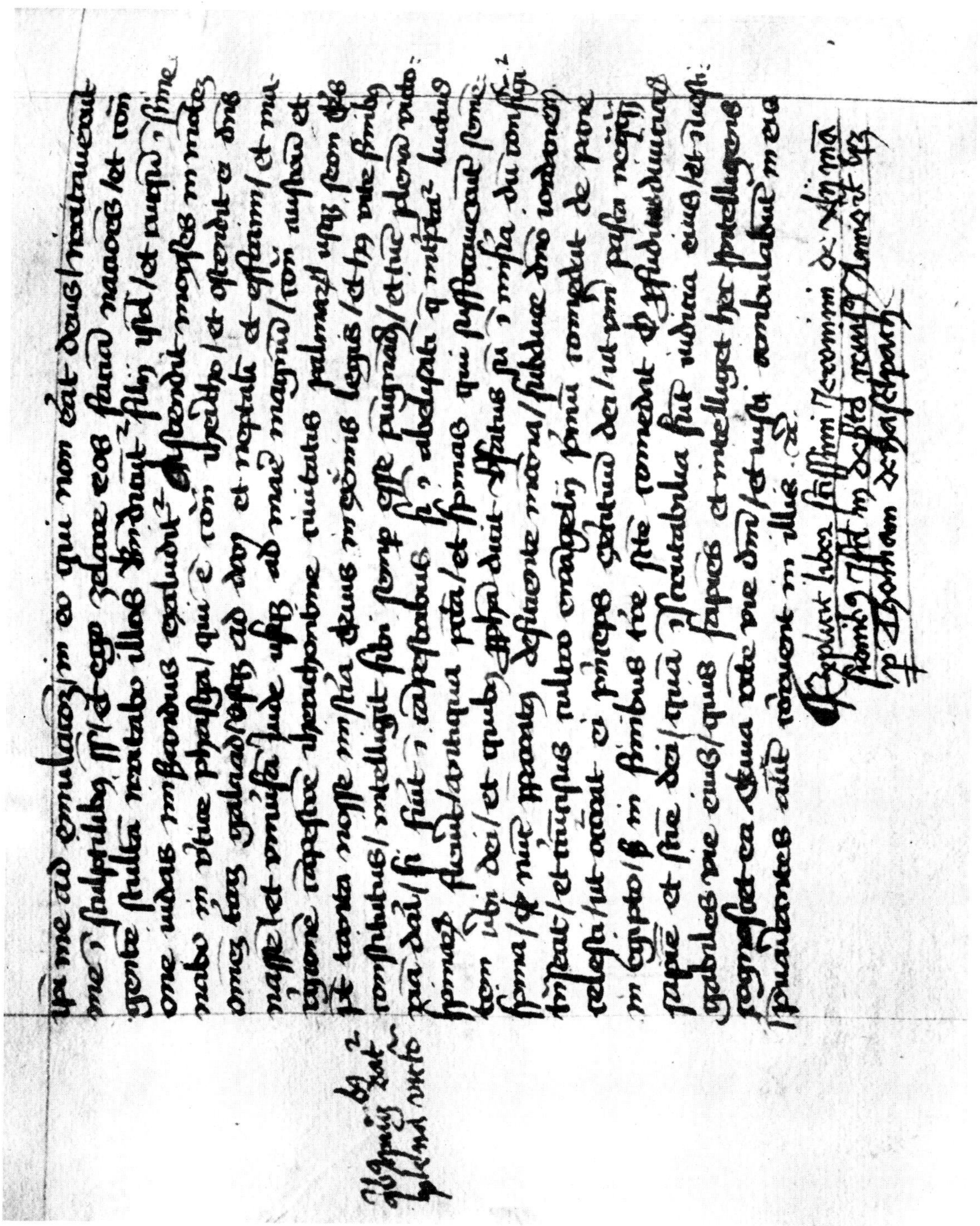

Abb. 573 Cod. 4602, fol. 232v (Wien ?), 1453

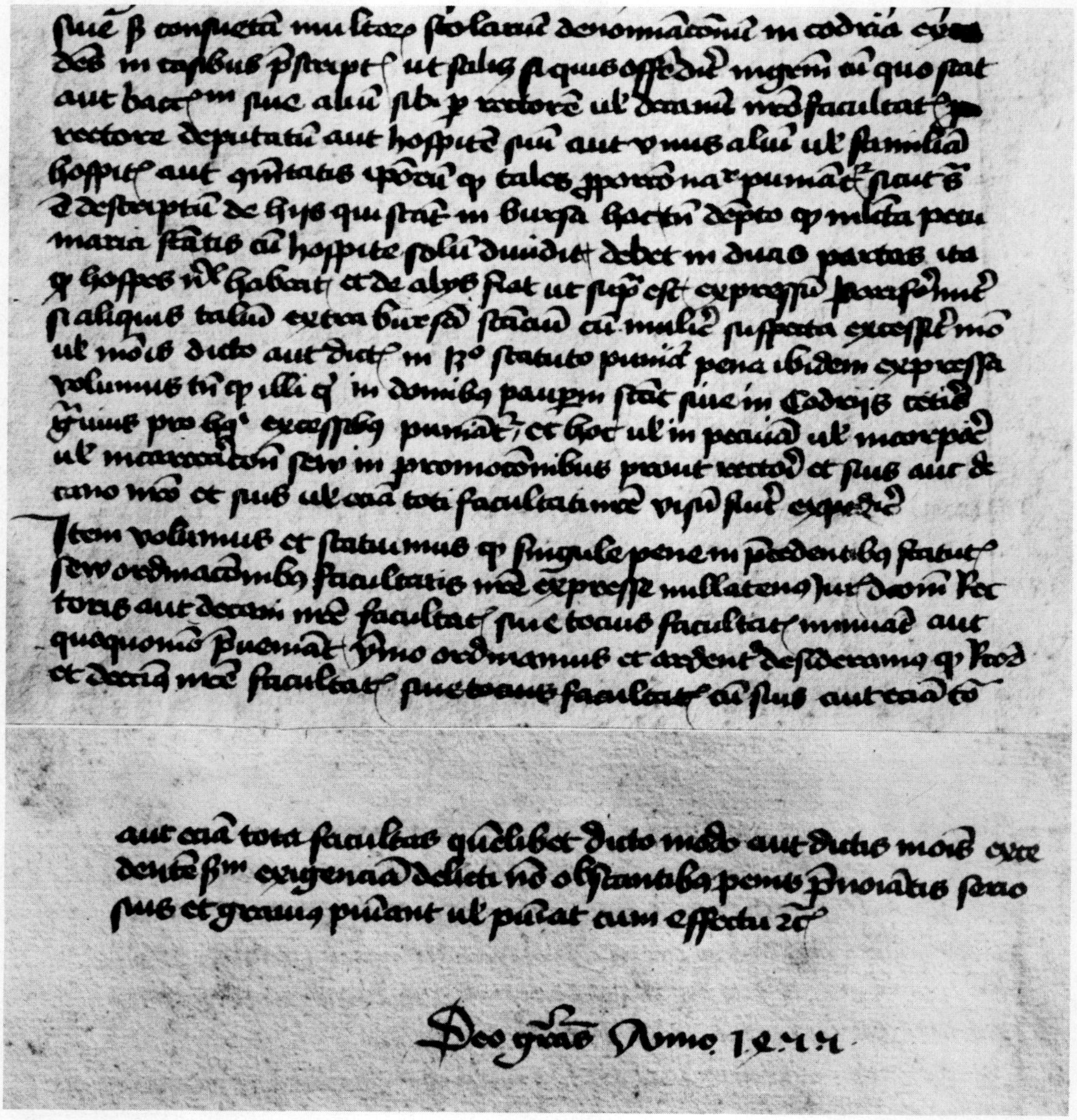

Abb. 574 Cod. 14890, fol. 97^{r-v} (Wien), 1455

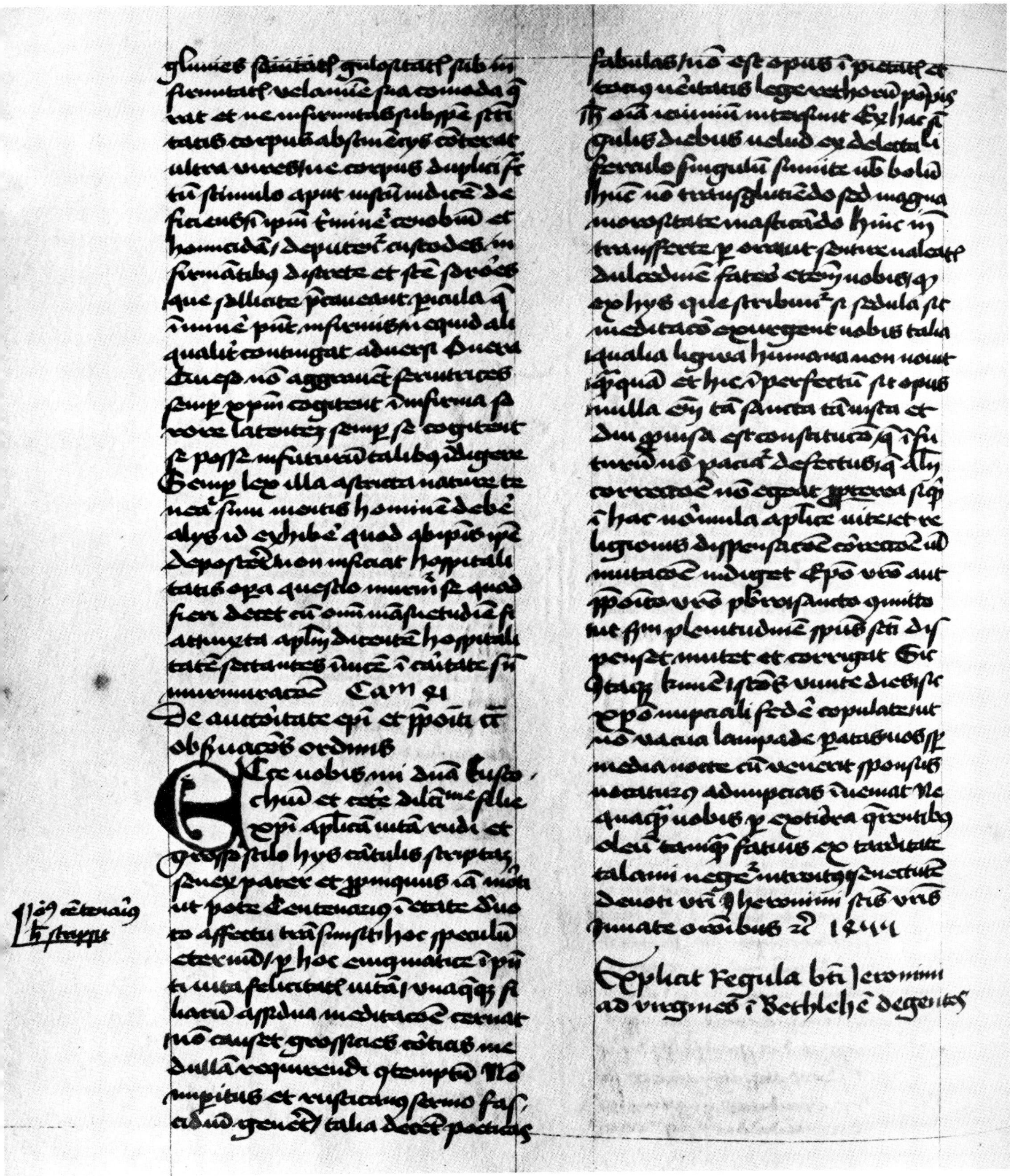

Explicit regula bti Jeronimi ad virgines i Bethlehē degentes

Abb. 575 Cod. 3994, fol. 82v 1455

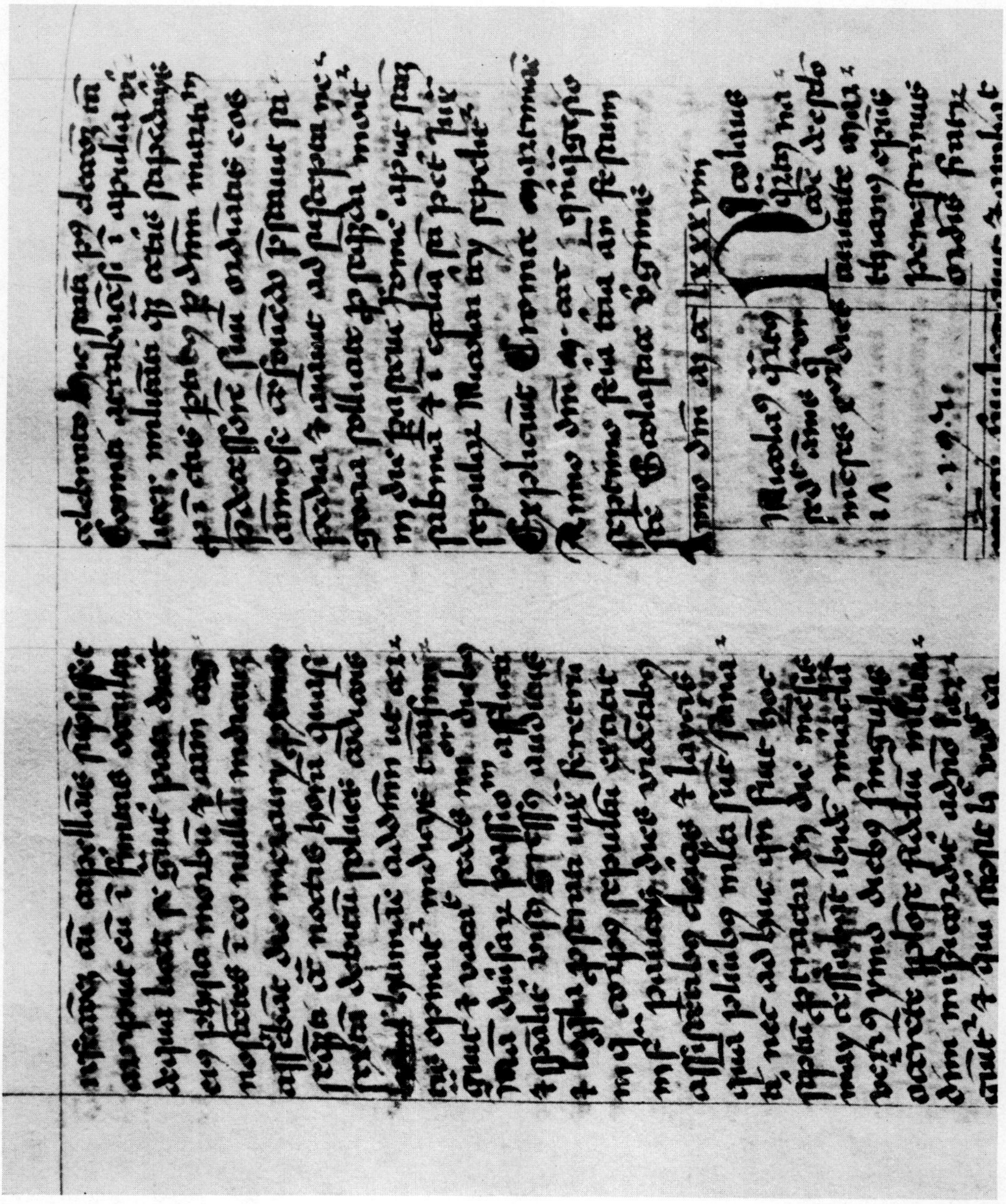

Abb. 576 Cod. 3414, fol. 33v 1457

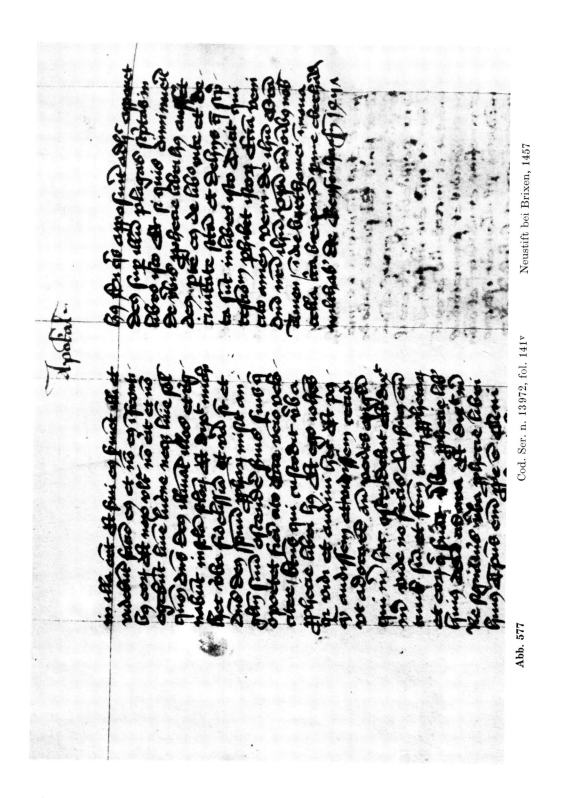

Abb. 577 Cod. Ser. n. 13972, fol. 141v Neustift bei Brixen, 1457

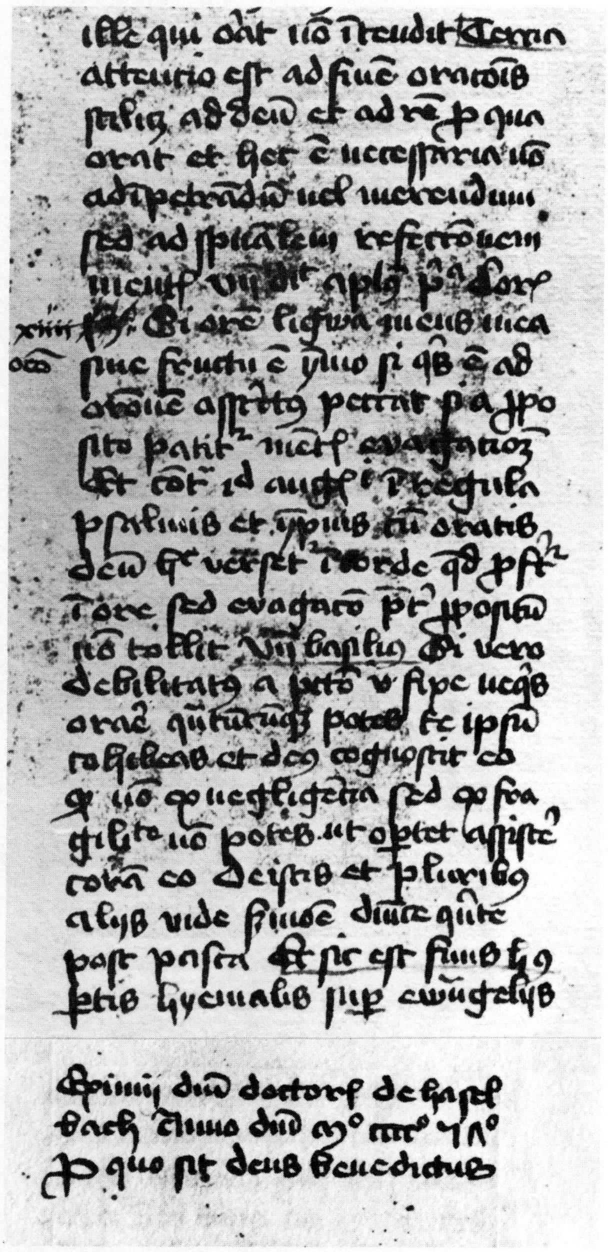

Abb. 578 Cod. 4454, fol. 416r–v (Wien ?), 1457

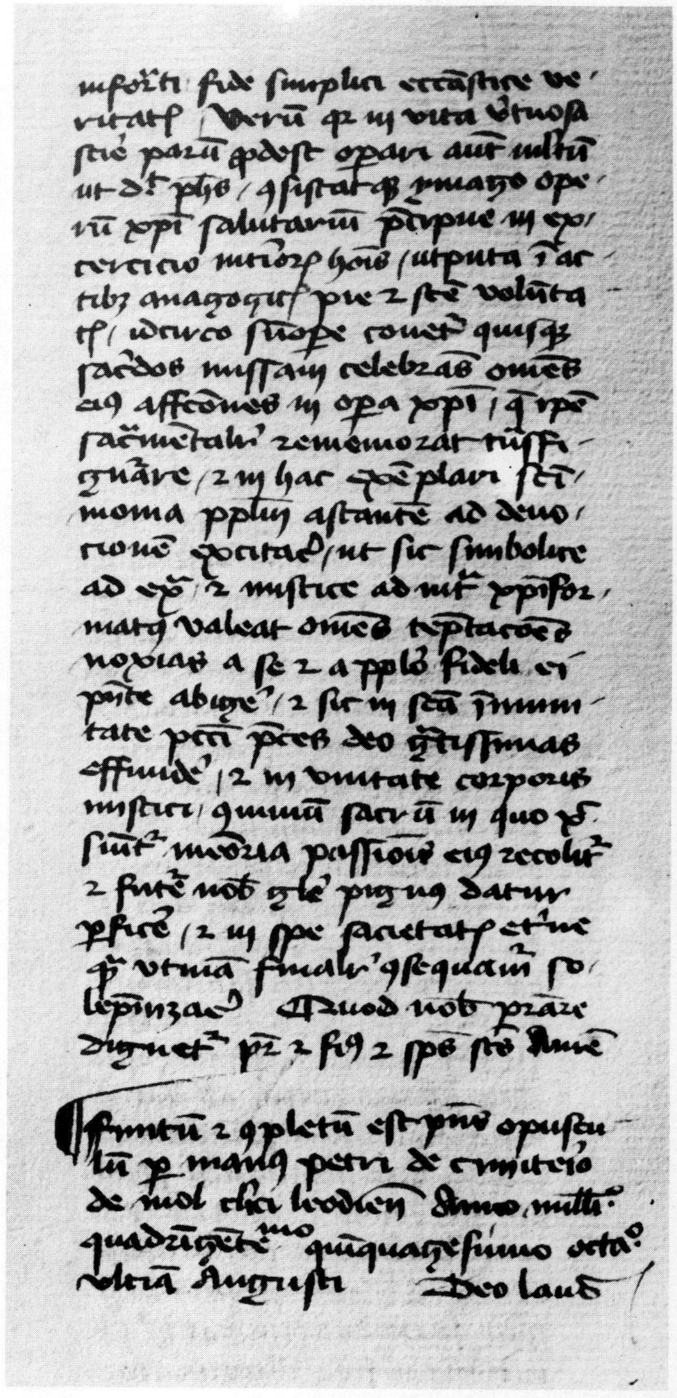

Abb. 579 Cod. Ser. n. 12788, fol. 61r 1458

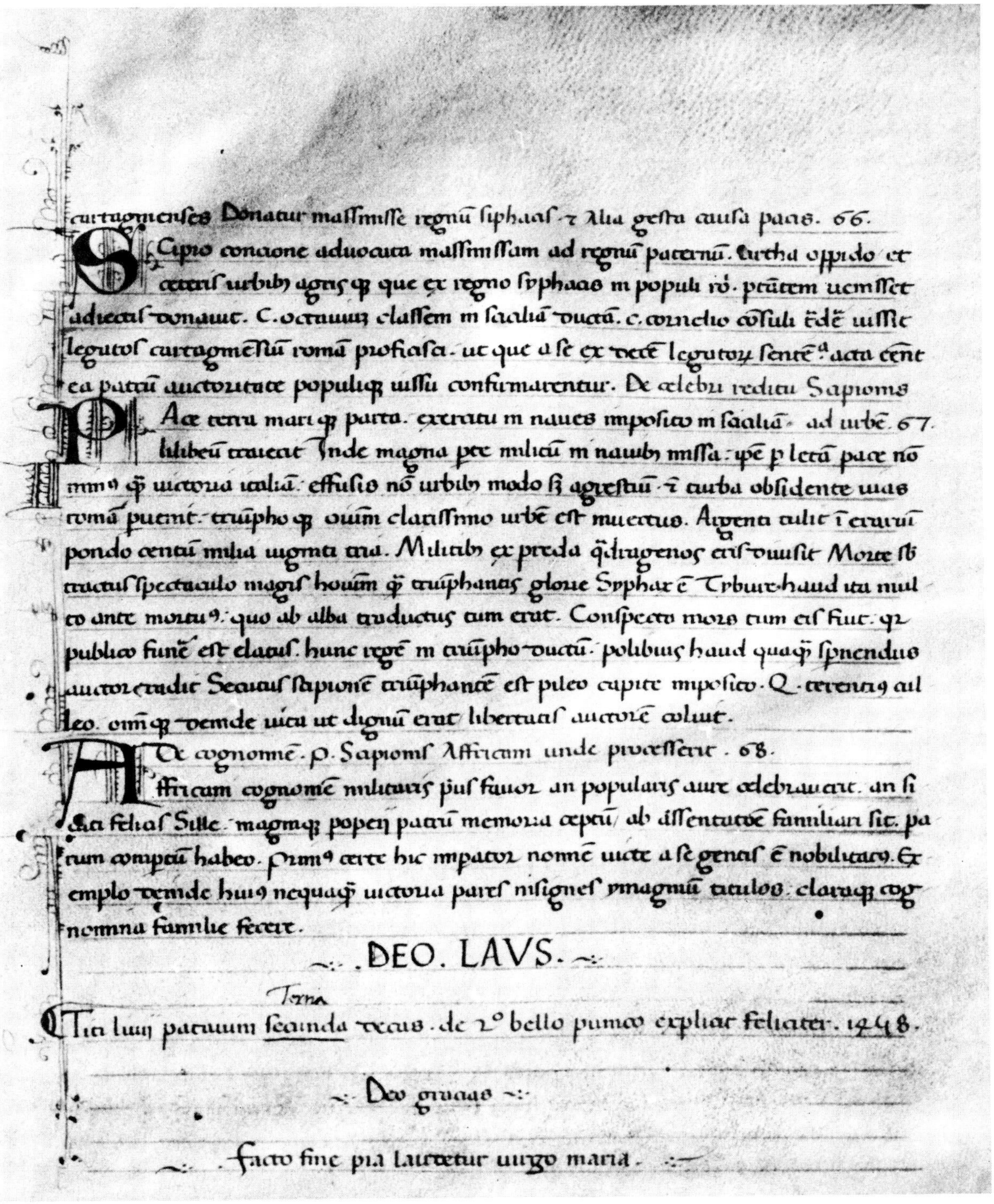
cartaginenses. Donatur massinisse regnum siphacis et alia gesta causa pacis. 66.
Scipio contione aduocata massinissam ad regnum paternum. cirtha oppido et
ceteris urbibus agrisque que ex regno siphacis in populi ro. potestatem uenisset
adiectis donauit. C. octauium classem in siciliam ductam. c. cornelio consuli tradere iussit
legatos cartaginensium romam proficisci. ut que a se ex decem legatorum sententia acta essent
ea patrum auctoritate populique iussu confirmarentur. De celebri reditu Scipionis
Pace terra marique parta. exercitu in naues imposito in siciliam. ad urbem. 67.
lilibeum traiecit. Inde magna parte militum in nauibus missa: ipse per letam pace non
minus quam uictoria italiam. effusis non urbibus modo sed agrestium et turba obsidente uias
romam peruenit. triumpho que omnium clarissimo urbem est inuectus. Argenti tulit in erarium
pondo centum milia uiginti tria. Militibus ex preda quadringenos eris diuisit. Morte sibi
tractus spectaculo magis hominum quam triumphantis glorie Syphax est. Tiburi haud ita mul
to ante mortuus: quo ab alba traductus cum erat. Conspecta mors tamen eius fuit. quia
publico funere est elatus. hunc regem in triumpho ductum. polibius haud quaquam spernendus
auctor tradit. Secutus scipionem triumphantem est pileo capiti imposito. Q. terentius cul
leo. omnique deinde uita ut dignum erat libertatis auctorem coluit.
De cognomine. p. Scipionis Affricani unde processerit. 68.
Affricanum cognomen militaris prius fauor an popularis aura celebrauerit. an si
cut felicis Sille. magnique pompei patrum memoria ceptum ab assentatione familiari sit. pa
rum compertum habeo. Primus certe hic imperator nomine uicte a se gentis est nobilitatus. Ex
emplo deinde huius nequaquam uictoria pares insignes imaginum titulos. claraque cog
nomina familie fecerit.
.DEO. LAVS.
Tertia
Titi liuii patauini secunda decas. de 2° bello punico expliat feliciter. 1448.
Deo gratias
Facto fine pia laudetur uirgo maria.

Abb. 580 Cod. Ser. n. 12913, fol. 150r 1458

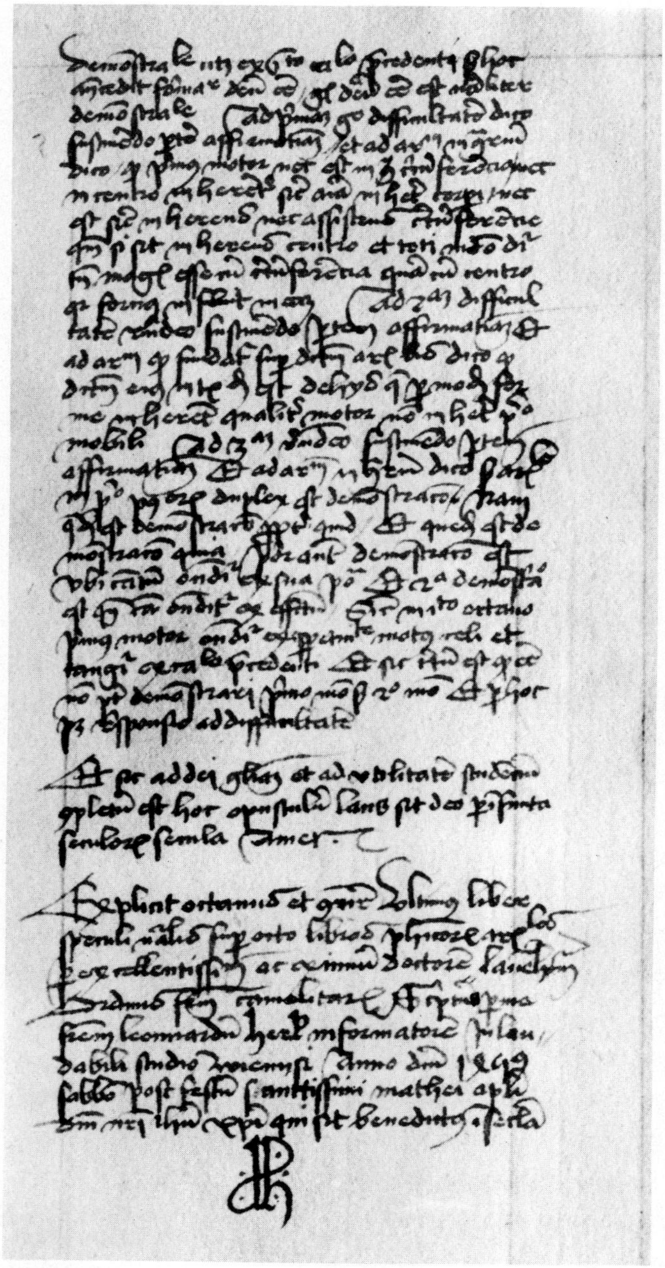

Abb. 581 Cod. 4878, fol. 29r Wien, 1459

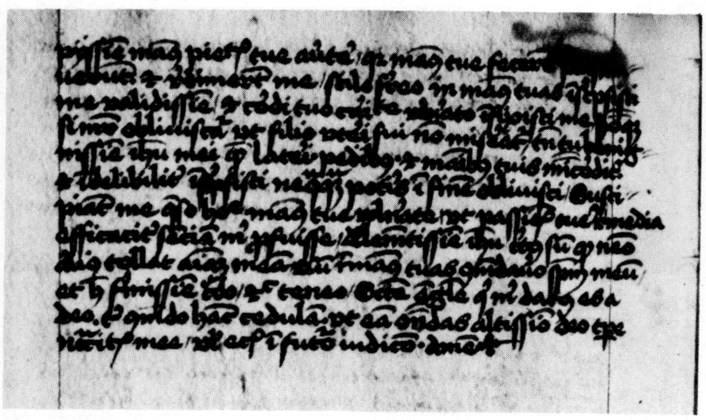

Abb. 582 Cod. 3651, fol. 297v (Mondsee), 1459

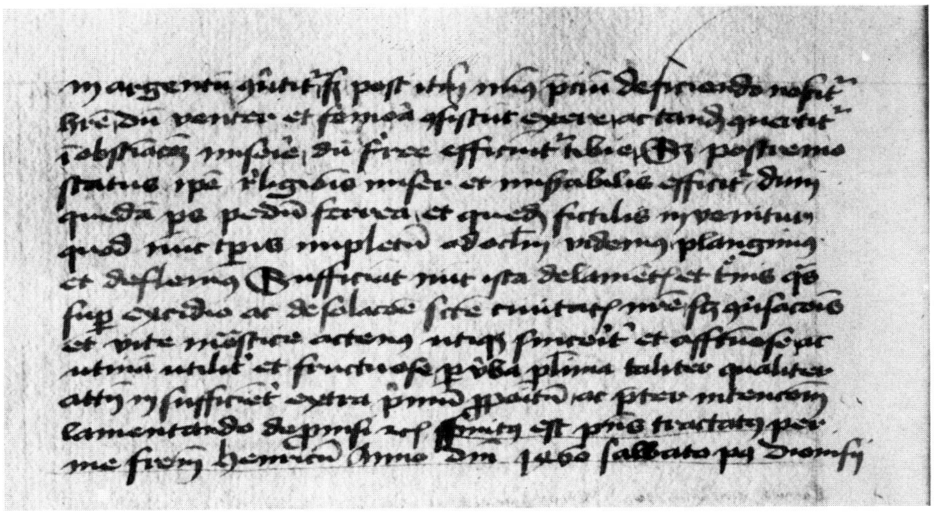

Abb. 583 Cod. 3595, fol. 179v (Mondsee), 1460

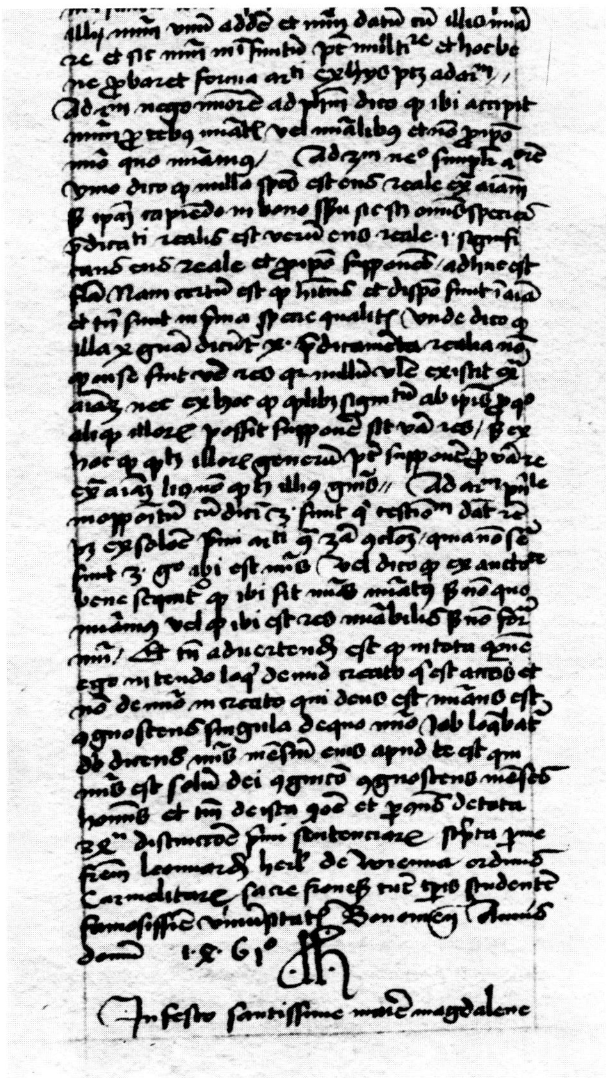

Abb. 584 Cod. 4878, fol. 128r Bologna, 1461

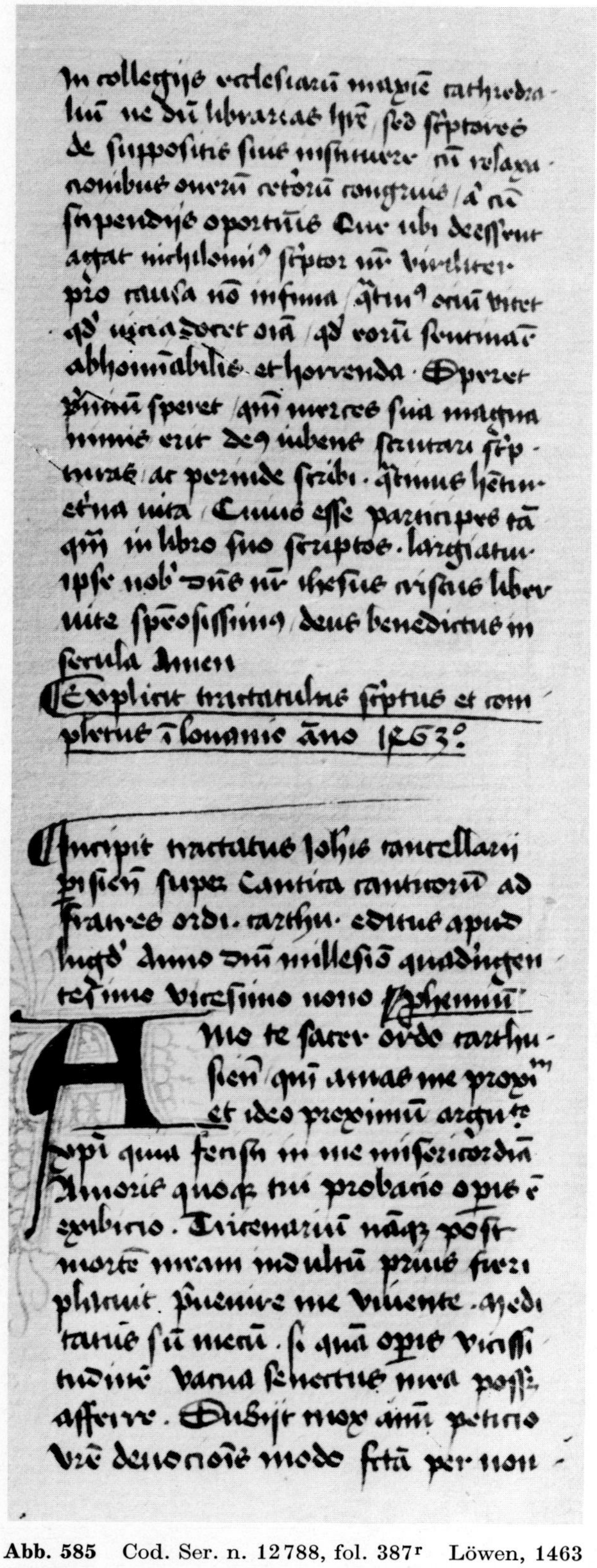

Abb. 585 Cod. Ser. n. 12788, fol. 387r Löwen, 1463

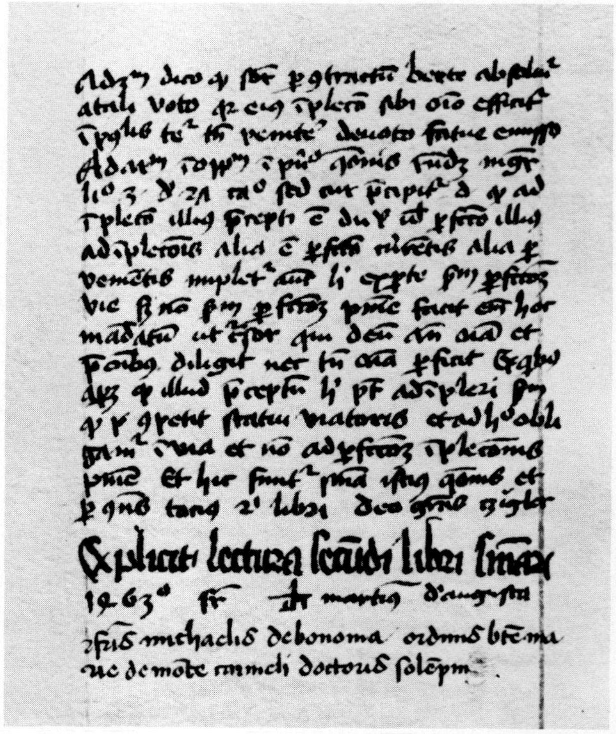

Abb. 586 Cod. 4878, fol. 190r 1463

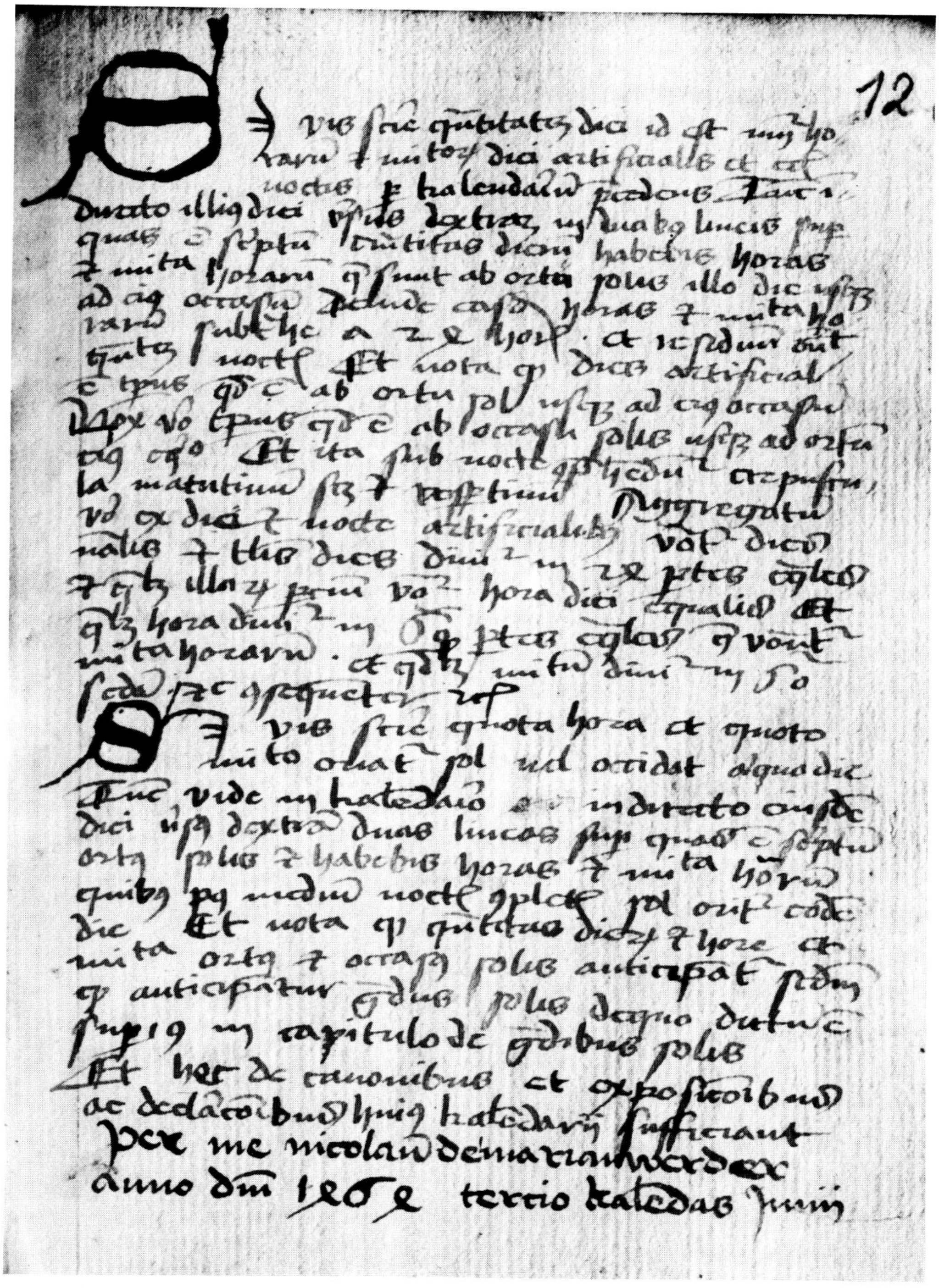
Si vis scire quantitatem diei id est numerum ho-
rarum et minutorum diei artificialis et etiam
noctis in kalendario predicto. Tunc in-
directo illius diei respice dextram in duabus lineis super
quas est scriptum quantitas dierum habebis horas
et minuta horarum que sunt ab ortu solis illo die usque
ad eius occasum. Deinde easdem horas et minuta horarum subtrahe a 24 horis et residuum erit
quantitas noctis. Et nota quod dies artificialis
est tempus quod est ab ortu solis usque ad eius occasum.
Nox vero tempus quod est ab occasu solis usque ad ortum
eius etc. Et ita sub nocte comprehenduntur crepuscu-
la matutinum scilicet et vespertinum. Aggregatum
vero ex die et nocte artificialibus vocatur dies
naturalis et talis dies dividitur in 24 partes equales
et quelibet illarum partium vocatur hora diei equalis. Et
quelibet hora dividitur in 60 partes equales que vocantur
minuta horarum. Et quodlibet minutum dividitur in 60
secunda etc. et sic deinceps etc.
Si vis scire quota hora et quoto
minuto oriatur sol vel occidat aliquo die
Tunc vide in kalendario in directo eiusdem
diei usque dextram duas lineas super quas est scriptum
ortus solis et habebis horas et minuta horarum
quibus post mediam noctem oritur sol eodem
die. Et nota quod quantitas dierum et hore et
minuta ortus et occasus solis anticipatur secundum
quod anticipatur gradus solis de quo dictum est
supra in capitulo de gradibus solis.
Et hec de canonibus et expositionibus
ac declarationibus huius kalendarii sufficiant
Per me Nicolaum de Marienwerder
anno domini 1464 tertio kalendas Junii

Abb. 587 Cod. 4007, fol. 128r 1464

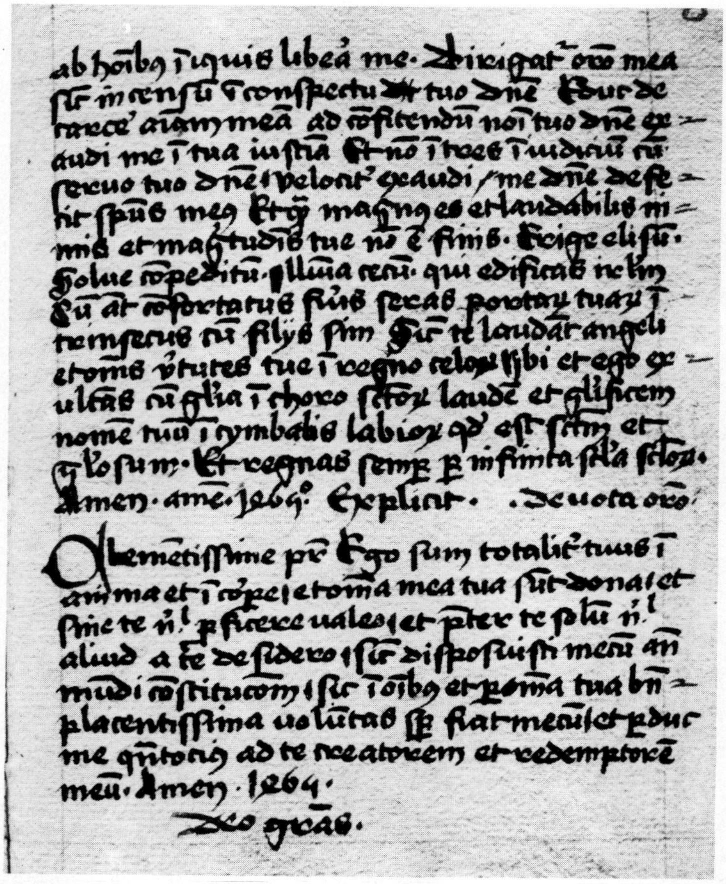

Abb. 588 Cod. 3848, fol. 87r 1465

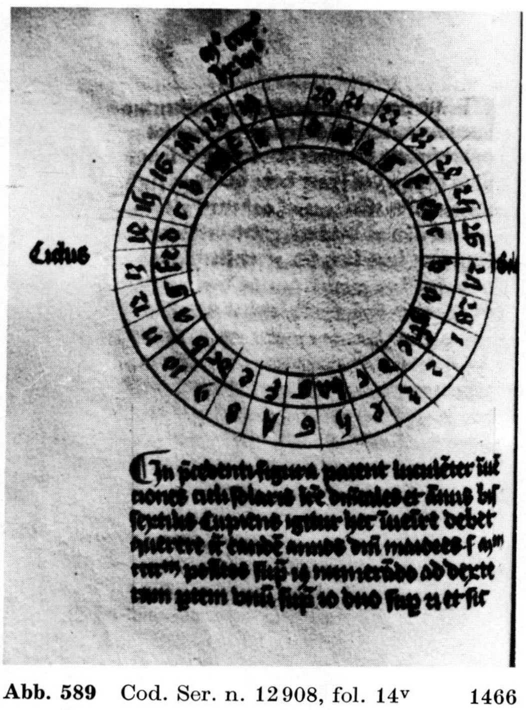

Abb. 589 Cod. Ser. n. 12908, fol. 14v 1466

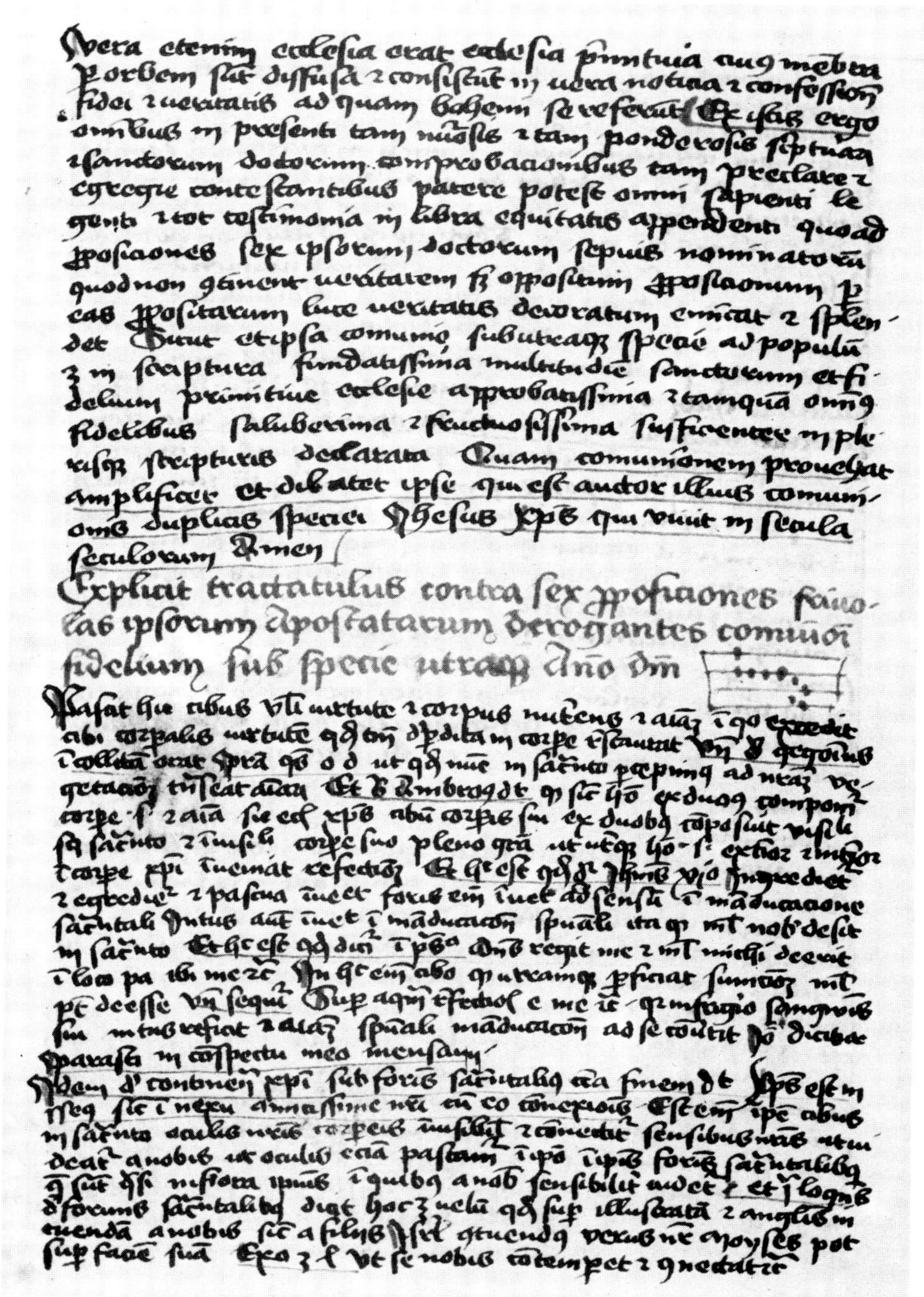

Abb. 590 Cod. 4488, fol. 308v (Böhmen), 1466 (?)

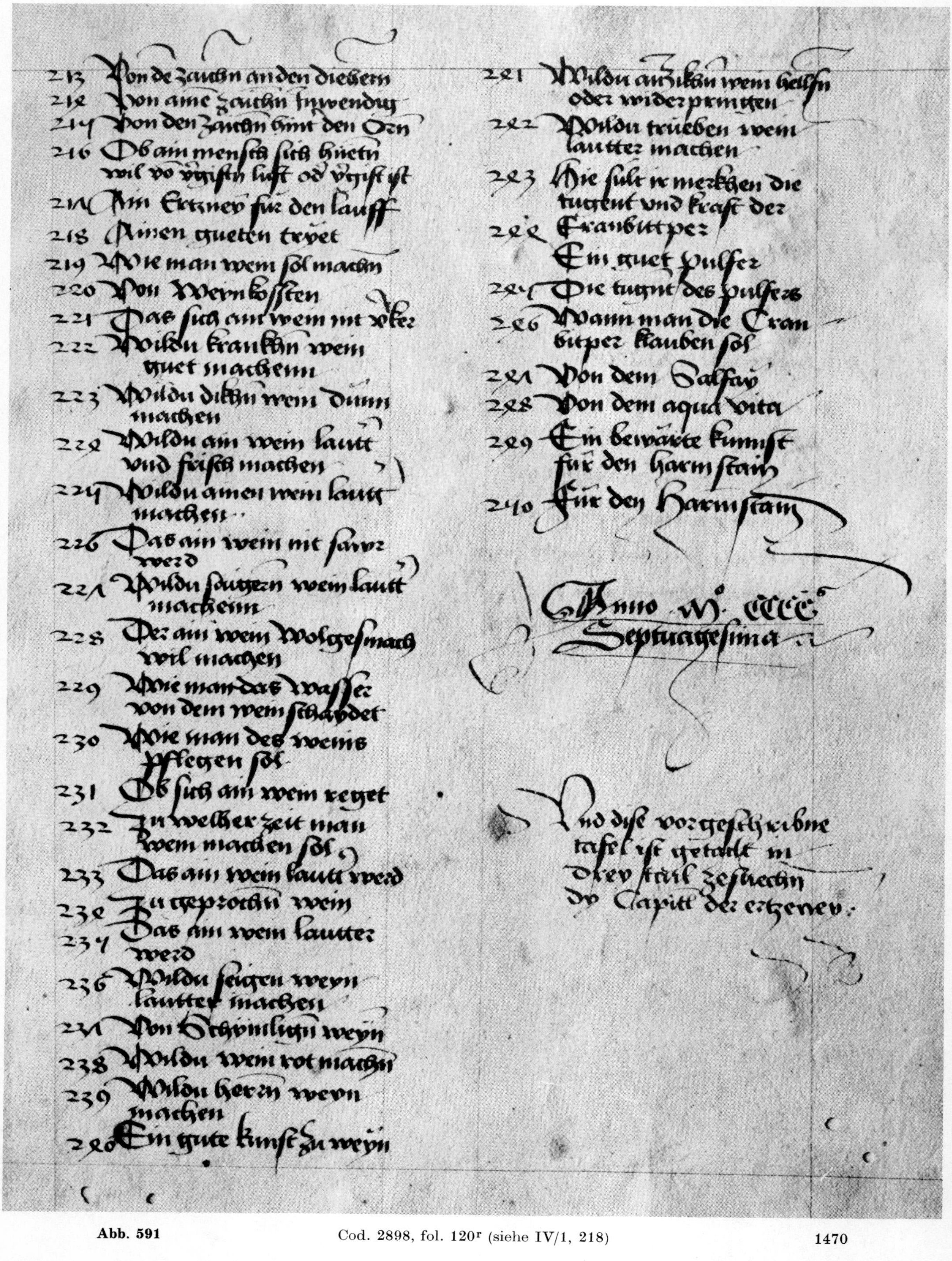

213 Von de zeuchn an den diehern
214 Von aine zeuchn inwendig
215 Von den zeuchn hint den orn
216 Ob ain mensch sich hüetn wil vo vgifstn luft od vgift ist
217 Ain Etzney für den lauff
218 Ainen gueten tryet
219 Wie man wein sol machn
220 Von Weinkosten
221 Das sich ain wein nit ker
222 Wildu kranckn wein guet machenn
223 Wildu dickn wein dunn machen
224 Wildu ain wein lautt und frisch machen
225 Wildu ainen wein lautt machen
226 Das ain wein nit sawr werd
227 Wildu soutzern wein lautt machenn
228 Der ain wein wolgesmach wil machen
229 Wie man das wasser von dem wein schaidet
230 Wie man des weins pflegen sol
231 Ob sich ain wein reget
232 In welher zeit man wein machen sol
233 Das ain wein lautt werd
234 Zu geprotn wein
235 Das ain wein lautter werd
236 Wildu seigen weyn lautter machen
237 Von Schwinlichn weyn
238 Wildu wein rot machn
239 Wildu heren weyn machen
240 Ein gute kunst zu weyn
241 Wildu auzikan wein helfn oder widerprinnen
242 Wildu trueben wein lautter machen
243 Hie sult ir merkhen die tugent und kraft der
244 Kranbitper
Ein guet pulfer
245 Die tugnt des pulfers
246 Wann man die Cranbitper klauben sol
247 Von dem Balsam
248 Von dem aqua vita
249 Ein bewärte kunst für den harm stain
250 Für den Harmstain

Anno M° CCCC° Septuagesima

Und dyse vorgeschribne tafel ist getailt in drey tail zeschreibn dy Capitl der ertzeney.

Abb. 591 Cod. 2898, fol. 120r (siehe IV/1, 218) 1470

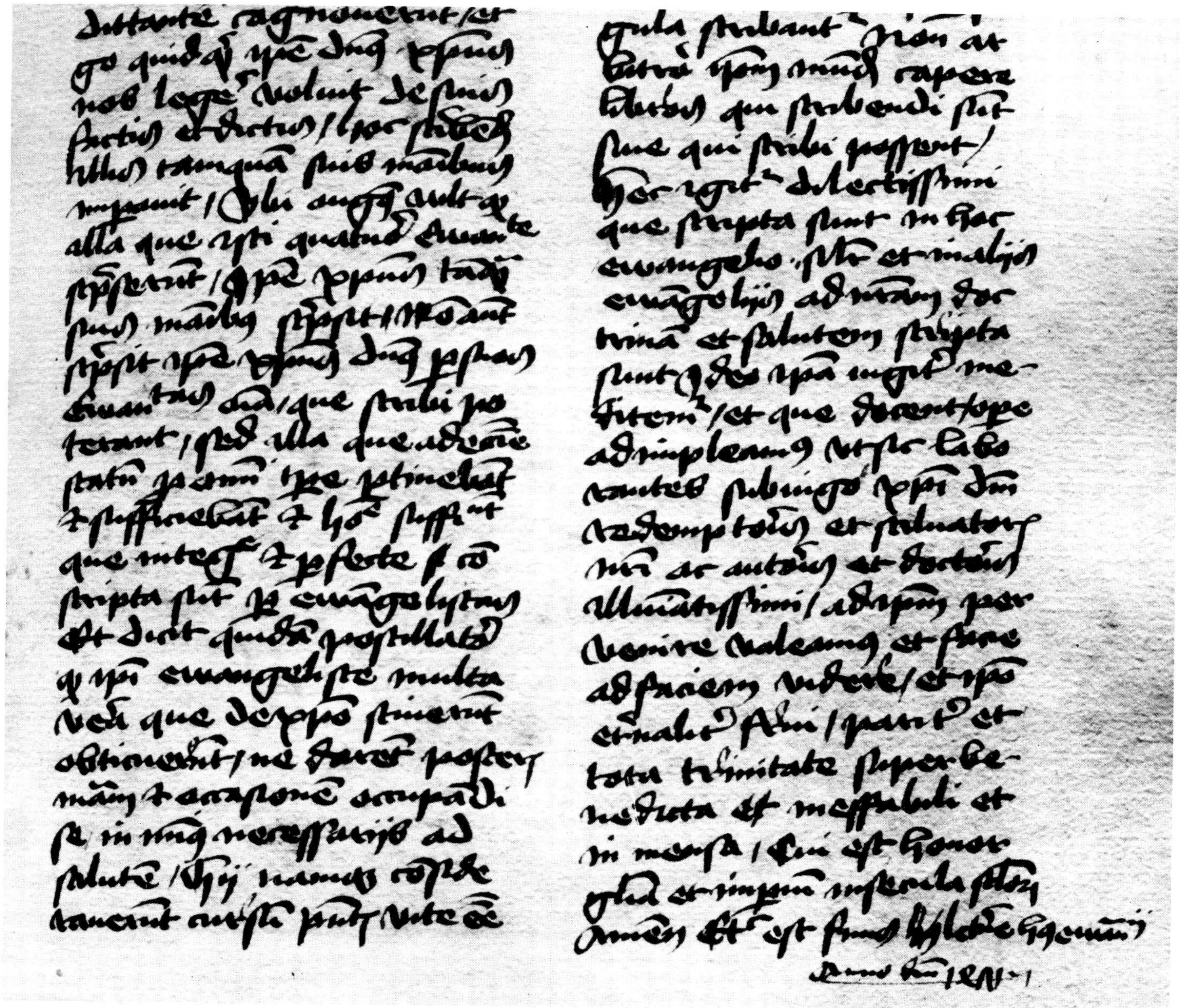

Abb. 592 Cod. 4183, fol. 254r 1471

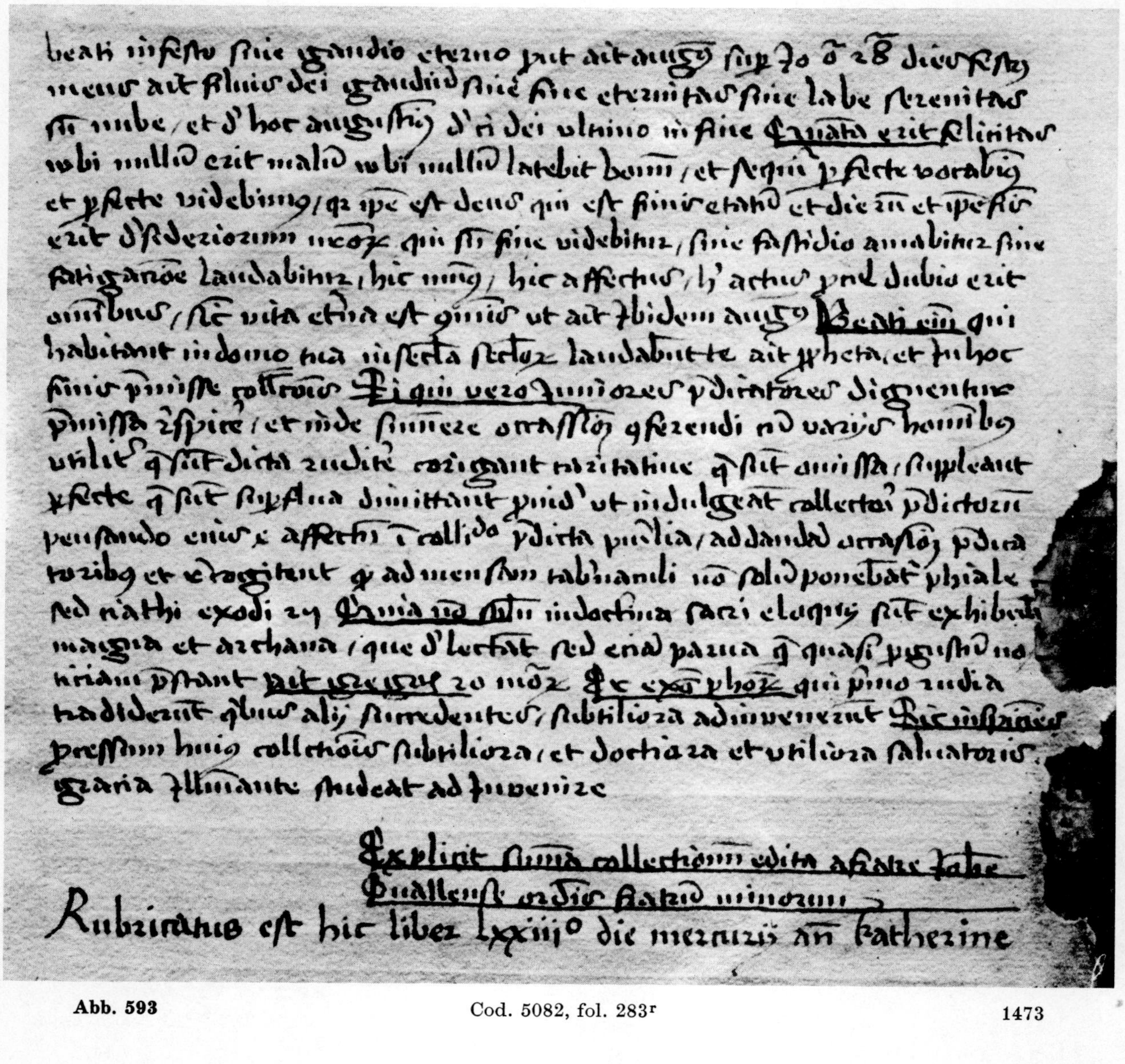

Abb. 593 Cod. 5082, fol. 283r 1473

Abb. 594 Cod. Ser. n. 12877, fol. 26r (Niederlande), 1474

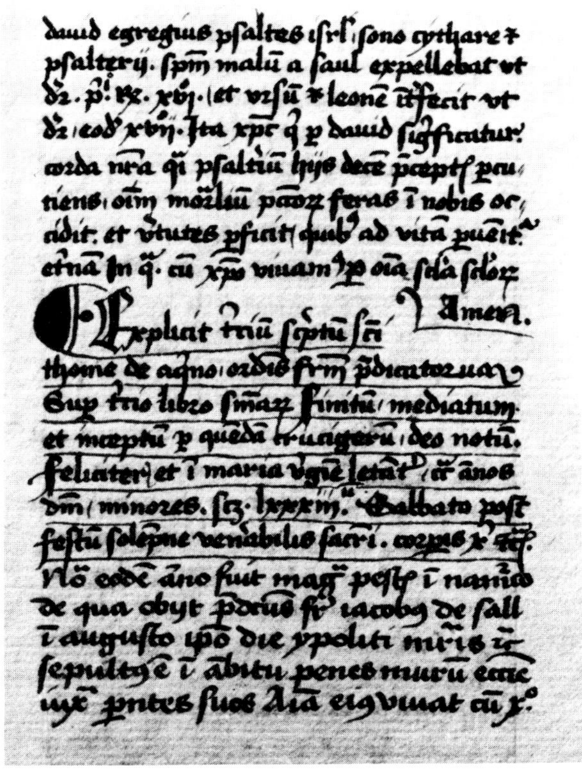

Abb. 595 Cod. Ser. n. 12794, fol. 222v Namur, 1483

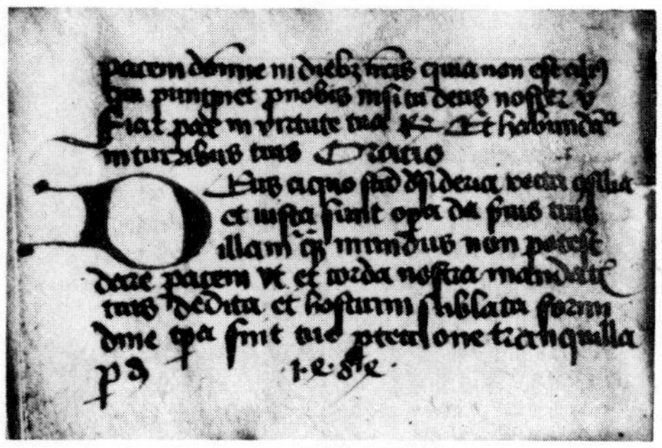

Abb. 596 Cod. 2024, fol. 316ᵛ (Mondsee), 1484

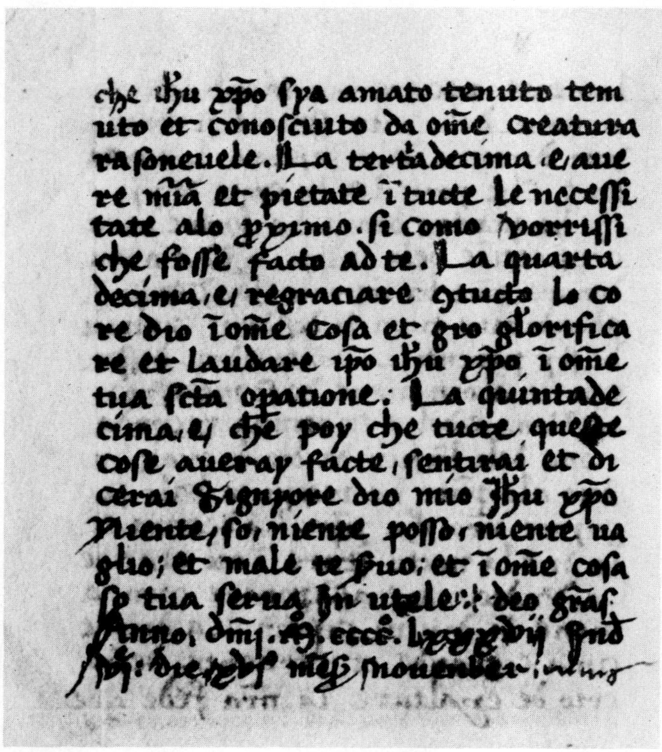

che ihu xpo sya amato tenuto tem
uto et conosciuto da ome creatura
rasoneuele. La tertadecima e, aue
re mia et pietate i tucte le necessi
tate alo proximo. si como vorrissi
che fosse facto adte. La quarta
decima, e, regraciare ctucto lo co
re dio i ome cosa et pro glorifica
re et laudare ipo ihu xpo, i ome
tua scta opatione. La quintade
cima, e, che poy che tucte queste
cose aueray facte, sentirai et di
cerai Signore dio mio Jhu xpo
niente, so, niente posso, niente ua
glio; et male te fuo; et i ome cosa
so tua serua in utele: deo gras.

Abb. 597 Cod. 3289, fol. 136ᵛ 1487

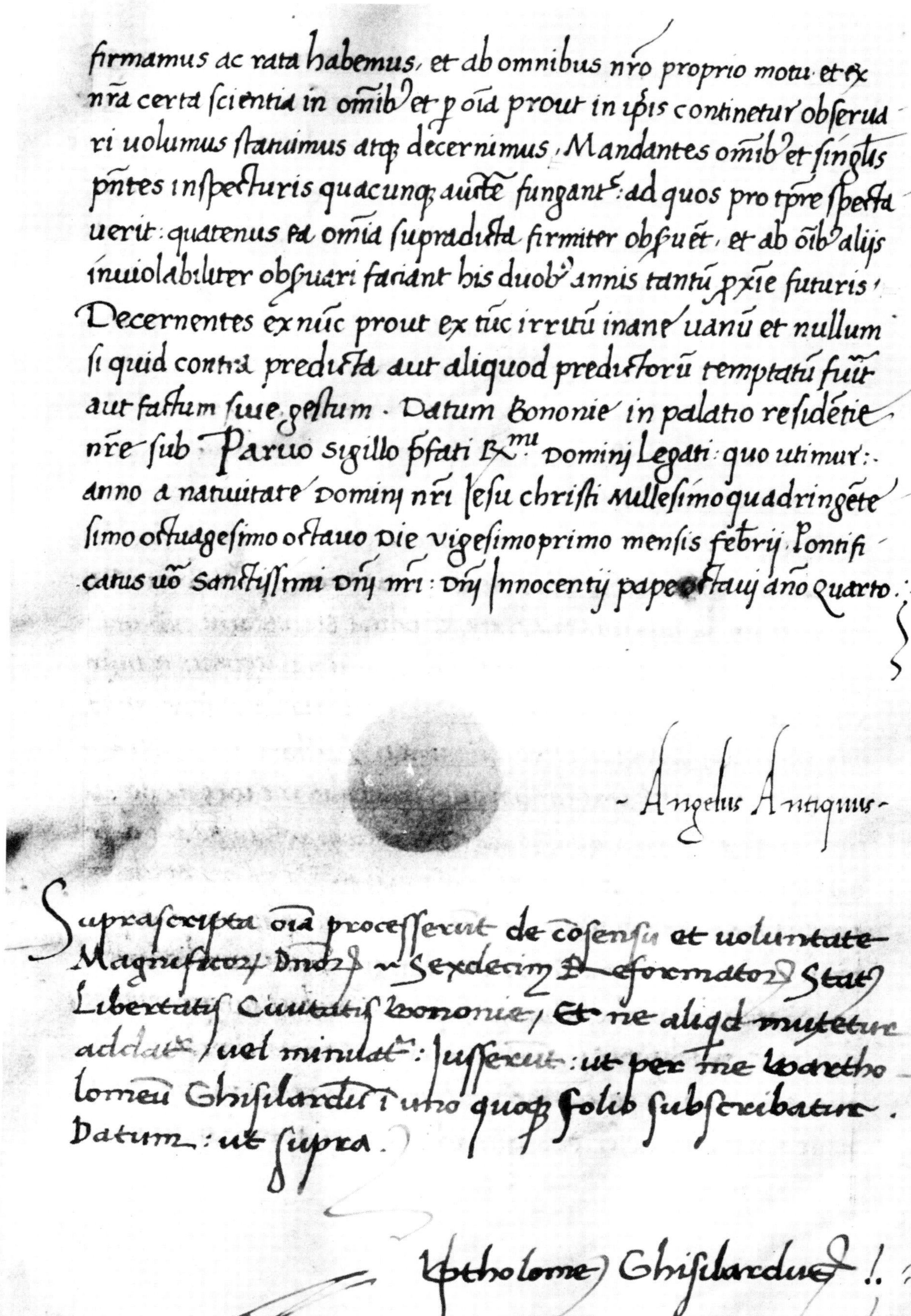

firmamus ac rata habemus, et ab omnibus nro proprio motu et ex
nra certa scientia in omib et p oia prout in ipis continetur observa
ri uolumus statuimus atq decernimus. Mandantes omib et singlis
pntes inspecturis quacunq aucte fungant ad quos pro tpre specta
uerit: quatenus ea omia supradicta firmiter obsuet, et ab oib alijs
inuiolabiliter obsuari faciant his duob annis tantu pxie futuris.
Decernentes ex nuc prout ex tuc irritu inane uanu et nullum
si quid contra predicta aut aliquod predictoru temptatu fuit
aut factum siue gestum. Datum Bononie in palatio residetie
nre sub Paruo sigillo pfati Rmi Dominj Legati: quo utimur:
anno a natiuitate Dominj nri Iesu christi Millesimoquadringete
simo octuagesimo octauo Die vigesimoprimo mensis febrij. Pontifi
catus uo Sanctissimi Dnj nri: Dnj Innocentij pape octauj ano Quarto.

Angelus Antiquus

Suprascripta oia processerut de cosensu et uoluntate
Magnificor Dnor .. Sexdecim Reformator Stat
Libertatis Ciuitatis Bononie, Et ne aliqd mutetur
addat uel minuat: Jusserut: ut per me Bartho
lomeu Ghisilardu i uno quoq folio subscribatur.
Datum: ut supra.

Bartholomeus Ghisilardus

Abb. 598	Cod. 14072, fol. 18v	Bologna, 1488

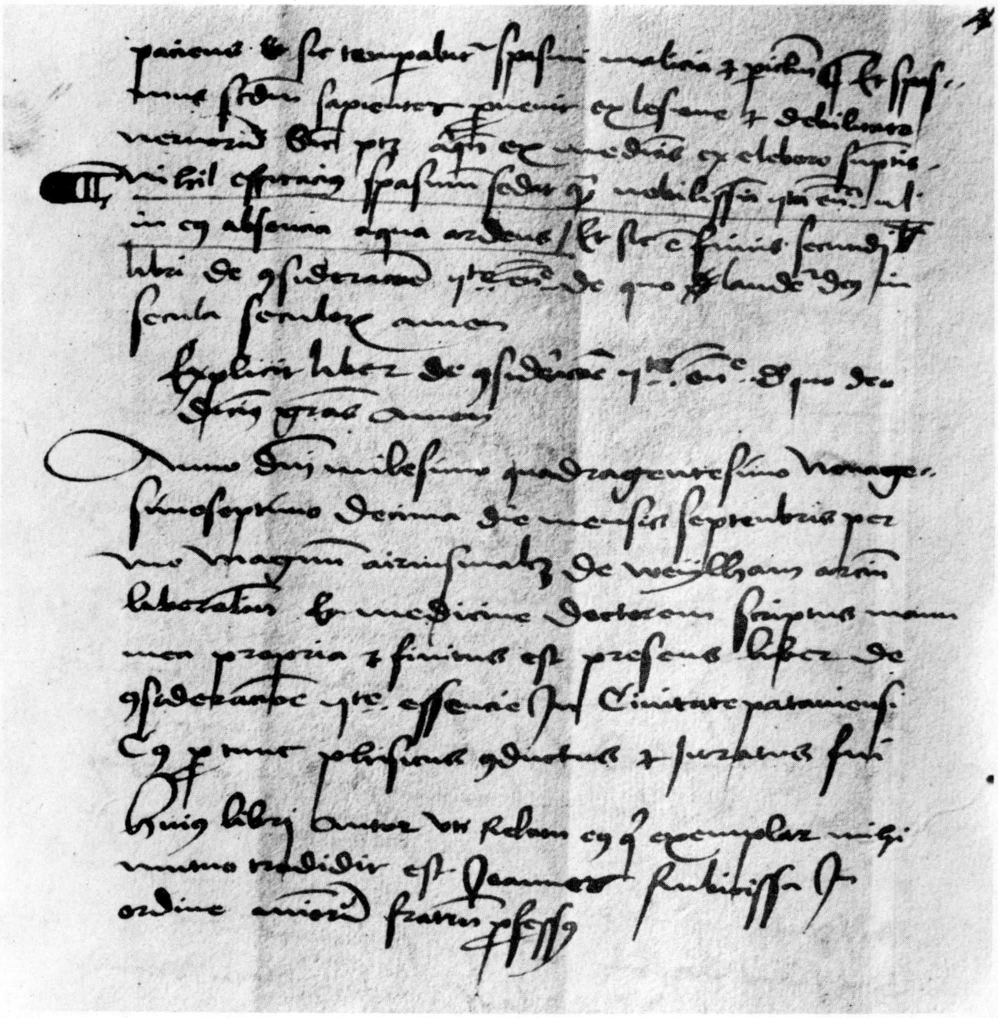

Abb. 599 Cod. 11182, fol. 407r Passau, 1497

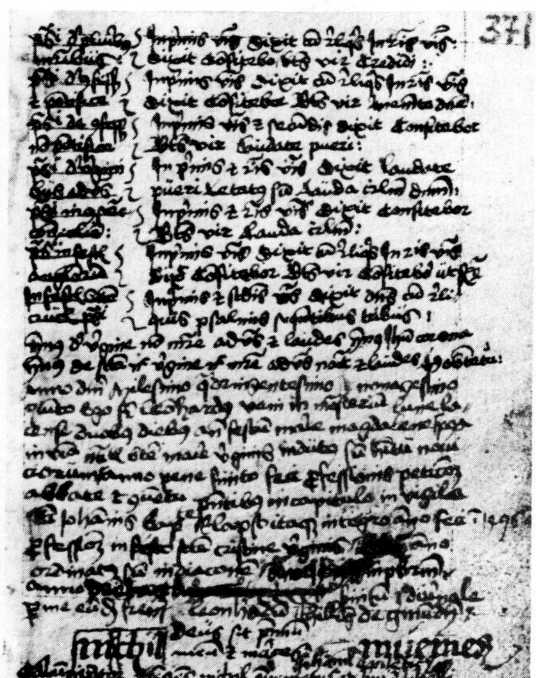

Abb. 600 Cod. 3582, fol. 371r (Mondsee), 1498